CW00432305

RHAPSODIE ITALIENNE

Né en 1949, Jean-Pierre Cabanes est avocat et auteur de plusieurs romans. Il a notamment obtenu le Grand prix de littérature policière en 1982 pour *L'Audience solennelle* et le prix Jean-Carrière en 2014 pour *Une jeunesse italienne*.

JEAN-PIERRE CABANES

Rhapsodie italienne

ROMAN

ALBIN MICHEL

ISBN : 978-2-253-10363-9 – 1re publication LGF

1915

1

C'est peu avant l'aube, devant le bordel de Madame Solange, la Française qui tient la maison la plus réputée de Vérone, que Lorenzo décide d'aller au mariage de Julia. Il vient de croiser Umberto Galluzzi, le futur époux, ils se détestent tous les deux.

Cette rencontre guide son choix. Depuis que Lorenzo a reçu le faire-part, il hésite. Il l'a fixé sur le calendrier de sa chambre d'officier, à l'endroit de la date, samedi 22 mai 1915, dans l'attente d'une réponse. D'abord, il a imaginé ne rien faire. Le silence. Julia n'entendrait plus jamais parler de lui, sauf peut-être par de lointains échos, les bruits étouffés qui traversent les murs épais des salons bourgeois.

Puis il a pensé lui adresser un billet exprimant ses regrets de ne pouvoir être présent et ses vœux de bonheur, pétris de convenances au point qu'elle en percevrait l'ironie. Comme ses propres parents ont aussi reçu l'invitation à cet événement phare de l'année mondaine, il s'est dit que son absence serait noyée dans le flot des invités et qu'en définitive cela n'aurait aucune importance. Mais là, c'est décidé, il ira, et ce sera la preuve de son indifférence.

Lorenzo rentre donc chez ses parents, qui habitent

le quartier de Borgo Trento sur le bord de l'Adige. Le long du fleuve, il croise une interminable file de véhicules militaires qui traversent la ville dans un roulement sourd. Il s'arrête près du parapet pour les regarder passer. Ce sont les nouveaux éléphants d'Hannibal, songe-t-il, tandis que lui reviennent à l'esprit les annonces de plus en plus insistantes de la guerre imminente contre l'Autriche.

Lorenzo appartient à l'armée d'active. Au régiment, on ne parle que de la guerre, à la maison que du mariage. Lorenzo se dit que son histoire d'amour ratée, de trahison soudaine de Julia, alors qu'il participait à des manœuvres dans les Pouilles, ne représente qu'un grain de sable, une goutte d'eau face à l'immensité de l'événement qui s'annonce. Il reprend son chemin, laissant traîner son regard sur les eaux du fleuve qui roulent vers la mer, dans la même direction que les canons. Il s'arrête un instant, contemple la tour qui flanque l'église, de l'autre côté du fleuve.

Un jour, il était entré à San Zeno, Julia à son bras.

« Si je me marie, je voudrais que cela se passe ici, avait-elle déclaré.

— Avec moi ?

— Avec qui d'autre ? »

Il arrive volontairement en retard et se glisse au fond de l'église parmi d'autres officiers qui ont, eux aussi, obtenu une permission mondaine. Ils le connaissent et le saluent chaleureusement. Certains d'entre eux savent son histoire avec Julia et lui tapent discrètement sur l'épaule pour témoigner de leur amitié. Lorenzo réagit par un signe de tête. Il veut rester digne.

La cérémonie se prolonge. Chants, lectures et sermon édifiant. Les invités commencent à bavarder. On entend à peine le consentement des mariés. Lorenzo, là où il est placé, ne voit de Julia qu'une longue silhouette blanche, immobile devant l'autel, à côté d'Umberto, lui aussi en uniforme de parade.

Alberto, un ami d'enfance, se penche vers lui pour demander s'il accepte de participer à la voûte d'acier prévue pour saluer les mariés sur le seuil de l'église. Lorenzo ne répond pas. L'émotion commence à l'envahir, il vit un cauchemar éveillé. Ce mariage, sous ses yeux, il n'y croit pas vraiment.

— Viens avec nous, tu brandiras ton sabre, et on verra bien que tu t'en fous, chuchote Alberto.

Il fait un signe d'assentiment. Lui aussi est en représentation. Il doit montrer que cette union ne l'atteint pas. C'est le vrai but de sa présence. En même temps, il craint le moment où il verra de près le visage de Julia, où il croisera son regard. Ce sera l'instant de vérité. Il doit tenir jusque-là.

— Que s'est-il passé ? chuchote encore Alberto. Elle t'a donné une explication ?

— Même pas. Quand je suis revenu des manœuvres, le carton m'attendait à la caserne. Je lui avais écrit à plusieurs reprises et je pensais trouver toutes les réponses à mon retour. Il n'y avait que ce carton, expédié par ma mère qui l'avait reçu à la maison.

— On dit dans Vérone..., reprend Alberto.

Lorenzo n'entend pas la suite. Les orgues viennent de lancer une marche nuptiale. Tous se pressent pour sortir. Un photographe s'est mis en position sur le perron. L'orgue couvre tout. Lorenzo distingue le chapeau à plumes de sa mère qui domine tous les autres. Les officiers se placent de part et d'autre du tapis qui orne les marches et dégainent leur sabre. Lorenzo ne regarde pas en direction du porche de l'église, il fixe Alberto, de l'autre côté du tapis.

On entend des applaudissements, puis le clac de l'appareil photo. Les sabres s'élèvent dans l'air, et Lorenzo devine Julia avant de la voir. Il reconnaît son parfum ou le croit. Elle passe devant lui à moins d'un mètre. Peut-être ne le repère-t-elle pas, ses yeux sont rivés sur la foule et le photographe qui change ses plaques à toute vitesse. Elle affiche un sourire froid, immobile, puis elle s'efface de son champ de vision.

Il remet son sabre au fourreau, la voûte d'acier se défait et les deux côtés se mélangent sur le tapis d'honneur.

— On dit que c'est une affaire d'argent, murmure Alberto. La famille Di Stefano courait à la faillite. C'était public. Le père Galluzzi a racheté les parts à de très bonnes conditions, mais Umberto a exigé Julia. Elle vaut plus cher que la société. C'est elle, le vrai prix des parts.

Lorenzo hausse les épaules. Il ne croit pas à cette histoire. On savait que les Di Stefano étaient en difficulté. De là à vendre leur fille…

— Pourquoi ne m'a-t-elle pas écrit ? Elle recevait mes lettres, elle savait que j'allais rentrer.

— Elle n'a pas osé, comme elle n'a pas eu le choix. Ce ne sont pas des choses faciles à dire, encore moins à écrire, surtout sur sa propre famille. Vous étiez ensemble depuis longtemps, je crois.

— Nous nous sommes rencontrés au bal des officiers en juin 1913.

— Deux ans ! s'exclame Alberto. Tu l'attends depuis deux ans !

Lorenzo se tait. Il sent monter les larmes, mais fait un effort pour les retenir. Alberto ricane.

— Tel que je te connais, tu n'as pas attendu deux ans avec une fille comme celle-là. Umberto aura une belle surprise ce soir.

Une nouvelle fois, il garde le silence. Julia est une fille étrange et belle qui ne cherche pas à attirer l'attention. Il ne se souvient plus de ce qu'il lui avait dit, mais elle lui avait répondu et ils avaient poursuivi ainsi. Dans les mois qui avaient suivi, alors qu'ils s'étaient revus plusieurs fois à des intervalles de plus en plus brefs, quand, enfin, il avait osé la prendre dans ses bras et l'embrasser, non seulement elle s'était laissé faire, mais elle avait ouvert la bouche et s'était serrée contre lui.

« Pourquoi moi ? » avait-il demandé.

C'était la question qui le taraudait depuis le début. Que lui trouvait-elle ? Qu'avait-il de mieux que les autres, était-il plus riche, plus beau, plus brillant, ou tout cela à la fois ?

« Parce que tu es un solitaire », avait-elle immédiatement répondu.

Ce qui prouvait que cette question, elle l'attendait, elle y avait réfléchi.

« Parce que tu fais semblant. Tu joues un rôle de bon camarade, d'ami. C'est l'image que les autres attendent de toi. Tu ris quand ils rient, même de leurs bons mots. Mais au fond, tu penses à autre chose, tu portes un masque, tu n'es que mépris. Un dédain que tu ne montres jamais, c'est pourquoi on t'aime bien. Tout ce que tu m'as dit sur toi, sur ta vie, sur ton regard sur le monde, je suis sûre d'avoir été la seule à l'entendre. »

Elle s'était arrêtée un instant. Lui était stupéfait. Elle en savait plus que lui-même sur son compte. Elle avait une voix plutôt grave, avec une pointe d'accent autrichien qui tranchait sur les ritournelles des filles de son âge.

« Je crois que je suis comme toi. Nous avons toujours quelque chose à nous dire que nous ne disons pas aux autres. »

Elle s'était encore interrompue, avec cette expression chaude du regard qu'elle lui réservait.

« C'est peut-être cela l'amour, c'est sûrement cela, avait-elle achevé.

— Oui, avait-il balbutié, c'est cela. »

Ils n'en avaient jamais reparlé. Ils étaient à part et ils s'aimaient. C'était un fait acquis. Peu après, ils avaient couché ensemble dans une garçonnière qu'il avait louée, un peu à l'écart, du côté des anciens remparts, délaissant la précédente, piazza Erbe, que trop de filles connaissaient. Elle n'avait pas montré de réticence, comme si c'était une chose naturelle qui devait arriver. Bien sûr, elle était vierge. Lui avait été très tendre, et elle lui avait rendu sa douceur. Quand il avait été nommé au régiment de Mantoue, elle avait pris le train, plusieurs fois par mois, pour le rejoindre au prétexte de courses avec des amies. Un jour, ils avaient parlé de vivre ensemble, de se marier. Là encore, c'était évident, cette idée de s'épouser. Ce jour-là, comme ils étaient entrés à San Zeno, elle lui avait dit que ce serait dans cette église qu'elle se marierait avec lui. Pour autant, rien n'avait été défini. Ce mariage ne serait que la régularisation sociale d'une relation exceptionnelle, connue dans Vérone et alentour, mais discrète. De temps à autre, ils croisaient la joyeuse bande des Giardini Giusti et s'attardaient avec eux pour des bavardages. Umberto Galluzzi dominait ces réunions. C'était un personnage impérieux avec une grosse voix et des opinions tranchées. Un demi-géant déjà ventru. On le respectait parce que son père était riche, puissant aussi, disait-on, très introduit à la mairie. Umberto profitait, abusait de ce statut. Les rapports avec lui étaient toujours placés sur le terrain d'un affrontement dont il devait sortir vainqueur. À défaut, il passait pour avoir la rancune tenace. Lorenzo l'avait souvent surpris à jeter sur Julia des regards insistants.

« Il me veut, lui avait-elle confié, son père a parlé au mien. »

Elle avait serré son bras et ajouté :

« Je suis la femme d'un seul homme, et c'est toi. »

Lorenzo se trouve pris dans le cortège des invités. Impossible de fuir. Cette désertion mondaine constituerait l'un des scandales que sa mère a en horreur. D'ailleurs, elle ne manque pas de le présenter à ses amies, dès qu'elle les attrape : « Mon fils Lorenzo, le plus beau garçon de Vérone. Il finira général ! » Les amies renchérissent. Il lui demande d'arrêter, mais elle est intarissable. Elle n'a qu'un fils et veut le montrer.

Ils franchissent le seuil de l'immense palazzo où le père Galluzzi a organisé la réception. Le Tout-Vérone se presse dans les jardins, parcourus de serviteurs en livrée, d'uniformes, d'habits et de chapeaux à plumes et à fleurs, où domine toujours la voix impétueuse de sa mère.

Lorenzo ne veut plus voir Julia. À quoi cela servira-t-il de croiser son regard, d'échanger quelques mots insipides ? C'est le moment de partir. Il veut repasser le porche, mais ses amis l'entourent. Ils n'ont qu'un seul mot à la bouche : la guerre ! Une minorité soutient qu'elle n'aura jamais lieu. L'Italie restera neutre.

Une discussion s'engage mais ils sont presque tous d'accord. Ce qui est en jeu, c'est l'honneur de l'Italie, sa vocation à devenir une grande nation à l'égal de l'Angleterre et de la France. C'est pourquoi il faut entrer en guerre contre l'Autriche qui occupe les *terre irredenti*. L'occasion est exceptionnelle. Le président du Conseil a parlé d'« un égoïsme sacré de la nation », le traité de Londres accorde à l'Italie des avantages magnifiques après la victoire, et le général comte Cadorna, chef d'état-major, a affirmé au roi que l'armée italienne serait à Vienne en moins de trois mois. Lorenzo ne partage pas l'enthousiasme collectif. Sa mère est une ferme *interventista*, comme la plupart de ses amies de la meilleure bourgeoisie, qui répètent les discours belliqueux de leurs maris. Son père, le médecin-major en retraite, a fait observer de sa voix douce que le général Cadorna, certes parvenu au sommet de la hiérarchie militaire, a, quelques mois plus tôt, recommandé d'envoyer des troupes sur le Rhin pour soutenir les Allemands et présenté au roi un plan d'invasion de la France par le sud ! Ce militaire brillant a fait carrière dans les états-majors, il n'a jamais entendu siffler une balle ennemie.

Ce discours a impressionné Lorenzo. Son père n'élève jamais la voix et fait en sorte de ne jamais contrarier sa mère. Sa pensée est toujours réfléchie, alors que sa mère a tendance à s'emballer, à suivre l'opinion la plus répandue.

— Sommes-nous bien sûrs de gagner cette guerre, si elle a lieu ? se contente-t-il de demander à ses camarades. Les Austro-Hongrois ont démontré en Russie qu'ils étaient d'excellents soldats, attachés à l'empire des Habsbourg.

Ils se récrient. Un officier italien ne peut tenir pareil discours ! L'armée dispose des meilleurs hommes, bien plus attachés à Victor-Emmanuel que les Autrichiens à François-Joseph, dont l'empire ne compte pas moins de dix nationalités différentes. Enfin, le matériel de guerre est incomparable.

— Les assauts italiens seront irrésistibles. Ceux qui prétendent le contraire sont des traîtres, surtout quand ils portent notre uniforme !

C'est Umberto, le marié. Il s'est approché quand il a entendu la discussion. Planté devant Lorenzo, il le fixe d'un air furieux. Sa bedaine tend son uniforme de parade. Sa main gauche caresse la poignée de son sabre pendu à sa hanche.

— Aujourd'hui, la guerre n'est pas déclarée. Je ne suis pas en service et je ne porte l'uniforme qu'en l'honneur de ton mariage auquel je suis invité, répond Lorenzo d'une voix calme. Je suis donc libre des propos que j'échange avec mes camarades.

Umberto tient son scandale.

— Je ne sais pas qui t'a invité, mais puisque tu es là, profitons-en !

Il plonge la main dans sa poche et en tire un paquet de lettres. Lorenzo reconnaît son écriture sur les enveloppes.

— Tu as écrit à ma femme ces lettres misérables. Ce sont des lettres de traître et je pourrais les faire parvenir à l'état-major. Je te les rends. Remercie-moi.

— Comment as-tu obtenu ces lettres ? Tu les as volées à Julia ?

Umberto ne répond pas et les jette sur le pavé où elles s'éparpillent.

— Tu peux les ramasser. Tu les reliras dans ta cellule avant d'être fusillé pour lâcheté devant l'ennemi. Ce soir, Julia connaîtra un homme pour la première fois.

Il parle si fort qu'une petite foule s'est agglutinée autour d'eux.

— Pour la première fois, répète Umberto encore plus fort.

Tous les regards se portent sur Lorenzo. Les lettres gisent toujours sur le sol.

— Pour la première fois, répète aussi Lorenzo de sa voix redevenue calme, mais suffisamment haut pour être entendu. En es-tu certain ?

Parmi les invités, on entend des « Oh ! ». La mère de Lorenzo pousse un cri.

— Veux-tu bien te taire, Lorenzo !

Certains sourient. Cette histoire de lettres soustraites est évidemment suspecte. Umberto a préparé l'incident mais celui-ci se retourne contre lui.

— Tu injuries ma femme ?

Umberto a porté sa main sur son sabre.

— Ce n'est pas une injure de m'avoir aimé.

La lame surgit du fourreau, en même temps qu'une lueur folle dans le regard d'Umberto.

— Bats-toi ! s'écrie-t-il.

Il s'avance vers Lorenzo, le sabre en avant. Ses amis se récrient. Plusieurs veulent s'interposer, mais il les menace à leur tour, et ils reculent. Lorenzo reste face à Umberto. Lui aussi a tiré son sabre et s'est débarrassé de sa veste pour se battre en chemise. Umberto fait de même. Un murmure parcourt la foule. Elle réprouve, mais elle veut assister au duel.

Ils se jettent l'un sur l'autre. Le choc des lames fait un bruit clair. Ils tournent l'un autour de l'autre, décrivant un cercle. Les spectateurs reculent précipitamment quand ils s'approchent trop. De temps en temps, on entend des cris : « Arrêtez, mais arrêtez ! » Puis plus rien, sauf le claquement des sabres et le halètement des deux hommes.

Le marié, qui souffle fort, se précipite, l'arme haute. Tout va très vite. Lorenzo, après une parade, le blesse au poignet. Le sabre d'Umberto tombe sur le sol. Il tient son poignet ensanglanté de sa main gauche. Lorenzo s'avance. La pointe de sa lame touche le ventre de son adversaire. Le marié recule, il souffle de plus en plus fort. Les gouttes de sang inondent le sol et les lettres de Lorenzo. Le marié se met à suer. Il suffirait que Lorenzo pousse son sabre pour le transpercer. Le sang monte aux joues d'Umberto. Il ouvre la bouche comme un poisson. Lorenzo recule d'un pas, l'arme basse. Umberto grimace et bascule d'un coup sur le pavé.

Lorenzo montre la pointe de son sabre, intacte. Le seul coup qui ait atteint Umberto est celui porté au poignet. Il gît toujours à terre. On l'entoure, on demande un médecin. Lorenzo a remis son sabre au fourreau. Alberto lui tend les lettres.

— Il vaudrait mieux que tu t'en ailles, dit-il.

Lorenzo se dirige vers la sortie. La foule des invités s'écarte pour le laisser passer. Les visages sont graves, mais les commentaires fusent. Ce mariage, on en parlera longtemps à Vérone. Il franchit le porche ombreux.

Une silhouette blanche se détache du mur et vient vers lui. C'est Julia. Elle porte sa jolie robe de mariée mais elle a ôté sa capeline. Lorenzo ne veut pas s'arrêter.

— Va retrouver ton mari, il a besoin de toi.

— Lorenzo, attends ! Pourquoi n'es-tu pas venu me chercher ?

Il ralentit le pas.

— Comment ça ?

— Je t'ai écrit. Je t'ai tout expliqué, je t'ai demandé de venir me chercher. Il n'y avait plus que cette solution pour mon père, pour moi, pour nous. Je t'ai attendu jusqu'au dernier moment.

— Je n'ai jamais reçu cette lettre.

— Elle était avec le faire-part !

Ils doivent s'écarter. Un médecin arrive en courant, sa mallette à bout de bras, suivi d'infirmiers qui portent un brancard. Une voix appelle Julia. Umberto ne va pas bien du tout.

— Va, dit Lorenzo, on se verra demain. Rendez-vous comme d'habitude.

Elle regarde autour d'elle. Il n'y a plus personne sous le porche.

— Embrasse-moi, dit-elle.

— Lorenzo, j'ai eu si peur ! dit sa mère en se jetant sur lui.

Puis, sans transition :

— Quelle honte ! Mais quelle honte ! Que va-t-on dire dans Vérone ? Je ne m'en remettrai jamais.

— Où est la lettre de Julia ? demande Lorenzo froidement.

— Quelle lettre ?

— Celle qui était avec le faire-part. Donnez-la-moi.

— Il n'y avait aucune lettre.

— Vous mentez, maman. Donnez-moi cette lettre, sinon j'irai fouiller votre chambre.

— Ta mère ne ment jamais. J'ai trouvé cette lettre, je l'ai lue et je l'ai brûlée. Ce n'était pas la lettre d'une jeune fille qui va se marier, ce n'était pas une lettre convenable. Si tu l'avais lue, je suis sûre qu'il y aurait eu un scandale. J'ai agi pour ton bien, comme je le fais toujours.

— Beau résultat !

— Je t'en prie, Lorenzo. N'oublie pas que je suis ta mère. Nous étions au courant, ton père et moi, de ton histoire avec Julia Di Stefano. Ce n'était pas une fille pour toi, et son mariage avec Umberto était une excellente affaire pour tout le monde, toi compris.

Il retient l'injure qui lui monte à la bouche en voyant son père arriver.

— Umberto Galluzzi est mort, annonce celui-ci d'un ton lugubre. Je n'ai rien pu faire, ni le confrère que j'ai appelé. Une crise cardiaque ou un transport au cerveau. Les deux marchent ensemble souvent. L'excitation du duel chez un homme déjà gros, puis il a cru que tu allais le tuer, qu'il allait mourir. J'ai vu des hommes comme ça à la guerre. Au moment de la bataille, ils étaient sûrs d'y rester. Certains mouraient d'émotion, de peur de la mort. C'est étrange mais c'est ainsi. Mon confrère en est d'accord. Nous l'avons dit à la famille, qui ne demandera pas d'autopsie.

— Vous voulez dire qu'Umberto est mort de peur !

— On peut le penser, Lorenzo.

À cet instant, on sonne. C'est un carabinier. À la vue de Lorenzo en uniforme, il salue et claque des talons.

— Mon lieutenant, je suis chargé d'un message destiné à tous les officiers en permission. La guerre avec l'Autriche sera déclarée demain dimanche 23 mai. Toutes les permissions sont annulées.

2

Au même moment, dans le village misérable de Castellàccio, près de Palerme, Nino Calderone poursuit une partie de *ramazza*[1] avec ses deux amis,

---

1. Un des noms siciliens d'un jeu de cartes créé au XVe siècle et toujours populaire en Italie.

Beppe et Franco. Tous les trois ont un visage mince et portent un béret qu'on appelle la *cuppola.*

Nino Calderone marque sur *La Sicilia* du jour les points de chaque joueur. Cette guerre qui s'annonce ne les concerne pas. C'est une affaire pour les gens du Nord à laquelle les Siciliens ne comprennent goutte, ou du moins ceux qui vivent à l'intérieur de l'île. Ils n'ont jamais vu un Autrichien de leur vie et ignorent où se trouvent les fameuses *terre irredenti* qu'il faut reprendre. Ils n'ont donc aucune intention d'aller se faire tuer pour le compte des Piémontais. Même si l'unité italienne date de plus de cinquante ans, et si l'expédition des Mille a réellement commencé en Sicile, ils se souviennent de leurs grands-parents qui ont vécu l'épopée de Garibaldi et qui soutenaient qu'en définitive, cela n'avait pas été une bonne affaire pour la Sicile. Sans doute Ferdinand II, le *Re Bomba*, avant-dernier roi des Bourbons, avait-il fait bombarder Messine, mais son régime était mieux compris que celui des Piémontais (d'ailleurs, remarquait-on, lui au moins pouvait s'exprimer en dialecte). L'Italie unie, la liberté, c'était surtout les impôts, la conscription, les préfets du Nord et leurs affiches énonçant de nouvelles contraintes, libellées dans un italien que personne ne comprenait, pour ceux qui savaient lire.

— Il paraît, commence Nino Calderone, que cinq mille personnes ont défilé à Palerme le 14 mai et le double à Catane.

— Pour quoi faire ? demande Beppe.

— Oui, quel intérêt d'aller défiler en plein soleil ? s'étonne Franco.

— Pour la guerre contre les Autrichiens, répond Nino.

Les trois éclatent de rire. C'est bien dans les manières des gens de la ville de vouloir entrer en guerre contre un peuple qui n'a jamais fait de mal aux Siciliens, et dont on ne sait pas où le pays se situe exactement, sauf que c'est dans le Nord, et même au-delà du Nord, derrière cette chaîne de montagnes qui s'appelle les Alpes et où il y a de la neige toute l'année. Au village, on voit la neige une fois par décennie, et encore. Certains enfants ne la connaissent qu'en photo sur le calendrier des postes. Pourquoi donc aller se battre contre des gens qui vivent dans la neige ?

La partie prend fin et chaque joueur paie une demi-lire à Beppe qui a fait la *ramazza*. Il est huit heures du soir, la nuit est tombée en même temps que le silence.

— Regardez ! s'exclame soudain Beppe en étouffant sa voix.

C'est don Tomasini. Il traverse la place en direction de l'église, suivi de deux gardes du corps, tous en tenue de sortie. Une jeune fille ferme la marche, vingt ans au plus, la plus jolie *signorinedda*[1] de la région, mais au visage fermé. C'est Carmela, la nièce de don Tomasini, qu'il a recueillie des années plus tôt à la mort de ses parents dans un accident. Elle s'occupe de la maison et doit tout à son oncle. On la connaît pour sa discrétion et sa courtoisie quand elle fait les courses.

En apercevant les trois amis à la terrasse du café,

1. Demoiselle (dialecte).

don Tomasini lève son melon pour les saluer. Les trois sont déjà debout et ont ôté leur béret en signe de respect. Don Tomasini est non seulement le maire et l'homme le plus riche dans un rayon de cinquante kilomètres, mais on lui prête aussi une réputation de férocité pour qui lui résiste. Malgré cela, il se montre toujours aimable et ménage le curé chez lequel il va dîner sans doute.

— *Carogna*, murmure Franco quand le cortège a disparu.

Tous trois se regardent. Ils reprennent place en même temps.

— Merci d'être venus tous les deux à la messe pour mon père, dit enfin Nino. C'était courageux de votre part, et surtout une manifestation d'amitié que je n'oublierai pas.

Franco et Beppe hochent la tête sans répondre. Un an plus tôt, le père de Nino a été retrouvé mort dans son champ. Étranglé. Probablement à l'heure où il allait rejoindre Luciana, sa maîtresse, l'institutrice qui tenait aussi le tabac du village. Elle avait remplacé la mère de Nino qui avait succombé au choléra en 1908. Tout le monde avait assisté aux obsèques, don Tomasini en tête. Puis le bruit avait commencé à se répandre que c'était lui, justement, qui avait recruté un *spataiolu*[1], peut-être deux, pour régler son compte à ce petit propriétaire qui refusait de se plier aux prix qu'il offrait et vendait ses produits ailleurs. Don Tomasini avait haussé les épaules et le bruit s'était tu aussitôt.

---

1. Tueur professionnel.

Évidemment, l'enquête des carabiniers n'avait jamais abouti, et à la messe de requiem, l'église était quasiment vide, n'y assistaient que Nino, Luciana, ses deux amis, et quelques vieux qui ne risquaient rien. Le curé avait expédié le service. Lui non plus ne tenait pas à se brouiller avec don Tomasini, qu'il recevait à dîner le soir même, et chez lequel il était invité à déjeuner chaque dimanche.

— Comment ça va à la ferme ? demande Beppe à Nino.

— Je m'en sors. Des gamins viennent m'aider pour les récoltes. Je les paie comme je peux. Ils emportent des légumes, des fruits pour leur famille et m'aident pour le foin. Je les aime bien, mais ce ne sont pas des amis comme vous.

— Tu devrais te marier, dit brusquement Franco.

Nino éclate de rire.

— Quelle fille m'épouserait ? Je n'ai rien, sauf cette ferme qui suffit à me faire vivre mais qui ne nourrirait pas un couple avec des enfants.

— Tu es un beau garçon, renchérit Beppe. Dans les bals de village, les filles te tournent autour. L'été dernier, à Sirignano, il a fallu partir, les types du coin voulaient ta peau.

— Sais-tu comment t'appellent les filles ? demande Franco. Nino *Beddu*[1]. À ta place je serais flatté.

Nino sourit. Il connaît ce surnom, mais préfère sa réputation de garçon sérieux et appliqué dans son travail de paysan.

— Nous sommes au printemps, dit-il de sa voix

1. Le beau Nino (dialecte).

calme, les fêtes vont recommencer. Cette fois, il faudra changer d'endroit.

Les deux autres l'approuvent. Sans qu'ils le reconnaissent, Nino les dirige et ils ne s'en sont jamais plaints. C'est lui qui avait donné le signal du départ à Sirignano car cela risquait de mal tourner, les jeunes du village n'appréciant pas qu'un étranger fasse danser les filles qu'ils considéraient comme leur propriété. Franco et Beppe se seraient battus, Nino aussi. Mais il avait jugé qu'ils n'étaient pas en force. Il avait dit : « Ça suffit, on s'en va. » Et ils étaient montés dans la vieille voiture de Beppe qui avait démarré sous les huées.

« Il n'y a pas de déshonneur à refuser de se battre en nombre inégal, avait dit Nino. Ils étaient au moins dix et d'autres seraient arrivés. Ce n'est pas une fuite, c'est un repli. »

Ils n'avaient pu que l'approuver.

« Dommage quand même, avait conclu Franco. Il y en avait de belles. »

Ils rient. Ils ont les désirs de leurs vingt ans et, au village, il n'est pas question de papillonner auprès des filles, sauf à afficher une volonté de mariage. Pères et frères veillent au grain et ont le couteau facile. Une fille qui cède à un garçon qui ne l'épousera pas est une fille perdue dont personne ne voudra, et son amant d'un mois, d'un soir, un homme mort. Les villages sont pleins de ces histoires de filles, enceintes ou déflorées, qui ont dû quitter leur famille pour aller se louer comme domestiques dans des endroits où personne ne les connaît. Quant à l'amant, si on l'identifie, une fois mis en demeure de régulariser la situation et s'y étant refusé, il doit, lui aussi, s'exiler dans une contrée lointaine, à l'autre bout de l'île ou même sur le continent. À défaut, on le retrouvera comme le père de Nino, un beau matin, sur le bord d'un chemin, le lacet encore noué autour du cou.

Les jeunes des deux sexes connaissent la règle. Ils se limitent à des échanges de sourires à l'entrée et la sortie de la messe. S'ils se plaisent, le garçon peut faire sa cour à une demoiselle, après avoir cherché dans l'histoire des familles si quelque déshonneur ne traîne pas encore. On suppute les terres, les revenus et les dettes, ainsi que les espoirs que l'on peut miser sur le postulant. Les fils de voleurs, de séducteurs, de délateurs sont aussitôt écartés, car il est admis que le postulant a, en naissant, hérité des mêmes tares qui réapparaîtront un jour. Mais les fils de « criminels honnêtes », même s'ils se sont fait prendre et purgent l'*ergastulu*[1] à l'Ucciardone, la grande prison de Palerme, sont autorisés à faire leur cour, si leurs qualités personnelles sont reconnues. Dans ce cas, ils ont leur rond de serviette le dimanche chez les parents de la *signorinedda* et peuvent lui tenir la main dans les promenades familiales de l'après-midi ou du soir. Pendant cette période se développent entre les pères de longues tractations sur ce que chacun apportera.

Parfois, le débat est bref parce que les deux sont trop pauvres pour négocier quoi que ce soit. En dehors de ce processus, point de salut. Les garçons en quête d'exploits charnels doivent tenter leur chance

---

1. La perpétuité (dialecte).

loin des yeux du village, au risque de se faire chasser par les concurrents locaux. À défaut, il leur reste les bastringues de Palerme peuplés d'ouvrières, de bonnes et de vendeuses de magasin, peu farouches, ou les filles de la Kalsa[1] si l'on ne craint pas les maladies.

Quant aux filles, assommées de recommandations et d'interdits, elles n'ont plus qu'à manier le mensonge, les œillades et les sourires en coin, si elles veulent humer l'odeur de l'amour. Ce qu'elles pratiquent avec une aisance consommée, comme leurs mères avant elles. Certaines, plus audacieuses, peuvent consentir des embrassades furtives sous des porches obscurs et déserts, voire quelques palpations. Mais les choses vont rarement plus loin, et elles portent jusqu'au mariage leur virginité comme un étendard.

— Le mieux serait d'aller à Palerme, suggère Beppe. On économise quelques sous, je révise la voiture et on part le samedi après-midi. On aura tout le dimanche pour rentrer.

— Corleone est plus près mais on est trop connus, approuve Franco.

Ils attendent la réponse de Nino qui se contente d'un signe approbateur. Il surveille un gamin qui s'approche de leur table en essayant de ne pas se faire remarquer des passants, l'air indifférent et feignant de courir après une balle. Au bout d'un moment, constatant que la rue est vide, il cesse son manège pour se précipiter vers Nino et lui murmure deux

1. Quartier sulfureux de Palerme.

phrases en dialecte à l'oreille. Il repart aussitôt en faisant rebondir sa balle. Nino pâlit légèrement mais ne dit rien. Les deux autres l'interrogent du regard.

— Deux types sont arrivés, on ne sait pas d'où ils viennent. Pour l'instant, ils sont chez don Tomasini à attendre la nuit, dit-il d'une voix calme. C'est à ce moment-là qu'ils viendront m'assassiner.

— On ne te quitte pas, déclare Franco.

Nino fait un signe négatif.

— Je m'y attendais. C'est aujourd'hui l'anniversaire. J'ai pris mes précautions. Si vous ne me voyez pas demain matin, vengez-moi.

Il se lève, saisit un verre de grappa pour finir la dernière goutte et touche son béret du bout des doigts en guise de salut.

— *Vucca lupu*, disent les deux amis d'une même voix.

— *Crepa lupu*[1], répond-il, avant de s'en aller de son pas tranquille.

3

Nino n'a pas de montre. Celle de son père ne marche pas et il n'a pas les moyens de la faire réparer. Il a pris l'habitude d'estimer l'heure au soleil et à la position des étoiles selon la saison. D'après lui, il

1. Dans la gueule du loup. — Que crève le loup (dialecte), souhait traditionnel de réussite.

est environ une heure du matin, le moment où même les insomniaques s'endorment. La bonne heure pour un assassinat.

Il est allongé sur le ventre à l'intérieur d'une meule de foin où il s'est glissé un peu plus tôt. Devant lui, la ferme où il est né, avec la grange accolée, la porte et les volets bien clos. Il attend. Sur son flanc, la *lupara*, le double canon chargé. C'était l'arme de son père. Elle fonctionne, ce qu'il a vérifié avant de se cacher.

Les tueurs marchent lentement, sans faire craquer les herbes et en se dissimulant pour éviter d'être vus de la maison à travers les interstices des volets. Tous deux portent leur fusil en bandoulière. La lune éclaire à peine le décor. Les nuages bas filent au ras des toits. Au loin, on entend aboyer un chien. Le vent de la nuit fait frissonner les herbes hautes. À quelques mètres de la grange, les tueurs s'arrêtent. L'un d'eux arrache une poignée d'herbes sèches et la lie rapidement. Puis il bat le briquet et l'enflamme avant de s'approcher de la grange et de la jeter sur le foin entassé. Tous deux reculent et se cachent, l'un derrière un arbre, l'autre agenouillé à l'abri de la margelle du puits.

Bien, se dit Nino, c'est ce que je pensais. Ils ont déjà repéré les lieux et on leur a précisé que je dormais dans la grange. Ils attendent que le feu me fasse sortir.

La flamme court dans le foin, grimpe le long des bottes entassées à l'intérieur et gagne les poutres. La grange s'embrase d'un coup. Les tueurs ont ôté leur fusil de l'épaule et guettent l'apparition de Nino, l'un devant la grange, l'autre devant l'entrée de la maison. Deux claquements secs. Ils arment leurs fusils.

Maintenant, la grange tout entière brûle et les flammes se communiquent au bâtiment de la ferme, une vieille construction de l'époque de Ferdinand II, mélange de bois, de brique et de torchis. Les tueurs ne se cachent plus. Ils ont épaulé leur arme et attendent. L'incendie est bruyant.

Nino se glisse hors de la meule et se relève lentement, la *lupara* à la hanche. Elle est déjà armée. Il pointe vers le premier, presse la détente qui correspond au canon droit, et le bruit du coup de feu, qui ressemble à un claquement de braise, est couvert par le vacarme de l'incendie. Le tueur devant la grange s'écroule aussitôt. À cette distance, les plombs de chevrotine font balle.

L'autre n'a rien entendu et surveille la porte. Nino se dirige vers lui. Quand le deuxième tueur le voit, il n'a pas le temps de braquer son arme, Nino a pressé la seconde détente, celle du canon gauche. La charge l'atteint en pleine poitrine et il bascule dans les herbes.

Nino s'approche des corps. Les chevrotines ont chaque fois creusé un large trou, déchiquetant les chairs avant de resurgir de l'autre côté. Il les empoigne l'un après l'autre et, arrivé près de la grange, il les projette à l'intérieur au milieu du brasier juste au moment où le toit s'écroule. Puis il jette les deux fusils dans le puits ainsi que la *lupara*. On entend trois *floc* successifs. Le puits est profond et contient plusieurs mètres d'eau. On ne les retrouvera pas plus que les cadavres. La ferme brûle, elle aussi.

Dans l'après-midi, il a réuni dans son sac tout ce qui pouvait avoir quelque valeur, des documents administratifs ou judiciaires, la montre de son père et l'argent qu'il a économisé. Il a ajouté un grappin et une corde. Le reste ne vaut rien et peut brûler sans qu'il s'en trouve appauvri.

Il regarde l'incendie quelques instants, met son sac à l'épaule et emprunte le chemin qui conduit chez don Tomasini. Sa nuit n'est pas finie.

4

Don Tomasini habite un vaste domaine, une *tenuta*, qui comprend une maison seigneuriale en pierre avec des balcons à l'espagnole, une lourde porte à deux battants, entourée de murs et de grilles. Au-delà s'étendent ses terres plantées de cultures maraîchères et de blé. Une centaine d'ouvriers agricoles viennent y travailler le jour. Des femmes habitent à demeure, celles qui s'occupent de la maison ; d'autres arrivent dès l'aube et triment jusqu'au soir. Il existe, beaucoup plus loin, une mine de soufre à ciel ouvert dont on perçoit parfois les émanations selon le vent, ce dont il ne se plaint pas, même s'il porte à ses narines un mouchoir parfumé, car la mine, à elle seule, rapporte beaucoup plus que l'exploitation agricole. À de rares exceptions près, les ouvriers, les mineurs, les bonnes à tout faire viennent tous du village. Les salaires ne sont pas élevés, mais garantis. C'est pourquoi don Tomasini est le maire, comme son père avant lui. Veuf depuis longtemps, il ne s'est jamais remarié. On raconte sous le manteau qu'il ne se gêne pas avec certaines domestiques, même mariées. Mais rien n'est prouvé et celles qui ont profité de ses faveurs ou les ont subies se sont bien gardées de le raconter. On sait que chaque mois il se rend à Palerme dans sa rutilante Torpedo pour rencontrer ses financiers et faire de la politique. Comme il y reste chaque fois trois jours entiers, on peut supposer qu'il fréquente des femmes dans les luxueux bordels de la capitale. Personne n'y trouve à redire et, d'ailleurs, on ne parle au village de don Tomasini qu'en termes élogieux, car ses oreilles traînent partout et le moindre propos sur son compte lui est rapporté.

Des hommes à cheval, *tipi a cavaddu*, parcourent la propriété de jour et souvent de nuit, la *cuppola* sur la tête et le fusil à l'épaule. Ils sont dévoués au propriétaire et dénués de scrupules. Leur seule tâche est de veiller à ce que tout fonctionne, les champs, la mine et le reste. Ils ne concèdent rien et manient lestement la cravache, la *zotta*, accrochée à la selle. On les hait autant qu'on les craint. C'est la raison pour laquelle ils viennent de régions lointaines, pour n'avoir aucun lien avec les gens du village.

Don Tomasini a institué sa nièce, Carmela, gouvernante de sa maison. Elle dirige les domestiques, fait les comptes et mange à sa table, veillant à la nourriture, au linge, à tout. Ceux qui ont été invités à dîner, c'est-à-dire les notables de la région, rapportent qu'elle est enjouée et vive d'esprit. Certains ont souhaité la courtiser, mais se sont heurtés à un ferme refus. Un jour, elle héritera de son oncle, car elle est sa seule famille. Mais cette échéance est encore lointaine. Don Tomasini vient de passer les cinquante ans et a encore de longues années devant lui. Il n'entend pas se priver de Carmela aussi facilement. Autrement dit, c'est lui qui choisira le mari quand il le décidera, s'il le décide un jour. Carmela ne demande rien puisqu'elle a tout. C'est une jeune fille convenable dans tous les sens du terme, modeste dans sa tenue et, selon l'évêque qui parle facilement, assidue à ses devoirs religieux. Ses habits sont d'une élégance discrète. Accompagnée d'un garde, elle se rend souvent à Palerme pour acheter des livres. Sa seule particularité dans ce village composé d'une majorité d'analphabètes : lire.

Nino *Beddu* parcourt en moins d'une demi-heure la distance qui sépare sa ferme, ou ce qu'il en reste, de la *tenuta* de don Tomasini. Il marche vite, par des chemins escarpés, veillant à ne faire aucun bruit. Parfois, il s'arrête pour écouter, puis repart. Soudain, il fait halte. Le martèlement d'un sabot se fait entendre. Il plonge sous un buisson et regarde passer le garde sur le chemin qui conduit aux limites de la propriété, donc vers l'extérieur. Il connaît son parcours. Le temps qu'il ait fait le tour au pas et même au trot, il ne reviendra pas avant l'aube. Aussitôt, Nino reprend sa course. Devant les hauts murs de la *tenuta*, il s'arrête encore, défait son sac, en tire le grappin et la corde, puis remet le sac à l'épaule.

Il cherche l'endroit habituel : un mur dans l'ombre d'un pin. Il lance son grappin trois fois jusqu'à ce qu'il croche dans le sommet. Après s'être assuré de la prise, il commence son ascension, tenant la corde des deux mains sans même s'aider des pieds. C'est un garçon agile aux muscles durs, et il parvient en haut sans effort. Puis il rappelle la corde qu'il replace dans son sac avec le grappin et saute sur le sol quatre mètres plus bas dans la terre meuble. Là, il s'accroupit, observant le jardin qui entoure la maison. Rien. Le silence, sauf les frôlements de bêtes dans les orangers et le bruit du vent dans les buissons. Il avance lentement, passant d'un massif à l'autre.

Parvenu à la hauteur de la grande porte, il oblique vers la droite pour contourner la maison en évitant l'allée de gravier. La porte de la buanderie n'est pas fermée. Une fois à l'intérieur, il contourne les bacs à lessive jusqu'à une autre porte qu'il ouvre comme la première. Devant lui se trouve un petit escalier étroit et raide. Il le gravit avec précaution, parce que les marches sont en bois, comme il en est prévenu, et il veut éviter de les faire craquer. Tout en haut, une troisième porte à demi vitrée. Il s'arrête un instant et pèse sur la poignée. Il l'ouvre d'un coup car les gonds grincent, et se retrouve dans un couloir, plutôt vaste, à peine éclairé par une verrière dans le toit.

Au sol, des dalles recouvertes de tapis. Il marche doucement. Au bout du couloir, une porte à double battant brille doucement dans l'ombre, exactement sous la verrière. La poignée dorée est en forme de bec de cane. Nino *Beddu* la fait tourner jusqu'à ce que la porte s'entrouvre. L'obscurité est totale, mais on entend un ronflement. Il se guide au bruit du dormeur. Au fur et à mesure que ses yeux s'habituent, il distingue le lit avec une forme au milieu. Grâce à la faible lumière qui vient du couloir, il remarque une lampe posée sur une table de chevet. Il tire de la poche de son pantalon un lacet en cuir et va refermer la porte. Il peut se diriger dans le noir toujours grâce au ronflement. Le dormeur gémit pour se retourner avant de reprendre sa position sur le dos. Nino s'assied avec précaution pour ne pas faire grincer le sommier. Sa main droite tient le lacet et la gauche cherche la poire qui commande la lampe de chevet. Quand il sent le bouton sous ses doigts, il appuie brusquement et la chambre s'éclaire. En même temps, sa main gauche a saisi l'autre bout du lacet et il le fait glisser délicatement sous la nuque de don Tomasini qui ronfle toujours malgré la lumière. Il finit par ouvrir les yeux tandis que Nino s'installe à califourchon sur son ventre. En le découvrant, il veut se débattre, mais Nino serre les jambes et il ne peut plus bouger. Le lacet est déjà enroulé autour de sa gorge.

— Tu me reconnais. Je suis Nino Calderone. Tu as fait tuer mon père il y a un an, et aujourd'hui tu m'as envoyé deux tueurs.

Don Tomasini veut crier mais Nino serre le lacet. Alors, il essaie en vain de se relever. Nino accroît son emprise. Don Tomasini a encore un sursaut, tandis que Nino s'allonge sur le lit en tirant sur les deux bouts du lacet, de toutes ses forces. Don Tomasini met près de deux minutes à mourir. Quand sa langue sort de sa bouche, Nino attend encore un peu et vérifie que le cœur de la victime s'est arrêté. Il enlève le lacet, découvrant une trace rouge qui fait le tour du cou. Il replace les draps comme ils étaient et borde don Tomasini en croisant ses mains sur son ventre dans la position qu'il aura dans son cercueil. Il décroche un crucifix au-dessus du lit et le glisse entre ses doigts. Puis il éteint la lumière et ressort dans le couloir en prenant soin de refermer derrière lui.

À nouveau le tapis, puis la porte vitrée qui donne sur l'escalier. Il descend avec les mêmes précautions qu'en montant.

Dans la buanderie, une silhouette s'approche de lui. Carmela est en chemise de nuit. Il la serre contre lui.

— Tu es folle d'être venue, chuchote-t-il.

— Je dois refermer derrière toi.

Il la reprend dans ses bras.

— *Mortu, chistu rifardu*[1], dit-il seulement.

Après un signe de croix rapide, elle se plaque contre lui. C'est la meilleure, la plus belle des femmes dont il ait pu rêver. Elle lui a donné l'itinéraire et l'horaire du garde de nuit, ouvert les portes et envoyé le gamin pour le prévenir. Un jour, elle sera sa femme.

Ils font l'amour sur un drap. Ça leur est souvent arrivé la nuit, quand elle sortait en cachette de la *tenuta* et courait jusqu'à la ferme de Nino. Lorsqu'elle se relève, elle jette le drap dans le bac à linge sale.

— Je t'aime, Nino. Je t'aime depuis la première fois où je t'ai vu dans cette librairie à Palerme. Cela, je te l'ai déjà dit.

— Moi aussi, répond-il. Entre toi et moi, c'est jusqu'à la mort.

— Quand te reverrai-je ?

— Je ne sais pas. Je vais devoir m'éloigner un moment. La ferme et la grange ont brûlé cette nuit. Dès que je pourrai, je te donnerai de mes nouvelles.

Il lui laisse les papiers qui établissent sa propriété et les terres autour, le gage qu'il reviendra. Elle l'embrasse encore, referme la porte à clé derrière lui et reprend

1. Il est mort, ce salaud (dialecte).

l'escalier. Elle fait de même avec les autres à l'intérieur. Nino court dans le jardin, lance son grappin et repasse le mur. Puis il s'éloigne dans la campagne en se glissant dans les fourrés. Le jour n'est pas encore levé.

Quand il est de retour à la ferme, les murs fument toujours. Il s'assied après s'être maculé les bras de cendre et attend le lever du soleil. Il a tué trois hommes et fait l'amour. Il ne regrette rien.

Le matin, quand Nino *Beddu* apparaît au village, un camion est stationné devant l'église. Il porte les couleurs de l'armée italienne et le blason de la dynastie de Savoie. Un sous-officier tient une liste à la main.

— L'Italie déclare aujourd'hui la guerre à l'Autriche. Le roi a besoin d'hommes. Il compte sur la Sicile qui a toujours fourni les meilleurs soldats.

Il parle sans vraie conviction. Les jeunes Siciliens de la campagne ont oublié le plus souvent de se déclarer. Ils détestent l'Italie autant que le roi. Nino s'approche d'un pas tranquille.

— Qui es-tu, toi ? demande le sergent.

— Mon nom est Nino Calderone.

Le sergent vérifie sur ses papiers.

— Tu n'es pas sur ma liste.

— Ce doit être un oubli, répond Nino, qui a omis de s'inscrire comme les autres. Je veux m'enrôler pour défendre l'Italie et conquérir les *terre irredenti*.

— Bien, réplique le sergent, qui ne s'attendait pas à cette réponse.

Il lui tend un imprimé.

— Signe en bas ou fais une croix si tu ne sais pas écrire.

Nino écrit son nom et signe en dessous.

— Te voici soldat. On va t'emmener au régiment à Palerme dans le camion. Là-bas, on te donnera un uniforme et on t'apprendra à tenir un fusil.

— Tant mieux, répond Nino, j'ai toujours voulu savoir comment ça marchait.

Soudain, il aperçoit un carabinier qui se dirige vers lui.

— Nino Calderone, notre maire, don Tomasini, a été assassiné cette nuit. Un an exactement après ton père. Je dois t'emmener pour t'interroger.

— J'ai passé la nuit à essayer d'éteindre l'incendie qui a détruit ma grange et ma ferme. Tout ce qui me reste est dans ce sac, répond Nino, qui se félicite d'avoir jeté le lacet et le grappin dans le puits.

— Peu importe. Je veux t'entendre et te garder à vue. Tu es le suspect numéro un.

Le sergent intervient :

— Il n'en est pas question. Nino Calderone appartient à l'armée. Il vient de signer son engagement. Vous êtes un carabinier et vous savez que les nécessités de la guerre passent avant celles de la police. Le roi a besoin de soldats.

Le carabinier hésite un instant mais ne peut rien faire.

— Regardez mes bras, dit Nino. Ils portent encore les traces de la cendre et des brûlures. Personne n'est venu m'aider à éteindre le feu. Tout a brûlé. Vous pourrez le vérifier. C'est pour ça que je pars. Je n'ai plus rien.

Le carabinier sait que son enquête n'aboutira pas. Don Tomasini avait trop d'ennemis.

— Bonne chance, Nino, dit-il seulement.

Au moment où il monte dans le camion, Nino aperçoit ses deux amis Franco et Beppe qui courent vers lui.

— Nino, tu es vivant ! Mais que fais-tu là ?

— Je pars à la guerre.

Tous deux se regardent. Ils n'hésitent pas longtemps.

— On part avec toi !

5

Julia Di Stefano à Lorenzo Mori, 23 juin 1915

« Où es-tu, *carissimo* ? Voici mon adresse. C'est tout ce que tu as eu le temps de m'écrire avec trois lignes en dessous, une enveloppe donnée au courrier du régiment il y a deux semaines avec le sigle de l'armée italienne. Cette lettre qui m'arrive ce matin et rien d'autre. Une certitude donc, tu es vivant. Enfin, quand ton courrier est parti, tu existais toujours. Après… je ne sais pas. J'ai appris que les soldats n'ont pas le droit d'indiquer à leur famille le lieu exact où ils se trouvent. Secret militaire, au cas où le courrier tomberait entre des mains ennemies. Pas le droit non plus de donner des nouvelles des combats. Censure toujours. J'en suis donc réduite à acheter les journaux chaque matin et à en déduire ce que je peux.

Il paraît que notre armée se bat magnifiquement,

que les victoires s'enchaînent sur le front de l'Isonzo et que l'ennemi s'enfuit épouvanté, laissant derrière lui de plus en plus de morts et de prisonniers sur le terrain. Bravo ! Les pertes italiennes sont légères, dit-on, presque insignifiantes. Pas la peine d'en parler. On prétend que sur le front la nourriture et les services médicaux sont de premier ordre. Mais pourquoi évoque-t-on toujours les mêmes lieux, le Monte Nero, le village de Plava, le Carso, la cote 383, comme si notre armée piétinait depuis le début des combats ? Et Gorizia ? Pourquoi n'est-elle pas encore prise ? Et Trieste ? Où en est-on ? Je croyais que l'on faisait la guerre pour Trieste. Le général Cadorna avait annoncé qu'il faudrait trois mois avant de défiler à Vienne. À ce train-là, l'Adriatique devrait déjà être à nous et les Alpes franchies. Voilà les questions que je me pose chaque matin en cherchant dans le journal si ton nom ne figure pas sur la liste des tués. Je me moque complètement que l'Italie gagne ou perde la guerre. Tout ce que je veux, c'est que tu reviennes. Puisque tu ne peux pas me donner de tes nouvelles, voici des miennes.

Hier encore, j'étais une fille perdue, comme l'a clamé ta mère de la piazza Erbe jusqu'aux arènes. Aujourd'hui, c'est mieux. Je suis devenue la fiancée publique, autrefois secrète, d'un vaillant officier de notre armée qui se bat sur le front. Car la guerre recouvre tout et on ne parle plus que d'elle. Nos petites affaires sont devenues dérisoires. Sans doute ai-je été mariée, mais cette union n'a duré que quelques heures, et c'est tant mieux.

Tu me trouves dure avec Umberto ? Je le suis, en effet. C'est lui qui a voulu, que dis-je, exigé ce mariage et l'a posé comme condition, si mon père voulait que le sien accoure à son secours.

J'ai rencontré Umberto plusieurs fois pour le convaincre d'abandonner cette idée, il m'a ri au nez. Je lui ai tout dit de nos rapports depuis deux ans, jusqu'à la veille des noces. Je lui ai même montré les lettres que j'avais reçues de toi. Il s'en est emparé. Ce sont celles qu'il a exhibées. Il me voulait et c'était tout.

Alors, je lui ai dit que je le tromperais avec toi à la première occasion (c'est d'ailleurs ce que m'avait suggéré ma propre mère pour me convaincre de participer à la cérémonie). Il m'a répondu que tu ne vivrais pas assez longtemps pour cela, et le matin, avant d'aller à l'église, il m'a chuchoté qu'il t'avait croisé, sortant du bordel de Madame Solange, la veille.

Je t'ai attendu, Lorenzo, jusqu'au dernier moment, jusqu'à ce que je t'aperçoive à la sortie de San Zeno, levant ton sabre avec les autres pour former la voûte d'acier. J'ignorais que ta mère avait détourné ma lettre expédiée avec le faire-part, comme tu me l'écris. Cette journée a été un cauchemar jusqu'à ce qu'Umberto meure. Paix sur ses cendres, paix sur ta mère, paix sur mes propres parents qui m'ont vendue pour sauver l'usine (figure-toi que celle-ci l'est maintenant, mais grâce à la guerre et aux énormes commandes de fournitures que mon père vient de recevoir de l'État. En un mot, mes parents m'ont vendue pour rien).

Quant à la famille d'Umberto, je les ai tous retrouvés hier chez le notaire. Mon père avait évidemment exigé un contrat de mariage très avantageux, où figuraient les sommes colossales qui devaient me revenir en cas de séparation ou de décès du mari. Or je l'avais légalement épousé et le père Galluzzi craignait, lui si habile et si retors dans les questions d'argent, d'avoir fait la plus mauvaise affaire de sa vie. En moins de deux mois, il avait perdu son fils et presque la moitié de sa fortune. Quand j'ai annoncé que je refusais tout, que rien ne m'était dû, il m'a embrassée, les larmes aux yeux. C'était mieux que si son fils avait ressuscité !

Paix sur lui aussi. Paix sur tous et toutes, à la seule condition que tu me reviennes.

Julia »

*

Lorenzo reçoit cette lettre le 29 juin 1915 à six heures du soir, la veille de la grande offensive du général Cadorna. Les distributions de courrier à cette heure inhabituelle sont destinées à renforcer le moral des troupes avant une action décisive de l'état-major. En réalité, les lettres des familles produisent l'effet inverse. Après cinq semaines de combats dans la chaleur épouvantable de l'été sur l'Isonzo, les hommes n'ont qu'une envie, rentrer chez eux ! Et le rappel des douceurs de leur foyer, de l'ambiance des villages d'où on les a arrachés, les renforce dans cette détermination sourde mais affirmée.

La plupart des hommes de troupe sont issus de la campagne. La moitié d'entre eux ne savent pas lire et doivent avoir recours aux officiers pour déchiffrer les lettres, très souvent écrites sous la dictée par le curé ou un notable de leur village. Il en va de même pour les réponses. Faut-il dire que la nourriture est infecte, les services médicaux rarissimes, la saleté partout et les Austro-Hongrois retranchés au sommet de collines, inexpugnables ?

Les lieutenants chargés d'écrire les lettres secouent la tête d'un air désapprobateur et s'efforcent d'adoucir les termes crus, quand ils ne les inversent pas, avant que la censure ne retourne les courriers et accuse leurs auteurs de défaitisme. De même en est-il du nombre des morts qu'il ne faut surtout pas évoquer, comme l'impéritie du commandement qui refuse de comprendre qu'en Italie comme en France la guerre n'est plus de mouvement, mais de tranchées.

Le général Boroević, qui commande sur l'Isonzo les troupes impériales de François-Joseph, l'a, lui, parfaitement admis. Entré à l'École militaire des cadets à l'âge de dix ans, combattant en Bosnie, héros de la prise de Sarajevo, il connaît parfaitement la guerre pour avoir souvent manqué d'y laisser sa peau. Avant le début de la guerre contre les Russes et leurs alliés, il commandait la 42e division Honved, surnommée « la division du diable ». Il a passé l'hiver dans les Carpates, dans la neige et la glace, où il a démontré qu'il n'avait rien perdu de ses qualités de chef de guerre. Ce petit homme d'aspect insignifiant est terriblement efficace. L'état-major italien redoute ses qualités de tacticien astucieux, d'officier résolu et tenace. Les sujets des Habsbourg, composés de dix nationalités différentes, partagent tous ce sentiment d'avoir été trahis par l'ennemi héréditaire, qui a profité que l'Autriche-Hongrie était déjà engagée sur deux fronts contre la Russie et la Serbie pour attaquer l'empire sur un troisième, dissimulant des ambitions expansionnistes sous des revendications territoriales assez fumeuses.

À Vienne, les restaurants italiens qui proposent des plats de spaghettis se voient commander « les pâtes de la trahison » et, pour les Slovènes, la lutte sur l'Isonzo est une guerre des peuples, une résistance nationale contre un envahisseur étranger. Les Serbes, vivant en Autriche et traditionnellement opposés aux Habsbourg, ont pris les armes aux côtés de l'empire. Les Slovènes, les Croates et les Slaves sont résolus à tenir la ligne sur l'Isonzo avec la même ardeur que les volontaires italiens qui se sont engagés pour libérer les *terre irredenti*.

Les premiers jours du combat ont été favorables à l'Italie, qui, dès le 24 mai, a envoyé ses troupes au-delà de la frontière et conquis sans résistance la tête de pont de Caporetto, au-delà de l'Isonzo, ainsi que les monts Vrata et Vršič qui dominent le fleuve. Par la suite, les choses se sont compliquées. Il fallait occuper toute la chaîne de collines, à cause du transfert en moins d'une semaine par les Autrichiens de la 3e brigade de montagne sur le cours supérieur de l'Isonzo. Ces troupes sont composées d'Allemands, de Tchèques, de Polonais, d'Ukrainiens, de Magyars et de Roumains, tous vétérans, parfaitement entraînés et équipés pour ce genre de combats. Le général Boroević leur a fait savoir qu'il n'était pas question de céder un bout de terrain et qu'elles devront combattre jusqu'au dernier sang. Sinon, les cours martiales siégeront.

Ce sont les premiers affrontements auxquels a participé Lorenzo Mori à la tête de sa section de *bersaglieri* du 12e régiment, en appui de la 8e division italienne. Il a vite compris l'enjeu : les Italiens se trouvent à l'ouest de l'Isonzo, les Austro-Hongrois à l'est. Les

Italiens sont dans la plaine, au pied des montagnes, les Austro-Hongrois, retranchés sur les sommets. Le front s'étend sur la longueur du fleuve. Au fur et à mesure que l'on descend vers le bas de l'Isonzo, les montagnes se transforment en collines, et tous ces obstacles constituent la clé qui permet de prendre Gorizia. Qui tient Gorizia tiendra Trieste. Il faut donc conquérir les sommets tout le long de l'Isonzo, occuper Gorizia et foncer sur Trieste, grand port sur l'Adriatique et ville symbole des *terre irredenti*. C'est en résumé le plan du général Cadorna. Il dispose d'un matériel de guerre imposant, d'énormes canons et d'hommes en nombre quasiment illimité. En face, les Austro-Hongrois de Boroević ont à peu près moins de la moitié de ces forces et un matériel notoirement inférieur. Mais ils se battent pour leur pays et Trieste est le seul port de l'empire qui lui donne accès à la mer.

C'est ainsi que Lorenzo a fait la connaissance des terribles mitrailleuses autrichiennes Schwarzlose, qui déciment les troupes d'assaut sur les pentes du Monte Nero sur le haut Isonzo. Il faut courir, se coucher, se relever et courir encore, jusqu'à atteindre le sommet. Mais les assaillants n'y parviennent jamais. En une seule attaque, le 2 juin, la brigade Modène a perdu mille deux cents hommes de troupe et trente-sept officiers. La brigade Salerne, envoyée en renfort, a subi le même sort. Quant au régiment de *bersaglieri* en appui, il a perdu plus de quatre cents fusiliers. À plusieurs reprises, Lorenzo a failli être tué ou au moins blessé. Seules la chance et les sonneries de la retraite lui ont permis de réchapper à ces assauts suicidaires. Il a quand même remarqué que lorsque les

Austro-Hongrois avaient épuisé leurs munitions, ils poursuivaient la lutte en projetant des pierres et en faisant basculer des rochers sur les Italiens.

Le 4 juin, la 8e division a progressé d'une centaine de pas, mais le Monte Nero et le Mrzli sont toujours aux mains des Austro-Hongrois. La nouvelle parvient aux troupes retranchées au bas du mont : six villages slovènes viennent d'être détruits après que des soldats italiens ont affirmé que leurs habitants leur avaient tiré dessus ; sur la crête du Mrzli, des soldats du 42e régiment ont raconté que des blessés italiens avaient été achevés par les mêmes Slovènes. Les carabiniers ont fusillé soixante hommes choisis au hasard. Les survivants, avec femmes et enfants, ont été rassemblés et envoyés dans un camp de concentration italien. Ces furieuses et sanglantes représailles sont la conséquence de très maigres progrès militaires malgré un coût humain élevé contre un ennemi inférieur en nombre. En quelques semaines, Lorenzo a compris que la guerre serait longue et qu'il n'avait que très peu de chances d'en revenir vivant.

Le général Frugoni est furieux. C'est lui qui a ordonné les représailles contre les civils slovènes. Le Monte Nero l'obsède. Chaque jour, une estafette de Cadorna, le chef d'état-major, lui demande où il en est de sa conquête sur un ton de plus en plus désagréable.

Le 15 juin, il réunit ses officiers dans sa popote et leur fait servir du cognac.

— Messieurs, leur dit-il, profitez bien de cette nuit,

surtout ceux d'entre vous qui devront accompagner les *alpini* à l'aube, dans la conquête du mont.

Il désigne deux officiers dans un coin, un capitaine et un lieutenant.

— Ce sont les *alpini* que nous envoie le général Cadorna. Ils conduiront l'attaque avant le lever du soleil. Certains d'entre vous les accompagneront. Sous-lieutenant Mori, j'ai remarqué que lors de la dernière attaque, vous aviez parfaitement gravi les pentes du Monte Nero, d'où vous êtes revenu sans une égratignure.

— J'ai eu cette chance, mon général, ça ne durera pas.

Frugoni hoche la tête.

— Vous connaissez donc les lieux. Vous vous tiendrez à côté du capitaine Arabello pour le faire profiter de votre expérience et de votre connaissance du terrain.

— À vos ordres.

Lorenzo regarde le capitaine Arabello, qui lui fait un signe de tête. Ils se retrouvent dehors.

— Le Monte Nero est haut de 2245 mètres, dit Lorenzo. Les Autrichiens sont au sommet.

— Savez-vous quelle unité ?

— Le 4e régiment Honved, je crois. Ils arrivent des Carpates.

— L'unité chérie de Boroević, remarque le lieutenant Picco, qui se tient à côté d'Arabello.

Ce dernier fait un clin d'œil.

— Nous attaquerons dans la nuit. Départ à deux heures du matin. Vous avez déjà vu un Autrichien de près, Mori ?

— Pas encore, mon capitaine.
— Eh bien, préparez-vous à cet événement.

Lorenzo rejoint les *alpini* à deux heures moins le quart. Son fusil est chargé et il emporte un maximum de munitions dans son sac. Le capitaine Arabello lui tend un poignard d'*alpino*.

— Prenez ça avec vous, j'en ai plusieurs, ça risque de finir au couteau. Les hommes sont prêts, Picco ?

— Ils nous attendent.

— Mori, vous passez devant pour nous guider.

Il n'y a pas de lune, mais du brouillard. Lorenzo a passé une partie de la nuit, ou plutôt du temps qu'il lui restait avant l'attaque, à se remémorer le relief du Monte Nero. Il a tenté de reconstituer les voies par lesquelles il était passé avec ses hommes, évaluant la distance, les contours, les endroits boisés et ceux à découvert. Depuis la tranchée, il estime à moins de deux heures le temps pour parvenir au sommet. Mais le brouillard à la fois protège les *alpini* et les ralentit. Au fur et à mesure qu'ils grimpent, le silence s'impose. Il n'y a pas eu besoin de donner l'ordre. Pas de cigarettes, pas un mot, pas un bruit.

Soudain, le vent se lève et la cime apparaît d'un coup à moins de trois cents mètres. Lorenzo lève la main et Arabello fait s'accroupir les hommes d'un geste impératif. Il se retourne, appelle deux *alpini* de petite taille et leur montre sa dague.

— *Le vedette*[1], chuchote-t-il.

Les deux *alpini* opinent et se glissent dans les

1. Les sentinelles.

fourrés, où ils s'enfoncent avant de disparaître. Arabello fait encore un signe et les hommes s'étendent en guettant leur retour. Quand ils reviennent, l'un d'eux murmure :

— Il n'y en avait qu'un. Il ne se méfiait pas.

Le brouillard est revenu et on ne distingue plus le sommet du Monte Nero.

Arabello ordonne par gestes aux hommes de se débarrasser de leurs sacs. Il se penche vers Lorenzo et souffle :

— À partir de maintenant, je prends la tête. Restez auprès de moi.

Il se tourne vers le lieutenant Picco en lui faisant signe de contourner le mont par le côté, suivi de ses propres hommes. Puis il lève le bras, et tous se mettent en marche. Le sommet du mont est parcouru de tranchées protégées par des fils barbelés. Deux hommes se détachent du groupe et, en rampant, se mettent à couper les fils avec des tenailles. Ils y sont presque parvenus quand on entend un cri. Ils sont repérés.

— *Avanti !* hurle Arabello.

Ils se jettent tous dans la brèche, fusils pointés et baïonnettes au canon. De l'autre côté, on s'agite. Des silhouettes apparaissent et les premiers coups de feu claquent. Lorenzo se tient juste derrière Arabello qui, tenailles à la main, coupe les derniers barbelés. Un homme surgit soudain. Lorenzo tire et l'autre s'effondre. À partir de cet instant, c'est l'enfer. Les Hongrois ont compris qu'il ne faut pas sortir de la tranchée. Ils tirent à leur tour et plusieurs *alpini* s'écroulent.

— À la grenade ! s'écrie Arabello.

Il en sort une de son sac et la lance sur la tranchée.

Les *alpini* derrière lui en font autant. Lorenzo a plié le genou. Quand un ennemi apparaît, il tire aussitôt et abat son homme. Mais derrière la première tranchée, il y en a d'autres. Les soldats, réveillés par le fracas, viennent en renfort. Arabello puise dans son sac de grenades, se lève et lance le plus loin qu'il peut avec précision. C'est à ce moment-là qu'il pousse un cri et s'effondre. Lorenzo prend le relais. Il projette devant lui, une à une, toutes celles qui restent. Dans la première tranchée, c'est le silence, tous les occupants doivent être morts ou hors de combat.

— *Avanti!* hurle Lorenzo en sautant le premier dans la tranchée.

Ça pue la poudre. Des morceaux d'hommes sont collés sur les parois. Mais des soldats placés en arrière surgissent de tous côtés. Lorenzo tire, une fois, deux fois. Son chargeur est vide. Un premier Hongrois saute dans la tranchée. Un type immense. Lorenzo ne lui laisse pas le temps de se reprendre, il lui plonge sa baïonnette en pleine poitrine. Un autre prend sa place et il pointe son fusil. Un coup de feu claque et il s'écroule. C'est Arabello qui vient d'arriver par-derrière. Il est blessé mais combat toujours. Les *alpini* sautent à leur tour dans la tranchée. Tout autour, des cris, des coups de feu et des explosions de grenades.

— Sortons de là ! s'écrie Lorenzo.

Il émerge le premier. Dehors, les hommes se battent à la baïonnette et au poignard. Un Hongrois l'attaque par le côté sans qu'il l'ait vu venir et lui arrache son fusil. Lorenzo recule. L'autre s'avance, sûr de lui. Le Hongrois pointe son arme mais le coup ne part pas. Lorenzo, qui dégaine la dague fournie par Arabello, se jette sur lui. Ils s'empoignent et il sent une vive douleur au côté. Il frappe à son tour, deux fois. Tous deux basculent au sol. Le Hongrois ne bouge plus, le second coup a porté et la dague de Lorenzo est plantée en plein cœur. Il se relève, le poignard sanglant à la main. Il ne sent plus la douleur dans son flanc. Les hommes s'affrontent dans un théâtre d'ombres. Accourent de nouveaux combattants hongrois. Personne ne tire plus car les uniformes ne sont pas identifiables. Il faut s'approcher pour savoir si on a affaire à un ennemi.

Soudain, on entend un cri sur le côté : *Avanti Savoia*[1] *!* Le lieutenant Picco apparaît avec ses hommes quand un coup de vent balaie le brouillard sur le plateau. Son arrivée arrête définitivement la bataille. Les Hongrois reculent. Ils n'ont plus de munitions. Certains se rendent et, débarrassés de leurs armes, sont envoyés à l'arrière.

Arabello surgit de la tranchée.

— Picco, hurle-t-il, où étais-tu ? Je t'attendais.

— Il a fallu grimper !

Picco porte sur son visage et sur son uniforme les traces de plusieurs blessures, mais il brandit toujours son fusil. L'un des derniers coups de feu claque et il tombe à terre. Arabello se précipite sur lui et le prend dans ses bras. Son lieutenant est mourant. Il saisit la main d'Arabello pour lui parler mais il n'en a pas le temps. Sa tête bascule sur le côté. Arabello se relève, regarde le plateau où se rendent les Hongrois survivants, puis s'évanouit. Il est quatre heures

---

1. En avant, Savoie !

quarante-cinq du matin le 16 juin 1915. Le Monte Nero est pris.

Le lieutenant Picco, premier héros martyr de la cause italienne, est décoré de la médaille d'or de la valeur militaire à titre posthume. Le capitaine Arabello reçoit celle d'argent sur son lit d'hôpital et Lorenzo Mori, celle de bronze. Sa blessure au flanc n'est pas grave et il n'a même pas droit à une permission. Mais, le même jour, il est nommé lieutenant.

Quelque temps plus tard, il apprend le premier couplet de la chanson de guerre :

O vile Monte Nero
Traditor della patria mia
Io lasciai la mamma mia
Per riuscirti a conquistar[1].

Lorenzo décide de remettre au lendemain sa réponse à Julia. Il a beaucoup de choses à lui raconter. Mais à quoi cela servirait-il s'il devait être tué dans l'assaut ? Depuis six jours, y compris la nuit, les canons italiens bombardent les hauteurs dans le but de détruire les tranchées. Les Autrichiens ont parfaitement compris que l'attaque est imminente. Quand les canons cesseront de tirer, l'instant sera venu. C'est la règle de Cadorna : détruire l'ennemi à force d'obus, puis lancer les troupes en avant, dans l'idée qu'il ne restera plus d'hommes ou très peu de

1. Ô lâche Monte Nero / Traître à ma patrie / J'ai quitté ma mère / Pour te conquérir.

survivants. Mais Lorenzo sait que les choses ne se dérouleront pas ainsi. Les Austro-Hongrois ont plusieurs fois donné la preuve qu'ils savent se protéger dans des tranchées couvertes et profondes, quand ce n'est pas dans des cavernes creusées à même la roche, et il ne leur faudra pas longtemps pour installer leurs fameuses mitrailleuses Schwarzlose.

La prise de Monte Nero a été le fruit du brouillard et d'un audacieux coup de main des *alpini*. Sinon, il n'aurait jamais été conquis.

Lorenzo glisse la lettre de Julia dans une poche de sa vareuse. Soudain, il lève la tête. L'aube ne point pas encore, mais quelque chose le trouble. Il lui faut plusieurs secondes pour comprendre que les canons se sont tus. Un cri se répercute d'une tranchée à l'autre le long du front. Ce sont les officiers qui le lancent, et les hommes le reprennent avant de grimper l'échelle et de se mettre à courir. Quand c'est le tour de Lorenzo, en qualité de lieutenant, il gonfle ses poumons et hurle comme les autres :

— *Avanti Savoia !*

6

Il vient beaucoup de monde aux obsèques de don Tomasini, des cousins, des arrière-cousins, des faux cousins, des correspondants d'affaires, des hommes politiques et quelques personnages, délégués d'organismes fictifs, qui en réalité représentent cette institution typiquement sicilienne dont on ne prononce jamais le nom. Il ne vient pas d'amis parce qu'il n'en a jamais eu.

Carmela mène le deuil malgré son jeune âge et son sexe. Elle est la seule héritière puisqu'il n'y a pas de testament et qu'elle est la plus proche parente du mort. C'est donc elle qu'il faut courtiser et on n'y manque pas, surtout ceux qui n'ont d'autre idée que de mettre la main sur les terres, la mine de soufre et tout le reste à moindre coût, voire à aucun coût du tout. Cette jeune fille, songent-ils, ne sera pas un grand obstacle pour qui saura y faire.

Une fois prononcés d'hypocrites discours, autant de prêches auxquels l'évêque croit bon de participer et le défunt mis en terre, Carmela doit se plier au rituel du banquet de deuil. Au préalable, elle a fait annoncer que tous les ouvriers de la mine et des champs bénéficiaient d'une journée de congé, qui leur serait payée comme les autres, pour assister aux obsèques, ce qui a suffi à assurer sa popularité. De même, elle a fait répandre l'information que le travail continuerait comme avant, car elle n'a aucune intention de vendre. Et l'on se réjouit une deuxième fois en espérant qu'elle sera moins dure et âpre au gain que son oncle.

Le banquet a lieu devant la grande maison, sous une tente. Carmela siège à la table d'honneur avec les autorités ecclésiastiques et politiques de la province. Elle a ôté son voile mais, vêtue de noir, elle ressemble à une jeune veuve. D'aucuns, à cette occasion, ne manquent pas de murmurer qu'elle a été la maîtresse de son oncle, même si rien ne permettait de conforter ce soupçon, ni dans son attitude, ni dans celle de don Tomasini. On remarque cependant que le régisseur, Ignacio, qui a la haute main sur le personnel et autorité sur les gardes à cheval, vient prendre ses ordres. C'est un gros homme à l'œil sombre et aux sourcils épais. Carmela le connaît bien, de même que sa femme et ses enfants qui l'ont accueillie chaleureusement à son arrivée. Elle leur rend cette sympathie. Lui, Ignacio, sait garder ses distances. Il se réjouit, sans le dire, d'avoir un nouveau patron. Le fait qu'il s'agisse d'une femme n'y change rien. Quant aux conditions de la mort de don Tomasini, il garde ses interrogations pour lui. Le tueur est venu de l'extérieur, et il a bien fallu que quelqu'un lui ouvre les portes et les referme derrière lui. Le lendemain, Nino Calderone s'en est allé à la guerre, alors qu'il était un suspect évident, le jour de l'assassinat coïncidant avec l'anniversaire de celui de son propre père. Ignacio, qui sait tout sur tous, n'ignore pas que deux hommes ont été hébergés dans la journée, deux tueurs venus de Catane dont on n'a plus entendu parler, et que la ferme de Nino *Beddu* a brûlé dans la nuit. Il n'a pas été non plus sans remarquer au village, lorsque Carmela faisait des courses ou encore à l'église, de brefs échanges de regards entre les deux jeunes gens, sans compter cette rencontre à la librairie de Palerme, tandis que lui-même attendait le retour de Carmela dans la voiture. Tout cela peut donner à réfléchir. Mais Ignacio ne veut pas aller plus loin. Il a changé de patron et c'est tout. Si Carmela a un lien avec l'assassinat de son oncle, c'est la preuve de sa fermeté d'esprit, la qualité sicilienne qu'il révère le plus au monde.

Carmela dort mal la nuit qui suit les obsèques. Elle s'interroge sur son avenir. Plusieurs invités sont demeurés au domaine après le banquet, comme s'il s'agissait d'un droit naturel, et elle n'a pas osé leur demander de partir. Tout aurait été différent si Nino était resté à proximité, mais il a dû s'enrôler en catastrophe pour la guerre. L'avait-il déjà prévu ? Il ne lui en a rien dit. C'est un garçon étrange et séduisant qui réfléchit beaucoup et prévoit les événements quand lui-même ne les organise pas. À l'inverse d'autres de sa génération, il se montre toujours poli et respectueux.

Leur histoire date d'un peu plus d'un an. Elle avait été surprise de le trouver par hasard dans une librairie de Palerme. Il avait l'air à son aise pour parler des livres avec la vendeuse. On voyait bien que c'était un habitué. Plus loin, elle avait repéré Luciana, l'institutrice du village qui avait été la compagne du père de Nino. C'était donc elle qui avait dû l'initier au monde des livres. À Castellàccio, la plupart des gens ne déchiffrent qu'avec peine les papiers qu'ils reçoivent, le journal aussi. Quand il l'avait reconnue, Nino avait montré de l'embarras, comme si elle avait découvert un pan de sa vie qu'il ne voulait pas révéler. Il s'était pourtant incliné avec courtoisie, avant de reprendre sa conversation avec la vendeuse en feuilletant un roman qu'elle lui proposait. Carmela s'était approchée.

« Tu fréquentes les librairies, Nino ? »

Les gens du village se tutoient tous, à l'exception du curé, du chef des carabiniers et de don Tomasini, le maire.

« Toi aussi », avait-il répondu.

Il lui avait souri. Non pas le sourire triomphant du séducteur, de l'homme à femmes qui profite du hasard d'une rencontre, mais un sourire timide qui adoucissait ses traits aigus et qui éclairait son visage. C'est peut-être à ce moment-là qu'elle avait commencé à l'aimer. Pour la première fois de sa vie, elle était en présence d'un homme par lequel elle se sentait attirée. Ils avaient poursuivi, évoquant le livre que Nino tenait en main et qu'elle avait déjà lu. Mais en réalité, c'était d'eux-mêmes qu'ils parlaient. Et ce dialogue était d'autant plus étrange qu'au fur et à mesure il se précipitait, chacun voulant ajouter un détail qui lui paraissait essentiel et qu'il avait contenu jusque-là, faute d'interlocuteur.

Cela avait duré un bon moment, jusqu'à ce qu'Ignacio, qui faisait le chauffeur, pénètre dans la librairie pour voir ce qu'il se passait. Il les avait vus tous les deux en conversation animée et il était ressorti perplexe. Nino avait quitté le premier les lieux et elle l'avait suivi quelques instants plus tard pour monter dans la Torpedo. Quand ils s'étaient rendu compte que la boutique allait fermer, que les clients s'en allaient, ils n'avaient rien trouvé d'autre à se dire que « à bientôt ». Nino avait encore eu un sourire et elle le lui avait rendu.

Deux nuits plus tard, alors qu'elle lisait dans son lit, elle avait entendu une pluie de graviers sur son volet. Elle avait ouvert. Il brandissait le livre qu'il avait acheté.

« Je l'ai lu », avait-il dit seulement.

Elle lui avait fait un signe et s'était emparée d'une

robe de chambre avant de descendre. Ils avaient marché vers un bosquet en prenant garde de ne pas faire craquer le gravier.

« Mon oncle est parti pour la ville ce matin.

— Je sais, je l'ai vu passer avec sa Torpedo. »

Il s'était mis alors à faire des remarques sur l'histoire, les personnages, le style de l'auteur. Elle l'avait arrêté :

« Tu n'es pas venu pour me parler de ce livre que j'ai déjà lu, même si ce que tu m'en dis est intéressant.

— Non. Je suis venu pour toi. »

Au moins, c'était clair. Nino *Beddu* ne s'embarrassait pas de fausses explications. Depuis leur rencontre, elle n'avait cessé de penser à lui. Il représentait à la fois un bonheur et une angoisse. Qu'allait-il se passer ? Elle craignait de ne plus le revoir ou alors de loin en loin, au village, et ils se feraient un signe de la main. Elle garderait de lui ce seul souvenir. En même temps, elle souhaitait sans trop y croire qu'il se manifeste. Et voilà qu'elle se trouvait devant lui, presque nue, dans ce jardin au début de la nuit. Elle tremblait. C'était l'émotion, la peur, l'amour. Elle ne savait pas. Peut-être tout cela ensemble. La Sicile était pleine de ces histoires d'amours tragiques qui commencent en fanfare et se terminent mal. Nino était le fils de ce paysan qui avait fait à don Tomasini l'offense de vendre ses produits dans un village éloigné au lieu de les lui proposer. Ce n'était pas une question d'argent. Don Tomasini avait calculé qu'avec le transport cela coûtait plus cher au père de Nino que d'accepter ses prix. C'était autre chose, une obstination absurde, un refus motivé par une haine sourde, probablement ancienne, résultant peut-être d'une offense que don Tomasini avait dû lui faire et dont il ne se souvenait plus, tant il avait méprisé et insulté de gens dans sa longue vie.

En tout cas, l'injure était publique, quoique inexprimée. Une fois la récolte achevée, le père de Nino chargeait tout sur une ou plusieurs carrioles et parcourait une longue distance pour la vendre. Et cela, un homme vindicatif, conscient du pouvoir qu'il exerçait autour de lui, ne pouvait le tolérer. C'était une épine dans son pied qu'il faudrait arracher un jour ou l'autre. Don Tomasini, comme tous les Siciliens, avait une longue mémoire.

« C'est une situation compliquée », avait-elle dit à Nino, tout en le regrettant aussitôt.

Pour compenser ses propos, elle s'était collée contre lui et il l'avait embrassée. C'était compliqué, mais ils s'en sortiraient. Voilà ce qu'elle voulait dire. Nino l'avait bien compris et il était revenu le soir suivant, ainsi que d'autres soirs. On était au début du printemps et ils s'allongeaient dans l'herbe dans le jardin, dissimulés par les bosquets. Au début, ils choisissaient les nuits où don Tomasini était absent, puis ils n'y avaient plus pris garde. En passant devant sa chambre dans le couloir, Carmela vérifiait seulement qu'il ronflait et elle gagnait le jardin. À cette époque, ils ne faisaient pas encore l'amour. Nino était un garçon respectueux. Ils se caressaient et se parlaient en chuchotant, ils n'évoquaient pas leur avenir car ils ignoraient s'ils en auraient un ensemble, ils parlaient d'eux-mêmes, de ce qu'ils ressentaient, de ce qu'ils voyaient, et aussi des livres qu'ils lisaient. Parfois, ils s'apercevaient le dimanche à l'église et échangeaient discrètement des regards, ou ils se rencontraient à la librairie de Palerme. C'était un amour secret et dangereux, qui en était d'autant plus fort, violent même.

Carmela s'aperçut bientôt que cet amour devenait sa raison de vivre. Pour l'extérieur, elle ne montrait rien et poursuivait avec son oncle les mêmes relations dépourvues d'affection. Il l'avait recueillie parce que c'était son devoir social et il l'entretenait. En contrepartie, elle tenait sa maison et le déchargeait du coût d'une gouvernante. Don Tomasini la logeait et la nourrissait, payait aussi ses vêtements et ses livres. C'était tout. Pas de sentiments ni de confidences ou de soutien moral. Un jour, il la marierait avec l'époux qu'il choisirait selon ses propres intérêts ou peut-être jamais, et elle resterait vieille fille, à faire les comptes et à répartir les tâches de la maison, veillant au linge, à la nourriture et aux meubles. Voilà l'avenir qu'elle pouvait attendre. Sa rencontre avec Nino était un éclair de feu dans un ciel gris.

Vint la période où se négociaient les prix des récoltes. Les paysans se succédaient chez don Tomasini. Le père de Nino, comme d'habitude, ne se présenta pas. Mais le dimanche, don Tomasini le croisa sur la place du village, après la messe.

« Alors, Calderone, tu ne veux toujours pas me vendre tes fruits et tes légumes ? »

À cette heure d'affluence, c'était une interpellation publique. Les gens du village firent halte pour écouter.

« Ils sont trop chers pour vous, don Tomasini. Vous n'avez pas les moyens de me les payer ! »

Don Tomasini ne répondit pas. C'était comme un crachat en plein visage. Un mois plus tard, le 20 mai 1914, le père de Nino était assassiné. Tous savaient qui avait commandité le crime. Personne ne dit rien. L'enquête fut de pure forme et l'affaire classée.

Carmela n'en parla jamais avec son oncle, mais elle voyait bien qu'il se réjouissait, comme d'un bon coup ou d'une bonne affaire. Elle commença à le regarder autrement, en prenant la mesure de la puissance dangereuse qui émanait de lui. Jusqu'à présent, ce n'étaient que des ragots, des rumeurs, fondés peut-être, mais dont elle n'avait jamais eu la preuve. Pour la première fois, elle se rendait compte de tout ce qu'il représentait. Puis elle dut faire ce constat : Nino *Beddu* ne venait plus la voir. Les volées de graviers sur sa fenêtre avaient pris fin sans un mot de sa part. La soupçonnait-il d'avoir été informée de ce qui allait se passer ? Avait-il pris peur ? Ce n'était pas son genre. Carmela attendit. Une semaine passa, puis une seconde. Elle multiplia les déplacements à Palerme à la librairie dans l'espoir de le rencontrer. En vain, les vendeuses lui dirent qu'on ne l'avait pas revu.

Une nuit, elle sortit de la propriété. Prenant garde de ne pas tomber sur les *tipi a cavaddu* qui surveillaient les terres la nuit, elle se rendit à la ferme de Nino. Les volets étaient fermés à l'étage mais un rai de lumière filtrait. Cette fois, ce fut elle qui lança des cailloux. Un volet s'entrouvrit. Elle aperçut le canon d'une arme dans l'entrebâillement.

« Nino, c'est moi ! »

L'arme disparut. Le volet se referma, la lumière

s'éteignit et la porte s'ouvrit en bas. Nino apparut. Il tenait l'arme devant lui. En voyant qu'elle était seule, il la déposa. Tous deux restaient l'un devant l'autre, silencieux. Il portait ses vêtements de la journée et ne s'était pas rasé.

« Que veux-tu ? demanda-t-il.

— Tu ne viens plus. C'est à cause de ton père mais je ne savais rien. Je deviens folle si tu n'es plus dans ma vie. »

C'est cette nuit-là qu'elle avait couché avec lui pour la première fois.

Ils avaient repris leurs habitudes mais en sens inverse. C'était Carmela qui courait dans le maquis jusqu'à la ferme de Nino. Ainsi avait-elle appris les horaires et les itinéraires des gardes à cheval. Cela avait duré un an, été comme hiver. Personne n'avait rien su et, si d'aucuns avaient remarqué, certains matins, qu'elle avait les yeux battus, ils avaient gardé cette observation pour eux.

Lorsque était venue la période de « l'anniversaire », Carmela avait remarqué la présence de deux hommes qui dormaient dans une cabane, au fond du jardin. Ils étaient armés et ne parlaient à personne. Elle leur avait demandé ce qu'ils faisaient là en se présentant comme la nièce de don Tomasini. Ils lui avaient répondu qu'ils avaient l'autorisation de son oncle et qu'ils comptaient repartir avant la nuit suivante. Il lui semblait les avoir déjà vus, un an plus tôt, à l'époque de l'assassinat du père de Nino. Il n'y avait pas de doute sur ce qu'ils venaient faire. Elle avait fait prévenir Nino. Ils s'étaient rencontrés brièvement. Nino lui avait demandé de laisser les portes ouvertes et de lui indiquer le chemin pour parvenir à la chambre de don Tomasini. Là non plus, elle n'avait pas eu de doute sur ses intentions. Son amant n'était pas seulement Nino *Beddu*, un garçon fin, intelligent, avec le sens de la nuance, comme elle l'avait remarqué quand ils commentaient ensemble les livres qu'ils lisaient et que leur conversation dérivait sur les affaires de la vie, c'était avant tout un Sicilien élevé par son père dans les règles de l'honneur, du silence et de la vengeance. Tôt ou tard, il aurait la peau de don Tomasini. C'était une question de temps, de moyens et d'opportunité.

Et voici que l'occasion se présentait dans des conditions telles qu'il n'avait d'ailleurs aucun choix. Don Tomasini non plus n'avait pas le choix. Après le père, le fils. C'était une obligation plus encore qu'un devoir pour éviter une vengeance certaine. Aussi avait-il recruté les mêmes hommes qu'un an plus tôt. Des gens sûrs, fournis par des amis de Catane qui est, après Palerme, l'autre capitale de la Sicile. Ils venaient, ils tuaient et ils repartaient, bien payés, la moitié d'avance et le reste après. Des sicaires qui avaient une réputation à défendre.

Le jour de l'anniversaire avait été choisi pour faire d'une pierre deux coups. Don Tomasini se débarrassait du seul descendant de la victime, mais d'une manière telle que, dans la région, personne n'aurait de doute sur le commanditaire de l'opération, et ses ennemis sauraient ainsi qu'il ne faisait pas bon lui nuire.

Carmela non plus n'avait pas le choix. Ce qu'elle devait à don Tomasini, le gîte, le couvert, l'aisance matérielle, ne pesait rien face à son amour pour Nino.

Un amour immense, exclusif et terrible. Un amour de fille du Sud. Parfois long à se mettre en place, parfois rapide et brutal, mais qui ne s'arrêtait jamais. Nino et elle risquaient leur vie dans cette relation, mais ils n'en avaient cure. La mort faisait partie de la passion. Il lui avait demandé son aide pour frapper le premier, c'est-à-dire tuer l'oncle. Sans discuter, sans poser de questions, elle lui avait indiqué l'itinéraire jusqu'à la chambre et assuré que les serrures seraient ouvertes.

Aucun des invités au banquet de deuil ne soupçonne quel genre de fille est Carmela. Ils la prennent pour une gamine, plutôt jolie et bien élevée, sur qui est tombé un énorme héritage qu'elle ne saura probablement pas gérer. C'est pourquoi certains d'entre eux n'ont pas craint de s'installer, dans l'idée de ne jamais repartir. Mais le lendemain matin, Carmela leur fait transmettre par Ignacio ce message : accablée de chagrin, elle est incapable de venir les saluer. Elle les remercie tous d'être venus et les informe que leurs voitures les attendent dans la cour, après avoir été nettoyées de la poussière des chemins. On ne peut être plus clair.

Les invités s'en vont, sous le regard de Carmela à travers une fente du volet de sa chambre. Quand la dernière voiture disparaît dans le virage, elle descend. La maisonnée produit ses bruits habituels. Les hommes à cheval montrent leurs silhouettes au sommet des collines, la carabine en bandoulière. Rien n'a changé, sauf qu'elle est désormais la seule maîtresse du domaine. Ce n'est pas une tâche qui l'inquiète. Elle en sait assez pour faire face. Son inquiétude, c'est

Nino. On lui a raconté comment il s'était enrôlé sous les yeux du commandant des carabiniers, suivi par Beppe et Franco. Le camion de l'armée est parti vers la caserne de Palerme. Et après ? Quand il reviendra, s'il ne se fait pas tuer, elle n'a aucun doute sur ses intentions. Ils vivront ensemble et se marieront. D'ailleurs, ne lui a-t-il pas laissé les actes de propriété de la ferme de son père ? C'est un gage. Elle l'a bien compris. Mais combien de temps durera cette guerre ? Les journaux parlent de quelques mois à peine, le temps de défaire les Austro-Hongrois et de défiler en vainqueurs à Vienne.

Mais Carmela, en bonne Sicilienne, se défie des proclamations de l'État. L'expérience prouve qu'elles ne sont jamais suivies d'effet. Il arrive, en revanche, ce qui n'est jamais annoncé, des impôts et de nouveaux règlements inspirés par l'administration piémontaise. Encore des préfets, des carabiniers et des percepteurs. C'est tout ce que Rome sait envoyer. Et les gens de la Sicile, bien qu'en ayant pris l'habitude, ont appris à les détester en silence tout en leur faisant des compliments et des révérences. De temps en temps, ils en tuent un et les agents de l'administration reculent. Une fois, ils ont fait appel à un policier américain, Joe Petrosino, d'origine sicilienne, qui a débarqué à Palerme en annonçant son intention de nettoyer la Sicile de ses mauvais habitants qui n'écoutent rien du gouvernement et persistent dans leurs détestables pratiques. Il s'est fait abattre devant le jardin Garibaldi, là où l'on trouve ces arbres immenses. On a rapatrié son corps à New York tout en lui consacrant une belle plaque sur un mur, avec des gerbes de fleurs et des discours. Après quoi, les Piémontais n'ont plus envoyé personne mais seulement affiché de nouveaux règlements et interdictions que personne ne lit. Et puis, cette guerre…

Carmela sait qu'elle aura le courage d'attendre le retour de Nino *Beddu*. Dans l'île, le temps ne compte pas, la durée, les délais, c'est pour les gens de Rome. En Sicile, on ne vieillit pas. On va doucement vers la mort, ce qui n'est pas la même chose, d'ailleurs, les gens ne meurent pas vraiment, ils passent de l'autre côté, chargés des messages des vivants, et on continue de communiquer avec eux, bien après qu'ils ont rejoint le cimetière. Tout cela, Carmela le sait. Elle se prépare donc à attendre tout l'été le retour de Nino en recherchant dans son esprit le souvenir des traits de son visage, la nuit, étendue sur son lit derrière les volets que ne frappent plus les volées de graviers.

C'est alors qu'elle reçoit une lettre écrite au crayon sur du mauvais papier militaire :

« *Carissima*, je t'envoie cette lettre par un camarade qui la postera de la ville quand il pourra, de façon à éviter la censure pour ce que j'ai l'intention de te dire… »

Cette lettre, elle la lit, la relit et la relit encore. C'est une belle lettre tragique. Sans doute Nino *Beddu* parle-t-il de son amour, rappelant leurs rencontres la nuit quand lui-même traversait la campagne pour la rejoindre, et plus tard, lorsque ce fut son tour à elle de faire le chemin inverse. Il l'appelait « ma femme de la nuit », puisque les images qu'il avait d'elle, les traits de son visage, les lignes de son corps étaient éclairés par les seules bougies de sa chambre à la ferme, faute d'électricité. Il lui raconte que dans ses rares moments de solitude et de paix, il n'a que cette distraction : reconstituer les souvenirs qu'il a gardés d'elle, de son regard, de sa silhouette quand elle se levait et qu'elle marchait nue dans la chambre, avec les ombres que projetait la flamme de la chandelle, les bruits de son pas sur les lattes de bois ou ses gestes quand elle revenait s'asseoir sur le bord du lit, sa manière d'étendre sa main sur lui, puis de se pencher pour l'embrasser, et que la pointe brune de ses seins effleurait sa poitrine et qu'à son tour il tendait la main pour la caresser. Ainsi, les yeux clos, au fond de sa tranchée, il parvient à retrouver l'effleurement de sa peau, des grains de beauté à certains endroits qu'il ne désigne pas dans une cartographie précise de son corps. Il lui parle aussi de sa voix douce, un peu étouffée, car c'est une fille qui parle bas, sans jamais élever le ton, à l'inverse d'autres qui ne peuvent s'exprimer que sur un mode aigu ou acidulé. Et la voix de Carmela, il parvient aussi à la reconstituer dans ces moments où il atteint une parfaite solitude mentale, indifférent aux cris, aux grognements, aux bruits ordinaires de la tranchée et même aux roulements de la canonnade qui ne s'arrête pratiquement jamais.

La deuxième partie de la lettre, d'un ton très différent, est consacrée à sa stupéfaction de la guerre. Nino *Beddu* n'est pas un stratège ni un tacticien, et il n'y prétend pas. Pour autant, il voit bien que cette guerre n'est pas près de finir et que lui-même, cette fin, il risque fort de ne jamais la voir. « Une guerre, écrit-il, que je n'aurais jamais imaginée, avec des canons plus longs que des wagons de train, des obus que l'on transporte sur des chariots car ils sont trop lourds pour qu'un homme puisse les porter dans les bras. » Et il décrit ces armes énormes, inimaginables pour un paysan de Sicile, installées les unes à côté des autres en d'interminables rangées, tirant un coup par minute. Certains engins sont si gros qu'on les a équipés d'une échelle en fer pour grimper dessus et d'une manivelle pour régler la hausse que des artilleurs manœuvrent à deux mains. Et ces canons tirent jour et nuit, protégés par des plaques d'acier. Parfois, cela dure une semaine entière. Les soldats restent alors dans les tranchées à attendre l'offensive. Et quand les canons se taisent enfin, la guerre des canons devient la guerre des hommes.

De ce moment où il faut parcourir la *terra di nessuno*[1], cet espace nu jusqu'aux tranchées ennemies, Nino *Beddu* n'en dit pas plus. Mais il compte les morts, les blessés, les mutilés que l'on ramène quand on les ramène, au terme d'improbables trêves. Il ajoute cependant que lorsqu'un assaut réussit, c'est-à-dire quand la tranchée ennemie est conquise, ce qui arrive rarement, il ne faut pas pour autant se réjouir car les Austro-Hongrois lancent des contre-attaques pour regagner le terrain provisoirement perdu. Les assaillants deviennent alors défenseurs, tandis que les autres, poussant des cris dans leur langue, dévalent la colline. Il faut se battre à la grenade, à la baïonnette et même au poignard, pour en définitive se retrouver avec un gain de quelques dizaines de mètres quand ce n'est pas au point de départ.

---

1. La terre de personne. Le no man's land.

Il y a aussi la discipline sur laquelle il ne veut pas s'étendre. « Sache, dit-il seulement, que des hommes sont fusillés pour le simple fait qu'au moment de l'assaut ils ont tardé à sortir de la tranchée. Quant aux blessés, ils meurent souvent parce qu'ils sont restés longtemps sans secours ou parce qu'il n'y a pas assez de médecins, ou que les médicaments ne sont pas arrivés. »

À l'intérieur des tranchées, la nourriture est servie froide, parfois avariée, il n'y a rien pour se laver et les hommes font la queue devant un robinet unique. C'est le moment où ils parlent entre eux, en faisant attention aux personnes qui les entourent. L'armée compte des espions qui rapportent tout aux supérieurs. Ceux qui se plaignent, qui font part de leur peur de mourir au prochain assaut, deviennent suspects, et leurs noms sont inscrits sur une liste où figurent les soldats qu'il faudra placer en première ligne lors de la prochaine offensive. Un sergent qui s'appelle Bertani tient cette liste.

« Je ne sais pas quand je reviendrai ni si je reviendrai, achève-t-il, c'est un miracle que je sois encore vivant. Beppe et Franco ont la même chance que moi mais ils ne croient pas que cela durera longtemps. Parfois, nous parlons en dialecte entre nous, sans risque d'espion. Il n'y aura pas de permission pour les Siciliens. C'est le bruit qui court. Les officiers ne nous aiment pas, et nous non plus. J'ai donné l'adresse de Luciana. Si je meurs, c'est elle qui recevra la nouvelle et qui te préviendra. Dans ce cas, ne m'oublie pas tout à fait car là où je serai, je veillerai sur toi. »

Le lendemain du jour où elle a reçu cette lettre, Carmela se rend à Palerme pour consulter son médecin. Il lui confirme ce qu'elle craint depuis plusieurs semaines, elle est enceinte.

7

Le train en provenance du front de l'Isonzo arrive en gare de Vérone avec presque deux heures de retard après avoir dû céder la voie à des convois militaires chargés d'hommes et de matériel. Le lieutenant Mori se lève avec une grimace. Sa blessure à la jambe, qui lui vaut quinze jours de permission de convalescence, le fait toujours souffrir. Dans le compartiment, on s'empresse de lui laisser la place afin qu'il puisse gagner le couloir. Une femme lui tend son sac avec un sourire.

— Comment va la guerre, monsieur l'officier ?

— Comme ma jambe, répond Lorenzo.

La troisième offensive du général Cadorna a toujours pour but de prendre Gorizia. Sur toute la longueur du front, mille trois cents canons ont tiré nuit et jour sur les collines où sont retranchés les régiments autrichiens. Les journaux des deux camps rapportent que le bruit des bombardements était tellement fort, tellement intense, qu'on l'a entendu à plus de cent kilomètres. L'offensive a duré deux mois, de septembre à novembre 1915. Les chiffres des pertes sont un secret militaire, mais il se raconte dans les tranchées qu'en certaines parties du front la moyenne est de quatre mille hommes par jour. Le poète officiel, Gabriele D'Annunzio, fanatique de l'esprit de combat et de la rédemption par la souffrance, a publiquement acclamé l'idéale transfiguration du paysan italien et affirmé que sur l'*altopiano*[1] de Doberdo, d'où il observait la bataille, comme Néron qui avait fait des vers durant l'incendie de Rome, il avait vu en vrai «l'enfer de Dante». Lorenzo ne sait qu'une chose, apprise sur son lit d'hôpital et qui se répand comme une traînée de poudre dans le milieu des officiers: les meilleurs gains de territoire après la fin de l'offensive ne dépassent pas cent mètres...

À peine est-il descendu sur le quai qu'il est aussitôt entouré d'une grappe de journalistes, tandis qu'explosent les éclairs fumeux des appareils photo montés sur trépied. On salue le héros du Monte Nero, le blessé héroïque de la cote 383. On cite des endroits où il n'est jamais allé, on l'interroge sur des exploits qu'il n'a pas plus accomplis. Il doit jouer des coudes, refuse de répondre aux questions: «Alors, quand est-ce qu'on prend Gorizia?», ou encore: «Il paraît qu'on sera à Trieste avant Noël.»

Enfin, il voit sa mère devant son père, postés derrière les journalistes. Son énorme grain de beauté luit sur sa joue.

— Mon fils! s'écrie-t-elle avant de l'étouffer dans ses bras puissants.

Il l'embrasse ainsi que son père.

---

1. Le haut plateau.

— Comment saviez-vous que j'arrivais aujourd'hui ?

— Ta mère sait tout. Je n'ai pas eu besoin d'attendre ta lettre pour savoir quel jour tu serais là et dans quel train.

C'est alors que Lorenzo aperçoit Julia, derrière la porte vitrée, avec un sourire timide. Il lui a adressé un télégramme, se gardant bien de prévenir sa propre famille. Il s'approche et lui parle à travers la vitre, de manière qu'elle le comprenne, même si elle ne l'entend pas.

— Ce soir, lui dit-il, dès que je me serai libéré.

Elle lui fait signe qu'elle a compris et s'efface dans la foule de la gare.

— Encore cette fille, s'écrie sa mère à qui le manège n'a pas échappé, elle est déjà là !

— Maman, nous n'allons pas commencer à nous disputer.

— Tu as raison, mon fils, d'autant plus que j'ai prévu mieux pour toi !

Le dîner se déroule dans une ambiance faussement enjouée. Puisque Lorenzo a annoncé d'emblée qu'il se refuserait à parler de la guerre, sa mère le fait à sa place. Elle en a une vision journalistique, totalement déformée par la propagande et les conversations avec ses amies. Elle s'est forgé une image de « mère de héros » opposé à de « vils ennemis », dont il triomphera évidemment sous le regard approbateur du général Cadorna, un militaire de grande qualité à qui tous les Italiens devraient être reconnaissants pour ses talents de stratège.

— Et en plus, ajoute-t-elle, un homme d'une

grande piété qui va à la messe tous les matins, n'est-ce pas, Lorenzo ?

— Je n'en sais rien. Je ne l'ai jamais vu. Il n'a pas pris la peine de rendre visite aux hommes dans les tranchées.

— Mais enfin, c'est le meilleur chef que nous puissions avoir. Tu le reconnais ?

Lorenzo se tait et échange un regard avec son père.

— Réponds-moi ! C'est le droit de ta mère de te poser cette question.

— Je ne peux pas vous répondre. Il est certain que Cadorna a la meilleure opinion de lui-même et que personne n'ose le contredire, puisque le moindre officier de son état-major qui va manifester non pas un désaccord mais un doute est immédiatement chassé, quand il n'est pas mis aux arrêts pour «esprit de trahison».

Il y a un silence. Sa mère comprend qu'il vaut mieux changer de sujet.

— Et les Autrichiens, reprend-elle de sa voix claironnante, tout le monde sera d'accord cette fois, ce sont des lâches et ils ne savent pas se battre.

Lorenzo lève la tête et observe sa mère.

— Les régiments autrichiens qui nous font face sur l'Isonzo sont admirables de courage et de ténacité, et il en faut pour subir sans broncher le déluge d'obus qu'ils reçoivent tous les jours. Quant à leurs qualités de soldats, elles sont évidentes. Leur système de tirs croisés de mitrailleuses légères est d'une diabolique efficacité. Enfin, ils mourront sur place avec les Hongrois et les autres peuples qui font partie de l'empire des Habsbourg en poussant leur cri de guerre : *Napred ! Na noz !*, plutôt que de reculer.

— Et que signifie ce cri ? demande sa mère d'un air pincé.

— « En avant ! Au poignard ! » Comme nous crions *Avanti Savoia !*.

— Le cri de guerre italien est plus distingué.

— Certainement.

Nouveau silence. Le père de Lorenzo, le major, se racle la gorge.

— Et la guerre, demande-t-il, penses-tu qu'il y en ait pour longtemps ?

— Je le crains, à l'inverse de notre général. Les Autrichiens ont installé des systèmes de tranchées sur des kilomètres en profondeur. Nous le savons par les prisonniers. Même si Gorizia est prise un jour, la route de Trieste ne sera pas ouverte pour autant.

— C'est ça, reprend la mère, j'espère, mon fils, que demain dimanche tu déjeuneras avec nous. En tout cas, je te le demande. Nous aurons des invités auxquels j'ai annoncé ta présence.

Lorenzo se tait. Il n'est pas venu pour polémiquer avec sa mère et, pourtant, il refuse de se laisser mener comme le petit garçon qu'il n'est plus.

— Je serai là, finit-il par dire… À condition qu'on ne me parle pas de la guerre et qu'on ne me demande pas mon avis.

Un moment plus tard, le café avalé, comme il s'apprête à sortir, il croise sa mère en sentinelle dans le couloir.

— Je ne te demande pas où tu vas ni qui tu vas retrouver…

— Merci, répond-il en l'embrassant.

— D'autant plus que je m'en doute, siffle-t-elle. Enfin, il faut bien que jeunesse se passe.

Il sort et claque la porte.

— Je sais, dit Julia, que tu ne veux pas me parler de la guerre.

— Non.

— Tu veux que je parle, moi ?

— Je préfère.

C'est un moment après l'amour. Feu dans l'âtre, parfum des poutres en bois dans cette chambre de garçon, à la lisière de Vérone près des remparts, parfum de l'alcool qu'ils ont bu tout à l'heure, odeur des chairs qui s'apaisent, le souffle de l'un sur l'autre, à tour de rôle selon celui qui se penche. Elle parle d'elle, parce qu'elle n'a pas d'autre sujet. Sa vie, dit-elle, est comme suspendue depuis qu'il est parti. Elle ne peut raconter ce qu'elle a fait, parce que, en vérité, il n'y a rien à faire, sauf à fréquenter les ouvroirs où on tricote pour les pauvres et prépare la soupe et les pâtes pour les familles, celles dont le mari est parti comme les autres, mais qui ne reviendra pas.

— Mais ce ne sont pas des choses que l'on raconte.

— Si, dit Lorenzo, ça se raconte comme le reste, c'est la vie des femmes comme toi, à l'arrière. C'est leur manière de faire la guerre.

— Tu vois que tu en parles.

— Ce n'est pas la même chose.

Elle poursuit avec le récit de ses journées, toutes identiques ou presque, des journées mécaniques, sauf ces minutes passées à vérifier dans le journal la liste des morts de la semaine ou le récit des batailles et les communiqués de l'état-major. Elle ajoute qu'il y avait ces moments où elle recevait une lettre de lui qu'elle lisait et relisait avec acharnement, cherchant à travers les lignes ce qu'il voulait lui dire, mais ne pouvait écrire.

— Cela t'arrive souvent, n'est-ce pas, de déguiser les événements à cause de la censure ?

— Tout le temps. On écrit tous comme ça. Ils prennent les lettres au hasard et si ça ne va pas un jour, tu es convoqué à l'état-major.

— Et après ?

— On ne sait pas ce qui arrive après.

Il y avait encore les moments où c'était elle qui lui écrivait. Parfois, il lui fallait deux jours pour une lettre, car elle oubliait des faits qui lui semblaient importants et elle voulait les ajouter. Alors, elle recommençait toute la lettre depuis le début.

— Mes lettres, lui dit-elle, c'est comme si j'écrivais un livre. Il ne faut pas me tromper sur ce que je t'écris. Je sais que c'est important pour toi.

Elle lui parle des livres qu'elle a lus ou relus, car depuis le début de la guerre, il ne se publie presque rien. Les auteurs sont partis au front.

— Après la guerre, dit Lorenzo, les auteurs se mettront tous à écrire sur ce qu'ils auront vécu. Il y aura pléthore de livres sur le sujet et ils se vendront très bien.

— Si l'Italie est vainqueur.

Il ne répond pas. Elle attend qu'il lui dise quelle sorte de fin il entrevoit, mais il se tait et elle n'ose l'interroger. Elle a vu les journalistes sur le quai de la gare qui le traitaient en héros et à quel point il en était agacé malgré cette décoration sur son uniforme. Mais ce soir, il est venu en civil.

— Il y a Mussolini dans mon régiment, finit-il par dire.

— Le journaliste ? Celui qui dirige *Il Popolo d'Italia* ? Avant, il était socialiste et dirigeait l'*Avanti !* Puis il a choisi d'être du côté des *interventisti* et il a changé de camp.

— Les socialistes l'ont chassé.

— Drôle de type. Comment est-il, de près ?

— Comme tout le monde. On voulait faire de lui un officier mais le ministre a refusé. Il est simple soldat. Les hommes ne l'aiment pas, car ils l'accusent d'être un fauteur de guerre. Mais il se comporte bien. Je crois qu'il sera proposé au grade de caporal.

— Tu as parlé avec lui ?

— Plusieurs fois. Il tient un journal des événements. Il me l'a montré et ce qu'il écrit est exact. Personne, après la guerre, ne pourra lui reprocher de ne pas avoir été cohérent avec lui-même s'il revient vivant. Il voulait la guerre, donc il la fait.

Lorenzo effleure du bout des doigts la peau de Julia, elle frissonne. Elle lui dit que l'amour lui a manqué. Sa présence, ses mots, sa voix, l'amour physique aussi, toutes ces étreintes qu'ils rataient tous les deux. Mais elle se dit aussi que la guerre indirectement lui a épargné de partager le lit d'Umberto et qu'elle a refait de son père un homme riche. Cela ne servirait à rien s'il se faisait tuer. Déjà, il y a cette blessure. D'abord la médaille, puis la blessure.

— Insuffisante pour être réformé, ironise-t-il. D'ici

deux semaines ou trois au maximum, je repartirai au front.

Elle se récrie, puis lui demande de lui raconter comment c'est arrivé. Sans doute ne veut-il pas parler de la guerre pour ne pas l'inquiéter mais elle exige de tout savoir. C'est son droit de femme. Il est très difficile pour elle d'imaginer les combats d'après les journaux, elle veut l'entendre, lui.

Il secoue la tête. La médaille, c'est un coup de chance dans une mission où il n'a été que blessé au lieu d'être tué comme les autres. La mission aurait pu échouer, elle a réussi. D'où la médaille. Il n'y a rien à dire de plus.

— Je pense que tu as eu peur, dit Julia. Je sens que tu ne me racontes pas tout. Tu ne peux pas.

— La peur, dit Lorenzo, c'est avant et c'est après. Sur le moment, on n'y pense pas. Dans l'action, on n'a pas le temps.

Il se tait encore, il lui sourit, puis lui dit qu'il va lui raconter comment il a été blessé et comment il s'en est tiré parce que c'est une histoire qu'elle ne peut sans doute pas imaginer, ni elle ni ceux qu'elle voit tous les jours à Vérone, les gens de l'arrière.

— Vraiment ?

Il opine. S'il y a quelque chose à raconter de la guerre, c'est cet épisode-là, auquel il ne cesse de penser, même s'il n'en a parlé à personne.

— C'était, commence-t-il, lors d'une attaque contre une position occupée par un régiment appelé Hoch-und Deutschmeister, une unité d'élite de l'armée autrichienne composée d'hommes de plusieurs nationalités. L'endroit s'appelle la cote 383 en termes militaires. C'est le mont Plava. En réalité, c'est une colline. Et il fallait la prendre.

Elle lui demande pourquoi cette colline était aussi importante.

— Parce que derrière, il s'en trouve d'autres, et encore derrière, dans la plaine, il y a Gorizia.

Elle l'interrompt pour lui demander de décrire cet endroit. Il lui explique que c'est comme une femme nue allongée sur le dos qui a non pas deux, mais sept ou huit seins, les uns à côté des autres, qu'il faut conquérir, et qu'après le dernier sein une vallée en pente douce mène jusqu'à son ventre très doux, très tendre, humide, accueillant. Ce ventre, c'est Gorizia.

— Le premier de ces seins, précise-t-il, c'est justement la cote 383, le mont Plava. Tout en haut, sur l'aréole, les Autrichiens sont installés avec des télémètres, des longues-vues, des canons et surtout des mitrailleuses disposées sur les flancs pour prendre les pentes en enfilade quand les Italiens montent à l'assaut. Il y a la végétation qui se raréfie au fur et à mesure des combats, car les obus défoncent les arbres et les taillis quand ils n'y mettent pas le feu. Cet endroit entre les tranchées italiennes en bas et les autrichiennes, c'est la *terra di nessuno*. Je le répète car ces mots sont très importants chez nous. La cote 383, nous on l'appelle la *quota*. Ce n'est pas la peine de préciser la hauteur, tout le monde sait ce que c'est.

— Et c'est là que tu as été blessé, sur la *terra di nessuno* ?

— C'est là. L'attaque a été précédée d'un feu d'artillerie, cent canons qui tirent en même temps en direction du sommet de la *quota*. On sait que dans ces moments-là, les Austro-Hongrois sont dans des cavernes ou plaqués contre les parois des tranchées. Quand les canons cessent de tirer, l'attaque est lancée.

Il raconte comment les hommes courent en grimpant avant que les mitrailleuses entrent en action. Dès les premières rafales, il faut se jeter à terre et se relever afin d'avancer encore dans les intervalles où les servants doivent changer la bande qui contient des cartouches, ou mettre fin au feu pendant quelques minutes pour refroidir le canon en versant de l'eau. C'est alors qu'il faut bondir et courir, encore en profitant de ce silence qui ne dure pas.

— C'est dans un de ces moments que j'ai été blessé, deux balles dans la jambe droite, mais je n'ai ressenti qu'un seul choc.

Julia passe sa main sur ses bandages à la cuisse et au mollet.

— J'ai basculé aussitôt dans un trou d'obus, poursuit Lorenzo, un grand trou profond de plusieurs mètres que j'aurais évité si j'avais continué à courir, et là, ma tête a heurté quelque chose. J'ai perdu connaissance pendant un moment.

Cette fois, Julia passe la main sur la tempe de Lorenzo. Sous les cheveux, ses doigts effleurent une croûte qui n'a pas tout à fait disparu.

— Quand j'ai rouvert les yeux, j'ai aussitôt senti la douleur tout le long de ma jambe, mais surtout, je me suis aperçu que je n'étais pas seul dans ce trou. Un autre soldat, blessé lui aussi, me regardait sans bouger. En fait, ça n'a pas duré car à cet instant, en surface, le combat avait repris. En tout cas, les obus tombaient partout.

— Des obus autrichiens ou des obus italiens ? demande Julia.

— Je n'en sais rien. Les deux probablement. Il y avait aussi des mitrailleuses, des coups de fusil et des cris, les cris italiens et les cris autrichiens ou hongrois. Des cris de guerre. *Savoia !* Et *Na noz !* On les entendait très distinctement.

Il explique ce que ces cris signifient. Julia hoche la tête.

— À un moment donné, reprend Lorenzo, un obus est tombé juste à côté. Il a explosé et cela a produit un souffle violent, tandis que de la terre soulevée est retombée sur nous, et il y a eu un éboulement.

Il s'arrête un instant. Tout en parlant, il revit cet événement.

— Dans un mouvement instinctif, cet homme et moi nous nous sommes rapprochés l'un de l'autre et pris dans les bras. Pour que chacun protège l'autre.

Lorenzo se met à parler plus vite :

— Pendant plusieurs minutes, j'ai posé mes mains sur sa tête et lui sur la mienne. Puis là-haut, enfin à l'extérieur, ça s'est calmé. Le combat se déplaçait plus loin. Alors, nous nous sommes écartés et j'ai découvert qu'il était autrichien.

— Que s'est-il passé ? demande Julia.

— Rien, nous étions là, face à face. Lui à genoux, moi sur le flanc à cause de ma jambe. Lui était blessé au bras et à l'épaule. C'était un officier comme moi. Il portait sur l'uniforme le blason des Hoch-und Deutschmeister. Il m'a offert une cigarette et moi un morceau de biscuit. En haut, on entendait toujours le bruit du combat, le staccato des mitrailleuses, les fusils, les cris, et encore les obus de mortier. Ça a duré un moment.

— Vous êtes-vous parlé ?

— On a essayé, mais je ne connais pas l'allemand et il ne parlait pas l'italien. On a communiqué par gestes.

— Quels gestes ?

Lorenzo sourit.

— Quand les obus passaient au-dessus de nous, dans les deux sens, on levait la main ensemble et on poussait en même temps un sifflet admiratif. Après, on riait.

Il s'arrête encore.

— C'était un bon moment, dit-il, je ne sentais presque plus mes blessures. Ça a duré une bonne heure, peut-être plus. La nuit a achevé de tout recouvrir et on n'entendait plus rien, sauf le gémissement des blessés. Il fallait sortir de là. J'ai essayé le premier. Je n'y arrivais pas à cause de ma jambe. Je glissais et je retombais. Alors, il m'a aidé, il s'est mis sous moi et il m'a poussé vers le haut en me faisant grimper sur son épaule valide. Et quand j'ai été de l'autre côté, je me suis allongé, j'ai tendu les mains vers lui pour qu'il s'accroche, et je l'ai hissé jusqu'à ce qu'il sorte.

— Et après ?

— J'ai rampé vers le bas, côté italien, lui vers le haut, côté autrichien. Chacun comme il a pu.

— Vous vous êtes dit quelque chose, un signe ?

— Il m'a seulement dit « Hans » et moi « Lorenzo ». Et chacun a disparu de la vue de l'autre.

Il se tait. Julia l'observe. Elle sourit, elle l'aime. Elle chuchote seulement :

— C'est aussi ça la guerre ?
— Oui, dit Lorenzo.

*

Le déjeuner du dimanche ressemble à une offensive du général Cadorna. La signora Mori mère n'a pas lésiné sur les moyens. Les couverts flamboient comme des baïonnettes, les assiettes qui remontent au Risorgimento sont alignées comme des batteries de canons. Sous le lustre, les carafes de vin jettent des flammes, et les plats fumants, en rangs dans l'office comme dans la tranchée, répandent un parfum de cuisine aussi entêtant que l'odeur de la poudre brûlée.

Les invités, un couple et ses deux enfants, se livrent à des exclamations admiratives. La femme, on le devine aisément, est une proche de la signora Mori. Elles partagent les mêmes salons, les mêmes intrigues, et on comprend, à les entendre, qu'elles sont unies par une sorte de complicité fangeuse tendant à la détestation des autres bourgeoises qu'elles feignent d'adorer. Le mari, chef comptable à la mairie, s'apprête à prendre sa retraite. Le garçon, trop jeune pour faire une recrue de l'armée, est au mauvais âge de l'adolescence. Quant à la fille, elle se prépare à être belle, alors que, pour l'instant, elle n'est que jolie. En grande stratège, la signora Mori l'a placée en face de Lorenzo, de manière à favoriser leur rapprochement. De temps à autre, elle échange un clin d'œil avec son amie. Mais Lorenzo ne dit rien, et la fille, qui s'appelle Virginia, non plus.

Au bout d'un moment, Lorenzo, qui a compris le manège des deux mères, finit par lâcher :

— Il paraît, mademoiselle, que je dois vous faire la conversation, sinon je manquerais à mes devoirs de fils à marier.

— Ça tombe bien, réplique Virginia, car je n'ai aucune envie de mariage en tête, en tout cas, pas avec vous.

Il éclate de rire. Soudain, Virginia lui paraît sympathique.

— Voilà un point commun. Je crois que nous allons nous entendre. Parlez-moi de vous, j'en ferai autant de mon côté, et nous nous quitterons bons amis dans l'idée de ne jamais nous revoir, au grand désespoir de nos mères.

Virginia accepte de jouer le jeu.

— Cette idée de ne jamais vous revoir, commence-t-elle, me contraint à la sincérité : la vie que je mène m'ennuie profondément et je cherche en vain les moyens d'en changer sans tomber sous la coupe d'un mari.

— Prenez un amant.

— J'y songe, mais tous les jeunes gens sont partis à la guerre. Il ne reste que les infirmes, ou les imbéciles congénitaux, ou les vieux.

Lorenzo hoche la tête. Cet aspect lui a échappé. Il réplique cependant sur un ton encourageant que cela ne durera pas. Les jeunes gens reviendront par grappes au fur et à mesure des permissions, d'autant plus séduisants qu'ils seront aguerris par les combats.

— Justement, s'écrie Virginia, il paraît que vous êtes un héros !

— Un héros, dites-vous, je ne crois pas. Qui vous a dit ça ? Votre mère ?

— Qui le tient de la vôtre. En plus, elle l'a lu dans le journal.

— N'en croyez rien. Ma mère a payé le journaliste et il a mis mon nom à la place d'un autre. Ainsi le tour est joué. Ma mère est parfaitement capable de ce genre de chose pour éblouir ses amies. C'est un rôle qu'elle joue à merveille : mère de héros. Cela manquait à sa panoplie.

Virginia lui demande s'il est sérieux. Il lui assure qu'il l'est.

— Et votre blessure ? Je vous ai vu avec une canne tout à l'heure.

— Je suis tombé dans un escalier, fracture de la cheville et du péroné.

Virginia pose sa main sur la nappe.

— Ce n'est donc pas une mitrailleuse autrichienne ?

— Les Autrichiens n'ont pas de mitrailleuses, seulement de vieilles pétoires qui marchent une fois sur deux. Ça n'impressionne que les lapins.

Cette fois, Virginia éclate de rire. La mère de Lorenzo se tourne dans leur direction et s'écrie :

— Eh bien, on ne s'ennuie pas du côté de la jeunesse !

Et elle lance aussitôt un nouveau clin d'œil à la mère de Virginia.

— Heureusement que votre mère ne vous entend pas.

Lorenzo a un geste d'impuissance.

— Désolé de vous décevoir, mais je vous dois la

vérité. Vous voyez bien que je n'aurais pas été digne de vous épouser, encore moins de devenir votre amant.

Le repas s'achève. Au salon, Lorenzo rejoint son père et le caissier municipal en retraite pour échanger avec eux des propos convenus sur le sort de la guerre, le président Salandra et Sidney Sonnino, son ministre des Affaires étrangères, tous deux à l'origine de l'ouverture des hostilités. Avec comme sujet de discussion la question : cela valait-il la peine de se faire tuer pour les *terre irredenti*, passées aux Habsbourg depuis longtemps ?

Ce débat les occupe une partie de l'après-midi. Les femmes bavardent entre elles. Au moment de se quitter, les deux mères rayonnent, convaincues d'être parvenues à leurs fins. Tout le monde s'embrasse sur le palier. Virginia dépose un baiser sur la joue de Lorenzo et murmure à son oreille : « Dommage. »

*

Trois jours avant son départ pour le front, Lorenzo Mori épouse Julia Di Stefano dans une église vide, avec deux témoins recrutés parmi les paroissiens de San Zenetto. Le mariage le plus sincère célébré à Vérone cette année-là. L'idée leur est venue en passant tous les soirs devant le porche de San Zenetto.

Au fur et à mesure que le délai pour le retour sur l'Isonzo se raccourcit, leur passion s'exalte avec cette crainte de ne pas se retrouver avant longtemps, si toutefois Lorenzo revient. Ils n'en parlent pas mais chacun vit avec cette certitude que le destin s'acharne sur eux. Il y a déjà eu cette affaire d'Umberto Galluzzi et du mariage de Julia à San Zeno. Et maintenant qu'Umberto est mort et que la famille Di Stefano a retrouvé la prospérité, la guerre a pris Lorenzo en otage comme tous les jeunes gens d'Italie.

Ce ne sera pas, comme l'avait imprudemment annoncé le gouvernement en se fondant sur des prévisions erronées de stratèges en chambre, une promenade militaire de trois mois. C'est une guerre qui produit des morts avec une régularité effrayante et mécanique. Les journaux rapportent le malheur de cette famille de Naples dont les trois fils sont tombés. C'est une guerre où les deux armées, chacune d'un côté du fleuve, les Italiens au pied des collines, les Austro-Hongrois sur les sommets, sont enfoncées dans des tranchées qui se font face. Et entre les deux, la *terra di nessuno* se couvre de morts. Les uns attaquent, les autres contre-attaquent. Ce ne sont plus des mouvements militaires, mais une sorte de rituel tant ces épisodes se répètent avec les mêmes résultats sanglants. Lorenzo a raconté à Julia qu'il faut parfois enjamber ou même piétiner les morts de l'attaque précédente. Lui-même a eu la chance de n'être blessé que deux fois. Cela ne durera pas. Il a l'impression que la mort le cherche et qu'elle finira par le trouver. Il ne le dit pas, mais Julia le sait. Elle se réveille parfois la nuit pour l'écouter respirer, le toucher, comme pour s'assurer qu'il est toujours vivant. Elle passe les doigts sur les cicatrices de son flanc et de sa jambe. Quand il sent sa main, il s'éveille et la saisit. Ils restent un moment tous les deux comme ça, sans parler, chacun attentif aux frémissements de l'autre, avant de replonger dans le sommeil, sans défaire cette étreinte des doigts jusqu'au matin.

D'autres nuits, ils parlent. Lorenzo évoque sa mère, sa jalousie et sa volonté de tout dominer. Elle est dangereuse, il a pu le vérifier lorsqu'elle a détourné la lettre de Julia. Encore maintenant, elle a organisé ce déjeuner dans le but de lui faire épouser Virginia. Quant à Julia, elle la déteste et n'hésitera pas à agir pour les séparer. Il existe donc ces deux obstacles, la guerre et sa mère. Sans doute ne sont-ils pas du même ordre, mais ils se dressent comme deux instruments agressifs du destin, comme des Érinyes. C'est ainsi que leur est venue cette idée de devancer les événements et de se marier sans attendre ni consulter personne.

Chaque jour, ils empruntaient lors de promenades le long de l'Adige la *rigaste* San Zeno. Ils passaient devant une petite église du Duecento, à proximité du Castelvecchio. Le nom de San Zenetto les avait frappés. San Zeno était l'église immense et magnifique où Julia aurait voulu se marier avec Lorenzo. Le destin, déjà vindicatif, avait gardé San Zeno mais changé l'époux. Maintenant qu'ils étaient enfin libres, il leur proposait San Zenetto comme un enfant illégitime de San Zeno. D'où le choix de ce lieu pour ce mariage volé, un mariage de voyous, d'amants scandaleux, de *mascalzoni*. L'église romane est faite de brique et de marbre clair. On trouve à l'entrée une pierre où san Zeno, le saint noir de Vérone, s'installait pour pêcher sur l'Adige, selon le curé avec lequel ils ont sympathisé.

« Padre, il faut nous marier avant que Lorenzo retourne au front, la semaine prochaine, a demandé Julia.

— Quand ?

— Demain, a dit Lorenzo.

— Et les bans ? Il faut au moins quinze jours.

— On est dispensés en temps de guerre, a inventé Lorenzo.

— Vous êtes sûr ?

— Je suis officier de l'armée du roi. »

L'argument était déterminant et le curé s'est incliné. Ils sont revenus le lendemain, lui en uniforme avec ses décorations, surtout la médaille de la valeur militaire, elle dans une jolie robe bleue achetée la veille pour l'occasion. À son doigt, une bague modeste, mais pour laquelle Lorenzo s'est ruiné, avec la date du mariage et leurs prénoms gravés à l'intérieur de l'anneau : « 8 novembre 1915, Julia-Lorenzo. »

« Vous n'avez pas de robe blanche ? a demandé le curé.

— Je ne suis plus une jeune fille. En temps de guerre, tout est permis. C'est comme pour les bans, a-t-elle répliqué.

— Évidemment. »

Il les a donc mariés en recrutant pour témoins deux vieilles bigotes qui faisaient office de sacristines et qui venaient chaque jour balayer, changer les fleurs de l'autel, et qui étaient en train d'installer la crèche de Noël. Ce choix les a flattées, et elles ont signé avec application au bas du document de mariage.

Ils sont sortis dans le jardin. Un photographe,

stipendié par Julia, a pris une seule photo et promis d'envoyer un exemplaire à chacun. Il n'y avait ni voûte d'acier, ni foule, ni musique. C'était un mariage extrêmement heureux.

Lorenzo a prétendu être rappelé au front avec trois jours d'avance et ils ont passé ces trois jours dans une auberge de Gargnano, sur les bords du lac de Garde, chez un copain de Lorenzo qui ne les a pas fait payer.

Trois jours passés à se parler beaucoup de leur avenir quand la guerre aura pris fin et que des enfants peupleront leur maison. Mais ces prévisions sont suspendues au retour de Lorenzo, si possible intact, de la guerre. Ils savent qu'il n'y a que peu de chances, mais tous deux feignent de croire que le destin les épargnera. Lorenzo a remarqué que la beauté de Julia, depuis leur mariage, resplendissait d'une clarté nouvelle.

— Tu es de plus en plus belle.

Elle ne répond pas tout de suite.

— C'est le bonheur, finit-elle par dire.

Le jour du départ de Lorenzo pour le front, elle l'accompagne à la gare. C'est un matin d'automne, avec de l'humidité et du brouillard comme souvent à Vérone.

— Que diront-ils chez toi quand ta famille verra ton alliance ? demande Lorenzo.

— Rien, depuis que nous sommes riches, mon père ne s'intéresse plus à moi. Et toi, que diras-tu ?

— Je pars pour le front et, quand je reviendrai, je dirai que je t'ai épousée. Ma mère n'osera rien dire et de toute façon je m'en fiche.

Lorenzo monte dans le train au dernier moment.

Une semaine plus tard, au front, il reçoit la photo du mariage. Le seul auquel il la montre est le caporal Mussolini.

— Tous mes vœux de bonheur, lui dit ce dernier. Elle est très belle. Moi, je ne me suis jamais marié. Je ne pourrais pas être l'homme d'une seule femme.

— Moi je peux, dit Lorenzo.

8

Les mois ont passé. Nino, Beppe et Franco courent vers les tranchées autrichiennes, se couchent quand les mitrailleuses commencent à tirer, puis ils se relèvent et recommencent. Autour d'eux, des hommes tombent et ne se relèvent pas. Leurs officiers ont été tués dès le début et il leur reste encore à franchir au moins deux cents mètres sur la *terra di nessuno* avant d'atteindre le sommet de la colline. Quelqu'un donne le signal de la retraite. On ne sait pas qui, mais tous les *bersaglieri* font demi-tour et se précipitent vers les lignes italiennes, tout en bas de la cote, avant que la contre-attaque ne soit déclenchée.

Les Autrichiens, eux, demeurent dans leur tranchée. L'assaut a échoué et c'est ce qui compte. Les trois Siciliens s'allongent sur le sol et se regardent en soufflant. Ils ont échappé de peu à la mort. La moitié du bataillon y est restée. Autour d'eux, les blessés qui ont pu marcher gémissent bruyamment.

Un sergent fait l'appel. C'est Bertani, ce Piémontais qui n'en a jamais assez, un de ces hommes aimés du général Cadorna avec « le bon esprit ». Son but est de devenir officier pour « mérites de guerre » et il ne recule devant aucun moyen pour y parvenir, la consécration de sa vie, qui était empreinte de médiocrité jusqu'au déclenchement de la guerre. Quand l'appel s'achève, on s'aperçoit que les « morts, blessés, prisonniers » sont plus nombreux que les rescapés. Bertani ne dit rien. Son rôle est de fournir des chiffres, pas de les interpréter.

C'est à cet instant que l'artillerie italienne se remet à tirer. Dans la tranchée, les hommes se regardent avec inquiétude. Les tirs de canons précèdent toujours les assauts, cela signifie-t-il qu'il faut recommencer ? On entend des grognements et des injures. Quelqu'un dit tout haut : « Je n'y retourne pas », les autres l'approuvent. Les canons s'arrêtent. On entend la voix de Bertani :

— Le général est arrivé.

— Je m'en fous, dit Franco.

Il y a cet ordre : « À l'assaut ! », mais personne ne bouge. L'ordre est répété :

— *Bersaglieri !* À l'assaut !

— Pas question ! répète Franco, suivi par d'autres.

Dans leur dos, des manœuvres de culasses de fusils. Ce sont les carabiniers. Eux ne se battent jamais. Ils se tiennent à l'arrière pour empêcher les fuyards et dénicher ceux qui ne montent pas à l'échelle du parapet. Si un soldat tente de s'échapper, ils l'arrêtent. S'il fuit, ils l'abattent. Du coup, les soldats grimpent à l'échelle, mais au sommet, ils hésitent. On crie encore

«*Bersaglieri*, à l'assaut ! » et ils avancent de quelques mètres sur la *terra di nessuno*.

— Venez les gars, on va tous mourir de toute façon ! crie un soldat.

C'est un fou. Il se lance en avant, agitant son fusil. Deux ou trois autres le suivent mais la plupart restent en arrière. Ils font quelques pas et s'arrêtent. Il y en a qui redescendent l'échelle pour rester à l'abri de la tranchée. Les fous persistent à avancer.

Côté autrichien, on entend un porte-voix :

— Braves soldats italiens, repartez à l'arrière. Ne vous faites pas tuer.

L'un des fous tire un coup de fusil vers les Autrichiens, ce qui déclenche une longue rafale de mitrailleuse. Les fous s'écroulent l'un après l'autre, cisaillés à hauteur de la poitrine.

— Vous voyez bien, dit Franco à l'intention de Bertani, c'est du suicide !

Mais le sergent ne répond pas. Il prend des notes dans son carnet. Ce sont les noms de ceux qui sont restés dans la tranchée. Une quarantaine à peu près. Quand il a terminé, il grimpe derrière les carabiniers et remet la liste au général, qui, les mains derrière le dos, a observé la scène.

— Merci, sergent, dit-il en s'emparant de la liste, puis il recopie les noms sur des feuilles volantes et il appelle Bertani : Combien d'hommes au total, sergent ?

— Trente-huit, mon général.

— Y a-t-il des officiers ?

— Non, mon général, ils sont tous tombés.

Le général fait un signe et les carabiniers sautent

aussitôt dans les tranchées, confisquant les fusils des hommes qui se laissent faire sans rien dire. Ils ne comprennent pas ce qui se passe.

— Faites-les sortir de cette tranchée, ordonne le général.

Les carabiniers poussent les *bersaglieri* vers l'arrière. Puis ils les entourent et les mettent en file. Le général, toujours accompagné de Bertani, prend la tête. Les trente-huit hommes marchent les uns derrière les autres, serrés de près par les carabiniers. Beppe précède Franco, puis il y a Nino.

Ils font ainsi plusieurs centaines de mètres jusqu'à une clairière épargnée par les tirs. En lisière sont déposés des sacs de sable. Le vent souffle dans les herbes et on entend chanter des oiseaux. Le général ordonne de faire halte. Il s'adresse aux *bersaglieri* qui ont refusé de remonter à l'assaut :

— Je suis le général Andrea Graziani. Le chef d'état-major, le général Cadorna, m'a nommé au poste d'inspecteur général du « mouvement de désencombrement des lâches ». Au nom des pouvoirs qui me sont conférés, je dois faire passer par les armes ceux qui refusent de faire leur devoir.

Il appelle Bertani et lui demande son képi. Il met à l'intérieur les feuilles volantes contenant les noms.

— Sergent, tirez quatre noms au sort et faites avancer les hommes.

Bertani pâlit un instant et se reprend aussitôt. Il tire quatre feuillets et lit les noms. Chaque fois, il désigne l'homme dans la file et les carabiniers s'emparent de lui pour lui faire faire un pas en avant.

— J'ordonne qu'ils soient fusillés, dit le général.

Dans les rangs, il y a un mouvement, qui s'arrête aussitôt. Parmi les soldats désignés, il y a Franco. Les carabiniers s'avancent et deux d'entre eux encadrent chacun des hommes tirés au sort. Ils ont l'habitude.

— Ces hommes sont indignes d'appartenir à l'armée, dit Graziani. Ils seront fusillés dans le dos[1].

Le sergent dispose les chaises devant la rangée de sacs de sable.

— Faites appeler le chapelain, dit le général, ces lâches sont, hélas, des chrétiens comme nous.

— Il n'est pas là, répond Bertani d'un air faussement gêné. Il est plus loin avec les autres régiments. Il ne reviendra que ce soir.

— Alors, on s'en passera. Comme l'a dit un prince de l'Église dans pareille situation, Dieu reconnaîtra les siens.

— Oui, mon général, dit Bertani.

Ses traits respirent la soumission en même temps que l'ambition bientôt satisfaite.

— Seul un officier peut commander le peloton, dit le général. Sergent, à partir de cet instant, je vous nomme sous-lieutenant pour « mérites de guerre sur le terrain ».

Les carabiniers attachent les condamnés sur les chaises, tandis que le peloton se met en place. Deux

---

1. Les fusillés pour lâcheté, désertion, etc., sont exécutés face au peloton, sauf s'ils sont en plus jugés indignes d'appartenir à l'armée, auquel cas (ce qui est le plus courant) ces condamnés sont assis à califourchon sur une chaise et fusillés dans le dos (art. 5 du Code pénal militaire).

des condamnés ne disent rien, un troisième appelle sa mère.

— Vengez-moi, mes amis ! crie Franco en dialecte sicilien.

— Lieutenant, dit le général, commandez le feu.

— Oui, mon général.

Bertani s'approche des carabiniers en ligne et lève le bras.

— *Mirate, fuoco !* ordonne-t-il.

Deux salves. Après, le silence. On n'entend plus ni le vent, ni les oiseaux, ni les bruits ordinaires de la guerre au fond. Rien.

— Rompez les rangs ! ordonne le général.

Nino *Beddu* regarde Bertani.

Le 9 août 1916, Gorizia a été prise. Après un bombardement de deux cent vingt canons, les cinq bataillons d'assaut du général Badoglio, essentiellement composés d'*alpini*, se sont emparés du mont Sabotino en moins d'une heure. Il ne restait plus sur les pentes ni un arbre, ni une plante, ni une herbe, seulement des morts autrichiens et italiens. Le poète officiel Gabriele D'Annunzio compose deux vers pour le succès de la sixième offensive de Cadorna :

Fu come l'ala che non lascia impronte
Il primo grido aveva gia preso il monte[1].

Il en est de même sur le mont Podgora, où six

1. Ce fut comme l'aile qui ne laisse pas d'empreinte / Le premier cri avait déjà pris le mont.

cents vétérans dalmates, qu'on appelle les « lions du Podgora », se sont battus jusqu'au dernier. Il n'y a pas eu de prisonnier et aucun n'a fait retour vers les lignes autrichiennes. Cadorna, une fois la bataille achevée, a gravi le mont et les régiments italiens l'ont acclamé frénétiquement, ce qui ne lui était jamais arrivé. Il est resté un moment à contempler les morts, certains, écrira-t-il plus tard, « dans les plus étranges attitudes », avant de redescendre « l'esprit attristé ».

Stratégiquement, la cité de Gorizia, située dans une conque cernée de collines, à l'est du fleuve Isonzo, ne pèse rien. Sur le plan politique, c'est autre chose. À Rome, on crie *Viva la pace* et *Finite la guerra*. Place d'Espagne, on a fait la fête en annonçant que la guerre était gagnée, alors que les Austro-Hongrois avaient reconstitué leurs lignes trois kilomètres plus loin. Mais, et c'est ce qui compte, Gorizia était rendue à l'Italie.

Les habitants qui avaient prudemment évacué la cité avant l'entrée des troupes italiennes sont revenus avec méfiance tant les Austro-Hongrois avaient par avance dénoncé « les diables gris-vert ». La vie a donc repris presque normalement. Les soldats italiens apportent du lait pour les enfants, et la rue principale de Gorizia ne risque plus d'être balayée en pleine journée par des rafales de mitrailleuses tirées depuis les hauteurs.

À la fin de l'année, il se produit un événement significatif du retour à une existence normale : le bordel rouvre ses portes à l'approche de Noël.

C'est une maison respectable qui tire sa prospérité

de la fréquentation assidue des bourgeois locaux et surtout, depuis le début de la guerre, des officiers autrichiens qui l'ont abandonnée avec plus de regrets que le reste. La patronne, fine mouche, a renoncé à fuir la ville de la défaite pour s'installer ailleurs en considérant que la lire valait bien le thaler.

Les officiers italiens ne manquent pas d'imiter leurs prédécesseurs. L'endroit est convenable, les filles courtoises et attentives, et les prix n'ont pas monté depuis l'arrivée des nouveaux maîtres. En somme, la règle est toujours la même : on n'est admis qu'à partir du grade de sous-lieutenant. Ils se précipitent, émerveillés qu'à moins de trois kilomètres des combats il existe un pareil lieu.

Bertani s'y rend sans attendre. Il a été un peu déçu par l'accueil qui lui a été fait par les autres officiers, même les plus jeunes. L'histoire de sa promotion pour « mérites de guerre » répandue parmi les bataillons ne sert pas son personnage. Les jeunes officiers, pour la plupart dans le civil des fonctionnaires de bon niveau, des avocats ou des enseignants, appartenaient à une caste sociale qu'ils ont retrouvée dans l'armée et ils ont très vite fait sentir à Bertani qu'il n'était pas de leur monde. De surcroît, ils sont souvent proches des soldats qu'ils commandent, ils écrivent leurs lettres pour les familles et les fiancées, et quand ils meurent, ils se chargent de la lettre d'usage, exaltant les qualités militaires de la victime et les conditions héroïques de sa mort, de manière que les familles éplorées puissent la montrer aux gens du village et que paraisse un article élogieux dans le journal local. Peu importe si le rapport des événements est bien loin de la vérité.

Le sous-lieutenant Bertani, notoirement inculte et plutôt grossier de manières, se rend donc rapidement compte que sa condition d'ancien sergent, de dénonciateur et de bourreau de ses hommes, lui interdit de nouer des liens de camaraderie avec les autres lieutenants. Il décide aussitôt de n'y prêter aucune attention. Ce qui l'intéresse, c'est la solde, l'augmentation de son pouvoir et le « bordel réservé », alors que jusqu'à présent il a dû se contenter de l'ordinaire sexuel du soldat en campagne : faire la queue devant un baraquement dans les lignes arrière, pour une fille allongée sur un matelas maculé de taches qui lui enjoignait de faire vite, car ils étaient nombreux à attendre leur tour. Il a donc pris ses habitudes hebdomadaires chez Luisa.

Dans les rues de Gorizia, il croise des soldats dont il surveille la tenue, l'allure et le comportement, et qu'il dénonce s'ils omettent de le saluer. À plusieurs reprises, il trouve sur son chemin Nino Calderone et Beppe Inzerillo, les deux camarades siciliens du soldat Franco Castaldi, tiré au sort et fusillé lors de la décimation. Mais ces deux-là, il préfère ne pas les regarder. Sa nomination l'a fait changer d'unité et il ne les a plus sous ses ordres, ce qui le soulage. Son instinct lui dit de s'en méfier, peut-être parce que ce sont des Siciliens et qu'il a deviné que Franco Castaldi réclamait vengeance dans les instants qui précédaient le feu du peloton. Mais aussitôt après, il se rassure et les oublie. Son seul risque est d'être tué à la guerre, et il fait tout ce qu'il peut pour l'éviter.

Le troisième samedi après la prise de Gorizia,

tandis que les combats se poursuivent sur le Carso[1], il profite de sa permission pour se rendre chez Luisa. À cette heure, la plupart des officiers sont occupés sur le champ de bataille dont on entend la canonnade. Comme Bertani s'est trouvé un poste tranquille au ravitaillement, on s'occupe bien de lui. Il paie une tournée de mauvais champagne aux filles et s'en va, assez satisfait, légèrement ivre.

En traversant le couloir vers la sortie, il remarque que le lumignon à gaz qui l'éclaire d'habitude ne fonctionne pas. Au même instant, il est empoigné dans le dos par deux bras vigoureux placés sous ses aisselles. Il veut se débattre, la prise se raffermit. Il tente de crier, un deuxième assaillant enfonce un bâillon dans sa bouche. Une voix étouffée lui chuchote à l'oreille : « De la part de Franco Castaldi. » Et aussitôt, la lame effilée d'un poignard lui tranche la gorge.

*

Quelques mois plus tôt, Carmela s'est fait accompagner à Palerme, où Luciana est retirée depuis l'assassinat du père de Nino par les sicaires de don Tomasini. Elle habite un appartement confortable via Ruggero Settimo dans un quartier de librairies et de théâtres. Sa retraite d'institutrice, jointe à une petite rente, lui permet de vivre à son aise. Cette femme croyante et cultivée n'a cessé de tenter d'éduquer les enfants du village de Castellàccio. Parfois, elle a réussi, comme avec Nino *Beddu*, qui lui en a

1. Site de bataille.

toujours été reconnaissant puisque, non seulement elle lui a appris à lire, mais elle lui a donné aussi le goût des livres. Au village, personne ne lui aurait fait de mal, y compris don Tomasini qui connaissait les limites de ses méfaits et tenait, en tant que maire, à sa popularité. Mais elle a préféré s'en aller, maintenant que l'homme aimé n'était plus là. Carmela, évidemment, la connaît, comme tous les gens de Castellàccio.

— Ma fille, dit Luciana en l'accueillant, si tu viens me voir, c'est qu'il y a quelque chose de grave. Si cela concerne Nino, je te rassure, j'ai reçu une lettre de lui hier.

— Je n'ai pas de parents, dit Carmela. Je n'ai que Nino, qui a dû partir à la guerre précipitamment.

Luciana baisse les paupières en signe d'assentiment. Elle a, comme tous les gens du village, son idée sur les raisons qui ont poussé Nino *Beddu* à s'engager d'urgence. Mais elle n'en dira jamais rien.

— Voilà, continue Carmela, j'attends un enfant de Nino. Je ne sais pas quoi faire. Alors je suis venue prendre conseil auprès de toi.

Luciana baisse les paupières une seconde fois. Il ne manquait plus que ça.

— C'est un don de Notre-Seigneur, finit-elle par dire, en compensation des épreuves qu'il t'envoie, la perte douloureuse de ton oncle et le départ de Nino pour la guerre.

Carmela s'attendait à ce genre de réponse. En Sicile, Dieu est partout et ses desseins mystérieux toujours expliqués dans le sens le plus favorable.

— Certes, mais que dois-je faire ? interroge-t-elle. D'ici peu, cela commencera à se voir et le scandale va éclater. Tout le monde demandera qui est le père et il n'y aura pas besoin de chercher loin.

Luciana est une femme avisée qui ne parle pas à la légère. Elle a besoin de réfléchir avant de répondre :

— Assieds-toi. On pourrait penser à te marier. Tu es un bon parti.

Mais Carmela lève la main.

— Je ne connais que Nino et je ne veux que lui.

Luciana hoche la tête.

— Je m'en doutais. Tu es la femme d'un seul homme. Moi aussi, je suis comme ça. Je n'ai connu que le père de Nino et je n'en aurais pas voulu d'autre. Il ne m'a pas épousée par respect envers la mère de son fils qui était morte et je l'ai parfaitement compris.

Elle garde le silence quelques instants, puis :

— Quand ta grossesse commencera à se voir, tu viendras chez moi, puis tu partiras pour un long voyage. Si tu veux, je viendrai avec toi. Nous irons à Rome où j'ai des cousins, et là-bas tu auras ton enfant. Quand nous serons de retour, je le garderai jusqu'à ce que Nino revienne. Je dirai que c'est mon neveu. Après la fin de la guerre, tu épouseras Nino et je vous le rendrai. Le temps sera passé. Don Tomasini n'a laissé derrière lui aucun parent ni ami, et personne ne dira rien. Mais ne préviens pas maintenant Nino que tu attends un enfant de lui. Il serait capable de déserter pour te rejoindre.

Un temps, Carmela avait pensé chercher une avorteuse, mais cela ne lui plaisait pas. Elle voulait garder l'enfant de Nino.

— Je vais prier, dit-elle, pour que Nino revienne. Il paraît que cette guerre est terrible. Ceux qui sont de retour après avoir été gravement blessés racontent des choses affreuses sur les soldats italiens qui se font tuer par les mitrailleuses autrichiennes. Nino m'en a parlé dans sa première lettre. Ce ne sont pas des inventions.

— Dieu le fera revenir vivant en Sicile, dit Luciana. Je le connais. Il n'a pas d'autre choix.

*

Après une courte permission, le lieutenant Lorenzo Mori passe la soirée de Noël 1916 en compagnie du caporal Benito Mussolini, dans une tranchée face à la cote 144, en première ligne sur le Carso. Ils partagent un poulet rôti qu'un capitaine a apporté en le dissimulant sous son manteau. Dans le civil, le capitaine travaille au *Popolo d'Italia* et n'a pas voulu laisser passer la fête sans gratifier son directeur. Le leader interventionniste évoque les Noëls de son enfance, quand la civilisation n'était pas encore mécanisée et où il allait à la messe dans l'église de Predappio, avec les cierges allumés autour de l'autel et le berceau fleuri de l'Enfant Jésus né dans la nuit. À midi, raconte-t-il, toute la famille dégustait les traditionnels et délicieux *cappelletti* de Romagne.

C'est une soirée intense et chaleureuse. Les canons se taisent des deux côtés. Il neige doucement. Plus tard, en évoquant ce Noël dans les tranchées, le Duce aura les larmes aux yeux.

Son arrivée sur le front a provoqué des réactions contradictoires. Certains le félicitent d'être cohérent avec ses thèses interventionnistes et d'avoir refusé un poste d'embusqué en choisissant la tranchée.

D'autres l'accusent d'être un fauteur de guerre et d'être responsable de leur présence dans un combat qu'ils haïssent. Un soldat croisé au cantonnement n'a pas craint de lui annoncer d'un ton réjoui que son ami Filippo Corridoni avait été tué au combat. « Ça fait plaisir. Qu'ils crèvent tous, ces interventionnistes ! » Un dirigeant socialiste a même écrit à un soldat du même régiment pour lui recommander de « tuer le traître ». Pour autant, Mussolini a été nommé caporal pour « son activité exemplaire ».

Au mois de février 1917, il est grièvement blessé à la suite de l'explosion d'un mortier qu'un officier voulait charger comme il l'entendait. Cinq hommes ont été tués, lui a été atteint par quarante éclats. Il baigne dans un lac de sang et on le donne pour mort.

Lorenzo accompagne les brancardiers jusqu'à l'ambulance. Mussolini, exsangue mais conscient, veut lui serrer la main.

— Je suis sûr que nous nous reverrons, mon lieutenant.

— Moi aussi, dit Lorenzo.

*

Julia Di Stefano passe la soirée de Noël 1916 à l'église San Zenetto, où elle s'est mariée. Quand la foule des fidèles se retire, le curé, qui l'a reconnue, s'approche d'elle.

— Vous êtes seule, accepterez-vous de partager ce repas avec nous ?

Il désigne le sacristain et quelques paroissiens,

parmi lesquels elle reconnaît les deux témoins du mariage.

— Bien volontiers, dit Julia.

Ils dînent donc tous ensemble. Le curé lui demande des nouvelles de son mari.

— Il est sur le front, répond-elle, les larmes aux yeux, mais en essayant de sourire. Il a très peu de permissions.

— Je ne pensais pas vous voir ici ce soir. L'église n'est pas votre genre, je le sais.

Julia ne répond pas.

— Croyez-vous en Dieu ? poursuit-il.

— Absolument pas.

— Aucune importance, dit le curé. Lui croit en vous.

*

Nino *Beddu* et Beppe passent le soir de Noël à faire des parties de *ramazza* dans une taverne de Gorizia. Peu de clients. Des hommes seuls et quelques soldats comme eux. Ce n'est pas un endroit pour les officiers. À leur surprise, ils s'ennuient. La partie ne les intéresse pas et, au bout d'un moment, Beppe jette les cartes sur la table sans les regarder. Nino fait une boule de la feuille de journal sur laquelle il inscrivait les points.

— Ça ne va pas, dit Beppe.

Ils gardent le silence un moment puis en viennent à parler en dialecte. Tous les Noëls des années précédentes, ils les ont passés ensemble. D'abord chez le père de Nino, puis chez Luciana. C'étaient des soirées joyeuses où ils chantaient de vieilles chansons siciliennes. L'année où le père de Nino a été assassiné, Luciana a voulu les recevoir. Cette fois, ils n'avaient pas chanté, ils n'en avaient pas le goût. Celui qui connaissait le mieux les airs et les paroles, c'était le père de Nino, et il n'était plus là. Pourtant, ils se retrouvaient tous les trois et avaient l'impression que rien ne les séparerait jamais. L'année suivante, en 1915, ils s'étaient retrouvés dans un baraquement de l'armée où l'on avait installé des guirlandes. Mais ils en avaient eu assez de l'ambiance avinée, et ils étaient sortis marcher dans la nuit glacée comme ils le faisaient à Castellàccio. L'idée d'être ensemble, même dans ces circonstances, les avait réconfortés.

Mais cette année, ce qui gâche tout, c'est l'absence de Franco. À deux, ils ne savent plus comment faire. À deux, c'est autre chose, et ils sont envahis d'une infinie tristesse. Le fait que Franco soit mort à cause d'un sergent et d'un général sur une chaise d'infamie ajoute à leur malheur, pourtant ils ont liquidé Bertani, comme Franco le leur avait demandé.

Il n'y a pratiquement pas eu d'enquête, on les a toutefois soupçonnés l'un et l'autre. Mais l'ex-sergent Bertani, devenu lieutenant dans des circonstances honteuses, n'intéressait personne, et faute de trouver un coupable, l'affaire a été classée, le meurtre attribué à un rôdeur. Les morts se comptent par milliers, un de plus ne change rien au sort de la guerre, même si on ne peut dans cette affaire incriminer les Autrichiens.

Beppe et Nino sortent marcher sur la route militaire qui relie Gorizia au campement. À Beppe, Nino peut tout dire. Alors il raconte pour la première fois sa vengeance et son histoire avec Carmela. Beppe, qui se doutait de ce qui s'était passé mais n'avait jamais posé de questions, le félicite d'avoir trouvé une compagne de cette trempe.

— Que feras-tu avec elle quand tu reviendras en Sicile ?

— J'irai la retrouver et nous vivrons ensemble. C'est l'espérance de ce moment qui me fait tenir dans cette guerre. Toi aussi, au retour de la guerre, tu trouveras une fille digne de toi.

— Je l'espère, mais je n'en suis pas sûr. Je n'ai pas les mêmes avantages physiques que Nino *Beddu*.

Nino éclate de rire. Il fait mine de toucher le visage large et sympathique de Beppe. Il sait que la beauté ne dure pas. Ce qui compte, c'est l'homme, quelle que soit son apparence, et il n'a aucun souci pour Beppe.

— Écoute, dit Beppe, si je ne trouve personne, je viendrai à la ferme. Je ferai le régisseur et parfois, le dimanche, tu m'inviteras à venir manger avec Carmela et toi.

— Tous les dimanches, dit Nino, et même pendant la semaine. Tous les jours si tu veux.

— Non, ce serait trop. Vous aurez besoin d'intimité.

— À part elle et Luciana, ma famille, c'est toi, réplique Nino.

Quelques jours plus tard, sur la *terra di nessuno*, dans la période qui précède le nouvel an, il se produit une escarmouche entre une patrouille italienne et des éclaireurs autrichiens. Nino et Beppe n'ont d'autre choix que de vider leur arme sur des silhouettes qui s'agitent dans le brouillard. Puis, comme ils n'ont plus de munitions, ils s'apprêtent à faire demi-tour quand un dernier coup de feu est tiré. Beppe s'écroule. Il a reçu une balle en pleine tempe. Ses compagnons le ramènent vers la tranchée et l'étendent avec précaution sur une bâche. Nino pose sa main sur son visage pour lui fermer les yeux. Pour la première fois depuis l'enfance, il pleure. Il est seul.

*

Carmela Tomasini a accouché d'un garçon dans une clinique de Rome. Les sages-femmes et les médecins la félicitent. Carmela le garde contre elle en cherchant sur le visage du bébé les traits de Nino.

— C'est trop tôt, lui dit Luciana.

Elle-même le contemple avec admiration. Toutes deux ont fait comme elles l'avaient prévu. Quand Carmela a commencé à grossir, elle a annoncé qu'elle partait en voyage et elle a confié la propriété à Ignacio. Celui-ci lui adresse les comptes chez Luciana chaque semaine. Il a des doutes sur les raisons de ce voyage, mais il n'a rien dit à personne, même pas à sa femme. En Sicile, la règle est de ne jamais poser de questions.

Toutes deux ont donc passé quelque temps à Palerme, puis elles ont pris la navette et enfin le train jusqu'à Rome. Et maintenant, l'enfant est là, un enfant parfait, répètent-elles.

— Comment l'appelleras-tu ? demande Luciana.

— Salvatore, comme le père de Nino.
— Un beau nom d'homme ! s'écrie Luciana.

*

Lettre de Julia à Lorenzo, 1er février 1917

« Cher époux,
Je ne sais comment t'annoncer la nouvelle, mais la manière la plus simple est sans doute la meilleure : tu vas être père ! J'en ai reçu la confirmation chez le médecin ce matin. Depuis plusieurs semaines, j'avais des doutes, maintenant, c'est sûr ! »

15 mars 1917

« Ton bonheur me remplit de joie. Ça commence à se voir. Aussi, pour éviter chez moi des questions que tu imagines, je me suis installée chez une amie, Lauretta, dont je te donne l'adresse au bas de la présente. Je lui paie un loyer et je vis avec l'argent que m'alloue ma généreuse famille, redevenue très riche comme tu le sais. J'en suis maintenant à plus de trois mois. L'enfant se porte bien, mieux en tout cas que la pauvre Italie… »

2 avril 1917

« À partir d'aujourd'hui, je ne t'écrirai plus que le dimanche, parce que je me suis fait embaucher chez mon propre père sous un faux nom. Je l'ai fait pour mon amie, Lauretta, qui m'héberge et qui est tombée malade. Il me faut donc la remplacer à son poste, sinon, elle ne touchera rien. Évidemment, je me suis proposée et le contremaître m'a prise aussitôt, sans même me demander mes papiers, bien que je sois visiblement enceinte. Je commence demain à six heures… »

10 avril 1917

« J'avais, depuis le mariage avec Umberto, une mauvaise opinion de mon père. Ce jugement s'est lourdement aggravé depuis que je suis devenue, même s'il n'en sait rien, une de ses ouvrières. Nous travaillons dix heures par jour pour un salaire misérable. Si l'on proteste, on est jeté dehors. Si l'on est malade, pareil ! Si l'on ne fait pas les quantités demandées, c'est un avertissement, puis dehors ! Nous fabriquons des obus. Je ne peux t'en dire plus. Secret militaire ! Lauretta est toujours malade. J'ai appelé le médecin et j'en ai profité pour me faire examiner moi aussi. Il a compté deux visites mais au moins je suis rassurée, l'enfant va bien. »

30 avril 1917

« Ici, à l'arrière, les choses vont très mal. Le prix de la nourriture augmente bien plus vite que les salaires. Les gens commencent à voler dans les magasins et sur les marchés. La police les poursuit mollement. Maintenant, il y a des défilés tous les jours en ville. Tout le monde réclame la fin de la guerre et le retour des hommes, car les femmes sont obligées de tout faire. À l'usine, on fait le travail des hommes, mais on est moins bien payées. Dans les défilés, ce sont surtout les femmes. Elles sont en tête. Je commence à comprendre ce que signifie l'expression "combat des prolétaires"...»

14 mai 1917

«Je te rassure, je ne suis pas en train de devenir une femme politique. Il en existe de bien plus compétentes que moi. Je prends pour exemple Angelica Balabanoff, celle qui, paraît-il, a chassé ton Mussolini du parti socialiste. Parce qu'il voulait la guerre!»

30 mai 1917

«On dit dans les journaux que la dixième offensive du général Cadorna a commencé depuis le 12. Il paraît que les Italiens disposent de 2150 canons et de 980 mortiers. La 2e armée est sous les ordres du général Capello, que la presse surnomme *il conquistatore di Gorizia*, mais je lis dans d'autres journaux, distribués sous le manteau, que ses hommes l'appellent plutôt *il carnefice*[1]. Enfin, la fameuse cote 383

---

1. Le bourreau.

a bien été prise après deux ans d'efforts. Bravo ! Il paraît que la 3e armée disposait d'une pièce d'artillerie tous les dix mètres. Cela me paraît incroyable. Est-ce vrai ? »

7 juin 1917

« J'ai lu dans mes journaux interdits que des soldats d'une unité où se trouvait D'Annunzio, le fameux poète, ont crié : "Nous ne voulons pas aller au massacre", et que D'Annunzio a aussitôt réclamé une décimation. Est-ce vrai ? Dans les journaux officiels, on dit que la dixième offensive a pris fin et que Cadorna accuse les soldats de lâcheté. On prétend quand même que cette offensive a été un succès, mais mes journaux interdits affirment qu'il y aurait soixante pour cent de pertes. Est-ce vrai ? »

20 juin 1917

« Quand tu m'écris, tu ne parles que de moi et de notre futur enfant. Tu ne réponds pas à mes questions. Je le comprends et je n'insiste pas. J'en suis au septième mois et je travaille toujours à l'usine Di Stefano. Hier, le contremaître, malgré mon ventre, a essayé de me tripoter. Je l'ai giflé devant toutes les femmes de l'atelier. Il a voulu me renvoyer aussitôt, mais elles se sont mises à crier. Pour la première fois, il a reculé. Je vais t'annoncer une nouvelle : sans être candidate, ta femme a été élue déléguée du personnel ! Je suis assez fière et je n'attends qu'une chose, c'est de me retrouver face à mon père ! »

Lettre de Lorenzo à Julia, 5 juillet 1917

« Madame la déléguée du personnel et chère épouse,

Un camarade portera cette lettre à Udine pour éviter la censure. Je ne vais pas commenter tes propres informations, assez justes pour la plupart. La dixième offensive, malgré des moyens énormes, les morts… et quelques victoires de prestige finalement sans grande portée stratégique, n'a pas été un grand succès. Les Austro-Hongrois ont reculé mais de peu. Il faut bien reconnaître qu'ils ont plus de force d'âme que les Italiens. Nous entrons dans la troisième année d'une guerre qui devait durer trois mois. Le moral des troupes n'est pas bon. Je le vois aux lettres que j'écris pour les soldats et que je corrige à leur insu pour leur épargner des ennuis. Cadorna et son sous-chef Capello font beaucoup fusiller, mais il est vrai que les mutineries se multiplient dans la 2e armée. Tous ces paysans, ces ouvriers se demandent ce qu'ils font dans cette guerre, loin des leurs qui ont besoin de leur présence. Et les lettres qu'ils reçoivent les confortent dans l'idée que mourir pour les fameuses *terre irredenti* n'est pas une raison suffisamment sérieuse, alors que c'est l'Italie qui a déclaré la guerre et que son sol n'est pas envahi. En tant qu'officier, ce sont des propos, des pensées que je ne puis approuver en public, mais…

Ces jours-ci, j'ai fait la connaissance des *arditi* ! Ce sont des unités spéciales créées à l'image des Sturmtruppen des Austro-Hongrois. Un entraînement, une agressivité, un équipement exceptionnels. Rien à voir avec les *bersaglieri*, les unités de masse dont je fais partie. Des soldats parfaits, idéaux, qui ne craignent rien, même pas la mort !

Leurs représentants, qui font le tour des unités pour recruter des hommes, se sont adressés à moi à cause de ma médaille. J'ai écouté et décliné leur offre, si flatteuse soit-elle. Ce refus t'est entièrement dû, chère épouse. Si tu n'existais pas, je serais devenu un *ardito*.

Mais chez les *arditi*, le taux de pertes est le plus élevé de toute l'armée. Et je n'ai pas le droit de mourir. Pour toi, pour notre enfant. Mon devoir est double : faire la guerre et revenir vivant.

Parlons de toi. Je suis abasourdi par ce que tu m'écris. Es-tu bien sûre que dans ton état c'est le moment d'aller faire l'ouvrière dans les usines, même si ce sont celles de ton père ? Si cela venait à se savoir, j'imagine le scandale, d'autant plus, me dis-tu, que tu viens d'être élue déléguée du personnel ? Faut-il en rire ou en pleurer ? J'en ris évidemment. Tu es formidable ! Je suis fier de toi. À bientôt, chère épouse, écris-moi le plus souvent possible. Baisers à toi et à l'enfant.

Ton mari Lorenzo »

Le 8 juillet 1917, Julia donne le jour à son enfant dans l'appartement de Lauretta. Il y a là une sage-femme qui a été recrutée à la hâte. Lauretta et des amies de l'usine sont venues, elles ne veulent pas manquer ça. C'est une fille. Déception générale dans cette Italie où l'homme est roi. Mais Julia affirme que cela lui est égal et que pour son père, Lorenzo, un homme intelligent, il en sera de même. L'assemblée obtempère aussitôt, y compris les voisins alertés par le remue-ménage et les cris. Tous confirment que Julia aura tout le temps pour faire des garçons. Quand Lauretta demande comment elle s'appellera, Julia lui répond :

— Laura, comme toi.

Et tous applaudissent la petite Laura qui vient d'arriver dans ce monde. Puis les copines de l'usine demandent à Julia quand elle reprendra son activité syndicale. Julia regarde Laura et la photo de Lorenzo sur le buffet.

— Dans huit jours, répond-elle.

Lettre de Julia à Lorenzo, 15 juillet 1917

« Cher mari,

Ici, les choses vont très mal. Tout est très cher et les gens de plus en plus pauvres. L'usine est en grève, et tout est arrêté. Hier, piazza Bra, la foule des ouvrières a arrêté une voiture de luxe. Les ouvrières criaient "Du pain, du pain !", mais dans la voiture il paraît que quelqu'un a dit : "Mais s'ils n'ont pas de pain, qu'ils mangent des biscottes !" Dans la foule on a hurlé : "Alors, nous mangerons des biscottes !" Une pâtisserie a été saccagée et un camion, qui était en train de livrer justement des biscottes, a été pris d'assaut et renversé. Quand la police est arrivée, il ne restait plus rien. Tous réclament la paix avec les Autrichiens. La paix et le retour des hommes ! Moi aussi, moi, Julia Mori, épouse très légitime d'un officier de l'armée du roi, d'un héros de l'Isonzo, d'un blessé qui a eu la médaille de la valeur militaire, je veux la paix et surtout ton retour, vivant ! Je m'arrête ici car je vais démontrer un mauvais esprit antipatriotique. Demain, on manifeste pour la paix, pour le pain, pour les salaires, pour tout. Les copines de l'usine veulent me mettre au premier rang. Je n'ai pas osé refuser mais j'ai un peu peur. Notre fille n'a que huit jours. Cette histoire, je la lui raconterai plus tard. Il y aura les récits du père sur l'Isonzo, ceux de la mère dans les manifestations. Mais je te le répète, j'ai peur.

Ta femme pour toujours, Julia.

P.-S. : Notre fille a été baptisée hier à San Zenetto par le prêtre qui nous a mariés. Tout le personnel de l'usine était présent. »

Lettre du comité des ouvrières en grève
de l'usine Di Stefano à Vérone au lieutenant Mori
sur le front de l'Isonzo, 17 juillet 1917

« Monsieur l'officier,

Nous nous sommes réunies à plusieurs pour cette lettre, car nous voulons toutes vous parler, mais une seule d'entre nous sait écrire. Hier, il y a eu à Vérone une manifestation de pauvres gens en grève avec des barricades, des saccages, beaucoup de cris. Le préfet a envoyé la police. Cela n'a pas suffi. Alors il a envoyé l'armée pour nous empêcher d'entrer dans le centre-ville. Mais les manifestants étaient trop nombreux et nous sommes arrivés à franchir les ponts sur l'Adige. Quand les soldats sont apparus, on leur a demandé de fraterniser avec nous. Certains ont hésité, mais il y a eu des ordres. On a retiré les soldats pour mettre à leur place des autos blindées et des mitrailleuses. Ils ont tiré sur nous, monsieur l'officier. Au premier rang, il y avait votre femme. Elle a été atteinte avec les autres par les rafales. Votre femme a quitté ce monde, monsieur l'officier. Elle est morte comme un soldat à la guerre quand il va à l'assaut et que les Autrichiens commencent à tirer. Votre femme mérite la médaille d'or de la valeur prolétaire. Votre femme est une héroïne de l'Italie.

P.-S. : Il vous faut savoir que c'est le préfet qui a donné l'ordre de tirer, mais à ses côtés se trouvait notre patron, Luigi Di Stefano, le père de Julia. Et c'est le patron qui a insisté pour que les soldats ouvrent le feu. "Tirez, a-t-il dit, mais tirez donc, sinon on va se faire submerger ! Tirez, mais tirez donc !" On l'a entendu. Et on l'a bien vu. Il a fait tirer contre ses ouvriers. Et parmi les morts, il y a sa propre fille, Julia ! Cela, vous devez le savoir !

On a enterré Julia dans sa robe de mariage et on a laissé à son doigt la bague que vous lui aviez offerte.

Signora Adriana Mori, Lungadige Cangrande n° 2, Vérone, au lieutenant Lorenzo Mori, 2e armée, front de l'Isonzo, 18 juillet 1917

« Mon fils,

Je t'adresse sans attendre le scandaleux article de *L'Arena* paru ce matin. C'est à l'évidence une manœuvre des Galluzzi, ou des Di Stefano, voire des deux, pour nous nuire de jeter de la boue sur un héros de l'Italie ! Je me doutais que ton comportement magnifique à la guerre nous vaudrait un scandale un jour. Nos amis de l'état-major sont alertés. Je sors du cabinet de notre avocat qui réclame de ta part un démenti formel. Je l'approuve. Envoie-moi rapidement une lettre dénonçant cette fausse histoire de mariage et d'enfant en des termes vifs, exprime ton indignation à propos de cet article honteux émanant d'un journal jusqu'à aujourd'hui du bon côté de la société. Je t'embrasse.

Ta mère, Adriana Mori »

Encadré paru dans L'Arena *le 18 juillet 1917*

« Dernière minute. Polémique dans la polémique : notre rédaction apprend avec stupéfaction que, parmi les malheureuses tombées avant-hier sous le feu de l'unité militaire appelée en renfort par le préfet, figurait Julia Di Stefano, cette jeune femme à l'origine d'un scandale il y a deux ans où son mari, Umberto Galluzzi, a trouvé la mort le jour de leurs noces à l'issue d'un duel avec un militaire, le lieutenant Mori. Mais, plus étonnant encore, dans les vêtements hachés par les balles de la malheureuse, on a retrouvé son certificat de mariage avec le lieutenant Mori, célébré à San Zenetto en novembre 1915, ainsi que le certificat de baptême de leur enfant, Laura, née la semaine dernière, par le même officiant paroissial. »

*

Cette scène dans le quartier de Borgo Trento à Vérone : lorsque Lorenzo pénètre dans le hall de la maison familiale, Laura dans les bras, sa mère surgit en haut de l'escalier, se précipite, puis descend les marches de plus en plus lentement.

— Qu'est-ce que c'est que ça ? demande-t-elle, le bras tendu vers le bébé.

— L'enfant du scandale, ma mère, votre petite-fille. Je vous l'amène car je ne puis la confier qu'à vous.

Elle s'approche, la signora Mori, elle touche la joue de l'enfant, regarde la main gauche de Lorenzo où elle remarque l'alliance.

— Et en plus, c'est une fille ! dit-elle.

Cette autre scène, une heure plus tard, dans le cimetière de Vérone, devant le tombeau de la famille Di Stefano, où l'on distingue les traces d'une ouverture récente, et où il reste les tombereaux de fleurs apportés par les ouvrières de l'usine : deux hommes debout, qui ne se parlent pas, ne se regardent pas. Le premier, c'est Luigi Di Stefano, le père de Julia. Un homme sec au visage barré d'une épaisse moustache grise. Il a été l'un des plus beaux mâles de Vérone. Il fait partie de cette race de citoyens autoritaires, impérieux, qui ne sont jamais traversés par les doutes et les scrupules. Il est devenu un *pescecane*, un requin, nom qu'on donne maintenant dans le nord de l'Italie aux industriels qui font fortune en vendant à l'armée obus, canons, chars ou uniformes. C'est un homme détesté par ses ouvriers et par sa propre famille, mais cela lui est égal. Les circonstances lui ont permis de devenir ce qu'il est, et cela lui suffit. Il contemple la photo de sa fille que l'on vient de placarder à l'entrée du tombeau. Ses lèvres remuent, mais on n'entend pas ce qu'il dit, s'il prie, s'il parle à sa fille ou s'il compte l'argent qu'il a gagné. L'autre qui vient d'arriver, c'est Lorenzo. Ses lèvres ne bougent pas, mais lui, il parle à Julia. Il lui dit :

— Les mitrailleuses, on s'est trompés, ce n'était pas pour moi, c'était pour toi. J'ai confié Laura à ma mère. Je n'avais personne d'autre et je repars tout à l'heure pour la guerre.

— Je savais que tu viendrais, répond Julia depuis les limbes où elle se trouve, en route vers l'éternité.

— Qu'es-tu allée faire à cette manifestation ?

— Je suis, j'étais une fille comme ça. J'ai fait avec mes camarades ouvrières comme j'ai fait avec toi. Je me suis engagée. Ne me reproche pas d'être ainsi. C'est d'ailleurs comme ça que tu m'as prise et que tu m'as aimée.

— C'est vrai, dit Lorenzo. Je ne te reproche rien.

— Viens me parler de temps en temps.

— Je te parlerai tout le temps. Tu me répondras et je t'entendrai malgré le bruit des canons.

— Et quand ce bruit aura cessé, qu'il n'y aura plus de canons ?

— Je t'entendrai malgré le bruit de la vie.

— Oui, dit Julia.

Lorenzo s'incline devant le tombeau. Le père Di Stefano se tourne vers lui.

— Le préfet m'a demandé s'il devait donner l'ordre de tirer sur les manifestants parce que, en première ligne, il y avait mes ouvrières. J'ai répondu « Oui ». Il m'a fait répéter, et je lui ai dit : « Vous pouvez tirer, sinon elles ne s'arrêteront pas. »

Il regarde Lorenzo, il attend une injure, un coup de poing ou peut-être qu'il le tue. Mais le jeune homme lui tourne le dos et s'éloigne vers l'entrée où patiente son taxi, juste derrière la longue voiture du père Di Stefano avec son chauffeur.

— À la gare, dit Lorenzo.

Il repart pour la guerre.

9

À l'aube du 4 septembre 1917, au pied du mont San Gabriele que tous les fantassins italiens et austro-hongrois surnomment « le mont de la mort », règne le silence. Toute la nuit, des deux côtés, les projecteurs en haut du mont et ceux installés dans les tranchées italiennes se sont croisés dans le ciel, de sorte qu'il n'y a pas vraiment eu de nuit. Les *arditi* ont dormi à même le sol. On a entendu des murmures, c'étaient les prières.

Parmi les hommes de la 3e compagnie, il y a le lieutenant Mori. À peine de retour de Vérone, il a demandé à entrer dans le corps. On lui a fait passer les épreuves d'admission au camp de Sdricca, l'épreuve du *pendolo*[1] : se tenir debout, coiffé d'un béret, face à un tronc d'arbre pesant un quintal au moins, suspendu à une grosse corde. Un officier tire le tronc en arrière et le lâche soudain. La longueur de la corde a été calculée au centimètre près. Le tronc surgit à toute vitesse face à l'impétrant qui ne doit pas broncher, tandis que le bois du tronc lui ôte le béret en effleurant ses cheveux. S'il bouge, s'il baisse la tête, il rate l'épreuve et il est renvoyé dans son unité d'origine avec la mention *non idoneo al battaglione d'assalto*[2]. S'il montre son courage, sa maîtrise de soi, il est admis… à subir les épreuves suivantes. Comme l'attaque de la colline type, dont il faut atteindre le sommet sous le feu des mitrailleuses qui tirent à balles réelles, un mètre au-dessus des têtes, en un temps record, tandis que les obus de 75 explosent à dix mètres maximum, sous le jet des lance-flammes à proximité. Il faut donc gravir la pente, tailler dans les barbelés et bondir au sommet. Un officier tient le chronomètre à la main. Il y a aussi les duels au poignard, les lancers précis de grenades, les combats à mains nues. Au terme du troisième jour d'épreuves, le lieutenant Mori a eu droit à un coup de gnôle et aux applaudissements. On lui a remis l'uniforme des *arditi* et le prestigieux poignard.

1. Pendule.
2. Ne convient pas au bataillon d'assaut.

Il a donc participé à la percée sur la Bainsizza au début de la onzième offensive. Des morts partout, mais dix kilomètres gagnés sur l'Autrichien. Leur général Boroević a fait reculer ses troupes, sauf sur le San Gabriele, en face du Monte Santo, enfin tombé, et où, le soir de cette victoire, le chef d'orchestre Toscanini a donné un concert au sommet sans prendre garde aux obus. L'attaque, c'est tout à l'heure, c'est maintenant, le jour et à l'heure où l'ennemi ne s'y attend pas.

Et là, soudain, dans ce terrible silence des aubes de guerre, se déclenche ce que tous, en bas et en haut du mont, nommeront plus tard « un ouragan de feu ». Le mont tout à coup s'illumine, derrière le sommet surgit le soleil, qui éclaire en dessous le long serpent de l'Isonzo. Dans la tranchée, les hommes sont arc-boutés, deux par deux, les *arditi* sont toujours en binômes : deux qui mangent, dorment et se battent ensemble, chacun soutenant, au besoin secourant l'autre. Il arrive parfois que les deux tombent dans un même mouvement, fauchés par la même rafale.

Le canon se tait soudain. Silence encore, puis ce cri :

— *Tenersi pronti*[1] !

Et aussitôt :

— *Avanti !*

Tous bondissent de la tranchée. La 3e compagnie, à gauche, a pour mission de s'emparer du *fortino di Dol*. Mori commande un peloton. Au sommet du *fortino*, quatre mitrailleuses, protégées par d'épaisses

1. Tenez-vous prêts !

lignes de barbelés, des chevaux de frise et des sacs de sable, commencent à tirer. Les *arditi* gravissent la pente en courant, changeant de trajectoire, se jetant à terre, repartant dans un assaut cent fois répété à l'entraînement. Au bas du fort, on fait sauter les barbelés à coups de grenades, on écarte les chevaux de frise. Tout en haut, la lutte se poursuit au poignard car, de part et d'autre, il n'y a plus de munitions. Le fortin est occupé rapidement.

C'est une victoire apparente, se dit Mori. Les ennemis, après avoir laissé des morts, se sont évanouis. À peine commence-t-il à regarder autour de lui qu'il entend un cri de son binôme :

— Couchez-vous, lieutenant !

Le feu vient de reprendre, tiré depuis des cavernes entourant le fortin. C'est donc cela le piège, feindre d'abandonner le fortin et massacrer les Italiens depuis des refuges préparés à l'avance. Une autre bataille commence. Les *arditi* mettent en place des lance-flammes qui arrosent l'entrée des cavernes. En même temps, depuis les viscères du San Gabriele, des trous, des tranchées, des tunnels, surgissent les Autrichiens. Les *arditi* n'ont pas pris de fusils. Leurs armes, ce sont le poignard et les grenades. Ils les lancent sur les mitrailleuses, puis se précipitent, le poignard en avant, en espérant que les servants sont hors de combat. Il y a donc cette mêlée : mitrailleuses contre grenades, poignards et lance-flammes. Mori lance sa dernière grenade, puis vide sur des silhouettes son revolver d'ordonnance. Enfin, il dégaine son poignard. D'autres pelotons parviennent sur le sommet. Ils apportent des sacs de grenades, de celles que l'on appelle les *petardi* Thevenot. On les lance, et c'est le choc qui déclenche l'explosion. Distance de jet : dix à quinze mètres. Si le but est atteint, cela fait plusieurs morts d'un coup. Mori, toujours suivi de son binôme, un Sicilien silencieux mais qui tue bien, « nettoie » une première caverne puis une autre. Il s'avance avec précaution. Évidemment, tous ces refuges, toutes ces tranchées communiquent entre eux. Son binôme apporte le lance-flammes. Il tient le bidon et Mori envoie le feu. Parfois, des Autrichiens essaient de sortir en criant : « *Pace ! Pace !* » Ils les tuent quand même. Dans ce genre de combat, il n'est pas question de prisonniers. Mori et son binôme, suivis de quelques hommes, progressent toujours à l'intérieur du mont. Les jets de lance-flammes allument les parois. On leur apporte des mitrailleuses légères car le réservoir du lance-flammes est vide. Mori fléchit le genou, dispose la mitrailleuse, et son binôme introduit la bande de cartouches. Il lâche une rafale puis une autre, et d'autres encore. On entend des cris, et plus rien. Les bandes sont vides. Mori cesse de tirer. À cet instant, les Autrichiens surgissent de l'obscurité. Ils s'étaient plaqués contre les parois. Eux aussi ont épuisé les munitions et ils tentent le tout pour le tout. C'est au poignard que ça se règle. Mori, submergé par le nombre, s'écroule. Son binôme combat plus longtemps. Le poignard, ça le connaît. Quand les Autrichiens parviennent à l'entrée, ils sont cinq ou six, et il faut une longue rafale du nouveau peloton qui vient d'arriver pour les cueillir. Cette fois, le *fortino di Dol* est pris.

On ramène Mori et son binôme au-dehors. Tous

deux sont blessés plusieurs fois, à la poitrine, aux membres, partout. Ils sont étendus côte à côte, respirant avec difficulté, baignant dans un même sang.

— Où sont les hommes de mon peloton ? murmure Lorenzo.

— Ils sont tous morts, lieutenant, il ne reste que vous deux, répond le lieutenant comte de Montegnacco, qui commande la 3e compagnie.

Lorenzo ferme les yeux. Il ressent une douleur à chaque respiration. Il ne sait même pas où il est blessé, à la poitrine, c'est sûr. Le poumon est-il atteint ? Il tend la main et touche celle de son binôme, le Sicilien.

— Comment t'appelles-tu ? demande-t-il. Je n'arrive plus à me souvenir de ton nom.

— Nino Calderone, répond le Sicilien d'une voix faible mais assurée.

— Moi, c'est Mori, marmonne Lorenzo avant de perdre conscience.

Les deux hommes, chacun sur un lit d'hôpital, sont hâves et blêmes. La semaine dernière, on a cru qu'ils allaient mourir, ils avaient perdu trop de sang et il n'en restait plus assez pour leur en donner. Mais ils ont tenu, on ne sait comment. Le général Capello, le bras droit de Cadorna, est venu hier. Il leur a parlé, il a accroché sur les barreaux de chaque lit une médaille de la valeur militaire, en argent cette fois. À Mori, il a dit : « Vous êtes capitaine maintenant. » Au Sicilien Calderone : « Vous êtes sergent », pour mérites de guerre tous les deux.

Mori a demandé :

« Le mont San Gabriele a été pris ?

— Pas cette fois, capitaine. Les Autrichiens ont contre-attaqué par le versant est. Nous le prendrons à la prochaine offensive et vous en serez.

— Oui, mon général », a dit Lorenzo.

Nino Calderone n'a rien dit. Il aime les médailles, mais pas les généraux.

Des camarades de la 3e compagnie viennent les voir. Ils ont des chiffres. Pendant la dixième offensive, on a tiré cent mille obus en une heure et on compte trente-six mille morts. Au terme de la onzième, les morts sont montés à quarante mille, dont dix mille pour la conquête, presque réussie, du San Gabriele, après dix jours de combats. Ils répètent : « S'il n'y avait eu que nous, les *arditi*, on aurait gardé le San Gabriele, mais quand les Austro-Hongrois ont attaqué par surprise, on était déjà remplacés par les *bersaglieri* et leurs renforts sont arrivés en retard. » Puis ils se raidissent et l'un d'eux lance le cri de guerre des *arditi* :

— *A chi l'onore ?*

— *A noi*[1] *!* répondent-ils tous.

Parfois, le nouveau capitaine et le nouveau sergent échangent quelques phrases. Après ce qu'ils ont traversé ensemble, ils se tutoient.

— J'ai une femme en Sicile, presque une épouse. Elle attend mon retour, elle s'appelle Carmela.

— Ma femme s'appelait Julia, dit Lorenzo. Nous nous étions mariés en profitant d'une permission la première année de la guerre. Elle a été tuée lors d'une

---

1. À qui l'honneur ? À nous ! Ce cri fameux a été créé par le major des *arditi* Freguglia.

manifestation en juillet 1917. Les soldats ont tiré à la mitrailleuse sur ordre des patrons.

— À la mitrailleuse, comme les Autrichiens ?

— Oui, comme eux. Elle m'a donné une fille, Laura.

— Qui la garde ?

— Ma mère.

— Elle doit être heureuse de s'occuper de cette enfant.

— Je ne sais pas. Je reçois des photos de ma mère sans commentaire.

Lorenzo se tait. S'il s'est engagé chez les *arditi*, c'est dans l'idée d'être tué au combat. Cela ne s'est pas produit, mais peut-être cela arrivera-t-il plus tard. L'appartenance à une unité d'assaut éloigne la mélancolie et produit un effet inattendu, il aime les *arditi*, il aime la guerre. Il se refuse à envisager ce que sera sa vie quand la guerre sera finie, s'il en revient.

Nino Calderone éprouve pour son capitaine une estime affectueuse. Quand Beppe a été tué, il a songé à déserter et à rentrer en Sicile. C'est à ce moment-là que les *arditi* l'ont recruté, sur recommandation des officiers de son régiment. Sans doute pour se débarrasser de lui, depuis la mort suspecte du sergent Bertani, et parce qu'il avait la réputation de bien se battre. Il n'a pas refusé. Après la mort tragique de ses deux amis, deux frères, son régiment lui faisait horreur. Il a donc passé les épreuves en même temps que Mori, avec la même aisance. C'est après qu'il a découvert que celui-ci était officier, et quand il s'est agi de désigner un binôme, Mori l'a choisi. « Lui,

a-t-il dit, car nous sommes arrivés en même temps. »
Ce que tous deux ignoraient, c'est que leurs raisons d'entrer dans les troupes d'assaut se ressemblaient, un manque, un vide cruel dans la vie. C'est sans doute aussi la raison de leur si bonne entente lorsqu'ils sont tombés ensemble dans cette caverne des Autrichiens sur le mont San Gabriele, que, grâce à eux, les *arditi* avaient commencé à conquérir.

Plus tard, ils déambulent tous les deux dans le jardin de l'hôpital. Les infirmières sont aux petits soins. Certaines rêvent d'une aventure avec eux, d'autres y pensent plus sérieusement. Eux feignent de ne s'apercevoir de rien. Le fantôme de Julia, léger et tendre, flotte près de Lorenzo, et Nino *Beddu* reçoit chaque semaine un paquet de lettres qui portent toutes sur l'enveloppe l'écriture de Carmela.

— On devrait retourner faire la guerre, dit Lorenzo.

— Oui, répond Nino. Cela devient dangereux ici.

*

Depuis son retour en Sicile, Carmela se rend chez Luciana, à Palerme, deux fois par mois, pour voir Salvatore. Elle apprend à s'occuper de lui et le promène dans les parcs de la ville. Maintenant, l'enfant la reconnaît. Luciana est un peu jalouse, mais ne le montre pas. Elle sait que cet enfant, elle devra le rendre un jour à sa mère, quand Nino *Beddu* rentrera de la guerre et qu'il se découvrira père. Pour autant, les deux femmes continuent à bien s'entendre. Elles ont de longues conversations sur les livres qu'elles lisent tour à tour.

Un jour, Luciana prête à Carmela un roman qui vient de sortir, d'un certain Andrea Cavalcanti, un auteur sicilien connu dans toute l'Italie. *La Femme aux sortilèges*, dont la parution prévue au printemps 1915 a été retardée par la guerre et le départ de l'auteur sur le front, est un miraculé de la littérature. L'auteur a été réformé pour blessure. Il est revenu et son livre a enfin été publié. C'est du moins ce que racontent les journaux qui adorent ce genre d'anecdote.

Carmela se plonge dans l'histoire de cette femme très belle, qui met les hommes à ses pieds et qui se révèle fragile et attachante. Le sujet n'est pas original, mais il est traité avec un sens de l'observation plutôt aigu. Carmela en est troublée. Son expérience des hommes se limite à Nino, dont elle n'a jamais partagé la vie, et à la fréquentation de son oncle. Il lui semble que cet Andrea Cavalcanti est un personnage qu'elle ne pourrait jamais rencontrer. Existe-t-il vraiment des hommes de ce genre, aussi réfléchis et lucides, avec cette pointe de mélancolie, d'humour et de tendresse ? Elle relit certains passages empreints de gaieté, d'optimisme et même de rêve. Ce mélange la ravit. Elle y trouve des réponses à des questions sourdes qui l'inquiétaient sans qu'elle en soit vraiment consciente. Il lui semble que c'est d'elle-même qu'il est question, que l'auteur est entré dans l'intimité de ses pensées, de ses craintes. Le livre refermé, elle commande ses deux ouvrages précédents.

Lorsque la libraire l'appelle pour lui annoncer qu'ils sont arrivés et lui propose de les lui envoyer, Carmela refuse.

— Je viens samedi après-midi.

— Vous avez raison, répond mystérieusement la libraire.

Elle va donc chercher les livres dans l'après-midi du samedi. Curieusement, ce jour-là, la librairie est bondée. Des clients, des femmes surtout, se pressent à l'entrée. La libraire tente d'organiser une file.

— Que se passe-t-il ? demande Carmela.

— Il est là, il signe ses livres.

— Qui donc ?

— Cavalcanti, bien sûr. Attendez votre tour. Vous lui parlerez.

Elle distingue alors une silhouette penchée sur une table et perçoit des voix aiguës de femmes.

— Non, dit-elle.

Carmela se précipite à l'extérieur. Il est hors de question de rencontrer cet homme qui en sait autant sur son compte, comme sur celui de toutes les femmes, ces *scaccaniari*[1], comme on dit à Palerme. Elle marche sur le corso Vittorio Emanuele et descend jusqu'à la via Roma. Elle fait des emplettes dans les magasins pour Salvatore. Cela dure un moment. J'aurais dû me faire envoyer les livres, ronchonne-t-elle.

En fin d'après-midi, à l'heure où les boutiques vont fermer, elle décide de remonter piazza dei Quattro Canti. La librairie est encore éclairée, mais vide enfin. Carmela pousse la porte.

— Je viens récupérer mes deux livres, annonce-t-elle.

C'est à ce moment-là qu'elle l'aperçoit. Il discute

1. Piailleuses.

avec la libraire, debout, appuyé à un rayon. Un homme plutôt grand, aux cheveux qui blanchissent déjà. Il parle avec l'accent romain et parfois avec des intonations siciliennes.

— Ah, madame Tomasini ! s'écrie la libraire en l'apercevant. Il y avait trop de monde tout à l'heure. Maintenant, vous serez plus tranquille.

Elle lui présente Andrea Cavalcanti, qui s'incline à l'ancienne. Carmela voit ses yeux, très bleus, une résurgence des Normands sans doute. Les livres sont déposés sur la table. Il s'en empare, écrit quelques lignes sur chacun et demande :

— Puis-je connaître votre prénom ?

— Carmela, répond-elle en rougissant comme une gamine.

Il lève ses yeux clairs sur elle, il a le nez fort et des lèvres charnues.

— J'ai lu *La Femme aux sortilèges*, balbutie-t-elle. C'est un livre…

— Indiscret, suggère-t-il.

— Oui, c'est cela, très indiscret.

Elle le lui a dit. C'est audacieux de sa part, mais maintenant que cela a été formulé, elle se sent soulagée. C'était cela qui la dérangeait, le trouble que produit ce livre.

— Intrusif aussi peut-être, suggère-t-il encore.

Elle hoche la tête. Il lui sourit. C'est un magnifique sourire qu'elle n'ose lui rendre.

— Peut-être n'aurais-je pas dû l'écrire.

— Oh non ! Vous avez eu raison.

Il lui tend les romans, lui raconte qu'il vient de Catane, évoque les gens de Palerme qu'il a rencontrés, ce qu'il a entendu et ce qu'il leur a dit. En l'écoutant, elle retrouve le balancement des phrases, la précision des termes, les images de son livre. Il parle comme il écrit, cet homme. Soudain, il s'arrête.

— Il se fait tard, j'en dis trop et je vous ennuie.

— Non, vous ne m'ennuyez pas du tout.

*

Lettre d'Adriana Mori au capitaine des arditi *Lorenzo Mori, camp d'entraînement de Sdricca 2ᵉ armée.*
Vérone, le 20 octobre 1917

« Mon fils,

J'ai tout appris. Je sais tout. Ton engagement dans les merveilleuses troupes d'assaut des *arditi*, ton rôle capital, essentiel, dans l'attaque du San Gabriele, ta nouvelle décoration, ta nomination au grade de capitaine, enfin ces quelques blessures dont tu as guéri en les méprisant, avec ton brio habituel. Ah, Lorenzo, ta mère est fière de toi, comme tout Vérone d'ailleurs ! Tout le monde parle, enfin les gens qui comptent. Tu sais ce que je pense des autres… Mes amies m'accueillent toujours avec cette question : "Et comment va notre capitaine ?" Je leur donne aussitôt de tes nouvelles et quand je n'en ai pas, je les invente en prétendant que tu m'écris tous les jours, sauf ceux où tu es occupé à tuer les Autrichiens. À propos, Virginia, cette belle jeune fille à qui tu as, honteusement, méchant garçon, fait la cour quand elle est venue déjeuner à la maison, me prie de te transmettre son amical souvenir. Mission accomplie. Entre nous, je la crois un peu amoureuse de toi, mais chut ! De ton côté, ne me dis pas qu'elle t'est indifférente. Je n'en croirais pas un mot. Les mères sentent ces choses-là. Mais je ne veux pas me mêler de ce qui ne me regarde pas encore, tout en la croyant estimable sous tous rapports, et même assez pieuse, ce qui est toujours une garantie. Toi, tu as maintenant jeté ta gourme. Sur le moment, j'ai récriminé. C'était mon devoir de mère et tu as certainement bien fait de me résister. C'était ton rôle, ta mission, si j'ose dire, de jeune homme qui veut tout réussir, y compris la séduction. Notre-Seigneur s'est toujours montré indulgent dans ce genre d'affaires et, quand il a fallu, il a donné ses instructions au destin. Enfin, tout est en ordre, et je le remercie tous les soirs d'avoir exaucé mes prières. Cette fille, tu le sais bien, n'était pas pour toi. J'arrête avant que tu ne me trouves méchante. Je ne veux que ton bonheur.

On dit que le général Cadorna a pris quelques jours de repos, ce qui signifie qu'il ne croit à aucune attaque de l'ennemi avec l'hiver qui s'annonce. Ton père prétend que les attaques les plus réussies sont toujours celles que l'on n'attend pas. Il faut dire que le pauvre Boroević doit se faire du souci. Son grand homme, l'empereur, est mort l'année dernière, et son successeur ne semble pas à la hauteur. Quant à son armée, après la dérouillée qu'elle a reçue lors de la onzième offensive, il lui faudra bien l'hiver pour se remettre. Bref, le général Cadorna peut commencer à écrire ses Mémoires en toute sérénité et toi, mon cher fils, te reposer enfin.

Écris-moi que je puisse enfin donner de tes vraies nouvelles.

Ta mère affectionnée.

Adriana Mori

P.-S. : L'enfant du péché se porte bien, si cette nouvelle t'intéresse. Pour couper court aux commérages, j'ai dit que c'était le bébé d'une cousine éloignée tuée dans un bombardement, recueilli par solidarité familiale. Pour le reste, ces abominables articles parus dans *L'Arena*, je me suis arrangée avec le directeur qui a un fils sous les drapeaux. Tout est oublié. »

*

Le 25 octobre 1917, en fin d'après-midi, une sonnerie de trompe retentit au camp de Sdricca pour appeler tous les hommes à participer à l'*adunata*[1]. À peine les soldats sur place, rangés par unités au garde-à-vous, paraît le colonel Bassi, légèrement pâle.

— *Arditi !* lance-t-il. Je viens d'apprendre du haut commandement qu'hier l'ennemi a enfoncé nos lignes à l'aube après une attaque massive au gaz déclenchée dans la nuit. Ce gaz a, malgré les masques de protection, anéanti des régiments entiers. Un intense bombardement a suivi, détruisant nos liaisons téléphoniques sur le front de l'Isonzo. Les assauts de troupes austro-hongroises auxquelles se sont ajoutés

1. La réunion de tous les *arditi* présents sur le camp.

des régiments allemands ont surpris les *bersaglieri* et même des unités d'*alpini*. À l'heure où je vous parle, Caporetto est tombé, l'ennemi foule le sol italien. Des unités entières ont été détruites, d'autres ont été encerclées et emmenées en captivité, d'autres encore se seraient même rendues sans combattre. Le général Cadorna a ordonné une retraite jusqu'à la reconstitution d'un nouveau front. L'ennemi progresse très vite. La cité d'Udine, où se trouve le haut commandement, est menacée. Notre mission est de retarder le plus possible la progression des envahisseurs pour permettre l'évacuation en bon ordre des troupes et de la population. C'est une mission périlleuse dont nous ne reviendrons pas tous. À cette heure grave, l'Italie compte sur notre détermination. Le départ aura lieu dans une demi-heure au maximum, le temps de rassembler équipements et munitions.

Il s'arrête un instant.

— *A chi l'onore ?*

— *A noi !* répondent les *arditi*.

On charge en hâte mitrailleuses, bandes de cartouches et caisses de grenades. Les hommes tout équipés grimpent dans les camions et le convoi s'ébranle en direction de l'est. Le capitaine Mori déchire la lettre de sa mère et en éparpille les morceaux. Son regard croise celui du sergent Nino Calderone.

— Des nouvelles de ta fille, mon capitaine ?

— Si l'on veut, grogne Lorenzo.

Les camions avancent à vive allure, puis sont contraints de ralentir devant les files de carrioles, de mulets, et même de femmes et d'enfants qui marchent en sens inverse.

À la nuit tombée, ils dressent un camp. Où est l'ennemi ? Devant, sans doute. Des civils et des militaires viennent se réfugier dans leur bivouac. Des nouvelles circulent, certaines sont extravagantes, comme le suicide de Cadorna. Un officier rapporte qu'il a, au contraire, adressé un message au ministre de la Guerre : « Je vois s'amorcer un désastre contre lequel je lutterai jusqu'au dernier homme », tout en s'apprêtant à abandonner Udine, dont l'ennemi ne serait qu'à vingt-sept kilomètres.

C'est justement vers Udine qu'il faut aller. Avant de quitter la ville, Cadorna a envoyé un nouveau télégramme selon lequel dix régiments environ se seraient rendus sans combattre. Puis un troisième, sous la forme d'un communiqué officiel, qui fait aux Italiens l'effet d'un coup de poing à l'estomac : « Le désistement d'unités de la 2e armée qui se sont lâchement retirées sans combattre, ou qui se sont ignominieusement rendues à l'ennemi, a permis aux forces austro-allemandes de rompre notre aile gauche sur le front Julien. »

Quand les *arditi* parviennent enfin à Udine, la ville est en plein chaos. C'est le pillage avant l'arrivée des Austro-Allemands. L'ennemi s'est déjà emparé de Cividale et approche des faubourgs de la ville.

Mori dispose ses hommes, compte les munitions. C'est peu, mais on s'en tirera. Pour la première fois, les Autrichiens ou les Allemands, on ne sait pas, se heurtent à une véritable résistance. Les *arditi* sont planqués derrière les murs des maisons écroulées.

Ordre est donné par Mori de ne tirer qu'à coup sûr pour économiser les munitions. Lui-même manie une mitrailleuse légère, servie par Nino Calderone. Il lâche ses rafales avant de changer de position.

Soudain, côté assaillants, tout s'arrête. C'est le silence. Plus un coup de feu, plus un canon, plus rien. Mori fait signe aux *arditi* de cesser le tir.

— Ça ne durera pas, murmure-t-il, ils sont surpris et ils ont demandé des renforts.

Quelques *arditi* allument des cigarettes et fument tranquillement. D'autres, appuyés sur un mur, ferment les yeux.

— Les voilà !

Qui a crié ? Peu importe. Les voilà, en effet. Des fous furieux, des Sturmtruppen, l'équivalent autrichien des *arditi*. Les mitrailleuses italiennes les fauchent par vagues entières. Curieusement, les *arditi* qui sont formés à l'attaque se trouvent en situation de défense. Les Sturmtruppen s'écroulent les uns après les autres. Ils s'arrêtent enfin. On a dû leur donner l'ordre de repli. Ils repartent en arrière. Nino montre les bandes vides de cartouches.

— Il ne reste plus que celle-là, dit-il en montrant la bande engagée.

— Va voir les autres, demande Mori.

Nino se glisse entre les murs écroulés, fait le tour des positions et revient.

— C'est pareil pour eux. Au prochain assaut…

Il se tait et regarde Mori sans rien dire.

— Il reste les grenades, dit Lorenzo en vidant son sac sur le sol et en les partageant équitablement avec Nino.

— Quinze grenades chacun. Ça ne suffira pas. La grenade est une arme pour l'assaut, pas pour la défense.

Les Autrichiens reviennent. Cette fois, personne n'a crié « Les voilà ! ». Toutes les mitrailleuses italiennes tirent en même temps, mais les assaillants se dissimulent derrière les murs eux aussi. Les mitrailleuses cessent le feu. Cette fois, les munitions sont réellement épuisées. Lorenzo se dresse.

— *Prendete le bombe a mano !* s'écrie-t-il. *A chi l'onore ?*

— *A noi !*

Et ils bondissent d'un mur à l'autre en projetant les grenades à la chaîne. Les Autrichiens ne s'y attendent pas. Ils ont un instant d'hésitation. Lorenzo vide son revolver sur les silhouettes en face. Mais ils se reprennent. À l'abri des murs, ils tirent à leur tour sur les *arditi*, qui s'écroulent. Puis c'est le silence comme il y a un moment. Ont-ils eux aussi épuisé leurs munitions ?

Lorenzo et Nino dégainent leur poignard. C'est tout ce qu'il leur reste. Lorenzo entend un pas derrière lui. Il se retourne, prêt à frapper. Mais c'est une estafette qui lui tend un feuillet.

— Repliez-vous, ordre du colonel. Ils sont en train de vous encercler.

Lorenzo fait le signe de repli et range son poignard. Cette fois, il ne servira pas. Les uns après les autres, les survivants glissent vers l'arrière sans se faire voir.

Deux cents mètres plus loin, le colonel les attend avec des camions, moteurs en marche.

— Montez vite. La ville est perdue. Les *arditi* sont trop précieux pour se faire tuer inutilement. Vous avez permis de gagner une demi-journée.

Les hommes grimpent dans les véhicules, on transporte les blessés à la hâte. On n'a pas le temps pour les morts.

— Vous êtes cent, dit encore le colonel, il en manque trois cent quatre-vingt-dix.

Soudain, côté autrichien, on entend un chant.

— Ils fêtent notre retraite, dit Lorenzo, mais on n'avait plus de munitions.

— Non, dit le colonel, je connais bien les Sturmtruppen. Ce n'est pas leur genre, ils vous rendent les honneurs à leur manière. Ce chant s'appelle *Huldigung an den Feind*, « Hommage à l'ennemi ».

Udine prise, il reste aux Austro-Allemands deux obstacles à franchir avant de déverser leurs troupes vers le cœur de l'Italie, deux obstacles qui sont deux fleuves : le Tagliamento et le Piave. Cadorna dit :

— C'est sur le Tagliamento que nous devons établir le nouveau front. Mais ce fleuve n'est qu'à vingt kilomètres d'Udine et il est traversé par huit ponts. Qu'on les fasse sauter !

Facile à dire, plus délicat à réaliser, car entre le Tagliamento et les avant-gardes austro-allemandes, il y a une foule de fuyards qui veulent franchir le fleuve, donc passer les ponts. Or les fuyards, militaires et civils mêlés, forment un troupeau hagard mais revendicatif, qui n'a qu'un but : échapper aux envahisseurs. Ce sont eux qui, dans un invraisemblable désordre, piétinent sur les routes et les chemins détrempés par la pluie de ce début du mois de novembre 1917. Partout sur leur passage, on vole, on pille, on viole et on tue tout en marmonnant le slogan : *Meglio vivere povero in Italia tutta la vita che un giorno sotto i Tedeschi*[1].

Sur les routes qui mènent au pont du Tagliamento se mêlent non seulement les militaires sans unité, sans commandement, sans ordre, mais aussi les femmes, les enfants, les vieux, qui ont entassé tout ce qu'ils ont pu sur les mulets, les carrioles, les ânes et les chevaux qui restent. De temps à autre, certains s'échappent pour aller piller alentour. C'est alors que Cadorna, qui n'a que l'objectif d'une retraite ordonnée, devant cet invraisemblable caravansérail, ne trouve rien de mieux que de rappeler le triste général Graziani et son peloton de carabiniers fusilleurs. Alors Graziani fusille à tour de bras, avec ses tribunaux itinérants, les civils qui saccagent et les militaires surpris à tenir des propos défaitistes. C'est dans ce décor de fin du monde que, sous la pluie, les *arditi* de Mori se retrouvent sur l'un des derniers ponts qui n'aient pas encore sauté. L'ordre est d'y faire passer le maximum de troupes en fuite et de réfugiés avant de le faire exploser tout en résistant aux Austro-Allemands *fino all utimo uomo e all ultimo fucile*[2].

Une queue interminable s'y presse, tandis que les guetteurs annoncent déjà les avant-gardes des envahisseurs. Les explosifs sont en place. Mori est le

---

1. Il vaut mieux vivre pauvre en Italie toute la vie qu'un seul jour sous les Allemands.
2. Jusqu'au dernier homme et au dernier fusil.

responsable de la mise à feu. Côté ennemi, les *arditi* se battent déjà. Mori communique par téléphone. On lui annonce que les ennemis sont en nombre bien supérieur, leur avance est irrésistible.

— Combien de temps pouvez-vous tenir ? demande-t-il.

— Cinq, dix minutes, pas plus, après, nous n'aurons plus de munitions.

— À ce moment-là, repliez-vous.

Il traverse le pont en sens inverse des réfugiés, se plante à l'entrée.

— Dans dix minutes, le pont sera fermé, annonce-t-il.

À peine a-t-il prononcé ces mots que la foule hurle de désespoir et le conspue tout en accentuant la poussée des vieux, des femmes et des gosses. Mori a placé Nino de l'autre côté du pont, la main sur le détonateur. Il compte dix minutes, onze, douze. Ses *arditi* surgissent enfin. Il les dispose à l'entrée du pont, interdisant le passage. Ceux qui sont en train de traverser se hâtent d'atteindre l'autre côté.

— Capitaine, hurle la foule, laisse-nous passer !

Il fait signe aux derniers *arditi* de traverser. Lui reste avec la foule qui hurle et pleure à l'entrée du pont, le revolver dégainé.

Quand apparaît le premier casque autrichien, il donne l'ordre à Nino :

— Fais sauter le pont.

— Et toi, capitaine ?

— Exécute l'ordre.

Le pont explose aussitôt, et les débris retombent sur la foule qui se remet à crier plus fort. Les ennemis avancent. Ce sont des Autrichiens. Mori jette son revolver vide sur le sol.

— Vous êtes mon prisonnier, dit l'officier autrichien en mauvais italien.

Il ôte son casque et Mori fait de même. Les deux hommes se regardent.

— Lorenzo, dit l'Autrichien.

— Hans, dit Mori.

L'Autrichien montre une barque attachée à la rive.

— Va, dit-il.

*

C'est l'heure où, au bar de l'hôtel des Palmes, les nantis de Palerme vont boire leur cocktail en devisant interminablement sur la marche du monde, les maux d'une guerre stupide, le renvoi de Cadorna et son remplacement par le général Diaz, la nomination de Vittorio Orlando au poste de président du Conseil, à la tête d'un gouvernement qui a pour slogan : « Le peuple doit comprendre que, quand la nation est en péril, nous sommes tous unis. » Il y a là de vieux aristocrates de Palerme, certains descendants des vice-rois au temps des regrettés Bourbons, des bourgeois enrichis du nouveau régime, plusieurs personnages interlopes qui font la navette entre les deux, proposant arrangements, compromissions et argent, enfin des mandataires semi-officiels de cette entreprise dont personne en Sicile ne prononce jamais le nom. Il s'y trouve aussi quelques femmes accompagnées d'un mari ou assimilé.

Luciana, l'ancienne institutrice de Castellàccio, y

fait son entrée au bras de Mauro Pivetti, lui-même jeune retraité de l'instruction publique, où il a exercé d'importantes fonctions, et qui, justement, l'a rencontrée lorsqu'il venait l'inspecter dans son école. À l'époque, en fidèle compagne du Calderone, elle feignait de ne pas s'apercevoir de son intérêt pour elle. Mais depuis qu'ils sont veufs tous les deux, le Pivetti n'est plus arrêté par aucun obstacle. Il s'est renseigné sur Luciana et son mode de vie, il a appris qu'elle élevait un enfant, mais pour le compte d'une amie, qu'elle fréquentait les librairies, les musées et parfois l'Opéra. Rien ni personne d'autre. Ce portrait lui convient parfaitement. Aussi n'a-t-il pas hésité à lui laisser sa carte, lui demandant l'autorisation de venir la saluer, ce que Luciana n'a pas refusé. C'est à cette occasion qu'il lui a proposé d'aller prendre un rafraîchissement aux Palmes, l'établissement le plus sélect de Palerme. Luciana, qui connaît les usages et sent les hommes quand ils s'approchent, y a mis une condition : que sa jeune amie, Carmela, la mère de cet enfant qu'elle garde, les accompagne. Pivetti n'a eu d'autre choix que de s'en déclarer ravi. Ainsi pénètrent-ils tous les trois dans cette foule discrètement bruissante et distinguée, le Pivetti entouré de ces deux femmes, Luciana d'une beauté mûre, et Carmela au seuil de son « entrée en beauté ».

Quand Luciana lui a parlé de cette invitation, Carmela a commencé par refuser. Mais Luciana lui a fait valoir qu'il s'agissait d'un service : « Tu comprends, ce Pivetti, je le connais à peine, mais d'après ce que j'en sais, il est très introduit dans les bons milieux. Si on me voit seule avec lui, on imaginera que je suis sa future épouse ou déjà sa maîtresse, et je m'y refuse absolument. J'ai une vie tranquille qui me plaît et, pour l'instant, je ne veux pas en changer. Et puis, il y a Salvatore. »

L'argument était pertinent, c'est ainsi que Carmela se retrouve, une coupe de vin pétillant au bout des doigts, dans ce salon rempli d'hommes en frac et de femmes aux épaules dénudées, aux côtés de Pivetti, très souriant, très affable, empli d'onction mondaine, la moustache brillante, la voix et les mots comme un sirop qui coule.

Il les présente toutes les deux comme deux bonnes amies, en insistant sur Luciana qu'il déclare connaître depuis longtemps, « une femme de lettres », précise-t-il, « une enseignante exceptionnelle », de sorte que tous comprennent que c'est elle, son élue. Carmela sourit. En voilà un qui ne cache pas ses intentions. Elle échange un regard avec Luciana, à qui finalement cette soirée ne déplaît pas.

C'est alors que Carmela remarque la présence d'Andrea Cavalcanti. Il est en pleine conversation avec le président de l'académie de Sicile, souvent portraituré dans les journaux. Lorsqu'il la reconnaît, son regard s'éclaire et, tout en poursuivant la discussion, il ne cesse de la chercher des yeux, comme s'il craignait qu'elle ne disparaisse, engloutie par la foule. Pivetti le repère à son tour, se détache pour ramener le président et Cavalcanti, les tenant chacun par un bras, à la sicilienne, et leur présenter ses invitées.

— Notre président, dit-il en désignant le premier (signifiant par là qu'il en fait partie, lui, Mauro Pivetti, de la fameuse académie), et notre auteur, le grand Cavalcanti, qui nous fait, à nous Palermitains, l'honneur de sa présence.

Et les deux hommes de s'incliner, alors que le Pivetti reprend son éloge de Luciana la littéraire et, tant qu'il y est, de Carmela, la fleur de nos campagnes.

— Elle est aussi une lectrice passionnée et attentive à chaque tour de phrase, ajoute le Cavalcanti. Nous avons déjà eu l'occasion de débattre, Mme Tomasini et moi, dans un endroit que nous fréquentons tous les deux.

Pivetti se récrie aussitôt sur cette belle coïncidence qui le réjouit. Il prend à témoin Luciana, qui confirme les qualités de lectrice de Carmela, mais cette dernière, un peu étourdie par tout ce monde, rougit de ces propos qui la mettent en valeur – elle appartient à une autre tradition, faite de discrétion, de silence et de sentiments inexprimés.

— Je voulais, dit le président, convaincre notre ami de se présenter au suffrage de notre assemblée littéraire, certes moins prestigieuse que celle de Rome dont il fait déjà partie, mais qui comprend les meilleures plumes de notre île, en un mot, lui rappeler sa patrie sicilienne qui attend l'honneur de le fêter officiellement.

Quand Cavalcanti exprime son regret de plus en plus lancinant de ne revenir en Sicile qu'en visiteur alors qu'il a pour projet de s'y établir définitivement, c'est Carmela qu'il regarde. En réalité, il se montre fidèle à ses origines et use de ce stratagème, typique du Mezzogiorno, consistant à dire une chose qui en signifie une autre. Lorsque Cavalcanti évoque la Sicile et son désir d'y vivre à nouveau, c'est de Carmela qu'il parle, de la séduction qu'elle exerce sur lui, de l'idée, depuis qu'il l'a rencontrée, de partager sa vie. Carmela, en bonne Sicilienne, ne s'y trompe pas, sans rien montrer de son émotion, mais elle en tremblerait presque, car cet homme, qui a bien quinze ans de plus qu'elle, ne cesse de hanter ses pensées. Elle se morigène, se répète qu'elle est la femme de Nino *Beddu* qui se bat contre les Autrichiens sur le front de l'Isonzo, Nino qui a été blessé, qui a reçu la médaille et a été nommé sergent, le seul survivant des trois amis. Mais elle n'a plus de nouvelles de lui depuis la terrible défaite de Caporetto, le Sedan italien, où, paraît-il, cinquante mille soldats sont tombés, trois cent mille ont été faits prisonniers ou ont disparu, sans compter près de quatre cent mille déserteurs. Et voici qu'elle se retrouve devant cet homme qui la trouble, qu'elle entend cette déclaration déguisée qu'elle rêverait d'accueillir, mais qu'elle repousse à cause de sa fidélité, de son engagement envers Nino *Beddu.*

Le Cavalcanti insiste, la prend par le bras au prétexte de la protéger de la foule qui se presse de plus en plus nombreuse dans le salon, et elle se retrouve avec lui, plus loin, dans un coin où ils sont seuls, face à face.

Pour une fois, Cavalcanti parle de lui, de sa vie sur le continent, à Rome ou à Milan, où se trouvent ses éditeurs, du combat qu'il lui a fallu mener pour faire oublier ses origines siciliennes dans un milieu où les gens du Sud sont l'objet d'un mépris certain, où un médecin de Vérone, le dottore Lombroso, a fait fortune en créant une école de médecine qui n'a pour but que de décrire les caractéristiques raciales de la population du Sud, démontrant « scientifiquement », à l'aide de schémas, de croquis et de portraits, que l'homme du Mezzogiorno est un « criminel-né ».

— Les portraits sont très convaincants, déclare-t-il en riant, front bas, sourcils épais, traits vicieux, mâchoire épaisse et carnassière, et j'en passe. Heureusement que je ne me suis pas reconnu.

Carmela éclate de rire et l'écoute parler de lui.

— Un homme seul, dit-il encore.

— Toujours seul ? demande-t-elle en souriant.

— Non, bien sûr.

Mais il insiste sur la solitude de l'écrivain face à son livre, sur cette intimité avec la page et ce sentiment très curieux, très paradoxal, de dépossession, de prostitution, lorsque son roman est publié et qu'il ne lui appartient plus. Les lecteurs s'en emparent, mais c'est normal, un livre est fait pour être lu par d'autres. Puis il parle de la guerre qui a retardé la publication de *La Femme aux sortilèges*, édité seulement quand il est revenu du front, définitivement réformé.

— Vous avez été blessé ? Cela ne se voit pas.

Il a un sourire.

— Un poumon entier brûlé lors d'une attaque sur l'*altopiano* d'Asiago en mai 1916, quand les Autrichiens ont déclenché la *Strafexpedition*[1]. Les médecins ont sauvé le second, si l'on peut dire. Ça ne se voit pas, ajoute-t-il, mais je suis incapable de courir ou de marcher longtemps. J'ai passé six mois à hôpital. Une commission de médecins a mis fin à ma

1. Attaque surprise autrichienne en 1916, qui n'a échoué qu'en raison de la nécessité de déplacer des troupes autrichiennes sur le front russe.

carrière militaire en me jugeant incapable de retourner au front.

— Le père de mon fils est un *ardito*. Il était sur l'Isonzo. Je n'ai plus de nouvelles depuis Caporetto, dit Carmela.

Elle jette cette phrase comme un bouclier entre eux. Le Cavalcanti s'incline en homme d'honneur.

— Votre mari a beaucoup de chance de partager votre vie et d'être le père de votre enfant. Les opinions divergent sur les *arditi*, mais tout le monde est d'accord sur un point : ce sont des hommes d'un courage extrême. Vous pouvez être fière de lui.

Carmela regarde cet homme d'une grande élégance qui ne fait pas la cour à la femme d'un homme sur le front.

— Nous ne sommes pas mariés, précise-t-elle, et il ne sait pas que nous avons un enfant. Il l'apprendra à son retour.

— Et vous l'épouserez, bien sûr, à ce moment-là.

Ce n'est pas une question. Il a un sourire teinté d'une vague mélancolie.

— Oui.

Il s'incline encore. Elle sent qu'il va mettre fin à la conversation, qu'il va s'en aller et se perdre dans cette foule qui l'attend, le cherche. Il ne restera plus de lui que ses livres.

— Je voudrais vous revoir et parler encore. J'aime être avec vous, dit-elle, aussi brusquement qu'elle a évoqué Nino et leur enfant.

10

Nino à Carmela, 6 novembre 1917

« Carmela *amata*,

Enfin je peux t'écrire ! Depuis Caporetto, il a été impossible d'envoyer la moindre lettre, faute de trouver un moment, un lieu pour l'écrire. D'ailleurs, les services de l'armée étaient dans un tel état d'affolement et de désordre qu'une lettre n'aurait eu aucune chance d'arriver. Je ne vais pas te raconter cette épouvantable défaite. Je me suis battu à Udine puis sur le Tagliamento, pour tenter d'empêcher les Austro-Allemands de franchir le fleuve. Nous avons fait sauter les ponts. Pas tous, hélas, et les envahisseurs ont fini par passer. Recul encore donc, sur le fleuve Piave cette fois, où nous nous sommes solidement retranchés. Les *arditi* ont failli être dissous puisque ce sont des unités faites pour l'attaque et que nous n'attaquons plus rien. C'était le prétexte officiel, car les unités traditionnelles de l'armée ne nous aiment guère puisque nous ne reconnaissons que notre propre hiérarchie. Heureusement, un général a pris notre défense. Et nous avons été non seulement maintenus mais renfloués par de nouvelles unités qui vont faire une nouvelle guerre sur le Piave.

Sans doute me trouves-tu bien enthousiaste pour une guerre qui, nous autres Siciliens, ne nous regarde guère. Mais je n'ai pas d'autre choix et tu en connais les raisons. Les deux premières années dans les tranchées de l'Isonzo m'ont pourtant fait horreur.

De plus, j'ai perdu mes deux amis et tu es loin. La

personne dont je suis le plus proche actuellement est mon capitaine, Lorenzo Mori. Nous avons été blessés puis décorés ensemble pour l'attaque du San Gabriele. C'est mon binôme pendant les combats. S'il meurt, je meurs, et réciproquement. Comment expliquer cela à la très belle jeune femme que tu es, gérant les richesses que tu as reçues parmi les fleurs et les orangers ? Ici, c'est un monde sans femmes, ni douceur ni rien de ce genre. J'en suis venu à aimer la guerre et à redouter qu'elle finisse, car il me faudra retourner dans un monde dont j'ai tout oublié, sauf toi évidemment, et je ne sais comment il me recevra. J'ai lu ce livre que tu me dis admirer (*La Femme aux sortilèges*) et qui m'est miraculeusement parvenu. Nous ne vivons pas l'auteur et moi dans le même monde.

Je t'embrasse.

Nino»

Lorenzo Mori à Laura Mori, 18 novembre 1917

Cette lettre, tu ne la liras pas avant d'avoir atteint l'âge de quinze ou seize ans, et le ferais seulement si je ne revenais pas de la guerre. Je l'adresse sous pli fermé à mon ami Alberto avec les documents qui l'accompagnent. Je lui confie la mission de te remettre ce pli selon son propre jugement, dans lequel j'ai confiance. Si, dans les jours, les semaines ou les mois à venir, je devais tomber, que tu reçoives au moins les mots que je te dois.

Tu es l'enfant d'un grand amour. Julia Di Stefano a été, est et sera toujours la seule femme de ma vie, comme je suis sûr d'avoir été le seul homme qu'elle ait connu. Sache que ta mère et moi, nous nous sommes mariés à la paroisse de San Zenetto le 8 novembre 1915, il y a deux ans. Nous n'avons vécu ensemble que quelques jours, puisque j'ai dû aussitôt repartir pour le front. Ce mariage est resté secret, je n'en ai pas informé ma famille, ni ta mère la sienne. Tu trouveras le certificat de mariage et la photo que ta mère m'a envoyée. Nos témoins étaient deux paroissiennes. Ta mère, Julia, avait rompu les liens avec les siens qui voulaient, pour des raisons financières, lui faire épouser le fils d'un notable de Vérone. Ce mariage a eu lieu et s'est terminé par un duel entre le mari de ta mère et moi-même. Cet homme en est mort (Alberto te racontera les détails) et ta mère m'a rejoint aussitôt.

Il faut que tu saches que ta grand-mère haïssait Julia, qu'elle jugeait trop indépendante, trop fière, ce que ma mère ne supportait pas, au point de détourner sa lettre quand elle m'a appelé au secours. Donc, pour ma mère et son environnement mondain et traditionnel, tu es une bâtarde, et il est évident qu'elle te traitera comme telle, même si, au fond, ce n'est pas une mauvaise femme. Sur ton acte de naissance, tu trouveras la mention de notre mariage et une attestation de ma main selon laquelle tu es bien notre fille légitime. Tout cela pour, au besoin, faire valoir tes droits, tant auprès des Di Stefano que des Mori.

Je t'adresse d'autres documents plus douloureux qui ont trait aux circonstances de la mort de Julia. La lettre reçue de ses camarades d'usine, les articles de journaux qui datent de l'été 1917. Ta mère, qui a toujours eu des opinions très éloignées de ses origines, a travaillé sous un faux nom dans les usines Di Stefano pour remplacer une amie malade qui l'hébergeait. C'est ainsi qu'elle a été élue dirigeante syndicale et qu'elle a participé à une manifestation où la troupe a tiré sur ordre de son propre père, qui ignorait sa présence, mais qui n'a pas hésité à faire tuer ses ouvrières.

Je ne connais de toi que le nourrisson enveloppé dans une couverture que j'ai tenu un moment dans mes bras, avant de le remettre à ma mère et de repartir pour le front. J'espère te revoir, mais je n'en suis pas sûr.

Je t'embrasse,

Ton père, Lorenzo Mori»

Lorenzo Mori à Alberto, le 18 novembre 1917

«Cher Alberto,

Tu sais à peu près tout de ma vie, de mon mariage avec Julia, de la naissance de Laura, de la fin de Julia et de cette enfant que j'ai dû confier à ma mère en laquelle je n'ai aucune confiance. Je te demande de garder précieusement cette enveloppe que je te joins et de la remettre à Laura ma fille si je ne reviens pas de la guerre, quand elle aura quinze ou seize ans, ou atteint, selon toi, l'âge de la lire. Elle contient les preuves de sa naissance et un résumé de notre histoire. Peux-tu aussi passer de temps en temps à la maison de Borgo Trento pour voir ma famille et vérifier que l'on traite bien Laura ?

Crois à ma fidèle amitié,
Lorenzo »

*

Les combats se déchaînent sur *l'altopiano dei sette comuni.* Trois sommets à conquérir, le mont Valbella, le col de Rosso et le col d'Echele en janvier 1918. Assauts acharnés, attaques fulgurantes des *arditi*, défense furieuse des Autrichiens. Puis les combats sur le fleuve Piave. Les Autrichiens veulent percer à tout prix, les Italiens résistent. C'est la situation de l'Isonzo encore une fois renversée.

Les *arditi* se battent si bien que le haut commandement de Diaz décide d'en créer une division entière puis un corps d'armée. Une règle unique : agir brutalement. Les *arditi* chantent *Giovinezza*, dont ils connaissent les paroles par cœur. Ils scandent ce refrain :

Oili Oila
O la vittoria, o si morra.

Les pertes sont terribles, plus il y a de morts, plus il y a de candidats. Ils meurent de plus en plus mais tiennent, avancent, enfin ils reprennent le terrain, et l'offensive autrichienne s'achève.

Les deux armées restent face à face. Au milieu, le Piave.

11

— Avez-vous entendu parler de ce Mussolini ? demande Andrea Cavalcanti à Carmela.

— C'est un journaliste, je crois. Il est devenu un homme politique après avoir quitté les socialistes un peu avant la guerre. On parle beaucoup de lui.

— Il écrit dans le *Popolo d'Italia* que les *arditi* sont le remède à la maladie chronique de l'Italie et que l'on doit placer sa foi dans ceux qui combattent avec conviction et passion.

— Je ne sais pas. On parle aussi beaucoup d'actions suicidaires. Quand je reçois des lettres de Nino, je ne le reconnais plus. Il ne vit plus que pour la guerre et je me demande si j'existe encore pour lui…

Cavalcanti ne répond pas. Deux ou trois fois par semaine, il déjeune avec Carmela. C'est la première fois que, depuis leur rencontre au bar des Palmes, elle évoque le père de son enfant. Il regrette d'avoir mentionné les *arditi*. Mais ce qu'il vient de lui dire a eu pour effet de dévoiler une crainte qui doit certainement la hanter depuis plusieurs mois.

— Il ne faut pas vous inquiéter. Les hommes à la guerre voient leur représentation du monde se modifier et se rétrécir à ce qui constitue leur quotidien. Je l'ai moi-même constaté. Quand on revient, tout se remet en place comme avant, et les émotions de la guerre deviennent des souvenirs à raconter aux petits-enfants.

— S'ils reviennent… J'ai lu dans la presse que Roberto Sarfatti, le fils de cette femme que l'on présente comme la compagne de Mussolini, s'est engagé chez les *alpini* en trichant sur son âge. Il vient d'être abattu par les mitrailleuses autrichiennes. La presse l'acclame comme un exemple de l'héroïsme italien. Il a reçu la médaille d'or à titre posthume.

Elle se tait un instant et l'observe.

— Dans mon existence aujourd'hui, reprend-elle, il y a Salvatore mon fils, Luciana mon amie, et vous.

La nuit suivante, elle pense à Nino et regrette ce qu'elle a dit, même si ses lettres sont bien le reflet de ce que la presse écrit sur ces hommes hantés par la guerre. Nino n'a changé qu'en apparence, elle en est certaine. À son retour, elle le retrouvera comme il était parti. C'est Andrea qui a raison. Elle l'appelle Andrea quand elle pense à lui et s'en veut aussitôt de cette intimité. Comment me reviendras-tu, Nino ? Soudain, elle a une idée. Elle se lève, prend un bloc de papier à lettres.

« Mon amour, écrit-elle, je veux te dire une chose que je t'ai cachée jusqu'à présent, car je craignais que cette nouvelle, alors que tu étais si mal dans cette guerre où le destin t'a jeté, ne te donne envie de déserter. Mais aujourd'hui, quand tu me décris ton aisance nouvelle chez les *arditi*, j'estime qu'il est de mon devoir de te révéler que tu es père, Nino, d'un petit Salvatore né une nuit d'hiver. Cet enfant, qui marche déjà, qui commence à parler, c'est le nôtre, conçu peut-être cette fameuse nuit qui a précédé ton départ... »

C'est une longue lettre qu'écrit Carmela. Elle raconte tout, depuis la découverte de sa grossesse, la visite à Luciana, l'installation à Palerme, jusqu'au voyage à Rome où est né Salvatore. Elle raconte ses premiers pas, puis elle parle d'elle. Elle écrit comme elle lui parlait, quand elle le rejoignait après le crépuscule pour revenir avant le lever du soleil. Elle écrit sans se relire ce qui lui vient à l'esprit, comme cela se présente. C'est une lettre impudique où elle évoque le plaisir qu'il lui a donné, ce plaisir aujourd'hui entre parenthèses, mais qu'elle attend de lui dès son retour. Elle lui parle de ce retour, de la journée et de la nuit qui suivront. Elle lui dit: «Si tu veux te marier avec moi, on se mariera. Les gens diront ce qu'ils voudront. Ça m'est égal.» Elle lui dit que ce bonheur qui les attend, elle veut le rendre public. Elle dit encore qu'ils ont droit à ce bonheur, qu'ils l'ont gagné ensemble et qu'il faudra en profiter. Elle dit enfin qu'elle ne regrette rien de ce qui s'est passé, qu'elle n'a jamais eu un instant de doute ni le moindre remords, qu'il ne lui reste qu'une seule chose à faire, revenir.

Carmela noircit des pages. Elle glisse la photo de Salvatore dans l'enveloppe qu'elle portera dès le lendemain matin à la poste. Elle s'endort enfin, heureuse, soulagée. Dans sa lettre, il n'y a pas un mot sur Andrea Cavalcanti.

*

La même nuit, Nino et Lorenzo, complètement nus, le corps enduit de peinture noire de la tête aux pieds, se glissent dans l'eau du Piave, un poignard entre les dents. Portés par le courant, ils descendent le fleuve jusqu'à l'autre rive, où ils accostent sans bruit. Ils gravissent la colline, Nino en tête, car il a cette étrange réputation de « sentir l'ennemi », de le « flairer » avant de le voir. Don extrasensoriel ? Magnétisme ? Ce phénomène a été vérifié à plusieurs reprises. Ils contournent les sentinelles autrichiennes pour les prendre à revers. Deux guetteurs qui somnolent vaguement. Ils les empoignent et les poignardent avant qu'ils n'aient le temps de crier. Aussitôt après, ils courent vers le Piave et se jettent à l'eau. Le temps que l'alerte soit donnée, ils sont sur l'autre rive.

Cela se passe les nuits sans lune, quand des sentinelles prennent la relève et ne se méfient pas. Cela effraie les Autrichiens, ces hommes noirs qui surgissent dans la nuit et qui assassinent leurs sentinelles, ils les surnomment « les caïmans du Piave ».

*

La même nuit encore, Cavalcanti est avec une femme, une journaliste qui suit ses livres depuis le début et les commente longuement dans les revues où elle écrit. C'est une femme un peu plus âgée que lui, séduisante sans être belle, et qui ne s'est jamais mariée, par conviction, affirme-t-elle, mais, en réalité, parce qu'elle n'a jamais trouvé d'homme qui lui donne envie de joindre sa destinée à la sienne. Sauf, peut-être, Cavalcanti, dont elle est devenue la maîtresse. « Il me fait chaud », a-t-elle confié à l'une de ses intimes. Ils n'ont jamais vécu ensemble, mais ils se rencontrent souvent. Cette fois, elle est venue de Rome passer quelques jours avec lui. Elle vient d'arriver. Elle l'a rejoint à l'hôtel des Palmes, où il a élu domicile avant de présenter sa candidature à l'académie, dans cette période où il est indispensable de se livrer à des visites protocolaires. Cette femme s'appelle Loriana. On dit qu'elle fait et défait les carrières des écrivains. Celle de Cavalcanti, elle l'a construite avec l'habileté d'une grande journaliste introduite dans les meilleurs milieux littéraires et la force d'une maîtresse. Quand on lui reproche de mélanger les genres, elle répond : « Peut-être, mais on me rendra cette justice, je n'ai jamais soutenu un tocard ! »

Cette nuit donc, dans le vaste lit du grand auteur, elle pose cette question impromptue après l'amour :

— J'ai lu dans le journal local... comment s'appelle-t-il donc ?

— *La Sicilia.*

— Ah oui, j'aurais dû m'en douter. J'ai donc lu dans *La Sicilia* que tu as l'intention de t'installer ici, à Palerme ou à Catane, et d'y demeurer en abandonnant le reste. C'est vrai ?

— C'est toi, le reste ?

— Entre autres. Réponds !

— J'y ai pensé. C'est vrai. Ici, si tu veux te présenter à l'académie, il faut déclarer ta flamme à la Sicile, c'est indispensable. On m'a trop reproché d'être né à Catane pour aller vivre à Rome ou à Milan.

Loriana se tait. Elle le connaît, son Cavalcanti.

— Il n'y a pas une histoire de femme là-dessous ?

— La Sicile est une femme ! répond-il en l'enlaçant pour éviter qu'elle ne poursuive sur ce chemin dangereux.

12

Sur l'*altopiano* d'Asiago, le 16 juin 1918, l'histoire se répète à deux ans d'intervalle, sur les lieux mêmes où avait été lancée la *Strafexpedition*. La veille, les premières vagues d'assaut autrichiennes ont franchi le Piave et percé les lignes italiennes. Les soldats ont crié « À Milan ! ». Ce sont les meilleurs soldats de l'armée de l'Isonzo, comme l'a baptisée le nouvel empereur Charles. On sait que Boroević, celui qui a tenu contre les Italiens pendant trois ans autour de Gorizia, n'est pas favorable à cette offensive. Aussi l'empereur Charles en a-t-il confié le soin au colonel général von Wurm, un vétéran de toutes les guerres. L'offensive dure six jours. C'est la dernière grande manœuvre des Autrichiens, tandis qu'en secret l'empereur Charles, qui veut sauver son trône de dernier des Habsbourg, négocie une paix séparée qu'il n'obtiendra pas. Et encore, pour repousser les Autrichiens au-delà du Piave, c'est aux bataillons d'*arditi* que l'on a recours. C'est peut-être à cette occasion qu'ils deviennent les idoles de toute l'Italie. C'est eux, la nouvelle armée, la nouvelle nation, les futurs vainqueurs.

— Julia, dit Lorenzo en s'adressant la nuit aux nuées qui parcourent le haut plateau, je crois que, cette fois, nous allons vraiment gagner la guerre.

— Faut-il s'en féliciter ? répond-elle depuis le purgatoire des femmes rebelles. Et notre fille, Laura, que devient-elle dans toute cette gloire nouvelle, notre fille entre les mains de ta garce de mère ?

— Je m'occuperai d'elle. Dès que la guerre sera finie, j'irai la chercher. Je te le promets.

— Si tu reviens, souffle-t-elle, avant de retourner à son silence de morte.

Et cela dure tout l'été sur le col de Rosso, le mont Majo, le col Carpenedi et sur le Grappa. Ça dure l'automne. Parfois ils gagnent, souvent ils meurent, et on les trouve encore sur le mont Meleghetto jusqu'à la colline de Sernaglia, qui pointe sur Vittorio Veneto que les Autrichiens veulent à tout prix tenir, eux aussi jusqu'au dernier fusil et au dernier homme.

Front du Piave, Nino à Carmela, veille de l'attaque contre Vittorio Veneto, 27 octobre 1918

« Carmela *amata*,

J'espère que tu ne recevras jamais cette lettre, car cela signifierait que je serai tué demain, dans ce qui sera sans doute la dernière bataille de cette guerre. Mais je suis optimiste. C'est pourquoi, ces derniers temps, je ne t'ai pas écrit, ou plutôt je t'ai écrit des lettres qui ne sont pas parties. Trop sombres, trop tristes, tu n'attends pas de moi des lettres de ce genre. Elles sont donc restées dans mon paquetage dans une grosse enveloppe à envoyer à Luciana si je meurs, hypothèse que, ce soir, je refuse d'envisager, puisque, jusqu'à présent, je me suis sorti à peu près de tous les combats. Sache que j'ai relu *La Femme aux sortilèges* (le seul livre que je possède ici) et que je regrette ce que je t'ai dit après ma première lecture. Peu importe le monde mental de l'auteur dans son roman, ce qui compte, c'est la finesse, l'intelligence de son propos. Je l'ai prêté à mon ami le capitaine Mori qui est du même avis, et je tenais à te le dire. Lui-même est d'ailleurs très sensible à ces questions. La femme qu'il venait d'épouser a été tuée lors d'une manifestation à Vérone. Elle lui a laissé un enfant qu'il a dû confier à sa propre mère, en laquelle il n'a aucune confiance. La nuit, je vois parfois ses lèvres bouger, j'ai l'impression qu'il parle à sa femme et qu'elle lui répond.

Voilà, demain sera un grand jour, et comme tu ne recevras jamais cette lettre, dans les jours suivants, quelques semaines au plus, je t'annoncerai mon retour.

Je t'embrasse,

Nino »

*

— Chers amis, dit Mauro Pivetti, que va devenir l'Italie quand nous aurons gagné la guerre ?

Tout en parlant, son regard fait le tour des convives qui ont achevé de dîner, Luciana, Cavalcanti, le président de l'académie, deux journalistes, Carmela, et Loriana la critique littéraire. Il les a tous invités dans son confortable palazzo, corso Vittorio Emanuele. Le repas était succulent (à Palerme, on s'arrange toujours pour se procurer les meilleurs produits, même en temps de guerre), et, tandis que le majordome donne ses ordres avant qu'ils ne passent au salon, Pivetti feint d'attendre la réponse. En réalité, il en a une à fournir, évidemment. Mais par courtoisie, et par calcul, il ne s'exprimera que le dernier. Tintement des couverts et des assiettes, la société se déplace vers le salon. Pivetti se rengorge, il prend le bras de Luciana à qui il a demandé, en tout bien tout honneur, de jouer le rôle de la maîtresse de maison puisque lui-même, veuf depuis vingt ans, est resté célibataire, trop riche pour partager avec une autre les biens reçus de sa première femme.

— Eh bien, reprend-il, une fois servies les liqueurs, je suis curieux de vos réponses.

— Pour nous, en Sicile, commence un journaliste, cela ne changera rien. Nous n'avons que peu à voir avec cette guerre, même si beaucoup de Siciliens sont tombés.

— Ici, répond le Pivetti, on pense que les *terre irredenti* ne valent pas tous ces morts. Que cette guerre est une erreur de nos dirigeants et même du roi.

— Je crains de ne pas être de votre avis, cher Mauro, dit Luciana.

Pivetti lui adresse un sourire affectueux qui signifie que leurs relations sont au-delà de leurs divergences d'opinions.

Le président de l'académie cherche une réponse qui soit à la fois sicilienne et nationale, compte tenu de ses propres ambitions politiques, ce qui est assez difficile.

— Nous pouvons au moins nous réjouir de cette victoire annoncée, finit-il par dire, même si l'on peut penser qu'en cas de défaite les Autrichiens n'auraient pas envahi notre île.

Éclat de rire général. Loriana lève le doigt. Jusqu'à présent, elle s'est montrée discrète, surveillant Carmela sur laquelle Cavalcanti jette trop souvent le regard.

— Permettez à une non-Sicilienne d'avoir une

opinion différente de vous tous : cette guerre a été une chance pour l'Italie, dont elle a raffermi l'unité chancelante. Je prévois d'importants changements dans les années à venir dont nous n'avons pas idée, moi comprise. Un homme est en train de percer. Nous en entendrons parler.

— Vous voulez parler de ce Mussolini, le journaliste ? demande Pivetti avec une nuance de mépris dans la voix.

Il fait signe au majordome de proposer de nouvelles liqueurs.

— Celui-là même. Je connais bien Margherita Sarfatti, sa compagne semi-officielle. Elle a un pouvoir d'influence inimaginable. Elle va le lancer. Elle croit en lui. Et quand une femme comme elle choisit d'aider une carrière…

Elle regarde alors Cavalcanti pour lui rappeler ce qu'il lui doit. Pivetti n'avait pas pensé à Mussolini, mais cette femme, apparemment bien introduite, paraît très informée. Il se tourne vers Cavalcanti.

— Et vous-même, qu'en pensez-vous ?

Cavalcanti désigne Carmela qui n'a pas dit un mot.

— Aucune réponse tant que toutes les femmes ne se seront pas exprimées, répond-il avec galanterie.

Loriana réprime un regard mauvais.

— Je pense, dit Carmela, que les combats se poursuivent toujours. L'homme le plus proche de moi se bat sur le Piave et je suis sans nouvelles de lui depuis plusieurs semaines. Le reste ne m'intéresse pas.

Silence dans le salon. Loriana, soulagée, adoucit son expression.

— C'est vous qui êtes dans le vrai, chère amie.

Pivetti se tait. Il a oublié la réponse qu'il voulait proposer à sa propre question.

*

C'est l'assaut des *arditi*. Grenades et lance-flammes. Il faut bousculer les Autrichiens pour permettre à la vague des *bersaglieri* d'occuper le terrain. Lorenzo Mori et Nino Calderone courent l'un à côté de l'autre. Tous hurlent *Avanti Savoia !* et les *bersaglieri*, derrière, ont le même cri de guerre. Les Autrichiens se défendent bien. Mori presse le levier du lance-flammes qui projette son jet à dix mètres. Mais, côté autrichien, on actionne les mortiers depuis l'arrière. Un obus explose juste devant. Il y a aussi une rafale de mitrailleuse qui vient d'un poste parfaitement dissimulé, et la première ligne des *arditi* s'écroule, tous fauchés ensemble.

À l'arrière des combats, dans une tente qui sert d'hôpital de campagne, les chirurgiens opèrent à la chaîne. Il n'y a presque plus de morphine. On distribue un coup de gnôle à ceux qui sont encore conscients et on coupe. Bras, mains, jambes sont balancés dans un seau qu'un soldat va vider dans une décharge quand il est plein. Mori a perdu connaissance, ce qui vaut mieux, car on est en train de l'amputer de la main droite.

Un officier d'état-major, envoyé par le général, vient faire les comptes.

— Celui-là ? demande-t-il.

— Capitaine Mori. Il faisait partie de la première vague d'assaut. Il a perdu une main. C'est son binôme qui l'a ramené au brancardier. Je ne sais pas comment il a fait car il était encore plus atteint que Mori. Lui, c'est à la tête qu'il est touché. Ici, on ne pouvait rien faire. Il est tombé sans connaissance et je l'ai fait mettre dans une ambulance.

— Son binôme, c'est le sergent Calderone ?

— Je crois. C'est un héros, celui-là.

— Je ferai un rapport. On m'a dit que tous ceux qui étaient dans l'ambulance étaient morts avant d'arriver à l'hôpital.

— Ça ne m'étonne pas. Quand je les envoie là-bas, il est souvent trop tard.

— Évidemment !

*

Luciana et Carmela ouvrent le pli du ministre de la Guerre :

« Madame, j'ai l'immense regret de vous informer que le sergent Nino Calderone de la 1re division d'assaut des *arditi* est tombé au champ d'honneur devant Vittorio Veneto. Son comportement héroïque a permis de sauver la vie de son capitaine et lui a fait obtenir, à titre exceptionnel *in memoriam*, la médaille d'or de la valeur militaire que je vous adresse ainsi que le diplôme qui l'atteste. Dans le paquetage du sergent Calderone, il a été trouvé une enveloppe contenant des lettres que je vous adresse également. À ce jour, son corps n'a pu être identifié comme pour beaucoup de ses camarades tombés dans les mêmes circonstances que lui. Les recherches se poursuivent, et s'il y a lieu, je vous indiquerai l'endroit de sa sépulture.

Le sergent Calderone est l'un des héros qui ont permis à l'Italie de gagner la guerre. J'informe de la présente le maire de Castellàccio d'où il était originaire, de manière que son nom figure sur la liste des soldats de cette cité qui ont donné leur vie pour la patrie.

Signature illisible pour ordre du ministre de la Guerre.»

13

Lorenzo marche dans les rues de Vérone. De sa main gauche, il tient celle de sa fille, il avance lentement, car elle n'a que dix-sept mois. Ce rythme lui convient, il traîne encore la jambe, atteinte par la même rafale que celle qui lui a arraché la main droite, remplacée par une main en bois rivée à son moignon par un fourreau de métal et des lacets qu'il doit nouer chaque matin. D'ailleurs, pourquoi se presserait-il ? C'est une *passeggiata* sans but et sans horaire. Ce qu'il veut, c'est déambuler dans la ville avec sa fille qu'il vient de découvrir. Parfois, il s'arrête pour se pencher sur elle et scruter son visage. Il lui semble qu'elle a déjà des airs de Julia mais il faut attendre pour en être sûr. Ce matin, quand il est arrivé après un mois d'hôpital, en uniforme de capitaine des *arditi*, et qu'il a sonné à la porte, sa mère, qu'il n'avait pas prévenue, a poussé un cri de joie, un vrai cri de mère, suivi d'un second, horrifié, quand elle a remarqué d'un coup sa canne et surtout sa fausse main, sans parler de sa maigreur. Elle a couvert sa bouche de ses doigts en répétant :

« Lorenzo, Lorenzo, je ne savais pas…

— Je suis vivant, c'est tout ce qui compte », a-t-il seulement rétorqué.

Puis son père est arrivé, il n'a rien dit en le serrant contre lui avec force.

« Où est Laura ? a-t-il demandé.

— Elle joue dans le salon. »

Il s'est avancé vers sa fille assise sous un sapin de Noël, avec des cubes. Il s'est agenouillé pour se mettre à sa hauteur.

« Laura, a-t-il dit doucement, je suis ton père. »

Elle n'a rien répondu. Les enfants ne réagissent pas à ces mots-là. Il l'a prise dans ses bras, craignant qu'elle ne se débatte, mais elle s'est laissé faire.

« Mamma, a ajouté Lorenzo, je veux que l'on sache que Laura est ma fille et celle de Julia. »

Personne ne l'a contredit. Sa mère a fait comme si elle n'avait pas entendu. Ils sont restés dans le salon. Son père a regardé son uniforme.

« Tu as eu une deuxième médaille d'argent.

— C'est l'attaque de Vittorio Veneto. Tous les autres sont morts, y compris mon binôme, un Sicilien qui m'a sauvé la vie. Il m'a porté vers l'arrière alors qu'il était lui-même grièvement blessé. On lui a donné la médaille d'or à titre posthume pour cet acte de courage. C'est ce qu'on m'a dit.

— Un Sicilien, a répondu sa mère, c'est curieux.

— C'était mon ami », a rétorqué Lorenzo d'une voix froide.

Lorenzo a remarqué que, après sa sieste, la fillette le regardait d'un air intéressé, puis elle se tournait vers sa grand-mère dans un mouvement habituel d'affection, que celle-ci rechignait à lui rendre.

— Pourquoi ne voulez-vous pas montrer que vous l'aimez ? demande-t-il.

— Évidemment, je l'aime ! répond-elle. Comment ferais-je autrement ?

Puis, se tournant vers lui :

— Mon fils, cette guerre t'a pris une main.

— Elle aurait pu prendre ma vie.

Elle l'embrasse une nouvelle fois. Et ce baiser vaut mieux que tous les autres.

Les vitrines sont éclairées avec leurs décorations de fête. Lorenzo se souvient que, enfant, quand sa mère l'emmenait en ville à cette époque de l'année, il parvenait toujours à se faire offrir un cadeau. Il prend Laura dans ses bras et lui montre des jouets. Elle tend la main.

— C'est *Natale*, lui dit-il.

— Qu'est-ce que c'est ?

Trop tôt pour lui expliquer. Il entre dans une boutique et achète une poupée. Laura a l'air ravie et, l'espace d'une seconde, il surprend sur ses traits une expression de Julia.

Piazza Erbe, les étals brillent. Les gens déambulent, le sourire aux lèvres. La victoire sans doute, ou plutôt la fin de la guerre. Des recrues le saluent militairement et il leur répond de sa main en bois. Ils font le tour de la place. Plus loin, les rues s'enfoncent vers l'Adige. Il fait plus sombre et il porte Laura. Elle glisse ses bras autour de son cou et ce parfum d'enfant provoque en lui une émotion.

C'est une senteur fraîche, tendre, qui rachète les odeurs de la guerre, poudre, mort et merde. Soudain, il s'arrête. Ce portail entrouvert, c'est celui des Giardini Giusti, où il a rencontré Julia, au bal des officiers, en 1913. Il pousse le vantail, pose Laura au sol.

La petite fille court sur les pavés de l'entrée. Un homme surgit, une lanterne au bout des doigts.

— C'est fermé, dit-il. Revenez demain.

Il les regarde tous les deux avec suspicion.

— Je voulais juste revoir les jardins.

L'homme approche la lanterne. Il remarque l'uniforme, les insignes d'officier et surtout la chemise gris-vert, la cravate noire et les flammes à deux pointes des *arditi*.

— Excusez-moi, mon capitaine, les jardins sont à vous.

La nuit n'est pas tout à fait tombée. Des lambeaux de brouillard s'accrochent aux arbres et aux buissons. Laura a un peu peur, elle se rapproche de lui et il la prend dans ses bras. Ils remontent l'allée. C'est là, lui semble-t-il, que Julia lui a fait comprendre qu'il ne lui était pas indifférent. C'était au début de l'été, avec des fleurs et des parfums partout. Il n'y a plus de fleurs, plus de parfums, seulement l'odeur de l'humus qui monte de la terre nue.

Il s'assied sur un banc de pierre. Peut-être celui où il s'était installé avec Julia. Tous ces bancs se ressemblent. Laura grimpe à côté de lui, elle veut prendre sa main de bois. Alors, il se déplace pour lui donner sa main vivante. Ils sont là tous les deux, elle avec sa poupée, lui avec ses images, les bruits et les parfums de cette fameuse soirée, la voix de Julia aussi, la voix qu'elle avait ce soir-là, un peu grave, avec une pointe d'accent autrichien. La voix d'une jeune fille audacieuse.

Il resterait bien là encore un moment, mais il lui semble que la petite a froid. Ce soir-là, il faisait très chaud, les serveurs se bousculaient avec des plateaux de verres. On entendait des rires. Que disait donc Julia ? De quoi parlaient-ils ?

— On s'en va, dit-il brusquement.

Ils repassent sous le porche. L'homme à la lanterne est toujours là.

— Vous étiez sur l'Isonzo, mon capitaine ?

— Oui, dit Lorenzo, sur le Piave aussi.

— Mon fils a été blessé, dit l'homme, il est toujours à l'hôpital. Sa mère et moi, on va aller le voir.

Lorenzo montre sa main en bois. L'homme s'incline. Ils entendent derrière eux le claquement des battants que l'on referme. Ils marchent le long du fleuve en direction du Borgo Trento. La petite est fatiguée et Lorenzo la porte. D'une main, elle tient son cou, de l'autre sa poupée. Au bout d'un moment, elle s'endort à moitié. C'est ainsi qu'il rentre chez lui.

Sa mère se récrie :

— Ce n'est pas une heure pour se promener avec cette enfant qui tombe de sommeil et qui n'a même pas mangé !

— Je ne sais pas, dit Lorenzo, il faut que j'apprenne. Aujourd'hui, on a fait connaissance.

Sa mère emmène Laura à la cuisine. Au bout d'un moment, elle revient.

— Elle a dîné, elle est couchée. Fiche-lui la paix maintenant.

Lorenzo retrouve le ton de sa mère quand il était enfant et qu'elle le grondait. Il s'assied dans un fauteuil. On lui apporte un verre de pétillant.

— Où êtes-vous allés ? demande-t-elle.

— Piazza Erbe et aux Giardini Giusti.

— C'est bien loin à pied pour une enfant de cet âge.

Elle tourne autour de lui, cherchant une méchanceté à lui lancer.

— Tu as acheté une poupée. Elle en a plein.

— Celle-là, c'est moi qui la lui ai donnée.

— La prochaine fois, demande-moi avant. Je te dirai ce qu'il faut lui offrir.

Au lendemain de *Natale* et *Capodanno*, il essaie d'organiser sa vie, au moins le temps qui reste jusqu'à ce que l'armée le rappelle. Ainsi retrouve-t-il la chambre près des anciens remparts où il allait avec Julia. La logeuse l'accueille à bras ouverts. Elle pleure sur Julia.

— J'ai lu les articles dans *L'Arena*, j'ai compris que c'était elle, la jeune fille.

— Ma femme, rectifie-t-il.

— Oui, mon capitaine, votre femme. C'est ce qu'elle était devenue, comme on pouvait s'en douter à vous voir tous les deux.

Elle lui ouvre la chambre, rien n'a changé, les poutres au plafond, l'âtre et le lit, même les livres qu'il lisait avec Julia.

— Je ne l'ai louée à personne, dit la logeuse.

Elle louche sur sa main de bois. Il lui fourre des

billets dans sa poche et elle se confond en remerciements. Il referme la porte et se retrouve seul. C'est à ce moment-là qu'il prend vraiment conscience de la mort de Julia. Pendant la guerre, il n'avait pas le temps de penser. Julia lui parlait, et il lui répondait. Puis il y a eu Vittorio Veneto, l'hôpital, la découverte de Laura. Il est passé d'un événement à un autre en s'efforçant de ne pas penser à cette situation terrible, vivre sans Julia.

C'est maintenant, dans cette chambre si pleine d'elle et si vide en même temps, qu'il reçoit le coup, en pleine figure. La dernière fois qu'ils l'ont quittée ensemble, c'était pour aller se marier. Il s'étend tout habillé sur le lit, hume les coussins. Peut-être ont-ils gardé l'odeur de Julia. Et voilà qu'il l'entend. Cela faisait longtemps. Même la veille de Vittorio Veneto, elle était restée silencieuse, recluse dans son au-delà. Il ferme les yeux et il s'endort ou il rêvasse peut-être, se régalant de la voix délicieuse de Julia. De quoi parle-t-elle ?

Il ne saurait le dire. Sans doute des histoires du temps où ils étaient ensemble. La voix se fait de plus en plus claire, comme si Julia était dans la pièce, à côté de lui. Elle lui dit :

— Va, Lorenzo, va…

Puis elle se tait.

*

Trois semaines après l'armistice, Nino *Beddu* émerge d'un brouillard laiteux. On lui parle et il ne comprend pas ce qu'on lui dit. Mais, au bout de quelques jours, il finit par saisir le sens des mots :

— Te voici réveillé, soldat ?
— Oui.
— Comment t'appelles-tu ?

Il fait un effort mais c'est trop difficile. On lui répète la question.

— Je ne sais pas.
— Et ton grade ? Tu t'en souviens ?

Il réfléchit encore, mais c'est comme pour le nom, ça ne lui revient pas.

— À boire.

On lui tend un gobelet. Il ouvre les yeux et voit une forme blanche penchée sur lui. La forme place le gobelet entre ses lèvres et il reçoit de l'eau dans sa gorge. C'est trop à la fois. Il la recrache.

— Tu reviens de loin, dit le docteur. Sais-tu ce qui t'est arrivé ?
— Non.
— On t'a trouvé dans une ambulance. Tous étaient morts, et c'est en te débarquant que les brancardiers se sont aperçus que tu respirais encore. Alors, ils t'ont amené jusqu'à moi. Tu es blessé à la tête et au visage, petit. On t'a opéré plusieurs fois. On t'a fait dormir, on t'a nourri avec une sonde, mais maintenant il faut te réveiller.
— Oui, dit Nino.
— Tu ne veux pas essayer de te mettre debout ?
— Non.

En réalité, il voudrait se rendormir, repartir là où il était. Il lève un bras maigre, essaie de toucher son visage qui lui fait mal, mais le docteur prend son poignet et le repose sur le drap.

— N'essaie pas de te toucher. C'est là que tu as été atteint. On t'a mis des bandages.

D'autres silhouettes autour de lui, maintenant. Des voix encore :

— Ça y est, il est réveillé, mais il ne sait plus son nom.

Quelqu'un dit :

— C'est le choc, ça lui reviendra.

Quelqu'un lui parle encore :

— Tu étais à Vittorio Veneto, ça te rappelle quelque chose ?

— Non.

— Tu es un *ardito*, c'est ce que l'on sait de toi, car c'étaient tous des *arditi* dans cette ambulance. Ta plaque d'identité a disparu.

— Je ne sais pas, murmure Nino.

Le docteur lui dit qu'on va le faire dormir de nouveau, qu'après on parlera.

— Oui, dit Nino.

Ça recommence le lendemain ou un autre jour, il ne sait pas. Cette fois, une voix de femme :

— J'ai profité du fait que tu dormais pour refaire ton bandage.

Il entrouvre les paupières. Sa vue est brouillée, il distingue une silhouette blanche et il referme les yeux.

— L'œil gauche a été atteint mais pas crevé. Il voit mal, mais il voit. Le droit est normal, dit la voix. Les deux ouverts en même temps, ça mélange tout. Ferme le gauche, ouvre le droit.

Il obéit. C'est mieux. Il la voit, cette femme avec une croix rouge sur la coiffe. Puis elle disparaît de sa vue, il ne reste que sa voix :

— On a trouvé tes décorations sur ta chemise, il y en a plusieurs. La dernière est une médaille d'argent de la valeur militaire. C'est une décoration de héros.

— Je ne sais pas, dit Nino.

— Tu ne sais rien, toi.

— Non.

Il se rendort.

Une autre fois, le même jour ou un autre, elle lui parle encore, il ne comprend pas bien ce qu'elle dit.

— Tu m'entends, l'*ardito* ?

— Oui. Tu es la voix de la vie.

— Cette formule n'est pas de toi ! s'exclame-t-elle. Tu l'as prise dans un livre. Sais-tu lequel ?

— Non.

— C'est le livre d'un auteur sicilien qui a été publié l'an dernier. Il s'appelle *La Femme aux sortilèges*. Tu l'as certainement lu.

— Je ne sais pas.

Soudain, cette femme se met à lui parler dans une langue qui lui fait du bien, une langue douce, et il lui répond dans cette même langue.

— C'est bien ce que je pensais, lui dit-elle, toujours dans cette langue. Tu es sicilien. D'ailleurs, pour ce que je vois de ton visage, ça se reconnaît. Tu parles le dialecte de Palerme.

— De Castellàccio, dit-il brusquement.

— Ah, tu vois ! Ça revient peu à peu. Je suis de Passo di Rigano. Je m'appelle Bianca.

Elle s'arrête et lui dit en dialecte :

— *Buongiornu.*

— *Buongiornu*, Bianca, répond-il.

Mais les souvenirs restent encalminés, comme

un voilier sur une mer immobile. Lui sont revenus le nom du village et le dialecte. Le reste refuse de remonter à la surface. Bianca dit que c'est normal, qu'une brèche est ouverte, mais encore trop étroite pour que tout puisse passer d'un coup. C'est comme un volcan. D'abord il y a un peu de lave qui sort avec de la fumée. Puis, un jour, le bouchon cède et tout ce magma qui bouillonne au fond jaillit soudain. Pour l'Etna et le Vésuve, ça s'est toujours passé comme ça.

— Que faut-il faire pour que le bouchon cède ?

— Un événement la plupart du temps, quelque chose de fort, comme une émotion.

— Ça produit des catastrophes, des fois, remarque-t-il.

— Tu n'es pas un volcan, l'*ardito*.

Il ne répond pas, puis :

— Je crains d'être un volcan. Tu m'as lu un article sur les *arditi* hier. Ces hommes, c'est des volcans, sinon ils n'existeraient pas. Tu m'as dit que j'en suis un. Enfin, je l'étais.

Ils n'en parlent plus. Elle lui lit le journal. Il demande qui est Orlando. Elle lui dit que c'est le président du Conseil.

— Et Salandra ?

— Un ancien président, c'est lui qui a déclaré la guerre.

— Et Turati ?

— Un chef du parti socialiste.

— Et Mussolini ?

— Un ancien socialiste. Après, il a choisi la guerre. Il a été soldat et même caporal, je crois. Il est revenu après avoir été blessé. Il fait de la politique contre les socialistes maintenant. Il a un journal, *Il Popolo d'Italia*.

Il secoue la tête. Ces noms ne lui rappellent rien. Ni la guerre, ni les *arditi*, ni la politique. Elle lui parle encore des *terre irredenti*, de Gorizia, de l'Isonzo. Il ne réagit pas.

— Ça suffit pour aujourd'hui, dit Bianca en lui caressant la joue du côté où il n'y a pas de bandage.

Il sourit et s'endort. Plus tard, elle le fait marcher, d'abord autour du lit, puis dans le couloir. Une autre fois sur la terrasse.

Trois mois sont passés depuis Vittorio Veneto et l'armistice. L'hôpital se vide peu à peu. Il ne reste que les grands blessés comme lui. Les médecins ont peur de le lâcher alors qu'il n'a pas retrouvé la mémoire. Il n'a pas de souvenirs ni d'argent. Il ne sait pas où il est. Le monde en dehors de l'hôpital ne l'intéresse pas. S'il sortait, il se perdrait.

*

— Carmela, dit Andrea Cavalcanti d'un ton un peu solennel, il faut que je vous parle.

Il s'arrête aussitôt car les serveurs viennent d'entrer dans le salon des Palmes, où il l'a invitée à déjeuner. Les plats sont déposés sur la table. On remplit les verres de vin. Cavalcanti goûte et fait un signe d'approbation. À nouveau, ils sont seuls.

— Voilà…

Il se met à parler. Carmela l'écoute sans bouger. Elle sait à peu près ce qu'il va lui dire et elle a préparé sa réponse, même plusieurs, selon ce qu'il va lui demander. Le discours de Cavalcanti dure un moment. Tout y passe, la solitude de chacun, l'intérêt réciproque, les mêmes goûts, son intention de s'installer en Sicile. Enfin, il en vient à la situation de Carmela, il parle de ce héros tombé dans les derniers combats du Piave, cet amant qui serait certainement devenu un mari, ce père qui n'en sera pas un, cet homme qui ne reviendra pas. À l'enfant, il faut un père, un père légal ce serait mieux, et à elle, un mari.

— Dois-je en déduire que vous vous proposez ? le coupe-t-elle brusquement.

Il est désarçonné. Il s'approchait de la conclusion, mais ne l'avait pas encore formulée. Justement, il comptait beaucoup sur la montée en puissance de sa force de conviction. La voix, le ton, les mots, tout devait y contribuer.

— Eh bien oui, finit-il par dire, c'est ce à quoi je voulais aboutir.

Il se tait enfin. Il la regarde intensément mais ses traits n'expriment rien. Il connaissait une jeune femme charmante, vive, réservée et un peu fragile. Il en découvre une autre, insoupçonnée, une Sicilienne dure, avec un reflet minéral dans le regard.

— Bien sûr, si vous trouvez ma demande inconvenante, je puis la retirer. Vous l'oublierez et nous parlerons d'autre chose.

— Ce n'est pas cela, Andrea. Mais si nous ne mangeons pas ce risotto tout de suite, il va refroidir.

Il prend deux bouchées, elle aussi. Puis ils boivent un peu de vin. Elle se détend.

— Pendant au moins deux ans, avant le départ

de Nino, j'étais totalement convaincue que nos vies étaient faites pour se rejoindre. Lui aussi, je crois.

Elle s'arrête et le Cavalcanti en profite pour poser cette question, essentielle selon lui :

— Mais enfin, pourquoi ne vous a-t-il pas épousée ?

Elle a un rire amer.

— Parce qu'il n'en a pas eu le temps. Disons qu'il a dû s'engager pour la guerre en catastrophe. Vous comprenez ce que je veux dire ?

Il réfléchit un instant. Ce doit être encore une de ces affaires d'honneur typiquement siciliennes qui entachent l'image qu'il veut avoir de l'île.

— Je crois comprendre. Mais c'est un sujet clos maintenant qu'il est… qu'il n'est plus là.

— Vous voulez dire, maintenant qu'il est mort ?

— Euh, le mot est dur mais c'est cela. Cela le concerne lui, pas vous. Pardonnez ma franchise.

— Vous êtes tout pardonné. Franchise pour franchise, je dois vous détromper. Dans cette affaire, je suis impliquée au même titre que lui. Je ne vous en dirai pas plus évidemment, mais il faut que vous le sachiez. J'ai du sang sur les mains, le même que celui que Nino a sur les siennes.

Elle le regarde sans ciller, il est abasourdi. Les serveurs reviennent débarrasser la table.

— Dépêchez-vous, Andrea, reprend Carmela de sa voix sifflante de Sicilienne, ils vont apporter le dessert. Désirez-vous toujours m'épouser ou préférez-vous rentrer à Rome et y retrouver Loriana ? Elle semble bien vous connaître.

Elle s'arrête un instant puis ajoute froidement :

— À moins que vous ne préfériez que nous parlions d'autre chose, comme vous le suggériez tout à l'heure. Cela meublera le temps jusqu'au dessert.

Cavalcanti ne dit rien. Il attend qu'ils soient servis en adoptant la distance d'un homme du monde.

— Parlons d'autre chose, finit-il par dire.

*

Vient ce jour où, lorsque Bianca change son bandage et rase sa joue intacte, Nino lui réclame un miroir. Elle hésite, il insiste. Elle lui dit que les blessures au visage ne sont pas cicatrisées et que celles au crâne exigent encore de nombreux soins. Mais il veut savoir. Alors, elle le conduit dans une pièce de service où il y a une glace.

— Voilà, dit-elle.

Il contemple son visage à demi détruit. Sur la droite, tout est lisse et intact. À gauche, c'est un paysage comme la *terra di nessuno*, avec des crevasses, des ravinements et des barbelés. Le médecin surgit. Il voulait que l'on attende encore. Maintenant que c'est fait, il doit amortir le choc.

— Les chairs sont abîmées, certes, explique-t-il, mais elles vont se raffermir, de sorte que les dégâts vont s'atténuer avec le temps, et vous aurez alors un nouveau visage, plus acceptable que celui-là. Mais il vous faut de la patience.

Ensuite, le médecin parle de la blessure à la tête, là où le crâne est rasé. Celle-là est intervenue plus tard, après la rafale qui a tailladé la joue. Un éclat d'obus sans doute. Il a fallu le trépaner mais tout est en bonne voie. D'abord la rafale, ensuite l'obus. Le choc a effacé sa mémoire, mais là aussi, c'est provisoire. La mémoire reviendra, par bribes d'abord, puis tout entière ou presque. Nino ne répond pas. Il écoute le docteur en hochant la tête et il se regarde encore. Après, il se tourne vers Bianca.

— On m'appelait Nino *Beddu*, lui dit-il en dialecte.

Elle a un sourire.

— Ça ne m'étonne pas. Tu te souviens d'autre chose ?

— Non, Nino *Beddu*, c'est tout.

14

Lorenzo lit dans le journal que la conférence de la paix s'est ouverte à Paris en janvier et devrait voir aboutir les réclamations italiennes. Le président du Conseil, Orlando, flanqué du baron Sonnino, l'inusable ministre des Affaires étrangères, demande non seulement les *terre irredenti*, promises par le traité de Londres, mais en plus Fiume, port croate où les Italiens sont en majorité, en exigeant l'annexion de la ville au royaume.

Lorenzo est attablé avec son ami Alberto dans un café de la piazza Bra, face aux arènes, où se retrouvent les officiers anciens combattants. D'autres viennent les rejoindre. La discussion est animée. Car on sait que les Alliés, la France, l'Angleterre et surtout les

États-Unis, ne sont plus disposés à leur accorder ces terres, reprochant à l'Italie d'avoir moins de sept cent mille morts contre plusieurs millions pour les autres. Ils font valoir que le pays est entré tardivement dans la guerre et a, comme dit l'ambassadeur britannique, « attendu l'armistice pour déclencher la dernière offensive ».

Cette déclaration provoque la fureur de Lorenzo, qui brandit sa main de bois, la vraie ayant été hachée par les mitrailleurs autrichiens de Vittorio Veneto. Jusqu'à présent, le capitaine Lorenzo Mori avait fait la guerre par devoir plus que par conviction. À défaut de l'âme, il s'était engagé de corps, et il ressent toujours dans sa chair le coût de cet engagement. Ses blessures, sa réputation d'officier des *arditi*, lui, l'ancien « caïman du Piave », attestent de son courage, reconnu par les médailles prestigieuses qu'il porte sur l'uniforme. Il s'ensuit un renversement complet de ses opinions : les *terre irredenti*, qu'il considérait autrefois comme un prétexte pour entrer en guerre, il les veut pour l'Italie, car il les considère aujourd'hui comme essentielles, y compris le Sud-Tyrol, le Trentin, les îles de l'Adriatique, celles du Dodécanèse et, tant qu'on y est, les colonies africaines et asiatiques de l'Allemagne, et Fiume par-dessus le marché, même si ce n'est pas compris dans le pacte initial. Ce n'est pas cher payé pour trois ans et demi de guerre, pour ses blessures, pour la perte de Julia, car s'il n'y avait pas eu cette guerre et toutes ces privations à l'arrière, elle serait toujours là !

Son ami Alberto partage cette opinion. Lui a été blessé dans les Dolomites en 1916. Il est rentré à Vérone en boitant après avoir perdu ses orteils gelés. Les autres officiers, à cette terrasse de café, les entendent tous les deux. Il y a là des *bersaglieri*, des *alpini* et des *arditi*, ces *arditi* dont on évoque la dissolution pour les renvoyer à la vie civile ou dans leurs unités d'origine parce qu'ils ne servent plus à rien, et dont on redoute qu'ils ne se regroupent contre le gouvernement. Ils sont tous là, ces revenants du front qui se passent le journal. Ils s'exclament, ils reprennent ce cri de bataille lancé par D'Annunzio et tiré selon lui des phalanges d'Alexandre le Grand : « *Eja, eja, eja... Alala ! Alala !* » Ils entonnent *Giovinezza*, dont ils ont créé la première version :

A primavera,
Avanti, o fiamma nera
Le bombe a mano
Volando van
O la vittoria, o si morra[1].

Les passants s'arrêtent et font cercle. Un homme va au bar et commande des bouteilles pour les braves. Les coupes de prosecco circulent.

Quelqu'un s'écrie :

— Un homme nous soutient ! C'est un politique de Milan. C'est Mussolini ! Écoutez ce qu'il écrit dans *Il Popolo d'Italia* : « Appel aux flammes ! Tous les *arditi*, officiers et soldats de toutes les flammes, noire, rouge, verte, sont invités à dix-neuf heures le 19 janvier dans

1. Au printemps / En avant, ô flamme noire / Les grenades / Vont voler / Ou c'est la victoire, ou on mourra.

la cour du *Popolo d'Italia* pour recevoir le drapeau. Qu'aucun ne manque ! »

Ils lèvent leurs verres. C'est Lorenzo qui s'écrie :

— *A chi la vittoria ?*

— *A noi !* répondent-ils.

— *A chi Fiume e la Dalmazia ?*

— *A noi !*

Un autre reprend :

— *A chi Benito Mussolini ?*

— *A noi !* clament-ils tous ensemble.

Sur la place, une jeune fille s'est arrêtée. Elle reconnaît Lorenzo Mori, l'officier en face de qui elle a déjeuné lors d'une visite chez ses parents, ce garçon auquel on voulait la fiancer, le héros de la guerre qui déniait en être un. Cette jeune fille, c'est Virginia.

*

À Castellàccio, comme à Corleone, ou à Piana degli Albanesi, dans tous les villages de la région, on inaugure les monuments aux morts. Tous les habitants sont venus, y compris Luciana, flanquée de Pivetti et de Carmela, plus tous les gens de la *tenuta* qui ont obtenu un jour de congé payé par la patronne tant la circonstance est grave. Le préfet inaugure un monument par jour, parfois deux, car en Sicile les morts sont nombreux, ce qui renforce contre les gens de Rome la haine ordinaire. Le préfet a failli créer une belle polémique en refusant que le nom du soldat Franco Castaldi figure sur le monument avec les deux autres. Le maire a protesté et il a aussitôt fait appel à Carmela, la plus riche propriétaire de la région, à qui il doit sa position. Si Carmela n'était pas une femme, ce serait elle le maire. Elle a accouru, suivie d'Ignacio le régisseur et des *tipi a cavaddu*. En voyant Carmela ainsi escortée, le préfet, qui commence à connaître la Sicile, a compris que les informations de sa police sur cette étrange jeune femme étaient justes.

« Que se passe-t-il, monsieur le préfet ? » a demandé Carmela.

Il a expliqué que ce mort, Franco Castaldi, n'était peut-être pas vraiment mort pour la patrie. Le fait qu'il ne figure pas sur la liste officielle était significatif. Pour en avoir le cœur net, il s'était mis en relation avec le ministère de la Défense où on lui avait confirmé que le *bersagliere* Franco Castaldi...

« On vous a confirmé quoi ? a demandé Carmela.

— Il n'est pas mort dans des circonstances de combat, a répondu le préfet, qui ne voulait surtout pas dire qu'il avait été fusillé pour "lâcheté devant l'ennemi".

— Il est mort comment ? » a insisté Carmela, qui savait par les lettres de Nino ce qui s'était passé.

Le préfet n'a pas répondu. Devant lui s'agitaient les *tipi a cavaddu* avec des claquements de culasses.

« Je n'en sais rien. »

Le commandant des carabiniers lui a fait un signe discret d'assentiment.

« En somme, a repris Carmela, rien ne s'oppose à ce que Franco Castaldi soit inscrit sur la liste des habitants de Castellàccio morts pour la patrie, puisqu'il était soldat et que sa mort est survenue durant la guerre contre l'Autrichien. »

Nouveau signe d'assentiment du commandant des carabiniers.

« Rien, en effet, a reconnu le préfet.

— Alors, tout va bien », a dit Carmela.

C'est ainsi que, devant la population assemblée, le maire dévoile le monument où figurent en lettres dorées les noms de Franco, Beppe et Nino, morts pour la patrie. Sous le nom du troisième sont inscrites toutes ses décorations, y compris la dernière, la médaille d'or de la valeur militaire *in memoriam*, tandis que la fanfare municipale joue la sonnerie aux morts.

Carmela, au premier rang avec Luciana, a pour la première fois la conviction que Nino est vraiment mort.

Au moment de monter dans la voiture conduite par le régisseur Ignacio, elle remarque la silhouette d'Andrea Cavalcanti, qui a disparu depuis trois semaines et qui s'est tenu en arrière du public.

— Je suis revenu pour vous, dit-il.

*

On a ôté à Nino tous ses bandages sur le visage et sur le crâne où repoussent les cheveux. Cela lui fait une tête étrange de Janus. À gauche, là où l'œil est faible, il doit porter un bandeau pour équilibrer la vue. Pour l'instant, dans l'attente que la mémoire lui revienne, l'hôpital le garde, même s'il vit dans un pavillon du parc, à part des autres. Il passe ses journées à lire les journaux, et même les livres qu'il se procure à la bibliothèque.

Bianca vient le voir souvent après son service. Ils se promènent dans le parc. Elle s'intéresse à lui et lui parle de la Sicile dans l'espoir de provoquer une réaction. Puis elle lui parle de sa vie à elle, de sa vie de femme quand elle a passé les grilles de l'hôpital. Elle est mariée, mais son mari l'a quittée il y a plusieurs années. Elle ne sait pas où il vit avec une autre, dans cette Italie où le divorce n'existe pas. Ce n'était pas un Sicilien, mais un homme du Nord, très séducteur. Heureusement, il ne lui a pas fait d'enfant, et l'envie lui est passée maintenant qu'elle a plus de trente ans.

Un soir, ils vont dîner ensemble dans une vieille trattoria, à proximité, où elle a obtenu l'autorisation de l'emmener pour le réhabituer au monde du dehors. Dans la trattoria, les clients les dévisagent. Surtout Nino.

— Vous n'avez jamais vu un blessé de guerre ? leur demande-t-elle sèchement, et les gens se détournent, un peu honteux.

Certains viennent s'excuser auprès de lui. Il leur répond que ça ne fait rien. Cette tête est devenue la sienne maintenant, et il doit s'y habituer.

Elle lui apporte des lunettes ; le verre droit, là où l'œil est intact, est neutre, mais à gauche, la lentille est forte. Cela lui permet de voir à peu près normalement.

— Sans bandeau, dit-il, c'est mieux.

Ces lunettes humanisent ses nouveaux traits. Il lui sourit. Elle lui dit qu'elle le trouve charmant ainsi. Cette fois, il éclate de rire. C'est la première fois qu'elle le voit aussi gai, même si c'est pour se moquer de lui.

Plus tard, Bianca lui confie l'importance qu'il a prise dans sa vie sans qu'elle s'en aperçoive. Cela s'est fait au fil des semaines. Et si elle souhaite qu'il retrouve la mémoire, elle craint ce jour, car alors il retournera chez les siens et elle restera sans lui dans cet hôpital militaire de plus en plus vide.

— Je ne sais pas ce que je ferai ce jour-là. Je suis parti depuis presque quatre ans. Comment les gens vont-ils réagir en me voyant avec ce nouveau visage, moi qu'on appelait Nino *Beddu* ?

— Si ces gens t'aiment, ils seront heureux de te revoir parce qu'ils te croient mort ou disparu.

Elle hésite un instant, puis lui parle d'une femme qui l'attend sans doute.

— Je ne sais pas. J'ai cherché sur une carte ce village, mais je ne l'ai pas trouvé. Il doit être trop petit pour être mentionné. Mais même si un jour je retourne en Sicile, je me vois mal aller dans ce village et demander aux gens s'ils me reconnaissent.

— Si cette femme existe, elle te reconnaîtra et elle recommencera à t'aimer, dit Bianca.

— Je ne sais pas, je n'ai le souvenir d'aucune femme, ni là ni ailleurs.

Le même soir, ils font l'amour. Nino n'a pas la mémoire des événements de sa vie, mais il a celle des gestes de ces moments-là. Bianca, heureuse, le lui fait remarquer. Ils en rient tous les deux et recommencent.

Certains soirs, ils vont à la trattoria, où les gens les reconnaissent et les saluent maintenant. Après ils vont faire l'amour dans la chambre de Nino. Les collègues de Bianca la trouvent changée, plus gaie, plus souriante. Certains se doutent de cette liaison mais ils ne disent rien. Nino est désormais le plus ancien pensionnaire de l'hôpital. Tous savent ce qui lui est arrivé, et l'administration lui obtient une pension du gouvernement.

Un soir, en rentrant de la trattoria et en traversant le parc, la pluie commence à tomber dru. Des gouttes énormes explosent sur le sol, sur les buissons, partout. Puis ce sont des éclairs, des coups de tonnerre de plus en plus rapprochés et de plus en plus forts, et c'est cet éclair qui soudain éclaire le parc, mieux qu'en plein jour, cet éclair qui frappe tout près et embrase des arbres, à quelques mètres de Nino, qui se retrouve jeté à terre sur le sol détrempé. Bianca se précipite sur lui. Elle le redresse, retrouve ses lunettes dans l'herbe et les replace sur son nez. Elle le soutient tandis qu'il avance, hagard, vers son pavillon. Elle pousse la porte. Il entre avec elle, secoue ses vêtements et ses lunettes constellées de gouttes, puis se retourne vers elle, bouleversé.

— Je suis le sergent Nino Calderone, de la 1re division d'assaut des *arditi*. J'ai été blessé sur le mont San Gabriele et surtout à Vittorio Veneto, avec mon binôme, le capitaine Mori. Nous portons tous les deux la même médaille d'argent, je suis un caïman du Piave. Je viens du village de Castellàccio, en Sicile, tout près de Corleone.

Sa voix se brise.

— J'avais deux amis siciliens qui sont partis avec moi à la guerre, Franco et Beppe. Ils sont morts tous les deux, l'un fusillé par ordre du général Graziani et l'autre dans une patrouille. Il y a aussi…

Il s'arrête.

— Il y a aussi Carmela, dit-il.

15

En 1919, c'est à Milan que tout se passe, Lorenzo en est convaincu. Hier encore, il cherchait sa voie, il lisait les journaux avec son ami Alberto et d'autres de la même cuvée, celle des Italiens qui ont subi une guerre meurtrière pour des motifs qui n'existent plus. La guerre est terminée, les morts enterrés, les mutilés infirmes à vie, les pauvres encore plus pauvres, mais certains sont devenus extraordinairement riches. Les raisons de cette guerre sont contestées, parfois par ceux-là mêmes qui les ont soutenues et qui se sont tus pendant les événements, qui n'ont pris aucun risque et qui reviennent sur le devant la scène, comme si rien ne s'était passé.

Lorenzo va donc à Milan. Il s'inscrit à l'association locale des *arditi*, puis à l'association nationale au 23 via Cerva. Sur un mur, un drapeau noir avec des tibias entrecroisés, et au sommet, une tête de mort, l'emblème des *arditi*. Sont accrochés, sur les autres parois, des poignards, des baïonnettes et même des grenades qui ont l'air chargées. Il y rencontre Ferruccio Vecchi, un capitaine couvert de médailles, il reconnaît Albino Volpi, un autre caïman du Piave, et lui tombe dans les bras. Tous ces jeunes hommes évoquent leurs souvenirs des combats et des amis morts, ils échangent leurs angoisses et leurs indignations. Certains qui sont retournés à la vie civile n'ont rien trouvé. La guerre ne confère d'autre diplôme que celui des médailles et des citations. Pas de poste offert ; ceux qui étaient trop jeunes pour partir ou qui sont passés à travers le recrutement en ont profité pour passer des diplômes. Les jeunes vétérans de l'Isonzo et du Piave n'ont d'autre choix que d'aller s'inscrire à l'université. Mais avec quels moyens ?

De plus, l'envie leur en est passée. L'armée, donc la nation, avait fait des promesses : au retour, il y aurait des postes, des terres, des primes et des pensions. On ne les laisserait pas tomber. Mais l'État n'a plus les moyens, leur explique-t-on. Il doit des millions aux pays alliés qui ont fourni du matériel de guerre et aidé le Trésor italien, encore plus vide après la victoire qu'avant la guerre, et ces millions, la France, l'Angleterre et l'Amérique les réclament. Pis, les pacifistes sont revenus. Ils disent : « Nous ne voulions pas de la guerre et nous avions raison. L'Italie a gagné, mais à quel prix et pour quel résultat ? »

Et ils défilent en criant « Vive la révolution, vive les Soviets ! », et certains chantent :

Bandiera rossa la trionferà.
Evviva il socialismo e la libertà
Avanti popolo, alla riscossa
Bandiera rossa, bandiera rossa[1].

---

1. Le drapeau rouge triomphera / Vive le socialisme et la liberté / En avant le peuple, à la rescousse / Drapeau rouge, drapeau rouge.

Le hasard veut que Lorenzo et d'autres soient appelés au secours d'un *ardito* blessé dans un quartier populaire de Milan. Ils se précipitent. C'est un caporal qui a croisé une manifestation révolutionnaire. On l'a repéré et jeté à terre. Les ouvriers ont arraché ses décorations, ils l'ont traité de *porcaccione*. Il pleure de rage, ce jeune homme, il pleure de rage, d'humiliation et de fureur. On le ramène via Cerva. On le réconforte, on lui donne à boire.

Cet événement encore : Bissolati doit parler au théâtre de la Scala. Ce vieux député socialiste a soutenu l'entrée en guerre et a été sergent chez les *alpini*, puis, devant l'ampleur des revendications italiennes, il a démissionné de son poste de député. Maintenant, il renonce à soutenir les interventionnistes et leurs nouvelles exigences. Le théâtre est plein. Son discours est prévu pour six heures du soir, sous les auspices de la ligue pour la création de la Société des Nations.

Les *arditi* se sont regroupés à proximité. Ils ont fait l'*adunata*, leur assemblée, comme pendant la guerre quand la trompe les appelait à se réunir sur la place d'armes du camp de Sdricca. Ils se rendent eux aussi au théâtre en rangs serrés. Ils chantent :

Il Piave mormorò :
« Non passa lo straniero[1]. »

Dans la salle, il y a le poète nationaliste Marinetti, accompagné de *futuristi* ; dans les loges, des veuves

---

1. Le Piave murmura : « Il ne passe pas, l'étranger. »

d'officiers. Elles applaudissent l'arrivée des *arditi*, qui crient tous « *A noi !* », et le capitaine Vecchi brandit le *gagliardetto*[1] offert par *Il Popolo d'Italia*, noir, bordé de franges.

Ce capitaine porte ostensiblement des armes, comme d'ailleurs tous ceux qui l'accompagnent. Dans la salle du théâtre, il fait très chaud. Avant même l'apparition de Bissolati fusent les injures et s'échangent les horions. Lui monte enfin sur la scène, il veut prêcher la raison et, peut-être, la paix. Mais déjà, le slogan *E viva la Dalmazia italiana* couvre sa voix. Il veut crier mais on ne l'entend pas. Soudain jaillissent des tomates. Il en reçoit une, puis deux sur son costume. Il lève la main et s'éclipse par l'arrière. C'est fini. Il ne parlera pas. Les *arditi* reprennent leur chant. Ils crient :

— *A chi la vittoria ?*

— *A noi !*

Depuis une loge, debout, les bras croisés, Mussolini observe la scène. Sa première victoire politique a lieu dans un théâtre. Il y en aura d'autres.

*

De retour à Vérone, Lorenzo conduit sa fille dans tous les lieux qui plaisent aux enfants. Il s'aperçoit qu'elle passe sa journée à attendre ces moments où il la retrouve et il en tire une profonde joie, un peu absurde, de père. Les gens prennent l'habitude de le voir déambuler, sa fille au bout de son bras gauche ou pendue à son cou. Dans les jardins, il finit par

1. Le fanion.

être connu des mères et des nurses. Ainsi a-t-il de graves conversations sur l'éducation des petites filles. Personne ne lui demande où est la mère de Laura ni pourquoi il la remplace dans ce rôle, peu habituel chez un officier des *arditi*.

— Bonjour, capitaine Mori.

C'est Virginia, surgissant d'une allée. Elle tire un petit chien distingué au bout d'une laisse, elle s'assied sans vergogne à côté de lui, contraint de replier son journal.

— Nous avons chacun notre enfant, on dirait, poursuit-elle en désignant Laura qui joue sur le sable à côté du petit chien qui furète partout.

— On dirait, répond-il.

Elle rit, comme s'il venait de dire quelque chose de très drôle.

— Il paraît que vous êtes encore plus héroïque qu'avant, si j'en crois vos nouvelles médailles. C'est en tout cas ce que votre mère raconte à la mienne dans leur cercle d'amies.

Elle l'agace un peu, même s'il ne peut s'empêcher de constater qu'elle a gagné en beauté depuis ce déjeuner où ils se sont rencontrés. Il montre sa main de bois et sa canne.

— J'échange les médailles contre une nouvelle main et une jambe en bon état. J'ai commandé un costume civil mais on ne me le livrera que demain.

Elle lui demande pardon. Elle aurait dû se douter que ces médailles avaient leur contrepartie. Brusquement, son sourire artificiel s'efface.

— Je suis très maladroite, dit-elle, un peu timide aussi, même si ça ne se voit pas dans ma manière d'aborder les autres. En réalité, je vous ai vu l'autre jour, piazza Bra, avec les autres officiers, en train de chanter et de boire. J'aurais voulu vous parler mais ce n'était pas le moment.

— Eh bien, parlez-moi !

Elle se tait. Son sourire n'est pas revenu. Il se dit qu'il la préfère ainsi, cela lui donne un air intelligent. Il dure une ou deux minutes, ce silence. Laura et le petit chien jouent ensemble. Virginia a détaché la laisse, Laura court et le petit chien la poursuit. Arrivés au bord du bassin, ils repartent en sens inverse, l'animal devant, la fillette derrière.

— Excusez-moi, dit soudain Lorenzo, je suis devenu irascible. Il paraît que c'est un trait des infirmes au début. C'est une question d'habitude à prendre.

Elle proteste. Il n'est pas un infirme. La main, ça ne se voit pas, et la jambe, ça va s'arranger d'ici à quelques mois.

— Comment savez-vous cela ?

— Votre mère, bien sûr, qui l'a dit à la mienne. C'est ce qu'affirme votre père, qui était médecin-major, je crois.

Il pourrait lui rétorquer que les blessures physiques ne sont rien à côté de la perte de Julia, évoquer aussi ce sentiment effrayant d'avoir fait une guerre pour rien. Mais il lui sourit pour la première fois depuis qu'elle s'est assise sur ce banc.

— Je ne me plains pas, et je ne veux pas que l'on me plaigne !

Le sourire revient sur les traits de Virginia, mais ce n'est pas le même. C'est un sourire gai.

— Je vous promets de ne pas vous plaindre.

Un cri. Laura est tombée sur le gravier de l'allée. Le petit chien tourne autour d'elle en aboyant. Lorenzo veut aller la relever, mais déjà Virginia l'a devancé. Elle ramène Laura qui se défait d'elle et court vers son père.

— Excusez-la, dit Lorenzo, elle n'a que moi.

— Je sais.

Ils marchent tous les quatre dans l'allée, Lorenzo, Laura, Virginia et le petit chien. Devant la grille, Virginia s'arrête.

— Je n'irai pas plus loin. Pour ne pas vous compromettre.

Il a un rire sec.

— Si vous saviez... Cela m'est indifférent. Comme on dit chez les *arditi*, *me ne frego*[1] !

Elle hoche la tête et, avant de repartir, lui lance :

— Je reviendrai ici demain.

— J'y serai, lâche-t-il presque malgré lui.

16

Une gare presque vide, dans l'aube des villes du Nord où flotte cette odeur de quai mouillé, de charbon et de suie. Ce printemps qui n'en est pas un encore, qui viendra peut-être, sûrement, plus tard.

---

1. Je m'en fous. Expression couramment utilisée par les *arditi* quand on les interrogeait sur leur férocité pendant la guerre. Plus tard, les fascistes la reprendront à leur compte comme d'autres expressions. Cela deviendra le *menefreghismo*.

Nino *Beddu* est enveloppé dans une houppelande, le capuchon rabattu sur son visage pour qu'on ne remarque pas ses traits labourés sur le côté gauche, mais merveilleusement lisses de l'autre. C'est Bianca qui la lui a achetée hier sur le marché, avec son maigre salaire d'infirmière, Bianca qui l'accompagne jusqu'au marchepied du wagon, juste derrière la locomotive qui souffle déjà. Elle glisse dans sa poche une enveloppe qui contient quelques billets, produit d'une collecte à l'hôpital, et un papier où sont inscrits le nom et l'adresse de son frère à Palerme.

— Amadeo Strozzi, dans la Kalsa. Je t'ai mis le nom de la rue, mais tout le monde le connaît. Je lui ai déjà écrit. Il sait qui tu es. Il t'attend.

Il la serre contre lui, murmure qu'il écrira. Elle répond qu'elle viendra si elle peut. Aucun des deux ne croit ce qu'il dit.

Nino monte dans le train, en troisième classe, avec des bancs en bois. Il porte son baluchon sur l'épaule, mais, une dernière fois, il se penche sur elle. Au sifflet, leurs doigts se desserrent. Le train commence à rouler. C'est fini.

Du haut au bas de la botte, le voyage dure deux jours. Il faut changer de train à Rome et à Naples. Nino suit les indications fournies par Bianca et, à sa propre surprise, ne se trompe pas. Quand on lui demande ses papiers, il fournit le seul document en sa possession, un certificat de l'hôpital constellé de tampons et signé du médecin-chef. Il y est écrit que le porteur est un blessé de guerre qui rentre chez lui, en Sicile, après un long séjour à l'hôpital et plusieurs opérations chirurgicales. Il est aussi précisé que ce blessé, qui n'a pas de nom ni de pièce d'identité pour l'instant, est l'un des héros de l'Italie. Après l'avoir déchiffré, les contrôleurs n'insistent pas. L'un d'eux lui fait même un salut militaire quand il abaisse sa capuche et découvre son visage de demi-monstre.

Dans le train s'installent d'autres pauvres, des vieux, des enfants parfois et aussi des paniers. Au buffet, Nino a acheté du pain et un demi-salami. Il le partage avec ses compagnons de voyage qui lui proposent de boire à leur fiasque de vin.

En apercevant sa joue gauche, l'un des gosses se met à pleurer. Il dit que Nino lui fait peur. Ses parents veulent le faire taire, mais Nino répond que c'est normal, cette peur, et il rabat sa capuche.

Parfois, il parle avec les autres pauvres qui ont tous une histoire à raconter. Ces conversations, à partir de Rome, ont lieu dans les dialectes du Mezzogiorno. Ce ne sont pas les mêmes mais on se comprend. Les passagers se plaignent d'avoir perdu un parent ou un ami. « Cette guerre, disent-ils, c'est un malheur qui s'ajoute aux autres mais bien plus grand, comme si nous n'en avions pas assez, des malheurs. » Nino ne répond pas. Les gens n'osent pas l'interroger sur son visage mais une vieille l'interpelle :

— Toi, ce n'est pas difficile de voir que tu étais un très beau jeune homme. *Beddu comu lu diu Apullu*[1].

Il la regarde. Il ôte complètement sa capuche et tourne légèrement la tête pour qu'elle voie bien le côté droit, puis le côté gauche. La vieille ne dit plus rien. Au bout d'un moment, il s'aperçoit qu'elle

1. Beau comme le dieu Apollon (dialecte).

pleure. Elle pleure sur les morts, les blessés, les mutilés de la guerre. Alors, il va s'asseoir à côté d'elle, il la prend dans ses bras et la console.

À Reggio de Calabre, le deuxième jour du voyage, le soleil allume des reflets sur la mer du détroit. Nino cherche une navette pour le conduire de l'autre côté, jusqu'à Palerme. Mais le trajet coûte plus cher que les lires qu'il lui reste ; il lui faudra descendre à Messine ou à Milazzo, et de là prendre un car, ce qui dépasse encore ses moyens. Il tente de négocier avec l'employé de la billetterie, mais rien à faire. Il montre son certificat, mais le guichetier secoue la tête.

Survient un marin qui entend la discussion. Il regarde le certificat.

— Ça va, on le prend.

Nino veut donner les lires qu'il lui reste, mais l'autre refuse.

— Mon frère est mort sur l'*altopiano* d'Asiago, dit-il.

Le trajet dure plusieurs heures jusqu'à Palerme. Les pauvres sont assis sur un pliant quand ils en ont un, sinon c'est sur les lattes du pont, le dos à la rambarde. Nino finit son salami et boit au robinet. Le marin lui apporte une bouteille de vin.

— Tu étais où ? demande-t-il.

— Sur l'Isonzo et, après, sur le Piave.

— Ils ne t'ont pas donné ta solde ?

Nino a un rire amer.

— Officiellement, je suis mort, c'est ce qu'on m'a expliqué à l'hôpital. Il faut faire des démarches au ministère de la Guerre pour qu'on me reconnaisse.

On m'a prévenu que ce serait long et, de toute façon… je ne veux rien demander à ces gens.

Il crache dans la mer pour montrer son mépris. Le marin crache lui aussi.

— Que vas-tu faire à Palerme ?

— Je vais voir une femme, Luciana. Elle est comme ma mère.

Il montre la partie détruite de son visage.

— Je ne sais pas si elle me reconnaîtra. Sinon, j'irai voir quelqu'un dans la Kalsa.

Il montre le nom et l'adresse du frère de Bianca sur le papier qu'on lui a donné.

— Strozzi, commente le marin, il est connu.

— Je lui demanderai de m'aider.

À Palerme, le soleil est enfin tombé. Le visage de Nino le brûle, surtout du côté où il a été blessé. Il rabat sa capuche sur la tête. En ville, les pierres renvoient la chaleur reçue dans la journée. Nino marche le long des quais et remonte vers la via Roma. Il boit de l'eau aux fontaines, puis repart via Ruggero Settimo. Devant la porte de Luciana, il vérifie le nom. C'est au deuxième étage. Il monte lentement. Pendant tout le trajet, il a réfléchi à la manière de se présenter devant elle sans l'effrayer. Finalement, il décide de ne rien cacher. C'est une femme forte qui ne s'émeut pas facilement. Sa dernière lettre, il l'a envoyée depuis le Piave, dix mois plus tôt. Quand il a retrouvé la mémoire, il a pensé lui écrire, mais on lui a expliqué que la poste était désorganisée et qu'il arriverait sûrement avant sa lettre.

Il frappe à la porte, presse la sonnette. Rien. Il

recommence. Une porte s'ouvre mais de l'autre côté du palier. C'est un vieux qui ne voit pas bien.

— Je cherche Mme Luciana Bagarella, dit Nino.

— Elle est à un mariage, dit le vieux avant de refermer sa porte.

*

À Castellàccio, dans le domaine qui est devenu celui de Carmela Tomasini, les préparatifs du mariage avec Andrea Cavalcanti sont enfin achevés. La cérémonie aura lieu le lendemain après-midi.

Les invités seront là, pour certains, dès le matin, surtout les amis de Cavalcanti qui ont fait le voyage depuis Rome ou Milan. Quant au marié, il arrivera au dernier moment, selon la coutume. On raconte que Cavalcanti a beaucoup à faire : la veille, son installation à l'académie de Sicile où il a été élu à la quasi-unanimité, le lendemain, son mariage. La semaine la plus riche en événements de sa vie.

Dehors, on dispose les lampions et on dresse les dernières tables ainsi que la tente, celle qui a servi pour le banquet de deuil de don Tomasini. Salvatore court dans tous les sens. On a de la peine à le calmer. C'est toute cette agitation qui retentit sur lui, plutôt paisible d'habitude. On lui a expliqué que son père, l'illustre écrivain, allait enfin vivre à la maison. C'est ce monsieur, très gentil, qu'il rencontre parfois chez la *zia*[1], via Ruggero Settimo, où il habitait avant de venir ici.

---

1. La tante.

— Es-tu sûre de vouloir te marier ? demande Luciana.

— Oui.

Elles se regardent, ces deux femmes, sans bien se voir, car à cette heure les persiennes sont encore fermées à cause des rayons rasants du soleil qui visent les murs de la maison. Mais ce sont les voix qui comptent dans ce salon aux meubles sombres.

— Mon enfant a droit à un père, ajoute Carmela.

— Et toi à un mari ?

— Oui.

— Pardonne-moi, mais es-tu sûre de l'aimer ?

Carmela se lève. Elle craignait cette conversation, pourtant elle est soulagée qu'elle ait lieu. Luciana est une amie sûre qui sait tout sur elle, et ce qui ne lui a jamais été dit, comme les circonstances de la mort de don Tomasini, elle l'a deviné depuis longtemps.

— Andrea est un homme très agréable à vivre, poursuit Carmela, il a reconnu Salvatore comme son enfant. Demain, il sera son père aux yeux de la loi. C'est la légitimation *post nuptias*. Le notaire m'a expliqué tout ça.

— Tu as vu un notaire ?

— Évidemment, pour signer le contrat de mariage. Andrea n'a aucun droit sur le domaine, il n'y prétend pas d'ailleurs. Ses revenus d'auteur le font vivre largement.

— Cela n'a rien à voir avec ta fortune.

— Je ne me marie pas pour l'argent, lui non plus. Nous nous marions parce que nous sommes bien ensemble. Voilà.

Elle se rassied. On leur apporte des orangeades glacées. Puis Carmela se met à parler de Nino. Elle dit que son amour pour lui n'a pas faibli, même si, à l'heure actuelle, son corps est en train de pourrir dans un de ces charniers où l'on a, paraît-il, entassé les cadavres des Italiens et des Autrichiens, pêle-mêle, les morts étant trop nombreux et les chairs trop détruites pour les différencier. Elle dit que pendant quatre ans, il ne s'est pas passé un seul jour sans qu'elle ait pensé à lui. Certaines nuits, elle est restée éveillée jusqu'à l'heure où il lançait des graviers contre les volets de sa chambre. Il lui est même arrivé de croire les entendre. Elle ouvrait la fenêtre et il n'y avait rien ni personne. Souvent, en revenant du village, elle passe devant la ferme de Nino, celle qui a brûlé la fameuse nuit, en espérant confusément qu'il est revenu, mais elle n'ose se montrer. Elle fait le tour des ruines en appelant : « Nino ! Nino ! C'est moi Carmela. » Mais là encore rien, seulement les façades noircies et le bruit des herbes hautes dans le vent, parce qu'il n'y a plus personne pour les tailler.

— Voilà, conclut-elle. C'est trop, Luciana. La guerre est finie depuis le mois de novembre. Si Nino en était sorti vivant, il serait revenu, ou il aurait écrit. Au lieu de cela, il y a cette lettre du ministère et cette médaille *in memoriam*.

Elle lutte contre les larmes mais, c'est décidé, elle ne pleurera plus.

— Pardonne-moi, murmure Luciana, je n'aurais pas dû…

— Si, au contraire. Le nom de Nino est inscrit sur le monument du village avec toutes ses décorations.

Ça me fait du bien d'en parler. Il n'y a qu'avec toi… C'est un héros maintenant, un héros mort.

Elle s'arrête un instant. Il faut tout dire :

— J'ai retrouvé ce capitaine que Nino a sauvé. Le préfet m'a aidée. Il s'appelle Mori et habite Vérone. Je lui ai expliqué qui j'étais. Il m'a répondu. Une très belle lettre. C'est Nino qui l'a ramené, il était blessé. C'est en le portant que Nino a été touché une deuxième fois à la tête. On a dit au capitaine qu'il avait été mis dans une ambulance, mais qu'à l'arrivée tous avaient succombé, et l'ambulance devait repartir. Les corps ont été mis dans un charnier avec les Autrichiens. C'est là qu'il est.

Elle prend une profonde inspiration avant de continuer :

— Il y a aussi cette lettre de Nino.

— Quelle lettre ?

— Une lettre jamais envoyée. Je l'ai trouvée dans le paquet que tu m'as donné, joint à la médaille. Il me dit que si je la lis, c'est qu'il est mort. Il l'a écrite dans ce but. C'est une lettre très douce, très tendre. Il dit même du bien du livre d'Andrea, *La Femme aux sortilèges*. Il l'a écrite la veille de l'attaque de Vittorio Veneto. C'est une lettre d'adieu. Il est mort, Luciana.

Cette fois, les larmes inondent son visage, elle répète :

— Il est mort, Luciana, il est mort, sans même savoir qu'il avait un enfant.

*

— Alors, tu es un *ardito* ? demande le Strozzi.

Un homme à l'âge incertain, entre quarante et soixante, on ne sait pas, à cause des traits compliqués de son visage. On devine à cette face rugueuse striée de rides qui s'entrecroisent qu'il a mené une vie intense, traversée de drames. Ce n'est pas un homme auquel on accède facilement. Il habite une maison au fond du quartier de la Kalsa, à Palerme. Un endroit où le soleil ne passe pas, ni les indésirables. Des hommes dépenaillés montent la garde à la porte. Nino a dû donner son nom plusieurs fois avant d'être admis dans un couloir, un escalier, puis des corridors, toujours accompagné, et même fouillé. Soudain, il s'est trouvé face à cet homme assis derrière une table. Derrière lui, deux gardes, armés ceux-là. Tout au fond, deux tableaux de mauvaise facture, l'un qui représente Garibaldi, l'autre le roi Victor-Emmanuel III.

— Oui, dit Nino, j'étais dans la 1re division d'assaut.

Le Strozzi brandit la lettre de Bianca.

— Ma sœur me dit que tu as été blessé sur le Piave.

Il s'arrête un instant et observe Nino.

— Ça se voit. Tu as perdu la mémoire et elle t'est revenue d'un coup.

— L'orage, dit Nino, ce sont les bruits et les couleurs de la bataille.

Strozzi hoche la tête. Il relit quelques lignes de la lettre de Bianca.

— Elle t'aime beaucoup, ma sœur, je le sens derrière les mots.

— Demande-le-lui, répond Nino, un peu agacé.

Le Strozzi hoche la tête.

— Que veux-tu ?

— À manger, un endroit où dormir et une voiture pour demain. Je te la ramènerai après.

— C'est beaucoup.

— Je m'en vais, dit Nino, merci de m'avoir reçu.

Il se lève et ramasse son sac.

— Attends.

Le Strozzi exhibe un couteau à cran d'arrêt qu'il fait glisser sur la table vers Nino.

— Il paraît que les *arditi* savent lancer les couteaux, j'ai lu ça dans le journal.

Nino presse le bouton du manche en corne. La lame jaillit, brillante, effilée, pointue. Une lame entretenue. Il soupèse le couteau et l'équilibre sur la tranche de sa main.

— Le roi ! s'écrie-t-il soudain en renversant le bras en arrière.

Le couteau file en tournoyant à travers la pièce et se plante sur le portrait du roi, en plein cœur.

— Tu auras à manger, à dormir et la voiture demain. Quand tu reviendras, on parlera, dit le Strozzi.

17

L'église de Castellàccio est trop petite pour contenir autant de monde. Certains, notamment ceux du village, sont contraints de rester dehors. Mais ils n'en veulent pas à la Carmela, disent-ils, ils comprennent bien que les invités du mari, tous ces gens venus de l'Italie du Nord, ont la priorité sur eux, les pauvres de la Sicile. Non seulement il leur est fait cadeau de la journée de travail, la deuxième en trois mois depuis l'inauguration du monument aux morts, mais la Carmela a fait installer des tréteaux dans les jardins pour les inviter, eux aussi, aux réjouissances du mariage. Sous le règne de don Tomasini, ce genre de libéralités ne se produisait jamais.

À l'intérieur, il ne reste plus une chaise libre. Les notables sont venus, y compris le préfet, qui éprouve maintenant pour Carmela une considération déférente, les gens de l'académie de Sicile qui viennent d'élire le marié en leur sein, et les amis, relations, confrères, éditeurs, journalistes et jurés de prix. Loriana est là, elle aussi. Ce mariage, elle n'y croyait pas, et pourtant il lui a fallu s'y résigner et venir pour prouver qu'elle ne ressent aucune rancœur, aucune jalousie. Elle a même proposé au Cavalcanti d'être son témoin aux côtés du président de l'académie. Il n'a pu refuser.

C'est un mariage en fin d'après-midi, à cause des derniers invités du Nord qui viennent seulement d'arriver et qui crottent leurs souliers vernis sur le sol terreux des rues, naviguant entre les coqs et les poules qui picorent en liberté. Seule la place est pavée, où sont regroupés l'église, la mairie et le monument aux morts fraîchement inauguré. Le curé du village a mis deux jours pour écrire son exorde aux mariés. Encore s'est-il fait aider de la femme du commandant des carabiniers, en grand uniforme et le bicorne sous le bras. Les enfants de la chorale chantent sur un ton plus ou moins juste des cantiques de circonstance. Le curé monte en chaire. Il demande à Nostro Signore de bénir cette union entre la bienfaitrice de la région et la lumière de la littérature italienne. Certains dans l'église en déduisent qu'il n'a pas lu *La Femme aux sortilèges*, où le clergé se fait étriller un peu durement au détour de certains chapitres. D'autres, plus simplement, trouvent qu'il exagère. Le mot « lumière » est un peu excessif, prématuré en tout cas.

Vient le grand moment. Les mariés s'avancent, chacun accompagné de ses témoins, Loriana et le président de l'académie pour Andrea, Luciana et le Pivetti pour Carmela. Le curé pose la question sacramentelle.

— *Voglio*, dit Andrea.

— *Voglio*, dit Carmela.

*

Au même moment, Nino monte dans la Fiat dernier modèle prêtée par le Strozzi. Au volant, un certain Giacomo.

— Je suis ton chauffeur, même si tu sais conduire, dit-il à Nino. Je t'emmène où tu veux, je te laisse et je t'attends le temps que tu fasses ce que tu dois faire. Après, je te ramène à Palerme, si tu le souhaites, et si tu vis encore.

— Allons-y, dit Nino.

Il guide Giacomo jusqu'à Castellàccio.

— Je te préviens, dit-il, la dernière partie n'est pas goudronnée. C'est un chemin.

— Je connais, dit Giacomo.

Il allume les phares. Il y en a pour près de deux heures de trajet sur ces mauvaises routes. Au début, ils ne parlent pas. Nino a ôté le capuchon de sa houppelande. Giacomo jette un coup d'œil sur le visage détruit, mais se garde de tout commentaire. Au fur et à mesure du trajet, ils se détendent. Sur la banquette arrière, Nino a remarqué un fusil avec une bande de cartouches.

— J'ai mission de te protéger suivant ce que tu vas faire, dit Giacomo.

— Là où je vais, je ne cours pas de risques. Enfin, je ne le crois pas. Je vais voir une femme. Peut-être je resterai, peut-être je devrai repartir.

— Tu as peur de lui montrer ton visage ?

— Oui. Elle n'a pas de nouvelles de moi depuis longtemps. Je ne sais pas comment elle va m'accueillir.

— Je vois. Je t'attendrai le temps qu'il faudra, c'est une situation difficile.

— Oui, dit Nino, très difficile.

C'est la première fois qu'il parle de Carmela. À Bianca, il n'en a rien dit, mais elle a bien compris que s'il retournait en Sicile, c'était à cause de cette Carmela dont il a prononcé le nom le soir de l'orage. Depuis, il n'a cessé de penser à l'instant où ils seraient face à face, au cri d'horreur qu'elle aurait peut-être. Chez le Strozzi, il a dormi toute la nuit et une partie de la journée, rattrapant le sommeil perdu dans le train et sur la navette.

On lui a donné à manger. Puis il est monté dans la voiture en se disant : C'est maintenant, ça va arriver, je vais la voir et elle saura ce que je suis devenu, à quoi je ressemble aujourd'hui. C'est pour cela qu'il parle à Giacomo qu'il ne connaît pas, pour combattre son angoisse.

Ils traversent les villages, tous ceux où il a des souvenirs joyeux avec Beppe et Franco. Sur plusieurs places, il y a des bals. Nino tourne la tête, il ne veut pas regarder. Enfin, les premières maisons de Castellàccio. Nino fait un signe à Giacomo.

— Peux-tu m'attendre ici ?

— N'oublie pas de revenir.

Il sort de la voiture et ramène la houppelande sur lui, rabat le capuchon et, lentement, gravit la pente. Il ne croise personne. C'est étrange, on dirait que le village est vide. La trattoria de Totuccio est déjà fermée. Sur la place, il découvre le monument aux morts avec un soldat au sommet brandissant son fusil à la gloire de l'Italie. Sur le socle, une plaque: « Aux enfants de Castellàccio morts pour la patrie. »

Et sur cette plaque, trois noms : Franco, Beppe et lui, avec les décorations qu'il connaît, plus une *in memoriam* et une date : celle de l'assaut sur Vittorio Veneto. Il reste figé devant la plaque. Ainsi, on le croit mort avec les deux autres en l'honneur desquels lui, l'incroyant, fait un signe de croix.

— Qu'est-ce que tu cherches ? Il n'y a personne ici ce soir.

Nino se retourne. C'est le sacristain de l'église, un vieux du village.

— Où sont-ils tous passés ?

— Au mariage, là-bas.

Il désigne les lueurs orangées d'une fête. On entend les flonflons d'un orchestre portés par le vent de la nuit qui vient de se lever.

— Quel mariage ? demande Nino.

Le vieux a un rire cassé.

— Tu ne le sais pas ? C'est que tu n'es pas d'ici. Pourtant, j'ai déjà entendu ta voix. Ce mariage, toute la région est au courant. Le village est invité. Ce soir, il ne reste que moi. Je n'aime pas ça.

— Quel mariage ? répète Nino.

— Va voir, dit le vieux, c'est au bout du chemin, ce n'est pas loin.

*

Est-ce l'aboutissement d'une longue vie de séducteur, la fin des aventures ? Est-ce le bonheur d'un homme enfin accompli ? Le Cavalcanti n'est pas loin de le penser. Cette jeune femme, vingt ans de moins que lui, dix-neuf pour être précis, si belle, si pure, si forte en même temps. Cette ultime est-elle la bonne ? Celle que, désespérément, il recherche depuis sa première conquête, même s'il fut plus conquis que conquérant, à quinze ans, par une amie de sa mère ? À force d'écrire des romans qui mènent toujours, après les embûches du destin, à la femme idéale, il a fini par y croire. Ainsi se trouve-t-il dans le dénouement d'un livre qu'il aurait pu écrire, quand, à la fin, les amants se trouvent récompensés de leur ardeur à s'aimer. Mieux encore, cette Carmela, qu'il n'a pas osé toucher, cette jeune fille qui est déjà une mère, lui semble parée d'intrigants mystères. Voilà une femme, se dit-il, qu'il ne connaîtra jamais tout à fait, dont il sera long à faire le tour, s'il y parvient un jour. Et c'est cela qui l'attire, tous ces secrets qui entourent Carmela. Ce mariage, se dit-il, c'est un défi, une gageure. Pour une fois, songe-t-il, j'ai un adversaire à ma taille.

Telles sont les réflexions du Cavalcanti quand il s'installe à la table du banquet, Carmela à sa gauche, Luciana à sa droite, et au-delà, des deux côtés, des visages d'amis ou presque, tandis que l'orchestre entame sa première ritournelle.

— Ça te plaît ? Tu es heureux ? demande Carmela.

Il hoche la tête, vaguement ému qu'elle s'inquiète de lui.

— Oui, dit-il, je le crois, et toi ?

— Nous nous entendrons bien, lui répond-elle.

Il effleure sa bouche. On applaudit ce premier baiser conjugal. Soudain, il se souvient de ce dîner raté aux Palmes, de sa demande en mariage qu'elle avait éludée en lui faisant comprendre qu'il ne savait rien d'elle. Il en avait été tellement choqué qu'il avait regagné Rome le lendemain, où il avait commencé à souffrir. Cette idée lui était venue qu'il n'avait pas été à la hauteur de cette femme extraordinaire. Il était reparti. On lui avait dit qu'elle était retournée dans son village où elle s'occupait de son immense domaine. Il avait fait l'effort de s'y rendre, lui, le gandin des salons littéraires. Et il n'avait eu, lui qui parle le langage des femmes, que ces mots à lui dire : « Je suis revenu pour vous. »

Tout en surveillant les festivités, la table d'honneur et les tréteaux où sont installés les gens du village avec leurs gosses et leurs vieux, Carmela fait signe à l'orchestre qu'une pause serait bienvenue et regarde le Cavalcanti du coin de l'œil. C'est vrai, se dit-elle, il porte beau, il a l'esprit agile et la pensée profonde, aiguë, c'est un homme avec qui je ne m'ennuie jamais, car il a toujours quelque chose à dire. Mais saura-t-il vivre ici ? Les controverses, les jeux de l'esprit, les plaisanteries de ses amis n'ont pas de place dans ce monde de gens rudes et susceptibles. Il lui faudra aller souvent à Palerme, et à Rome aussi.

Elle aperçoit, tout à coup, à l'entrée du chemin, une silhouette d'homme, debout, immobile. L'un des gardes s'approche de lui, parle un instant, va vers Ignacio, le régisseur, qui aussitôt se dirige vers elle.

— Il y a un homme, là-bas, derrière les gens du village. On ne sait pas ce qu'il veut, un *minnicu*, sans doute.

— Porte-lui une assiette, dit Carmela. C'est notre tradition. Dis-lui que je l'ai garnie moi-même, et donne-lui aussi une bouteille de vin, de ma part, en l'honneur de mon mariage.

Ignacio prend l'assiette, la bouteille et le verre. Il avance dans le chemin entre les tréteaux des invités du village. Carmela le voit qui s'approche de cet homme, tout au bout, entre les piliers de l'entrée, cet homme qui a reculé dans l'ombre pour ne pas être éclairé par les flambeaux. À cet instant, elle frémit. Cela dure une minute, puis Ignacio revient, avec l'assiette toujours pleine et la bouteille intacte. Il est très pâle.

— Il n'a rien voulu, dit-il, il est reparti comme il était venu.

— Comment cela ?

— Il m'a demandé quel était ce mariage. Je lui ai dit que c'était le vôtre, signora, avec l'illustre écrivain Andrea Cavalcanti. Je lui ai tendu l'assiette en disant que vous l'aviez remplie vous-même et que vous aviez choisi le vin. Alors il m'a dit : « *Nun vuli nienti, ju ringrazi la signura spusata.* »

— Qu'est-ce que ça veut dire ? demande Andrea.

— C'est du dialecte. Il ne veut rien, mais il remercie la mariée.

— Et après ? demande Carmela.

— Il est parti, sans rien ajouter.

— Tu es pâle, Ignacio. On dirait que tu viens d'avoir une émotion.

Soudain, elle se lève, entraîne Ignacio à l'intérieur de la maison.

— Qui est cet homme, Ignacio ?

— Je ne l'ai pas vu. Il se tenait dans l'ombre et il portait une capuche qui dissimulait une partie de son visage, je vous le jure.

Carmela pâlit à son tour.

— Alors, pourquoi cette émotion, si tu ne l'as pas vu ?

Ignacio se tait. Elle l'empoigne par la manche.

— Réponds-moi. Cet homme, tu le connais ?

— Je ne l'ai pas vu, signora, je ne sais rien de son visage. Je vous le jure.

Il se tait. Elle resserre sa prise.

— Il y a autre chose, Ignacio, dis-moi ce que c'est.

— C'est sa voix, finit-il par dire, je la connais.

— La voix de qui, Ignacio ?

— Je ne sais pas. Une voix que je n'ai pas entendue depuis longtemps. Laissez-moi, signora. Je dois aller faire mon travail.

*

15 mars 1919, un jardin à Vérone, sur ce banc où ils ont pris l'habitude de se retrouver :

— J'ai écrit hier une longue lettre à la fiancée de cet *ardito* qui m'a sauvé la vie à Vittorio Veneto et qui y a probablement laissé la sienne, dit Lorenzo à Virginia.

— Pourquoi dites-vous « probablement » ? demande Virginia.

— Parce que le corps de ce héros n'a jamais été retrouvé.

Il parle de cette lettre qu'il a écrite et recommencée plusieurs fois, à cette jeune femme à laquelle il fallait répondre, la fiancée de ce mort qui était son ami. Brusquement, il raconte l'assaut, les rafales qui l'atteignent à la main et à la jambe, Nino touché lui aussi au visage, mais qui se relève et le porte sur la *terra di nessuno*, jusqu'à cet éclat d'obus qui l'atteint à la tête, et lui qui continue d'avancer, avant de s'effondrer dans la tranchée.

— Cette jeune femme, poursuit-il, s'appelle Carmela. Nino m'en avait beaucoup parlé. Il y avait entre eux un secret terrible et ils s'aimaient avec ce secret qu'ils portaient à deux. Il me disait que s'il était tué, elle serait seule à le porter.

— Il a dit de quel secret il s'agissait ?

— Non, bien sûr, et je ne le lui ai pas demandé. C'était un Sicilien très silencieux, très discret. Il fallait ces circonstances de guerre, ce risque d'être tué le lendemain pour qu'il se livre ainsi.

Lorenzo se tait. Il regarde devant lui, dans ce jardin de Vérone où il retrouve Virginia l'après-midi, lui avec Laura, elle avec son petit chien. Un rendez-vous implicite auquel ils sont devenus fidèles. Souvent, c'est elle qui parle. Elle raconte des histoires de sa vie en prenant garde, il le voit bien, à ne pas se répandre en futilités. Elle sait aussi être drôle dans ses récits, dans sa manière de décrire les gens, et elle parvient à le faire sourire – et même rire parfois.

Il arrive qu'ils restent silencieux sur ce banc à observer les enfants qui jouent avec Laura et le petit chien. Il arrive qu'au bout d'un moment de silence elle lui demande de parler parce que, ce jour-là, elle n'a rien de piquant à lui raconter.

— De quoi voulez-vous que je parle ?

— De vous, bien sûr.

Il pourrait répondre qu'il n'a rien à dire, que de son histoire avec Julia il ne reste que cette enfant et l'alliance qu'il porte à la main gauche, celle qu'il a gardée, qu'il n'en parlera jamais de cette histoire. C'est un secret, comme celui de Nino. Il ne veut plus parler de la guerre. Il dit :

— Ça n'intéresse pas les femmes et elles ont bien raison.

— Vous pouvez m'en parler, je vous écouterai.

— Non, dit-il, la guerre se raconte entre les hommes qui en reviennent, parce que dans ces moments-là, rien ne peut être inventé ni enjolivé. Le reste, les histoires qu'on lit dans le journal, c'est pour le public. Ce ne sont pas les mêmes.

Soudain, il évoque les raisons pour lesquelles cette guerre a été déclenchée par l'Italie, les *terre irredenti*, et maintenant, on s'aperçoit qu'à la conférence de Versailles le président du Conseil et son ministre Sonnino ne parviennent pas à faire attribuer à l'Italie ces territoires qui lui avaient été promis. Il s'enflamme, il dit qu'au nom de tous les morts, ceux de l'Isonzo, des Dolomites, ceux du Piave, ces terres doivent être données, rendues plutôt.

— Sinon, dit-il, ils sont morts pour rien !

Il s'excuse d'évoquer ces sujets devant elle, des sujets pour les hommes.

— Non, répond Virginia, ce sont des sujets italiens. Permettez-moi cette question. C'est pour reconquérir ces terres que vous êtes parti ?

Il fait un signe de dénégation.

— En aucune façon. Je trouvais même que c'était un prétexte bien léger pour déclencher une guerre. Je suis parti parce que j'étais sous-lieutenant dans l'armée et que c'était mon devoir d'officier italien. Mais maintenant je trouve que ces terres sont très importantes et qu'il faut à toute force les obtenir.

Puis il parle des pacifistes, ceux qui veulent la paix universelle, comme s'il ne s'était rien passé, qui exaltent la Russie bolchévique en annonçant qu'elle est la lumière du monde. Il raconte cette histoire, à Milan, du caporal, dont un cortège d'ouvriers a arraché les décorations après l'avoir tabassé, de ce député Bissolati que les *arditi* ont empêché de parler au théâtre de la Scala.

— Et encore, dit-il, lui avait fait la guerre, il était sergent dans les Dolomites, je crois. Mais les autres, les discoureurs du parti socialiste, l'ont convaincu qu'il fallait renoncer à nos demandes. Alors…

— Que peut-on faire ? demande Virginia.

Elle l'a écouté avec une attention extrême. À un moment donné, tandis qu'il parlait, elle a caressé sa main de bois. Il attend pour répondre.

— Je crois, dit-il, qu'il va se passer des choses, je ne sais pas exactement lesquelles, mais des mouvements se forment. Il n'est pas possible de revenir au système qui existait en 1915. Il y a des hommes qu'il faut combattre, certains qu'il faut chasser. Je ne parle pas de les supprimer, comme on le dit, mais au moins de leur interdire de recommencer.

Elle ne lui demande pas de quels hommes il parle, elle l'écoute avec une sorte de ferveur. Il baisse les yeux et voit la main de Virginia sur sa main de bois. À cet instant, il a un sourire.

— Je ne sens rien, vous savez, c'est une fausse main.

— Je sais, mais c'est votre main quand même.

Il sourit encore.

— Je ne pourrai pas venir avant trois jours. Il y a une réunion à Milan pour fonder un journal, et une autre, le 23 mars, piazza San Sepolcro. Je veux y être.

— Je reviendrai le quatrième jour, dit-elle, voir si vous êtes rentré.

18

Au 35 de la via Paolo da Cannobio à Milan, siège du *Popolo d'Italia*, sur la porte du directeur, Benito Mussolini, il est écrit : « Qui entre m'honore, qui n'entre pas me fait plaisir. » Car le directeur travaille. Il rédige des articles, des slogans, des phrases fortes et imagées. Après, il les prononce de sa voix chaude ou coupante que les Italiens apprendront à connaître. De Mussolini, on peut dire du bien et du mal, mais personne ne peut lui enlever d'avoir été le meilleur entraîneur du peuple, le meilleur orateur de son temps. Aucun avant ni après ne peut rivaliser avec lui, même D'Annunzio.

« Mes frères des tranchées, *arditi*, compagnons d'armes, je vous ai défendus quand le lâche philistin vous diffamait ! L'éclair de vos poignards et le déluge de vos grenades feront justice des minables qui voudraient empêcher la marche de la grande Italie ! »

À peine vient-il d'achever sa harangue pour l'édition du lendemain que l'on frappe à la porte.

— Voyez la pancarte ! s'écrie-t-il.

— Le capitaine Mori est là, Duce.

Déjà, on l'appelle Duce. C'est venu naturellement à ceux qui l'entourent, des fous, des fanatiques, des templiers. Ils ne savent même pas quelle est leur doctrine. Ils croient seulement à un homme qui résume tout. Cet homme, c'est lui. Mussolini pose son stylo.

— Fais-le entrer.

Lorenzo pénètre dans le bureau. Sur la table, deux grenades, un pistolet et un verre de lait. Mussolini tend au factotum qui veille à la porte les feuilles couvertes de son écriture hachée.

— Au marbre, dit-il, tout de suite.

Puis il se tourne vers Lorenzo. Son œil rapide fait le tour des galons, des décorations, de la main de bois et de la canne.

— Embrassons-nous, dit-il, comme deux frères d'armes.

Ils s'étreignent brièvement. Dans le regard de

Mussolini, une brillance furtive. L'homme, malgré ses efforts, ne contrôlera jamais tout à fait ses émotions.

— La dernière fois que nous nous sommes vus, dit-il, tu venais de te marier. Tu m'as montré la photo, une fille, genre aristocrate. Une race que je n'aime pas, mais bon Dieu qu'elle était belle ! Elle s'appelle Julia. Je m'en souviens. Est-ce qu'elle t'aime toujours ?

— Julia a été tuée dans une manifestation ouvrière pendant la guerre, dirigée contre son père qui ne payait pas ou si peu les femmes de son usine. Le pire, c'est que c'est lui qui a commandé le tir.

— Pardonne-moi, dit Mussolini, je l'ignorais. Sinon, je t'aurais écrit, ou je serais venu te voir.

— Si vous l'acceptez, changeons de sujet.

— Bien sûr. Tu peux me tutoyer. Les hommes comme toi ont le droit de me dire « tu ». Que puis-je faire pour toi ? J'ai un peu d'argent, mais pas beaucoup. Tout passe dans le journal et les frais de déplacement.

— Je ne demande rien, sauf servir la cause que vous… que tu défends.

Mussolini a un ricanement bref.

— La cause, dit-il, les causes plutôt, celles de l'Italie d'aujourd'hui sont immenses et multiples. Viens dîner avec moi à la trattoria en face, avec quelques amis que je te présenterai. C'était bien toi à la Scala, le soir de Bissolati ?

— Oui.

Mussolini a un sourire.

— Bissolati, ce n'est pas un mauvais type, mais il va toujours du côté des puissants du moment. Quand le roi a été la cible d'un attentat anarchiste, il est allé lui faire ses dévotions. À l'époque, j'étais socialiste, comme lui. Je l'ai interpellé publiquement. Je lui ai demandé combien de fois il avait rendu les honneurs funèbres à un maçon tombé d'un échafaudage, à un charretier renversé, à un mineur écrasé. Pour un roi, l'attentat n'est qu'un accident du travail. Bissolati ne m'a jamais répondu, évidemment. Et le revoilà avec ses patenôtres de curé. Cette fois, je ne pouvais pas laisser passer.

Ils vont dîner dans une trattoria de pauvres à quelques pas du *Popolo d'Italia*. Il y a là Ferruccio Vecchi, Michele Bianchi et Roberto Farinacci, un jeune avocat qui arrive de Crémone. Mussolini ne boit pas de vin, seulement de l'eau et du lait posés devant lui sur une vieille table écaillée. Il présente Lorenzo, un compagnon de guerre. On parle de la conférence à Versailles, de Fiume qu'il faut réclamer, de la république à instaurer. Mussolini raconte que lors de son séjour à l'hôpital, le roi Victor-Emmanuel en tournée est venu le saluer.

— « Brave Mussolini, m'a-t-il dit, supportez avec résignation votre souffrance. Nous nous reverrons bientôt... » Plus tôt qu'il ne croit, ajoute-t-il, l'Italie n'a pas besoin de roi.

— De quoi a-t-elle besoin ? demande Lorenzo.

— De qui, plutôt ? demande une femme qui vient d'entrer.

Elle s'assied à table, pose sa main sur le bras de Mussolini. Elle a de beaux yeux, songe Lorenzo.

— De toi, Benito !

Mussolini regarde un à un les amis attablés, avant de se tourner vers elle de nouveau.

— Tu le penses vraiment ?

— Oui, répond-elle avec une fermeté inattendue dans son beau regard.

— Qui est-elle ? demande Lorenzo à l'oreille du poète Marinetti.

— Margherita Sarfatti, évidemment.

Le lendemain, 23 mars 1919, Lorenzo est invité à l'*adunata* au 9 de la piazza San Sepolcro, au palais Castani, dans un local prêté par le Cercle des intérêts industriels et commerciaux. Il y a là plus de cent personnes, jusqu'à trois cents, diront certains et même la police, parmi lesquels des *arditi* démobilisés, les futuristes conduits par le poète Marinetti, le jeune avocat Farinacci de Crémone, d'anciens socialistes et des personnages hauts en couleur comme Italo Balbo, Giuseppe Bottai. Ceux qui étaient la veille à la trattoria présentent Lorenzo Mori, un héros de la guerre. On lui serre la main, on le remercie d'être venu, on l'embrasse. Ferruccio Vecchi, ancien capitaine aussi, lui dit :

— Un mouvement est en train de naître, il place ses origines dans la guerre et l'avenir dans le combat.

— De quoi s'agit-il ? demande Lorenzo.

— C'est aujourd'hui la création des *Fasci italiani di combattimento*. En feras-tu partie ?

— Oui, dit Lorenzo, je le demande.

On l'installe avec d'autres au premier rang. Dans un coin, assise à l'écart, Margherita Sarfatti. Ferruccio Vecchi annonce la création de *nostro Fascio* et l'assemblée se lève pour les premiers applaudissements. Quand c'est le tour de Mussolini, il salue ceux qui sont tombés pour la patrie, réitère la demande d'attribution des *terre irredenti*, appelle à saboter les candidatures des neutralistes qui reviennent sur le devant de la scène, comme si la guerre n'avait pas été gagnée. Pour la première fois, il les appelle « mes camarades fascistes ».

À midi, Lorenzo se mêle aux conversations entre les groupes. Les propos qu'il entend le ravissent, ils correspondent à ce qu'il ressent, cette impression d'avoir été trompé sur les véritables buts de la guerre, ce détournement de la victoire au profit des politiciens professionnels, l'arrogance des socialistes qui ont le monopole de la parole publique, l'exaltation du bolchévisme, souhaité, annoncé en Italie comme une inéluctable conquête.

Margherita Sarfatti parle avec tous, va de groupe en groupe, et on la salue avec effusion. Soudain, elle reconnaît Lorenzo.

— Vous étiez là hier soir, le capitaine Mori, n'est-ce pas ?

— Oui, madame.

— Benito m'a parlé de vous, il est très heureux que vous nous ayez rejoints.

— Je le suis aussi.

Elle hésite un instant, l'entraîne à l'écart.

— Capitaine, chuchote-t-elle, le chemin sera long jusqu'au pouvoir, il sera ardu. Parmi tous ceux qui sont là, certains déserteront, d'autres trahiront pour tenter de revenir vers nous quand nous aurons gagné. Seuls resteront les fidèles. Mon fils était un *alpino*. Il s'est engagé en trichant sur son âge et il a été tué dans un assaut.

Elle s'arrête un instant.

— Je me fie à mon instinct quand je rencontre des gens. Il me dit que je peux, que je dois avoir confiance en vous.

Elle le regarde intensément et prend sa main vivante dans la sienne.

— Sachez, poursuit-elle, que j'apporte à Benito tout ce que je possède : ma personne, mon argent, mes amis qu'il faut convaincre que c'est lui, l'avenir de l'Italie. Il faut beaucoup de fonds pour publier un journal comme *Il Popolo*, il en faudra encore plus pour que le mouvement qui naît aujourd'hui devienne un vrai parti politique, et que ce parti, un jour, soit admis à faire le bonheur des Italiens. Il faut aussi beaucoup de fidélité. De la fermeté d'esprit et de la fidélité.

Elle s'arrête, retire sa main, cette femme tout entière dans son regard.

— Je serai ferme et fidèle, rétorque Lorenzo en pesant chacun de ses mots.

— Alors, vous serez un bon fasciste.

Mussolini parle encore l'après-midi. Il demande l'instauration de la république, la disparition du Sénat et la suppression des titres de noblesse, il exige que les richesses soient recensées et que les terres non cultivées soient attribuées aux paysans. Les syndicats géreront les entreprises. À cet instant, la Sarfatti a une moue discrète.

— Nous nous permettrons le luxe d'être aristocrates et démocrates, conservateurs et progressistes, réactionnaires et révolutionnaires, légalistes ou illégalistes, suivant les circonstances de temps, de lieu et de milieu.

Il achève ainsi :

— En Italie, la succession du régime est ouverte.

On fait circuler dans la salle le programme dactylographié en demandant à ceux qui le souhaitent de le signer. Certains hésitent. Le regard de Lorenzo croise celui de la Sarfatti et de Mussolini. Il signe.

Au moment de désigner les membres qui vont compléter le comité exécutif du *Fascio*, Mussolini pointe un doigt sur Lorenzo.

— Lui ! s'écrie-t-il.

Quand la salle se vide enfin, il reste de jeunes *arditi* groupés autour de Ferruccio Vecchi, qui exhibe un *gagliardetto* avant de dégainer son poignard.

— Nous jurons, dit-il, de défendre l'Italie. Pour elle, nous sommes prêts à tuer et à mourir.

Ils le jurent tous sur le fanion noir et sur le poignard.

Seulement cinquante-trois signatures figurent sur le programme. « Ce sont les vrais, les purs, les fidèles », dit Mussolini le lendemain. Après la parution du *Popolo*, ils sont plusieurs autour de lui. Vecchi se penche vers Lorenzo.

— Le Duce te demande de rester encore quelques jours. Il a besoin de toi pour l'organisation du *Fascio*.

— Bien sûr, répond Lorenzo. Comment dis-tu ? Le Duce ?

— C'est ainsi que nous l'appelons entre nous, répond Vecchi. Tu en prendras l'habitude.

Lorenzo reste trois semaines à Milan. Il dort dans une chambre d'hôtel payée par le journal. Il déjeune et dîne avec les autres, ceux qui ont signé, certains qu'il ne connaît pas et qui étaient présents, Bottai, Balbo, Farinacci. Son travail consiste à recenser des *Fasci* qui naissent un peu partout, à leur transmettre des mots d'ordre. Il écrit, envoie des télégrammes, des courriers à Gênes, Naples, Bologne, Turin, Florence, toutes les grandes villes d'Italie.

« Je veux un millier de *Fasci* en deux mois, a dit Mussolini. Pour Vérone, économise le papier, Mori, ce n'est pas la peine de t'écrire à toi-même. »

Lorenzo ne le sait pas encore mais il a participé à ce qui sera considéré plus tard comme un événement historique : le 23 mars à San Sepolcro. Il figure sur la liste des cinquante-trois *sansepolcristi*. Cette liste sera tenue à jour et évoluera dans le temps, mais sera toujours sacrée. À un moment donné, cette collection officielle comptera plus de trois cents noms. Mais l'honneur d'être un *sansepolcrista* l'accompagnera toute sa vie.

Au *Popolo*, comme on dit, il est aux premières loges pour suivre le combat politique. Mussolini parle de révolution, « elle est née de la guerre, c'est nous qui avons commencé en 1915, nous avons le droit de conclure en 1919 ». Il s'adresse aux pauvres de l'Italie : « Nous voulons le progrès infini de la classe ouvrière, mais la dictature des politiciens, jamais ! » Ce faisant, il chasse évidemment sur les terres du parti socialiste, qui l'a renvoyé avant la guerre parce qu'il avait choisi l'intervention. Les critiques pleuvent. On l'accuse de recevoir de l'argent de l'étranger ou des riches industriels juifs rameutés par la Sarfatti. Il est vrai qu'au *Popolo* se succèdent des hommes bien vêtus qui descendent de belles voitures. Ils s'enferment avec

Mussolini et le comptable du journal. Un jour, dans la salle d'attente, Lorenzo aperçoit le vieux Di Stefano avec une mallette, sans doute remplie de billets. Il se précipite aussitôt dans le bureau de Mussolini.

— Excuse-moi de t'interrompre. Pour moi, c'est urgent. Tu attends quelqu'un ?

— Un industriel de Vérone, il veut nous subventionner.

— Je l'ai vu dans la salle d'attente en bas. C'est Di Stefano, le père de Julia, ma femme. C'est lui qui a fait tirer sur les manifestants et a tué sa propre fille, ma femme, je le répète.

Mussolini ne dit rien. Lorenzo sait à quel point les caisses du *Popolo* comme celles du *Fascio* ont besoin de fonds. On ne peut pas tout le temps faire appel à la Sarfatti, qui a déjà sacrifié une partie de sa fortune.

— Va dire à cet homme que notre cause refuse l'argent d'un homme qui fait tirer sur des femmes, dit-il. Une fidélité à un ami qui ne coûte rien n'est qu'une proclamation sonore et vide.

Lorenzo descend l'escalier et se plante devant Di Stefano qui sursaute en le reconnaissant. Il transmet le message et ajoute :

— Partez, monsieur, et ne revenez jamais.

Sans dire un mot, Di Stefano repart, sa mallette à la main. Lorenzo vérifie par la fenêtre qu'il entre bien dans sa limousine. Quand Lorenzo s'apprête à remonter, il trouve Mussolini au bas de l'escalier.

— Il est parti ?

— Oui.

— Il y avait de quoi payer les salaires et acheter des presses pour le journal. L'imprimeur ne veut plus nous faire crédit tant que nous n'aurons pas payé le retard.

Il a un sourire.

— Nous trouverons autre chose. Je suis un homme fidèle, tu sais, dit-il avant de remonter dans son bureau.

Ce jour-là, Lorenzo choisit de se lier définitivement à Benito Mussolini.

Le 13 avril 1919, tout commence. Des manifestants socialistes sont arrêtés via Borsari par des troupes. Slogans, drapeaux rouges, chocs, coups de feu. Des morts et des blessés que l'on emporte en hâte. La grève générale est annoncée pour le 15. Ce jour-là, à Milan, tout se fige. À l'*arena*, près du Castello Sforzesco, les grévistes sont cent mille au moins. Au *Popolo*, Lorenzo a aidé à l'installation des chevaux de frise. Dans les abords immédiats du journal, les *arditi* sont en armes, flanqués des *futuristi* perchés sur les toits, embusqués derrière les fenêtres. Mais ce n'est pas là que les choses se passent. Le cortège s'est engouffré via Mercanti. Le chant *Bandiera rossa* retentit. C'est alors que les *arditi*, accompagnés des élèves officiers du Politecnico, chargent. À nouveau des coups de feu. Les carabiniers se sont écartés. Les *arditi* abandonnent les manifestants. Ils embouchent la via Damiano, où se trouve le siège du journal l'*Avanti !*. Quelqu'un met la main sur l'épaule de Lorenzo, c'est Ferruccio Vecchi.

— N'y va pas, dit-il, tu n'es pas en état de te battre.

— Dommage, répond Lorenzo.

Au *Popolo*, on a rangé les armes. Les tireurs sont descendus des toits, le danger est passé. Mussolini accueille Lorenzo dans le hall.

— C'est moi qui t'ai envoyé Vecchi. Je ne veux pas que tu te fasses esquinter. J'ai d'autres ambitions pour toi.

Les *arditi* reviennent. Ils annoncent que l'*Avanti !* est en feu. Pour preuve, ils rapportent l'enseigne du journal tordue par les flammes. Dans l'assaut, un soldat a été tué, Martino Speroni. On ne sait pas par qui.

— Il sera notre martyr, décide le Duce.

En fin de journée, il annonce à Lorenzo qu'il repart pour Vérone dès le lendemain.

— Tu vas créer un *Fascio* là-bas, je compte sur toi.

Il lui remet une sacoche remplie de billets.

— On a reçu de l'argent ces derniers temps. C'est pour tes frais. Il faut louer un local, acheter du matériel. Quand il n'y en aura plus, dis-le-moi.

*

— Vos trois jours ont duré trois semaines, dit Virginia, je suis venue chaque après-midi vous attendre sur notre banc. Mais j'ai lu les journaux. Vous avez participé à tous ces événements, n'est-ce pas ?

— Presque tous, je n'étais pas à la bataille de l'*Avanti !*. Mes amis m'ont retenu.

Il montre sa main de bois et sa canne. Elle le fait asseoir sur ce qu'elle appelle « notre banc ». C'est le printemps à Vérone. Fleurs et parfums explosent dans les massifs.

— Racontez-moi Milan.

Il parle des gens qu'il a rencontrés, Mussolini surtout, mais aussi la Sarfatti, De Vecchi, Farinacci, Balbo. Il évoque la séance piazza San Sepolcro, la journée du 15 avril. Au fur et à mesure du récit des événements, ses idées se mettent en ordre.

— Savez-vous que ces trois semaines vous ont changé ? s'écrie-t-elle. Vous étiez amer. Je vous trouve enthousiaste, presque gai. Comment expliquez-vous cela ?

Il réfléchit avant de lui répondre. La remarque est juste. Sa mère lui a fait la même tout à l'heure.

— Je crois, finit-il par dire, qu'à mon retour du front je me suis retrouvé veuf, mutilé. Seule Laura me ramenait à la vie. Le reste me désolait. Peu à peu, j'acquérais la conviction que cette guerre n'avait servi à rien, sauf à enrichir ceux qui en avaient profité. C'était les politiciens qui avaient choisi la guerre, et le peuple nous accusait, nous les vétérans, d'en être les responsables. Partout, dans les quartiers populaires, on crachait sur ceux qui portaient encore leur uniforme. On les injuriait. Et en même temps, ce même peuple défilait en brandissant des drapeaux rouges et en annonçant la République des soviets. J'avais le sentiment d'une immense tromperie.

— Et maintenant ?

— On m'a prouvé à Milan que nous sommes nombreux à vouloir changer l'Italie.

Il évoque le programme de Mussolini à San Sepolcro, il en énonce tous les points, éclate de rire soudain.

— Les femmes pourront voter, cela vous intéresse, je pense ?

— Bien sûr, dit Virginia.

Il aborde enfin sa mission, créer le *Fascio* de Vérone. Lourde tâche à laquelle il va s'atteler dès demain. Chercher un local, coller des affiches, faire des déclarations dans *L'Arena* et les autres journaux de la ville, rameuter les camarades. Puis il revient au programme : la république, le recensement des richesses, l'attribution des terres en friche aux paysans. Virginia hoche la tête.

— C'est quelque chose de complètement nouveau. Mais est-ce que les gens vont y croire ?

— Il faut tout expliquer, chasser les hommes politiques. L'Italie doit être nettoyée de ses miasmes, un sang neuf pour un pays neuf.

Il répète la formule du Duce : « La succession du régime est ouverte. »

— Je pourrais vous aider. D'abord, savez-vous taper à la machine ?

— Non, j'apprendrai, je taperai de la main gauche, d'ailleurs j'apprends à tout faire avec ma main gauche.

— Moi, je sais taper. Vous écrirez les textes et je les dactylographierai, et puis, peut-être créerez-vous un journal ?

Il n'y avait pas pensé. Il lui est reconnaissant de cette idée.

— On l'appellera, dit Virginia, *Il Popolo di Verona*.

Elle s'arrête de parler, le regarde, se recule un peu, puis se tourne vers lui.

— Vous savez, Lorenzo, je vous aime, je vous ai aimé dès la première minute où je vous ai rencontré, même et surtout si j'ai affirmé le contraire.

Il ne dit rien. Ce sont des propos d'homme qu'elle

vient de tenir mais il n'en est pas heurté. Au contraire. Il jette un rapide coup d'œil autour d'eux. Personne, sauf les enfants qui jouent plus loin et des silhouettes près du kiosque. Il se penche et dépose un baiser sur ses lèvres.

— Mon fasciste, dit-elle.

À cet instant, un éclat de rire résonne dans sa tête. C'est le rire de Julia.

*

— *Omu*, demande le Strozzi, ton voyage t'a-t-il permis d'avoir la réponse que tu attendais ?

— J'ai obtenu une réponse, dit Nino.

— Je ne te demande pas si c'est celle que tu attendais, mais tu es revenu. Penses-tu retourner dans cet endroit un jour ?

— Non.

Le Strozzi se tait et le dévisage avec attention.

— Je me suis renseigné sur toi pendant que tu étais parti. J'ai appris l'histoire de ton père et celle de don Tomasini, que l'on a retrouvé étranglé dans son lit, le matin même où tu t'es engagé pour la guerre.

— Je ne connais pas cette histoire, dit Nino.

Le Strozzi secoue la tête.

— Elle ne me regarde pas. Mais je veux que tu saches que je la connais. C'est une histoire importante pour un homme comme moi, elle me permet de savoir à qui j'ai affaire, même si ton nom est inscrit sur le monument aux morts du village. Officiellement, tu es mort, Nino Calderone, tu n'existes plus.

— En effet.

— Cela peut être un énorme avantage dans certaines situations. Y as-tu déjà pensé ?

— Non, répond Nino. Pas encore. Je suis un jeune mort.

Le Strozzi a un rire bref.

— Parfois, poursuit-il, j'aimerais que l'on me croie mort...

Il s'arrête encore un instant.

— Il y a toutes ces médailles. Elles prouvent que tu sais te battre et même que tu aimes ça, comme tous les *arditi*.

— On peut le penser.

Le Strozzi se dresse soudain et marche de long en large dans la pièce. Il contemple le portrait du roi, où figure, à l'endroit du cœur, l'entaille faite par le poignard lancé par Nino, le premier jour.

— Quelles armes connais-tu ? demande-t-il brusquement.

Nino passe mentalement en revue toutes les armes qu'il a utilisées chez les *arditi*.

— Je ne sais pas tirer le canon, sauf le mortier, et je ne me suis jamais battu au sabre. C'est une arme d'officier et je n'étais que sergent.

Le Strozzi pince ses lèvres charnues.

— Ce n'est pas une réponse, dit-il, je t'ai demandé quelles armes tu connais.

— C'est une réponse.

Nouveau rire bref du Strozzi.

— Tu veux dire que tu connais toutes les armes, sauf le canon et le sabre ?

Nino hoche la tête.

— Va-t'en. Va faire un tour où tu veux. Mais reviens. On parlera encore.

Nino se lève et passe la porte sans un salut. Le couloir est vide, l'escalier aussi. Dehors, plus loin, on entend la rumeur vague de la rue. Il s'arrête subitement, en haut des marches. Il vient de flairer une odeur oubliée, l'odeur du danger. Il ôte ses lunettes et ses chaussures, défait sa houppelande qu'il roule en boule devant lui et commence à descendre. Ses pieds nus ne font aucun bruit, il s'accroche à la rampe d'une main. Soudain, il jette d'un coup ses chaussures et le vêtement vers le palier en bas. Un homme jaillit du recoin qu'il avait repéré en montant et il n'a pas le temps de se retourner. Nino est déjà sur lui. L'homme bascule sur le sol. Il a perdu son couteau, qui est dans le poing de Nino.

— Ne le tue pas, Nino, c'est moi qui l'ai envoyé.

Le Strozzi vient d'apparaître en haut de l'escalier, un pistolet à la main. Nino jette le couteau. Il se relève et aide l'homme à se redresser.

— Remonte, dit le Strozzi en rangeant l'arme, on doit parler encore.

Ils retrouvent leur place de tout à l'heure. L'homme au couteau a décampé, Nino a remis ses chaussures et il porte à nouveau ses lunettes.

— *Omu*, dit le Strozzi, je veux que tu me protèges, que tu sois mon ange gardien.

— Un ange monstre, dit Nino, ça serait plus juste.

— Peut-être, répond le Strozzi en dialecte, mon *ancilu mostru*.

19

Cette première nuit est une mauvaise nuit. Cavalcanti est à cet âge où il peut encore ajouter la fougue à l'expérience. Aussi use-t-il des moyens d'un désir ardent, renforcé par un savoir qui, dans l'art de l'amour, confine à l'érudition. Il convoque ce vieil amant encore jeune, ses meilleurs souvenirs de maîtresses rétives qu'il a fini par combler. Il se sert de son intimité avec la géographie du corps féminin. Il titille, mordille, suçote et branlote tous les lieux de Carmela susceptibles de s'échauffer. Rien n'y fait. Ce n'est pas qu'elle se refuse, c'est qu'elle ne montre aucune émotion, qu'elle ne consent aucun halètement, même pas un soupir, encore moins un gémissement ou ce râle, même faible, qui annonce le plaisir. Mais Cavalcanti est un amant généreux qui sait l'ordre des prestations. En un mot, il s'est fait une règle de se contenir dans la quête du frisson adverse et, ce n'est qu'une fois assuré d'une réponse sensuelle, qu'il lâche les chevaux. Mais au fur et à mesure qu'il s'échine recule l'espoir d'une cavalcade glorieuse. Carmela, avec la docilité d'une épouse sicilienne, ne refuse aucun dévoilement, se plie à toutes les manœuvres des corps, aux positions les plus ingénieuses. Mais en vain. Dans son œil fixe ne se reflète que la lumière du lustre de la chambre. Pas une lueur, pas le moindre frémissement d'aucune chair. À la fin, il s'abat sur elle, comme à quinze ans sur cette amie de sa mère qui l'a initié et qui éveillait sans peine son jeune désir. Elle le laisse achever sa besogne d'homme, jusqu'à ce qu'il s'éloigne de l'autre côté du lit.

— Je ne vous plais pas ? demande-t-il, encore tout luisant de ses efforts.

— J'ignore comment répondre à votre question, répond-elle d'une voix calme avant d'éteindre le lustre.

Tous deux restent les yeux ouverts dans l'obscurité, lui repassant dans son esprit la succession des événements, s'interrogeant sur les fautes, les manquements dont il est sans doute responsable, procédant à des comparaisons avec d'autres, elle imprégnée de cette semence étrangère, une invisible larme au coin des yeux.

À son réveil, Cavalcanti a l'idée de recommencer avec l'obstination du joueur malchanceux qui veut se refaire. Mais Carmela est déjà levée. Il la retrouve au salon en compagnie des derniers invités qui ont passé la nuit au domaine et s'apprêtent à repartir. Sur ses beaux traits, aucune trace des assauts subis la veille. Elle dépose sur sa joue un baiser léger tout en poursuivant la conversation avec Luciana et Pivetti qui retournent à Palerme.

— Je dois, lui dit Carmela, passer au village pour remercier les gens de leurs cadeaux. C'est l'usage ici, le lendemain des noces.

Cavalcanti l'accompagne et la Torpedo les laisse sur la place. Ils font le tour des maisons où ils sont reçus avec des effusions. Cavalcanti joue parfaitement son rôle de mari : il remercie et trinque avec les paysans en feignant de comprendre leurs propos en dialecte.

Le curé s'en mêle. C'est un personnage populaire, très flatté de la présence d'un auteur renommé dans le village. Il félicite encore Cavalcanti, qui se rengorge. Après l'échec de sa nuit de noces, il est prêt à accepter tous les compliments, y compris ceux émanant des plus modestes.

Soudain, le sacristain s'adresse à Carmela :

— Il est venu, signora, cet homme que j'ai trouvé hier soir en train de lire la liste des morts sur le monument. Je lui ai dit que tous les habitants étaient à votre mariage.

— Un mendiant, répond Carmela d'une voix mal assurée.

Le sacristain fait un signe de dénégation.

— Non, pas un mendiant. Ce n'était pas son genre.

— Un étranger, alors ?

Le sacristain retarde sa réponse.

— Je ne crois pas, signora, je n'ai pas vu son visage car il portait un capuchon. Mais je connaissais sa voix, sa manière de prononcer les mots en dialecte.

— La voix de qui ?

— Une voix très douce, signora, un homme qui sait ce qu'il dit, mais qui ne parle jamais fort. Vous voyez ce que je veux dire.

— Non, dit Carmela, un homme est venu et il est reparti. Personne ne le connaissait.

— Alors je dois me tromper, signora, si cet homme, vous ne le connaissez pas. Excusez-moi, je suis un vieillard. Je n'ai même pas pu répondre à votre invitation.

Il s'éloigne mais Carmela le rejoint et le saisit par la manche.

— Dis-moi. Pourquoi aurais-je dû connaître cet homme dont je n'ai pas vu le visage, comme mon régisseur, qui a seulement reconnu sa voix, lui aussi ?

Le sacristain recule d'un pas. On ne lui arrachera rien. Dans ce pays sont détestés ceux qui parlent à tort et à travers.

— Je suis comme Ignacio, signora, je ne peux rien vous dire de plus sans risquer de me tromper.

Il la regarde avec une sorte d'intensité.

— Cette affaire est entre les mains de Dieu, achève-t-il avant de s'éloigner.

Au retour, Cavalcanti profite de ce qu'ils sont seuls sur le chemin qui les ramène à la villa.

— Pardonnez-moi de vous reparler de cette nuit, commence-t-il. J'ai l'impression que vous ne m'aimez plus, ou peut-être que vous ne m'avez jamais aimé, alors que maintenant nous sommes mariés.

— Notre mariage est l'association de gens qui s'entendent bien sur divers sujets et qui dorment dans le même lit, répond Carmela. Pour l'amour, allez voir à Rome ou à Milan, où n'importe où ailleurs.

*

Ces deux hommes assis de part et d'autre de la table, dans cette pièce éclairée par un lumignon, c'est Amadeo Strozzi et Toni Cucagna, celui qu'on appelle *u rapinaturi*[1], parce que, entre plusieurs activités, il enlève les riches contre rançon. Derrière chacun

1. Celui qui fait des rapts (dialecte).

d'eux, un garde, debout, les bras croisés. Le garde du Strozzi, c'est Nino.

Ils parlent l'un après l'autre, le Strozzi et le Cucagna, en pur dialecte de Palerme, avec, parfois, un geste de la main pour appuyer le propos. Ils se connaissent depuis l'enfance, puisqu'ils ont poussé dans le même vieux quartier de la Kalsa, ils sont aussi allés ensemble à l'Ucciardone, plusieurs fois, et s'en sont évadés, solidaires toujours, à coups de gardien acheté, de scie et de grappin. Puis le Cucagna a quitté la ville pour tenter sa chance du côté de Caltanissetta et d'Agrigente, avec un certain succès, paraît-il. Il a fini par revenir, non pas à Palerme mais aux alentours. Peu à peu, il a conquis des territoires, certains qui étaient à prendre, d'autres au cours d'événements sanglants longuement consignés dans les fiches de police à son nom, dans les tiroirs de la *questura*[1]. Maintenant, il encercle Palerme. À l'inverse du Strozzi, son large visage est encore lisse. Pour celui de Strozzi, chaque ride, un meurtre, ou plusieurs. Il est resté sec, tandis que le Cucagna s'est empâté. Dans le regard froid de chacun, une semblable lueur, dangereuse. Cela fait maintenant plus d'une heure qu'ils débattent. Pas de papier sur la table, ni rien à boire ou à manger. Des mots seulement, prononcés sur un ton égal. Trente ans plus tôt, ils étaient intrépides, un peu casse-cou, un peu fous. Aujourd'hui, ils sont devenus des partenaires, des ennemis peut-être.

L'entrevue s'achève. Chacun contourne la table pour étreindre l'autre. Les deux gardes du corps font

---

1. Commissariat.

un pas en avant, une main sur l'arme dans la ceinture. Mais les deux hommes se séparent en lâchant des blagues qu'ils sont seuls à comprendre et qui les font éclater d'un même rire. Le Strozzi remonte dans sa voiture, Nino à son côté. Le chauffeur met en marche et les deux limousines glissent dans la nuit sicilienne. Au carrefour, les deux hommes se font un signe d'adieu et d'amitié.

— Qu'est-ce que tu en penses ? demande le Strozzi à Nino.

— Rien, je suis là pour protéger, pas pour conseiller.

Le Strozzi hoche la tête et se tient silencieux un moment.

— Ai-je été en danger ce soir ? demande-t-il.

— À aucun moment selon moi. Je l'aurais senti.

— Et demain ?

— Demain, je ne sais pas, c'est trop loin.

Le Strozzi se tait encore, puis :

— Ça vient d'où, ce don de sentir le danger ?

Nino a un sourire.

— De la guerre, je pense. Peut-être existait-il avant et la guerre l'a développé. D'autres, à côté de moi, ne sentaient rien. Je devais les avertir. Mon binôme, un capitaine de Vérone, était très courageux, mais il ne prenait garde à l'ennemi que lorsqu'il le voyait. Moi, je le sentais avant, même s'il n'y avait rien à voir.

— Quand tu as été touché, tu n'as rien vu venir ?

Cette fois, Nino a un rire.

— C'était lors d'un assaut, les Autrichiens nous mitraillaient depuis leurs tranchées et tiraient leurs obus à courte distance. Quand le danger est partout, si proche qu'on pourrait le toucher, toutes les alertes sonnent en même temps et je ne sens plus rien. Il ne reste plus qu'à compter sur la chance.

— Et tu n'en as pas eu ?

— Pas ce jour-là.

Le Strozzi allume un cigare. Il en propose un à Nino, qui refuse d'un signe de tête. Il ne fume ni ne boit pour préserver ses sens. L'autre apprécie ce garde du corps, si attentif à sa tâche.

— L'autre soir, reprend-il, nous marchions dans la rue quand tu m'as poussé à l'abri d'un couloir et tu as tiré sur une fenêtre éteinte à l'étage. J'ai envoyé des hommes. On a trouvé un type mort d'une balle dans la tête, avec un fusil. Il voulait m'abattre.

— Probablement.

— Encore ton sens du danger ?

— Probablement, répète Nino. Dans ces instants, je ne pense à rien, j'agis d'instinct.

— Tu m'as sauvé la vie.

Nino ne répond pas. Le Strozzi tire sur son cigare, puis le jette dehors.

— Écoute, dit-il, mon *cunsigghieri*[1] se fait vieux. Il m'a demandé la permission d'achever sa vie dans son village. Je la lui ai accordée. Il va partir et là-bas il deviendra un *mamasantissima*[2] pour le reste de ses jours. Veux-tu prendre sa place ?

---

1. Conseiller (dialecte).

2. Ces vieillards que l'on trouve encore sur les bancs du village, commentant les nouvelles. Certains d'entre eux sont devenus des juges de paix des sociétés d'honneur. Leurs avis, parfois mortels mais souvent justes, sont très écoutés.

Encore une fois, Nino garde le silence. Ce n'est pas un homme à se précipiter. Au bout d'un moment, il lâche :

— Je n'ai pas l'expérience de votre *cunsiggheri*, mais je sais sentir les amis et les ennemis sous leurs discours. C'est à vous d'estimer la confiance que vous pouvez me faire.

Le Strozzi prend sa main et la relâche. C'est fait, c'est lui le *cunsiggheri* maintenant.

— Alors, demande-t-il, dis-moi, mon *cunsiggheri*, quel est ton avis sur les projets de Cucagna ? Mon ancienne amitié pour lui brouille ma pensée.

Nino n'hésite pas cette fois :

— Il veut prendre votre territoire à Palerme. Le rendez-vous de ce soir n'avait d'autre but que d'éprouver votre résistance. Maintenant, il est informé. Je me suis renseigné sur l'homme de la fenêtre. Il vient de Caltanissetta.

— *Omu*, que faut-il faire ?

— Le tuer avant qu'il ne vous tue.

20

— Ainsi, mon fils, te voici en train de convoler à l'insu de ta mère !

— Que voulez-vous dire, mamma ? Je ne convole avec personne.

— Inutile de nier, ta mère sait tout. C'est mon devoir de m'intéresser à ta vie.

— C'est surtout votre insatiable curiosité, nourrie par ce réseau de commères qui vous entoure.

La signora Mori manque s'étouffer. Elle quitte la pièce en faisant claquer ses talons et rafle Laura au passage.

— Viens, ma pauvre enfant, ton père s'apprête à t'abandonner encore une fois. Par la grâce de Nostro Signore, ta *nonna* est encore là pour te protéger du malheur.

Lorenzo lève les yeux au plafond, se plonge à nouveau dans la lecture du *Popolo* auquel il est maintenant abonné. Donc, le Duce a dit hier…

Mais la signora Mori n'abandonne pas aussi facilement. Elle surgit sur le pas de la porte.

— Encore le journal de ce fou, de ce sans-Dieu ! C'est lui qui a voulu la guerre. Beau résultat !

Elle désigne la canne et la main de bois.

— Je croyais que vous étiez favorable à l'intervention et que vous vous réjouissiez de la victoire italienne.

— Je me trompais, ou plutôt j'ai été trompée, comme toi-même d'ailleurs, comme des millions d'Italiens. Je suis une patriote, moi ! Mais ta mère sait reconnaître ses torts. Quand je te regarde, mon pauvre petit…

— Eh bien ?

La signora Mori mûrit sa réponse. Elle se racle la gorge comme si elle allait cracher.

— Je me demande si les parents de Virginia accepteront qu'elle épouse un infirme.

Lorenzo pourrait se fâcher, mais il éclate d'un rire amer.

— C'est donc à cela que vous vouliez en venir. Soyez rassurée. Je n'ai pas l'intention d'épouser Virginia si c'est ce que vous craignez.

Elle pose Laura sur le parquet.

— Va jouer, mon enfant, ton père et moi devons parler.

Lorenzo replie le journal, il hésite entre s'en aller et régler l'affaire une fois pour toutes. Finalement, il choisit de rester.

— Je vous écoute, mère.

— Comment cela ? C'est à toi de parler, de tout avouer.

— Il y a longtemps que je n'ai plus rien à vous avouer. Je mène ma vie comme je peux, avec les moyens qui me restent, au rythme des idées qui me viennent. Cela vous suffit-il ?

La signora Mori s'est installée dans un fauteuil, les jambes croisées. Elle secoue la tête et tripote la croix sur son chemisier.

— Cette jeune fille est compromise par ta fréquentation. Ses parents s'en inquiètent. Ils s'étonnent que tu ne sois pas encore venu demander sa main, je puis même dire que cela les heurte.

— La signora Castelli vous en a parlé !

— Exactement, enfin nous en avons discuté ensemble. Peu importe qui a commencé. Le résultat est le même.

Une nouvelle fois, Lorenzo hésite entre la colère et le ricanement.

— Disons que vous avez commencé et qu'elle vous a répondu. Elle vous a dit qu'elle ne voulait pas d'un infirme pour sa fille. Elle a raison. Je ne verrai plus Virginia, qui pourra ainsi épouser un homme intact.

La signora Mori fait une moue. La conversation ne prend pas le tour espéré. Elle souffle, respire, souffle encore.

— C'est trop tard. Les Castelli sont des chrétiens à l'esprit miséricordieux, mais ils ont un rang à tenir. Ils doivent donner l'exemple d'une famille italienne unie et honnête, craignant Dieu. Quant à tes... disons tes blessures, elles ont été faites à la guerre. Tout le monde reconnaît ton courage. Ils te les pardonneront, si tu régularises la situation avec Virginia. Eh bien, qu'en penses-tu ? Tu restes là, sans un mot.

— Je vous écoute.

Lorenzo attend que sa mère aille jusqu'au bout, subodorant que derrière son discours, il y en a un autre. Elle le fixe avec une certaine froideur.

— J'ai appris que tu avais ouvert un local, une sorte de bureau via Porta Borsari, à l'enseigne des *Fasci di combattimento*. Tu y reçois des gens de la pire espèce.

— Vous voulez parler des vétérans de la guerre ?

— Peu importe. Le programme des *Fasci* fait frémir, c'est pire que les bolchéviques. Ils veulent distribuer les terres aux paysans, abolir les titres et la monarchie... Et surtout, ils détestent la religion. Ce Mussolini ne s'est jamais marié à l'église et il vit de l'argent de cette femme, cette juive, avec qui il couche publiquement alors qu'elle est mariée.

— Margherita Sarfatti ?

— Oui, la Sarfatti ! Eh bien, dans notre milieu, cette femme et son gandin, nous n'en voulons pas !

Elle se tait brusquement et regarde Lorenzo.

— Personne ne vous l'impose, ma mère, et j'ai le plus grand respect pour elle.

— Le père Castelli vient d'entrer au PPI, le *Partito popolare italiano*, le parti de Dieu, du pape et de la paix, conduit par un prêtre, don Sturzo.

Un instant de silence, puis :

— Tu comprends maintenant ?

— Je comprends surtout, ma mère, que nous n'avons jamais été aussi éloignés l'un de l'autre, dit-il avant de quitter la pièce, descendre l'escalier et claquer la porte sur la rue.

*

Ce soir, on inaugure le *Fascio* de Vérone. Du monde, du vin, des chansons. Des slogans aussi, des uniformes, des infirmes et des médailles. Et des femmes ! Pas toutes issues du meilleur monde, mais des femmes audacieuses, certaines convaincues, d'autres qui cherchent des hommes. Parmi elles, Virginia.

— Je te croyais au PPI avec ta mère et l'évêque.

— Ne sois pas méchant, Lorenzo.

— Pardonne-moi, je viens de me disputer.

Elle pose une main sur sa bouche.

— Chut ! Je suis avec toi et tes amis, c'est ce qui compte.

Lorenzo fait un discours. Il répète les mots de Mussolini. Il fustige les *pescecani*, tous les profiteurs de guerre, les politiciens professionnels qui sont en train de lâcher prise à Versailles sur les *terre irredenti*, il parle aussi des morts, des infirmes, et fait applaudir sa canne et sa main de bois qu'il brandit, croisées au-dessus de sa tête.

— Notre premier *Fascio*, dit-il.

Puis il parle aux femmes. Il les remercie d'être venues, les veuves, les mères qui n'ont plus de fils et les jeunes qui n'ont plus de père. Certaines se mettent à pleurer. Il les prend dans ses bras. Il leur dit :

— Nous sommes là pour glorifier la mémoire de tous ces morts. Tant que nous serons là, les fascistes, ils vivront avec nous et à travers nous. Femmes d'Italie, nous sommes vos fils, vos pères et vos maris ! Aimez-nous comme vous les aimiez et nous vous le rendrons. Vous êtes le sel de l'Italie. Un jour, nous serons au pouvoir et, ce jour-là, vous aurez le droit de voter !

Les femmes l'acclament. Certaines viennent même l'embrasser sous l'œil sourcilleux de Virginia. Peu à peu, le local s'emplit de monde. Les gens sortent dans la rue. On annonce la création d'autres *Fasci* ailleurs, dans toutes les villes, cinquante-six, a affirmé Mussolini dans le *Popolo*, de Milan à Reggio de Calabre. Une ville, un *Fascio*. Et en octobre se tiendra à Florence un congrès national et puis… peut-être… sans doute, sûrement, un vrai parti politique.

Encore du vin, encore des chansons. *Giovinezza* en tête, dont on a modifié le premier couplet depuis la version des *arditi* :

Jeunesse, jeunesse
Printemps de beauté
Dans le fascisme est le salut
De notre liberté.

Virginia se colle à Lorenzo. Elle veut que tous les invités la remarquent.

— Embrasse-moi sur la bouche, lui dit-elle à l'oreille.

Il obéit, et toutes les autres applaudissent. Certaines voudraient, elles aussi, être embrassées par ces beaux hommes qui chantent avec leurs belles voix graves. Virginia frémit.

— Ce soir, dit-elle, je reste avec toi.

Déjà un mois qu'ils sont amants. Pas de promesse, pas de lien. Lorenzo pense souvent à Julia mais elle n'est plus là. Quand il aperçoit sa silhouette dans les brouillards d'avril, il fait demi-tour. Et quand il entend sa voix dans sa tête, il se bouche les oreilles. Mais maintenant, c'est Virginia, chaude, vivante, et sur qui il peut compter. Une fille qui va droit devant elle, et qui ne dévie pas.

Sont aussi présents les amis des autres villes, tous resplendissants de jeunesse et d'ardeur. Ils sont venus avec leurs décorations. Italo Balbo de Ferrare, Roberto Farinacci de Crémone, Dino Grandi de Bologne et d'autres encore. Ils racontent comment chacun a créé son propre *Fascio*. Farinacci a ce mot : « Je fais mon Duce chez moi. » Un autre rappelle la première guerre en Éthiopie, celle qui a abouti, le siècle précédent, à la terrible défaite d'Adoua contre les *ras*, pour une fois coalisés contre les Italiens.

— Qu'est-ce que les *ras* ? demande Lorenzo.

— C'est des seigneurs de la guerre en Éthiopie. Ils ont chacun une petite armée. Ils sont indépendants, susceptibles et orgueilleux. Mon grand-père qui a fait cette guerre les respectait.

— C'est un genre qui me plaît ! s'écrie Farinacci.

Les autres l'approuvent. Ils disent que dans le *Fascio* chacun sera un *ras* dans sa ville et dans sa région. Et quand Mussolini sonnera la trompette, les *ras* accourront pour se ranger derrière lui avec leurs bannières déployées. Virginia écoute. Elle se tourne vers Lorenzo.

— Tu seras un *ras*, toi aussi.

Aussitôt, chacun se proclame *ras*. L'un à Ferrare, l'autre à Bologne ou à Crémone. *Ras*, c'est un mot qui sonne bien, un mot sonore qui racle un peu. Un beau mot pour désigner un chef, comme Duce pour Mussolini.

Dino Grandi prend le bras mutilé de Lorenzo et le lève en s'écriant :

— Je vous présente Lorenzo Mori, le *ras* de Vérone !

Encore des cris, les femmes comme des folles, le photographe de *L'Arena* prend cliché sur cliché et la petite fumée qui monte de son appareil se mêle à celle des cigarettes. Lorenzo sent un picotement dans les yeux. Ce n'est ni la fumée ni la chaleur. C'est un sanglot qui monte. Il demande pardon à Julia.

21

Pivetti a pris l'habitude deux ou trois soirs par semaine de venir prendre l'apéritif chez Luciana. Il vient avec des fleurs, un livre ou une bouteille, et il arrive qu'elle le garde à dîner, parfois plus. Ils boivent du marsala avec des biscuits, chacun dans un fauteuil à oreillettes, en évoquant les dernières nouvelles, le traité de Versailles qui s'achève par une défaite de l'Italie, du moins c'est ainsi que les nationalistes le présentent. Le président Orlando a été mis en minorité à la Chambre. Nitti lui succède, à peine nommé par le roi.

— Il ne vaut pas mieux, dit Pivetti, il est trop loin des gens. C'est un personnage hautain et prétentieux. Il ne durera pas, je vous le parie.

— Vraiment ? demande Luciana.

Elle a mené une vie éloignée de la politique. L'école et les livres, c'est tout ce qui l'intéressait. Il y avait aussi Salvatore Calderone, le père de Nino, son grand amour. Mais il n'est plus sauf dans son cœur, et sur une photo encadrée où il figure avec Nino, âgé de cinq ans. Père et fils ensemble, souriant tous les deux, la main du père sur l'épaule de Nino. Mêmes hommes, mêmes destins. Pivetti n'a rien à voir avec ce Salvatore, paysan inculte ou presque, mais si charmant. Il faut le reconnaître, Pivetti ressemble à un gros pigeon moustachu. Parfois, il louche en catimini sur la photo et se dit qu'il aurait bien emprunté du charme à ce paysan, quitte à lui céder un peu de sa culture littéraire. Luciana aime mon esprit, se dit-il, le reste…

Ils sont donc là tous les deux avec leurs verres. Dans un coin, la table est déjà dressée. Une odeur de *pasticciu*[1] s'échappe de la cuisine. Ils ne sont plus jeunes

---

1. Sorte de pot-au-feu sicilien de composition variable (dialecte).

mais pas encore vieux. Ils conversent de ce Nitti, que l'on surnomme déjà Nitti *Cagoia*[1] alors qu'il vient tout juste de prendre ses fonctions, quand retentit la sonnette de la porte.

— Vous attendez quelqu'un ? demande Pivetti avec l'assurance d'un homme qui se sent déjà chez lui.

— Non, personne.

Elle se lève. Pivetti fronce les sourcils. Une visite à cette heure, c'est suspect, même s'il ne croit pas à l'existence d'un concurrent.

— Signore ? demande-t-elle.

Un silence, puis une voix d'homme, un peu étouffée :

— Luciana, je peux entrer ?

Elle recule. Se retrouve au milieu du salon, se tord les mains. L'homme, grand, mince, a le visage coupé en deux. Une face lisse d'éternel adolescent, l'autre… immobile. Il regarde Luciana, qui le fixe d'un air effaré. Pivetti se lève. L'homme l'ignore.

— Je pensais te trouver seule.

— Nino, balbutie Luciana. Nino… c'est toi.

Elle voit bien que c'est lui. Soudain, elle se précipite sur lui, elle l'étreint, elle éclate en sanglots.

— Nino…, Nino, répète-t-elle. Mais qu'est-ce qu'ils t'ont fait ?

Elle le serre toujours dans ses bras et caresse sa joue détruite. Pivetti émet un raclement de gorge discret. Sa curiosité est éveillée, il voudrait bien être présenté, mais Luciana se tourne vers lui.

— Excusez-moi, Mauro, je vous expliquerai plus tard, je dois vous demander de nous laisser.

---

1. Le chieur.

— Bien sûr, bien sûr, répond-il en humant l'odeur du *pasticciu* avec une seule certitude, ce n'est pas lui qui le mangera.

Luciana lui tend son melon et sa canne, le raccompagne sur le palier. Non seulement elle ne pleure plus, mais il lui trouve un air exalté qu'il ne lui a jamais vu.

— Puis-je vous demander, cher Mauro, de garder le secret sur cette visite ?

— Bien sûr, bien sûr, répète-t-il. Cet homme, je ne sais même pas qui il est et je ne tiens pas à le savoir.

— Vous avez raison, mon ami, ne venez pas demain. C'est moi qui vous joindrai.

Pivetti disparaît dans l'escalier, vexé, persuadé cependant qu'il finira bien par découvrir de qui il s'agit, il le racontera alors à tout le monde.

Là-haut, dans le salon, Luciana a pris la main de Nino, la lui tient comme elle le faisait lorsqu'il avait l'âge de la photo sur le mur, Salvatore d'un côté, elle de l'autre.

— Nino, tout le monde te croit mort !

— Je sais, j'ai vu mon nom sur le monument au village avec Beppe et Franco.

— Tu es allé à Castellàccio ? Personne ne t'a vu.

— C'était le soir du mariage.

Luciana baisse la tête et murmure :

— Ainsi, c'était toi. Tu as refusé l'assiette et le vin.

— Le plat du pauvre au mariage de Carmela, non merci.

Elle le fait asseoir à la place du Pivetti et va chercher un verre.

— Bois, Nino, et mange. Chez moi, tu es toujours chez toi.

Il boit le marsala, elle l'accompagne. Elle pleure encore, puis elle rit.

— Tu es vivant, répète-t-elle, tu es vivant !

— Oui, c'est bien le problème.

*

Le même soir, à la même heure, Andrea Cavalcanti achève de boucler ses bagages. L'homme n'est pas un lâche, encore moins un imbécile. Inutile de s'obstiner dans une stérile insistance avec Carmela. Il s'est trompé, cet analyste subtil des femmes, de leur comportement, de leurs envies et fantaisies, de leurs vanités, de leurs rêveries et de leurs nostalgies, bref, ce connaisseur s'est fracassé contre un mur. Cette jeune femme attentive, cette lectrice charmante, cette silhouette gracieuse au visage délicat et à la voix chaude, c'est la plus dure qu'il ait jamais rencontrée. Et en plus, il l'a épousée.

Cavalcanti se promet d'en faire le sujet de son prochain livre. Pour une fois, il se moquera de lui-même. Quant au mariage, ce n'est finalement pas une mauvaise affaire puisqu'il constituera le meilleur des prétextes pour opposer un refus à celles qui pourraient à l'avenir en avoir l'idée. Comment l'appellera-t-il ce livre ? La *cattiva*, la *malvagia*, la *baldracca*, la *sozzona*, la *sporcacciona* ? La langue italienne ne manque pas de mots pour nommer les salopes. Il faudra en débattre avec son éditeur, peut-être même avec Loriana, qui en sera ravie. Belle vengeance que de participer au choix de l'injure-titre !

— Vous partez, Andrea ?

Carmela vient d'entrer dans la chambre. Les valises, les sacs, tout est rangé sur le lit.

— Chère épouse, ne me dites pas que cela vous surprend. Je pars pour Rome, pour Milan, pour n'importe où ailleurs qu'ici.

Elle le regarde sans rien dire. Dieu qu'elle est jolie, songe-t-il, la plus belle de toutes mes femmes, c'est quand même elle !

— Quel genre de départ ?

— Le genre définitif. Vous ne me reverrez jamais. Si je meurs, ce qui un jour finira bien par arriver, vous l'apprendrez par le journal.

— Et l'académie de Sicile ?

— Je crains que mon siège ne reste éternellement vacant. Pour être correct, j'enverrai ma démission. On trouvera bien à me remplacer. Celle de Rome me suffit.

— Et vos amis, que leur direz-vous ?

— La vérité, bien sûr. Il faut être modeste sur les succès et revendiquer les échecs. On ne m'aura jamais connu aussi vantard.

Il a un rire féroce.

— J'écrirai même un livre sur notre expérience matrimoniale, j'étais en train d'y penser. Je vous l'enverrai avec une dédicace, je crains qu'elle ne soit moins aimable que la précédente. Maintenant, pardonnez-moi. J'ai commandé une voiture et je voudrais être à Palerme ce soir.

Il empoigne ses bagages, s'avance vers la porte, mais elle bloque la sortie.

— Carmela, je vous en prie, laissez-moi passer. C'est la dernière chose que je vous demande.

Elle ne bouge pas. Cet homme qui s'en va, elle en est maintenant déchirée.

— Écoutez, dit-elle brusquement, je reconnais mes torts. Cette nuit a été aussi affreuse pour moi que pour vous, et ce que je vous ai dit ce matin en revenant du village...

Il la coupe d'un air exaspéré :

— Ce que vous avez fait cette nuit correspondait à un refus sincère. Pis, à une passivité glaciale, et ce que vous m'avez dit, à ce que vous pensiez.

Elle secoue la tête et ses cheveux reviennent sur son visage, un beau visage de sorcière, pense Andrea.

— Donnez-moi cinq minutes et écoutez-moi. Après, vous partirez si vous le voulez.

— Cinq minutes, pas plus. J'entends le moteur de la voiture qui m'attend dans la cour.

Il lâche le sac et va s'asseoir dans l'unique fauteuil, la laissant debout.

— C'est difficile à expliquer, dit Carmela, je vous ai déjà parlé de cet homme, Nino Calderone, le père de Salvatore, cet homme qui est parti à la guerre.

— Le héros, je sais, son nom est sur le monument aux morts, commente-t-il, agacé.

Carmela feint de ne pas entendre.

— Le soir du mariage, quelqu'un se tenait à l'entrée. Je lui ai envoyé une assiette par Ignacio.

Andrea lève les yeux au ciel.

— J'étais là. Il a refusé l'assiette et il est reparti.

Carmela se tait, il regarde sa montre.

— C'est tout ?

Elle poursuit d'un ton plus calme :

— Cet homme, Ignacio n'a pas vu son visage, mais il

connaît sa voix. Ce matin, le sacristain, qui l'a rencontré au village et qui l'a envoyé ici, m'a dit la même chose.

— Vous voulez dire que cet homme, c'est Nino Calderone ?

Elle baisse la tête, puis la relève.

— Je l'ai cru. Quand j'ai aperçu sa silhouette, j'ai ressenti une émotion, celle d'autrefois. Je ne le voyais pas encore, mais je savais que c'était lui qui s'approchait.

Andrea consulte à nouveau sa montre. Dehors, on entend toujours le bruit du moteur, assourdissant ce bruit.

— Écoutez, les cinq minutes sont passées. Soit cet homme est Calderone, ce qui m'étonnerait parce que la guerre est finie depuis huit mois et que, s'il était vivant, on le saurait. Soit c'est un passant, un curieux, ce que vous voudrez, qui est reparti comme il est venu. Dans les deux cas, votre réaction est terriblement significative. Notre mariage est une erreur. Nous n'avons rien à faire ensemble.

Il se lève. Sa main cherche les poignées du sac et de la valise. Il va partir.

— Soyez heureuse avec votre fantôme.

Cette fois, il s'en va. Au moment où il passe la porte, elle lui décoche cette flèche du Parthe :

— Vous me décevez, Andrea. J'étais sûre qu'un homme comme vous comprendrait, pardonnerait mon émotion, cette culpabilité ressentie le jour même de mon mariage. Dans ces instants, on déforme, on exagère, on imagine tout. On a le sentiment que...

— Que le destin frappe à la porte, rétorque-t-il, presque malgré lui.

La flèche l'a touché en plein cœur. Il n'a pas su voir,

identifier les effets d'une coïncidence affreuse. S'il existe un sentiment féminin, c'est bien la culpabilité. Le mariage et cet homme à l'entrée, cet homme qui refuse le plat et s'en retourne sans un mot. Cela suffit à faire échouer une union sincère. Quelle belle scène romanesque, et il l'a ratée. Carmela s'approche de lui, saisit le revers de sa veste, se colle à lui. Il sent ses seins, son ventre, son souffle. Dans la cour, le moteur s'est éteint.

— Reste, dit-elle.

22

Nino termine le *pasticciu* tout en buvant un nerod'avola 1911. Luciana le couve du regard.

— Il faut voir un chirurgien pour ton visage, dit-elle. J'ai lu qu'avec la guerre les progrès sont magnifiques. Un visage maintenant, on le refait ou presque.

— Je ne sais pas, je me suis habitué.

— C'est pour les autres, tes amis.

— Je l'aurais fait pour Carmela. Maintenant il faut me prendre comme je suis. J'avais deux amis, ils ont été tués. Je suis un homme seul.

Il lui a tout raconté avec des phrases brèves. L'assaut à Vittorio Veneto, les mitrailleuses Schwarzlose des Autrichiens, c'est pour le visage. L'éclat d'obus en plein crâne, c'est pour l'amnésie. L'hôpital pendant sept mois, l'orage et le retour de la mémoire, il lui a même parlé de Bianca.

— Voilà, achève-t-il, tout cela prend fin au point

de départ, à Castellàccio, le monument aux morts et le mariage de Carmela où elle m'offre le plat du pauvre.

— Ne lui en veux pas. Elle ne savait pas que c'était toi.

— Je n'ai pas de colère contre elle qui me croit mort. Je lui souhaite d'être heureuse avec son Cavalcanti.

— Tu le souhaites vraiment ?

— Non, mais j'oublierai. Elle ne doit rien savoir de moi. La Sicile est grande. Nous ne nous croiserons pas. Elle est dans un monde, moi dans un autre. Parlons de choses anodines.

— Il n'en existe pas entre nous, pas ce soir, répond Luciana. Tout est grave dans ce que tu me dis. Je ne te demande même pas où tu vis ni de quoi. Ce ne sont pas des questions à te poser, n'est-ce pas ?

Nino lui sourit comme il sourirait à sa mère. C'est ce qu'elle est pour lui, Luciana. Il se lève et s'approche de la photo sur le mur.

— J'ai toujours aimé cette photo. Parfois, pendant la guerre, j'essayais de la reconstituer dans mon esprit. Elle était sur le buffet à Castellàccio, chez toi.

Il prend le cadre. Puis se penche sur un autre, accroché en dessous. On y voit un enfant, entre Luciana et Carmela. Chacune d'elles le tient par la main, comme Nino sur la photo au-dessus. Il est écrit : « Anniversaire de Salvatore, 1919. »

— Qui est cet enfant ? demande Nino d'une voix tremblante. Le fils de Carmela ?

— Oui.

Nino scrute les traits de l'enfant, les compare avec son propre visage sur l'autre photo.

— Quel âge a-t-il sur cette photo ?

— Trois ans, répond Luciana. Il est né à Rome le 26 février 1916. Tu étais à la guerre, Nino. Quand tu es parti, Carmela ignorait être enceinte. Il valait mieux ne rien te dire. Tu aurais déserté pour la rejoindre. C'était une surprise pour ton retour. C'est moi qui l'ai élevé jusqu'à ces derniers jours.

— Jusqu'au mariage ? Maintenant, il s'appelle comme le mari, Salvatore Cavalcanti ?

— Oui, c'était une des conditions du mariage, que l'enfant soit reconnu pour qu'il soit légitime. Il ne faut pas en vouloir à Carmela. Elle a attendu la confirmation officielle de ta disparition à Vittorio Veneto. Le mariage s'est décidé peu après l'inauguration du monument à Castellàccio.

Nino a son rire triste.

— Pour une surprise, c'est une surprise. Veux-tu me donner ces photos ? Elles sont le seul témoignage de ma vie d'avant.

Luciana acquiesce d'un signe.

— Et ta vie maintenant ? demande-t-elle.

Nino ne répond pas tout de suite.

— C'est une autre vie, la seule qui me reste. Je n'ai pas d'autre choix.

— Et si tu te présentais à la mairie, on te reconnaîtrait comme Nino Calderone.

— Ce n'est même pas sûr. Je n'ai rien pour le prouver, même pas mon visage.

— Je témoignerais, dit Luciana, Carmela aussi et les gens du village. J'en suis sûre. Tu n'es plus Nino *Beddu*, mais on te reconnaît quand même.

Il fait un signe de dénégation.

— Les carabiniers ont la mémoire longue. Quand je me suis engagé, ils s'apprêtaient à m'arrêter pour l'affaire de don Tomasini.

— Ils n'oseraient pas, tu es un héros officiel.

— Un héros mort surtout. Cette histoire, c'est une tache sur leur réputation. Ils auront à cœur de l'effacer.

Il hésite un instant.

— Il n'y a pas que moi qui suis concerné par cette affaire…

Elle ne répond pas. Et elle a sans doute raison.

— Avant d'être blessé, dit-il encore, j'avais dans l'idée de revenir et de prendre Carmela avec moi pour aller vivre ailleurs. Maintenant…

— Tu reviendras me voir ?

— Je ne suis jamais venu.

Il l'embrasse rapidement et s'en va, avec ses deux photos.

23

— Mon fils, dit la signora Mori, admets-tu enfin que tu t'es trompé ?

— En quoi, mamma ?

— Tu t'es trompé parce que les fascistes ont perdu les élections. Les fascistes n'existent plus, encore moins ton Mussolini. Voilà !

Lorenzo écoute sans répondre. Il se trouvait au *Popolo* quand Mussolini a envisagé de tout laisser tomber après la défaite du 16 novembre 1919. « Je peux faire le maçon, a-t-il dit, je suis très bon, le pilote aussi parce que j'apprends à piloter, ou musicien errant avec mon violon. J'ai commencé une pièce de théâtre. Ça s'appelle *La Lampe sans lumière.* »

La Sarfatti n'a rien dit. Il vallait mieux ne pas l'interrompre. Mussolini avait ces moments où le doute s'emparait de lui. Mais ça ne durait jamais longtemps. Discrètement, elle a fait un clin d'œil rassurant à Lorenzo et aux autres.

— Ma mère, dit soudain Lorenzo, on appelle les socialistes les *pusi*[1]. Leur victoire est trop lourde, elle les écrasera parce qu'ils ont trop promis. Quant à votre parti, les *pipisti*[2], comme on dit, il explique sans doute toutes ces croix, ces photos du pape qui ont envahi cette maison et cette ambiance de couvent, puisque maintenant, avant de passer à table, il faut supporter les grâces et, après le dessert, les remerciements au Seigneur. Mais je ne crois pas que cela fasse un programme politique, sauf à réunir les vieilles dames autour du thé de l'archevêque, avant de sautiller de bonheur à la lecture du bulletin paroissial.

La signora Mori encaisse les coups mais on ne l'arrête pas comme ça.

— Et tes fascistes, se récrie-t-elle, quel espoir ont-ils maintenant qu'ils ont perdu ? Ton local via Porta Borsari est vide. Je suis passée devant, hier, c'était fermé. Sans parler de ce vieux fou de D'Annunzio qui

---

1. Les pus.
2. Terme moqueur pour désigner les membres du parti populaire très catholique fondé par don Sturzo.

a envahi Fiume avec ses *arditi*. Heureusement que tu n'y es pas allé, comme je l'ai craint un moment.

Lorenzo ne veut plus répondre. Cette scène, il l'attendait. Elle a eu lieu. C'est fini. Il se lève pour partir, c'est l'heure de la promenade avec Laura. Mais sa mère le retient par la manche.

— Quand je pense à cette pauvre Virginia que tu as entraînée dans cette aventure. Je n'ose plus croiser le regard de ses parents. Elle leur a annoncé qu'elle était fasciste, elle aussi.

Nous y voilà, pense aussitôt Lorenzo. C'était là qu'elle voulait en venir.

— Ma mère, répond-il sèchement. Les *Fasci* ont six mois d'existence, ils ne sont même pas constitués en parti. Attendez la suite des événements. Quant à D'Annunzio, il n'engage que lui dans cette aventure de Fiume, même si nous le soutenons officiellement.

— Et Virginia ? crie sa mère maintenant. Quand vas-tu l'épouser ?

Lorenzo prend la main de sa fille et sort en claquant la porte.

24

Un soir de l'année 1920, Lorenzo est convoqué à son régiment d'origine dans un bureau à Mantoue. C'est un colonel inconnu qui le reçoit, chaleureux, sympathique.

— Cher ami, lui dit-il, vous êtes un capitaine,

un héros parmi d'autres qui a payé avec sa chair la défense de l'Italie. Votre congé a pris fin. Tenez-vous à réintégrer l'armée ?

— Je crains de ne pas avoir d'autre choix, mon colonel.

Le colonel a un large sourire.

— Vous l'avez, au contraire, vous êtes dans la situation de cinquante mille officiers italiens en cours de démobilisation. Le nouveau ministre de la Guerre, l'honorable Bonomi, m'a donné mission de parcourir l'Italie et de faire cette proposition : l'adhésion au *Fascio*, ce qui, entre nous, n'est pas un problème à ce que je sais...

— En effet, dit Lorenzo, je dirige le *Fascio* de Vérone.

— En échange, vous démissionnez de l'armée en gardant les quatre cinquièmes de votre solde. C'est une autre manière de servir le pays, beaucoup plus efficace à notre avis. Vous êtes d'accord ?

— Bien sûr.

— Signez cette feuille, en bas. La solde vous sera versée dans le mois. Ne vous étonnez pas si je ne vous remets pas de double.

— L'armée me paie pour servir dans le *Fascio*, dit Lorenzo à Virginia, le soir même.

— Que vas-tu faire ?

— Leur en donner pour leur argent.

— Donne-moi de l'amour.

C'est tout ce qu'elle demande. S'il était d'un bord opposé, Virginia l'aurait suivi et soutenu tout autant. Quand elle lui a dit qu'elle l'avait aimé dès le premier jour, à ce déjeuner chez les Mori, c'était vrai. Quand il est reparti à la guerre, elle l'a attendu. Quand elle a appris qu'il était marié, que sa femme avait été tuée dans une manifestation, laissant un enfant, elle a compris que c'était sa chance. Ensuite, elle n'a cessé de parcourir Vérone dans le but de le croiser. Cela s'est produit piazza Bra avec les officiers et encore au jardin. Après…

Après, elle est évidemment devenue sa maîtresse, sans états d'âme, sans hésitations, sans conditions. Ce qu'il veut, elle le veut aussi. Lorenzo Mori, c'est son amour mais aussi une autre partie d'elle-même. Virginia, c'est une amante, et être la compagne de Lorenzo, c'est sa vocation. Quand sa mère lui parle de mariage, qu'elle s'étonne, s'indigne et prend Dieu à témoin, Virginia hausse les épaules.

— Qu'on soit mariés ou non, qu'est-ce que ça change ?

— Ça change tout.

— Pas du tout, maman, pour moi, ça ne changerait rien.

— Comment veux-tu que je l'explique à la signora Mori qui m'en parle tous les jours ?

— Il n'y a pas d'explication à donner.

C'est cela qu'il faut bien comprendre avec Virginia, elle a pour Lorenzo une dévotion de nonne. Jamais elle ne lui demandera de se marier, mais, s'il le souhaite, elle l'épousera. En attendant, elle lui donne ce qu'elle peut, ce qu'elle a, jusqu'à l'épuisement, jusqu'à la mort, s'est-elle dit un jour. C'est un amour comme la foi.

Pourquoi cet amour absolu ? À quoi correspond-il ?

Elle ne saurait l'expliquer. Elle ne se le demande pas. Cet amour lui est tombé dessus. Elle ne l'accepte pas, elle le reçoit. Pour autant, comme elle n'est ni idiote ni sainte, elle s'est souvent interrogée sur les causes profondes de cet amour. Était-ce moi ? Était-ce lui ? L'heure, le lieu, les instants avant, ceux à venir, mon âge, le sien, son allure, sa réputation ? Elle n'a pas de réponse. Elle l'a aimé d'un coup. Voilà. Et ça dure depuis deux ans. Entre-temps, D'Annunzio a conquis Fiume, puis en a été chassé, les gouvernements se sont succédé. Le *Fascio* est monté très vite en puissance au début, puis sa course s'est infléchie, les socialistes et les *pipisti* ont gagné les élections de 1919. Mais l'année 1920, les premiers mois de 1921 montrent le renversement de l'opinion. Les drapeaux rouges partout, l'appel aux bolchéviques font peur aux Italiens qui veulent la paix et l'ordre. Ils veulent de l'aisance aussi. Le *Fascio* promet les trois. Mieux, il les annonce : « Donnez-moi le pouvoir, dit le Duce, et vous les aurez ! » Il ne parle pas de liberté, de démocratie, de droits. Mais les Italiens s'en moquent. Ce sont des mots qu'ils ont trop souvent entendus, vides de sens à force d'être répétés.

Et la violence ? Les *squadristi*[1] la propagent sans se gêner. Ils cassent, ils frappent, incendient. D'abord, ce sont l'huile de ricin et le *manganello*, le long gourdin destiné à faire entrer la vérité dans les têtes. Puis les pistolets… Des morts partout, dans les villes et aussi dans les campagnes, où le syndicat du *Fascio* a

1. Membres des équipes fascistes qui se battaient contre leurs adversaires de gauche au cours de véritables expéditions.

chassé les ligues de gauche. « La terre, dit Mussolini, est à qui la travaille et la fait fructifier. » Au moins, les grèves ont pris fin, et le revenu agricole est remonté.

Mais il y a les morts. Les morts fascistes et les morts socialistes. Mêmes méthodes des deux côtés, le pistolet a remplacé le *manganello*. Mussolini ne renie rien. Il évoque une violence défensive, donc légitime, même si au sein du *Fascio* certains trouvent qu'elle l'est de moins en moins.

Et Lorenzo ? Ce jeune homme paisible, sensible, modéré, rêveur, réfléchi, ce héros discret de la guerre, cet infirme, ce veuf, ce père, cet amant qui, au retour des combats, ne croyait plus à grand-chose, qui promenait sa fille dans les jardins publics, guettant dans les lieux sacrés de son amour défunt le fantôme de la chère morte, ce Lorenzo n'est plus. Il est devenu un autre, mélange de militant, de guerrier et de chef aussi. Et tout cela fait un *ras*, avec son territoire, ses troupes et ses guerres féodales. Lorenzo porte la chemise noire reprise des *arditi*, il crie : « *Eja, eja, eja. Alala* », inspiré de D'Annunzio, et quand on met le feu aux chambres du travail, aux presses des journaux de gauche, il brandit le pistolet et tire d'abord en l'air puis devant lui. Il manque être tué et il tue peut-être. Au nom de quoi ? De qui, plutôt ?

Car il faut bien dire que, chez Mussolini, l'homme précède le discours. Sans doute Lorenzo entend-il les mêmes exhortations sur les leçons de la guerre, les droits des morts sur la nation et l'utilité de mettre au rancart les vieux professionnels de la politique italienne pour leur substituer, enfin, une jeunesse ardente. Mais déjà, le Duce n'évoque plus les *terre irredenti* que pour la forme, un passage obligé de ses chroniques ou de ses interventions publiques. D'ailleurs, le soutien à D'Annunzio dans sa folle expédition de Fiume et le pouvoir folklorique qu'il y avait installé s'est bien affadi. On parle même d'une collecte qui aurait surtout servi à renflouer les finances du *Popolo*. Quant aux « hommes du passé », les liens inexprimés avec le vieux Giolitti, dernier président du Conseil, recouvrent une alliance d'intérêts réciproques.

Toutes ces évolutions, ces contradictions, la Sarfatti les éclaire merveilleusement. C'est son rôle d'expliquer à Lorenzo et aux autres jeunes *ras*, parfois un peu bousculés par les volte-face du Duce, que l'on est passé à autre chose. Rien ne sert, dit-elle, de ressasser le passé quand le pouvoir est à portée de main. Et cet avenir glorieux, elle le décrit comme si on y était déjà, de sa belle voix de sibylle, entre les tasses de thé et les petits gâteaux. Peu importent les programmes, les annonces et les critiques, même formulés sur un mode flamboyant, car ils doivent toujours être adaptés, remodelés selon la situation. Ce qui compte, c'est Mussolini. Lorenzo s'aperçoit-il de ce glissement subtil entre les idées auxquelles il adhère et la confiance, c'est-à-dire la fidélité, envers celui qui les énonce, même s'il en change souvent ? Comme il est intelligent, cette nuance ne lui échappe pas, mais il s'en accommode, avec ce souvenir des premières réceptions dans ce même salon qu'il a appris à connaître, avec, partout sur les tables, les murs, les photos et les portraits du jeune héros, Roberto Sarfatti, le fils tombé sous les balles autrichiennes dans la fleur de l'âge. L'obsédant Roberto, comme la caution de sa mère. Ces mots donc de la Sarfatti : « Il faudra être fidèle. »

De temps en temps, Cesare fait une apparition. C'est lui le père, le mari. Des rapports entre sa femme et Mussolini, il n'a cure. Dès le début de leur mariage, ils ont choisi de s'accorder une liberté réciproque. Ce gros homme sympathique et généreux est un avocat réputé qui a souvent défendu Mussolini devant les tribunaux du pouvoir en place.

Il arrive aussi à Virginia d'être invitée, en même temps que les autres compagnes des jeunes *ras*, dans ce monde fasciste où la liberté des mœurs sera toujours la règle. La Sarfatti lui voue une affection certaine, elle lui donne du « ma chère petite amie ». Virginia écoute sagement les leçons de fidélité à l'homme Mussolini. Un jour, elle a dit en montrant Lorenzo : « Mon Duce, c'est lui ! » La Sarfatti l'a félicitée en éclatant de rire.

Puis, on entend cette annonce le 7 avril 1921 : « Giolitti a dissous la Chambre. Bientôt de nouvelles élections ! » Et Mussolini dit à Lorenzo :

— Tu seras notre candidat à Vérone le 15 mai.

25

Carmela rend visite à Luciana. Le Cavalcanti viendra plus tard. Il est resté en ville pour rencontrer des gens de l'académie, il a même emmené Salvatore.

— Je suis heureuse pour toi, dit Luciana, j'ai l'impression qu'avec ton mari vous formez un couple harmonieux.

— Nous faisons beaucoup d'efforts tous les deux, c'est un homme agréable et intelligent. Il se comporte bien avec Salvatore, qui a besoin d'un père. Comment va Mauro Pivetti ?

Luciana se lance dans une description de ce Sicilien mondain, obsédé par sa position à Palerme, ses amis, ses relations, ses ennemis supposés ou réels.

— C'est un homme parfaitement à l'aise dans les polémiques, explique-t-elle, y compris celles qu'il crée lui-même, tout en s'en plaignant. Mais il a de l'humour et se moque de sa propre personne, ce qui fait passer tout le reste. Souvent, il vient dîner… Nous sortons, il a un abonnement dans tous les théâtres de la ville et il m'en fait profiter.

— Tu l'épouseras un jour ?

Luciana ne répond pas.

— Excuse-moi, je n'aurais pas dû te poser cette question.

Luciana sourit enfin.

— Mais non, je ne sais pas trop quoi penser. Lui m'en parle régulièrement mais sans insister. Ses amis doivent l'interroger aussi. Bien sûr, cela donnerait un tour officiel à notre relation, sans compter que mon confort en serait amélioré. Il est très riche et gère bien sa fortune. Mais…

Elle cherche ses mots.

— Je ne me suis jamais mariée, reprend Luciana, même avec Salvatore Calderone, c'est vrai qu'il ne me l'a pas demandé. S'il l'avait fait, j'aurais accepté. Mais il ne voulait pas à cause de la mère de Nino qu'il n'avait pas oubliée. Maintenant, avec Mauro, ce serait un peu ridicule à notre âge, mais peut-être le temps est-il venu. Je ne sais pas quoi faire. Je vais encore attendre un peu. Je ne veux pas non plus donner l'impression de me précipiter et j'ai toujours été une femme libre...

— Bien sûr, dit Carmela.

Soudain elle se lève, s'approche du mur où sont maintenant accrochées deux vues de Palerme.

— Tu as remplacé les photos, remarque-t-elle, je les aimais beaucoup.

Un silence.

— Mauro m'a offert ces deux gravures. Je ne pouvais pas les mettre dans un tiroir, finit par dire Luciana. Je les ai donc mises à la place des photos qui appartiennent à une autre époque.

Elles se jaugent toutes les deux, un peu pâles. Luciana n'a pas l'habitude de mentir.

— Si ça ne te dérange pas, demande Carmela, j'aimerais les récupérer. Peux-tu me les donner puisque tu n'en as plus l'usage ?

— Je les chercherai, je ne sais plus où je les ai rangées.

Luciana vient encore de mentir, avec de plus en plus de difficulté. Carmela le sait. Elle ne lâchera pas comme ça.

La sonnette retentit. Luciana ouvre la porte. C'est le Cavalcanti, le visage défait, légèrement blessé au front, accompagné de deux carabiniers.

— On vient d'enlever Salvatore ! En pleine ville, deux hommes qui nous suivaient. Ils se sont enfuis avec l'enfant !

— Vous recevrez une demande de rançon, dit le préfet de Palerme d'un air désolé. Je vous rassure, signora, ils ne toucheront pas à votre fils. Ce qu'ils veulent, c'est de l'argent.

— Qui sont-ils ? demande Andrea.

Il porte un bandeau sur le front, ce qui lui donne un air un peu héroïque. Il veut montrer à Carmela à quel point cette affaire le concerne. D'ailleurs, il s'est réellement attaché à Salvatore, qui l'appelle papa.

Ce n'est pas la première fois que le préfet est confronté à ce type de situation. Toutes les familles riches de la région courent le risque d'un enlèvement. Généralement, elles paient et retrouvent la victime. Sinon, elles en reçoivent des morceaux, un par semaine. Le dernier, c'est la tête.

— La Sicile est gangrenée par les sociétés dites d'honneur qui s'allient ou se font concurrence. L'enlèvement, c'est la spécialité de Cucagna qui contrôle la région, sauf Palerme qui est entre les mains du Strozzi. Nous savons que Cucagna convoite le territoire de Strozzi, qu'il a commencé à faire venir des hommes qu'il va falloir payer. Voilà pourquoi Cucagna a besoin d'argent. Le Strozzi le sait, il a pris un nouveau conseiller, très fort, paraît-il, un homme au visage mutilé par la guerre. On l'appelle l'*ancilu mostru*.

— Je sais, dit Carmela de sa voix de Sicilienne dure.

À nouveau, Carmela retrouve Luciana dans son appartement. Par bonheur, le Pivetti n'y est pas, trop occupé à commenter les événements avec les autres oisifs de Palerme. C'est de cela qu'il vit surtout, le Pivetti, la vie des autres.

— Écoute, Luciana, dit Carmela d'un ton qu'elle tente de rendre conciliant, tu connais ma situation. Salvatore a été enlevé, la police pense que c'est contre une rançon. Je constate en même temps que la photo de Salvatore a disparu de ce mur, remplacée par de mauvaises gravures achetées sur le marché et que le Pivetti n'aurait jamais osé t'offrir.

— Que veux-tu dire ?

— Les gens qui ont enlevé Salvatore avaient peut-être besoin de sa photo pour le reconnaître. Donne-la-moi et je serai rassurée. Je me dirai que je me trompe, que je suis folle. Je paierai la rançon et je retrouverai mon fils.

— Tu veux dire que j'aurais donné la photo de Salvatore à ceux qui voulaient l'enlever ?

Carmela la connaît suffisamment pour savoir qu'elle ne ment pas.

— Je te crois, dit-elle, mais il y avait aussi la photo de Nino enfant, avec son père et toi.

Luciana ne répond pas. Elle s'approche de la fenêtre et regarde dans la rue. Des larmes coulent sur son visage. Carmela la prend dans ses bras.

— Il est vivant, il est venu, n'est-ce pas ? Il a vu les photos et tu lui as dit qu'il avait un enfant de moi ? Alors il t'a demandé les photos et tu les lui as données, sans savoir ce qu'il allait en faire.

Luciana garde le silence. Sans doute a-t-elle promis de ne rien dire mais sa position est intenable. Elle se retourne soudain.

— Nino n'a pas besoin d'enlever Salvatore pour le voir. Il n'a qu'à te le demander mais il est trop fier. Il ne t'en veut pas de t'être mariée puisque tu le croyais mort. Il a pris ces photos parce que c'est tout ce qui lui reste. Je le connais, je l'ai élevé. Toi aussi, tu le connais. C'est un homme droit. Il préfère disparaître, il est entré dans une autre vie.

— Où est-il ? demande Carmela, la voix tremblante.

C'est la première fois qu'elle a la confirmation que Nino est vivant.

— Je n'en sais rien, il ne me l'a pas dit. Il ne reviendra pas me voir, et toi, tu ne le reverras jamais. Il m'a dit que la Sicile était assez grande pour vous deux, il vous souhaite bonne chance à toi et à Salvatore. Je ne pouvais pas lui refuser les photos. Tu comprends ?

— Comment va-t-il ? demande Carmela. Pourquoi ne s'est-il pas manifesté après la guerre ?

Luciana soupire.

— Il a été grièvement blessé à Vittorio Veneto. Il est resté sept mois dans un hôpital à côté de Milan parce qu'il avait perdu la mémoire. Son visage est atteint. La partie droite est intacte, l'autre est détruite. Cela lui donne une allure étrange. Il ne veut pas se faire opérer, il m'a dit que cela n'avait plus d'importance maintenant. Quand il est parti, j'ai regardé par la fenêtre. Deux hommes l'attendaient en bas, comme s'ils montaient la garde. Ils ont grimpé dans une voiture et ils sont partis tous les trois.

Carmela l'écoute avec attention. Elle se souvient des mots du préfet sur l'ancien *ardito* qui est devenu le conseiller du Strozzi.

— Un visage étrange, me dis-tu, une partie intacte et l'autre détruite. D'un côté Nino *Beddu*, de l'autre…

— Oui, dit Luciana.

— L'*ancilu mostru*, dit Carmela. Je sais où il est.

La demande de rançon arrive le surlendemain. Trois millions de lires en billets de dix, le porteur devra marcher corso dei Mille, le vendredi à huit heures et demie du soir. Lorsque l'argent aura été récupéré, l'enfant sera rendu. À défaut, Carmela recevra le premier morceau dès le lundi. Le tout est formulé dans une lettre écrite en caractères bâtons trouvée dans le courrier, postée à la grande poste de Palerme et adressée à la signora Cavalcanti.

— C'est la technique de Cucagna, commente le préfet, accompagné du *vice questore*, des billets de dix lires, corso dei Mille, tout y est. Le porteur de l'argent sera suivi par des hommes à nous. Ils l'interpelleront au bon moment. Après, nous saurons où est votre fils.

— Et si ça ne marche pas ? demande Carmela. S'il y a un incident, nous recevrons le premier morceau lundi ?

Le préfet ne répond pas.

Le quartier pouilleux de la Kalsa. Les putes partout, une par mètre, rangées comme des dominos. Des marins déambulent et détaillent le cheptel. Les filles les interpellent dans toutes les langues, font l'article, énoncent leurs prestations. Des discussions s'engagent, on négocie les prix. Sur chaque passe, le

Strozzi perçoit sa dîme. Personne ne conteste. Celles et ceux qui s'y sont essayés ont fini au fond du port.

Carmela avance au milieu de la rue. À côté, Ignacio, le régisseur, et derrière, deux *tipi a cavaddu*, la carabine en bandoulière. Elle ne risque rien. Il flotte dans la rue une odeur de saucisses grillées, de cigares et de ce mauvais vin que proposent les bars des deux côtés de la rue.

Plus loin, la rue se rétrécit. Les putes ont disparu, mais des hommes bavardent. Quand ils aperçoivent Carmela et son escorte, ils se taisent brusquement. Debout, les mains dans les poches, la cigarette au coin des lèvres, ils font un barrage. Ces hommes montent la garde devant la maison du Strozzi. L'un d'eux s'approche de Carmela.

— Vous cherchez quelqu'un, signora ?

— Je cherche Amadeo Strozzi.

— M. Strozzi ne reçoit pas. Quand il veut voir quelqu'un, il le lui fait dire, répond l'homme.

— Alors, je veux voir Nino Calderone.

— Nous ne connaissons personne de ce nom.

— L'*ancilu mostru*, précise Carmela.

Une lueur passe dans les yeux de l'homme mais c'est fugitif, elle disparaît aussitôt.

— Ça ne me dit rien.

Carmela s'y attendait. On l'avait prévenue.

— J'ai un message.

— Quel message ?

— Notre fils Salvatore a été enlevé par Cucagna. Je dois payer la rançon lundi. La police veut intervenir.

— Ça ne nous regarde pas, dit l'homme.

— Je demande à l'*ancilu mostru* de reprendre notre fils avant lundi, achève Carmela.

— Repartez maintenant, dit l'homme, vous ne pouvez pas rester ici. Ne revenez jamais.

*

Il existe à Reggio de Calabre, dans une rue derrière la via Garibaldi, un local qui abrite l'association des *arditi*. C'est là qu'ils se retrouvent en fin de journée. Des hommes désœuvrés, amers. Certains reviennent de Fiume où ils ont tenu la ville avec le *commandante* D'Annunzio, avant d'en être chassés par l'armée de Giolitti qui a signé un traité avec le nouvel État des Slovènes. Au mur, les symboles, les insignes, la tête de mort avec les tibias entrecroisés, les poignards, les fusils d'assaut et les grenades.

Ces hommes boivent et ressassent leurs souvenirs. Peu à peu, ils glissent vers le crime mais ils ne s'en aperçoivent pas. L'État n'a jamais tenu ses promesses. Pas de terres, peu d'argent, pas de postes offerts. On les a abandonnés. La plupart mangent à la soupe populaire et ils touchent à la fin du mois, au guichet de la préfecture, de bien maigres subsides. On les a prévenus. Le mois prochain il n'y aura rien. Le Trésor n'a plus d'argent. Après les élections, on verra, mais il ne faut pas trop y compter. Il leur reste à se louer dans les fermes comme *braccianti* à deux lires par jour. «On s'est battus pour rien», protestent-ils. «Ce n'est pas de ma faute», répond le fonctionnaire, avant de fermer le guichet d'un geste sec.

Un homme s'approche de Nino et l'embrasse. Il s'appelle Renato.

— Je vous présente Nino Calderone, dit Renato, de la 1re division d'assaut.

— J'offre à boire à mes camarades de combat, lance Nino.

Aussitôt tous assiègent le bar. On choque les verres. Certains le reconnaissent.

— Je t'ai vu sur l'Asiago, dit l'un.

— On était ensemble à Sdricca, puis au San Gabriele, dit un autre.

— Où as-tu été arrangé comme ça ?

— À Vittorio Veneto, le dernier jour.

— Pas de chance.

Nino offre encore une tournée et une autre après. Renato réclame le silence.

— Notre camarade a une proposition. Écoutez-le.

— J'ai besoin d'hommes qui savent se battre, dit Nino, quinze au moins. C'est payé cinq cents lires par personne. La moitié avant l'affaire, le reste après. Je garderai avec moi ceux qui voudront rester.

Silence. Cinq cents lires, c'est une somme à Reggio de Calabre en 1920.

— Que faudra-t-il faire ? demande quelqu'un.

— Donner l'assaut à une maison bien gardée, un *fortino*, comme sur le San Gabriele.

— Avec quelles armes ?

— Poignards, grenades, fusils-mitrailleurs, lance-flammes et grappins.

— Quelles grenades ?

— Les *petardi* Thevenot, comme à Sdricca.

— Et les tenailles pour les barbelés ?

— Nous en aurons aussi. Il y aura peut-être des barbelés.

— Et si on est blessés, si on meurt ?

— Ceux qui seront blessés seront soignés. Pour les morts, l'argent sera donné au secrétaire de l'association pour les familles.

— C'est où et quand ?

— J'ai un bateau, on part ce soir en Sicile. Retour dimanche... ou jamais.

Silence encore. Puis l'un entonne *Giovinezza* et tous chantent avec lui. Nino aussi.

26

Une heure avant l'aube, le bon moment pour l'assaut. Le convoi des voitures fait halte à deux kilomètres de la maison du Cucagna, une bâtisse isolée dans la montagne, une ancienne ferme transformée en forteresse, avec des murs des quatre côtés. Nino a déjà repéré les lieux en feignant de chasser la caille. Il sait même où se tiennent les guetteurs dans la broussaille.

Les hommes descendent, vêtus de sombre, le visage barbouillé de noir. Il appelle celui qu'il a choisi pour l'accompagner, un autre caïman du Piave. Les sentinelles, il veut s'en occuper personnellement. Tous deux déposent les armes sur le sol et ôtent leurs chaussures. Il ne leur reste que le poignard.

— Allez-y, dit le Strozzi de sa voix rauque, que

Nostru Signori vous assiste dans cette sainte entreprise.

Tous deux se glissent parmi les arbres, faisant attention à ne pas faire craquer les herbes. Ils avancent l'un derrière l'autre, courbés. Bientôt, on ne les distingue plus. On entend les sentinelles éloignées de cent mètres l'une de l'autre qui échangent quelques mots dans la nuit à voix haute, enfreignant évidemment la consigne du silence. Nino s'arrête, il hume l'odeur d'un cigare. Un signe à son compagnon. À lui le guetteur de gauche, il s'occupe de l'autre. Tous deux se séparent, ils contournent la cible. L'odeur du cigare devient plus insistante. Je pourrais y aller les yeux fermés, se dit Nino, accroupi, les muscles bandés. Un bond, un cri interrompu, il a frappé à la gorge, comme avec les Autrichiens. Il tient sa victime entre les bras pour accompagner sa chute sur le sol. Son compagnon surgit. Lui aussi a du sang sur le bras droit. On ne peut pas l'éviter, le sang jaillit toujours de la carotide tranchée et éclabousse le bras qui frappe. Ils reviennent sur leurs pas pour retrouver les autres. Tout se passe par signes à partir de maintenant.

Ils reprennent les armes et marchent sur le bord de la route. Soudain, Nino s'arrête. Il montre du doigt le *fortino* du Cucagna, au sommet d'une colline en face. Comme prévu, deux équipes sont formées. La première, dotée d'explosifs et de lance-flammes, la seconde de grappins, de grenades et de mitraillettes Schwarzlose, le dernier cri de l'armée autrichienne, récupérées à Vittorio Veneto.

— Je viens avec vous, dit le Strozzi à Nino.

— Non. Vous ne savez pas grimper avec le grappin et si vous êtes tué dans l'action, tout cela n'aura servi à rien.

— Et toi, si tu es tué ?

— Vous prendrez un autre *cunsiggheri*, rétorque Nino.

Le Strozzi ne répond rien. Il commence à se faire vieux et, surtout, il est malade. Mais il refuse de l'admettre. Dans sa tête, dit-il souvent, il ne vieillit pas.

— Je vous appellerai quand le *fortino* sera pris.

— Bien. J'ai atteint l'âge où on attend le retour des autres.

Les deux équipes se séparent. Nino est en tête de celle qui contourne le *fortino*, avec les grappins enroulés à l'épaule et les tenailles. Il fait un long détour en passant de l'autre côté de la colline. Les hommes se tapissent dans l'herbe à l'abri des arbres, à quelques mètres du mur. Nino remarque que le Cucagna a pris soin de faire raser la végétation aux abords immédiats. Ça ne suffira pas cette fois, se dit-il. Pas un mot, pas un bruit, seulement celui des respirations, puis un murmure chuchoté. Ce sont les hommes qui prient, comme sur le San Gabriele avant l'assaut. Une explosion enfin, de l'autre côté. C'est le portail qui saute. Des coups de feu, puis des cris. Nino attend encore. Il veut que les hommes du Cucagna se regroupent du côté du portail à l'opposé et laissent l'arrière dégarni.

— *Avanti Savoia !* lance brusquement Nino.

Et les *arditi* jaillissent du bois, courent jusqu'au mur, lancent les grappins qui s'accrochent au sommet. Puis grimpent, l'arme en bandoulière, les pieds en appui sur le mur, comme ils en ont l'habitude, le poignard en travers de la bouche. Nino arrive le premier en haut, il saute de l'autre côté. Les *arditi* sautent eux aussi. Personne ! La bâtisse commence à s'éclairer, des coups de feu encore, des explosions de grenades. On se bat avec rage du côté du portail. Ils s'élancent, le poignard à la main. Ils crient : « *Eja, eja, eja, alala !* » Un homme surgit, à moitié nu, brandissant une *lupara*. Mais Nino est déjà sur lui. L'homme n'a pas le temps de tirer. Des explosions, encore des cris, puis des coups de feu. À l'intérieur du fortin, la défense s'organise. Nino et les autres défoncent la fenêtre, balancent des grenades à l'intérieur, puis sautent dans la pièce. Les grenades ont fait des dégâts. Partout, des corps déchiquetés. Un appel : ce sont les hommes de l'autre équipe, celle du portail, qui les rejoignent.

— Deux morts, trois blessés qui peuvent attendre, lui annonce Renato. Le rez-de-chaussée est à nous. Les ennemis sont repliés à l'étage.

— Il faut y aller, dit Nino.

Tous se regroupent au bas d'un escalier d'honneur avec deux ailes sur les côtés.

— Combien sont-ils ? demande Nino.

— Il en reste une douzaine, je crois. Ils étaient en train de dormir.

— Maintenant, ils sont réveillés, rétorque-t-il.

Une courte rafale depuis l'étage. Un *ardito* s'écroule. Un tireur agenouillé entre les pilastres de l'escalier tire posément et bloque leur avancée en se déplaçant.

— Donne-moi une grenade, dit Nino, non, deux, celles qui explosent au contact, les *petardi* Thevenot.

On les lui tend. Nino ramasse une arme vide et la jette sur les marches. Une rafale part aussitôt entre les deux piliers à l'étage. Il a repéré le tireur. Il lance la première grenade qui explose sur le mur sans toucher personne, l'homme se déplace encore. Nino lance alors la seconde. Cette fois, l'homme s'effondre. Aussitôt, il grimpe l'escalier, brandissant une mitraillette ; les autres le suivent, répartis sur les ailes. En haut, ils lancent encore des grenades. Le bruit assourdissant se répercute sur les murs. Le couloir est dégagé.

— Il n'y a plus de grenades, annonce Renato.

— Tant pis.

Ils avancent plaqués contre le mur, la mitraillette en avant. Soudain, des coups de feu. Cela vient d'une porte entrouverte là-bas. Un *ardito* s'écroule. Les autres se précipitent, entrent en force, vident leur chargeur. Deux *arditi* tombent encore. Puis trois hommes sortent, jettent leurs armes à terre, ils se rendent. Une seule rafale les abat. La règle n'a pas changé : pas de prisonniers. Silence. Odeur de poudre et de sang. Des blessés gémissent dans un coin. Puis une porte s'ouvre et le Cucagna apparaît, la chemise entrouverte, son ventre déborde, il est blessé à l'épaule. Mais, surtout, il tient Salvatore devant lui, le couteau sous la gorge, l'enfant paraît terrorisé.

— Laissez-moi passer, dit le Cucagna, ou je le tue.

Il s'avance, tenant Salvatore devant lui. Les *arditi* regardent Nino. C'est lui qui décide. Il laisse tomber son arme. Le Cucagna commence à descendre l'escalier. Il grimace de douleur. Un seul coup de feu, et il s'écroule, roule au bas de l'escalier, une balle en plein front. C'est le Strozzi qui a tiré depuis le rez-de-chaussée. Il s'avance, carabine fumant encore au poing. Il retourne le Cucagna du pied, il le regarde, cet ancien ami, ce concurrent qu'il vient de tuer.

— Moi, dit-il, je n'enlève pas les enfants.

Nino descend l'escalier, prend Salvatore dans ses bras. Il ne pleure plus. Il est en sécurité dans les bras de Nino qui le serre contre lui.

— Tu t'appelles comment ? lui demande-t-il.

Nino ne répond pas.

C'est l'aube à Castellàccio, trop tôt pour que les habitants sortent de chez eux. Nino arpente les rues de son enfance. Il tient Salvatore par la main. Curieusement, il ne parle pas de ce qui s'est passé, son enlèvement, sa détention de plusieurs jours et sa libération dans la nuit. Cela lui reviendra plus tard et il racontera tout, il fera des cauchemars, puis cela lui passera. Pour l'instant, il marche avec Nino qui lui montre certains endroits.

— Là, dit-il, c'est l'école avec la maison de Luciana.

— *Zia* Luciana, elle habitait là ?

— Oui, dit Nino, et je venais jouer chez elle. Mon père venait aussi. Il s'appelait Salvatore, comme toi.

Ils passent devant l'église, Nino jette un bref coup d'œil.

— C'est là que maman s'est mariée, dit Salvatore.

— Je sais.

Il y a aussi le monument aux morts.

— C'est quoi ? demande Salvatore.

— C'est rien.

Soudain, un bruit. C'est Totuccio qui ouvre les volets

de son bar. Il commence toujours tôt, celui-là. Nino ne peut pas s'empêcher de tourner la tête. Ils se regardent et ils tombent dans les bras l'un de l'autre.

— Je savais que tu étais vivant, j'en étais sûr ! J'ai fait parler le sacristain. Ça m'a coûté une bouteille, mais il m'a bien dit qu'il t'avait reconnu.

Il se mouche, il embrasse encore Nino et aussi Salvatore. Puis fait chauffer une tasse de lait pour l'enfant et du café pour eux deux.

— C'est le fils de Carmela, dit-il, celui qui a été enlevé ?

— Oui, dit Nino. C'était le Cucagna. Mais je l'ai repris cette nuit.

— Et le Cucagna ?

— Il est mort. Sa *cosca*[1] n'existe plus. Tu liras ça demain dans *La Sicilia*. Je le ramène à ses parents.

— Ses parents ? répond Totuccio. Tout le monde sait que c'est toi...

Il s'arrête sous le regard impératif de Nino, qui désigne Salvatore devant son lait et sa tartine.

— Ils t'ont arrangé, les Autrichiens.

— Oui, dit Nino, c'est une longue histoire. Excuse-moi, je ne veux pas que l'on me voie ici. Merci pour le lait et le café.

— Tu reviendras ? demande le Totuccio.

— Je ne crois pas. Si tu regardes le monument en face, pense à moi.

Le Totuccio les raccompagne à l'entrée de la trattoria, puis soudain repart en arrière, fouille dans le tiroir et revient avec une boîte.

---

1. Coquille (ainsi désigne-t-on une famille mafieuse).

— C'est le jeu de cartes du grand-père. Prends-le, je te le donne. Personne n'a plus joué avec ce jeu depuis ton départ avec Beppe et Franco.

Ils s'embrassent encore, comme font les hommes du Sud dans les grands moments de la vie.

— Merci, dit Nino, je ne suis jamais venu.

— Jamais, dit Totuccio. Si on me pose la question, je dirai que c'est un inconnu qui a ramené l'enfant.

Nino et Salvatore traversent le village, se dirigent vers le domaine Tomasini. À l'entrée de l'allée, ils s'arrêtent. À l'autre bout, on distingue déjà des silhouettes, hommes et bêtes, par le portail ouvert. Nino s'avance lentement, Salvatore à la main. Il s'arrête devant le portail qu'il ne franchira pas. Il prend Salvatore et le serre dans ses bras.

— Va maintenant, ta mère t'attend.

— Viens avec moi.

— Non, dit Nino. Cours !

Devant la maison, dissimulé par les arbres, un homme est assis à une table avec des feuilles et des crayons. Cavalcanti est un écrivain du matin. Il se lève avec le soleil et écrit jusqu'à dix ou onze heures. Il hausse le regard et il aperçoit Salvatore qui galope vers lui.

— Papa, papa !

Cavalcanti jaillit de sa chaise. Il reçoit Salvatore qui saute dans ses bras et il se retourne aussitôt.

— Carmela, Carmela ! crie-t-il. Salvatore est de retour. Il est là !

Cavalcanti s'avance vers le portail, il tient l'enfant par la main. Devant Nino, il s'arrête, il contemple ses traits ravagés.

— Merci, signore, dit-il, je suis le père.

— Félicitations.

Ils se regardent, ces deux hommes qui n'ont rien et tout à se dire. Puis Nino fait demi-tour et remonte l'allée. Au même moment, un bruissement de gravier. Carmela accourt. Elle aussi reçoit Salvatore dans ses bras. Puis le pose à terre. Une silhouette est debout, près du portail. Son cœur se met à battre violemment, une émotion qu'elle connaît bien.

— Qui est cet homme ?

— Il n'a pas dit son nom, il ne veut pas entrer, dit Cavalcanti en cachant son soulagement.

— C'est Nino, dit Salvatore.

Alors elle se précipite, la Carmela. Mais la silhouette est déjà au bout de l'allée, elle va disparaître. Elle court plus vite, elle court comme à l'époque où elle allait le retrouver la nuit. Elle crie : « Nino ! Nino ! »

Au bout de l'allée, il n'y a plus personne. Seulement le bruit d'une voiture qui s'en va.

27

Le 15 mai 1921, Lorenzo est élu député de Vérone. La campagne a été dure, le jour du vote encore plus. Il y a eu des échauffourées, des coups de poing et des coups de feu, des blessés et un mort peut-être, invoqué à la fois par les fascistes et les socialistes. Ce qui donne à penser qu'il y en aurait eu deux, un de chaque côté, ou peut-être pas du tout. Car ces morts, personne ne les a vus. Ce sont des morts revendiqués.

Il n'empêche que, le soir même, quand les résultats sont confirmés, donnant à Lorenzo une avance suffisamment large pour que sa victoire ne soit pas contestable, l'homme, le nouvel *onorevole*[1], une fois éteints les flonflons de la fête, rassasié de *complimenti*, couvert de fleurs au sens figuré et au sens propre, demande à rester seul, renvoyant même Virginia au motif qu'il est épuisé.

Lorenzo a surtout besoin de se retrouver avec lui-même. Tout à l'heure, quand les premiers résultats sont tombés, que les doutes sur sa victoire se sont effacés, peu à peu est né ce sentiment, maintenant devenu une certitude, qu'il était en train de basculer dans une autre partie de sa vie, qu'il venait d'entrer dans son âge d'homme. Tout en longeant le Castelvecchio pour rentrer chez lui en empruntant le pont crénelé qui domine l'Adige, il se rappelle ces moments qui l'ont mené jusque-là, son amour pour Julia, la guerre, son engagement fasciste. Ces périodes forment un bloc unique, compact, celui de sa jeunesse avec ses troubles, ses hésitations, ses angoisses, ses espoirs, ses douleurs et ses bonheurs.

Les joies ont été brèves, la rencontre avec Julia, la prise du Monte Nero, son mariage à San Zenetto, la naissance de Laura et puis, se dit-il, après… que du malheur. Il pourrait énumérer les événements,

---

1. Tout parlementaire devient en Italie un « honorable » (*onorevole*) à vie.

depuis la lettre des ouvrières de l'usine lui apprenant la mort de Julia jusqu'aux mitrailleuses de Vittorio Veneto, qui l'ont laissé infirme. Mais il ne le fait pas. Aucun besoin de dresser une liste, ses douleurs font désormais partie de lui. Il lui suffit d'écouter dans son esprit la voix de Julia : « *Complimenti, Lorenzo, complimenti per la vittoria* » (mais c'est une voix d'outre-tombe), d'entendre le *tap-tap* de sa canne sur le pavé et d'observer les reflets des lampadaires sur sa main de bois pour que ces souffrances se rappellent à lui sans qu'il soit besoin de les évoquer.

Tout en marchant, un peu courbé par la fatigue de cette journée terrible, Lorenzo se dit qu'il en a assez du malheur, qu'il a livré sa part et plus au destin, qu'une autre époque est en train de s'ouvrir, celle où tout ce qu'il a donné à son engagement depuis la séance piazza San Sepolcro jusqu'à son élection vient enfin de lui être largement rendu.

Qui aurait cru que Julia tomberait sous les balles de la police dans une manifestation ouvrière, que les hommes de l'Isonzo, du Piave, auxquels on a tant promis, se feraient injurier par la foule ? Il se dit encore que son avenir doit être une éternelle vengeance contre ces événements, que son élection en est le premier acte et que celle-ci a un nom : fascisme. Ou plutôt, puisqu'il faut se défier des doctrines, y compris les plus justes, réserver sa confiance aux hommes, ou au moins à un seul, Mussolini !

Quand il franchit le seuil de la maison familiale, le salon est éclairé. Au mur, les croix, les statues des saints et la photo du pape Benoît XV ont disparu.

Sa mère se lève de son fauteuil. Elle ouvre les bras, tenant dans chaque main un fanion fasciste avec les insignes du *littorio*[1].

— Mon fils, s'écrie-t-elle, pardonne-moi, tu as raison en tout !

28

Virginia retrouve Lorenzo sur leur banc dans ce jardin qu'ils ont tant fréquenté. Elle a en même temps un air tendre et grave.

— Je trouve que cela te change d'être devenu député.

— Dans quel sens ? demande Lorenzo.

Virginia réfléchit. C'est une fille qui ne parle pas à tort et à travers et qui observe les comportements avec une attention discrète.

— J'ai l'impression, finit-elle par dire, que tu as reçu un poids sur les épaules, et que maintenant tu en es embarrassé parce que tu es pris dans un mouvement irrésistible et que tu ne pourras jamais revenir en arrière.

— Je vais où va Mussolini.

— Et lui, sait-il où il va ?

— Je le crois. Lui aussi a changé. Il est devenu un personnage avec lequel il faut compter. Il a été élu à la fois à Milan et à Bologne. De juillet 1920 à mai 1921,

1. Licteur.

les *Fasci* sont passés de cent huit à mille six cents. Maintenant, il s'en crée tous les jours dans toutes les villes.

Virginia ne pose plus de questions. Ce succès la réjouit et l'effraie en même temps. Elle sent que le mouvement des *Fasci* a changé de dimension, il est devenu national. Soudain, elle étreint Lorenzo.

— Qu'allons-nous devenir ? ne peut-elle s'empêcher de demander.

Lorenzo ne répond pas.

— Cher Lorenzo, dit la Sarfatti, savez-vous qu'à Pise un pharmacien a fait irruption accompagné de deux *squadristi* dans une *osteria*[1] où se réunissent souvent nos adversaires. Par jeu, il a brandi son pistolet Mauser et collé un paysan contre le mur avec une pomme sur la tête. Comme il n'est pas Guillaume Tell, il a raté la pomme et tué le paysan d'une balle en plein front. Notre pharmacien est reparti et personne n'a osé l'arrêter. Il continue et se présente ainsi : « Sandro Canovi, pharmacien, quinze meurtres politiques. »

— C'est un fou et un meurtrier, dit Lorenzo.

La Sarfatti hoche la tête.

— À Padoue, poursuit-elle, on a tondu une institutrice et on a noué sa robe aux genoux. Puis on lui a fait boire de l'huile de ricin et on l'a obligée à sauter jusqu'au résultat que vous imaginez ! Mais à Sarzana, ce sont dix-huit fascistes assiégeant des anarchistes qui ont été tués par les carabiniers.

---

1. Auberge.

Elle soupire, se ressert un peu de thé, grignote un gâteau.

— Le nouveau gouvernement de Bonomi ne durera pas, poursuit-elle, ni le suivant. Après…

— Après ? demande Lorenzo.

La Sarfatti a un joli mouvement d'épaule. Elle désigne un tableau sur le mur du salon. Il représente la silhouette d'un homme seul face à une foule.

— C'est une belle œuvre, dit-elle, très significative des temps que nous vivons. On vient de me l'offrir. J'organiserai la promotion du peintre, un futuriste.

Elle se retourne vers Lorenzo.

— J'ai prêté un million de lires à notre mouvement, j'ai relancé tous les industriels que je connais, surtout les juifs. Je leur ai dit : « Le fascisme, c'est l'avenir, mais il a besoin de notre argent. Finançons-le, ce sera notre garantie. » Ils m'ont écoutée et notre mouvement n'a jamais été aussi riche.

— Qu'attendez-vous de moi ?

La Sarfatti le regarde longuement.

— Le *squadrismo*, le gourdin, l'huile de ricin et les coups de revolver, c'est fini, dit-elle. Nos partenaires veulent percevoir les intérêts des sommes avancées, sinon le robinet se tarira et l'argent ira ailleurs, au parti du pape chez les populaires, par exemple, abattu pour l'instant, mais qui n'attend que l'occasion de relever la tête. Votre rôle, cher Lorenzo, est à la fois compliqué et très simple. Le *squadrismo*, c'est les *ras*. Vous en êtes un. Il faut les convaincre d'arrêter les folies si nous voulons accéder au pouvoir.

Lorenzo secoue la tête.

— C'est très difficile. Chacun est jaloux de ses

prérogatives dans sa région. Les *ras* sont des seigneurs de la guerre, rappelle-t-il.

La Sarfatti a son rire distingué, celui qui résonne dans les expositions, les soirées à l'Opéra et les salons, un rire agréable à entendre.

— C'est pour cela qu'il ne faut pas leur parler en même temps, dit-elle de sa belle voix profonde. Sinon, ils feront bloc, et ce sera pire qu'avant. Voyez Dino Grandi, c'est le plus intelligent de tous et les *ras* respectent ses avis. Tâchez de le convaincre sans oublier qu'il veut aller au pouvoir. Voyez aussi Balbo.

— Balbo, ce sera plus difficile. Vous le connaissez.

— Quand Grandi sera convaincu, allez voir Balbo avec lui. Il n'aime pas rester seul de son avis. Mais prenez votre temps et choisissez le moment. Ce qu'il faut, c'est arriver à l'unité du parti derrière Mussolini.

À la première réunion du groupe parlementaire, il s'agit de choisir le lieu où siégeront les fascistes dans l'Assemblée : à droite, à gauche ou au centre ? Grandi propose la gauche, au-delà même des socialistes et de la démocratie sociale. Mussolini est d'un avis opposé :

— Notre période révolutionnaire est achevée. Quand nous serons un parti, il devra être respectable, c'est ce que les Italiens attendent de nous.

Lorsqu'il parle des Italiens, c'est surtout aux financiers du parti qu'il pense, les industriels qui détestent en bloc les grèves, les soviets et les révolutions. Grandi veut encore intervenir mais Mussolini le coupe :

— Je veux pouvoir regarder dans les yeux mes ennemis et camarades d'hier, ceux qui m'ont chassé du parti socialiste.

Plus tard, il prononce un discours à la Chambre, justement depuis les bancs de l'extrême droite, continuellement interrompu par les sifflets et les interjections du bord opposé.

— Taisez-vous ! s'écrie-t-il d'une voix tonnante. Vous êtes tous mes fils !

Grandi et Lorenzo échangent un regard. Mussolini signe un pacte de pacification avec les socialistes. C'est la fin annoncée des agressions physiques.

— Les *ras* sont très réticents, dit Lorenzo à la Sarfatti, ils n'acceptent pas d'honorer la signature de Rome.

— Il faut guetter le bon moment, cher Lorenzo, ce sera dur, mais on y arrivera. Les *ras* se trompent. Ce n'est pas comme cela que l'on va au pouvoir.

En attendant, les *ras* se retrouvent à Bologne. Ils représentent cinq cent quarante-quatre *Fasci* qui veulent dénoncer le pacte en soutenant que c'est un piège. Ils exigent le retour au *Fascio* des origines, c'est, dit-on, « la rébellion des grégaires contre le Duce ».

Mussolini démissionne de son mandat au comité exécutif : « La partie est désormais close. Qui est défait doit s'en aller. Et je quitte les postes de direction pour rester un simple grégaire du *Fascio* de Milan. »

Mais sa démission est refusée. La presse socialiste et communiste se déchaîne contre lui, dénonce, elle aussi, un pacte au profit de la bourgeoisie et des patrons, et crie à « l'esclavagisme agraire ». S'ouvre le congrès qui doit déboucher sur un parti fasciste, mais déjà certains s'y opposent : « Le fascisme ne doit pas devenir une des auberges de Montecitorio... » Grandi publie un article dans *L'Assalto*, son journal de Bologne. Il y fait part de ses pénibles interrogations.

— Allez-y, Lorenzo, c'est le moment, dit la Sarfatti.

À quelques jours du congrès, Lorenzo interpelle Grandi dans un couloir de l'Assemblée :

— Je veux te parler dans un endroit tranquille.

Ils se retrouvent à La Perla, une *osteria* de Fiumicino, près du canal, parmi les marins et les ouvriers du chantier naval, sur une terrasse.

— La politique est la science des possibles, commence Lorenzo.

— C'est une formule de Cavour, je crois, réplique Grandi.

— J'étais sûr que tu la connaissais !

On apporte leurs plats. Ils commencent leur dîner sans se regarder, se servent réciproquement à boire. Il fait chaud en cette fin d'octobre 1921. Il monte de la mer une odeur de fange salée.

— Le congrès s'ouvre le 7 novembre, dit Grandi brusquement. Il y a deux courants : celui dont je fais partie avec Marsich et Balbo, l'autre, c'est Mussolini. Deux conceptions du fascisme. Celle d'un mouvement révolutionnaire de masse, la nôtre ; celle d'un parti parlementaire inscrit dans le jeu politique, celle de Mussolini.

— J'appartiens à la deuxième, dit Lorenzo.

— Peu avant les élections, comme je me rendais

à vélo à mon cabinet d'avocat, on a tiré sur moi, dit Grandi, je n'ai été que légèrement blessé. Quand la nouvelle de l'attentat a été connue, le député Matteotti, le fer de lance des socialistes, s'est écrié : « C'est normal qu'on lui tire dessus, Grandi est un fasciste ! » De quelle pacification parlons-nous ? Il n'est pas sûr que du congrès émerge un parti fasciste.

Lorenzo pose sa main de bois sur la table.

— Le fascisme n'est-il qu'une névrose d'après guerre ? demande-t-il.

— Belle formule encore, si elle est de toi, je te félicite.

— Elle vient de la Sarfatti, je crois.

Grandi éclate de rire et caresse son bouc.

— Margherita, s'exclame-t-il, ses amis, les riches industriels juifs et leur argent… C'est elle qui t'envoie ?

— Bien sûr. Sans Mussolini, le fascisme n'aurait été qu'un feu de paille qui aurait flambé trois ans avant de s'éteindre, car il n'aurait pas convaincu les Italiens qui veulent un chef. Sans argent, il n'y a pas de parti possible, et sans parti, il n'y a pas de pouvoir. Il y a un temps pour la révolution, un autre pour le pouvoir. Ces deux temps se succèdent, mais les deux, s'ils ne se confondent pas, sont indispensables l'un à l'autre.

— C'est de qui cette nouvelle formule ?

— De moi, j'espère.

— Bravo !

29

Le congrès national des *Fasci* s'ouvre huit jours plus tard au théâtre Augusteo. Les délégués sont venus de toute l'Italie. L'ambiance sent la poudre. La majorité est du côté des anti-Mussolini. Ils veulent le pouvoir par la force, au besoin par la guerre civile. Ils n'ont qu'un mot à la bouche : révolution ! Soudain, on annonce qu'un fasciste de Lombardie, Aldo Sette, vient d'être tué dans un guet-apens à proximité de la gare de Rome. L'ambiance, déjà brûlante, s'échauffe encore plus. Des deux côtés pleuvent invectives, cris et injures. C'est alors qu'un très vieux garibaldien en chemise rouge grimpe sur l'estrade, embouche une trompe et souffle dedans pour réclamer le silence. Le calme revient et les congressistes reprennent leur place. Peu à peu, les dirigeants font leur apparition, la guerre interne va enfin commencer.

Lorenzo est au premier rang, il remarque Margherita sur le côté de la scène, invisible de la salle, mais terriblement présente.

Le premier à parler, c'est Balbo. Comme prévu, il prêche l'action directe.

— Nous sommes des troupes d'assaut ! s'écrie-t-il.

Mussolini se lève à son tour. De sa voix grave, il pèse ses mots. Il annonce la fin de la révolution, l'avènement de la politique. C'est un discours légaliste, dont il n'est pas sûr qu'il convainque le public de l'Augusteo, venu dans l'idée d'en découdre. On attend Grandi. Que va-t-il dire ? Ses qualités sont connues. Révolutionnaire sans doute, mais aussi, surtout, un personnage qui voit loin. Avant de s'emparer du micro, Grandi se dirige vers Mussolini et lui ouvre les bras. Mussolini l'étreint dans le même élan, et cette fois, la salle entière se lève et éclate en applaudissements frénétiques.

— Le fascisme ne peut être une névrose d'après guerre..., commence Grandi.

Lorenzo et la Sarfatti échangent un nouveau regard. C'est gagné.

Deux jours plus tard, le 9 novembre 1921, à onze heures du soir, est enfin créé le parti national fasciste. Mussolini renonce au pacte de pacification. Il déclare : « Nous nous substituerons à l'État chaque fois qu'il se révélera incapable de combattre... » On lui apporte des fleurs, on chante *Giovinezza*.

En passant devant Lorenzo, le Duce lui effleure le bras et se penche à son oreille : « Merci, Mori », dit-il simplement. Dans le couloir, Lorenzo croise Margherita Sarfatti et Dino Grandi, et même Balbo qui les a rejoints. « Maintenant, il faut aller au pouvoir », disent-ils tous les trois.

À la sortie de l'Augusteo, Lorenzo a la surprise de trouver Virginia qui le guette sur le trottoir.

— Que fais-tu là ? demande-t-il en souriant.

— J'ai entendu à la radio que le congrès se prolongeait, j'ai pris le train.

Il l'enlace, heureux qu'elle soit venue le retrouver.

— Cela a été un congrès de combat, dit-il.

Et il raconte les interventions des uns et des autres, les débats dans la salle et ceux dans les couloirs, les mesures qu'il a fallu voter une à une, la création d'une milice fasciste qui intégrera les *squadristi*, les organes du nouveau parti avec une commission exécutive à laquelle il a été élu.

— Et Italo Balbo ? demande Virginia, qui se tient très au courant des oppositions au sein du mouvement.

— Il rejoindra la direction du parti, évidemment, mais pas tout de suite. Aujourd'hui, c'est la victoire de Mussolini et celle de Grandi. Balbo aura d'autres occasions. Il est un ami de Grandi. Même s'ils ne sont pas d'accord, on ne l'oubliera pas.

— Tout cela grâce à toi, remarque-t-elle.

— Un peu, reconnaît Lorenzo.

Ils marchent dans Rome, toujours enlacés. Virginia se met à parler. C'est un besoin chez cette fille discrète qui gère parfaitement le *Fascio* de Vérone, s'occupant de la correspondance, dactylographiant les courriers, rédigeant elle-même certaines réponses, faisant ses remarques sur les articles de Lorenzo dans *Il Popolo di Verona*, établissant une revue de presse qu'elle lui remet tous les jours avec les mots importants soulignés en rouge.

— Ma vie, c'est toi, dit-elle.

Lorenzo est presque gêné de cette dévotion. Elle parle aussi de ses parents qui persistent dans leur engagement chez les *popolari* du pape, d'ailleurs malade, paraît-il.

— Ils ne seront bientôt plus rien, dit Lorenzo. Il ne restera que les socialistes et nous, les fascistes. Et comme les rouges ont fait la preuve de leur incapacité, nous prendrons le pouvoir. Les populaires du pape disparaîtront et leur chef, le curé don Sturzo, avec eux.

Virginia ne proteste pas. Il y a longtemps qu'elle évite les débats politiques avec ses parents. Quand Lorenzo a été élu, ils n'ont pas fait de commentaires, à croire qu'il ne s'était rien passé ce jour-là. Mais quand ils évoquent Lorenzo, ils disent « ton député fasciste ».

— Je crois que mes parents ne voient plus ta mère depuis qu'elle a viré de bord et se proclame fasciste.

Lorenzo éclate de rire. On lui a raconté qu'à Vérone sa mère, quand elle fait ses courses avec la petite Laura, lui offre une glace à une terrasse et déploie *Il Popolo d'Italia* ou même *Gerarchia*, le nouveau magazine dirigé par Margherita Sarfatti.

— C'est une belle promenade, ce soir, dit Virginia.

Elle se serre contre lui. Il a pris une chambre dans un bon hôtel, près de Montecitorio. Tous deux déambulent dans les petites rues qui entourent le Panthéon. Ils ne disent plus rien. Soudain, Virginia se tourne vers Lorenzo, un peu pâle.

— J'ai une question à te poser, une question grave à laquelle tu n'es pas obligé de répondre, du moins pas tout de suite.

Lorenzo la regarde. Cet air de sérieux ne lui ressemble pas. Il a soudain l'impression que c'est la véritable raison pour laquelle elle a fait ce trajet jusqu'à Rome, cette question qu'elle veut lui poser.

— Quelle question ? demande-t-il, un peu inquiet.

— Voudras-tu m'épouser un jour ?

Il recule d'un pas. Il n'est pas encore prêt à renier Julia, même si Virginia est une compagne irréprochable. Mais Virginia n'est pas Julia. Ne l'a-t-elle pas compris ? Elle se rapproche, elle pose ses mains sur ses bras.

— Je ne sais pas, finit-il par dire, je ne me le suis jamais demandé. Il me semble que, pour l'instant, nous sommes bien comme nous sommes. Ce sont tes parents qui t'ennuient avec ça ?

— Pas du tout, dit Virginia avec un petit rire, il y a longtemps qu'ils ne m'en parlent plus.

— Alors pourquoi ?

— Parce que je suis enceinte.

30

Carmela est entrée dans un temps qu'elle nomme « le brouillard de ma vie ». Ainsi partage-t-elle la vie d'un homme qu'elle estime, admire même, pour certaines de ses qualités, mais n'aimera jamais. Sans doute ont-ils conclu un pacte silencieux de réconciliation, incluant qu'ils prennent garde à ne pas se blesser l'un l'autre ou, mieux encore, qu'ils témoignent de fausses ardeurs, voire de plaisirs feints dans la chambre à coucher. Elle a compris, Carmela, que le Cavalcanti, elle doit le respecter, que c'est la condition pour qu'il lui reste, cet homme prêt à fuir. Ce mari, c'est une cagnotte, l'assurance qu'elle ne passera pas sa vie seule avec un fils qui lui échappera un jour, comme tous les fils.

Pour autant, Nino Calderone est vivant ! Sans

doute refuse-t-il de la voir mariée, sans doute a-t-il construit une autre vie dans les bas-fonds de Palerme, le seul refuge qu'il lui restait quand il est rentré.

Mais Carmela ne renonce pas. Quand Salvatore a été enlevé, elle n'a pas craint de pénétrer dans le quartier du Strozzi, le nouvel antre de Nino, pour lui demander secours. Le message a bien été transmis et Salvatore, repris au Cucagna, aussitôt ramené. Elle a, le lendemain, acheté tous les journaux de l'île, elle a même obtenu du préfet les informations qui lui manquaient. Un assaut lancé de nuit, selon le mode militaire, avec d'anciens *arditi* recrutés à Reggio de Calabre. « Quinze morts au moins », a dit le préfet, des munitions provenant d'armes de guerre, deux sentinelles égorgées sur place selon la technique des caïmans du Piave, et le Cucagna gisant sur les marches de l'escalier, le front troué.

En écoutant ces détails, loin d'être troublée, Carmela a ressenti une bouffée d'orgueil. C'était signé Nino, un assaut pareil, dans le but de reprendre un fils qu'il ne connaissait pas, reconnu par un autre, et de le lui rendre. Car il y a aussi cette idée dont elle ne peut se défaire. C'est aussi et peut-être d'abord pour elle que Nino a agi. Il a répondu à son appel et elle n'est pas loin de voir dans toutes ses actions un message qu'il lui envoie, un message sicilien qu'il faut décoder : « Quand tu m'appelles, je viens. Je suis toujours là et je t'aime encore. »

Voilà ce qu'elle se dit, Carmela, même si, aussitôt après, elle se morigène, se traite de folle. Si Nino avait voulu me voir, il serait resté quand il a ramené Salvatore, ou il serait revenu, ou il m'aurait écrit. Mais rien. À peine a-t-il entendu que l'on m'appelait qu'il a disparu. Mais elle se souvient que, quand son père a été assassiné, Nino n'est plus venu la voir, c'est elle qui a dû aller le trouver dans sa ferme. Encore un message silencieux : « C'est à toi de venir maintenant. »

Parfois, elle interroge l'enfant. Lui fait raconter l'assaut contre la maison du Cucagna et, surtout, ce moment où Nino l'a pris dans ses bras.

— Tu as été rassuré ? lui demande-t-elle.

— Oui, tout de suite. Il m'a embrassé très fort.

— Et vous avez parlé ?

— Je lui ai demandé qui il était. Il n'a pas répondu.

— Alors comment tu sais qu'il s'appelle Nino ?

— Parce que les autres l'ont appelé comme ça. C'était lui le chef, et aussi un autre qui est arrivé, un vieux, c'est lui qui a tiré, je crois.

— Et après ?

— Après, il m'a pris dans ses bras et il m'a dit : « Je vais te ramener à ta maman. »

— Il t'a dit ça, « à ta maman » ?

— Oui.

— Et après ?

Salvatore raconte. Ils ont marché tous les deux sur le chemin en bas de la maison, et Nino lui a montré le soleil qui se levait, derrière les collines. Il aime le lever du soleil, se souvient Carmela. Après, ils sont montés dans une voiture. C'était un homme qui conduisait, et Nino lui disait par où il fallait passer.

— Et vous avez parlé encore ?

— Oui, je lui ai demandé ce qu'il avait là.

Salvatore montre sa joue gauche.

— Que t'a-t-il répondu ?

— Qu'il avait été blessé à la guerre. Je lui ai demandé ce que c'était, la guerre. Il m'a dit qu'il ne pouvait pas me l'expliquer maintenant, mais qu'il me le raconterait plus tard, quand je serais plus grand.

— Il t'a dit qu'il te le raconterait plus tard, il te l'a vraiment dit ?

— Oui, répond Salvatore, un peu vexé. C'est ce qu'il m'a dit.

Il évoque aussi la balade dans le village endormi, la maison de *zia* Luciana, l'école, le monument aux morts et le lait chaud chez quelqu'un qui venait d'ouvrir les volets. Carmela n'a aucun mal à reconnaître la trattoria de Totuccio. Inutile d'aller lui demander quelque chose à celui-là, il niera tout, se dit-elle.

— En partant, cet homme lui a donné un jeu de cartes, je crois, il lui a dit que c'était le jeu de son grand-père.

— Je le connais, ce jeu, dit Carmela brusquement.

— Pourquoi tu pleures ?

31

Cavalcanti est arrivé à Rome tout à l'heure. Loriana est venue le chercher au train, à la *stazione* Termini. Maintenant, ils dînent dans cette trattoria, piazza Navona, où ils avaient leurs habitudes. La nuit, ils la passeront ensemble, ainsi que toutes les autres nuits du séjour d'Andrea.

— Il m'a fallu cette séparation, cette douleur, pour savoir à quel point je suis attachée à toi, dit Loriana en se penchant vers lui et en saisissant sa main sur la nappe.

Pour une fois, elle ne joue pas. Disparue la mondaine, l'intellectuelle des salons, la critique littéraire. Ne reste que la femme en proie à l'émotion, d'une loyauté nue. À lui aussi, il a fallu cette rupture pour en découvrir le prix.

— Mais enfin, poursuit-elle, pardonne mon langage, mais que fous-tu encore là-bas dans ce trou, avec cette femme qui te méprise ?

Bonne question. Même si le Cavalcanti ne se la pose plus. Sans doute les relations avec Carmela se sont-elles améliorées. Elle fait attention à ce qu'elle dit, se prête même à l'amour. Mais rien de plus. Carmela est ailleurs. Le retour de son fantôme en est la cause, même s'il est sûr qu'elle ne l'a pas revu. L'homme la fuit. Quand il a ramené Salvatore, il aurait pu rester, parler avec Carmela. Lui n'a fait qu'entrevoir ses deux visages. L'*ancilu mostru* ne veut pas se montrer. Dire qu'autrefois on l'appelait Nino *Beddu* ! C'est ce qu'il a entendu des domestiques. Étrange histoire que celle de Carmela et de Nino, avec cette affaire de sang dont elle lui a parlé qui les lie tous les deux, comme un pacte maudit.

— Écoute, finit-il par répondre, entre elle et moi, il n'y a plus grand-chose. Peut-être cet enfant auquel j'ai donné mon nom. Mais je veux rester encore. Après, je reviendrai vivre ici.

— Après quoi ?

Il a un rire un peu cynique. Mais que peut-on

lui reprocher ? Il s'est marié sincèrement et l'échec ne peut lui être imputé. Pourquoi donc un homme comme lui ne profiterait-il pas de la situation ?

— J'écris un livre, lâche-t-il soudain, un livre sur cette femme que je trouve extraordinaire, avec ses défauts qui sont des qualités en même temps. C'est elle, mon sujet. Je l'observe beaucoup. Je prends des notes. J'ai déjà rédigé deux chapitres. Ce sera mon plus grand livre, le plus juste, le plus vrai. Quand on parlera de moi, le titre de ce livre viendra aussitôt à l'esprit.

Loriana éclate de rire et elle retire sa main.

— Tu es complètement fou !

— Non ! Je suis un écrivain !

— Alors, montre-moi tes deux chapitres. Si tu les as apportés, c'est pour me les faire lire !

*

— *Omu*, demande le Strozzi, qui est cet enfant enlevé par Cucagna et que tu as emmené avec toi ?

— Mon fils, dit Nino, je l'ai ramené à sa mère.

— C'est celle-là qui est mariée avec un autre ?

— Oui.

Le Strozzi fait un signe de la tête, il a l'air d'approuver. Il parle d'un fils qu'il a eu lui aussi.

— Ils me l'ont tué.

Mais il ne précise pas quand, ni où, ni comment, ni surtout qui le lui a tué, ce fils. Peut-être est-ce un secret. Cet homme plein de mystères parle rarement de lui. Pourquoi en est-il venu là ? Par quelles alliances ? Au terme de quels affrontements ? Autrefois, le Strozzi avait une famille, des parents, une sœur, et une femme aussi. Les parents sont morts, la femme a disparu et Bianca s'en est allée à Milan, à l'autre bout de l'Italie, faire l'infirmière dans un hôpital. C'est tout ce qu'il lui reste, cette sœur.

— Elle a préféré partir, parce qu'elle ne supportait plus la vie ici.

Il ne dit pas «la vie avec moi», mais c'est ce qu'il veut signifier.

— Elle a épousé un homme là-bas, et cet homme l'a quittée, sans un mot, sans une explication, alors qu'il ne pouvait rien lui reprocher.

— Je sais, dit Nino, elle m'en a parlé un jour.

— Elle t'a aimé, ma sœur, sinon elle n'aurait pas fait cette lettre. Il y avait longtemps qu'elle ne m'avait pas écrit, des années peut-être. Fallait-il qu'elle t'aime pour me demander de t'accueillir, alors que tu allais en rejoindre une autre, ou alors elle se doutait que tu ne referais rien avec cette femme, que c'était trop tard.

— Je ne sais pas.

Le Strozzi est en veine de souvenirs, ce soir. D'ordinaire, rien ne le hante, surtout pas les morts qu'il a laissés derrière lui. Le dernier mort, c'est Cucagna.

— *Omu*, dit-il encore, j'ai fait faire des travaux dans cette maison, et aussi dans une autre que tu ne connais pas, une maison où tout est beau, propre, élégant, une maison honnête.

Nino se tait. Le Strozzi n'est pas quelqu'un à qui on pose des questions. Il a bien remarqué la présence de charpentiers, de peintres et de maçons. Tout est refait, tout est neuf, tout brille. Les lieux où vit le Strozzi ont changé. On n'y sent plus les remugles des règlements de comptes, des cris d'agonie et des cadavres que l'on traîne, avant de les jeter dans une draille du port, les pieds pris dans le ciment.

— C'est presque gai maintenant, ose-t-il dire quand même.

Le Strozzi a un sourire, ce qui lui fait un visage inattendu, avec toutes ces rides qui se plissent en même temps.

— Ma femme aurait aimé. Mais à l'époque, j'étais un homme jeune et présomptueux, préoccupé de moi sans rien voir autour. Elle est partie quand on m'a tué mon fils. Je ne l'ai pas fait rechercher. Elle avait raison.

Il se tait encore, puis :

— Le *medicu* est venu l'autre jour. D'abord le *medicu*, puis le *sacerdotu*. C'est trop tôt pour celui-là. Il va falloir quelqu'un pour s'occuper de moi. Le *medicu* a écrit à ma sœur une lettre dans le langage des *duttori* pour lui expliquer ce que j'ai, et pourquoi j'aurai besoin d'elle tous les jours.

— Bianca, votre sœur Bianca ? demande Nino.

— Elle va arriver pour s'occuper de moi. Ici, ça va devenir un hôpital. L'autre maison que j'ai fait acheter, c'est pour elle.

— J'ai un fils, dit Nino à Luciana, un vrai fils, même s'il ne s'appelle pas comme moi et s'il vit avec sa mère et le mari qui lui a donné son nom. Ce fils, c'est le prolongement de moi, et même de mon père, Salvatore Calderone, ce fils, c'est comme ton petit-fils.

— Sans doute, répond Luciana, même s'il m'appelle *zia*.

Cette visite de Nino, elle la redoutait et l'espérait en même temps. Depuis qu'il avait ramené Salvatore à Castellàccio, elle pensait bien qu'il n'en resterait pas là.

— Ce fils, poursuit Nino, je ne le connaissais pas. C'était une idée, une abstraction. Tout au plus une photo. Ce n'est rien, une photo.

— Ça dépend, dit prudemment Luciana, il y a des gens qui ont passé toute leur vie à contempler une photo et qui ne sont pas allés plus loin.

Nino marche de long en large, il comprend que Luciana est déchirée. Sans doute trouve-t-elle sa démarche justifiée. En même temps, elle veut la paix. Entre ce fils et Nino, il y a Carmela, et derrière, le Cavalcanti. Elle ne veut pas que Nino tue le Cavalcanti. Il en est parfaitement capable. On dit dans la ville que l'*ancilu mostru* prendra la succession du Strozzi qui est malade, qu'il est même pire que le Strozzi qui, sans son aide, n'aurait jamais pu venir à bout du Cucagna. À Palerme, il commence à se former une légende de l'*ancilu mostru* et de ses *arditi* qui constituent une garde autour de lui. Quand on en parle au préfet, il baisse la tête en assurant qu'il ne peut rien faire, faute de moyens. Il en a référé à Rome, mais là-bas, on se moque de ce qui se passe à Palerme. Les gens du ministère s'occupent de la politique avec ce Mussolini qui monte, qui monte… Un préfet a résisté aux fascistes à Bologne, un certain Cesare Mori. Résultat, il a été déplacé à Bari. C'est Pivetti qui le lui a raconté, toujours informé celui-là, à traîner dans les couloirs de la préfecture pour collectionner les nouvelles qui ne sont pas toutes des ragots. Alors, les affaires de Palerme…

Nino s'arrête de marcher. Il se tourne vers Luciana. Dans son regard, elle lit de l'amour, du respect, mais aussi de la détermination. Elle le connaît, Nino. Quand il a fait un choix, il est difficile de le faire changer d'avis. Il réfléchit longuement avant d'agir. On l'a bien vu avec don Tomasini, une affaire montée de longue date. Rien ne pouvait l'arrêter.

— Ce fils, maintenant je le connais, je l'ai tenu dans mes bras, je lui ai parlé, je l'ai embrassé. Il voulait que je reste. Mais je suis reparti à cause de sa mère et du Cavalcanti.

Il s'arrête, observe Luciana. Son regard s'est adouci, un peu suppliant, comme lorsque, enfant, il attendait quelque chose d'elle.

— Que veux-tu faire ? demande-t-elle en se doutant que sa décision est prise, mais qu'il a besoin de son concours.

— Je me suis renseigné. Salvatore n'est pas inscrit à l'école. J'en ai déduit que l'école, c'est toi. Donc, il doit venir plusieurs jours par semaine.

— Il vient le mardi et reste jusqu'au vendredi, reconnaît Luciana. Je lui enseigne tout ce que je peux. C'est un très bon élève, meilleur que toi peut-être, ajoute-t-elle perfidement.

Nino hoche la tête en souriant. Il a gagné.

— M'autorises-tu à lui rendre visite, entre le mardi et le vendredi, à l'heure où les leçons sont finies ?

Elle incline la tête, comment le lui refuser ? Il sait ce qu'il fait, le Nino.

— Et que veux-tu lui enseigner à ton tour ?

— La vie ! répond Nino. Tout ce que tu ne lui enseignes pas.

Elle a un ricanement qui ne lui est pas habituel, mais il l'a bien cherché.

— Les armes, les affaires du Strozzi ?

Nino secoue la tête et l'embrasse.

— Je veux lui donner des leçons de père.

— Comment cela ? Lesquelles ?

— Je commencerai par les cartes. Un Sicilien doit savoir jouer à la *ramazza*, au moins.

— Alors, ça va, dit Luciana.

*

Carmela est une bonne gestionnaire. Depuis toujours, elle s'occupe du domaine. Les rentrées, les coûts de chaque activité n'ont pas de secrets pour elle. Qu'il s'agisse des récoltes, de la mine, des salaires, de la maison, elle a tous les chiffres en tête. De temps en temps, le comptable vient l'aider, mais il reconnaît lui-même que son contrôle ne sert pas à grand-chose. Il ne lui apprend rien, sauf quelques nouvelles règles quand elles changent, surtout avec les impôts. L'État italien a un immense besoin d'argent, et toutes les taxes ont grimpé d'un coup. Carmela le sait. Elle triche avec une habileté qui fait l'admiration du comptable. Dans ces moments, elle s'installe dans le bureau de don Tomasini, dont la photo trône toujours dans le cadre sur la table. Elle l'a laissée à l'intention des visiteurs pour dire qu'elle n'a rien à craindre de son fantôme. Quand elle est seule, il lui arrive d'y jeter un coup d'œil. « Vieux salaud, j'ai aidé ton assassin à te tuer. J'ai hérité de tous tes biens. Tu le méritais. Dors bien en enfer, je ne regrette rien. »

Personne dans ce bureau ne vient la déranger car les chiffres sont compliqués, ainsi que les opérations pour savoir ce qu'il faut dissimuler à l'État. Le plus possible, évidemment. Tous les maîtres des domaines agissent de cette manière.

Salvatore vient l'embrasser avant de partir chez Luciana pour les trois jours d'école. Il regarde les livres de comptes sur la table, les colonnes de chiffres alignés avec le trait en bas.

— C'est difficile, dit-il.

— Tu apprendras, dit Carmela. Un jour, ce sera à toi de t'en occuper et je te montrerai.

Il lit les chiffres dans les colonnes en les suivant avec son doigt. La somme en bas est en lires.

— Tu as tiré le *sette bello* ?

Carmela sursaute.

— Comment sais-tu ce que c'est que le *sette bello* à ton âge ? Tu as six ans !

— Je l'ai appris. C'est la plus grosse carte. Elle ramène vingt et un points.

— Ne me dis pas que tu sais jouer à la *ramazza* ?

— Si, je sais, répond-il très sérieusement. Si tu veux, je te montrerai.

— C'est Luciana ? Elle t'apprend à jouer aux cartes ?

— Non, marmonne-t-il, car il se rend compte qu'il aurait mieux fait de se taire.

— Alors c'est qui ? Mauro Pivetti ?

Il fait non de la tête. Carmela a un soupçon, elle lui saisit le poignet.

— Qui ? Dis-moi qui ! demande-t-elle de sa voix sifflante.

— C'est Nino, finit par lâcher l'enfant.

Carmela libère son poignet. Elle l'embrasse pour lui dire au revoir.

— J'ai compris, dit-elle.

Mercredi, Carmela demande à Ignacio de la conduire à Palerme en fin d'après-midi. Elle lui donne rendez-vous plus tard devant le théâtre Massimo. Elle marche lentement via Ruggero Settimo et remarque une voiture garée en face de l'appartement de Luciana. Deux hommes surveillent le porche. Ce ne sont pas des policiers ni des domestiques. Ces hommes montent la garde, au cas où quelqu'un de suspect, un ennemi, voudrait entrer. Son cœur s'affole. Nino ! Le jour et l'heure sont bien choisis. Elle se doutait qu'il venait au milieu des trois jours, après les leçons de Luciana. Elle ralentit le pas, feint d'admirer les vitrines. Dans le reflet de la glace, elle surveille la voiture et les deux hommes qui continuent à bavarder. Cette jolie femme bien habillée n'est pas suspecte. Elle se dirige vers la porte, qu'elle pousse d'un geste décidé. Les sentinelles de l'*ancilu mostru* n'ont pas bronché.

Carmela monte les deux étages et tire de son sac la clé de l'appartement de Luciana qu'elle a gardée depuis l'époque où, enceinte, elle habitait chez elle. Dans le salon, Nino et Salvatore sont assis à une table. Nino se lève aussitôt. Luciana surgit et entraîne

Salvatore dans une autre pièce. Nino et Carmela sont seuls, l'un en face de l'autre. On entend la voix de Luciana qui parle à Salvatore, puis sa voix à lui. On comprend qu'il voudrait revenir dans le salon, là où il se passe quelque chose, entre Nino et sa mère, mais Luciana le retient. Cette scène, elle y a pensé souvent.

— Pourquoi es-tu venue ? demande Nino le premier.

Que sa voix est douce ! Sept ans depuis la dernière fois qu'elle l'a entendue, quand il l'a quittée après avoir tué don Tomasini et lui avoir remis le titre de propriété de la ferme de son père. Cette voix, elle l'a souvent imaginée. Quand elle lisait ses lettres, c'était comme s'il lui parlait. Et maintenant, c'est bien lui qui prononce ces mots, de cette voix qui était une voix de rêve et qui, maintenant, est une vraie voix.

Elle tend la main vers son visage et caresse la partie gauche, là où les mitrailleuses autrichiennes ont détruit la chair, laissant ces ravins, ces trous et ces tranchées sur la joue. Elle la caresse du bout de ses doigts manucurés, laqués, ses doigts de femme riche sur ses traits ravagés. En même temps, elle le regarde, s'emplit de son nouveau visage, respire son odeur, toujours la même odeur d'homme, celle qu'il avait dans la ferme de son père, où elle le rejoignait la nuit. Il y a eu la guerre mais la guerre est finie. Il y a Salvatore, mais il est de l'autre côté de la porte, il y a Cavalcanti, mais il est à Rome, avec les gens qui lui ressemblent. Et là, dans le salon chez Luciana, il ne reste plus qu'eux deux. Lui aussi approche sa main, lui aussi caresse les traits délicats de Carmela, avec la crème et les poudres. Il respire son odeur de femme, qui domine les parfums dont elle a couvert son corps. Il est ému, le Nino. Cela lui arrive rarement mais elle le voit bien.

— Je suis venue, dit-elle, parce que c'est trop fort.

Ils passent la nuit dans une *osteria* qui donne sur la mer du côté de Trapani. Ça n'a pas duré longtemps chez Luciana, des mots sans doute, des embrassements, ils s'étreignaient, reculaient et se reprenaient encore, sans plus se parler. Puis Luciana est revenue avec Salvatore. Lui les contemplait. Luciana répétait « évidemment, évidemment... ». Puis ils sont partis. Dans la rue, Carmela est allée dire à Ignacio, qui l'attendait devant le théâtre Massimo, de rentrer seul, sans l'attendre. Nino a signifié aux deux gardes de lui laisser la voiture. Eux non plus n'ont pas posé de questions. Après, ils ont pris la route de Trapani, Nino au volant.

« Où as-tu appris à conduire ? a demandé Carmela.

— À l'armée. Chez les *arditi*, il fallait savoir conduire les camions. J'ai aussi appris à nager, à grimper à la corde, à parler un peu l'allemand et le hongrois.

— Et d'autres choses ?

— Oui, dit Nino, d'autres choses encore. »

Pas la peine de lui demander quoi. Carmela doit s'adapter au nouveau Nino. Plus tard, il lui a dit que ça n'avait pas d'importance, ce qu'il était devenu, ou plutôt, ce qu'il avait fait pendant toutes ces années, que c'était comme une parenthèse dans leurs vies à tous les deux. Et que maintenant, elle était refermée puisqu'ils s'étaient retrouvés, et que c'était toujours aussi fort, comme elle l'avait dit, trop fort pour y résister.

Sur la route de Trapani, la nuit est tombée. Il fait très chaud, ils roulent les vitres ouvertes, jusqu'au moment où ils trouvent cette *osteria*. On y dîne et on y couche. C'est là qu'ils s'arrêtent. Pour la première fois, ils dînent ensemble dans un endroit public, chacun d'un côté de la table avec une nappe à carreaux rouges et blancs. Ça ne leur était jamais arrivé. Les seuls lieux qu'ils ont fréquentés ensemble, ce sont les librairies, c'est quelque chose de se retrouver là, de passer une commande, de s'effleurer la main.

— Je sais ce qui est arrivé par Luciana, mais je veux que tu me le racontes, je veux tout savoir de ta vie.

Et Nino relate la guerre sur l'Isonzo, Franco fusillé, la vengeance sur le sergent Bertani, la mort de Beppe.

— Ce sont les *arditi* qui m'ont sauvé, dit-il. Avec moi, il y avait cet officier, Lorenzo Mori, il venait de perdre sa femme, tuée dans une manifestation.

— Je sais, je lui ai écrit et il m'a répondu. Il dit que tu l'as sauvé et que ça t'a coûté la vie.

Nino baisse la tête.

— Mori, c'est un type bien, je ne pouvais pas le laisser comme ça ou alors ce n'est pas la peine d'avoir un ami.

Il raconte Vittorio Veneto, ces instants où il a été touché tandis qu'il portait Mori, une première fois, la rafale en plein visage, puis l'éclat d'obus dans la tête, l'hôpital et l'amnésie, Bianca, l'orage enfin, et la mémoire qui revient d'un coup. Il ne cache rien.

— Tu connais la suite, dit-il.

Elle baisse la tête. À un jour près, elle aurait annulé le mariage.

— Tu ne pouvais pas savoir, dit Nino. Officiellement, j'étais mort. C'était même écrit sur le monument avec Beppe et Franco. Ça m'a fait plaisir qu'il y soit, celui-là.

Elle raconte comment il a fallu insister auprès du préfet qui ne voulait pas en entendre parler.

— Mais il a fini par comprendre et il a accepté que le nom de Franco figure avec les autres. Depuis, j'ai de très bonnes relations avec lui.

— Pas moi, ne peut s'empêcher de dire Nino.

Elle a un sourire et caresse encore sa main par-dessus la nappe. Mais elle ne pose pas de questions. Elle parle du Cavalcanti. Elle a failli le chasser, puis l'a gardé.

— C'était trop dur pour lui, explique-t-elle, rien n'était de sa faute.

— Et maintenant ?

— Il est à Rome pour les séances de l'académie. Je crois qu'il écrit un nouveau livre, il ne me l'a pas dit, mais j'en ai l'impression.

— Il ne t'en parle pas ?

— Non. Ce sont des choses qu'il garde pour lui, surtout qu'à mon avis le livre est sur moi.

Nino éclate de rire. Cela lui semble extrêmement drôle, cette histoire de livre dont Carmela serait le sujet.

— Et toi ?

— Personne n'écrira jamais rien sur moi, je ne suis pas un sujet de roman.

Elle rit, elle aussi. Elle lui dit que peut-être, il se trompe.

Après le dîner, ils vont marcher au bord de la

mer, ils ont ôté leurs chaussures et foulent le sable mouillé. Parfois, elle court et lui la rattrape ; ils s'éclaboussent. Ils se sont déshabillés, ils entrent dans l'eau, ils avancent lentement dans cette eau encore chaude du jour.

— Je ne sais pas nager, dit Carmela.

— Je t'apprendrai.

Une première fois, ils s'aiment dans l'eau, avec les petites vagues qui viennent sur eux en les caressant. Tous ces jeux de l'amour, ils ne les ont pas connus dans le passé. C'était trop risqué. Tout était tragique. Puis ils passent la nuit dans le lit de l'auberge. De cette nuit, il ne faut rien raconter.

Le lendemain, quand Carmela rentre au domaine, elle trouve le Cavalcanti assis à sa place habituelle à la table du jardin, devant la maison, avec ses feuilles et ses crayons.

— Je suis arrivé hier soir. Vous étiez à Palerme cette nuit ?

— Oui.

Il ne pose pas d'autres questions. Il désigne les feuilles.

— J'écris un roman sur vous, dit-il sur un ton un peu solennel.

— Je m'en doutais, dit Carmela.

— Les deux premiers chapitres sont chez l'éditeur, il est enthousiaste, jamais je n'ai écrit un livre de ce niveau, enfin c'est ce qu'il dit... Il faut que vous m'aidiez. Cela, au moins, vous me le devez.

— D'accord, dit Carmela, je vous aiderai.

Nino trouve le Strozzi dans son fauteuil avec des fioles et des médicaments.

— *Omu*, je voulais te voir. J'ai besoin que tu m'aides. Les hommes sentent que je suis malade. Il y a de la trahison dans l'air. Je flaire la trahison comme toi les ennemis. Je ne me trompe jamais.

— Je vous aiderai de mon mieux, dit Nino, vous le savez.

Le Strozzi s'étire sur le fauteuil et réprime une grimace de douleur.

— Bianca ! appelle-t-il.

Elle apparaît dans l'ouverture de la porte, elle tient une tasse entre ses mains. Quand elle aperçoit Nino, elle s'arrête un instant de tourner la cuillère dans la tasse, avant de la poser sur la table.

— Bonjour, Nino, heureuse de te revoir.

— Bonjour, Bianca.

32

Lorenzo épouse Virginia le 19 juillet 1922 au Duomo de Vérone, à Santa Maria Matricolare, belle cathédrale au bord de l'Adige, au cœur de la vieille ville. Ce mariage, organisé de bout en bout par sa mère, qui a requis l'évêque, choisi les fleurs, le traiteur et les petits-fours, est un grand mariage, comme Vérone n'en a pas vu depuis longtemps. Un grand mariage fasciste. Les *ras* sont venus de Venise, de Ferrare, de Bologne, de Crémone, les grands *ras* du nord de l'Italie, en uniforme de cérémonie, médailles battant sur les chemises noires, bottes et culotte de cavalier, le poignard à la ceinture.

Au début, la mère Mori n'a pas accueilli la nouvelle du mariage avec bonheur. Elle espérait mieux pour son fils.

« Cette petite Virginia, si charmante soit-elle…

— J'épouserai Virginia, ma mère, d'abord parce qu'elle le mérite et parce que je ne suis pas un salaud.

— Ce qui veut dire ?

— Rien de plus. Je n'ai aucun compte à vous rendre.

— Décidément, mon fils, tu es incapable d'épouser une vierge. Moi, le jour de mon mariage, je n'avais pas connu d'homme. Le Seigneur m'avait préservée de cette abomination.

— Hélas », a marmonné Lorenzo entre ses dents.

Grand mariage donc, mélange d'orgues, de surplis, d'uniformes, de chants guerriers et d'hymnes religieux. À la sortie, les *ras* font la haie d'honneur avec leurs poignards dégainés. Au même moment, la radio annonce que Mussolini s'est écrié à la tribune de Montecitorio : « Je vous déclare avec franchise qu'aucun gouvernement ayant dans son programme les mitrailleuses contre le fascisme ne pourra rester debout en Italie ! »

Le soir même, à l'heure de l'apéritif, le gouvernement Facta est renvoyé par la Chambre. Un bruit court, Mussolini se serait rapproché du Vatican, qui serait prêt à trahir les *pipisti* pour celui que le nouveau pape Pie XI qualifiera un jour d'« homme de la Providence ». Aussitôt, les politiques invités au mariage se rapprochent de la Sarfatti, la grande prêtresse qui ne confirme ni ne dément.

— Comment voulez-vous qu'une juive comme moi puisse être informée des secrets de l'Église ?

Ils se récrient aussitôt. Ses liens avec les plus hautes autorités vaticanes sont connus. Elle proteste en souriant. Plus tard, dans l'intimité des plus proches, dont Lorenzo, elle chuchote :

— Le Duce a rencontré Gasparri, le cardinal secrétaire d'État, chez le comte Santucci, le patron de la Banco di Roma. Il s'est engagé à reconnaître au pape une souveraineté temporelle à Rome. Ne le répétez pas, mais le Vatican est de notre côté. Fini les *pipisti* !

Mais on apprend qu'à Ravenne Balbo a déclenché une colonne de feu. Aussitôt, *lo sciopero legalitario*, la grève légalitaire, débute. À Parme, la résistance des ouvriers dure cinq jours contre les milices du *ras* de Ferrare, et à Milan, le siège est mis devant la mairie socialiste de Filippetti. On crie :

— *A chi l'Italia ?*

— *A noi !*

— *A chi il palo*[1] *?*

— *A Filippetti !*

Un camion enfonce la porte, l'étendard du *Fascio* est hissé au sommet en même temps que le drapeau italien. D'Annunzio, le poète fou, surendetté, érotomane, drogué, fait un vrai discours de guerre. Pour la troisième fois en trois ans, le journal l'*Avanti !* est incendié. Fort heureusement, D'Annunzio, tombé d'un balcon après s'être disputé avec sa maîtresse,

1. Le poteau.

Loyse Baccara, s'est cassé la jambe. Il en a pour un mois d'hôpital. Mussolini respire. Un temps, il avait craint sa concurrence. La Sarfatti murmure à son oreille : « À nous maintenant ! »

— J'ai peur, confie Virginia à Lorenzo.

— Peur de quoi, ma chérie ?

— De tout, dit-elle, de ce qui se passe. Le jour de notre mariage, j'ai eu l'impression que c'était une fête en l'honneur du fascisme, pas en l'honneur des époux. Il y avait des hommes qui criaient, qui chantaient des chants de guerre et qui brandissaient des poignards. Ces hommes, je ne les connaissais pas, et eux ne savaient même pas qui j'étais. Ils s'en moquaient d'ailleurs. Je ne les aime pas, Lorenzo, ne me dis pas que le fascisme, c'est eux !

— C'est aussi eux.

Il explique que ceux dont elle parle sont issus de la guerre pour la plupart, ce sont des *squadristi* : *manganello* et *pistolaccio*.

Sans eux, le fascisme n'aurait pas survécu. Ils sont prêts à mourir. Et d'ailleurs, poursuit-il, ces hommes meurent souvent. On nous craint parce qu'on les craint.

— Ce sont des fous, répond Virginia, j'aime le fascisme parce que je t'aime toi, et tu ne fais pas partie de ces hommes, tu es un militaire, sincère, honnête.

— Il m'est arrivé d'accompagner ces hommes, dit Lorenzo.

Elle répond qu'elle le sait, parce qu'elle l'a vu revenir, blessé souvent, des coups sur le visage. Elle l'a soigné sans poser de questions.

— J'ai tué beaucoup d'hommes à la guerre, dit brusquement Lorenzo, des hommes que je ne voyais pas, ou alors le temps d'un éclair. Je traîne ces morts derrière moi, comme un pesant cortège. Ils m'accompagnent partout.

— Et d'autres encore après la guerre ?

— Peut-être, mais là je n'ai pas le choix, sauf à accepter d'être tué. C'est une autre guerre, mais une guerre quand même.

— Mon fils sera l'enfant de la paix ! C'est comme ça que je le veux ! Il ne sera pas comme Laura qui est une enfant de la guerre.

— Ma fille, l'enfant de la guerre, dit Lorenzo, le mot est juste. Il lui donne le droit d'être aimée.

*

— Mori, demande le Duce, tu as fait les comptes. Combien nous coûte la marche sur Rome ? Les trains, la nourriture pour les hommes et les armes… Au total, combien ?

— Trois millions de lires, répond Lorenzo. Balbo et deux autres ont déjà signé la traite pour les dépenses.

— Pourvu que ça marche, dit Mussolini, c'est une somme.

Personne ne risque de commentaires. Le nouveau siège du *Popolo* à Milan ressemble à un fortin. Mussolini a un fusil en bandoulière. Au même moment, tous les lieux stratégiques des grandes villes sont sur le point d'être occupés par les *squadre*[1], à

1. Les équipes.

commencer par les centraux téléphoniques, les préfectures et les commissariats. Quelques jours auparavant, les fascistes ont tenu un congrès à Naples, au prétexte de décider une participation au nouveau gouvernement. En réalité, il s'agissait de mettre en mouvement le mécanisme de l'insurrection. Un quadrumvirat a été désigné : Balbo, le général De Bono, Bianchi et De Vecchi. Tous ont signé la traite et assumeront les pouvoirs. Mussolini a demandé à Lorenzo de l'accompagner à Milan, où il attendra la suite des événements.

— Ne me quitte pas d'un pouce, dit Mussolini, tu me serviras de garde du corps.

— Avec ma main de bois ?

— Tu sais toujours tirer avec l'autre ?

— Je me suis entraîné.

Mussolini hoche la tête et le prend par le bras.

— Tu sais, lui dit-il, le moment est idéal pour m'assassiner. C'est ce soir ou jamais.

La nouvelle tombe que Facta, le président du Conseil, a préparé un décret organisant l'état de siège à Rome. Il ne reste qu'à le faire signer par Victor-Emmanuel. Le ministre de l'Intérieur Taddei demande l'arrestation des chefs fascistes. À Rome, le général Pugliese, qui commande vingt-cinq mille hommes armés jusqu'aux dents, fait installer des chevaux de frise sur les ponts. On entoure les bâtiments publics de sacs de sable.

La veille, le Duce est allé à la première de *Lohengrin* dans la loge que la Sarfatti loue à l'année. Ce soir, il va au Manzoni où l'on donne *Le Cygne*. Margherita et sa fille Fiametta, Lorenzo et d'autres amis sont là.

On frappe à la porte. C'est un lieutenant de la milice, rédacteur au *Popolo*.

— On vient de téléphoner, l'affaire commence.

Le Duce veut sortir, mais Margherita le contraint à se rasseoir. Tous les regards de la salle sont fixés sur lui. Le messager annonce qu'à Crémone il y a déjà des morts car Farinacci a attaqué la préfecture. Les rouges résistent mais ils reculent. Mussolini pâlit, il est trop tard pour arrêter l'insurrection, d'autant que les informations se multiplient. À Pise, à Florence, les *squadre* sont passées à l'action sans attendre les ordres. Il est blême.

— Et à Rome ? demande-t-il.

On lui dit que les miliciens ont débarqué avec de vieux fusils et des gourdins. Ils piétinent sous la pluie, tandis que les unités du général Pugliese, soldats disciplinés, sont au sec dans les casernes. Mussolini se lève, fait signe à Lorenzo, qui vérifie que le couloir est libre.

— Nous y sommes, dit le Duce. Adieu.

Il passe la porte mais s'arrête aussitôt. Il s'appuie au mur, puis interpelle le messager :

— Téléphone à Rome. Il faut que les légionnaires contiennent les cohortes. Que l'on installe les bivouacs. Aucun contact avec l'armée. On ne marche pas sur les ministères sans mon ordre.

Le messager file en courant. Mussolini reste appuyé contre le mur. Lorenzo le tient toujours par le bras. De l'autre côté, Margherita.

— Il risque d'y avoir un massacre, on ne peut pas…

Il s'arrête. Il souffle très fort, il est de plus en plus pâle, il va s'évanouir. La Sarfatti le pince, puis le gifle.

— *O crepi o marci*, crache-t-elle, *ma lo so che marcerai*[1].

33

— Je n'ai jamais rencontré de femme comme vous, dit Andrea Cavalcanti.

— C'est pour cela que vous avez voulu m'épouser, réplique Carmela, même pour un mariage condamné par avance.

— Peut-être.

C'est la première fois qu'il ne parvient pas à comprendre une femme, à décrypter ses comportements pour les traduire sur le papier. Cette femme lui échappe. Mieux, elle le domine, et il supporte mal cette sujétion mentale, ce mystère auquel il est resté étranger malgré ses efforts. Cette femme-là, se dit-il, en a aimé un autre. Jusqu'ici, rien que de très normal. Elle l'a aidé, assisté, pour commettre un meurtre. C'est ce qu'elle lui a avoué dans ce dîner aux Palmes où il a fait la bêtise de la demander en mariage. Mais cet aveu n'a pas été arraché. Elle l'a revendiqué, elle ne regrette rien de ce pacte de sang entre elle et son amant. Le Cavalcanti repense à cette impression étrange quand il s'est trouvé face à cet homme qui n'a pas voulu attendre Carmela.

— Vous l'avez revu ? demande-t-il brusquement.

1. Tu crèves ou tu marches, mais je sais que tu marcheras.

— Bien sûr, c'est moi qui suis allée le chercher.

— Et… vous l'aimez toujours ? Pardonnez ma question, c'est une interrogation d'écrivain.

— J'aimais mieux être avec lui mort qu'avec vous vivant.

— Expliquez-moi, pour mon livre, demande Andrea, qui note la phrase sur un carnet, elle pourrait inaugurer le troisième chapitre.

Carmela le regarde sans répondre. Elle a le souvenir, à la lecture de *La Femme aux sortilèges*, de ce sentiment d'intrusion. Et voilà qu'il lui demande de l'éclairer sur elle-même, de répondre à des questions qu'elle ne s'est jamais posées. C'est elle, le mystère, et lui, le suppliant qui veut le percer.

— Je crois, commence-t-elle, que votre interrogation… votre angoisse peut-être…

— Peut-être, dit-il, il y a une angoisse dans le fait de ne pas comprendre une femme, au moins pour un homme comme moi dont c'est devenu la profession et, plus encore, la fonction.

— Cette angoisse donc, poursuit Carmela, s'explique par le fait que vous n'avez jamais croisé ce genre d'amour, si c'est un genre, un amour absolu.

C'est au tour de Cavalcanti de garder le silence. Il repasse dans sa tête tous les genres d'amours qu'il a côtoyés, même les passions les plus démesurées avec des amants qui étaient des fous tous les deux. À la réflexion, ce n'étaient pas des amours absolues. Il y avait toujours une limite, les circonstances, l'éloignement, l'écoulement du temps ou autre chose.

— Existe-t-il un signe, un critère, qui permette de le reconnaître, cet amour absolu ?

Carmela n'hésite pas, la réponse lui vient naturellement :

— C'est quand votre amant vous demande d'accomplir un acte qui vous heurte profondément, essentiel pour lui. Parce que, s'il ne l'accomplit pas, il ne pourra pas continuer à vivre, même si cet acte ne lui apportera que de graves ennuis. Alors, vous devez choisir entre la vie de votre amant et vos convictions.

Le Cavalcanti note la formule encore une fois sur son carnet. Il se penche en avant vers Carmela.

— Un crime, peut-être, chuchote-t-il.

— Oui, par exemple ! Un crime libérateur, sanctificateur, mais un crime quand même.

Cavalcanti écrit à toute vitesse sur son carnet. Il note tous les mots, il le tient, son troisième chapitre.

— C'est encore, dit Carmela, quand la preuve officielle, publique, vous est apportée que votre amant est mort, mais que vous n'y croyez pas, tout en accomplissant les gestes du veuvage, y compris le fait de se marier.

Il l'interrompt :

— C'est pour cela que vous avez accepté de m'épouser ? Pour vous convaincre que Nino Calderone était bien mort ?

Cette question, songe-t-elle, est terrible, et la réponse aussi, pour un homme comme Andrea qu'elle respecte.

— Je me suis dit que si je vous épousais, Andrea, ma conviction s'effondrerait avec ce mariage. Alors, je pourrais mener une vie normale.

Elle regarde Cavalcanti d'un air désolé. Elle

voudrait s'excuser pour l'avoir trompé aussi effrontément, mais les mots ne viennent pas. Lui noircit toujours son carnet.

— C'est donc cela l'amour absolu. Rien ne l'arrête, ni le crime ni la nouvelle de la mort.

Carmela acquiesce. Et Cavalcanti ajoute encore une ligne sur son carnet.

34

— *Omu*, dit le Strozzi, avec la vie que j'ai menée, il est honteux de mourir dans son lit. Ce n'est pas la fin d'un homme d'honneur.

Il désigne les murs repeints en blanc, les perfusions, les fioles de médicaments rangées par ordre de leur administration, ceux du matin, de midi, de l'après-midi et du soir, sans compter les piqûres.

— Qui te parle de mourir ? demande Bianca. Personne n'en parle, ni moi, ni Nino, ni le *medicu*.

Le Strozzi a un rire douloureux qui le fait grimacer. Toutes ses rides se creusent en même temps. Une ride, un crime. Comme si tous ses crimes se mélangeaient.

— Parce que tu m'aimes, reprend-il, tu m'as abandonné mais c'était ton droit, car je n'étais pas un frère convenable, et quand je t'ai rappelée, tu es revenue. C'est la preuve que tu m'aimes toujours.

Il se tourne vers Nino.

— Mon souhait était que tu vives avec Bianca.

Vous vous connaissez tous les deux, c'est une fille honnête et toujours belle, comme tu peux le constater. Même habillée en infirmière, elle plairait à n'importe quel homme.

— Je ne suis pas n'importe quel homme.

— Parlons d'autre chose, dit Bianca, le *medicu* va venir.

Bianca regarde Nino. Quand ils se sont revus, il l'a embrassée sur la joue. Heureux de la revoir, mais rien de plus. Depuis qu'elle est revenue, elle confère avec le *medicu* deux fois par jour. Ce n'est pas un *medicu* ordinaire avec un cabinet en ville ou un poste à l'hôpital, mais un vrai *medicu*, même si à son nom, il y a plus de fiches de police que de diplômes. C'est le *dutturi* des hommes d'honneur. Il les soigne quand ils sont blessés, en sauve quelques-uns après les avoir opérés comme il peut, mais sans jamais poser de questions. Il empoche les billets qu'on lui tend et s'en va sans commentaires. Quand il n'y a pas d'argent, il vient quand même et ne réclame rien. Tous les types de blessures, par balles, par poignard, il les connaît, car, à force, il est devenu savant dans les différentes armes qui les causent. Quand il sonde la profondeur, il annonce le calibre. Parfois, c'est trop grave ou trop tard. Alors, il lève les bras et déclare : « Notre ami est entre les mains de Nostru Signori. » Tout le monde comprend et on appelle le *sacerdotu*.

Dans le cas du Strozzi, il a dû se replonger dans ses livres de l'époque où il était étudiant car celui-là est atteint d'une maladie honnête. Mortelle mais honnête, de celles qui s'en prennent aux préfets ou aux policiers et à d'autres du même acabit. Et cette maladie-là, il ne l'a plus étudiée depuis le temps où il exerçait publiquement la médecine, avant qu'il ne soit radié de l'ordre des médecins de Palerme parce qu'on le retrouvait dans trop d'affaires d'assassinats maquillés en maladies ordinaires.

Il a dit à Bianca qu'il ne peut que soulager le Strozzi de sa douleur, car la mort viendra toute seule, on ne sait pas quand, mais elle viendra. « Quand la mort sera derrière la porte et qu'il faudra appeler le *sacerdotu*, je te le dirai », a-t-il ajouté.

— Écoute, Nino, dit le Strozzi, je veux te parler. Approche-toi car ce sont des choses qu'on ne dit pas à voix haute.

Bianca se lève de sa chaise, elle dit qu'elle va attendre dehors l'arrivée du *medicu*.

— Voilà, dit encore le Strozzi, les hommes savent que tu vas me succéder, je ne leur ai pas encore dit, mais ils le sentent. La plupart te seront fidèles, ils sont avec moi depuis longtemps et ils me respectent. Ils savent aussi que les *arditi* qui nous ont aidés dans l'affaire du Cucagna te sont attachés. Trois ou quatre espéraient prendre la place. L'un d'eux va trahir, je le sais, mais j'ignore lequel. Les autres attendent pour voir ce qui se passe.

Il prononce les noms de ces hommes qu'il soupçonne. Nino hoche la tête. Il a les mêmes suspicions.

— Écoute encore, poursuit-il, depuis que le Cucagna a disparu, nous nous sommes emparés de ses territoires. Personne ne peut contester qu'ils sont à nous et, désormais, c'est toute la région qui nous appartient, alors qu'avant il n'y avait que Palerme. C'est très tentant pour ce traître, mais il est impossible de savoir qui il est avant qu'il agisse et, lorsqu'il agira, ce sera trop tard. Tu me comprends.

Il regarde Nino.

— Tu as vécu à la campagne. Tu connais les bergers ?

— Oui, dit Nino. Mon père a eu un troupeau avant de faire de l'agriculture.

Le Strozzi hoche la tête sur son oreiller. Il réprime une grimace. Lui aussi a passé son enfance à la campagne.

— Quand une bête est infectée, elle risque de contaminer les autres. Alors, il faut liquider tout le troupeau, même les bêtes qui sont saines. C'est vrai, non ?

— C'est vrai, dit Nino.

Plus tard, quand le *medicu* est reparti, Nino raccompagne Bianca jusqu'à la maison que son frère lui a achetée. Il roule lentement dans les rues désertes.

— Qu'a dit le médecin ? demande-t-il.

Elle hausse les épaules.

— Toujours pareil. Évolution lente mais sûre. Ça peut durer un mois ou un peu plus. Mais ça peut flamber par surprise. C'est pour ça qu'il vient deux fois par jour, pour vérifier que ça n'a pas commencé à flamber.

Elle l'invite à entrer. Ils s'asseyent l'un en face de l'autre. Elle apporte deux verres et une bouteille.

— Mon frère ne parle que de toi. Il veut que tu prennes sa place quand il ne sera plus là.

Il ne répond pas et la laisse dire en l'observant. Elle est belle et élégante. Quand elle est arrivée, le Strozzi lui a tendu un rouleau de billets en lui demandant d'aller s'habiller via Roma ou sur le corso Vittorio Emanuele, et de ne surtout pas lésiner sur la dépense.

— J'ai pris l'argent, dit-elle. Il a toujours voulu me faire des cadeaux. Quand j'étais plus jeune, j'en ai eu assez, je suis partie avec mon diplôme d'infirmière gagner mon salaire à Milan. C'était de l'argent honnête, mais il n'y en avait pas beaucoup, ajoute-t-elle avec un sourire contrit. En faisant les courses l'autre jour, j'ai retrouvé un très ancien plaisir.

— Et ça ne te gêne plus, l'origine de cet argent ?

Elle a encore son sourire embarrassé. Puis elle secoue la tête.

— Je n'ai qu'une vie. Quand j'ai demandé un congé à l'hôpital pour venir ici, je savais que je n'y retournerais pas. Tant pis pour la morale et la loi, ce sont celles de l'État italien. Mon frère aide beaucoup de familles avec son activité. S'il n'était pas là, elles seraient réduites à la mendicité. Lui, au moins, il donne du travail. Beaucoup d'affaires lui appartiennent à Palerme et dans la région, même si son nom n'apparaît pas. Peu importe comment il les a acquises. Il y a placé ceux qui lui sont fidèles et savent ce qu'ils lui doivent. C'est la règle ici, fidélité et silence, je ne t'apprends rien.

Elle lui demande alors s'il a reçu l'initiation.

— Oui, la piqûre avec le poignard, le mélange du sang avec l'image du saint, puis cette image qui flambe au bout des doigts et le serment après.

Bianca le coupe avec un autre sourire :

— « Que je sois réduit en cendres comme l'image de ce saint si je trahis Cosa Nostra », répète-t-elle à sa place. Ce n'est plus un secret, ce serment. Mon père l'avait prêté et son père avant lui. Nous sommes une dynastie maintenant, les Strozzi.

Elle s'arrête un instant.

— Le fils de mon frère, mon neveu, a été abattu. C'était un jeune homme inconséquent et imprudent. Mon frère l'a vengé, mais sa femme l'a quitté parce que c'était lui, le responsable.

Elle serre la main de Nino.

— C'est toi qui vas reprendre le flambeau.

— Je crois, dit Nino.

Bianca retire sa main.

— Cette femme, Carmela, celle dont tu as retrouvé le nom en même temps que la mémoire, tu l'as revue ? Ne me réponds pas si tu veux garder ça pour toi.

— Elle s'est mariée parce qu'elle croyait que j'étais mort et qu'il fallait donner un père à notre enfant. Je ne voulais pas la revoir, mais c'est elle qui est venue. Je ne sais pas si elle gardera son mari. Elle est riche et n'a besoin de personne. Elle dit que l'amour entre nous n'a pas de limites ni de frontières.

— Tu le crois ? demande Bianca.

— Oui, je le crois. C'est un amour comme ça.

— Un amour absolu, insiste-t-elle.

— On peut l'appeler ainsi.

— Alors, dit Bianca, cet amour n'a rien à craindre de moi. Je n'y toucherai pas...

Elle s'approche de lui, noue ses bras autour de sa taille.

— ... si je deviens ta femme de Cosa Nostra, achève-t-elle.

La même nuit, quatre hommes sont abattus. Un dans un bar, un à une table de jeu, un chez sa maîtresse, le quatrième chez lui, dans son lit avec sa femme. Parmi ces morts, un seul traître, les trois autres étaient soupçonnés de le suivre. On ignorait lequel était ce traître mais c'était l'un des quatre, le Strozzi en avait eu la confirmation. C'est pourquoi, avant de tirer, le sicaire a chaque fois prononcé cette phrase : « Pardonne-moi, mais Nino Calderone ne peut pas te laisser vivre. »

Le lendemain matin, après sa visite, le *medicu* annonce que la maladie du Strozzi a commencé à flamber.

*

La nuit du 27 au 28 octobre 1922 est pour les dirigeants fascistes une nuit de guerre. Ceux qui étaient sur l'Isonzo ou sur le Piave ont le souvenir des heures sombres qui précédaient les attaques à l'aube. Au *Popolo*, Lorenzo est au téléphone avec l'hôtel Brufani à Pérouse où sont les quadrumvirs que Grandi vient de rejoindre. La ville a été choisie parce qu'elle est au confluent entre le nord, le sud, l'est et l'ouest de l'Italie.

Lorenzo transmet à Mussolini des nouvelles des trois colonnes, l'une qui vient de Santa Marinella, l'autre de Monterondo, la dernière de Tivoli, et qui avancent vers Rome sous une pluie battante. Chacune d'elles est commandée par un militaire de renom qui marche en tête. C'est l'un des paris de Mussolini : les troupes de Rome n'oseront pas tirer sur leurs anciens chefs. Les *squadre* sur place bivouaquent toujours sous les averses. On attend l'ordre de Mussolini. Et la nuit se passe ainsi. Mussolini se tait. Il ne donne pas d'ordre, il attend.

Ceux qui sont autour de lui, Lorenzo en tête, l'interrogent du regard. La Sarfatti ne dit pas un mot. Elle observe tour à tour Mussolini, Lorenzo et les autres, l'air inquiet. Des militants traversent les locaux du journal avec du café. De Pérouse, cette nouvelle : le duc d'Aoste vient de rendre visite aux quadrumvirs. Il se déclare prêt à tout, le héros de l'Isonzo, au besoin à prendre la place de son frère, le petit roi Victor-Emmanuel le nain. Dans l'armée, on le surnomme *Sciaboletta*[1].

Au matin, les appels se succèdent, de Rome cette fois. Le président du Conseil, Facta, vient d'arriver chez le roi pour faire signer le décret sur l'état de siège, celui qui permettra aux troupes de tirer. Certains se précipitent dans le bureau de Mussolini.

— Duce, donne l'ordre d'attaquer les premiers !

Il secoue la tête. Pas maintenant.

Puis ces autres appels :

— Le roi a refusé de signer le décret.

— Facta revient à la charge. Le roi refuse toujours.

— Facta vient de remettre sa démission. Salandra le remplace.

Mussolini dicte le titre du *Popolo :* « Le fascisme veut le pouvoir. Il l'aura. »

Encore une journée et une nuit à attendre. Les colonnes sont arrêtées à l'entrée de Rome. Il pleut toujours. Cette fois, c'est Salandra qui téléphone... il

1. Petit sabre.

offre quatre portefeuilles dans le nouveau gouvernement, l'Intérieur à Mussolini.

— Je n'accepte pas, dit le Duce, avant de raccrocher.

À son tour, Salandra remet sa démission au roi. Il est incapable de former un gouvernement. Cette fois, c'est De Vecchi, le fasciste royaliste, l'un des quadrumvirs, qui se rend chez le roi et, à la sortie, c'est lui qui appelle Mussolini :

— Le roi te demande de venir à Rome.

— Je veux qu'on me le demande par écrit, dit Mussolini.

Il reçoit aussitôt un télégramme de l'aide de camp du roi : « Sa Majesté me charge de vous prier de vous rendre à Rome pour conférer avec vous. » Mussolini refuse à nouveau, il n'a pas confiance. Il veut un texte précis. Il le reçoit peu après : « Sa Majesté le roi vous prie de vous rendre à Rome sans tarder, désirant vous offrir la charge de former le gouvernement. »

— Je ne partirai pas avant la nuit, dit Mussolini.

À huit heures et demie, le 29 octobre, il prend enfin le train pour Rome, sous les applaudissements de la foule, salué par le préfet qui voulait plus tôt lui passer les menottes. La Sarfatti est sur le quai, rayonnante. Lorenzo ne lâche pas le Duce, la main gauche sur son pistolet. Le risque d'attentat est au maximum mais il ne se passe rien.

Dans sa cuisine, Rachele Guidi, la femme de Mussolini, essuie ses larmes en murmurant :

— Maintenant, nous l'avons perdu.

*

Le Strozzi sait qu'il va mourir. Il fait venir le *medicu* et demande que l'on prévienne le *sacerdotu*. Au *medicu*, il fait remettre des liasses de billets et s'inquiète de savoir s'il y en a assez. Le *medicu* fait un signe d'approbation.

— Merci pour tout, dit le Strozzi de sa voix fatiguée. Tu as apporté ce que je t'ai demandé ?

Le *medicu* remet une fiole à Bianca avant d'embrasser le Strozzi. Suit le groupe des *capicommandamenti*, les chefs des quartiers de Palerme. Chacun a cinquante hommes sous ses ordres au moins. Il en manque quatre.

— Ce n'est pas la peine de les attendre, murmure le Strozzi.

La nouvelle s'est déjà répandue, personne n'a l'air étonné.

— *Amici*, dit le Strozzi, je ne vais pas parler longtemps parce que je n'ai plus beaucoup de souffle. Nostru Signori veut me voir et je sais ce qu'il va me dire… Mais je ne sais pas trop ce que je vais lui répondre. Si quelqu'un a une bonne idée, c'est le moment.

Les hommes sourient, le Strozzi a toujours été connu pour son humour, mais c'est la première fois qu'il l'exerce sur lui-même.

— *Amici*, répète-t-il, je vous ai tous aimés, comme j'ai aimé les quatre qui manquent ce soir, mais je n'avais pas le choix.

Il s'arrête un instant, les regarde un par un.

— J'ai fait un cadeau à chacun d'entre vous. Nino Calderone vous le remettra tout à l'heure. À quoi sert l'argent s'il n'est pas partagé avec les amis ? Si j'ai donné cette mission à Nino, c'est qu'il va me succéder. J'ai longtemps réfléchi avant de faire ce choix, parce qu'il nous a rejoints récemment, alors que la plupart d'entre vous, je les connais depuis l'enfance. Mais si j'en ai décidé ainsi, c'est parce qu'il est le meilleur. Ma sœur Bianca l'accompagnera dans cette voie. Respectez-les tous les deux, comme vous m'avez respecté. Maintenant, embrassez-moi.

Ils s'approchent du lit un par un, ils chuchotent à l'oreille de Strozzi, lui confient des messages pour les parents et amis qui l'ont précédé dans la mort. Le Strozzi promet de n'oublier personne quand il les rencontrera de l'autre côté. Après, ils l'embrassent.

— Faites venir le *sacerdotu*, murmure-t-il d'une voix faible, et sortez tous. Ce qui va se dire entre Nostru Signori et moi, c'est intime.

Après un moment, le *sacerdotu* repart. Un irrégulier, celui-là aussi. L'évêque ne veut plus le voir, il n'a pas de paroisse et ne reçoit aucun subside de l'Église. Mais il s'en moque. Il a ses ouailles. Il les baptise, les marie et les confesse à la fin, s'ils ont le temps de parler. Tout cela, il le fait avec patience, avec amour et avec autorité aussi. À la *questura*, on le nomme *U parrinu della mafia*.

Le Strozzi appelle Bianca d'une voix étouffée. Elle attendait derrière la porte.

— Tu as la piqûre ? demande-t-il.

Elle fait un signe de tête.

— Ça ne fait pas mal ?

Ce mourant a des craintes d'enfant.

— Ça va vite, dit-elle, tu vas t'endormir.

— Alors, dépêche-toi, et embrasse-moi en même temps.

*

Lorenzo attend à l'hôtel Savoia le retour de Mussolini qui est chez le roi. On raconte déjà que le Duce aurait déclaré: «J'apporte à Votre Majesté l'Italie de Vittorio Veneto consacrée à nouveau par la victoire.» Mais il a déjà démobilisé les *squadre* en leur offrant, en présence de la famille royale, une parade qui est leur apothéose. Puis il les a prudemment raccompagnées à la gare. La direction du *Popolo* est transférée à son frère Arnaldo. «La révolution, c'est fini, a-t-il expliqué, maintenant est venu le temps du pouvoir.»

À Lorenzo, il n'a rien proposé, ni ministère ni position dans la milice ou la direction du parti. Le Grand Conseil du fascisme va être créé, on prépare la liste des membres. Son nom n'y figure pas.

Le Duce revient enfin, il cherche Lorenzo du regard dans le hall et lui fait signe de le suivre. Dans le bureau qu'il s'est fait aménager à l'étage en attendant mieux, le Duce referme la porte. Il se tourne vers Lorenzo.

— Mon camarade des tranchées, lui dit-il, tu es un *ras*, un député, ce n'est pas grand-chose. Tu es surtout celui en lequel j'ai le plus confiance. N'attends de moi ni titre, ni poste, ni argent.

Il met sa main sur l'épaule de Lorenzo.

— Tu seras mon regard, ma voix et mon bras, achève-t-il.

— Oui, dit Lorenzo, je serai ton regard, ta voix et ton bras.

*

Quand Bianca paraît dans le bureau du Strozzi où attendent les hommes, elle pose la fiole vide sur la table et ils baissent la tête.

Nino passe de l'autre côté du bureau, il reste debout et ouvre un tiroir. Il en sort des enveloppes gonflées qu'il dispose sur la table. Puis il contourne le bureau et fixe les *capicommandamenti* devant lui. Les hommes s'avancent un par un. D'abord les plus anciens.

Quatre enveloppes restent sur la table, elles seront distribuées aux familles des quatre morts de l'autre nuit. Ce sera le rôle de Bianca. Ainsi en a décidé le Strozzi.

Quand un *capocommandamentu* reçoit son enveloppe, il embrasse la main de Nino et lui dit :

— Je serai ton regard, ta voix et ton bras.

1924

35

C'est l'heure où les ombres n'ont pas commencé à descendre sur le Tibre, où les enfants des pauvres s'ébattent sur la berge, où les pavés du quai grésillent encore de chaleur. Un homme vient d'apparaître à l'entrée de la via Arnaldo da Brescia. Il porte une veste légère, une cravate, et sous son bras, il tient une enveloppe de cuir où il est inscrit «*Camera dei deputati*». Il marche du pas déterminé de celui qui n'a rien à craindre.

Derrière lui, une berline Lancia aux vitres fumées roule lentement jusqu'à sa hauteur. On n'entend que le bruit du moteur. Même les gosses à cheval sur le parapet ont cessé de s'invectiver. Ils regardent cette belle voiture sombre qui avance à l'allure d'un bateau. Puis elle s'arrête d'un coup. Deux silhouettes en jaillissent, empoignent l'homme par surprise et l'entraînent à l'intérieur de la voiture. Il crie, cet homme, il appelle à l'aide. Les gosses sur le parapet sont pétrifiés. Lui parvient à se dégager, mais un troisième surgit à la rescousse. On le tire, on le pousse, on l'enfonce dans la voiture. Il se débat, on entend un bruit de verre brisé. C'est la glace de séparation avec le conducteur. La voiture repart, un cri encore, au bout du quai.

Un gosse répète des lettres et des chiffres pour ne pas les oublier, c'est le numéro d'immatriculation. Un autre ramasse un papier tombé de la veste, une carte d'abonné aux chemins de fer. C'est le 10 juin 1924, entre quatorze et quinze heures. Sur la carte d'abonné, un nom : Giacomo Matteotti.

*

Il pleut sur Rome. Mais ce ne sont plus que des gouttes légères qui mouillent à peine. Une petite fille joue à sauter par-dessus les flaques. Parfois, le bond est trop court et elle retombe dans l'eau en éclaboussant. Elle se retourne pour voir la tête de son père. Il ne dit rien. Il comprend que les petites filles aiment sauter dans les flaques. D'ailleurs, il lui passe tout. Quand elle en a assez, elle revient sur ses pas et ils marchent côte à côte, sa main droite dans la main gauche de son père. Laura va avoir sept ans. Lorenzo Mori va avoir trente ans, il est colonel de la milice. Son grade ne correspond à aucun commandement, car ses tâches sont ailleurs, mais Mussolini l'a nommé à cette hauteur pour que ceux auxquels il a affaire sachent d'emblée que c'est un homme important dans l'esprit du Duce.

Ils habitent un grand appartement confortable. Les hiérarques sont logés aux frais de l'État, mais ne doivent montrer aucune ostentation, encore moins de magnificence. Certains s'en moquent et multiplient les excentricités coûteuses. Mussolini le sait, il classe les rapports dont il se servira le jour où il voudra renvoyer l'homme – ou pire.

Virginia les embrasse tous les deux, tandis que le petit Alessandro tourne autour de son père et de sa demi-sœur. Elle tend à son époux une enveloppe qu'un carabinier a déposée. À l'intérieur, une carte, avec ces seuls mots: «Viens ce soir, M.» Il glisse la carte dans sa poche et la regarde, désolé.

— Je vais partir tout à l'heure, dit-il.

— Et tu ne sais pas quand tu reviendras.

— Non, dit Lorenzo.

Elle a l'habitude de ces convocations. Toujours les mêmes enveloppes avec le même effet: il s'en va.

Il revêt son uniforme de colonel de la milice. Pas question d'aller voir le Duce en civil. Les enfants font triste mine. Ils savent ce que cela veut dire.

— Je reste un peu avec vous, dit-il, ce n'est pas encore le soir.

*

À cette heure, au palazzo Chigi, il reste quelques visiteurs, ceux qui ont un rendez-vous avec Mussolini, d'autres qui espèrent être reçus. Navarra, le majordome aimable, éconduit ceux qui n'ont aucune chance, exhorte les autres à la patience. Une rencontre avec le Duce peut durer trois minutes ou deux heures. Cela dépend de ce qu'apporte le visiteur ou de ce qu'en attend le maître des lieux. Chaque entrevue est une épreuve. Certains en ressortent inquiets, parfois désespérés, peut-être à tort, d'autres ravis, voire comblés, peut-être à tort aussi.

Lorenzo, à la suite de Navarra, monte l'escalier. Personne ne sait précisément quelles sont ses fonctions, mais tous ont constaté que Mussolini ne le fait jamais attendre, même s'il n'est inscrit sur aucune liste de visiteurs. Certains murmurent qu'il faut le craindre. Lorenzo rend des saluts, serre des mains, toujours précédé par Navarra. Sur son passage se fait le silence. Après, les discussions reprennent sur un mode étouffé.

Ce bureau n'en est pas un. C'est une salle immense avec des hauts plafonds et des pavés de marbre qui conviendraient à des réceptions entre les fresques et les tapisseries.

— Assieds-toi, je t'en prie.

Lorenzo obéit. Il se tait. La règle veut que le Duce parle le premier. Il ne faut pas l'interrompre ni lui poser de questions, à moins qu'il ne vous y invite.

— Matteotti a été assassiné avant-hier par une équipe de la Ceka[1] dirigée par Dumini.

Giacomo Matteotti est le chef de l'opposition au régime, qu'il attaque sans relâche au Parlement dans l'*aula*[2] de Montecitorio et dans les journaux socialistes.

— Comme tu l'imagines, poursuit le Duce, c'est un ordre que je n'ai jamais donné… Si je l'avais fait…

Il s'arrête un instant, observe Lorenzo qui ne réagit pas.

— Matteotti aurait simplement disparu, sans laisser de traces, ou il serait mort dans des conditions insoupçonnables.

---

1. Sorte de police secrète du régime fasciste, appelée ainsi en référence à la Tchéka du régime bolchévique.

2. La salle des débats de la Chambre des députés.

Lorenzo lève un sourcil, il y a donc des traces.

— Matteotti a eu le temps de jeter au sol sa carte d'abonné aux chemins de fer, c'est comme ça qu'on l'a identifié. Des gosses ont assisté à la scène, l'un a relevé le numéro de la voiture, louée par le ministère. Tiens, voici les rapports. Dumini et ses hommes sont de parfaits imbéciles.

Il s'arrête encore.

— Une enquête est déjà ouverte, mais je m'en débrouillerai, comme de la polémique qui va suivre. Cette affaire ne pouvait pas plus mal tomber après notre écrasante victoire aux élections du 6 avril. Tant pis, j'en sortirai la tête haute, j'y mettrai le temps et les moyens. Velia[1] réfléchit à des stratégies. Ses avis sont toujours précieux.

Lorenzo fixe Mussolini.

— Il y a autre chose, reprend le Duce. L'enveloppe de cuir que transportait Matteotti contenait des documents qui ont disparu.

Observation froide de part et d'autre. On aborde enfin le vif du sujet. Un quidam non averti aurait aussitôt demandé : « Quels documents ? » Lorenzo ne demande rien.

— Des pièces qui concernent le *Popolo*, son financement par des fonds étrangers, des affaires aussi où les fascistes ont touché des commissions. Parmi eux, Arnaldo peut-être, la Sinclair Oil et compagnie, et j'en passe. Ces documents sont dangereux, ils mettent en cause l'intégrité du régime et la mienne en particulier. Il y a de quoi faire tout sauter si c'est bien

1. Surnom de Margherita Sarfatti.

exploité. Et encore, je ne parle pas du roi qui a le pouvoir de me renvoyer quand il veut.

Les yeux rivés sur les fresques du plafond de cette salle immense, le Duce pense tout haut :

— La situation reste fragile, les *ras* se savent puissants dans leur fédération clamant leur éternelle fidélité, mais ils n'hésiteront pas à me lâcher s'ils estiment que je risque de tomber, pour prendre ma place dans des conditions beaucoup plus rigoureuses que les miennes, après s'être déchirés entre eux.

Il se penche sur la table, pousse une chemise dans la direction de Lorenzo.

— Il y a tout. Le rapport qui vise les documents disparus, la liste de ceux qui ont touché cette sacoche à un moment ou à un autre, et celle des nôtres qui vont être mis en cause et que je ne serai pas en mesure de couvrir. Il faut les prévenir de ce qui va leur arriver et, en même temps, les rassurer. Je les protégerai. Ils ne doivent surtout pas répondre aux questions qui peuvent impliquer la hiérarchie. Ainsi, ils retrouveront leur poste et même mieux quand tout sera fini. Mais le plus important, c'est de remettre la main sur les documents qui ont été soustraits et qu'a emportés ce Dumini.

Lorenzo glisse le dossier dans sa serviette, fait le salut fasciste et sort. Pendant toute la durée de l'entrevue, il n'a pas dit un mot.

*

Cet homme qui fait son rapport à l'*ancilu mostru* parle lentement pour que Nino Calderone puisse tout retenir des propos de son espion à la préfecture de Palerme. Il n'écrit rien, mais se souvient de tout. Le policier est son informateur.

De temps à autre, Nino Calderone pose une question de sa voix douce et précise. L'homme vient une fois par mois, jamais le même jour ni au même endroit. La nuit plutôt. Il reçoit un signe, puis un message, et il se rend au lieu indiqué. Une voiture le conduit jusqu'à l'*ancilu mostru* et le ramène avec une enveloppe remplie de billets. La taille de l'enveloppe varie selon la qualité des secrets. L'espion sait qu'il ne doit rien oublier ni inventer, l'*ancilu mostru* vérifie tout ce qu'il dit par des canaux qu'il ignore.

— Ces travaux sur le port, c'est vraiment décidé ?

L'autre lui tend des documents.

— Il me faut ce marché. Fais-moi une liste de ceux qu'il faudra payer.

— Oui, dit l'espion. Mais il y en a un qui refusera de s'aligner, il veut le marché et il a annoncé qu'il ne cédera pas.

— La société des travaux de Palerme ?

— Oui.

— Je m'y attendais, dit Nino.

Puis il se tait. C'est le signe que l'entretien est terminé. Nino ouvre la porte.

— Comment va ta famille ? demande-t-il.

— Bien, très bien, grâce à vous. Mon fils fait ses études à Milan. Il veut devenir architecte.

— Je sais, dit Nino. Il réussira.

Ces mots glacent l'espion. L'*ancilu mostru* sait tout sur ses proches. Il aidera s'il continue à bien renseigner ou frappera s'il trahit.

Bianca se lève à son entrée.

— La société des travaux de Palerme, dit seulement Nino.

— J'ai préparé un dossier, répond-elle de sa voix calme.

Il feuillette les documents qu'elle a réunis et s'arrête sur le nom du gérant.

— Giuseppe Nicolosi.

— Il a de l'ambition. On dit qu'il veut faire de la politique.

36

Dans le miroir de Carmela se reflète son beau visage. Elle attache ses cheveux et observe son nez droit et fin, un peu grec, et sa bouche charnue sans être épaisse. Elle saisit sur la table de chevet le livre arrivé la veille et qu'elle n'a pas encore ouvert. *Lei*, le dernier roman de Cavalcanti dont la presse commence à parler. D'avance, elle en redoute la lecture. Elle a le souvenir de ces heures où il l'interrogeait sur les événements de sa vie en prenant des notes. Il voulait comprendre. Il l'écoutait, le visage tendu, l'œil aux aguets. À défaut d'être vraiment sa femme, se dit Carmela, je suis devenue un sujet de livre. Je ne lui ai pas interdit de l'écrire, je lui devais bien ça. Il n'a pas tout perdu.

Elle descend d'un pas léger, embrasse Salvatore, fait un signe à Ignacio, le régisseur, et monte dans sa voiture. Un joli coupé Alfa Romeo qui a remplacé la vieille Torpedo, qu'elle conduit elle-même. Elle démarre en chantonnant, laissant à l'arrière des volutes de poussière blanche. Elle est heureuse. Elle va rejoindre Nino.

*

Cet homme encore haletant de son arrestation, encadré par des carabiniers, cet homme avec des menottes et qui tient toujours une serviette de cuir noir au bout du bras, une valise de l'autre côté. Cet homme qui s'enfuyait, qui montait dans un train, rattrapé, forcé de redescendre, entravé, et qui a dû revenir sur ses pas jusqu'au hall de la gare, croisant les voyageurs qui détournent la tête et font semblant de ne pas le voir. Au moment où le cortège veut rejoindre le fourgon qui l'attend, moteur en route, surgit Lorenzo en uniforme de colonel de la milice. Il brandit une carte aux insignes de l'État avec sa photographie, signée Mussolini. Sur cette carte, il est écrit : « Le porteur a le pouvoir de requérir les forces de l'État pour l'accomplissement des missions que je lui confie. » Les carabiniers ne connaissent pas Mori, mais la carte les impressionne, de même que ses décorations de la guerre.

— J'ai besoin de m'entretenir avec cet homme, dit Lorenzo.

Le commandant des carabiniers hésite. Sa mission était d'arrêter cet homme, n'importe où, n'importe quand, et cette mission, il vient de l'accomplir.

— Nous devons le conduire chez le juge, objecte-t-il.

— Cet entretien doit avoir lieu maintenant et ici, tranche Lorenzo d'une voix froide. Trouvez un bureau dans la gare, n'importe lequel.

Le commandant hésite. Il connaît ses devoirs en même temps que les réalités politiques. Cette arrestation touche à l'assassinat de Matteotti, sujet délicat si l'on en croit la presse et les déclarations faites au Parlement.

« Allez le chercher et ramenez-le sur votre honneur », ont exigé les magistrats Mauro Del Giudice et Umberto Tancredi, dès qu'ils ont su que Dumini, le patron de la Ceka, s'apprêtait à prendre le train de vingt-trois heures quarante-cinq à destination de Florence.

— Écoutez, mon colonel…

— Maintenant ! l'interrompt Lorenzo. Je vous le rendrai après.

Lorenzo se retourne et fait un signe. Du hall de la *stazione* Termini surgissent une trentaine de miliciens. Ils bloquent l'entrée du quai, le mousqueton à l'épaule. Les trois premiers, les jambes écartées, se dressent en avant des autres. Le commandant reconnaît des insignes d'officiers. Ce n'est pas la peine d'essayer. Il ne passera pas.

— Vous me le rendrez ? demande-t-il en désignant Dumini.

— Sur mon honneur, répond Lorenzo.

Apparaît le chef de gare, qui ouvre les bras d'un air catastrophé.

— Votre bureau, exige Lorenzo.

Le chef de gare jette un œil inquiet aux hommes de la milice, hoche la tête, dirige le groupe vers le fond de la gare, ouvre une porte. Lorenzo fait signe qu'on amène Dumini. Le commandant des carabiniers veut suivre son prisonnier mais Lorenzo fait non de la tête et referme la porte.

— Écoute, Mori…, commence Dumini.

— La serviette, lui ordonne Lorenzo.

Dumini la pose sur le bureau. Lorenzo la fouille rapidement, en extrait un dossier qu'il feuillette et le glisse dans sa propre sacoche.

— Ta valise, là sur le bureau.

Il la fouille. Au milieu des vêtements propres, une chemise tachée de sang et un pistolet. La chemise de Matteotti.

— J'ai agi pour le Duce…, dit Dumini.

— Il ne t'a rien demandé, le coupe Lorenzo.

L'autre se tait. Lorenzo tape sur la sacoche, là où il avait rangé le dossier.

— Et ça, demande-t-il, c'était pour servir de monnaie d'échange ?

Dumini ne répond pas. Lorenzo l'a souvent croisé dans les milieux du pouvoir. C'est un homme qui cherche les relations en donnant des gages. Il fait partie de ceux qui se vantent de meurtres à leur actif ; il a vendu des armes et on lui impute des meurtres d'exilés en France. Quand il a été arrêté pour trafic d'armes, l'entourage du Duce l'a aussitôt fait libérer. Cette fois, ce n'est pas pareil. Lorenzo montre le pistolet.

— Tu as le choix entre te suicider maintenant ou passer quelques années en prison.

Dumini fixe le pistolet, lève les yeux vers Lorenzo qui ne cille pas, puis baisse la tête. Cet ancien *ardito* est devenu un lâche.

— Bien, conclut Lorenzo. Tu déclareras avoir agi

de ton propre chef, sans ordre de personne. À cette condition, nous obtiendrons ta libération et j'oublierai ce dossier.

Dumini acquiesce. Lorenzo ouvre la porte du bureau, le commandant se tient derrière.

— Il est à vous, dit Lorenzo.

Il désigne le pistolet resté sur la table.

— Vous feriez bien de vous en emparer tout de suite, ajoute-t-il. Cet homme ne veut pas pour l'instant se suicider, mais il pourrait changer d'avis. Même les lâches ont parfois des sursauts d'orgueil.

Dans la foulée, Lorenzo rend visite à Cesare Rossi et à Aldo Finzi. Le premier est l'inspirateur, l'organisateur de la Ceka fasciste, le supérieur de Dumini, et le second, chef du service de presse, est l'exemple parfait de l'affairisme rampant du régime. À chacun, il tient tour à tour ce discours :

— La presse socialiste se déchaîne contre toi. Il faut que tu quittes ta charge. Je t'ai préparé une lettre de démission. Il faut la recopier et me la donner. Je la remettrai au Duce et elle paraîtra dans les journaux.

Tous deux veulent protester. Ils évoquent leur *onorabilità privata e politica*, les *calumniose denigrazioni*[1]. Lorenzo ne bronche pas.

— Écris !

Quant à Filippo Filippelli, le directeur du *Corriere italiano* qui a fourni la Lancia pour le rapt de Matteotti, puis indiqué le garage où la dissimuler, il reste introuvable. Aussitôt, le régime est accusé de

1. Leur honorabilité privée et politique, les dénigrements calomnieux.

lui avoir laissé le temps de s'enfuir. Mais Lorenzo ne cesse de le pister.

Ses informateurs indiquent sa présence à Gênes. Il y court. L'homme est déjà monté sur un *motoscafo* avec un pilote et un homme de main. Lorenzo, qui a recruté les agents du commissariat, se voit désigner un ponton où est amarré un bateau qui va larguer les amarres pour filer vers la côte française. Filippelli le reconnaît et s'empare de l'aussière pour la rejeter sur le ponton, mais Lorenzo pointe son pistolet.

— Je suis fidèle au Duce ! s'écrie Filippelli.

— Il n'aime pas ceux qui fuient, répond Lorenzo. Lève les mains !

Quelques jours plus tard, Lorenzo frappe à la porte de l'appartement que loue Giovanni Marinelli dans une pension. Celui-ci ouvre et pâlit en le reconnaissant.

— Entre, dit-il. C'est donc bien vrai, tu es le messager de la mort.

Lorenzo ne répond pas, il étreint Marinelli, qui n'est rien de moins que le secrétaire administratif du parti national fasciste.

— Assieds-toi, dit Marinelli, dis-moi ce que veut le Duce. Je lui obéirai.

Lorenzo a de l'amitié pour celui qui est aussi le trésorier du parti. C'est évidemment l'un des plus proches collaborateurs de Mussolini, un compagnon des débuts.

— Mon ami, dit Lorenzo, tu sais qu'un juge d'instruction a été nommé. Il nous déteste et nous savons par nos espions au palais de justice que ton nom a été prononcé par Filippelli et un certain Otto Thierschald, au cours de leurs interrogatoires.

— Je le connais, dit Marinelli, il fait partie de la Ceka. C'est lui qui était chargé de suivre Matteotti, de reconnaître son itinéraire pour aller de chez lui à Montecitorio.

— Tu seras arrêté demain, annonce Lorenzo.

Marinelli baisse la tête.

— Je le craignais. Je sais que le Duce ne peut rien faire, les temps sont mauvais, le régime est en danger. Qu'attend-il de moi quand je serai arrêté ?

— Pas un mot. Ton arrestation ressemblera à une bombe qui explose devant le palais Chigi. Mais tu dois déclarer que ni toi ni le régime n'êtes impliqués dans l'affaire Matteotti.

— Ils me mettront en prison, répond Marinelli, mais ils n'obtiendront rien de moi. Je suis fidèle.

— Quand tout cela sera passé, tu retrouveras tes charges et tes honneurs.

— Je sais.

Rossi encore, Rossi enfin. Sa démission n'a pas suffi. Le magistrat Del Giudice le recherche mais ne parvient pas à le trouver. Il est réfugié chez un autre député. La nouvelle de l'arrestation de Marinelli a fortement secoué le pays.

— Écoute, dit Lorenzo, tous les membres de la Ceka sont en prison et même notre ami Marinelli. Je ne veux pas que tu sois arrêté, le Duce non plus. Tu dois te présenter à la porte de Regina Coeli[1] et te

1. La prison de Rome.

constituer prisonnier. Le Duce te sortira de là dès qu'il pourra, s'il obtient la confiance du Sénat.

— Je le ferai, répond Rossi. Que le Duce compte sur moi comme je compte sur lui.

C'est fini ou presque. Il reste à rendre compte à Mussolini et surtout à lui remettre le dossier trouvé dans la sacoche de Dumini.

De retour à Rome, Lorenzo appelle le directeur de la banque où il a déposé sa serviette. Même à une heure tardive, on lui ouvre. En compagnie du directeur, il traverse le hall. Le directeur lui donne accès à la salle des coffres et monte la garde à l'entrée. Lorenzo saisit la serviette, vérifie que le dossier est intact et ressort aussitôt, la sacoche reliée à sa main gauche par une chaînette. Le directeur s'incline bien bas et le fait sortir par une porte de service.

Maintenant, Lorenzo doit se rendre au palais Chigi. Il marche tranquillement dans les rues désertes de Rome. Personne ne fait attention à lui. Il fait bon à Rome ce 23 juin 1924. Il entend des bribes de conversations qui évoquent l'affaire Matteotti, le déchaînement de la presse contre le régime fasciste, et surtout la précarité de la position de Mussolini. C'est bien ce qu'annoncent les journaux en prédisant que la journée du lendemain sera difficile pour le Duce avec ce discours au Sénat et le vote qui s'ensuivra. Il règne cette ambiance fébrile qui précède les grands événements. Certains journaux se sont procuré la liste des vêtements trouvés dans la valise de Dumini, y compris la chemise ensanglantée de Matteotti. Le meurtre ne fait plus de doute. *L'Impero* écrit que le régime s'est fait *impastoiare*[1] par l'odeur du sang et les grondements du peuple. Tout en marchant de son pas tranquille, Lorenzo essaie d'évaluer la situation. Sans doute les documents récupérés permettront-ils d'éviter le pire, mais cela suffira-t-il quand, selon ce qui se raconte, une cinquantaine de fascistes ont déjà défilé sous les fenêtres de l'appartement privé du juge d'instruction ? Sur les murs, on lit ce graffiti : *Chi tocca il Duce avrà piombo*[2].

Soudain, des pas rapides dans son dos. À peine s'est-il retourné que l'homme a bondi sur lui. Une lame effleure sa gorge, mais Lorenzo a pivoté et se retrouve face à son agresseur. De sa main gauche qui tient toujours la serviette, il bloque le poignet qui agrippe le couteau et glisse son pied derrière le sicaire tout en le poussant. Tous deux roulent au sol. Lorenzo plonge ses doigts de bois dans l'œil de l'agresseur qui hurle, se débat et lâche le couteau dont s'empare Lorenzo, qui frappe au cœur. C'est fini. L'affrontement a duré moins d'une minute. Ce sont ses réflexes d'*ardito* qui ont sauvé Lorenzo. Il se relève, récupère le poignard qu'il glisse dans sa serviette. Il y a une tache de sang sur la manche de sa veste d'uniforme. L'autre gît sur le trottoir, les yeux ouverts. Lorenzo le fouille rapidement. Il n'a rien sur lui. Un professionnel, mais Lorenzo remarque un tatouage au poignet.

1. Entraver, emmêler.
2. Qui touche au Duce recevra du plomb.

Au palais Chigi, Navarra, le majordome, précède Lorenzo dans l'escalier. Leurs pas résonnent. Le palais est vide. Le grand hall, les marches qui mènent au bureau du Duce sont déserts. Pas un *ras*, ni un militant, ni un courtisan. Personne. Rien, le silence, le vide. Navarra ouvre la porte à deux battants.

— Le colonel Mori, annonce-t-il.

Derrière le bureau du Duce brûle un feu incongru en ce mois de juin, mais les lieux sont glacials. Mussolini se lève. Lorenzo ouvre la serviette, lui tend le fameux dossier retrouvé dans la sacoche de Dumini. Un coup d'œil aux feuillets, et il les jette dans la cheminée où ils s'enflamment aussitôt.

— Merci, dit seulement Mussolini.

— Il y a autre chose, Duce, j'ai été attaqué dans la rue. L'homme en voulait au dossier. C'est évident.

— Qu'as-tu fait de cet homme ?

— Je l'ai tué, dit Lorenzo, et j'ai laissé son corps sur place.

Il montre sa manche tachée, exhibe le poignard avec les traces de sang. Le Duce l'examine puis le pose sur la table.

— Il n'avait rien sur lui, un professionnel. Mais sur son poignet, un tatouage. Je porte le même. C'est un ancien *ardito*.

Le Duce regarde le poignard, puis les feuilles qui achèvent de se consumer. Il se lève, saisit un tisonnier pour remuer les cendres.

— Cela vient des *ras*. Ils attendent ma chute pour prendre ma place et me dénoncer au peuple. Voilà pourquoi Dumini avait récupéré ce dossier et s'enfuyait avec.

— Je le crois aussi, répond Lorenzo.

Mussolini se rassied à son bureau et fixe les feuillets dactylographiés devant lui.

— C'est mon discours pour demain au Sénat. Je l'ai préparé avec Velia hier et aujourd'hui. Si j'obtiens la majorité, j'ai une bonne chance de reprendre la main. Pour l'instant, le corps de Matteotti n'a pas été retrouvé, mais il surgira à un moment ou à un autre. Ce sera la prochaine épreuve.

Il se lève, ce qui signifie qu'il donne congé. Lorenzo fait un salut romain et commence à traverser la salle vers la sortie. Mussolini l'interpelle :

— Merci, Lorenzo. Viens au Sénat demain. J'aurai besoin de la présence de mes vrais amis.

— J'y serai.

Le 24 juin, Lorenzo se retrouve dans la tribune du palazzo Madama avec Margherita Sarfatti, qui tente de dissimuler son inquiétude. Le Sénat est, selon elle, plus dangereux encore que la Chambre des députés, où les ennemis sont identifiés. Mais le palazzo Madama compte surtout une majorité royaliste. Des personnalités prestigieuses et dévouées à la Couronne peuplent ses bancs. Leur fascisme durera autant que celui du roi. Or Victor-Emmanuel est ambigu, nul ne sait ce qu'il pense vraiment. Les événements vont très vite et tous dans le même sens. Certains miliciens n'osent plus porter l'uniforme, les dons au parti sont en chute libre, les ouvriers qui avaient quitté la CGL[1]

---

1. Confederazione generale del lavoro, syndicat de salariés très ancré à gauche.

pour le syndicat fasciste y retournent en masse. En un mot, la base lâche le parti. Des grèves sont annoncées à Padoue, Naples, Bari, Catane. Dans le Mezzogiorno, les audiences judiciaires sont suspendues, et à Turin, un certain Gobetti a remporté un vaste succès en réunissant tous les partis et associations locales non fascistes pour réclamer la démission du gouvernement Mussolini. Des députés parlent d'un manifeste organisant l'abstention des travaux parlementaires.

— Ça va mal, chuchote la Sarfatti, et encore, je ne parle pas des *ras* qui t'ont envoyé cet assassin pour s'emparer du dossier sur Benito et son frère. La police a trouvé le cadavre, l'affaire est classée. Meurtre de rôdeurs. Mieux vaut ne pas aller plus loin. Mais le coup vient de chez nous !

Tout en parlant, elle tourne la tête de droite et de gauche, saluant les uns et les autres, adressant à tous, ennemis compris, son implacable sourire.

Les débats durent trois jours. Mussolini annonce que, pour l'affaire Matteotti, la justice sera inflexible, peu importe la position des coupables. Il cite les noms de ceux qui ont été arrêtés.

— Personne, messieurs, n'y échappera, poursuit-il, les innocents seront libérés, les meurtriers, y compris ceux qui ont donné l'ordre, châtiés.

Suivent les noms de l'équipe de la Ceka, tous sous clé, Filippelli, Rossi et Finzi, et même Marinelli et le général De Bono, chef de la police, ancien quadrumvir de la marche sur Rome, dont l'opinion réclamait la tête en l'accusant de ralentir l'enquête avec le concours du commissaire Bertini. Tous deux ont été révoqués pour les mêmes raisons.

Cette liste des sacrifiés impressionne beaucoup. Les sénateurs la découvrent effarés, car les choses sont allées si vite que la presse n'a pas suivi.

Justement, Mussolini en vient à la presse et l'accuse de « mener une instruction à côté de l'instruction, un procès à côté du procès ». Et c'est lui qui maintenant donne lecture des articles les plus agressifs à son égard.

— Le gouvernement continue à faire son devoir, conclut-il. Rien ne peut lui être reproché. C'est pour cela que je réclame votre confiance, comme celle du roi !

Il obtient 225 votes favorables, 21 contre et 6 abstentions. Dans la tribune, les fascistes applaudissent à tout rompre.

— C'est une victoire ! s'exclament certains.

— C'est un sursis, murmure la Sarfatti à l'oreille de Lorenzo.

Ce soir-là, Lorenzo dîne seul dans le Trastevere, loin des bruits de la ville et à l'écart du personnel politique. Il traverse le Tibre sur le pont désert vers la « trattoria de Julia ». Un établissement modeste, découvert par hasard, où il a pris ses habitudes certains soirs. Le décor est un peu baroque, l'ambiance chaleureuse. Il l'appelle ainsi car Julia aurait aimé l'endroit avec ses tableaux naïfs sur les murs, les chandelles sur les tables, et le patron qui gratte la guitare en chantant *Gorizia tu sei maledetta*[1].

---

1. Émouvante chanson de guerre d'un auteur inconnu, évoquant la désespérance des soldats persuadés de ne pas revenir et le cynisme des dirigeants politiques.

Installé à table, Lorenzo reprend avec Julia leur dialogue. Personne dans cette salle pleine d'ombres ne pourrait imaginer que cet homme aux lèvres closes devant son assiette et son verre entretient pareil débat.

— Il a gagné, ton Duce ? demande Julia. Il a triomphé de ses adversaires si nombreux qu'il s'en enorgueillit ? C'est lui qui a dit : « *Molti nemici, molto onore*[1] » ?

— Il ne le dit plus. Il a failli étouffer sous le nombre.

Rire sarcastique de Julia. La serveuse aux seins généreux demande à Lorenzo s'il prendra les mêmes plats qu'à l'habitude. Il opine sans un mot avec un sourire aimable.

— Tu es encore assez jeune pour te payer une fille comme celle-là, reprend Julia, qui voit et sait tout.

— Je suis marié.

Rire encore. Les mortes ont leur ironie et n'excluent pas de recourir à la ruse.

— Réponse hypocrite ! Ne me dis pas que Virginia est la seule à occuper tes pensées après avoir réussi à se faire épouser avec son enfant. Tu n'es pas dupe.

— Ne t'occupe pas de Virginia, réplique Lorenzo. C'est une fille honnête qui élève non seulement son fils, mais aussi notre Laura. Je te le rappelle. Quant à moi, depuis que tu es partie il y a sept ans...

Silence dans l'au-delà. La serveuse dépose un plat fumant de rigatoni et une bouteille de vin bouché du Latium.

— Goûtez-le, recommande-t-elle, je suis sûre qu'il vous plaira.

---

1. Beaucoup d'ennemis, beaucoup d'honneur ; formule lapidaire de Mussolini dans la phase de conquête du pouvoir.

Lorenzo obéit. C'est un vin plutôt charpenté, à son goût. Il sourit à la serveuse.

— Je m'appelle Maria Pia, dit-elle avec timidité.

— Il est bien choisi, ce vin.

Elle s'éloigne dans la salle, tandis qu'il la suit du regard. Les hanches valent les seins, les chevilles sont fines.

— Je suis jalouse, reprend Julia. Le problème des morts est qu'ils n'ont pas abandonné leurs sentiments terrestres et qu'il leur faut endurer les événements sur la terre. Je suis donc jalouse de tout ce qui t'arrive, la politique et le reste, les femmes surtout, car je suis impuissante.

Elle ajoute encore avec sa pointe râpeuse d'accent autrichien qui lui revient dans ces moments :

— Cela risque d'être long avant que tu viennes. Le temps ici dure autant que le tien.

Il veut répondre, mais la ligne est coupée. Parfois elle vient, puis repart dans son éternité sans qu'ils y puissent rien. Bien sûr, il s'est souvent demandé si ces dialogues existaient vraiment, s'il n'imaginait pas ce que lui dirait Julia si elle était en face de lui. Il n'en sait rien, sauf qu'il veut que ces moments reviennent. Julia, c'est toujours son amour.

La porte s'ouvre. Entrent trois carabiniers qui s'installent au bar. Lorenzo va régler l'addition quand l'un d'eux se retourne. C'est l'officier qui a arrêté Dumini à la *stazione* Termini. Il reconnaît Lorenzo, pourtant en civil.

— Mes respects, mon colonel.

Il s'approche et Lorenzo lui serre la main. Les deux autres se sont retournés eux aussi. Ils échangent quelques paroles aimables et Lorenzo laisse un généreux pourboire sur la table.

— *Buonasera*, Maria Pia, dit-il.

La serveuse regarde Lorenzo avec un mélange d'effroi et d'admiration. Le patron cesse de gratter sa guitare. Les clients se sont tus. Maria Pia lui ouvre la porte avec déférence. Lorenzo lui sourit encore, puis s'enfonce dans la nuit de Rome.

37

Silence dans les entrepôts, les quais, les hangars et les bureaux de la société des travaux de Palerme. Pas un bruit, pas un mouvement, personne. La grève. Le patron, Nicolosi, est assis devant son bureau, les mains sur la table, immobile. Devant lui, un feuillet à en-tête du syndicat contenant d'invraisemblables revendications, ainsi que la lettre de la banque qui exige de l'argent. Son regard passe de l'un à l'autre. Il attend.

Un pas dans l'escalier, enfin. C'est le chef des contremaîtres, un homme réputé fidèle. L'est-il vraiment ? Nicolosi n'en sait plus rien. Piero da Maria pousse la porte, il s'assied lourdement sur la chaise que lui désigne le Nicolosi. Il est gros avec des traits gonflés, humides de sueur.

— J'ai des nouvelles, commente-t-il. On est venu me trouver.

— Qui ? Les gens du syndicat ? C'est quoi cette

grève ? Je ne peux pas payer ce qu'ils me demandent. Ils le savent bien.

Piero da Maria secoue la tête, sort son mouchoir pour essuyer ses joues rondes. La traversée de la cour sous le soleil et la montée de l'escalier l'ont mis en nage.

— Ce n'est pas le syndicat, il n'y est pour rien.

Nicolosi brandit la feuille où sont inscrites les revendications.

— Et ça, qu'est-ce que ça veut dire ?

Le Piero se penche en avant. Il jette un coup d'œil à droite et à gauche comme si un espion risquait de l'écouter.

— Il faut retirer la soumission pour le marché de la rénovation du port.

Silence. Nicolosi baisse les yeux.

— J'ai été averti, dit-il, je n'y croyais pas. C'est le plus beau marché de ma vie. Je propose les meilleurs prix.

Piero da Maria secoue encore la tête.

— Vous n'y arriverez pas, patron. Ces gens-là ont fait pression sur le syndicat, ils ont même dit qu'ils reprendraient les ouvriers s'il le fallait dans leur société. C'est eux qui ont écrit les revendications à la place du syndicat. Ça commence à se savoir, cette grève.

— Que se passera-t-il si je me retire ?

— Le travail reprendra aussitôt. Ils ont même préparé une lettre pour la soumission. Il vous suffit de la signer.

Il tire un feuillet de sa poche et le lui tend. Trois lignes seulement. Il n'a qu'à apposer sa signature et le tampon de la société des travaux de Palerme.

— Et la banque ? reprend Nicolosi en montrant

la lettre qui lui réclame le paiement des échéances du prêt sous vingt-quatre heures.

— La banque attendra que vous ayez de nouveaux marchés, ce qui ne devrait pas tarder d'après ce qui m'a été dit. Elle connaît bien votre situation.

— Alors, pourquoi cette lettre ?

Piero se penche sur la table.

— La banque, c'est les mêmes que ceux qui ont déclenché la grève et qui veulent le marché du port, souffle-t-il.

Nicolosi ne dit plus rien. Il regarde le Piero, il regarde encore la lettre qu'on lui a préparée. Il signe d'un paraphe rageur et tamponne la lettre au nom de la société.

— Qui sont-ils ? demande-t-il.

Piero empoche la lettre, salue le patron et s'en va sans répondre.

*

— On parle de toi à la préfecture, dit Carmela, un homme se plaint. Il dit que tu as fait déclencher une grève pour l'empêcher d'obtenir le marché du port. Il dit encore…

Nino a un geste de la main.

— Il s'appelle Nicolosi, dit-il seulement avec un nouveau geste.

Carmela se tait. Il ne faut pas aller plus loin. Nino ne parle jamais de sa vie depuis qu'il a pris la succession du Strozzi, encore moins de ses affaires. En citant le nom de Nicolosi, il veut montrer qu'il est au courant de ce qu'on dit à la préfecture et ailleurs, de ce qu'on écrit parfois sur son compte dans les journaux de Sicile, et que cela ne lui importe guère. Il sourit à Carmela, elle s'inquiète pour lui, il le sait.

— J'ai lu ce livre, *Lei*. Bianca me l'a apporté puisque je ne vais plus dans les librairies maintenant.

Carmela se mord la lèvre, comme chaque fois qu'il prononce ce prénom. Un jour, il a parlé d'elle, lui a dit qu'elle l'avait soigné à l'hôpital de Milan, puis envoyé chez son frère, le Strozzi, quand il n'avait plus rien ni personne. « Cette femme est sans rapport avec toi, mais tu dois savoir que je vis avec elle. Je lui dois beaucoup et je ne peux pas faire autrement. Elle est indispensable, mais je le répète, cela n'a rien à voir avec nous. » Carmela n'a rien répondu. En bonne Sicilienne, elle connaît l'existence de ces « femmes de Cosa Nostra », lien indispensable entre le chef et la famille des hommes. Ce sont elles qui souvent apportent les subsides aux veuves ou à celles dont le mari est en prison et qui font des cadeaux aux enfants. On les craint autant qu'on les aime. Car elles peuvent être aussi généreuses que terribles et sans pitié en cas de trahison.

Carmela se tait. Sans avoir jamais rencontré Bianca, elle la respecte, même si elle ressent toujours une douleur quand Nino lui parle d'elle.

— Je pourrais m'occuper des livres pour toi. Je les choisirais et je te les remettrais lors de nos rencontres.

— Cette idée me plaît. Nous avons toujours eu les mêmes goûts.

— Bianca ne sera pas jalouse ? demande-t-elle avec une pointe d'acidité.

— Je ne le crois pas. Elle connaît ton existence. Les livres, c'est ton domaine, pas le sien.

Il avance la main et lui caresse la joue par-dessus la table, dans cette trattoria où ils se retrouvent. Ils y dînent et y passent la nuit avant de se séparer le matin. Le patron est un homme de confiance. Il leur réserve toujours la même table dans un coin discret, où Nino se place dos au mur. Sa serviette recouvre une arme chargée et prête à tirer.

Il revient au livre de Cavalcanti :

— Très fin, très perspicace. Cette femme forte, capable de dissimulation mais aussi de franchise dans toutes les situations, des plus périlleuses aux plus délicieuses, c'est bien toi.

— Et cette femme participe à un assassinat, reprend Carmela. Un acte d'amour. Le jour où j'ai dit à Andrea que j'avais du sang sur les mains, mais que je ne regrettais rien, il a compris qu'il ne pourrait jamais te remplacer, même en m'épousant.

Nino se tait. Lui aussi s'est reconnu dans le livre où il apparaît, silhouette mystérieuse en arrière-plan, dont l'auteur se garde de s'approcher.

— On parle beaucoup de ce roman dans la presse nationale, dit Carmela. Mon mari me l'a envoyé. On se rue sur le livre dans les librairies des grandes villes.

— Personne ne peut t'identifier ? demande Nino.

— Je ne crois pas. Andrea est un homme discret, et ce n'est pas son intérêt.

Ils parlent de leur fils Salvatore, que Nino rencontre toujours chez Luciana. Il lui a promis qu'un jour ils se retrouveraient tous les trois.

— Je crois, dit Carmela, qu'il a compris que tu es son père. Il te ressemble de plus en plus.

— Sauf les cicatrices, remarque Nino en passant sa main sur sa joue gauche.

— Ça ne change rien, je ne les remarque plus. D'ailleurs, elles s'effacent.

À cet instant paraît le patron, l'air inquiet.

— Signora, il y a un homme dehors, il demande l'autorisation de venir vous parler.

Elle fronce les sourcils. Nino pose la main sur la serviette qui cache son arme.

— Que veut-il ?

— Je crois que c'est un journaliste. Il a l'accent du Nord et il est accompagné d'un journaliste de *La Sicilia* que je connais.

Nino regarde Carmela. Ils se comprennent sans parler.

— Dis-leur de partir, dit Nino de sa voix coupante. Ma femme n'a rien à leur dire. S'ils rentrent ici, ils n'en ressortiront pas.

Le patron fait un signe de tête. Il sort, parlemente, puis un bruit de voiture.

Nino et Carmela s'en vont à l'aube. Au moment où ils rejoignent leur voiture, un éclair, puis une cavalcade vers un autre véhicule qui attend plus loin, le moteur tournant. Nino dégaine son arme. Il ajuste l'homme qui galope en balançant son appareil photo au bout du bras. Il ne rate jamais son coup. La main de Carmela se pose sur le poignet de Nino.

— Non.

Trois jours plus tard, la photo paraît à la une des grands journaux italiens avec cette légende : « "*Lei*", *è quella*[1] *!* » Le beau visage de Carmela est en premier plan, la bouche légèrement ouverte de surprise. On distingue une silhouette masculine impossible à identifier. Suit un article assez bref : « Notre rédaction a de bonnes chances de penser que la femme qui a servi de modèle pour l'extraordinaire roman d'Andrea Cavalcanti, notre grand écrivain, est l'une de ses proches piégée au petit matin dans des circonstances que la discrétion nous interdit de divulguer. »

L'imprimerie de *La Sicilia* brûle dans la nuit. Le camion qui une semaine plus tard apporte en Sicile la nouvelle édition de *Lei* avec la photo de Carmela en couverture subit un sort identique, avant même de traverser le détroit de Messine.

Sur l'île, personne ne pourra reconnaître Carmela sur la photo.

38

— Cher éditeur, commence Andrea Cavalcanti, dites-moi qui vous a autorisé à mettre la photo de ma femme sur la couverture de mon livre.

— Cher auteur, j'ai acheté le plus légalement du monde cette photo. Je l'ai même payée assez cher, ce que je ne regrette pas puisqu'elle a multiplié par trois nos ventes, ce qui, vous l'admettrez, nous profitera à tous les deux.

---

1. « Elle », c'est elle !

Le Cavalcanti secoue la tête. Cette affaire de photo le heurte profondément. La découvrir dans les journaux était déjà un choc, mais sur son propre livre… ! Il s'est immédiatement précipité à la maison d'édition, où le visage agrandi de Carmela occupait aussi les murs du hall de l'entrée. À son arrivée, la secrétaire lui a aussitôt dit qu'il était attendu.

— Je suppose que je ne peux rien faire, répond-il, je vous ai cédé les droits, vous en faites ce que vous voulez.

— Cher ami, ne prenez pas les choses ainsi. Je ne suis pas l'auteur de l'enquête. Vous noterez que le visage de l'homme a été flouté. Personne ne peut le reconnaître. Quant à moi, j'ai refusé toute demande d'interview, comme vous le ferez sans doute.

— Qu'est-ce qui me prouve que cette enquête ne paraîtra jamais ?

Le visage jovial de l'éditeur se rembrunit. Il baisse la tête.

— Rien en vérité, finit-il par dire. Lorsqu'il m'a vendu la photo, le journaliste m'a bien fait comprendre qu'il ne s'arrêterait pas là. Il s'est livré à de longues investigations qui lui permettront de rapprocher certains événements qui se sont produits dans la famille de votre femme de ceux que vous exposez dans le roman. D'après lui, c'est très troublant. Il veut en faire un livre, pour tout dire.

— Que vous pourriez publier ?

L'éditeur secoue la tête. Il regarde Andrea en face.

— J'ai refusé. Mais il y a d'autres éditeurs…

— Comment s'appelle ce journaliste ?

Donner le nom, c'est condamner l'homme à coup

sûr. Avec ces Siciliens on ne sait jamais, même les plus policés comme Cavalcanti, qui se penche sur le bureau et répète seulement :

— Comment s'appelle ce type ? Où travaille-t-il ?

L'éditeur écrit un nom. Mario Zenardo.

— C'est un pigiste, plutôt recherché. Il travaille pour plusieurs journaux. On le trouve au bar Gambrinus, piazza Navone, tous les soirs à partir de sept heures. C'est là qu'il donne ses rendez-vous.

Dans son recoin du Gambrinus, Mario Zenardo sirote son *spumante* en feuilletant un épais dossier. Personne ne le dérange, les garçons ne viennent que s'il les appelle. Quand on le demande, le patron vérifie d'abord que la personne est attendue. Sinon, rien à faire. Le signore Zenardo ne reçoit pas n'importe qui, même au Gambrinus. Dans ce bar, qui depuis plus de quinze ans est devenu son bureau, il se tient dans l'ombre d'une tenture. Ce petit homme noirâtre au teint bistre, au chapeau enfoncé sur le crâne, parle toujours d'une voix faible. Il écoute beaucoup et sait faire cracher les secrets de ses interlocuteurs.

Ce soir, c'est une femme qu'il attend. « C'est à propos de ce livre que vous écrivez », lui a-t-elle dit au téléphone. Il ne lui en a pas demandé plus. Par les temps qui courent, les conversations sont écoutées.

La voilà justement, cette femme. Plutôt bien habillée, le style grande bourgeoisie, élégance discrète, peu de bijoux mais de prix, de la classe, de l'allure, bien faite, du genre statue antique avec des traits réguliers, un peu sévères mais charmants. Elle s'assied, pose ses mains sur la table, de belles mains longues et fermes.

— Je m'appelle Bianca Strozzi, commence-t-elle. Je suis une Sicilienne de Palerme.

— Je connais ce nom, Strozzi, je l'ai rencontré quelque part dans une de mes enquêtes.

— Mon frère était le chef de la mafia de Palerme.

Il acquiesce.

— Qu'est-il devenu ?

— Il est mort, il y a deux ans, d'un cancer.

Le Zenardo prend un air de circonstance.

— Que puis-je pour vous ? demande-t-il.

— Écouter mon histoire. Tout est vrai, du début à la fin, mais il faut commencer par le début pour tout comprendre, même si c'est la fin qui vous intéresse.

— Et pourquoi m'intéresserait-elle ? Mieux vaut commencer par la fin.

— Mon histoire est liée à la femme de la photo, Carmela Cavalcanti.

Le Zenardo hoche la tête, les sens en éveil.

— Je vous écoute.

— Cela risque d'être un peu long.

— J'ai tout mon temps.

Il fait un signe au garçon pour qu'il apporte la bouteille de *spumante* avec deux coupes.

— Buvez d'abord, commence-t-il, vous parlerez mieux.

Bianca vide une coupe, Zenardo en fait autant.

— À la fin de la guerre, commence-t-elle, j'étais infirmière à Milan. J'avais quitté la Sicile à cause de mon frère. Je voulais mener une vie normale. C'est dans l'hôpital où je soignais les grands blessés que j'ai rencontré un ancien *ardito* amnésique, avec une partie du visage détruite. J'ai soigné cet homme et je l'ai aimé. Quand la mémoire lui est revenue, il a voulu rentrer en Sicile pour retrouver sa fiancée, Carmela, dont il n'avait plus de nouvelles.

Au nom de Carmela, Zenardo lève un sourcil. Cela devient vraiment intéressant.

— Cet homme ne connaissait plus personne chez lui. Il était parti à la guerre parce qu'il était soupçonné d'avoir assassiné l'oncle de cette Carmela, un crime d'honneur évidemment.

— C'est lui qui vous l'a raconté ?

— Non bien sûr. Lui ne parle jamais de ce genre de choses. Je l'ai su par d'autres voies. La Sicile n'est pas grande, les langues se délient maintenant, d'autant plus qu'on le croyait mort. Son nom figure même sur le monument de son village.

— Quel nom ? demande Zenardo, excité. Comment s'appelle-t-il, cet *ardito* fiancé à Carmela ?

Bianca hésite un instant.

— Nino, finit-elle par dire, Nino Calderone. Quand il était jeune, on l'appelait Nino *Beddu*, tant il était beau.

Le Zenardo secoue la tête, déçu.

— Je n'ai jamais entendu ce nom.

Bianca a un éclat de rire sec. Elle se penche sur la table.

— Vous avez peut-être entendu l'autre, celui sous lequel on le connaît maintenant.

Elle s'avance encore et souffle à demi courbée au-dessus des deux coupes qu'elle vient de remplir :

— L'*ancilu mostru*, à cause de son visage à moitié détruit.

Cette fois, le Zenardo ne peut cacher son trouble. Il

ouvre sa serviette et en sort une photo. Celle des journaux et de la couverture de *Lei*. En arrière-plan, on distingue bien un visage étrange, une sorte de Janus. Sur la photo qui a été publiée, ce visage était flouté. Là, on le reconnaît.

— C'est lui ? demande-t-il.

Bianca jette un œil et acquiesce. Le Zenardo se rencogne sur la banquette en sifflant légèrement entre ses dents jaunies.

— Vous voulez dire que l'amant de Carmela Cavalcanti, celui avec qui elle va coucher dans des auberges de campagne, c'est l'*ancilu mostru* ?

Bianca hausse les épaules.

— Avant de mourir, mon frère lui a tout donné, même moi. Il m'avait fait revenir exprès de Milan. Nous vivions ensemble jusqu'à ce que je découvre à cause de cette photo qu'il avait revu cette femme, alors qu'elle s'était mariée, et qu'il était redevenu son amant.

Le Zenardo écrit de plus en plus vite sur son carnet, puis montre sa serviette gonflée d'un énorme dossier.

— Ce que vous voyez là, c'est mon enquête, dit-il. Elle ne me quitte jamais. Ce livre que je veux faire paraître dépassera le succès de *Lei*. Ce que vous venez de me raconter me fait progresser à pas de géant.

— Il y a autre chose, poursuit la Bianca. L'oncle dont Carmela tient sa fortune, ils l'ont liquidé tous les deux. C'est pour cela que Nino est parti le lendemain à la guerre.

Zenardo n'en peut plus d'écrire. Il lève la tête. Les traits de Bianca sont déformés par la haine. Cette belle femme est devenue hideuse.

— Il faut qu'on se revoie très vite, dit-il. J'ai des millions de questions à vous poser. Mais pour l'argent, il faudra attendre que mon livre paraisse. Et celui-là, il ne brûlera pas, je vous le garantis.

— Je ne veux pas d'argent, siffle-t-elle d'une voix de sorcière. J'en ai assez pour moi. Je veux me venger, c'est tout.

Elle porte sa coupe à ses lèvres.

— Buvons ! À votre livre et à ma vengeance !

Ils vident les coupes de *spumante*. Tout à coup, le sourire de Zenardo se transforme en rictus. Il tend la main vers Bianca, puis s'effondre en arrière avant de glisser sur le côté. Bianca se lève, ramasse le carnet, la photo, la serviette, et quitte le Gambrinus à pas lents. Personne ne fait attention à elle. Elle traverse la piazza Navone et monte à l'arrière d'une voiture aux glaces fumées.

— C'est fait, dit-elle à Nino, j'ai fait tomber la pilule dans sa coupe en prononçant ton nom. C'était du curare ?

— Sans doute, répond Nino. Mon chimiste m'a dit que les traces disparaissent au bout d'une demi-heure. Attendons un peu.

Un quart d'heure plus tard, on entend la sirène de l'ambulance. Un attroupement commence à se former devant le Gambrinus, puis on distingue un brancard avec un corps recouvert.

— Partons, dit Nino.

39

— Une chienne de chasse, dit Mussolini, qui s'appelle…

— Trapani, complète la Sarfatti, installée dans l'ombre de son bureau où, pour une fois, brûle une seule lampe sur la table en bois de rose.

De la maîtresse du Duce, on ne distingue qu'une silhouette dans un fauteuil. Sont là, outre Lorenzo, Arnaldo, le frère de Mussolini venu de Milan, et Bottai, l'intellectuel à l'esprit brillant et modéré. Des gens de confiance, le premier cercle autour du Duce. Seuls sont éclairés Lorenzo et le visage de Mussolini, qui paraît tiré et amaigri. L'épreuve a laissé des traces sur l'homme, depuis plus de deux mois que l'on a enlevé Matteotti sur le *lungotevere*[1].

— Cette chienne de chasse, reprend le Duce, est la propriété d'un carabinier en permission du nom de…

— Caratelli, dit encore la Sarfatti.

— Merci, chère Velia, ce carabinier savait que l'on avait retrouvé quelques jours plus tôt un morceau de veste taché de sang, puis une manche de cette même veste, dans une petite décharge près de la via Flaminia. Il connaissait les lieux pour y avoir passé son enfance. Du moins, c'est ce qu'il a prétendu. Il a donc parcouru les bois avec la chienne, jusqu'à ce qu'elle se précipite sur une ancienne charbonnerie et gratte la terre, en même temps que se dégageait une odeur nauséabonde de putréfaction. C'était le

1. La voie qui longe le Tibre.

cadavre, du moins ce qu'il en restait. Il a fallu faire venir le dentiste de Matteotti pour identifier la mâchoire.

— Étrange découverte, dit Bottai, d'autant que les lieux avaient été minutieusement explorés dans les jours suivant le rapt, y compris avec des chiens, et que l'on n'avait rien trouvé. Les carabiniers se doutaient que le corps était caché dans ce coin, à vingt kilomètres de Rome d'après le compteur de la voiture. Les gens de la Ceka n'avaient pas voulu donner d'indications sur l'abandon du corps. Mais c'est un endroit très touffu, un mélange d'arbres et de buissons.

— Qui a intérêt à ce que l'on retrouve le corps de Matteotti ? demande le Duce brusquement. Moi, évidemment, parce que nous sommes à la fin du mois d'août et que tout baigne encore dans la chaleur.

Un silence. Lorenzo les observe les uns après les autres. Ce n'est pas pour se livrer à des conjectures politiques que Mussolini l'a fait venir. Aussi se garde-t-il de donner un avis.

— Tu n'as aucun intérêt dans cette affaire, intervient la Sarfatti, on n'était même pas sûr que Matteotti était mort, même si on pouvait l'imaginer sans peine.

— Ce ne peut être que les *aventiniani*[1], conclut le Duce.

---

1. Après l'enlèvement de Matteotti, la minorité de gauche avait décidé de ne plus siéger. Les députés socialistes rejoints par certains libéraux étaient donc devenus des *aventiniani*, ceux qui s'étaient retirés sur l'Aventin, par référence aux sénateurs romains dissidents à l'époque des Gracques.

Un silence encore. Bottai reprend la parole :

— Ce n'est pas sûr, même si on peut l'imaginer. À la réflexion, ils n'ont pas de moyens et ils se contentent de produire des articles de presse auxquels répliquent les nôtres. Mais en réalité, ils n'ont aucune structure commune et ils se haïssent entre eux. Et puis, pour organiser une fausse découverte, il faut savoir où est le corps. Et ils n'en savaient pas plus que nous. Mais la découverte du cadavre va relancer la polémique, et il n'est pas certain qu'ils en soient à l'origine.

Mussolini approuve de la tête.

— Ce ne sont pas eux, finit par dire sa maîtresse. J'ai un soupçon, mais pas de preuve.

Mussolini se tourne vers Lorenzo.

— Je veux que tu enquêtes. Cette découverte est-elle le résultat d'un hasard, ou a-t-elle été organisée ? Quel ennemi est derrière cette affaire ? Chaque fois que tu mettras le doigt sur un élément significatif, c'est à Margherita que tu rendras compte. Ne viens pas ici où ta présence est trop régulière. Elle serait remarquée et interprétée par les espions des *aventiniani* ou autres.

— Bonne chasse, Lorenzo, conclut la Sarfatti.

40

Cette femme sur un lit de fer avec ses traits qui furent beaux, aujourd'hui corrompus par la maladie, cette femme va mourir dans une semaine, demain ou tout à l'heure, a dit le *medicu* à Carmela. Elle est au bout, et elle veut la voir avant de partir.

« Pourquoi moi ? Nous nous connaissons, elle a travaillé au domaine, mais c'est à peine si je l'ai croisée.

— Parce que vous êtes la patronne du village, a répondu le *medicu*.

— J'irai. »

Voilà pourquoi Carmela, tout à l'heure, a toqué à la porte de cette vieille maison. Il n'y a pas eu de réponse. Elle est entrée quand même. Une pièce unique avec un lit et de pauvres meubles. On y voit mal, sur la fenêtre est tiré un haillon, autrefois un rideau. L'air est humide à cause de la pluie.

— C'est vous, signora ?

— Comment vas-tu, Beppina ?

Carmela s'assied au bord du lit, le cœur serré. Beppina la contemple.

— Je vous attendais, dit-elle. Je n'étais pas sûre que vous viendriez.

Elle se met à tousser, elle ne peut plus s'arrêter. Carmela regarde l'évier. Il reste une *quartara* qui contient de l'eau tirée de la fontaine sans doute. Elle remplit un verre et le lui tend.

— Merci d'être venue, dit-elle après avoir bu deux gorgées.

Beppina est une femme digne. Personne ne l'a jamais entendue se plaindre.

— Il faut que je vous parle avant de partir.

Elle s'arrête, les mots lui viennent difficilement. Elle doit reprendre des forces avant de continuer.

— J'ai une fille, commence-t-elle, une fille qui a quatorze ans maintenant. Je ne l'ai plus vue depuis un an. Elle m'écrit, elle est chez les sœurs de Santa Lucia à Palerme, elle s'appelle Beppina comme moi.

Ses yeux s'accrochent à ceux de Carmela.

— Vous vous souvenez de moi ? demande-t-elle brusquement.

— Bien sûr, tu travaillais aux cuisines.

— Et aussi aux chambres.

— Pourquoi es-tu partie ? demande Carmela.

— C'est quand j'ai eu ma fille. Chez nous, quand il n'y a pas de père, mieux vaut s'en aller, sinon on devient la *buttana* du village. Je ne vous apprends rien.

Carmela hoche la tête. Elle connaît le sort des mères sans mari en Sicile.

— Ma fille a été élevée dans un couvent. Le père a payé. Il a donné beaucoup d'argent pour qu'elle soit bien traitée, pas comme les filles des pauvres. Il allait la voir de temps en temps quand il passait à Palerme. Ce n'était pas un mauvais homme. Il était dur, mais il savait être généreux quand il le fallait. Il s'occupait bien d'elle, et de moi aussi, je ne dirai pas le contraire.

— Qui est le père ? demande Carmela, qui a soudain un pressentiment.

La Beppina fixe la Carmela de ses yeux exorbités, elle la scrute longuement, le regard plus expressif que les mots.

— Don Tomasini, votre oncle, celui dont vous avez hérité, Carmela.

Elle ne l'appelle plus signora. Plus de rapport de patron à domestique. Deux femmes qui se parlent, une qui va mourir et l'autre qui l'écoute avec effroi. Et la plus forte des deux, à cet instant, c'est la pauvre qui va mourir.

— Je n'en savais rien. Mon oncle n'était pas du genre à faire des confidences, surtout à une femme.

La Beppina a une exclamation qui tient du rire et du ricanement.

— À moi, si ! dit-elle avec orgueil. J'étais peut-être la seule à qui il racontait les choses de sa vie. Il savait que je ne les aurais jamais utilisées contre lui. Je l'aimais trop. Et lui aussi, à sa manière, il m'aimait. Notre fille aussi, il l'aimait.

Carmela se tait. Le choc est rude. Cependant, il est clair que la fille de Beppina n'a aucun droit sur l'héritage. Prouver sa filiation paraît impossible. La Beppina l'observe toujours, devine ses interrogations, son inquiétude. Elle rassemble ses forces. C'est sa fille qu'elle défend, elle a encore un atout à jouer.

— Vous auriez dû venir me voir, répond Carmela. J'ai des devoirs envers vous et envers votre fille.

Elle est passée au vouvoiement.

— Carmela, la dernière fois que je suis allée voir ma fille chez les sœurs à Palerme, elles m'ont dit que l'argent de don Tomasini ne suffisait plus à l'entretenir. Cette année, ma fille va devoir quitter sa chambre pour rejoindre le dortoir des pauvres. Elle ne pourra plus suivre les cours et elle travaillera aux cuisines. Pour elle, ce sera la honte.

Carmela saisit la main de Beppina.

— Je vais donner suffisamment d'argent pour que ta fille ne perde rien. Je vais m'occuper d'elle.

Retour au tutoiement, celui entre deux femmes qui se confient des choses essentielles.

— Les sœurs mentent ! Il y avait de quoi entretenir une fille toute sa vie. J'ai vu l'argent qu'il leur apportait.

— Bien sûr, j'exigerai un reçu et je viendrai contrôler l'emploi de l'argent.

— Je savais que tu serais généreuse, j'en étais sûre, comme ton oncle. Dans le village, on ne dit que du bien de toi. C'est aussi pour ça que je n'ai pas parlé, j'ai eu raison.

Elle reprend son souffle.

— Que veux-tu dire ?

— La nuit où la ferme du Nino a brûlé, la veille de la guerre, j'étais avec don Tomasini, dans sa chambre. De temps en temps, il envoyait Ignacio me chercher à Palerme avec sa Torpedo. Je montais le rejoindre quand tout le monde était couché et je repartais après, pour dormir dans cette maison, où Ignacio revenait me prendre au matin pour me ramener.

— Ignacio ne m'a jamais rien dit, murmure Carmela.

— Cette nuit-là, j'avais trouvé étrange que les portes soient ouvertes pour aller jusqu'à la chambre de ton oncle, mais je ne lui en ai pas parlé. Je ne venais pas pour ça. Quand j'ai voulu repartir, le Nino est arrivé. Je me suis cachée derrière les bacs de linge en me demandant ce qu'il venait faire. J'ai attendu un moment et je l'ai vu redescendre, puis je vous ai vus tous les deux. J'ai compris que vous vous aimiez et, quand il est parti, j'ai vu que tu refermais les portes à clé. Le lendemain, Ignacio a dit que don Tomasini avait été étranglé dans son lit. Plus tard encore, j'ai appris que Nino s'était enrôlé le matin même. Je n'ai jamais raconté ce que j'avais vu et entendu. Le Nino, il n'avait pas le choix. Ton oncle avait recruté deux tueurs. Je le savais, les mêmes que pour son père.

On ne les a jamais retrouvés. Chez nous, achève la Beppina, on se venge, mais on ne dénonce jamais.

Pétrifiée au bord du lit, Carmela ne sait que dire. Le choc est immense. Elle en tremblerait.

— Tu peux te pencher sur moi et m'étouffer, poursuit la Beppina. Au point où j'en suis, personne ne verra rien, même pas le *medicu*.

Carmela secoue la tête. Des larmes lui montent aux yeux, mais elle les efface de sa main.

— Quand ton oncle est mort, dit encore la Beppina, j'ai vécu avec de l'argent qu'il m'avait donné. Quand il n'y en a plus eu, je suis revenue ici parce que cette maison qui vient de mon père, et encore de son père avant lui, m'appartient. Elle reviendra à ma fille, même si elle ne vaut pas grand-chose.

Carmela fait ce *giuramentu* :

— Ta fille ne manquera jamais de rien, je le jure sur Nostru Signori.

— Embrasse-moi avant que je meure, souffle Beppina.

41

La dépouille de Matteotti a été enterrée à Fratta Polesine, son village natal. La préfecture de police avait déconseillé des obsèques dans la capitale pour des raisons d'ordre public. La veuve a feint de le croire, mais, tout au long du trajet en train, les carabiniers occupaient les quais pour empêcher les gens de poser des fleurs sur le wagon funéraire. Un millier de personnes ont suivi le cortège, venues de toutes les régions d'Italie. Lorenzo a évidemment suivi l'événement tout en commençant son enquête.

Chaque semaine, il se rend à l'hôtel Continental où la Sarfatti occupe un appartement et il lui fait son rapport.

— J'ai enfin pu accéder, grâce à nos amis au palais de justice, aux scellés de l'affaire et au dossier du juge d'instruction. La veste et la manche ont été retrouvées en premier, en bon état, ce qui exclut qu'elles aient été mélangées avec les restes du corps dans la décharge. Comment se fait-il qu'on ne les ait pas trouvées plus tôt, alors que les lieux avaient été fouillés de fond en comble ? Or la chienne a flairé le corps immédiatement. Il était à fleur de terre.

— Tu veux dire que le corps a été retrouvé par un hasard organisé ? demande la Sarfatti.

— Ça y ressemble beaucoup, dit Lorenzo. Mais ce n'est qu'un début. La question maintenant est : qui est derrière ?

La Sarfatti pousse vers lui le plateau de thé et de petits gâteaux. Elle a son idée, mais ne va pas plus loin. Chaque soir, elle téléphone à Mussolini pour le tenir au courant et le réconforter, le calmer surtout, car il s'inquiète de ses amis-ennemis. S'il perd la partie, lui dit-il, « il n'y aura aucun moyen de faire la belle[1] ».

— Au palazzo Chigi, commente la Sarfatti, il règne

1. Authentique. On a retrouvé les enregistrements des dialogues entre Mussolini et Margherita Sarfatti de cette époque, réalisés par la sûreté qui écoutait tout le monde, même le Duce.

une atmosphère de mort. Je vois Benito dans son appartement au palais Tittoni, enfin, quand la place est libre…

Elle a un sourire forcé. Il y a longtemps qu'elle ne se plaint plus des infidélités de ce séducteur impénitent, presque compulsif. Leurs rapports, explique-t-elle, se situent heureusement sur un autre terrain où elle maîtrise mieux la situation, celui de l'appréciation des forces en présence et de la tactique politique.

— Continue de chercher, Lorenzo, tu finiras par trouver, et ce jour-là, tu rendras au Duce un grand service.

Elle lui raconte ensuite que le fasciste Giovanni Corci a été abattu dans un train par un ouvrier souffrant de troubles mentaux. Les fascistes ont riposté « sur les suspects de gauche ». Un garçon de café a été massacré à la baïonnette. *L'Italia Libera*, conduite par un descendant de Garibaldi, vient de quitter l'Association nationale des combattants pour rejoindre le clan des antifascistes, et les ministres libéraux ont menacé de quitter le gouvernement. Le Duce tient des discours tantôt rassurants, tantôt menaçants.

— Il va devoir choisir entre les modérés et les intransigeants, poursuit-elle. Or c'est ce qu'il sait le moins faire. Le pire, c'est qu'à un moment donné il n'aura plus le choix et devra se rallier au camp du plus fort en faisant croire que c'est lui qui l'a décidé.

*

Dans l'église de Castellàccio, on enterre la Beppina. Carmela a payé le cercueil, les fleurs, les chœurs, et même le curé pour qu'il fasse un beau sermon. La Beppina n'aura pas des obsèques de pauvre. Tout le village est venu, comme pour les obsèques de don Tomasini ou le mariage de Carmela avec le Cavalcanti. D'ailleurs, lui aussi est présent, un peu éberlué par l'événement. Il a voulu se renseigner sur cette Beppina si magnifiquement traitée. Carmela n'a pas répondu.

Au premier rang, entre Carmela et le Cavalcanti, à côté de Salvatore, qui se demande ce qu'il fait là, se trouve une jeune fille de quatorze ans dans une élégante robe noire. C'est une jolie personne au visage grave. Elle non plus ne comprend ni ce décorum, ni la robe, ni rien. Carmela lui a seulement dit : « Ta mère le mérite, et toi aussi. » Cela lui a suffi. Une voiture est venue la chercher chez les sœurs de Santa Lucia et a soldé les frais. Il y en avait. C'est ce qu'ont dit les sœurs, après s'être livrées à des comptes compliqués. Carmela a payé sans sourciller une somme rondelette. Les sœurs ont encaissé en regrettant de ne pas avoir réclamé plus.

« Ta mère nous a quittés, a expliqué Carmela. À partir d'aujourd'hui, je m'occupe de toi. »

Beppina II n'a pas pleuré. Cette nouvelle, elle l'attendait.

Le curé exalte les vertus de la défunte face à l'adversité, son ascétisme. Quand le cercueil paraît sur le perron de l'église, les habitants de Castellàccio applaudissent avec ferveur. Ils ont compris que le lien entre Beppina II et Carmela, c'est don Tomasini, mais ils ne disent rien. Ce sont les affaires des maîtres, pensent-ils, tout en se félicitant que don Tomasini soit mort et que Carmela ait pris sa suite. Mais de cela, ils ne disent rien non plus. Dans ces pays, la règle en ces temps, c'est le *silenziu*.

Quand Beppina II monte dans la voiture à côté de Carmela, elle lui demande :

— Allez-vous me ramener à la pension des sœurs ?

— Non, dit Carmela, tu resteras avec nous, ici. Je t'apprendrai à gérer le domaine comme ton père l'a fait avec moi.

42

Dans cette trattoria de Gaète, en lisière de la plage, il n'y a plus que deux clients, une femme et Lorenzo. La nuit est tombée. Cette femme qui s'appelle Amanda a une voix huilée qui fait glisser les mots. On voit qu'elle a l'habitude de persuader, et de séduire. Lorenzo l'examine tout en ayant l'air de l'approuver. Et plus il l'écoute, plus il se convainc que cette femme, croisée dans la journée, est une espionne.

Elle s'enthousiasme de leur rencontre, hasardeuse, dans cette presqu'île de Gaète à l'extrême bord de la Campanie. Discrètement, elle se renseigne. Qu'est-il venu faire ? Du tourisme, sans doute, ou rendre visite à quelqu'un ? Lorenzo se dit qu'elle sait parfaitement qui il est allé voir et pourquoi. Toujours cette enquête sur l'apparition organisée des restes de Matteotti. Ce qu'elle veut, c'est savoir qui l'envoie, et c'est précisément ce qu'il recherche, lui aussi, en ce qui la concerne. Quand il a découvert le maître de la chienne Trapani, il a su qu'il était presque au bout de sa quête, et que derrière un homme qui habite Gaète, avant-dernier maillon de la chaîne qui commence avec Caratelli, il trouverait le nom de celui ou de ceux qui ont tout organisé. C'est alors qu'est apparue Amanda.

— J'ai l'impression que vous êtes un homme puissant, dit-elle en se tortillant un peu, un sourire timide aux lèvres. C'est mon sentiment, en tout cas, votre manière d'être, de parler, de vous tenir à table et d'écouter aussi. On voit que vous avez l'habitude des ordres, que c'est vous qui les donnez.

Le sourire persiste. C'est un sourire d'attente.

— Je ne sais comment vous répondre, dit Lorenzo, je ne me suis jamais regardé.

Aussitôt, il contre-attaque :

— Et vous, Amanda, une si belle femme, qui êtes-vous ?

Elle a un petit rire modeste tout en levant les yeux au ciel.

— Une pauvre petite chose.

Elle lui raconte sa vie de victime, exploitée par un homme, ruinée alors qu'elle est issue de la meilleure bourgeoisie italienne, un homme dur, infidèle, violent. Lorenzo l'écoute avec une attention chaleureuse et compassionnelle. On en vient à la politique, au Duce. Elle proteste de son amour pour le Duce, tout en l'observant. Cet amour pour le Duce, c'est un gage.

— Et vous ? demande-t-elle tout à coup. Parlez-moi de vous. Cette main qui vous manque, c'est un accident ou la guerre ?

— Un accident, répond Lorenzo.

— Vous êtes trop modeste. Je suis sûre que c'est la guerre, que vous avez dû recevoir des tas de décorations.

— Tout le monde a été décoré.

Elle se tait. Elle a compris qu'elle n'obtiendra rien de lui, qu'il se méfie, tandis que la pluie tambourine sur les vitres.

— Vous savez, lâche-t-elle soudain, cet homme dont je vous parle, il m'utilise pour des missions. Il veut que je me renseigne, que je lui rapporte tout, à n'importe quel prix.

— Je l'avais compris, dit Lorenzo.

— Mais en réalité, poursuit Amanda, il ne m'en a aucune reconnaissance. Rien. Il m'avait promis de m'épouser et il ne le fera jamais. Quand je ne pourrai plus le servir, il me renverra.

— Continuez, dit Lorenzo.

— Vous me protégerez ?

Il répond par un sourire. Si elle est prête à trahir, elle veut se lier à lui par quelque chose de fort pour qu'il se sente tenu de la protéger, de la rémunérer pour sa trahison. Elle pose sa main sur celle vivante de Lorenzo.

— J'ai moins froid quand je vous touche.

Il y a des chambres au-dessus de la trattoria. Ils en prennent une. Après, elle parle, elle lâche tout. Cela confirme ses soupçons, mais maintenant il a des noms, un surtout. Cela ne suffit pas. Au matin, il la fait arrêter.

*

— À quoi ressemble cette Beppina ? demande Nino avec son sourire charmant.

C'est avec ce sourire qu'il m'a séduite, songe Carmela, avec ses mots aussi et son regard. Ou sa manière d'être, ou un mélange de tout. Elle ne sait pas. Mais c'est ce sourire quand il la regarde qui l'émeut le plus, même si son visage n'est plus ce qu'il a été.

— Je retrouve chez elle des traits de mon oncle don Tomasini. Pour l'instant, elle est soulagée et même heureuse d'habiter chez moi. Ces sœurs de Santa Lucia…

Elle s'arrête, ce n'est pas la peine de continuer. Nino a déjà compris.

— Tu es arrivée au bon moment.

— Oui, je crois, en même temps…

Elle se remet à parler, lui confie tout ce que la Beppina mourante lui a dit.

— Il y avait donc un témoin, conclut-elle. Pendant toutes ces années, j'ai vécu avec cette idée que nous n'étions que deux à savoir ce qui s'était passé. Beppina a été le témoin du destin.

Nino a une exclamation. D'ordinaire, il maîtrise ses émotions, mais le destin, c'est autre chose, le destin le poursuit depuis l'enfance. Il a appris à le haïr et aussi à le respecter, le destin, ou Dieu.

— C'est le destin qui m'a envoyé Beppina II, répond Carmela. Je commence à vivre avec l'enfant de celui que j'ai contribué à faire mourir. Elle a confiance en moi, elle me regarde avec affection et reconnaissance. Elle ne sait rien.

— C'est la vengeance de Dieu ou du destin, comme on voudra, remarque Nino.

Tous deux s'arrêtent de parler. Il fallait vider cet abcès des deux Beppina. C'est fait, ils ne reviendront pas dessus. Nino pose sa main sur son bras.

— Il reste la nuit, dit-il, elle nous a toujours été favorable, souviens-toi. Notre histoire, elle se passe toujours la nuit, depuis le début quand je jetais des cailloux sur ton volet, ensuite quand tu venais me rejoindre à la ferme. La nuit est à nous, elle nous attend.

Plus tard, alors qu'ils sont étendus nus sur le lit et que point le jour à travers les volets, Carmela a cette remarque insidieuse :

— Mon mari m'a montré les journaux de Rome la semaine dernière. Il paraît que le journaliste qui a pris cette photo et qui faisait une enquête est mort soudainement dans un bar d'une crise cardiaque. Tu te souviens ? Tu m'avais demandé son nom.

— Le destin lui a été contraire, observe Nino d'un ton indifférent.

43

— Farinacci ! s'écrie Margherita Sarfatti. Et d'autres sans doute, Balbo, Grandi, je suppose.

— Je n'en sais rien, dit Lorenzo. Amanda n'a prononcé que ce nom. C'est lui qui a organisé la découverte du cadavre. Il savait sans doute, depuis le début, où il était ou, mieux encore, il l'a fait déplacer en montant cette affaire de carabiniers et de chienne de chasse.

Elle lève la tête des maquettes de la nouvelle Rome, celle que veut le Duce, nettoyée des constructions qui encombrent les monuments de l'Antiquité. Le projet attendra. Il y a plus urgent à faire.

— Il existe deux fascismes maintenant, murmure-t-elle, celui de Mussolini, qui veut faire une coalition avec les *fiancheggiatori*[1], et celui des vieux *squadristi*, qui l'accusent d'être un traître parce qu'il pactise avec les politicards. J'ai toujours soupçonné Farinacci de vouloir devenir calife à la place du calife.

— Pourtant, observe Lorenzo, c'est un *sansepolcrista*, il était avec nous au *Popolo*, avant et après la marche sur Rome.

— Il est puissant dans tout le nord de l'Italie. On l'appelle le Duce de Crémone. Cela ne lui suffit pas. Le fait de t'avoir envoyé cette femme est un signe. Il a su que tu remontais la filière, que tu allais arriver jusqu'à lui. Alors il l'a lancée contre toi. À propos, qu'est-elle devenue ?

— Je l'ai fait libérer sitôt après son interrogatoire, où elle le désigne clairement. Voici le procès-verbal. Le Duce pense que les pièces de police valent mieux que n'importe quelle construction du raisonnement.

La Sarfatti opine. Elle lit le procès-verbal jusqu'à la fin, le replie et le glisse dans une poche de sa robe en grimaçant. Une douleur au genou s'est installée. À cause de cela, elle a quitté Rome pour se réfugier au Soldo.

---

1. Membres de partis alliés des fascistes.

— Je le remettrai à Benito personnellement. Je ne suis pas sûre qu'il fasse quelque chose immédiatement contre Farinacci et les autres *ras*. Mais il aura cette preuve qu'il brandira si nécessaire, le jour où il voudra se débarrasser de lui. Farinacci fait partie de ces hommes qui passent leur temps à proclamer leur fidélité. Et plus il crie fort, plus il complote.

Elle a fait remplacer le thé et les petits gâteaux par du whisky. Lorenzo accepte d'en prendre.

— Il faut des alcools forts pour les moments forts, dit encore la Sarfatti. Le jour où il a été décidé une minute de silence dans tout le pays en mémoire de Matteotti, le Duce m'a téléphoné. Depuis la fenêtre il me décrivait les voitures arrêtées, les gens à genoux et les policiers qui faisaient le signe de croix. Et il a dit : « Si ça continue comme ça, c'est la fin. »

Elle trempe encore les lèvres dans son verre.

— On injurie les chemises noires dans les rues ou ceux qui portent la *scimmia*[1]. On se croirait revenus en 1919 quand les vétérans se faisaient agresser dans la rue. Mes amis industriels m'ont avertie, ils ont donné de l'argent au fascisme, mais ils commencent à chercher d'autres alliances avec les libéraux ou les conservateurs. La machine économique s'est arrêtée avec l'affaire Matteotti car personne ne sait ce qu'il va se passer.

Elle vide son verre, s'en verse un autre.

— Merci de ce que tu as fait, Lorenzo, toi au

---

1. Le singe, surnom de l'insigne fasciste porté à la boutonnière. Très méprisant au départ, mais finalement utilisé par tous les Italiens de l'époque, fascistes compris.

moins, tu es un fidèle. Cette Amanda continuera à nous renseigner, j'espère.

— Je lui ai fait donner de l'argent. Il semble qu'elle m'est attachée, elle ne m'en veut pas de sa très brève arrestation, pendant laquelle elle a été bien traitée.

La Sarfatti repose son verre. La bouteille est presque vide maintenant, mais son élocution est toujours claire.

— J'ai suspendu mes activités artistiques pour l'instant, le Novecento, la nouvelle Rome et le reste, je ne veux m'occuper que de cette affaire. J'ai voulu écrire un roman, mais je n'ai pas assez d'imagination. Un agent littéraire, Prezzolini, m'a proposé d'écrire un livre sur Mussolini. Je l'appellerai *Dux*. C'est une hagiographie évidemment, mais sa publication suppose que Mussolini reste en place. Je parle dans ce livre de l'affaire Matteotti sans la désigner. Je dis que c'est une conjuration des proches du chef, comme les sénateurs envers César. Farinacci, c'est Brutus. Voici une copie du premier chapitre. Tu me diras ce que tu en penses. J'ai confiance en ton jugement.

Elle lui tend une liasse de feuillets.

— Les femmes comme cette Amanda, et beaucoup d'autres dont je fais peut-être partie, sont toujours à la recherche d'hommes forts, ajoute-t-elle.

— Je lirai ce premier chapitre, mais je ne sais rien de l'esprit des femmes, rétorque Lorenzo.

— Menteur !

*

Cavalcanti est rentré de Rome, où il est resté plusieurs mois pour la promotion de son livre. Le fait d'être reconnu comme le plus grand romancier vivant d'Italie lui confère une autorité qui lui manquait jusque-là. Il propose à Carmela de lui reverser une partie de ses droits d'auteur pour la rémunérer de sa participation. Elle éclate de rire.

— Merci, Andrea, mais je ne crois pas que ta proposition soit sérieuse, et je n'en ai aucun besoin. Par ailleurs, je te rappelle que mon concours à ton livre est une sorte de réparation du préjudice que je t'ai causé en t'épousant.

Cavalcanti ne répond pas. Il a proposé ce partage en sachant qu'elle refuserait. C'est un homme de postures, ce qui est courant, paraît-il, chez les intellectuels.

— J'ai acheté une Alfa Romeo, un monstre, que j'ai laissée à Rome par prudence.

Une nouvelle fois, Carmela éclate de rire.

— Tu peux la faire venir. Elle ne risque rien par ici. Tu es chez moi.

Cavalcanti opine.

— Tu m'as manqué, dit-il.

— Toi aussi, Andrea, tu m'as manqué. J'aime parler avec toi.

Elle lui présente Beppina, qui fait partie de la famille maintenant. Une adolescente timide au regard clair. Ses traits ne sont pas encore vraiment formés, mais le Cavalcanti, qui a une longue expérience des jeunes filles, pressent qu'elle deviendra belle.

— Je suis très flattée de vous connaître, dit Beppina. Vos livres étaient interdits au pensionnat des sœurs. Elles disaient que vous étiez un écrivain du diable.

Quand l'évêque est venu pour prêcher une retraite, il a parlé de vous, et il a confirmé que c'était bien le démon qui vous inspirait. Les sœurs étaient ravies, car elles avaient toutes lu vos romans, et c'était ce qu'elles disaient.

Cavalcanti jubile. Dans une Italie où la religion catholique est le fondement de la société, être considéré comme l'écrivain du diable est un statut qu'il est prêt à revendiquer. Il communique aussitôt cette histoire à son éditeur, qui ne manquera pas de l'exploiter.

— J'ai lu l'un de vos livres en cachette en remplaçant la couverture par celle de *La Vie des saints*, qui a les mêmes dimensions.

— Lequel ? demande Cavalcanti, de plus en plus ravi.

— *La Femme aux sortilèges*, répond Beppina. C'est un livre qui fait beaucoup réfléchir sur le fait d'être une femme. Maintenant, je voudrais lire *Lei*, je sais qu'on en parle beaucoup.

Cavalcanti échange un regard avec Carmela.

— Je te donnerai un exemplaire de la première édition, précise-t-il en regardant toujours Carmela, et je te ferai une dédicace !

Carmela approuve. De toute manière, Beppina tombera dessus un jour.

— Tu es très en avance dans tes lectures, comme je l'étais à ton âge, dit-elle.

Plus tard, quand Beppina s'est éloignée, elle se penche vers Cavalcanti :

— Je te garantis qu'elle ne sortira pas de Sicile tant que l'édition avec ma photo ne sera pas épuisée en Italie !

Un soir, Carmela invite à dîner Luciana et Pivetti. Cavalcanti est là et Pivetti évoque son dernier roman, la polémique, inexistante en Sicile mais forte ailleurs, provoquée par la photo de Carmela en couverture, et le fait que le camion transportant les exemplaires a mystérieusement brûlé, de même que l'imprimerie du journal *La Sicilia*. Cavalcanti se racle la gorge et se tourne vers Carmela, qui lui fait discrètement signe de répondre.

— La photo de Carmela sur le livre, commence-t-il, est une initiative malheureuse de mon éditeur, que je déplore évidemment, mais que je ne peux arrêter. Les droits du livre sont cédés. L'éditeur publie comme il veut. À moi le contenu, à lui l'habillage. Seule Carmela pourrait intenter un procès. Mais elle ne le fera pas pour ne pas raviver le feu.

Pivetti écoute avec attention, il boit une gorgée de vin sans quitter Andrea des yeux.

— Avez-vous une idée de ce qui a pu arriver à ce journaliste, auteur de la photo et lancé, paraît-il, dans une enquête ?

— Il est mort d'une crise cardiaque dans un bar.

Pivetti attend un instant avant de répliquer. Son but n'est pas d'agresser Andrea, mais de se mettre en vedette, pour devenir le héros de la soirée. Luciana échange un regard désolé avec Carmela en bout de table. Elle le connaît. Quand il est lancé, personne ne peut l'arrêter.

— Figurez-vous, reprend-il, que le plus surpris de cette crise inopinée et fatale a été son cardiologue.

Cavalcanti jette un coup d'œil à Carmela. Pivetti

commence à l'agacer, mais elle lui fait signe de se modérer.

— Cher Mauro, dit Andrea, je ne connaissais pas ce journaliste. Je ne l'ai jamais rencontré et j'ai appris sa mort dans les journaux.

Il se souvient soudain que, quand l'éditeur lui a communiqué le nom de Mario Zenardo, il a aussitôt téléphoné à Carmela et lui a donné ce nom. Elle l'a fait répéter ainsi que le nom du bar, le Gambrinus. Il l'observe, mais elle semble indifférente à la conversation.

Pivetti boit encore une gorgée de son vin, il claque même la langue pour montrer qu'il est bon.

— Chers amis, reprend-il, au ministère de l'Intérieur, on s'est posé les mêmes questions, j'y ai gardé des amitiés, l'affaire est montée jusqu'à Federzoni. Le ministre en a parlé au Duce, qui n'a pas manqué de remarquer le lien évident entre la photo, le journal qui brûle comme le camion de livres, et ce journaliste qui meurt soudainement d'une affection qu'il n'avait pas. J'ajoute que le rapport indique la présence d'une femme qui a quitté le bar juste avant le décès de ce malheureux Zenardo, vraisemblablement avec la serviette qui contenait l'enquête puisqu'on ne l'a pas retrouvée. On a fouillé chez lui, les documents sur l'enquête n'y étaient pas, donc ils étaient dans la serviette.

— Et alors ? demande Cavalcanti.

— Eh bien, il se trouve que le régime fasciste, bien branlant ces jours-ci, ne peut tolérer que la Sicile qui fait partie du territoire national soit aux mains d'un autre pouvoir que le sien. En un mot, le Duce s'est renseigné. On lui a évidemment parlé de l'*ancilu mostru* qui gouverne à la place du préfet, qui décide de tout dans son propre intérêt, sans que les agents de l'État, police comprise, puissent rien y faire. Donc…

— Donc ? demande Carmela, qui revient dans la conversation.

— Donc, reprend le Pivetti, si on ajoute cette histoire au voyage de Mussolini en avril en Sicile, d'où il est reparti en l'écourtant parce qu'il trouvait nos mœurs insupportables, nous devons nous attendre à ce que le gouvernement, s'il reprend pied, s'intéresse à nous et à nos institutions officieuses de très près. Voilà pourquoi j'évoque souvent les sombres lumières du régime.

— Cher Mauro, conclut Carmela pour en terminer avec ce sujet, vous êtes toujours aussi passionnant !

44

C'est le 31 décembre 1924, peu avant midi, que soixante consuls de la milice en chemise noire marchent d'un pas lourd dans les rues de Rome où règne un silence effrayant. Ils entrent dans le palais Chigi et traversent la cour au prétexte d'aller souhaiter la bonne année au Duce. Seuls Tarabella et vingt de ses collègues connaissent le véritable but de cette expédition. Dans l'escalier, personne ne les arrête. Personne à l'étage. Ils écartent Navarra sans ménagement et débouchent dans le bureau de Mussolini.

Celui-ci confère avec De Stefani et Gandolfo, le ministre des Finances et le commandant de la milice. À l'arrivée de ces hommes, il fronce les sourcils mais, avant qu'il ne parle, Tarabella jette sur la table une lettre de Tamburini, le *ras* de Florence, qui annonce qu'il va ordonner « une séquence de punitions » des antifascistes. Au même moment, les autres consuls entourent le bureau. Tarabella, petit homme tout en dents et en os, se penche sur le bureau.

— Nous sommes fatigués de marquer le pas. Les prisons sont pleines de fascistes. Et vous, vous refusez d'assumer la responsabilité de la révolution !

Mussolini tente de tergiverser. Le coup d'État est en train d'avoir lieu et c'est lui qui est visé.

— Mais enfin, que voulez-vous ? À quoi prétend le *squadrismo* ? Aujourd'hui, il s'agit de normaliser, rien d'autre.

Aussitôt monte des *ras* qui l'entourent un grognement agressif. Mussolini reprend la parole :

— On m'a jeté un cadavre dans les jambes, qui m'empêche d'avancer.

Tarabella, du haut de ses cinquante kilos, lui rétorque :

— Quel chef de la révolution êtes-vous si un cadavre suffit à vous effrayer ? Vous pactisez avec l'opposition et, en agissant ainsi, vous allez droit à une fin misérable. Il faut fusiller les chefs de l'Aventin[1].

— Ce sont au contraire les assassins de Matteotti

---

1. Les députés socialistes et libéraux qui ont refusé de continuer à siéger avec les fascistes.

qu'il faudrait fusiller ! C'est eux qui nous ont mis dans cette situation.

— D'abord les uns, puis les autres. Pas d'hésitations.

Giunta, l'un des secrétaires du parti, exhibe soudain un poignard. Mussolini recule et Giunta le plante dans le bureau.

— Si tu veux mourir, meurs ! crie-t-il. Mais nous, nous refusons de mourir.

Mussolini jette un coup d'œil à l'arme enfoncée dans la table et lance :

— Vous êtes tous passibles des sanctions les plus graves ! C'est un acte de sédition.

Silence. Tarabella le regarde avec mépris, avant de lui rappeler que, lorsqu'ils ont fait la marche sur Rome, il n'y avait pas de démission possible.

— Et si nous avions échoué, poursuit-il, c'est le procureur du roi qui nous aurait accusés de sédition.

— Je n'admets pas les pressions, s'efforce de dire Mussolini.

Silence encore. Tous les *ras* lui lancent un regard dédaigneux. À leurs yeux, il n'est plus un chef.

— On s'en va ! dit Tarabella. Mais en claquant la porte !

Tous pivotent d'un seul mouvement. Le dernier à sortir, comme annoncé, claque la porte du bureau. Mussolini se rassied. Lui qui ne sue jamais s'essuie le front. Le ministre des Finances et le commandant de la milice sont partis eux aussi, dès le début de l'algarade. Tous l'ont laissé seul dans ce palais immense et vide.

Suivi par une petite escorte commandée par Lorenzo Mori, le Duce se réfugie au Soldo, chez la Sarfatti, là où il s'enferme dès qu'il a peur, qu'il est pris par le doute, l'angoisse, le sentiment de ne pas être à la hauteur de son destin, de l'image qu'il veut donner de lui-même. Dans ce domaine sur les collines qui dominent le lac de Côme, à deux pas de la frontière suisse, propriété de Margherita et de son mari, la Sarfatti reste la maîtresse, la mère, l'inspiratrice, fidèle au-delà des fidèles, la meilleure conseillère en stratégie politique, celle qui, le soir de la marche sur Rome, l'a presque insulté parce qu'il hésitait à donner l'ordre : « Tu marches ou tu crèves, mais je sais que tu marcheras. » Et il avait marché, et gagné.

Épuisé, hagard, il raconte, phase par phase, ce quart d'heure où il a cru mourir ou, au mieux, être destitué. Margherita l'écoute sans un mot. De temps en temps, elle se lève de son fauteuil et, en claudiquant, vient l'embrasser sur la joue. Dans l'ombre, Lorenzo garde la main sur son arme. Autour de la maison patrouillent les hommes qu'il a emmenés et d'autres qu'il a fait venir de Milan, des gens sûrs qui n'hésiteront pas à tirer s'il le faut, et qui sont postés sur les murs, dans le jardin, près du portail, partout. Le Duce ne risque rien.

Quand il a terminé, Margherita lui fait apporter du bouillon, des légumes, des plats légers à cause de son ulcère qui le taraude depuis le meurtre de Matteotti. Il avale le bouillon, boit de l'eau, et se sent mieux.

— Alors, chère Velia, que penses-tu ? J'ai besoin de ton analyse et de tes conseils.

Elle ne répond pas immédiatement, songe à l'irruption des consuls, aux mots de Tarabella, aux regards, aux grognements, enfin au poignard planté dans la délicate marqueterie du bureau, à cette porte qui claque et au silence qui suit.

— Dans cette petite foule de *squadristi* excités, il n'y avait aucun des chefs historiques du fascisme. Qui sont Tarabella, Giunta ? Et même Tamburini, qui a préféré écrire une lettre plutôt que de se déplacer ? Des gens de peu d'importance. On les a envoyés en reconnaissance, en éclaireurs, pour te tester, car d'eux-mêmes, ils n'auraient jamais osé entrer à Chigi.

— Qui ? demande le Duce. Farinacci ?

— Lui et d'autres, qui se tiennent prêts à le suivre s'il le faut, mais surtout à l'abandonner s'il échoue. Ceux qui sont venus ce matin, après avoir recruté les autres au prétexte de te souhaiter une bonne année 1925, c'est la piétaille.

— Ils ont failli me liquider politiquement et même physiquement.

— Ils ne l'ont pas fait !

Cette fois, la Sarfatti a haussé la voix. Elle empoigne sa canne avant d'arpenter le salon.

— Cela veut dire, poursuit-elle, qu'on ne le leur avait pas demandé ! L'auraient-ils fait qu'ils n'auraient pas su quelle attitude adopter, quelles mesures prendre ! Ces gens-là, tu le sais comme moi, ne sont pas faits pour le pouvoir. Ils sont bons pour les manifestations, les rixes, l'huile de ricin et le *manganello*. Ils sont faits pour servir ceux qui commandent, rien de plus. Ils sont comme ces bourgeois qui ont appuyé la révolution bolchévique et que Lénine appelait « les idiots utiles ».

— Que faut-il faire d'eux ?

— Surtout rien ! Ce qu'ils disent reflète une vérité. Le fascisme n'est pas fait pour s'allier avec les faibles comme les libéraux ou les conservateurs, ni pour débattre ou négocier avec les gens de l'Aventin, les Amendola[1] et consorts. Le fascisme doit exister seul, par lui-même et pour l'Italie. Le reste, la soupe démocratique, on sait ce que cela a donné, les Italiens n'en veulent plus.

— Ce qui veut dire ? demande Mussolini.

La Sarfatti cherche ses mots :

— Que ce mouvement, cher Benito, il faut en prendre la tête. C'est cela que l'on attend de toi car tu es le seul à pouvoir le faire, bien plus, bien mieux, que Farinacci et compagnie. Le chef, le Duce, c'est toi. Depuis que Matteotti a été tué, les fascistes n'osent plus lever les yeux. Ils répètent et chuchotent de plus en plus fort : *Con la carne di Matteotti, ci faremo i salsiciotti*[2], et Malaparte chante :

Italiens, tueurs de vivants
Le beau temps est de retour
Les mauvais temps sont passés.
Le traître va payer,
Paix aux morts, guerre aux vivants.

Mussolini se lève, il regarde Margherita qui se tait soudain, avant de reprendre d'une voix calme mais dure :

---

1. Député socialiste qui avait pris la direction du mouvement de l'Aventin.

2. Avec la chair de Matteotti, nous ferons du saucisson.

— Tu dois revendiquer la responsabilité politique des fascistes dans le meurtre de Matteotti, dire que c'est un épisode de la révolution, et que cette révolution, tu vas la poursuivre et l'achever. Le fascisme tout seul, et toi tout en haut du fascisme. Le reste, rien. L'Italie t'en sera reconnaissante et les *ras* qui auront retrouvé un chef se rangeront derrière toi comme un seul homme !

Mussolini marche lui aussi de long en large. Il se retourne.

— Et la liberté ? J'avais promis que le fascisme apporterait la liberté !

Margherita éclate de rire.

— La liberté, les Italiens s'en fichent du moment qu'ils ont un chef et qu'il leur donne de la fierté.

— Et les pauvres ?

— Les pauvres, ils veulent bouffer. C'est tout ce qu'ils attendent de toi. Aux riches, l'orgueil d'être italiens, aux pauvres, de quoi remplir l'assiette. La liberté, c'est pour les philosophes, pour Benedetto Croce[1]. La liberté, ce n'est qu'une idée !

Le 3 janvier 1925, en début d'après-midi, l'*aula* de Montecitorio est comble. Les députés se répètent à l'envi ce mot prêté le matin au Duce : « Je parlerai avec mes couilles sur la table ! »

Quand il monte à la tribune, le moment est si fort, si solennel, que les opposants qui occupent les bancs

---

1. Grand intellectuel italien qui avait rallié le fascisme, avant de le quitter publiquement et de devenir l'un de ses plus farouches opposants. Mussolini avait dit dans un discours qu'il n'avait jamais lu une page de lui.

de la gauche se taisent. De l'autre côté, on se bouscule et on s'entasse. Tout en haut, les tribunes sont pleines.

— Signori, commence-t-il, mon discours ne sera jamais classé comme un discours parlementaire.

Suit la lecture de l'article 47 du statut, c'est-à-dire de la Constitution, d'où il ressort que la Chambre des députés a le droit de traduire les ministres du roi devant la Haute Cour.

— Je demande, dit le Duce en élevant la voix, si dans cette Chambre ou en dehors, il y a une personne qui veut se prévaloir de ce texte.

À cet instant, les applaudissements retentissent du côté de la droite, puis dans les tribunes. C'est alors la fameuse déclaration, celle qui restera dans l'histoire comme l'acte qui a fait du Duce le seul et véritable maître du fascisme :

— Je porte l'accusation contre moi-même… devant cette Assemblée et le peuple italien tout entier. J'assume seul la responsabilité morale, historique, politique de ce qui s'est passé. Si le fascisme n'a été qu'huile de ricin et *manganello*, et non une passion superbe de la meilleure jeunesse italienne, à moi la faute ! Si le fascisme n'a été qu'une association de délinquants, je suis le chef de cette association !

Nouvelle explosion d'applaudissements. On scande ce slogan : « *Tutti con voi !* » C'est une vague qui parcourt les bancs des députés et monte dans les tribunes, fascistes, libéraux, députés du centre droit, tous debout, tous l'acclament, y compris les vieux *squadristi*, les *ras*, les consuls, parmi lesquels figurent ceux qui avaient fait irruption dans son bureau trois jours plus tôt.

Mussolini lève la main. Il attend que le calme revienne. Et c'est, pour qui sait comprendre, l'annonce de la dictature :

— L'Italie veut la paix, elle veut la tranquillité, elle veut le calme dans le travail. Nous les lui donnerons, si c'est possible par l'amour, et si c'est nécessaire par la force ! Quarante heures pour que la situation soit éclaircie sur toute la ligne !

Cette fois, la vague le submerge. Il demeure debout à la tribune, les bras tendus.

— On a gagné, chuchote Margherita à l'oreille de Lorenzo.

— À quel prix ? demande Lorenzo.

Elle ne répond pas.

La nuit est tombée tôt sur Rome en ce 3 janvier. Cela n'empêche pas les cohortes de miliciens équipés de fusils neufs d'arpenter la ville. On entend des cris, des protestations, des ordres, des bruits de coups, de vitres brisées. Ce sont les sièges des organisations antifascistes qui sont occupés, les presses des journaux d'opposition incendiées. On perquisitionne, on arrête déjà. Lorenzo, qui a laissé à Vérone femme et enfants, se dirige naturellement vers la trattoria de Julia, dans le Trastevere. Là, quelques clients, le patron derrière son bar et la serveuse Maria Pia qui l'accueille avec un gentil sourire. Il s'installe à sa place habituelle. On lui apporte un apéritif de bienvenue.

— Alors, tu es content ? demande la voix caustique de Julia.

Il ne répond pas. Son esprit est brouillé. Il aurait voulu réfléchir un moment et parler avec elle plus tard. Mais elle a l'impatience des morts qui ont attendu longtemps l'heure de s'adresser aux vivants.

— Réponds ! insiste cette voix avec sa pointe d'accent autrichien. Réponds-moi, mon Lorenzo. J'ai besoin de savoir si cela te plaît ce qui s'est passé, ce qui va se produire dans les semaines, les mois et sans doute les années qui viennent.

Il secoue discrètement la tête, personne ne doit s'apercevoir qu'il est en train de parler, la bouche close.

— Je ne sais pas quoi penser, dit-il, la voie est libre devant le Duce. Les *ras* ont retrouvé un chef, l'opposition n'a d'autre choix que de se taire et de se mettre à l'abri. Elle a perdu Matteotti et il ne reste personne pour le remplacer, même pas Amendola. Il y a trois jours, j'ai cru que Mussolini avait perdu l'esprit après avoir échappé au meurtre ou à la destitution. Aujourd'hui…

— Aujourd'hui, il a gagné ! répond Julia. N'est-ce pas ce qui importait en définitive ?

— C'est ce que dit Margherita, il faut gagner, on verra après.

— On va voir ce qu'on va voir, dit Julia en souriant.

À cet instant précis, il la voit devant lui, comme un flash, une apparition furtive avec son sourire gouailleur et ses beaux yeux rieurs.

Maria Pia débarrasse la table, son nouveau décolleté met ses jeunes seins en valeur.

— Tiens, la revoilà celle-là ! siffle encore Julia. C'est l'heure de m'en aller. Je te laisse, mon Lorenzo. La jalousie des mortes est silencieuse.

— À quoi pensez-vous ? demande Maria Pia.

Il lève les yeux vers elle, charmante, fraîche, avec son crucifix à la naissance des seins. Il lui trouve un air de plante sauvage dans un jardin abandonné où tout pousse dans le désordre. Et là, dans cette végétation luxuriante qui déborde d'un bassin fêlé, de vases jaunis, de murs écroulés, une fleur domine le reste. C'est elle, la fleur.

— Si je vous répondais, vous ne me croiriez pas.

— Dites quand même, je vous dirai après si je vous crois.

Lorenzo a un sourire.

— Une autre fois, Maria Pia. C'est un peu compliqué ce soir.

Elle n'insiste pas, lui demande s'il veut autre chose. Il a envie de lui répondre « Vous », mais ce n'est pas un homme comme ça.

— Parlez-moi de vous.

Elle hésite. Par où commencer ? Comment une fille comme elle peut intéresser un type comme lui, et que dire ? Elle décide de l'imiter :

— Une autre fois. Ce soir...

Elle s'arrête, lui sourit encore, d'un sourire qui signifie : « Je voudrais bien, mais pas ici, pas maintenant. » Une pudeur face à ce colonel. Comme on l'a appelé, une fois.

Un fracas du côté de la porte. Des miliciens, avinés et braillards, réclament à boire en brandissant des *manganelli*. Le patron les sert, un peu inquiet. Ils en réclament encore. L'un d'eux remarque Maria Pia. Il l'interpelle, s'approche. Les autres le regardent.

— Viens me voir !

Maria Pia ne bouge pas, son regard va de cet homme à Lorenzo et aux autres clients. Lorenzo se lève. Les hommes au bar se sont retournés en tripotant leur *manganello*. Le patron et les clients se sont figés et ne bronchent pas. C'est un instant comme fixé sur une photographie, gestes interrompus et phrases inachevées. Pourtant, on sent monter une tension, comme un arc que l'on bande au maximum avant de lâcher la flèche. Maintenant, Lorenzo est debout à côté de Maria Pia et fixe le milicien avec son *manganello* dans la main.

— Cette femme est à moi, dit Lorenzo. N'approche pas !

L'autre feint de ne pas avoir entendu mais un rictus se dessine sur ses lèvres. Lorenzo n'est pas armé, il sait les dégâts que peut causer un *manganello*, surtout quand il se termine par un embout ferré comme celui-là. Il fonce le premier, tête baissée, frappe l'homme en pleine poitrine, l'autre recule, déséquilibré, heurte le bar. Il ouvre la main et le *manganello* tombe à terre. Lorenzo le ramasse et, avant que le milicien ne se relève, lui assène un coup en plein visage. Un cri de douleur, les autres se rapprochent de nouveau, Lorenzo recule à pas lents jusqu'à se trouver près de Maria Pia.

— Qui commande ici ? demande-t-il.

C'est sa dernière chance. S'ils se jettent tous sur lui, il n'en réchappera pas.

Brouhaha. Les hommes s'avancent. Lorenzo fait passer Maria Pia derrière lui. Il tient le *manganello* dans sa main gauche, à demi courbé.

— Qui commande ici ? répète-t-il.

Pas de réponse. Les miliciens s'approchent toujours, en demi-cercle. Lorenzo commence à se balancer, le *manganello* devant lui oscillant en même temps que son corps. C'est l'attitude typique du *squadrista* qui va se battre.

— Attendez ! crie une voix.

Un des miliciens coupe la haie devant Lorenzo.

— Je te reconnais.

Il fait signe aux autres de reculer, il tient son *manganello* baissé. Les autres grognent, mais s'écartent pour le laisser passer. Lorenzo tend le bras et, sur son poignet, apparaît le tatouage du camp de Sdricca.

— Mori, dit-il, capitaine Lorenzo Mori, 1re division du régiment des *arditi*.

Encore un brouhaha. Certains se contentent de cette référence. D'autres ne veulent rien entendre, ils sont en nombre et cela leur suffit. Capitaine des *arditi* ou non, ce Mori, ils veulent le massacrer.

— Aujourd'hui, colonel de la milice, dit encore Lorenzo.

Il place le *manganello* contre sa jambe, exhibe sa carte et la jette devant lui, mais ils sont ivres, furieux. Lorenzo reprend le *manganello*.

— Arrêtez, vous êtes fous ! s'écrie celui qui semble commander.

Il fait le tour et se place à côté de Lorenzo. Il ramasse sa carte et la lui rend. Ceux qui ont reconnu le tatouage viennent se ranger de son côté. Ce sont eux qui entourent Lorenzo maintenant. Deux lignes se font face.

— Ramassez votre camarade et partez, dit Lorenzo.

Ils hésitent. Un premier abaisse son *manganello* et,

par un effet de mimétisme grégaire, les autres en font autant. Ils chargent le blessé à moitié évanoui sur les épaules de l'un, un autre le tient par les jambes, et ils sortent sans un mot.

— Merci, mon colonel, dit le chef à Lorenzo.

Les joueurs de *burraco* se remettent à échanger les cartes et à compter les points, les dîneurs retrouvent leurs couverts ou leur verre, le patron range les bouteilles, Lorenzo se rassied à sa place derrière la table.

— C'est vrai que je suis à vous ? demande Maria Pia.

45

Le 11 février 1925, le Duce convoque Lorenzo au palais Chigi où règne à nouveau une ambiance fébrile. Courtisans, hiérarques, solliciteurs sont tous revenus faire la queue dans l'escalier, et le majordome Navarra n'en introduit qu'un petit nombre selon l'ordre décidé par le Duce. Maintenant, des miliciens surarmés montent la garde devant les portes. D'autres se tiennent en réserve au rez-de-chaussée. Pas question de renouveler l'épisode des consuls la veille du nouvel an. Lorenzo, comme d'habitude, est accueilli dès son arrivée. Le Duce a retrouvé son entrain. Il s'est remplumé, l'œil est flamboyant, la voix cassante. Une voix de chef.

— Je veux d'abord te remercier pour ce que tu as fait, dit Mussolini, ce procès-verbal que tu as obtenu de cette femme, je le garde précieusement. Il me servira un jour, d'autant que demain j'annoncerai la désignation de Farinacci au poste de secrétaire général du parti.

Il sourit. Gratifier l'ennemi pour mieux l'étouffer. L'idée est probablement de la Sarfatti. Lorenzo sourit aussi.

— C'est un choix habile, dit-il.

Mussolini fait signe à Lorenzo de s'approcher et désigne l'entaille laissée par le poignard.

— Cette blessure me rappelle que rien n'est jamais acquis, que le combat ne cesse jamais.

Depuis le discours du 3 janvier, les choses n'ont pas traîné. Un nouveau tribunal, le Tribunal d'État, est chargé de juger les activités antifascistes. En attendant, on déguise les meurtres politiques.

Mussolini s'enfonce dans son fauteuil.

— Tu vas prendre du galon. Je te nomme préfet en Sicile.

— En Sicile ? répète Lorenzo d'un ton incrédule.

Le Duce sourit largement. Il aime faire des surprises de ce genre.

— Pendant mon voyage en avril, ce que j'y ai vu ne m'a pas plu. J'ai pris certaines décisions qui ont été retardées à cause de l'affaire Matteotti. Maintenant, je veux les mettre à exécution.

Lorenzo ne répond pas. L'histoire est connue. Exaspéré par les Siciliens, le Duce a écourté son séjour. Les journaux en ont fait des pages entières.

— À Piana dei Greci, reprend Mussolini, le maire a eu le culot de s'indigner de ma sécurité officielle. Il m'a proposé ses propres hommes en remplacement. Ce maire local se comporte comme s'il était chef d'État.

En réalité, il appartient à la mafia. Trois semaines après, je l'ai fait arrêter. Mais on m'a parlé d'un type beaucoup plus dangereux qui a conquis toute la région de Palerme, un ancien *ardito* défiguré. L'ange monstre. Il serait même à l'origine de la mort très suspecte d'un journaliste qui faisait une enquête sur lui. Celui-là, il faut le liquider Je compte sur toi. Ton poste de préfet comporte des pouvoirs exceptionnels. Tu pourras faire arrêter, incarcérer et même disparaître tous ceux qui te sembleront le mériter. Ne t'occupe pas des règles de droit. La magistrature suivra. Tu ne devras rendre des comptes qu'à moi seul. La justice en Sicile, à partir de maintenant, c'est le préfet Mori !

46

— J'ai une mauvaise nouvelle, annonce l'espion de la préfecture. Notre préfet est remplacé, il part la semaine prochaine.

Comme l'*ancilu mostru* ne dit rien, il poursuit :

— Mais ce n'est pas le pire.

Il baisse la voix. À force d'écouter les conversations, il craint, par un atavisme d'espion, d'être lui aussi écouté :

— Si notre préfet est rappelé, c'est qu'à Rome on l'a jugé trop mou, trop accommodant avec les mœurs en Sicile. Il va être remplacé par un *prefetissimo* aux pouvoirs extraordinaires.

Il décrit ce nouveau préfet d'après ce qu'il a pu

glaner dans les couloirs et les bureaux, jusqu'au sein du cabinet du préfet, tous ces gens qui s'en vont eux aussi pour faire place nette à la nouvelle équipe venue de Rome, des spécialistes, paraît-il, de vrais fascistes. Des hommes sans états d'âme et sans âme tout court, totalement dévoués au nouveau préfet, comme lui-même l'est au Duce dont il est très proche, semble-t-il.

— Savez-vous comment on le surnomme chez les fascistes, ce nouveau préfet ? *Il boia*[1], parce qu'il est l'exécuteur de Mussolini. Quand le Duce veut se débarrasser de quelqu'un, c'est à lui qu'il fait appel. On dit que dans l'affaire Matteotti, c'est comme ça qu'il a agi, il a envoyé son *boia*, même auprès de ses amis, des gens qui le soutenaient. Quand on le voit arriver, on sait qu'on est fini.

Il s'essuie le front avec un mouchoir. Nino ne dit toujours rien, il écoute l'espion qui passe à la personne même du nouveau préfet, un ancien *ardito*, à ce qu'on dit, deux médailles d'argent de la valeur militaire et d'autres décorations dont l'espion ne se souvient plus, obtenues sur le Piave, la dernière à Vittorio Veneto, où cet *ardito* qui était devenu capitaine a été grièvement blessé, au point d'y perdre une main.

— Il s'appelle Lorenzo Mori, répond Nino, le capitaine Mori de la 1re division des *arditi*.

*

Ils sont deux à l'arrière d'une voiture sur les routes de Calabre en direction de Reggio. L'un parle, l'autre

1. Le bourreau.

écoute et pose des questions. Le premier est petit, avec une grosse moustache et la peau grêlée. Il s'appelle Francesco Spàno, il a trente-quatre ans. Il est commissaire de police. L'autre, c'est Lorenzo.

— Voyez-vous, monsieur le préfet, dit Spàno, je suis de Crotone. Mais l'essentiel de ma vie professionnelle s'est déroulé en Sicile, au point que j'en ai presque oublié mes propres origines, à force de vivre et de réagir comme un Sicilien.

— Est-ce compliqué ? demande Lorenzo.

— Un peu, ça dépend des moments, des situations et des endroits. Vous vous y ferez vous aussi.

— Justement, je ne veux pas m'y faire. Tous mes prédécesseurs se sont trop adaptés à la Sicile et ont échoué.

Spàno parle encore. Il évoque la mafia, l'ange monstre, un homme sur lequel on ne sait presque rien. Un ancien *ardito*, paraît-il, mais un vrai Sicilien qui a pris la succession du Strozzi au retour de la guerre.

— Personne ne l'a vraiment vu en face, dit-il encore. Cette histoire de double visage, c'est peut-être une légende, même si la situation a changé depuis qu'il a pris les rênes. Impitoyable, mais surtout astucieux, très intelligent, dit-on. En quelques années, il a doublé le territoire du Strozzi et il ira sans doute plus loin. C'est une armée qu'il a à sa disposition.

— Comment cela, une armée ? Où vit-elle ?

Spàno a un sourire. Il explique que toute la finesse est là. C'est plutôt un réservoir d'hommes, cinq cents, ou mille, il ne sait pas. Une armée invisible à laquelle il a recours quand il en a besoin. Sans doute l'ange a-t-il des hommes à lui, une cinquantaine environ, répartis en plusieurs cercles dans la ville avec des chefs pour les diriger. Mais la véritable puissance de l'ange, elle est dans cette force qu'il peut lever en quelques heures s'il en a besoin.

— Vous n'avez pas répondu à ma question.

— C'est vrai. Cette armée se trouve dans un village à une trentaine de kilomètres, dans les Madonies, une région de petites montagnes qui dominent la plaine de Palerme.

— Comment s'appelle ce village ? demande Lorenzo.

— Gangi.

Lorenzo déploie une carte sur ses genoux. Spàno pointe le doigt vers un minuscule rond noir.

— Voilà, dit-il, c'est là.

Lorenzo regarde encore la carte, puis la replie.

— Parlez-moi de ce village.

Nouveau sourire de Spàno. Le *prefetissimo* doit tout savoir, mais il ne s'attend pas à ce qu'il va lui annoncer. Il décrit cette vieille cité de l'antique Sicile, avec encore d'anciens remparts, certains écroulés, qui l'entourent. À l'intérieur, les rues sont étroites, les passages nombreux où un seul homme passe à la fois en tirant son cheval par la bride.

— Car les hommes de Gangi se déplacent à cheval. Comme au Far West. Il faut de bons chevaux pour voler des troupeaux de bêtes. Et c'est leur activité principale, ils volent les troupeaux, puis ils les revendent à ceux à qui ils les ont volés. Le reste sert à nourrir le village. Il y a même un abattoir.

— Et le maire ? demande Lorenzo.

Spàno évoque un noble, ce baron réélu chaque fois à l'unanimité pour une excellente raison : il ne fait rien. Ce n'est pas lui le vrai chef du village.

— C'est l'ange monstre ?

Spàno secoue la tête.

— Pas du tout. C'est une femme !

Cette fois, il a réussi son coup. Lorenzo le regarde, interloqué.

— Une femme ?

Giuseppa Salvo, âge incertain, près de soixante ans selon lui, fille d'un brigand tué par les carabiniers, veuve d'un autre qui a subi le même sort, mère de quatre fils, l'aîné à l'Ucciardone pour un siècle ou deux, les autres en activité si l'on peut dire.

— Elle dirige tout d'une main de fer, poursuit-il, les hommes, les femmes du village, les jeunes et les vieux. Si quelqu'un lui déplaît, le mieux qui puisse lui arriver est d'être roué de coups puis chassé à jamais. Mais le plus souvent, elle le fait tuer, ou le tue elle-même, y compris si c'est un amant. Elle aime les jeunes, ceux qui ont l'âge de ses fils. C'est elle qui règle les affaires internes du village. C'est une femme à amants, conclut-il.

Lorenzo sourit. Cette histoire l'amuse.

— Est-elle encore belle ?

Spàno secoue la tête.

— Peut-être l'a-t-elle été. Aujourd'hui, elle est affreuse. Je l'ai aperçue deux ou trois fois. On l'appelle en dialecte sicilien la *cagnazza*[1]. Vous voyez ce que je veux dire ?

---

1. Chienne, au sens péjoratif du terme.

— À peu près. À quelle occasion l'avez-vous rencontrée ?

— Rencontrée, jamais. Aperçue, oui. À Gangi justement. Quand j'y vais, j'apprends beaucoup de choses, notamment sur les affaires de l'ange, par exemple s'il a besoin d'hommes et dans quel but. Lui aussi se déplace à Gangi. On dit qu'il est toujours bien accueilli, parce qu'il apporte de l'argent pour payer les troupes et indemniser les familles quand il y a un mort ou un condamné.

— Vous l'avez vu lui aussi ?

Spàno fait un signe négatif. Lorenzo reste silencieux. Spàno aussi. Ils abordent les faubourgs de Reggio. Soudain, Lorenzo pose la main sur son bras.

— Emmenez-moi à Gangi !

Cette cité en forme de coupe renversée avec tout en haut l'église qui jette ses tours vers le ciel, ce village accroupi, ramassé sur lui-même, où les toits se chevauchent, où les rues tournent en grimpant, pleines de passages couverts, à peine éclairés par des lumignons à l'huile, de vieux escaliers aux marches disjointes, de recoins, de fentes dans les murs, de la taille d'un homme, de cachettes partout. Les odeurs, celles des bêtes et des hommes, les cris des bêtes et des hommes, étouffés mais violents, les cris de l'amour ou de la mort, ces cris mélangés surgissent pour cesser aussitôt et reprendre plus loin, l'écho des pas et des silhouettes qui glissent sans bruit, le son clair d'une arme blanche ou le claquement sec d'un pistolet, des rires aussi, de femmes agacées, enjôleuses, et des rires étranglés, ces reflets de lanternes qui allument les vieux murs avant que tout replonge dans l'ombre. C'est ça, Gangi.

Au fur et à mesure qu'ils grimpent dans le colimaçon des rues, des escaliers et des corridors, Spàno devant, Mori derrière, les lueurs diffuses se multiplient, les voix, les cris, les rires se font mieux entendre. Tout à l'heure, en bas, Spàno a dû parlementer pour passer. Il a fait valoir qu'il était déjà venu, qu'on le connaissait. Il a même donné les noms de ceux qui se porteraient garants qu'il était un homme d'honneur. Les gardes écoutaient, mais ne s'écartaient pas pour ouvrir le passage. Puis l'un d'eux a demandé en désignant Mori :

« Et celui-là, on ne le connaît pas, qui c'est ?

— Un ami et un frère », a répondu Spàno.

Les gardes n'avaient pas l'air convaincus. L'un d'eux est rentré dans la ville avant de revenir un moment plus tard, accompagné de l'un de ceux qu'avait cités Spàno, un géant borgne, avec un coutelas dans la ceinture.

« C'est bon, a dit le géant, il est déjà venu. On a fait des affaires ensemble.

— Et l'autre ?

— Je ne le connais pas. Mais si notre ami répond de lui, ça va.

— Passez », a dit le garde.

Mori s'est habillé d'une vieille chemise et d'un pantalon en tire-bouchon achetés au marché aux nippes de Reggio, il porte un anneau à l'oreille. Sa main de bois est remplacée par un moignon en acier, confectionné dans l'après-midi par un armurier. Il ressemble à un pirate. À Gangi, c'est une tenue qui donne confiance. Spàno ne vaut pas mieux et c'est parfait ainsi.

Maintenant, ils sont presque tout en haut où brûle un feu. Il se répand une odeur de viande grillée. Deux moutons embrochés grésillent sur un foyer rougeoyant. Un tonneau est en perce à côté. Des musicastres jouent de la *sampugna*[1]. Au milieu, une longue table où mangent des hommes. Tout autour, des femmes avec des bassines de pâtes, des cruches de vin tiré du tonneau.

Elles sifflent, rient, chantent, font des gestes de racolage, mais s'écartent dès que les hommes s'approchent. On devine qu'il s'agit là d'un jeu.

Lorenzo et Spàno s'installent à un bout de table que leur désigne l'une d'entre elles. D'autres portent des assiettes avec des morceaux de mouton grillé et des pâtes, des verres aussi, et toujours le son lancinant des *sampugne*. De l'autre côté de la place, une femme surgit, la tignasse qui frisonne, les mamelles lourdes, le visage épais, les lèvres vermillonnées et le regard... oh ce regard !

— Écoutez tous ! commence-t-elle d'une voix éraillée.

Et ils se taisent. Sur cette place tout en haut de Gangi, on n'entend plus que le crépitement du feu et les bouffées de vent.

Elle parle, en dialecte, annonce que l'*ancilu* va venir ce soir apporter l'argent et dire de combien d'hommes il a besoin cette semaine. Elle ordonne qu'on lui fasse bon accueil, comme d'habitude.

---

1. Sorte de cornemuse sicilienne (dialecte).

L'*ancilu*, conclut-elle, c'est la richesse de Gangi. Qui est avec l'*ancilu* a une banque avec lui.

À peine a-t-elle achevé que les hommes l'acclament, l'entourent, lui baisent les mains.

— L'*ancilu* va venir, traduit rapidement Spàno.

Lorenzo hoche la tête. Il est curieux de le voir, l'*ancilu*.

— C'est elle, la *cagnazza*, dit encore Spàno.

Lorenzo fait signe qu'il l'avait compris. Elle s'avance encore, la *cagnazza*, saisit une cruche de vin et boit à la régalade en la tenant à deux mains. Les *sampugne* ont repris leurs chants lancinants, certains se mettent à danser, se frôlant et s'écartant, puis se rapprochant encore. Les hommes envoient les mains, frôlent les hanches et les seins. Les vieilles sont allées s'asseoir. La *cagnazza* contemple le spectacle, installée sur un fauteuil qu'on lui a apporté, et caresse les cheveux de deux ou trois mignons assis par terre.

L'une des filles s'approche de Lorenzo, fait signe de la rejoindre. Il a un geste d'impuissance pour montrer qu'il ne sait pas danser. Elle éclate de rire et insiste. Elle veut lui prendre la main mais c'est le moignon de fer qu'elle saisit. Aussitôt, elle secoue la tête d'un air désolé et s'adresse à lui dans un langage incompréhensible.

— Allez-y, elle dit qu'elle va vous apprendre, murmure Spàno.

Lorenzo se lève, tend son autre main. La fille lui entoure la taille en l'encourageant à en faire autant avec elle. Il tente de suivre ses pas, elle l'approuve. Elle a l'air de dire qu'il apprend vite. Le feu faiblit, la musique des *sampugne* s'adoucit et les taches d'ombre s'étalent plus loin sur la place où elle entraîne Lorenzo, loin du feu.

Elle a cessé de danser, elle lui parle doucement. Des mots d'amour. Tout à coup, elle lui demande son nom, en italien.

— Lorenzo.

— Moi, c'est Rosaria.

Elle prend sa main vivante et la pose sur son sein.

— Touche, touche, je te le prête pour te faire plaisir.

Lorenzo lui sourit, elle aussi.

— Attention ! s'écrie Spàno.

Lorenzo se retourne. Un jeune homme s'avance, une lame prolonge son bras. De l'autre côté, depuis son fauteuil, la *cagnazza* suit la scène de son œil mobile.

— Va-t'en ! lance Rosaria au jeune homme. Laisse-moi tranquille !

Cette fois, elle a repris le dialecte, mais Lorenzo comprend. Le jeune homme s'avance toujours. Spàno s'est glissé derrière lui. Rosaria recule et, soudain, elle demande à Lorenzo de tuer ce jeune homme. Mais la musique s'arrête, et la voix de la *cagnazza*, qui s'est levée de son fauteuil, résonne :

— Rendez hommage à notre *ancilu*.

À l'entrée de la place se dresse une silhouette avec un chapeau à large bord qui laisse ses traits dans l'ombre. À côté de lui, un homme s'avance et dépose une sacoche aux pieds de la *cagnazza*.

— Compte.

— Ce n'est pas la peine, répond-elle. L'*ancilu* est toujours exact dans ses paiements.

— Compte, insiste l'homme. Ce n'est pas injurier l'*ancilu*.

La *cagnazza* fait un signe. Une femme s'approche, ouvre la sacoche et compte les billets. Elle lui souffle le chiffre à l'oreille. La *cagnazza* acquiesce.

— L'*ancilu* a besoin de quinze hommes pour demain.

— Qu'il les choisisse.

L'homme retourne parler avec l'*ancilu*, puis revient.

— Il te demande de les choisir toi-même. Quinze hommes sûrs et armés, au coucher du soleil, à l'endroit habituel.

La *cagnazza*, l'air contrarié, repousse brusquement l'un des mignons et met les mains sur ses hanches.

— Pourquoi refuse-t-il de boire et veut-il que je choisisse les hommes ?

Un murmure, puis l'homme dit à la *cagnazza* d'une voix calme :

— L'*ancilu* viendra boire avec toi une autre fois. Ce soir, il sent un danger sur cette place, un ennemi.

L'*ancilu* tourne les talons et l'homme le suit. Ils ont disparu quand le jeune homme au couteau pivote pour se retrouver devant Lorenzo.

— C'est lui, cet étranger, qui est l'ennemi de l'*ancilu* !

Et aussitôt, il se lance vers Lorenzo, qui recule, adossé au mur, à côté de la Rosaria. Des hommes et des femmes s'avancent et forment un cercle dont aucun ne peut sortir, ni le jeune homme ni Lorenzo. On apporte des lanternes pour mieux voir le combat. Lorenzo lève son moignon de fer, il montre qu'il n'a qu'une main.

— Tant pis pour toi, tranche la *cagnazza*, qui a

fait approcher son fauteuil. Ici, quand on n'a pas de couteau, on ne danse pas.

Le jeune homme fonce aussitôt sur Lorenzo, qui esquive la charge un instant, mais il est touché à la hanche. Il bloque la main au poignard. Tous deux restent un instant immobiles. Soudain, le jeune homme veut récupérer son poignard de sa main libre. On entend un clic. Une pointe a jailli du moignon de fer et Lorenzo allonge son bras d'un geste bref. Un cri. Le jeune homme recule, laisse tomber son couteau et une tache de sang s'élargit sur sa chemise. Il s'effondre sur le sol. La pointe au bout du moignon de fer est ensanglantée.

La *cagnazza* se lève. Les hommes regardent Lorenzo et Spàno. Certains exhibent déjà une arme. Un mot d'elle et ils sont morts ! La *cagnazza* observe Spàno, Lorenzo, puis Rosaria, s'approche du jeune homme qui ne bouge plus. Elle le retourne du pied. Il a la bouche ouverte, la mâchoire décrochée, il ne respire plus.

— Nicu, tu étais un bon amant, mais tu es trop fier et trop jaloux avec les filles. Ça t'a coûté la vie.

Elle ôte un mouchoir de sa poche et couvre son visage.

— Écoutez tous ! s'écrie la *cagnazza.* Personne ne sait qui est l'ennemi dont a parlé l'*ancilu* puisqu'il ne l'a pas désigné. Peut-être lui a-t-il suffi de sentir sa présence, et il n'a pas voulu aller plus loin. Le combat a été loyal, mais…

Elle se tourne vers Spàno et Mori.

— Partez tous les deux et marchez droit devant vous en quittant Gangi. Toi aussi, Rosaria, dit-elle, je te chasse. C'est par ta faute que ce malheur est arrivé.

— Mamma..., dit Rosaria.

— Va-t'en, ma fille. C'est mon jugement, et ne revenez jamais, aucun de vous trois.

*

— Il y avait longtemps que je n'avais pas perçu une telle sensation de danger imminent, quelque chose de fondamentalement hostile, comme ce que je ressentais à la guerre.

— Tu n'as pas d'ennemi à Gangi, objecte Bianca. J'ai entendu dire qu'il y a eu un duel après ton départ. Un jeune homme s'est fait tuer par un étranger. Mais c'était juste pour une histoire de femme.

Nino secoue la tête. Depuis deux ou trois ans, il soupçonne la présence d'un espion des *sbirri*[1] à Gangi. Trop de coïncidences. Il a hésité à en parler à la *cagnazza* de crainte de la vexer, elle est si sûre de son peuple et de sa loyauté.

— Que sais-tu d'autre ? demande-t-il à Bianca.

— Ils étaient deux étrangers, poursuit-elle, l'un était déjà venu et inspirait confiance, parce qu'il avait déjà participé à plusieurs affaires.

— Cela ne signifie rien, observe Nino, les *sbirri* sont capables d'envoyer l'un des leurs pour nous infiltrer. Et l'autre ?

— Personne ne le connaissait. Le premier l'a présenté comme un ami sûr, et les gardes n'ont pas insisté. C'est la fille qui est venue le chercher, Rosaria, et le jeune ne l'a pas supporté. Sa fierté était en jeu et

1. Les flics.

il a provoqué l'étranger en croyant qu'il n'avait pas d'arme. D'ailleurs, il lui manquait une main. Mais l'étranger avait l'habitude de ce genre de duel. À la fin…

— Quelle main ? coupe Nino.

— La droite, m'a-t-on dit. Le combat a été bref. L'étranger a fait sortir une pointe de son moignon de fer et il a tué le jeune au cours d'une esquive, un coup en plein cœur, en homme qui sait où il frappe.

— Et après ? demande Nino.

— La *cagnazza* les a chassés, et aussi Rosaria, qui pourtant est sa propre fille.

Nino est coutumier de ces silences longs pendant lesquels il assemble les éléments de sa pensée. Son esprit erre dans les collines de Vittorio Veneto quand il porte son camarade grièvement blessé jusqu'à la tranchée. Il entend la rafale, puis l'obus qui les abat tous les deux. Ce moment où il se relève et charge à nouveau Mori sur ses épaules. Il revoit son bras qui pend, la main au bout transformée en bouillie, la main droite.

— Le premier, c'est un *sbirru*.

— Et le second ?

— Le second, c'est Mori !

47

— Cette ville, dit Julia depuis la stratosphère, est un lieu de passions, de drames et de joies intenses, je le sens.

— Tu sens ces choses-là ? demande Lorenzo, qui déambule dans Palerme depuis que la nuit est tombée.

— Bien sûr ! Là, tout de suite, je marche à ton côté sur ce trottoir défoncé. Tu me donnes le bras et nous visitons Palerme ensemble.

Lorenzo sourit. Il ne s'attendait pas à cette irruption de Julia pendant sa promenade, la première et aussi la dernière incognito, puisque son installation est prévue pour le lendemain matin. Il aurait pu dormir à la préfecture, mais il a préféré prendre une chambre à l'hôtel des Palmes sous un nom d'emprunt. Personne ne lui a demandé de justifier son identité. Il a payé en espèces et on lui a remis une clé. Après, il a choisi de sortir en civil, d'aller *a zonzo*, comme on dit.

Il parcourt la via Roma jusqu'au corso Vittorio Emanuele en observant les maisons, les boutiques éclairées, en entendant les conversations des promeneurs en dialecte. Il respire l'ambiance, l'atmosphère de Palerme, dont il deviendra demain un personnage officiel. Sa blessure à la hanche le tiraille un peu mais reste supportable. Il est allé se faire bander chez un médecin, lui aussi choisi au hasard. Une simple estafilade qui disparaîtra dans quelques jours. Le médecin n'a posé aucune question sur les circonstances. Spàno a proposé de l'accompagner, mais Lorenzo a refusé.

« Gardez Rosaria avec vous, faites-la coucher dans un commissariat à l'abri et amenez-la-moi demain à la préfecture. J'ai des questions à lui poser, mais avant, je veux encore réfléchir à ce que je vais faire. J'ai besoin d'être seul. »

Spàno n'a pas insisté, il a pris Rosaria en charge, elle est un peu apeurée, inquiète de sa nouvelle situation. Lorenzo a donné de l'argent à Spàno pour qu'elle achète des vêtements.

— Et cette fille ? demande Julia. Que vas-tu en faire ?

— En tirer un maximum de renseignements sur Gangi. Après, je n'en sais rien. On essaiera de lui trouver un travail quelque part.

Elle change de sujet. Elle lui plaît, cette ville, elle qui n'est jamais allée dans le Sud, dans cette région décrite comme un peu sauvage. Elle ajoute qu'elle se réjouit de sa nouvelle vie de *prefetissimo* chargé de combattre la mafia. C'est mieux, dit-elle, que d'être le *boia* du Duce. Elle répète qu'elle se méfie de Mussolini, de ses formules tranchées, de ses images tirées de l'histoire, de ses prédictions fabuleuses. Ce genre d'homme, dit-elle encore, a toujours mal fini après avoir provoqué des catastrophes.

— Les Italiens croient en lui, réplique Lorenzo. Il est le premier homme politique qui s'occupe vraiment d'eux.

C'est le meilleur argument qu'il puisse lui opposer, parce qu'il est vrai. Le régime multiplie les actions sociales depuis les allocations jusqu'aux colonies pour les enfants, en passant par les grands travaux qui offrent du travail aux *disoccupati*[1]. Les enquêtes d'opinion, discrètement menées par les préfets, témoignent d'une satisfaction qui ne se dément pas et croît de mois en mois.

1. Chômeurs.

— Ça commence toujours comme ça, commente Julia, c'est la fin qui compte.

Elle se tait brusquement. Il continue à marcher seul avec un sentiment d'abandon. Ses conversations avec Julia le laissent toujours désorienté, il se dit qu'il vaudrait mieux qu'elle demeure confinée dans le silence éternel des morts plutôt que d'intervenir à tout bout de champ dans sa vie. Mais il le regrette aussitôt. Ce fantôme lui est devenu indispensable, peu importe qu'il ne soit, peut-être, qu'un produit de son imagination, de sa solitude. En réalité, il se refuse à le croire. Julia, c'est une drogue. Sans elle, songe-t-il, ma vie n'a aucun intérêt. Terrifiant constat parce que Julia est morte et que tout ce qu'elle peut lui offrir, ce sont des fragments de vie, des conversations dont il ne sait même pas si elles sont réelles ou imaginaires. Le reste le laisse indifférent, le fascisme, Mussolini, la lutte contre la mafia et l'avenir de l'Italie.

Il pousse la porte d'une trattoria. Il y a du monde, des convives plutôt joyeux, des conversations animées, des rires, des cliquetis de fourchettes et des tintements de verres. Dans un coin, une table où il s'installe aussitôt. Il commande à boire. Le patron lui dit :

— Ici, c'est un restaurant, il faut manger.

— C'est bien, apportez-moi ce que vous avez.

On dispose devant lui un plat avec une bouteille. Il boit le vin, fort, râpeux, c'est ce dont il a besoin. Bon sang, se dit-il, que vais-je faire de ma vie ?

— Tu vas continuer.

Julia est revenue, elle est assise devant lui, comme s'ils dînaient ensemble. Elle porte sa robe de mariage.

À son doigt, la bague qu'il lui a offerte à San Zenetto. On l'a enterrée avec la robe et la bague. Ce sont les ouvrières qui le lui ont dit dans la lettre qui annonçait le malheur.

Il la regarde, mieux, il la contemple. L'autre soir à Rome, elle lui était apparue un instant seulement, mais là, c'est bien elle, avec son sourire un peu timide mais audacieux. Comment expliquer cette ambiguïté ? Un sourire qu'il reconnaît aussitôt. Elle avance la main et caresse sa main en bois.

— Tu vas continuer, reprend-elle avec sa voix de basse un peu râpeuse, parce que tu as deux enfants qui dépendent de toi et une épouse honnête qui ne vit qu'à travers Lorenzo Mori.

— Et le Duce ?

— Là non plus, tu n'as plus le choix. Vous êtes trop liés et cette mission en Sicile, il faut l'accomplir jusqu'au bout. Quand tu repartiras, il n'y aura plus de mafia pour longtemps, et c'est sans doute ce que le fascisme aura fait de mieux.

— Et nous ? demande-t-il, la voix un peu tremblante.

Elle a encore son beau sourire.

— Nous nous retrouverons, après…

— Après quoi ?

— Après la vie, Lorenzo.

Elle ajoute :

— Tu as un peu vieilli, ça te va bien.

— Toi, non.

Elle ne dit plus rien. Son sourire encore. Elle n'est plus là. Le patron s'approche de Lorenzo.

— Excusez-moi, monsieur, quelque chose ne va

pas ? Je vous ai regardé, j'ai eu l'impression que vous parliez tout seul, mais je ne veux pas me mêler de ce qui ne me regarde pas.

Lorenzo répond que ce n'est rien. Que ça lui arrive de temps en temps. Le patron opine et Lorenzo pose un billet sur la table. Il se lève et gagne la porte, quand le patron le rattrape.

— Monsieur, monsieur, vous avez oublié ça dans votre serviette.

Et il lui tend la bague de Julia.

Il sort, Lorenzo, marche dans les rues de Palerme, dans sa main serrée, la bague. Il pleure.

Le lendemain, lors de la cérémonie d'installation, il fait un discours bref et dur.

— Messieurs, déclare-t-il à la noble assistance réunie dans la salle des fêtes de la préfecture, le gouvernement m'a confié une mission : liquider la mafia en Sicile. Il m'a donné les moyens, c'est-à-dire tous les pouvoirs. La Sicile est dès ce jour placée sous un régime spécial…

Il poursuit sur ce ton pendant quelques minutes. Sa tenue, bottes de cavalier et chemise noire constellée de décorations, ne laisse aucune place au doute sur sa personne et sur sa position au sein du régime. Tout en parlant, son regard balaie l'assemblée. Au premier rang, il y a d'abord Vittorio Orlando, président du Conseil lors de la victoire en 1918, qui a déclaré quelques mois plus tôt : « Si par mafia on entend le sens de l'honneur jusqu'à l'exagération, l'intolérance contre tout excès de pouvoir, la fidélité en amitié jusqu'après la mort, si par mafia on entend ces comportements même poussés à l'excès, s'agissant des marques typiques de l'âme sicilienne, alors, je me déclare mafioso et je suis fier de l'être ! » Le second, c'est un fasciste revendiqué, Alfredo Cucco, le *ras* de la Sicile, propriétaire des deux journaux qui se gardent bien de dénoncer qui que ce soit. Ses liens officieux mais très réels avec la vieille société assurent son élection, d'autant que l'*ancilu mostru* garantit les abonnements à ses journaux et lui rétrocède sur des banques étrangères une partie des bénéfices qu'il perçoit grâce à lui. Lorenzo sait tout cela grâce à une note détaillée de Spàno. Cela ne l'empêche pas de recevoir les compliments ampoulés des deux hommes, et d'autres qui font la queue pour lui présenter leurs meilleurs vœux de réussite. Il les remercie chaleureusement de le soutenir, ces représentants de la haute mafia qui viennent s'incliner devant lui. Ce sont eux, se dit-il, qu'il fera arrêter en dernier.

Quand il gagne son bureau au premier étage, il retrouve Spàno et une Rosaria éberluée, stupéfaite. Jusqu'alors elle n'est venue à Palerme qu'à deux ou trois reprises, et encore, flanquée de ses sœurs et de quelques gardes désignés par sa mère. C'est dire qu'elle n'en a pas vu grand-chose. Mais ce matin, cette succession de boutiques, ce bain dans une chambre d'hôtel, c'est trop en une seule fois. La préfecture maintenant. Ses vastes couloirs avec des tableaux et des bustes partout, les policiers qui s'inclinent devant Spàno quand il passe. C'est un autre monde qu'elle n'a jamais soupçonné, cette fille de Gangi qui ne sait ni lire ni écrire, un monde inconnu, magnifique et effrayant. Et là, dans ce bureau somptueux, elle voit entrer Lorenzo, avec sa chemise noire et ses décorations, sa main de bois qui a remplacé le moignon de fer, beau, élégant, viril, cet homme qui lui plaisait déjà quand elle le prenait pour un brigand, le même homme mais un autre, qui prend maintenant place derrière le bureau et lui fait signe de s'asseoir.

— Comment vas-tu, Rosaria ?

— Bien, répond-elle, je vais bien.

Tout en parlant, son regard fait le tour du bureau, les tentures, les tapisseries. Derrière Lorenzo, le portrait d'un homme aux mâchoires saillantes, le regard flamboyant comme l'a voulu le peintre. Son œil s'attarde sur le portrait puis revient sur Lorenzo.

— C'est Benito Mussolini, le chef de l'Italie, dit-il.

— Je ne l'avais jamais vu, dit Rosaria. À Gangi, il n'y a que le portrait du Christ dans l'église. Puis, avec une certaine audace : Et vous, qui êtes-vous ?

— Lorenzo Mori, préfet de Sicile.

Elle hoche la tête sans rien trouver à ajouter. Lorenzo lui sourit et elle lui sourit aussi. Il tire d'un tiroir une feuille cartonnée qu'il dépose sur la table du bureau. C'est un vieux plan de Gangi qui date du siècle précédent, il lui fait signe de s'approcher.

— Explique-moi ce qui a changé, demande-t-il.

D'abord, elle ne comprend pas puisqu'elle n'a jamais vu de plan de sa vie. Puis elle reconnaît les rues, la place tout en haut avec l'église. Peu à peu, elle désigne les habitations, celles de sa mère et des autres chefs du village. Spàno dans son dos prend des notes et échange des regards avec Lorenzo. Il a encore d'autres questions à poser : combien d'hommes à peu près ? De quel âge ? De quelles armes disposent-ils ? Et surtout, comment Gangi est alimenté en eau ?

Ça, elle ne sait pas bien. Il y a des citernes qui se remplissent quand il pleut, mais à cette époque de l'année, le ciel est toujours bleu, puis elle se souvient, une rivière souterraine débouche dans Gangi, de l'eau toujours fraîche qui vient des collines des Madonies.

Lorenzo dit soudain à Spàno :

— Je veux le géologue demain.

Elle parle encore, Rosaria, elle est un peu amoureuse du beau préfet avec sa main de bois, elle raconte les caches, les corridors qui permettent à toutes les maisons de communiquer entre elles, les caves sous les caves. Elle raconte tout. Elle se venge d'avoir été chassée. Quand elle a fini, Lorenzo la fait raccompagner par deux policiers jusqu'à son hôtel. L'un d'eux a pour mission de garder sa porte pour la protéger, mais aussi pour l'empêcher de sortir. Elle ne proteste pas. Elle regarde encore le Duce dans son cadre, puis Lorenzo.

— Je vous reverrai ?

— Oui, dit Lorenzo. Demain, je te ferai revenir et tu me parleras encore.

Le soir, il téléphone à Virginia. Il parle longuement avec elle, puis avec chacun des enfants. Ils lui demandent s'il reviendra bientôt.

— C'est vous qui allez venir me retrouver, mais pas tout de suite.

— On ira à la plage ?

— Peut-être, dit Lorenzo, si vous êtes sages.

Ils promettent qu'ils le seront. Lui parle encore avec Virginia.

— C'est vrai que tu vas nous faire venir ?

— Oui, j'en ai pour un moment ici.

Elle lui dit qu'elle l'embrasse très fort, qu'elle l'aime toujours, puis elle lui raconte des petites histoires de Rome, elle l'embrasse encore avant de raccrocher.

Il est tard. Lorenzo fait un dernier tour de la préfecture déserte avant de gagner sa chambre. Silence de Julia. Dans une poche fermée de son portefeuille, il a caché la bague.

*

— Le préfet va attaquer Gangi, dit l'espion.

— Quand ? Avec quels moyens ?

— Dans deux jours, à l'aube. Les casernes ont reçu des renforts du continent. Personne n'a le droit d'en sortir. Les permissions sont annulées.

Ce Lorenzo est toujours le même, songe Nino. Quand son plan est prêt, il le met à exécution sans attendre. C'est la règle du succès.

— Combien d'hommes ? Quelles armes ? demande-t-il.

L'espion lève les bras et les laisse retomber. Les hommes seront nombreux, c'est sûr. Des soldats qui ne sont pas siciliens, mille, peut-être plus. On parle de mitrailleuses, et même de petits canons. Il y aura aussi des tentes de campagne.

— Un siège, dit Nino, il veut mettre le siège devant Gangi. C'est tout ce que tu sais ?

L'espion hoche la tête. Il explique que le plus grand secret entoure cette opération du préfet. Ce qu'il a appris, c'est en laissant traîner son oreille où il faut. Normalement, ce sont des informations auxquelles il n'a pas accès. À la préfecture, explique-t-il, l'ambiance a changé, les hommes ont été remplacés et on se méfie des Siciliens. Il y a aussi son chef, le commissaire Spàno, qui est comme cul et chemise avec le nouveau préfet.

— Il voit des espions partout, celui-là, ajoute-t-il.

— On te soupçonne ? demande Nino.

— Non, je ne crois pas. Tout est normal, sauf cette ambiance, mais les gens parlent librement devant moi.

Nino fait un signe derrière lui. Quelqu'un apporte une enveloppe à l'espion, qui se lève et remercie humblement.

— J'en sais assez, dit Nino. Je te ferai prévenir dès que j'aurai besoin de toi. Cela risque d'être long et je ne veux pas te mettre en danger. Cette nuit, un homme à moto portera le message à Gangi.

— Que devient l'espion de l'*ancilu* ? demande Lorenzo à Spàno.

— Il a dû aller voir son maître ce soir. Il n'est pas chez lui, on a vérifié.

Spàno et Lorenzo se regardent. L'opération du siège de Gangi est capitale, elle a pour but de priver l'*ancilu* de son armée de réserve en arrêtant tous les hommes de la commune. Encore faut-il qu'ils s'y trouvent et qu'on ne les ait pas avertis.

— Tant pis, dit Lorenzo, il faut griller l'espion ce soir, qu'on sache ce qu'il a raconté.

— On y va, dit Spàno. Je vous appellerai.

— Je viens avec vous.

La voiture de l'*ancilu* a déposé l'espion en ville. Il marche tranquillement en tâtant son enveloppe dans sa poche. Il a vérifié son contenu sous une porte cochère. Au moins quatre mois de son salaire de policier ! De quoi améliorer l'ordinaire familial et envoyer de l'argent à son fils qui fait ses études à Rome. Il sifflote, ravi. Belle affaire, bonne affaire, se dit-il. Au début, ça le gênait de trahir les siens pour l'*ancilu*. Aujourd'hui, c'est devenu une habitude. Espionner, raconter, cela fait partie de sa vie. Dans sa famille, personne ne soupçonne quoi que ce soit, du moins il l'espère. Il remet l'argent à sa femme qui ne pose jamais de questions, et dans son immeuble, tous le saluent avec respect. Dans son métier, les collègues le respectent aussi parce qu'il a vingt ans d'exercice et qu'il a participé à de belles enquêtes. Il a même reçu une médaille ! Il marche donc, plutôt joyeux, le long du trottoir dans les rues désertes et noires de Palerme, quand des hommes jaillissent tout à coup d'une porte entrouverte et l'encerclent. Quatre ou cinq, deux qui le tiennent par-derrière, trois devant. Le premier brandit une arme.

— Ne me tuez pas, dit l'espion, j'ai de l'argent !

L'espion sort l'enveloppe. Spàno apparaît soudain, saisit l'enveloppe, la tend à un autre, qui vient de surgir lui aussi et qui compte l'argent. L'espion reconnaît le *prefetissimo*, Lorenzo Mori.

— Qu'est-ce que tu as raconté à l'*ancilu* ?

— Rien, monsieur, je ne le connais pas.

Il reçoit une gifle, puis une autre. Le préfet pose un poignard sur sa gorge.

— Dépêche-toi de répondre ou tu meurs.

Le regard de l'espion croise celui du préfet, un regard froid, un regard de tueur. L'espion a déjà vu des regards de tueur. Celui-là en est un.

— Vite ! reprend Lorenzo.

Déjà, il lui entaille légèrement la gorge. L'espion se débat, mais le sang coule sur sa chemise. Simple éraflure, mais ce préfet a l'air de vouloir continuer.

— Je lui ai parlé de l'opération de Gangi.

— Quelle date as-tu donnée ?

— Dans deux jours.

— Que va faire l'*ancilu* ?

L'espion hésite à répondre. Lorenzo relève le poignard et empoigne son oreille.

— Il envoie un homme ce soir avec une moto.

La lame s'éloigne. Spàno donne des ordres. Que les brigades sur la route de Gangi arrêtent un homme à moto, à n'importe quel prix. Cet homme ne doit pas passer. Lorenzo tend un mouchoir à l'espion.

— Nous réglerons nos comptes plus tard. Pour l'instant, tu travailles pour moi.

— Oui, monsieur le préfet.

Lorenzo lui rend l'enveloppe.

— Tu peux garder l'argent. Tu diras chez toi que tu as été attaqué dans la rue.

— Oui, monsieur le préfet.

— Tu feras ce que je te dirai.

L'espion baisse la tête, renifle.

— File ! ordonne Lorenzo.

Une demi-heure plus tard, le préfet apprend une mauvaise nouvelle : l'ordre est arrivé trop tard, l'homme était passé avant.

— Bon, dit Lorenzo à Spàno, notre opération est avancée d'une journée. Je veux que l'on prévienne le chef de la police et le général. Il est minuit. Nous partons dans deux heures. À l'aube, le siège doit être en place.

48

— Habitants de Gangi !

La voix de Lorenzo résonne dans le mégaphone. Il se tient debout, les jambes écartées, cette fois en tenue de colonel de la milice, face aux premières maisons.

— Je suis le préfet Mori et je vous donne une heure pour sortir tous, hommes, femmes et enfants, sans arme. Les hommes se rangeront à ma droite, les femmes et les enfants de l'autre côté. Passé ce délai, l'assaut sera donné !

— Tire ! ordonne la *cagnazza* au tireur d'élite agenouillé à côté d'elle, au sommet des remparts, l'arme pointée sur Mori.

— Je ne peux pas l'avoir à cette distance, il est trop loin.

— Tire quand même !

Et le tireur presse la détente. Le coup de feu claque et la balle coupe une herbe à moins d'un mètre de Mori, qui recule et fait un signe derrière lui. Les soldats s'avancent avec leurs fusils de guerre. Mori se place derrière eux.

— Feu !

Ils tirent tous en même temps. Les balles claquent sur les murs, les tuiles, et sifflent au ras des remparts. Un cri. Un homme s'écroule. Par bravade, il a refusé de s'accroupir derrière le mur comme les autres. La balle lui a traversé la poitrine.

Le haut-parleur de Lorenzo grésille encore :

— Descendez votre blessé, notre médecin le soignera.

La *cagnazza* s'empare du fusil et s'approche du blessé sur le pavé de la courtine. La balle l'a transpercé avant de ressortir dans le dos. Il respire difficilement, la bave au bord des lèvres. Elle sait que le poumon est atteint et qu'il n'en a plus pour longtemps. Quand il la voit avec son fusil, l'homme ferme les yeux. Il a compris.

— Pardonne-moi, dit-elle, tu es fichu et personne n'y pourra rien. Nostru Signori te recevra en son paradis.

Elle pose le canon sur sa tempe, manœuvre la culasse d'un geste bref et tire. Le bruit du coup de feu retentit dans la vallée, la *cagnazza* le prend dans ses bras et le soulève d'un coup de reins, puis descend l'escalier et se fait ouvrir la porte du rempart. Elle s'agenouille, dépose le cadavre doucement sur la terre et se redresse.

— Mieux vaut la balle d'un ami que le *medicu* des *sbirri* ! s'écrie-t-elle.

— À cette distance, on peut l'avoir, dit Spàno à Lorenzo.

— Non. Je la veux vivante.

C'est un petit torrent qui vient de la montagne avant de s'enfoncer dans le sol sous un bosquet d'arbres.

— Il n'y a que celui-là, dit Rosaria qui l'accompagne, l'eau arrive à Gangi et il existe un système de bélier qui la fait monter dans les fontaines.

Elle porte un uniforme militaire sans insigne, avec un calot qui contient ses cheveux.

— Creusez une tranchée et barrez-moi ce ruisseau. Il faut que l'eau s'écoule dans la plaine, ordonne Lorenzo aux terrassiers.

C'est Rosaria qui lui a indiqué l'endroit.

— Il y en a pour quelques heures, dit le chef d'équipe. On vous préviendra quand ce sera fini.

Il retourne au camp avec Rosaria. Tous deux marchent côte à côte dans les herbes. Des fleurs rouges ondulent doucement sous la brise. Lorenzo en cueille une et l'offre à la jeune fille, qui le remercie d'un sourire timide. Il devine qu'elle est troublée, entre le siège de Gangi et le rapport qu'elle commence à nouer avec lui. Depuis qu'ils sont arrivés dans la nuit, que les soldats ont commencé à monter les tentes et disposer les mitrailleuses, elle le suit partout où il va.

Lorenzo envoie un peloton de tireurs d'élite. Quelques instants plus tard, on entend un échange de coups de feu. Puis tout s'arrête. Il décide d'aller sur place, l'eau coule maintenant dans le pré. Après le barrage, le ruisseau est à sec.

— On en a eu quelques-uns, dit le lieutenant qui commande le peloton. De toute façon, leurs carabines ne portent pas assez loin et elles ne sont pas précises.

Lorenzo acquiesce, puis se tourne vers Rosaria.

Elle a les yeux humides. Il veut lui parler, mais elle fait signe que ce n'est rien.

— Ça va, Rosaria ? demande Lorenzo.

— Oui, ça va aller.

Ils retournent au camp et s'arrêtent plusieurs fois pour contempler le décor. Le soleil va basculer derrière les collines et l'ombre commence à recouvrir Gangi. Cela provoque des flamboiements verts, jaunes et même dorés.

— C'est le plus beau moment de la journée, murmure-t-elle.

Elle a retrouvé son sourire. Ils repartent tous les deux sans parler. Parfois, elle s'accroche à son bras.

La nuit est tombée sur Gangi et le camp des assiégeants. Du côté du village, on aperçoit des lueurs sur les hauteurs. Ce sont des moutons qui grillent sur les broches, on entend des chants selon le vent et aussi les crincrins des *sampugne*. Lorenzo ne quitte pas ses hommes, il a retrouvé ses habitudes de capitaine des *arditi*. Il mange et parle avec eux, il lâche des plaisanteries et rit à celles qu'on lui adresse. Ainsi faisait le grand César, le lettré, l'aristocrate, le général qui, avec Cicéron, parlait et écrivait le latin le plus élégant de son siècle, mais qui aussi avait appris le dialecte des légions. Lorenzo n'a pas oublié son enseignement : pour parler aux soldats, il faut connaître leur langage. Aussi retrouve-t-il l'argot militaire, et les hommes lui en sont reconnaissants. Ce n'est plus un préfet ni un hiérarque fasciste, c'est un homme qui leur ressemble.

— Combien d'enfants là-haut ? demande Lorenzo à Rosaria.

Elle réfléchit, compte sur ses doigts. Une trentaine à peu près, des bébés sont nés cette année. Il leur faut de l'eau et du lait.

— Attendons, dit Lorenzo.

Le lendemain s'ouvre la porte du rempart. Femmes, enfants et nourrissons défilent devant le camp. Les bébés pleurent dans les bras de leurs mères. Ces femmes marchent, le regard fixe, comme si elles ne voyaient pas la haie de soldats. Seuls les enfants tournent la tête, effarés. Les soldats veulent leur offrir de l'eau, mais les mères refusent, elles vident les bouteilles sur le sol. Spàno demande si on doit les arrêter, au moins quelques-unes, pour les faire parler.

— Laisse-les aller, dit Lorenzo. Elles ne diront rien ou des mensonges. Ce soir, elles seront à Palerme, probablement chez l'*ancilu mostru*. Je m'en fiche. Elles l'encombreront plus qu'autre chose. On ne dira pas que le préfet s'en est pris aux femmes et aux enfants de Gangi ! Ce sont les hommes qui m'intéressent. La *cagnazza* est restée avec eux.

Lorenzo fait encore des inspections et rédige un rapport pour le Duce. À la nuit tombée, on n'entend plus de bruits de fête.

— Il ne leur reste que le vin et quelques moutons, remarque Spàno, ça ne durera pas longtemps.

Lorenzo ne répond pas. Il pourrait lancer l'assaut, mais cela risquerait d'être coûteux face à des assiégés fermement retranchés. Il ne veut pas qu'on dise que les brigands de Gangi ont tué des soldats du Duce. Aussi donne-t-il l'ordre d'allumer des projecteurs pour éclairer les abords du village.

Le même soir, tandis qu'il lit sur son lit de camp, la tente s'entrouvre. Rosaria attend qu'il lui demande de s'en aller. Mais Lorenzo ne dit rien. Alors, elle laisse tomber ses vêtements et s'étend auprès de lui.

Plus tard dans la nuit, quand Spàno revient, il n'a pas l'air surpris de trouver Rosaria couchée avec Lorenzo.

— On vient d'abattre deux hommes de Gangi qui essayaient de s'enfuir après avoir passé les lignes. Le plus étonnant, c'est qu'on ne les a pas vus sortir avec nos projecteurs.

Rosaria se dresse sur le lit de camp et ramène le drap militaire sur ses beaux seins.

— Il existe un souterrain creusé il y a longtemps. On y jouait quand j'étais gosse. On m'avait dit qu'il était fermé.

— Ils ont dû le rouvrir pour s'enfuir, dit Lorenzo. Montre-nous !

Lorenzo s'habille et recrute une dizaine d'hommes. Rosaria les guide jusqu'à un bouquet d'arbres à proximité de la ligne du camp. Elle écarte les buissons et les hommes fouillent à tâtons, sans l'aide de lanternes pour n'être pas repérés depuis les remparts.

— C'est là ! dit-elle.

Lorenzo s'approche. Le trou est à peine recouvert de branchages.

— Sais-tu où commence ce souterrain à Gangi ?

— Dans une cave près des remparts, mais je ne sais plus laquelle.

C'est un tunnel où l'on marche, parfois courbé, parfois debout. Odeur de terre et de renfermé. À certains endroits, il faut dégager des éboulis et ramper. Rosaria est en tête, suivie de Lorenzo et de tous les soldats que l'on a éveillés et équipés en hâte. Spàno est resté au camp avec le gros des troupes. Il investira la place quand la porte des remparts sera ouverte. Cela dure un moment, cette marche souterraine. Sur le flanc du préfet, son poignard d'*ardito*. Pas un mot, pas un bruit. Lorenzo suit la lanterne de Rosaria. Un instant lui est venue l'idée d'un traquenard, mais il l'a écartée. Rosaria a choisi son camp après son éviction. Que fera-t-il d'elle après Gangi ? Trop tôt pour y penser. En attendant, il la suit dans les entrailles de la cité. Brusquement, le sol remonte. Rosaria se retourne vers lui.

— C'est là, chuchote-t-elle.

Elle montre une trappe à demi ouverte vers le haut. Lorenzo lui fait signe de la soulever et de lui donner la lanterne. Derrière, les hommes se sont arrêtés. On entend plusieurs claquements de culasse. Les fusils sont prêts à tirer. Rosaria soulève le panneau. Il la suit, son pistolet dégainé. Elle l'attend au fond de ce qui semble être une cave, avec des tonneaux vides. L'un d'eux qui recouvrait la trappe a été déplacé. Un par un, les soldats émergent. Rosaria pousse une porte. Derrière, une autre cave avec un escalier vermoulu. Elle gravit les marches, on entend des ronflements de l'autre côté d'un rideau. Lorenzo écarte le rideau. Trois hommes sont couchés, ivres sans doute, car des bouteilles traînent sur le sol. Il porte un doigt à sa bouche. La lanterne fait danser des ombres sur les parois. Rosaria ouvre encore une porte, qui donne sur la rue. Un à un, les hommes traversent la chambre sans faire de bruit pour se retrouver dehors, plaqués contre le mur. C'est l'heure où le ciel pâlit, l'aube ne va pas tarder à poindre.

— Où sommes-nous ? souffle Lorenzo.

— En bas, près des remparts.

Elle désigne une silhouette au-dessus de la porte. Là où se tenait la *cagnazza* l'autre jour, une sentinelle bâille et fume un cigarillo. Impossible de l'abattre, à cause du bruit du coup de feu, ni de l'approcher par l'escalier.

— Fais-le descendre, lui dit-il à l'oreille.

Le regard de Rosaria s'accroche au sien. Un regard intense. Il se souviendra toute sa vie de ce regard. Il se poste dans un recoin dans l'ombre, le poignard à la main. Rosaria s'avance et émet un léger sifflement. L'homme se retourne en haut de la courtine et l'aperçoit.

— Je suis revenue !

— Tu es folle, ta mère va te tuer si elle te voit.

Elle ouvre son corsage et découvre ses seins.

— Viens ! dit-elle à l'homme.

Il jette un coup d'œil en direction du camp, pose son fusil contre le mur et descend l'escalier.

— Écoute, Rosaria, je ne t'ai pas vue, commence-t-il.

Il ne va pas plus loin. Lorenzo bondit sur lui, l'empoigne de son bras droit sous le menton et l'égorge d'un geste bref, comme les sentinelles autrichiennes sur le Piave. L'homme s'écroule, pissant le sang. Rosaria fait signe aux soldats en désignant la porte. Ils se précipitent et font basculer le madrier qui la maintient fermée. Lorenzo saisit la lanterne et l'agite devant lui en la balançant de gauche à droite. C'est le signal. Les hommes de Spàno, cachés derrière la colline, se précipitent.

— Tu es mon cheval de Troie, dit Lorenzo à Rosaria.

— Qu'est-ce que c'est, ce cheval ? demande-t-elle avec un sourire épanoui.

— Je t'expliquerai.

Dans la ville, on entend déjà des cris, des galopades et même des coups de feu. Un soldat s'écroule.

— *Avanti Savoia !* crie un lieutenant.

— *A chi l'onore ?* reprend Lorenzo.

Et tous répondent d'une même voix :

— *A noi ! A noi l'onore !*

C'est la guerre, la guerre de Gangi. Rosaria montre les rues, les cachettes, les escaliers et les caves. Les soldats forcent les portes et tirent sans viser, puis défoncent les meubles et fouillent tout. Quelques femmes sortent apeurées. Certains brigands veulent s'enfuir par la porte ouverte des remparts, mais débouchent dans la plaine sous les projecteurs devant les mitrailleuses, brûlantes à force de tirer.

À l'intérieur, c'est un combat de rue. Lorenzo dirige sa troupe, place ses hommes et les encourage de la voix et du geste. Cette troupe progresse escalier par escalier. Lui est blessé mais rien de grave. Du sang coule sur son uniforme, il ne s'en aperçoit même pas. À force de tirer, il est couvert de poudre. Son pistolet est vide, on lui en tend un autre et il recommence. Peu à peu, les brigands reculent et se retranchent sur la place autour de l'église.

Vers midi, les combats ralentissent. La place est encerclée. Les brigands se sont réfugiés derrière des barricades qui obstruent les accès. Ils ont l'avantage de dominer les assaillants.

— Rendez-vous et vous vivrez ! crie Lorenzo dans son porte-voix.

— Crève, préfet ! répond la voix de la *cagnazza*.

Lorenzo s'essuie le front avec un mouchoir, il n'y a plus d'eau à Gangi. Rosaria lui apporte une cruche de vin qu'elle a dénichée. Il boit une gorgée et passe la cruche aux soldats derrière lui.

— Ne te fais pas tuer, dit-elle en l'embrassant sur la joue.

Les soldats l'applaudissent. Certains ont déjà raconté l'histoire de la sentinelle du rempart. Spàno apparaît, il tend un sac de grenades à Lorenzo.

— Il y en a vingt-cinq au moins.

— Distribuez-les aux soldats, dit Lorenzo. Qu'ils les lancent en plusieurs salves !

La première ne produit que peu d'effets, les brigands sont bien retranchés, mais la fumée et la poussière brouillent la vue.

— Lancez et foncez ! crie Lorenzo.

Il donne l'exemple et lance le premier, puis, profitant de la fumée, bondit sur la place, pistolet au poing. Des brigands sont tombés, d'autres continuent à tirer au hasard. Les soldats suivent, baïonnette au canon. Quelques minutes d'affrontement à l'aveugle. Quand la fumée se dissipe, soldats et brigands gisent au sol. Mais il en reste une vingtaine contre les murs de l'église. Les soldats braquent leurs fusils.

— Rendez-vous ou mourez, dit encore Lorenzo.

Ils jettent leurs armes sur le sol. Un soldat les ramasse, elles sont vides.

— Où est la *cagnazza* ? demande Lorenzo.

Personne ne répond. Elle n'est pas parmi les brigands. On la cherche, tandis que les soldats enchaînent les survivants.

— Faites venir Rosaria, ordonne Lorenzo.

Spàno la lui ramène, elle s'éloignait vers le camp quand il l'a rattrapée. Tout à l'heure, elle l'aimait. Maintenant, elle a un visage fermé de femme de brigand.

— Que me veux-tu ?

— La *cagnazza*. Il me la faut. Elle est cachée quelque part. Dis-moi où la trouver.

Il a parlé de sa voix de *boia* du Duce, de *prefetissimo* de la Sicile.

— Cela ne te suffit pas ? demande Rosaria. Les hommes de Gangi sont morts et ceux qui restent sont dans les chaînes.

— Ceux-là ont sauvé leur vie. Vingt soldats italiens sont tombés aujourd'hui, plus de trente sont blessés, mais les femmes et les enfants de Gangi sont libres.

Son regard s'adoucit.

— Tu ne trouves pas que j'en ai assez fait ? Le souterrain, la sentinelle !

— C'est vrai. Sans toi, cela aurait été beaucoup plus long et les morts auraient été plus nombreux des deux côtés. Ce que tu as fait est très important, mais il me faut la *cagnazza*. C'est elle, le chef de Gangi.

— C'est ma mère, dit seulement Rosaria.

— Elle t'a chassée. Si tu étais revenue, elle t'aurait fait tuer. Elle est dangereuse, folle.

— Peut-être, mais c'est ma mère quand même, et on ne dénonce pas sa mère.

— De quel côté es-tu, Rosaria ?

— Du tien, je te l'ai prouvé.

Elle approche son visage du sien, les soldats s'écartent et personne n'entend ce qu'ils disent.

— Et toi, Lorenzo, es-tu de mon côté ?

C'est la première fois qu'elle l'appelle par son prénom, qu'elle le tutoie. Sa main serre sa main vivante. Ce regard encore, celui qu'elle avait quand il lui a demandé de faire descendre la sentinelle et qu'il n'oubliera jamais.

— Oui, dit-il. Je te le jure.

— Dans l'église, il y a une cache sous le vieux confessionnal. Elle attend que vous soyez tous partis pour sortir.

Les prisonniers défilent dans la plaine devant les soldats alignés. Lorenzo, en tenue de préfet, les blessures bandées, les cheveux en ordre, les traces de poudre effacées, les observe sur un promontoire. Au milieu, la *cagnazza*, les pieds et les mains entravés, une chaîne autour de la taille. Au moment où elle passe devant Lorenzo, Rosaria monte sur le promontoire. Elle a remis son uniforme, et quand sa mère s'arrête, elle ôte son calot pour libérer ses cheveux. La *cagnazza* ne bouge pas, Rosaria pose sa main sur le bras de Lorenzo et la *cagnazza* fait un geste de la main sur sa gorge, crache par terre et reprend sa place dans la file des prisonniers.

*

— Le préfet a mis le siège devant Gangi, les femmes et les enfants sont ici sous ma protection. Mais les hommes sont morts ou en prison, y compris la *cagnazza*, trahie par sa fille qu'elle avait chassée. Gangi est vide maintenant. Si j'ai besoin d'hommes de confiance, je devrai les chercher ailleurs et je ne suis pas sûr de les trouver.

— C'est une chose terrible, dit l'espion. Je vous ai prévenu dès que j'ai su, hélas trop tard.

— Comment expliques-tu que le siège ait été avancé d'un jour par rapport à ce que tu avais annoncé ?

— Je n'ai aucune explication, bafouille l'espion. Je vous ai dit ce que je savais, peut-être m'a-t-on trompé…

— Bien, répond Nino de sa voix calme. On va te raccompagner chez toi. La prochaine fois, sois plus attentif.

— Je vous le promets, je vous le jure ! Je ne vous trahirai jamais !

— Je te crois, répond Nino.

L'espion monte dans la voiture. Comme d'habitude, il est assis à côté du chauffeur. Un homme est installé à l'arrière, celui qui donne les enveloppes. À peine la voiture a-t-elle démarré que cet homme enroule un lacet autour du cou de l'espion, qui se débat vainement. Deux minutes, puis un gargouillis, l'espion ne bouge plus.

La voiture roule toujours. Quand elle arrive devant son appartement, elle s'arrête devant le porche. L'homme au lacet tire le corps devant la porte et sonne. Avant que l'épouse ne soit descendue pour ouvrir, la voiture est repartie, il ne reste que le cadavre sur le trottoir, la langue sortie de la bouche, le lacet autour du cou.

49

— Cher préfet, dit Pivetti à Lorenzo, toute la Sicile retentit de votre exploit. Les journaux en sont pleins et j'espère que le Duce vous a félicité.

— Il a eu cette bonté, dit Lorenzo.

C'est le dîner le plus chic de Palerme, Pivetti a réussi à faire sortir le *prefetissimo* de son palais pour l'inviter chez lui, avec tous les Palermitains qui comptent, hommes politiques et le gotha intellectuel et littéraire. Lorenzo n'a pu refuser. Mussolini veut qu'il soit un homme public, la torche brillante du fascisme en terre sicilienne. Les journaux de la péninsule n'ont pas manqué de saluer l'homme choisi par le Duce pour nettoyer la Sicile de ses brigands. En quelques jours, le préfet Mori est devenu un homme célèbre.

— L'ordre règne enfin à Palerme, le félicite le Pivetti.

— Il reste l'*ancilu mostru*, répond Lorenzo en souriant.

Aussitôt, l'assistance se récrie. Avec pareil préfet, c'est une question de mois, peut-être de semaines, et il sera pris. Lorenzo se tourne vers Cavalcanti et lui parle de son dernier roman. Lorenzo détaille les chapitres, il se souvient des méandres de l'intrigue et Cavalcanti se réjouit de cette conversation.

— C'est curieux, dit Lorenzo, j'ai connu un homme pendant la guerre qui ressemblait au héros de votre livre. Lui aussi s'était engagé après un crime d'honneur et correspondait avec sa fiancée.

Dans leurs lettres, ils parlaient des livres qu'elle lui envoyait, comme dans votre roman.

— Et qu'est devenu cet homme ? demande Carmela, qui a légèrement pâli.

— Il est mort, chère madame, en me sauvant la vie à Vittorio Veneto. C'est tout ce que je puis vous en dire.

Le dîner se poursuit, léger, agréable. La nourriture est exquise et le vin délicieux. On parle du Duce qui vient d'épouser religieusement donna Rachele, dont il a déjà plusieurs enfants. Un mariage de convenance pour l'aider dans ses négociations avec le Vatican sur le statut de l'Église.

— Vous voyez bien, lance Lorenzo, que le Duce est un homme qui a parfaitement compris le rôle capital de l'Église en Italie !

La soirée s'achève à une heure raisonnable. Lorenzo se retrouve dans la rue. Il a prétendu vouloir marcher et refusé toute escorte. En réalité, il a rendez-vous avec Rosaria dans le meublé où il l'a installée. Curieusement, il ne se lasse pas d'elle. Ainsi va la vie, se dit-il. Qui aurait cru que je m'engagerais dans une liaison avec une fille de brigand ? Elle l'émeut et ils sont liés par un serment qu'il ne reniera pas.

Il tire de sa poche la clé et monte l'escalier en sifflotant. Un rai de lumière passe sous la porte.

— Rosaria, c'est moi !

Il glisse la clé dans la serrure et répète :

— C'est moi !

Elle ne répond toujours pas. Il pousse la porte laissée ouverte.

Rosaria gît nue sur le lit, un lacet autour du cou.

Lorenzo erre dans Palerme, pétri de tristesse et de honte. C'est ma faute, ne cesse-t-il de se répéter. C'était à moi de la protéger, de l'héberger à la préfecture où elle aurait été en sûreté. Je ne l'ai pas fait à cause du scandale. Je ne suis pas digne de ma mission. Comme un bourgeois qui entretient une greluche en se montrant à l'église le dimanche avec toute sa famille ! Rosaria, je voulais continuer à me la payer en douce, je voulais *aggiustarmi*, comme on dit ici. En Sicile, tout le monde s'arrange, je l'ai assez entendu depuis que je suis arrivé, avec les flics, avec la mafia, avec Dieu, et moi qui suis venu pour combattre le système, je suis tombé dedans le premier. Je m'y suis noyé...

Il ne sait même plus où il se trouve, toutes ces ruelles qui se ressemblent et se croisent en tournant les unes autour des autres. Cette ville est un labyrinthe, il s'est perdu. Il appelle Julia, la supplie de lui parler, de l'aider. Mais Julia ne répond plus. Il cherche dans son portefeuille la bague, elle n'y est plus. Julia l'a-t-elle reprise ? Peut-être ne l'a-t-elle jamais laissée. Cette interpellation du patron de la trattoria, « Vous avez oublié quelque chose dans votre serviette », il l'a inventée. Comme tout le reste. Il est définitivement seul. Il se laisse tomber sur un banc dans le jardin Garibaldi, et il pleure. Si la bague de Julia a disparu, c'est que tout est faux. Il repense à Rosaria. C'était un assassinat prévisible, je n'aurais jamais dû la laisser seule. Il revoit son regard quand elle l'a sommé de lui dire s'il se trouvait de son côté et qu'il le lui a juré. Je l'ai trahie.

La nuit est tombée depuis longtemps, une nuit épaisse comme les aiment les assassins. C'est une patrouille de police qui le trouve, affalé sur son banc. On lui demande ses papiers, il donne sa carte de colonel de la milice. Soupçonneux, les *sbirri* disent que c'est une fausse carte, quand l'un d'eux, soudain, sursaute.

— Lorenzo Mori, c'est le nom du préfet.

On braque une lampe sur son visage et on le reconnaît. Sa photo est parue dans tous les journaux. Le chef de patrouille lui présente ses excuses, Lorenzo l'interrompt :

— Appelez le commissaire Spàno, qu'il m'envoie une voiture, je me suis égaré.

— Bien sûr, monsieur le préfet.

Les *sbirri* se dandinent, ils ne savent plus quoi faire.

— Félicitations, dit Mori, vous avez fait votre devoir. Donnez-moi votre numéro de patrouille et je m'en souviendrai.

Cette fois, ils se rengorgent. Il bavarde avec eux pendant quelques minutes. Arrive la voiture, c'est Spàno qui conduit.

— J'ai fait porter le corps à la morgue, dit-il.

— Merci pour elle…

De retour à la préfecture, Spàno demande de l'alcool. En Sicile, on boit d'abord, on parle ensuite.

— J'ai de l'amitié pour vous, dit Spàno, du respect aussi. Pas à cause de vos fonctions ou de votre position auprès du Duce, je n'ai pas d'opinions politiques et je sers le gouvernement quel qu'il soit. Le respect, c'est pour ce que vous avez fait à Gangi, pour votre courage physique, votre talent de militaire. Voilà, c'est dit.

Il en vient au meurtre de Rosaria. C'est un suicide, explique-t-il. Dans une île où le pire des crimes est la trahison, même chassée, Rosaria restait liée à Gangi. En s'affichant à côté de Lorenzo, elle se condamnait elle-même. Aucun pardon, aucun retour en arrière n'était possible. C'était une injure irréparable envers Gangi. Elle le savait. Mais elle a agi volontairement, elle a rendu à sa mère ce que celle-ci lui avait fait en la chassant du village. La *cagnazza* ne lui aurait jamais pardonné de s'être offerte à un étranger aux yeux de tous.

— La *cagnazza*, continue Spàno, même enchaînée, même en prison, demeure le chef du village, pour ce qu'il lui reste de vie.

— Il n'empêche, finit par dire Lorenzo, c'était à moi de le comprendre et de la protéger.

Spàno secoue la tête.

— Cela n'aurait rien changé. L'*ancilu* aurait eu sa peau tôt ou tard, même si vous l'aviez installée ici, dans ce bastion gardé par les policiers et les soldats. En Sicile, le temps ne compte pas. Pour l'ange, c'était une question d'honneur, même s'il se fichait de Rosaria. La *cagnazza* le lui a demandé et il l'a fait.

— Comment ont-ils pu communiquer ?

Spàno soupire. Il n'en sait rien. Mais le message est passé, par un soldat ou un gardien de la prison où l'*ancilu* a aussi ses affidés. Retrouver Rosaria était facile. Les patrons d'hôtel, les loueurs de meublé n'ont rien à lui refuser dans cette ville, et même dans toute l'île. Les messages sont transmis sans laisser de trace.

— À propos, dit-il, nous ne pouvons plus compter sur notre espion. On l'a retrouvé devant chez lui, un lacet autour du cou. Rien n'empêche de penser que c'est le même tueur qui a étranglé Rosaria.

— J'aurai sa peau à celui-là, en même temps que j'aurai celle de l'*ancilu* !

Lorenzo marche de long en large dans son bureau, s'assied dans son fauteuil. Il a retrouvé son énergie habituelle, Spàno sourit, il ne doute pas de sa détermination.

— Dans les jours qui viennent, Palerme sera mis en coupe réglée. Rome envoie de nouveaux renforts, des policiers, des soldats et des armes. Les Siciliens vont apprendre à connaître le préfet Mori ! lance Lorenzo.

On frappe à la porte du bureau. Le factionnaire de garde tend un message à Spàno.

— On vient de retrouver la *cagnazza* pendue au bout d'une corde aux barreaux de sa cellule, malgré la surveillance spéciale dont elle faisait l'objet. Elle a laissé un message dans lequel elle demande pardon à Dieu d'avoir fait tuer Rosaria.

— Qui lui a porté la corde ? Qui l'a aidée à se pendre ?

— Le même qui a transmis le message de tuer Rosaria, répond Spàno.

*

Des policiers, des miliciens, des soldats font irruption dans les maisons et les appartements à Misilmeri, à Piana dei Greci, à Palerme, à Catane, partout en Sicile, avec, pour seule arme juridique, la *voce pubblica* qui dénonce une appartenance mafieuse. Le matin, la nuit, peu importe l'heure, ils déboulent dans les chambres, menottent les hommes et les femmes à peine sortis du lit. Si l'on tarde à ouvrir, ils enfoncent les portes. Ces hommes et ces femmes protestent, crient, jurent et blasphèment, menacent aussi. On les pousse dans le fourgon dont le moteur n'a pas cessé de tourner et on passe au suivant. Pas d'explication, pas de document judiciaire. Cette seule formule répétée à l'envi par les *sbirri* : « C'est la loi du préfet Mori ! »

Elle dure huit ans, cette loi, aussi implacable que ceux qu'elle combat. Le procès des brigands de Gangi s'étire sur trois mois et s'achève par cent soixante-douze condamnations à l'*ergastulu*, les autres, à des peines entre dix et vingt ans. Quant aux trente-sept acquittés, ils ne sont pas libérés pour autant, puisqu'on les envoie au *confino*[1] pour trois ans au moins, dans l'île d'Ustica.

Lorenzo devient populaire. Sans doute parce que, dans les endroits les plus pauvres, les plus déshérités de l'île, il s'est débrouillé pour faire distribuer des équipements et des vivres, pour obtenir la baisse des redevances aux propriétaires, donner à bail des champs publics moyennant des loyers dérisoires,

---

1. Le *confino* est une mesure souvent prononcée par le Tribunal d'État contre les opposants politiques. Il s'agit d'une relégation dans des lieux éloignés et pauvres de l'Italie, loin des cercles de pouvoir, le plus souvent dans le Mezzogiorno.

livrer des légumes et même du bétail gratuitement, bref, dans ces endroits où il a fait rafler les hommes suspects, pour revenir faire le bien. C'est ce qui explique ces photos aussitôt relayées par les journaux, où des veuves de Sicile lui caressent la joue ou baisent sa main.

Cette popularité est telle qu'une année, en plein mois d'août, il convoque les hommes des campagnes pour une messe en plein air, au pied de la falaise. Il en vient mille trois cent vingt-deux, à cheval, le fusil à l'épaule ou en travers de la selle. Parmi ces cavaliers, d'aucuns sont toujours liés à la mafia d'une manière ou d'une autre. Mais ce sont des hommes intimidés, désorientés, curieux et intéressés par le personnage. Lorenzo, à cheval lui aussi, fait ce discours :

— *Campiori di Sicilia*[1], je vous propose devant ce saint autel de reprendre le travail que vous aviez et que l'on vous a fait abandonner, de donner votre vie pour défendre celle de ceux confiés à votre garde.

Il leur lit le texte d'un serment mais refuse qu'ils le prêtent aussitôt, le temps que durera la messe. Lui-même veut leur tourner le dos pendant ce moment.

— Qui veut s'en aller est libre de partir. Je ne saurai jamais qui il est. Qui restera jurera !

L'office se déroule dans un silence terrible sous le soleil de plomb sicilien. Quand Mori, à la fin, éperonne son cheval et fait face à la troupe de cavaliers, elle est intacte. Aucun n'est parti.

— Chacun de vous passera devant le tabernacle et

1. Paysans de Sicile.

jurera, puis signera sous la formule du serment. Ceux qui ne savent pas écrire feront une croix !

Mille trois cent vingt-deux hommes s'exécutent. Mori en fera sa milice personnelle.

Les photos du serment font le tour de l'Italie et même au-delà. Ravi, Mussolini envoie un télégramme de félicitations, aussitôt reproduit dans tous les journaux fascistes, ce qui est d'ailleurs un pléonasme puisqu'il n'en existe plus d'autres.

— N'oublie pas d'arrêter l'ange dès que tu le pourras, lui dit-il au téléphone, cela couronnera la fin de ta mission en Sicile. En attendant, je veux que tu te montres dans tous les endroits qui comptent à Palerme, je veux qu'on te voie partout.

— Je ne sais pas si nous aurons l'ange un jour, grommelle Spàno, nous lui avons porté des coups, mais il résiste. Chaque fois que j'ai cru l'avoir au bout de mon arme, il m'a filé entre les doigts. On raconte qu'il a fait venir des Siciliens des États-Unis pour combler les vides. Ce doit être vrai, il a les moyens. Je me demande d'où il tire l'argent avec tous les profits qu'on lui a supprimés.

— Cucco, dit Mori, j'ai fait exhumer tous les vieux dossiers classés par mes prédécesseurs. Cucco est partout. Qui fera tomber Cucco fera tomber l'ange.

— Cucco, dit Spàno, c'est le patron du *Fascio* de Sicile, député à la Chambre, protégé par l'immunité parlementaire.

— *Me ne frego !* répond Lorenzo du ton de l'ancien *ardito*.

C'est ainsi que Lorenzo commence à construire un énorme dossier sur les malversations du Cucco, sur ses liens avec Cosa Nostra et sur son immense fortune bâtie sur ces deux piliers, sa position de parlementaire et celle de chef du *Fascio* sicilien.

50

Cette quête dure plusieurs années tant la société sicilienne est un lieu clos, fait de silences et de complicités. Mais Lorenzo est un homme obstiné, malgré les espoirs déçus, les fausses pistes et les ratissages infructueux. L'homme est pourtant là, à portée de main, et poursuit ses activités, l'homme imprenable pour lequel il finit par avoir une certaine admiration. Il n'empêche, se répète-t-il, quand l'un tombera, l'autre ne tardera pas à suivre. C'est cette conviction qui l'anime, partagée par l'énorme armée de policiers et de miliciens qu'il a lancée sur la Sicile.

Il n'a pas oublié non plus la recommandation du Duce de se montrer partout en Sicile, chez les gens qui comptent. Aristocrates, grands bourgeois de Palerme, tous se disputent pour l'avoir à leur table, souvent accompagné de Virginia, le modèle parfait de l'épouse italienne, la *prefetissima*, comme on la surnomme. C'est ainsi qu'il rencontre, qu'il croise et enfin qu'il côtoie celle qui est devenue l'une des reines de Palerme : Carmela Cavalcanti.

L'élégante, la belle Carmela fait partie de ces femmes qui donnent le ton. Elle fait la mode, lance les débats et entretient les conversations. Il n'est de soirée, de dîner un peu relevé sans son apparition, avec ou sans le Cavalcanti, souvent retenu à Rome par sa candidature à l'académie d'Italie. Depuis le succès colossal de *Lei*, Cavalcanti n'écrit plus. Il flotte sur sa réussite, et d'aucuns soutiennent qu'il ne fera jamais mieux que *Lei*. Quand on lui demande ce qu'il prépare, il pose un doigt sur sa bouche d'un air mystérieux, alors que ce mystère entretenu ne recouvre plus rien. Quant à Nino, l'*ancilu*, lui aussi a recommandé à Carmela ces fréquentations utiles dont il tire les plus grands profits à travers les informations qu'elle lui rapporte.

Lorenzo est charmé par cette femme délicieuse, intelligente et cultivée. Quand il se rend à une invitation, son premier souci est de la chercher des yeux. Se crée entre eux une amitié amoureuse, qui n'est pas vraiment de l'amitié, car il finit par s'y mêler un trouble, et qui n'est pas de l'amour non plus, ou pas encore, puisque entaché d'obstacles insurmontables. Les *Vostra Excellenza* devenus les *caro prefeto* se transforment en *caro* Lorenzo et *cara* Carmela, pour devenir Lorenzo et Carmela tout court, le tout au terme d'un processus assez long mais constant, ce qui lui donne encore plus de poids.

Cavalcanti feint de ne rien remarquer. Il sait que, tôt ou tard, il aura besoin du préfet pour satisfaire ses ambitions. D'ailleurs, il a sa propre vie à Rome et même en Sicile, discrète mais satisfaisante. Celle qui ronge son frein, c'est Virginia, qui s'est arrondie avec les années et la maternité et ne peut plus concourir. Elle en prend donc son parti, avec la résignation chrétienne des épouses de ce temps, et elle se tourne vers l'Église.

Reste le Cucco, lui aussi ami de tous, lui aussi invité permanent des meilleures maisons. Il salue cérémonieusement le préfet, plaisante avec lui. Lorenzo lui renvoie la balle sur le même ton tout en le surveillant du coin de l'œil. Carmela n'a pas manqué de surprendre ces regards, même dissimulés. Elle en a fait part à Nino :

« Il cherche le Cucco, il joue la comédie avec lui, mais ce n'est qu'une façade, je le sens bien.

— Le Cucco l'a compris, lui aussi, a répondu Nino, il voudrait obtenir son départ, mais c'est peine perdue. L'homme est protégé et il a brillamment réussi, il est en place pour longtemps et il le sait. Pour l'instant, nous ne pouvons rien faire. »

Carmela a changé de sujet, bizarrement soulagée de cette prédiction. Lorenzo Mori, elle le voit bien, est devenu un personnage important de sa vie, et son départ serait une souffrance.

Un jour de l'été, ils tombent l'un sur l'autre, lui avec Laura, elle avec Salvatore, dans les beaux jardins du Politeama où l'on donne un concert en plein air.

— Votre fille, dit Carmela, ne ressemble qu'à vous. Quel âge a-t-elle ?

— Seize ans, dit Lorenzo, mais elle a surtout les traits de sa mère, ma première femme. Je suis veuf.

— Pardonnez-moi, je l'ignorais. C'est un malheur dont vous ne parlez jamais.

Plus loin, Salvatore et Laura bavardent, comme s'ils étaient de vieux amis.

— Julia est morte alors que j'étais à la guerre, dit-il. Elle a été tuée par la police pendant une manifestation, Laura avait huit jours. Je suis revenu du front pour la confier à ma mère et je suis reparti aussitôt. Je n'ai même pas eu le temps de souffrir. C'est venu après, ce sont ces douleurs, vous savez, qui sont contenues par un événement extérieur qui les comprime et qui empêche qu'elles se développent. Mais quand l'événement s'efface, la douleur explose, ne vous lâche jamais.

Il s'arrête un instant, surpris d'avoir tant parlé.

— Pardonnez cette confidence déplacée dans un endroit comme celui-ci, un jour de concert.

Carmela secoue la tête.

— J'en suis désolée. Jamais je n'aurais imaginé ce que vous venez de me dire. C'est une femme que vous avez beaucoup aimée, je le sens.

— Un esprit rebelle, indépendant, une femme magique, la seule que j'aie aimée si vous m'autorisez cette dernière confidence. Retrouvons les enfants, si vous le voulez bien.

Dans les jours qui suivent, Carmela raconte cette conversation à Nino.

— Je suis au courant, dit-il. Quand il s'est engagé chez les *arditi* dans le seul but de se faire tuer, nous nous sommes rencontrés. Il portait sur lui une lettre destinée à sa fille et qu'il voulait envoyer à un ami pour qu'il la lui remette quand elle serait en âge, s'il devait mourir au front. Nous en avons souvent parlé.

— Une question, Nino, tu n'es pas obligé de me répondre, mais pourquoi le préfet Mori est-il toujours en vie ?

— Parce que c'est mon ami, Carmela, je ne fais pas tuer mes amis.

— Un ami qui te fait rechercher dans toute la Sicile pour t'envoyer à l'*ergastulu* ou pire ?

— Il ne sait pas que c'est moi, ce qui change tout.

— Et s'il le savait ?

Cette fois, Nino ne répond pas.

*

Deux hommes attablés devant une bouteille et deux verres. Alfredo Cucco, le député, l'homme du fascisme en Sicile, et Nino, l'*ancilu mostru*.

— J'ai besoin de toi, dit le Cucco avec une amertume désespérée qui se reflète sur ses traits olivâtres et lui tord la bouche. Mori prend son temps, mais il avance et se rapproche en s'attaquant aux notables. Le *Fascio* de Sicile a été dissous et j'ai été expulsé du parti. Je passe ma vie à affronter des procès de plus en plus difficiles.

— Je sais tout cela, répond Nino. Nous sommes de vieux amis toi et moi. Nous avons toujours fait de bonnes affaires ensemble, et s'il n'y avait pas ce Mori, les affaires se poursuivraient. Moi aussi, je souffre de mon côté. Cela fait des années que cela dure. Le Mori ne m'a pas trouvé, mais il ne me lâche pas.

Cucco sort un mouchoir pour éponger son visage. Sa chute a été brutale. Le préfet, après avoir liquidé la basse mafia, s'en prend à l'autre versant, bien plus délicat. Ainsi a-t-il pu dénoncer les agissements du Cucco qui l'ont rendu riche. Déterrant les affaires ensablées au palais de justice de Palerme, il a obtenu la reprise des poursuites. Le Cucco a vu s'enfuir les amis et se fermer les portes de la bourgeoisie et de l'aristocratie siciliennes. Sa femme l'a quitté, ses enfants lui tournent le dos. Il est seul, ou presque.

— Les péripéties politiques, ça s'arrange, dit Nino, tu le sais mieux que moi. Quant aux procès, jusqu'à présent tu t'en es bien tiré.

Le Cucco hoche la tête. Les six procès qu'il vient de subir coup sur coup ont tous tourné en sa faveur, au point que certains commencent à dire que cet homme mort ne l'est peut-être pas tout à fait, ou pas encore. Le prochain procès sera le dernier.

— Le plus dur, remarque-t-il, vingt-sept chefs d'accusation. C'est ce qu'ils ont trouvé contre moi. Cela va de la complicité d'assassinat à l'extorsion de fonds, en passant par le détournement de fonds publics, la corruption active et passive, et encore…

— Qu'attends-tu de moi ? l'interrompt Nino.

Le Cucco le fixe, avant de murmurer en dialecte :

— *Chistu Mori fa dannu assai*[1].

C'est une demande de meurtre qu'il vient de formuler, une véritable sentence de mort.

— Je ne le ferai pas, répond Nino, ne me demande pas pourquoi. Ce serait trop long à expliquer. Que veux-tu d'autre ?

Le Cucco a du mal à *agghiutiri u buffa*[2], comme on dit à Palerme.

— Demande-moi autre chose, dit Nino de sa voix

1. Ce Mori a fait trop de mal.
2. Avaler le crapaud (dialecte).

calme. Mori serait mort depuis des années si je l'avais voulu. Je ne l'ai pas fait. J'ai mes raisons.

— Ce procès, reprend le Cucco, c'est celui qui décidera de ma vie. Le même jour, mon immunité parlementaire sera levée. Ce sera soit l'*ergastulu*, soit la liberté et le retour de la gloire.

— Qui seront les juges ?

— En réalité, tout dépendra d'un seul qui fait toujours prévaloir son opinion, le président Ferrarello. Ma vie sera entre ses mains.

— Ferrarello, rétorque Nino à voix basse, on n'a jamais rien essayé avec lui, il est proche de la retraite. Ton procès sera le dernier pour lui. Il paraît qu'il veut entrer à l'académie de Sicile.

Il répète avec un sourire :

— L'académie de Sicile…

*

Il y a encore des nuits où Lorenzo appelle Julia. Il lui demande de revenir, de lui dire ce qu'elle pense de cette affaire de Rosaria. Il veut la lui raconter une nouvelle fois, cette histoire dont il ne se remet pas. Il reprend les mêmes arguments, les mêmes aveux, et il évoque ce regard qu'elle lui a lancé. Mais Julia garde le silence, même quand il l'agresse, quand il la provoque. Ce qu'il veut d'elle, c'est qu'elle l'absolve, qu'elle lui dise que ce n'est pas sa faute à lui, mais celle du destin.

Il se lève, gagne son bureau. Sur la table, l'énorme dossier du Cucco avec ses procès-verbaux, ses témoignages, ses constats, ses pièces bancaires, tout ce qui prouve son implication dans les affaires de Cosa Nostra. Un dossier accablant. Il relit tous ces documents qu'il connaît par cœur, et cela le calme, le rassure. Quand le Cucco sera tombé, murmure-t-il, j'aurai l'ange. L'un ne va pas sans l'autre.

Sur la chemise, le nom du juge : Ferrarello, un dur, paraît-il.

*

— Cher Mauro, demande Luciana à Pivetti, c'est encore cette élection qui vous tracasse ?

Pivetti ne répond pas, il est assis devant une table où il a installé le tableau des académiciens de Sicile, il additionne des noms, en soustrait d'autres, il compte et recompte.

— Mon ami, continue Luciana, mon bon ami, vous ne m'écoutez pas, vous êtes perdu dans vos chiffres et vos voix. Je reconnais que le problème n'est pas simple, je conçois votre inquiétude et même votre affliction. En quoi puis-je vous être utile ?

Pivetti lève enfin la tête et découvre, surpris, sa femme. Elle caresse sa belle tignasse blanche sur ses joues roses de vieux bébé.

— Ah, marmonne Pivetti, j'ai beau tourner et retourner, il me manquera toujours une voix. Mes ennemis sont trop nombreux et les imbéciles ne manquent pas.

Il soupire en contemplant ses feuilles. Voici un mois que le président de l'académie de Sicile a été rappelé par Nostru Signori, un vieil ami qui lui avait toujours promis le poste. Il devait même envoyer une lettre à ses collègues pour leur recommander de voter pour Mauro Pivetti, à sa mort. Mais le destin a été trop rapide, et il n'a pas eu le temps de l'écrire, cette fameuse lettre. Pivetti a bien pensé en établir une fausse, mais la graphie du président était inimitable...

— Pour tout dire, je crains Andrea Cavalcanti. Sans doute ne se présentera-t-il pas lui-même, mais il fera voter pour un de ses proches et je n'en suis pas.

— Cavalcanti ? s'étonne-t-elle. Je croyais au contraire qu'il vous était favorable. C'est vous qui l'avez fait entrer à l'académie et vous n'avez jamais manqué de l'inviter à nos dîners avec Carmela, et même avec notre préfet.

Pivetti secoue la tête. Sans doute l'a-t-il arrosé de tous les bienfaits, de compliments charmants et de toutes les gracieusetés dont il est capable, mais il sent bien que ses efforts hypocrites n'ont produit aucun effet. Le Cavalcanti l'ignore ou le compte pour quantité négligeable. Un mondain dépourvu de talent, ce qu'il tente vainement de compenser à coups d'amabilités ampoulées à la sicilienne. Il ne pèse rien face à une telle indifférence, peu éloignée de l'hostilité méprisante. Le Cavalcanti non seulement votera pour un autre, mais il entraînera derrière lui plusieurs voix décisives. Luciana s'installe face à son mari et retourne le tableau des académiciens.

— Mon bon ami, poursuit-elle avec une hypocrisie de femme habile, vous savez à quel point j'ai à cœur vos intérêts tout comme l'apothéose de votre carrière culturelle. Car cette élection à la présidence serait bien pour vous le couronnement que vous attendez depuis...

— Quinze ans ! s'écrie le Pivetti. Quinze ans que j'attends d'être le président !

— Eh bien, devenez-le ! Il suffit de convaincre Cavalcanti !

Le Pivetti secoue sa grosse tête de vieux pigeon.

— Le malheur est que je n'ai aucun moyen de le faire.

— Bien sûr que si, Mauro, il suffit de faire entrer parmi vos collègues le juge Ferrarello qui en meurt d'envie.

Le Pivetti ne comprend pas. Il est malin, mais manque de vivacité d'esprit.

— Ferrarello ? Ah, je l'avais oublié celui-là, il doit passer me voir tout à l'heure pour la visite rituelle de candidature. Je le recevrai bien sûr, et lui garantirai mon soutien, mais en réalité, je n'en ferai rien, les académiciens détestent tous les juges !

— Pas celui-là, répond Luciana. Surtout s'il acquitte l'*onorevole* Cucco.

— Le député mafieux ! Il est perdu ! Même les fascistes n'en veulent plus.

— Vous vous trompez, Mauro, dit Luciana de la même voix qu'elle avait lorsqu'elle réprimandait autrefois un élève dissipé. Sur six procès, Cucco n'en a pas perdu un seul. L'opinion commence à se retourner. Elle trouve que ce préfet du Nord en fait trop en s'attaquant à Cucco, très populaire, très généreux, répète-t-elle en fixant Pivetti dans les yeux, un homme qui sait récompenser ses amis. Tenez, Cavalcanti, par exemple…

Pivetti relève la tête. Il pressent quelque chose mais ne sait pas quoi. Que veut-elle donc dire ?

— Où voulez-vous en venir, chère épouse ?

— Convainquez ce Ferrarello d'acquitter Cucco et Cavalcanti fera voter pour vous. Cela vous suffit-il ?

Le valet entre à cet instant.

— C'est votre visite, don Pivetti, le juge Ferrarello, je l'ai fait attendre dans l'antichambre.

— Je vous laisse, dit Luciana en se levant avec la légèreté qu'elle avait quand elle était la maîtresse du père de Nino, en des temps lointains.

Depuis une heure, le juge Ferrarello lit ses poèmes à Pivetti. Des œuvres pleines de bergères, de saints et de bons sentiments, avec des oiseaux, des fleurs, des parfums divins et des amours honnêtes. Le Pivetti s'exclame chaque fois qu'il tourne une page.

— Cher ami, cher ami, comment une telle plume n'est point encore montée jusqu'à nous, les académiciens de Sicile ?

— Je n'ai pas osé, répond Ferrarello, l'air contrit.

Pivetti pose la main sur l'opuscule.

— Inutile d'aller plus avant. Votre élection est faite, je vous le garantis.

Le Ferrarello n'en peut plus de bonheur. Il raconte toutes les vicissitudes subies dans la magistrature. Enfin, explique-t-il, ce monde maudit sera bientôt derrière lui puisque son prochain procès sera le dernier.

— Ah ! s'écrie le Pivetti, j'avais oublié cette affaire de l'*onorevole* Cucco. C'est bientôt ?

— La semaine prochaine.

— Et l'élection aussitôt après. Évidemment, ce procès pose un problème.

— Un problème ? demande Ferrarello, soudain atterré.

— L'*onorevole* Cucco... Ah, mais vous en parler serait inconvenant...

— Si, au contraire, dites-moi, les charges sont très lourdes.

— Figurez-vous, dit Pivetti, que l'*onorevole* a beaucoup agi pour le bien de l'académie. Il n'y compte que des amis qui attendent avec impatience qu'il soit acquitté.

— Acquitté ?

— Acquitté ! répète Pivetti. Acquittez-le, c'est une élection triomphale qui vous attend.

— Évidemment, dit le juge Ferrarello, toutes ces charges se discutent... Ce préfet du Nord en fait un peu trop, cela commence à se répéter au palais de justice.

— Je ne vous le fais pas dire.

De l'autre côté du salon, Luciana, qui a tout entendu, demande au téléphone le numéro de Carmela.

— C'est fait, lui dit-elle seulement.

*

Cette nuit entre Carmela et Cavalcanti est une nuit d'amour. Cela fait longtemps que ça ne leur est pas arrivé et il s'en réjouit, le Cavalcanti. Il se dit que pour une fois, il a dépassé Nino, l'amant de cœur et de corps de Carmela. Il l'a même vaincu. D'ordinaire, cette femme réticente, cette épouse qui n'est que légitime, avec laquelle il a passé cet accord d'une liberté réciproque, se moque de lui, de ses maîtresses, celles de Rome et celles de Palerme. Cet accord, il le sait bien, est un faux pacte. En réalité, c'est une situation qu'il subit depuis le retour de Nino. Il garde le souvenir de cette nuit de noces affreuse où Carmela s'est laissé prendre comme un mannequin docile, obéissant, mais inerte. Il avait voulu partir, elle l'avait retenu en imposant cet accord : « Tu restes mais tu acceptes. » Et lui, ce contrat infâme, il l'avait signé, par faiblesse sans doute, par amour sûrement. D'où cette relation bancale où il s'en va des semaines entières, puis revient comme un cheval de selle que l'on tire par le licol. Parfois, la nuit, elle le rejoint, mais l'envie qui la guide ne procède d'aucun sentiment. Ces « nuits intervalles », comme il les appelle, correspondent aux périodes où elle ne voit pas Nino. Elle se rabat sur lui, et il cède, trop heureux de l'occasion.

Donc, cette nuit où elle s'offre, le Cavalcanti, ébloui par cette participation inouïe, donne la pleine mesure de ses talents, de l'expérience accumulée par vingt années et plus d'étreintes amoureuses. Et Carmela y met des mots, de la tendresse, des appels sincères du ventre, des soupirs qui ne sont pas feints, des halètements qui accompagnent la bascule de son regard, des caresses généreuses et des souffles chaleureux. Ce sont des étreintes où elle prend le temps, où elle le guette, où elle s'occupe de lui. En un mot, c'est une nuit où elle n'a pas l'amour égoïste mais généreux.

Au matin, lovée contre lui, elle murmure :

— Savez-vous, mon amour, que le Duce crée une académie d'Italie avec quatre sections, dont une des lettres et beaux-arts ?

— Je ne le sais que trop, d'autant que je n'ai aucun espoir d'y entrer.

Carmela soupire, son corps s'égare sur le sien.

— Pourquoi dites-vous cela ? Les académiciens ont droit à un uniforme d'apparat et à trente-six mille lires par an. Cela vous irait bien.

Cavalcanti, dont les chairs se réveillent, répond :

— Ils sont nommés par le roi sur proposition du chef du gouvernement. Une liste de trois noms est soumise aux académiciens.

— Justement, votre désignation honorerait la Sicile, surtout si vous êtes proposé par le président de l'académie de Sicile.

— Il n'est pas encore élu. J'ai quelques amis auxquels je pense mais je ne suis pas décidé.

Carmela l'embrasse longuement, Cavalcanti est maintenant tout à fait réveillé.

— Il faut voter pour Mauro Pivetti, dit-elle soudain.

— Non. C'est un mondain de la pire espèce, un mondain sans talent.

— Sans doute, chuchote-t-elle, mais lui vous aidera. Il vous proposera et les académiciens nationaux, pour lui faire plaisir, parce qu'ils lui doivent des services, voteront pour vous.

— Vraiment ? En êtes-vous certaine ?

— M'avez-vous déjà entendue affirmer une chose dont je ne sois pas sûre ?

Il réfléchit un instant.

— Mais après, il faut être retenu par le gouvernement et proposé au roi. Je ne connais personne au parti fasciste, et d'ailleurs je n'y tiens pas. Quant au roi, il appartient à un autre monde.

— Erreur, souffle Carmela, lascive, le secrétaire général du PNF vous admire beaucoup. Il a lu tous vos livres et il dit de vous que vous représentez le séducteur le plus authentique d'Italie. C'est aussi, surtout, un ami d'Alfredo Cucco.

— Cucco ? s'exclame le Cavalcanti. Le député déchu, chassé du parti et qui doit passer en procès la semaine prochaine ? Quelle influence peut-il avoir encore ?

— Il sera acquitté par le juge Ferrarello et automatiquement réintégré dans le parti. Il nous devra alors quelque chose, et ce sera son intervention en votre faveur auprès du parti. C'est un homme de parole qui n'oublie pas ce qu'il doit.

— Je suppose qu'il est inutile de vous demander comment vous savez tout cela.

— Cela ne vous servirait à rien de le savoir. Voulez-vous devenir un académicien d'Italie ?

Le Cavalcanti hausse les épaules.

— Bien sûr.

— Alors, votez pour l'élection du Pivetti à la présidence de l'académie et faites voter pour lui.

— Je le ferai.

— Ah, j'oubliais ! s'exclame-t-elle. Il faut aussi, avec vos amis, contribuer à l'élection du juge Ferrarello à l'académie de Sicile.

*

De Nino Calderone, on peut penser que c'est un mafioso de la pire espèce, qu'il a du sang sur les mains et même beaucoup. À ces assassinats, on peut ajouter l'extorsion, les encaissements indus de fonds publics, les menaces, le chantage, la gestion rigoureuse des putes de Palerme, et l'on peut continuer longtemps cette liste interminable jusqu'à la fin du Code pénal, mais ce qu'on ne peut lui reprocher, c'est l'infidélité à ses amis. Car Nino, cet homme définitivement promis à l'enfer des hommes si on le prend, à l'enfer de Dieu s'il est tué, il est *corregiutu*. Il mourra pour tenir sa parole, et c'est pour cela que dans toute la Sicile, il bénéficie d'une magnifique réputation, qu'il est aimé et commence à ressembler à une légende. C'est aussi pour cela que le procès du Cucco, il s'y rend en personne. Qui devinerait que dans cette salle d'audience bondée, sous ce vieillard à béret et à rouflaquettes, courbé sur son bâton de berger, se dissimule l'*ancilu mostru* ? C'est pourtant ainsi que Nino assiste au dernier jour du procès et qu'il entend le réquisitoire parfaitement argumenté du *procuratore del re*, Wancolle, qui réclame au nom de toute la Sicile l'*ergastulu*, soit la peine maximale, et les plaidoiries tout aussi enflammées des avocats qui, toujours au nom de la Sicile, exigent l'*assoluzione dell'imputato*[1].

Le juge Ferrarello a mené les débats avec une étonnante impartialité. La veille, il a présenté sa candidature à l'académie de Sicile, mais le vote n'interviendra qu'une fois terminé le procès du Cucco. Ainsi en a décidé le Pivetti, lui-même fraîchement élu président, grâce aux voix de Cavalcanti et de ses amis.

Rencognés au fond d'une loge qui surplombe la

1. L'acquittement de l'accusé.

salle d'audience, Lorenzo et Spàno assistent aux débats incognito. Pendant la suspension du délibéré, ils observent le Cucco qui, entre deux carabiniers, bavarde avec des amis. Lorsqu'ils se retrouvent dans la cour, ils ne manquent pas de croiser le berger à béret et à rouflaquettes, mais n'y prêtent aucune attention. Cela dure des heures, ce délibéré, parce qu'il y a vingt-sept questions auxquelles il faut répondre par oui ou par non. Chacune correspond à un délit ou à un crime. Les accusations les plus modérées valent jusqu'à dix ans de prison, les autres, c'est l'*ergastulu*.

Le verdict est rendu dans la nuit. Il est clair et Ferrarello le prononce d'une voix ferme. À chaque question, il est répondu non, et ce non, il le prononce vingt-sept fois en prenant son temps, et à chaque non, la foule bruit d'aise. Au vingt-septième, le Cucco est *assolto*, c'est-à-dire acquitté, lavé des accusations portées contre lui pour *insufficienza delle prove*. La foule se rue sur lui pour le porter en triomphe, pendant que Ferrarello rassemble ses feuilles et lève l'audience sous les applaudissements.

Lorenzo et Spàno quittent le palais de justice en marchant vite et en rasant les murs. On entend des cris. Ce sont des injures en dialecte adressées au préfet des Piémontais. Sur le trottoir, ils croisent le grand berger qui s'éloigne, solitaire, suivi à distance respectueuse par deux hommes qui portent la *lupara* accrochée à l'épaule.

Le lendemain soir, Ferrarello est élu avec une majorité confortable à l'académie de Sicile. Il prononce un discours où l'émotion du moment le dispute à la résonance poétique des formules, et le Cucco fait le tour des belles demeures de Palerme dont les portes viennent de se rouvrir. Sa réintégration au sein du parti est acquise d'avance, lui annonce-t-on.

*

Cette nuit-là, Nino et Carmela commentent les événements.

— Tu as gagné, dit Carmela.

— J'ai gagné grâce à toi et à Luciana, répond Nino en souriant. Vous êtes les deux piliers de ma vie avec Salvatore. Après, il n'y a plus rien.

— Et Bianca ? ne peut-elle s'empêcher de demander.

— C'est un autre monde, un autre versant de ma vie. Je ne suis pas sûr de vouloir y rester.

Brusquement, Carmela voit s'ouvrir un horizon auquel elle n'aurait jamais osé croire. Nino veut-il changer de vie ? La rejoindre et vivre avec elle et Salvatore ? Où ? Quand ? Comment ? Il a déjà tout prévu, tout organisé, mais il ne le lui dira qu'au dernier moment.

Le lendemain à l'aube, Nino lui dit sur le perron de l'auberge :

— Nous nous reverrons dans deux semaines, ici, à l'heure habituelle, et j'aurai des nouvelles à t'annoncer.

— Vraiment ?

Il hoche la tête et s'éloigne de son côté. Au sommet de l'auberge, juste sous le toit, une lucarne s'est entrebâillée. Derrière, Luigi, le cuisinier, a tout entendu, car sa chambre est de l'autre côté de la cloison et il a foré un trou à travers lequel lui parviennent toutes les conversations et tous les bruits de la chambre. Il était au procès du Cucco, celui-là !

*

Un soir, un peu plus tard, un soir en famille, puisque Virginia, Laura et Sandro habitent la préfecture depuis plusieurs années, l'ambiance est morose. Lorenzo raconte à Virginia la découverte de l'affairisme du Cucco, de ses liens avec l'*ancilu*, la constitution de ce dossier énorme avec vingt-sept chefs d'accusation, le tout parfaitement étayé, démontré, un dossier lumineux, au point que l'envoyé du parti qui enquête sur le Cucco n'a pas hésité à demander et à obtenir sans peine la dissolution du *Fascio* de Sicile et l'exclusion du Cucco du PNF.

— Son sort était scellé. Il ne manquait plus que la sanction judiciaire et c'en était fini du Cucco et de l'*ancilu* en même temps. Les deux sont liés, c'est évident. Cucco, par ses interventions dans tous les secteurs, permet à l'*ancilu* de se glisser partout, de dicter sa loi et de percevoir des sommes énormes dont il lui rétrocède une partie par des versements sur des comptes à l'étranger. Dès à présent, Alfredo Cucco a repris une vie politique et mondaine. On l'a réintégré au sein du *Fascio*, qui a reçu l'accord des autorités pour fonctionner à nouveau et qui l'a replacé à sa tête. On invite Cucco partout, il est devenu le nouveau héros de la Sicile !

— Et l'*ancilu* ? demande-t-elle.

Lorenzo médite sa réponse. Son échec véritable,

c'est l'*ancilu*. En huit ans, il n'a jamais pu le prendre. L'homme est d'une habileté démoniaque. Dans l'acquittement du Cucco, Lorenzo devine sa main, de même que dans le retournement de l'opinion. Les Siciliens veulent bien s'accommoder du fascisme, ils en ont vu d'autres, mais à la condition que ce soit un fascisme sicilien. Le reste, ils n'en veulent pas. Le Cucco est innocenté, l'*ancilu* introuvable et lui, le préfet de fer, discrédité. C'est ce qu'il explique à Virginia. À partir du moment où il s'est attaqué au Cucco, sa cote a commencé à baisser.

— Mais le pire, continue-t-il, c'est qu'à Rome on a décidé de laisser le Cucco tranquille. J'ai reçu un télégramme du Duce m'enjoignant de me concentrer sur les actions présentes.

— Ce qui veut dire ?

— Qu'il faut laisser tomber les affaires de l'*alta mafia*, c'est-à-dire les milieux politiques compromis, et me concentrer sur la *bassa mafia*, ceux qui troublent l'ordre par leurs agissements, l'ange par exemple.

— Mais les deux sont liés, m'as-tu dit.

— Le Duce ne veut pas en entendre parler. Au début, il m'a suivi en faisant destituer Cucco, mais parce qu'il ne pouvait pas faire autrement. Il a répété ce qu'il avait commencé avec l'affaire Matteotti. On arrête les amis pour montrer qu'il n'y a qu'une justice. Mais quand le danger est passé, on les libère et on les réintègre.

Lorenzo se tait. C'est la première fois que Virginia l'entend, même en termes voilés, critiquer Mussolini. Elle pose sa main sur son bras et demande aux enfants de venir embrasser leur père, car elle sent bien qu'il est en proie au doute et à la peine. L'ange, c'est son échec.

— Et pour le prendre, continue Lorenzo, c'est quasiment impossible. L'homme est insaisissable, on ne sait pas où il demeure. Sans doute a-t-il plusieurs lieux d'habitation, et il en change souvent. Depuis mon arrivée, la police est sur les dents mais n'arrive à rien. Les gens de Cosa Nostra font barrage, et les Siciliens aussi, je crois. La population aime l'*ancilu*. C'est son héros, alors se forme le fameux mur des Siciliens, mélange de silence et de haine envers l'occupant, le tout accompagné d'amabilités hypocrites. On dit que dans les salons de Palerme, on célèbre l'*ancilu*, les mêmes qui m'accueillaient en triomphe après Gangi.

— J'espère qu'on ne le prendra pas, pardonne-moi. Ainsi nous rentrerons tous à Rome, dit-elle lentement. C'est très égoïste, mais c'est sincère. Je n'aime pas la Sicile, et encore moins toutes ces femmes qui tournent autour de toi, comme cette Carmela Cavalcanti.

51

Les *capicommandamenti*, les fidèles, demandent à le voir tous ensemble. Nino les reçoit dans la vieille maison du quartier de la Kalsa. Tous des hommes de confiance qui lui doivent leur situation. À chacun, il confierait sa vie sans hésiter, des amis, des frères.

— Il y a un complot contre toi, lui disent-ils d'une même voix. Il t'est reproché d'avoir aidé le Cucco à se faire acquitter au lieu de prendre sa place.

Nino veut des noms. Et tous répondent que ce sont des bruits, des rumeurs, dans le petit monde de Cosa Nostra, mais trop insistants pour ne pas signifier que quelque chose est en marche contre lui. Cela part des hommes venus d'Amérique, précisément dans l'idée de succéder au Cucco en faisant de la politique.

— S'ils veulent la place, qu'ils la réclament, et je la leur donnerai, dit Nino. Je ne tiens pas à diriger cette organisation toute ma vie. Nous n'avons pas besoin de cette guerre. Nous avons perdu Gangi et beaucoup d'hommes aussi. Mais nous avons gardé le Cucco. À lui tout seul, il vaut plus cher que tous les autres réunis.

Mais les *capicommandamenti* secouent la tête. Ils ne croient pas qu'un chef puisse démissionner au profit d'une faction. Seule la mort peut permettre un changement. Ces Américains sont des Siciliens qui ont fait fortune et veulent conquérir l'île dont ils sont partis. Ils ont des moyens et beaucoup d'idées, il leur faudra remplacer tous les dirigeants. Le danger les concerne tous.

— Nous avons recruté ces hommes pour combler nos pertes, dit Nino. C'est pour cela que je me suis adressé à nos familles en Amérique, en leur proposant un partage des bénéfices en contrepartie. J'ai accepté les hommes, refusé leur argent. Nous en avons assez ici, des réserves importantes qui nous permettent d'attendre, d'autant plus que le Cucco est revenu en place et que tout va recommencer. Nous n'avons plus besoin des Américains. Ceux qui se plaisent peuvent rester, les autres doivent repartir.

La discussion dure une partie de la nuit. Le complot est en marche, disent les fidèles, quand l'*ancilu* aura disparu, ils s'en prendront au Cucco, mais cela sera beaucoup plus facile. L'homme est malléable, prêt à tous les compromis, mais pour l'*ancilu*, il faudra le tuer.

— Vous me connaissez, dit Nino, celui qui me tuera n'est pas encore né, à moins qu'il ne soit prêt à mettre en jeu sa propre vie. Mais ces Américains, c'est le *vulpi ni puddaru*[1]. Il faut les chasser avant qu'il ne soit trop tard.

Les chefs, les délégations sont soulagés. Le Nino ne parle plus de céder la place, il a compris d'où vient le danger. Leur confiance, un temps ébranlée, revient vers lui.

— Nous t'aimons, lui disent-ils, nous croyons en toi.

— Je me doutais de quelque chose, dit encore Nino. Trop d'Américains parmi nous, trop de gens qui ne parlent que l'italien et ne connaissent pas le dialecte ni nos règles, car ils manquent de *mammasantissima*, là-bas.

— Et surtout, reprennent les autres, ils sont trop pressés, ils ne savent pas que l'argent vient après, quand on a fait ce qu'il fallait pour le gagner.

Le regard de Nino se promène sur tous ces visages

---

1. Le renard dans le poulailler.

connus, certains poupins ou bouffis, d'autres en lame de couteau, tous marqués par une vie au service de Cosa Nostra. Il pourrait raconter l'histoire de chacun. C'est son autre famille, comme il dit. Ils lui doivent ce qu'ils sont, mais lui est leur débiteur. Sans eux, il ne peut rien.

— Je me suis occupé du Cucco, dit encore Nino, et j'avais reporté cette affaire des Américains à plus tard, sans me douter de sa véritable ampleur et des ambitions de nos cousins. J'ai eu tort, je le reconnais, il fallait régler les deux en même temps. Heureusement que vous êtes là pour m'avertir.

Ils se récrient tout en mangeant et buvant le repas et les vins qu'a fait préparer Nino en signe de respect et d'amitié. Bianca apparaît et ils l'applaudissent. Elle les embrasse tous. Bianca, c'est comme leur mère ou leur sœur.

Quand ils s'en vont dans la nuit, l'un d'eux se retourne vers Nino.

— *Stai attentu*, lui dit-il.

*

À l'aube, Spàno toque à la porte du préfet.

— J'ai des nouvelles, annonce-t-il, des nouvelles intéressantes sur l'ange. On vient de le balancer.

Lorenzo lève la tête. Il existe donc quelqu'un qui veut dénoncer l'*ancilu* aux *sbirri* ? Spàno se penche sur le bureau de Lorenzo et parle à voix basse :

— Le cuisinier d'une trattoria dans un village à dix kilomètres de Bagheria. Il dit que l'*ancilu* vient deux fois par mois pour rencontrer une femme. Il arrive le soir et repart à l'aube. Ces jours-là, le patron ferme l'auberge et renvoie les clients. Il ne reste que lui et cette femme.

Lorenzo regarde Spàno sans un mot. L'annonce est forte, mais il doit être sûr avant de déclencher la foudre. Rien ne serait pire que de se tromper ou de manquer l'*ancilu* une nouvelle fois.

— Et puis… ?

— Cela dure depuis plusieurs années. Elle, c'est une jolie femme, genre bourgeoise de Palerme. Lui est décrit comme un grand type maigre qui parle doucement. L'une de ses joues porte de grosses cicatrices. Un jour, les journalistes et un photographe sont venus. C'est à la femme qu'ils voulaient parler. Lui les a fait chasser. Mais la femme a été prise en photo. Par la suite, *La Sicilia* a brûlé, ainsi qu'un camion de livres destinés à la Sicile.

— Je connais cette histoire, dit Lorenzo, cela a fait toute une polémique. Mais je n'ai jamais vu la photo.

Spàno reprend en expliquant que ce jour-là, le cuisinier a compris que l'homme était l'*ancilu*.

— Comment ce cuisinier en est-il venu à se confier à la police ?

— Il est venu à la *questura* et il a demandé à me parler. Je l'ai interrogé toute une nuit. J'ai fait faire des vérifications le lendemain. L'auberge est connue, le patron est un sympathisant de Cosa Nostra, peut-être plus.

Lorenzo réfléchit. Il assemble les informations de Spàno.

— Il manque les motivations de notre cuisinier. Il risque sa peau dans cette affaire.

— Il ne demande ni argent ni libération d'un proche. Rien ! Il dit agir par devoir civique. C'est tout ce que j'en ai tiré et rien d'autre. Mais le patron raconte dans le village qu'il a disparu et ne vient plus à son travail, ce qui est le signe qu'il a touché de l'argent. C'était un très bon cuisinier mais il avait besoin de son salaire.

Lorenzo éclate de rire. Le devoir civique en Sicile, cela n'existe pas.

— Il se dit beaucoup de choses en ce moment sur des mouvements qui agitent Cosa Nostra. L'*ancilu* serait contesté, on lui reproche d'avoir fait acquitter le Cucco. Mes espions me disent qu'un complot se prépare, poursuit Spàno. On dit aussi que les Américains qu'il a recrutés veulent la place des deux, l'*ancilu* et le Cucco.

— C'est donc bien l'*ancilu* qui est derrière l'acquittement de Cucco, murmure Lorenzo.

— Il paraît même qu'il se trouvait dans la salle d'audience déguisé en berger. Notre cuisinier l'a reconnu.

Lorenzo ne dit plus rien. Il revoit vaguement cette silhouette de berger avec son béret, ses rouflaquettes et son bâton. Cet homme, il l'a aperçu dans la salle d'audience et à la sortie. Il se souvient même des deux porteurs de *lupara* qui le suivaient, des gardes du corps sans doute. Est-il possible qu'il l'ait côtoyé de si près ?

— Si c'est bien lui, nous sommes sauvés !

— D'autant plus que leur prochaine rencontre à l'auberge, c'est demain soir, conclut Spàno.

*

L'auberge est vidée de ses clients. Nino donne une enveloppe au patron. L'argent qu'il reçoit dépasse le bénéfice d'une journée et d'une nuit, et il est plutôt fier d'accueillir chez lui l'*ancilu* et cette belle jeune femme.

— J'espérais t'annoncer que nous allions partir tous les deux avec notre fils, une fois que j'aurais passé la main, mais c'est retardé, dit Nino à Carmela. Quelques semaines tout au plus. J'ai un problème inattendu à régler avant.

— C'est dangereux ?

— Peut-être, mais je m'en tirerai. Après, nous serons libres.

— Où irons-nous ?

— Je ne peux pas encore te le dire. Loin de la Sicile en tout cas. Je te préviendrai suffisamment à l'avance pour que tu prennes tes dispositions avec Cavalcanti et ton domaine.

— Il y a Beppina.

Elle parle de cette enfant, une vraie jeune fille maintenant, très intelligente et plutôt jolie. Carmela a recruté des enseignants qui viennent chaque jour lui donner des cours pour éviter de l'envoyer en pension à Palerme. Il n'est pas question de l'abandonner, même avec de l'argent.

— Je l'ai promis à sa mère, c'est un *giuramentu*.

— J'y ai pensé, répond Nino, nous l'emmènerons avec nous et Salvatore.

Ils s'endorment sur cette impression de bonheur.

Dehors, Spàno place ses hommes. On a vu arriver la femme, puis l'homme, chacun dans une voiture. On a vu de la lumière à travers les volets de la chambre, puis plus rien. Il n'y a plus qu'à attendre l'aube. La femme repart la première, il faut la laisser passer. On la retrouvera plus tard grâce au numéro de sa voiture. Pour l'homme, il faudra agir vite, il est sûrement armé et sait se battre. Lorenzo voulait assister à l'arrestation, mais Spàno l'en a dissuadé :

« C'est une opération de police qui peut être dangereuse. Je ne veux pas arrêter l'*ancilu* et que mon préfet soit tué, ou même blessé. Votre place est à la préfecture. Je vous téléphonerai dès que ce sera fait. »

Lorenzo a acquiescé. Il dort dans son bureau cette nuit-là.

Tout autour de l'auberge, les hommes de Spàno sont postés, leurs armes chargées. L'ordre est de prendre l'*ancilu* vivant. La nuit s'écoule. Pas une cigarette, pas un mot. On veille et c'est tout.

La porte de l'auberge s'ouvre enfin. La femme sort et inspecte les alentours.

— Tout est calme, dit-elle.

Elle retourne à l'intérieur, on entend des chuchotements, un baiser peut-être, puis elle monte dans sa voiture et démarre aussitôt. Elle passe devant les guetteurs dissimulés de Spàno. C'est maintenant que ça va se passer. Côté police, chacun sait ce qu'il doit faire.

Nino paraît à son tour. Il descend les marches. Lui aussi observe les lieux. Un signal vient de l'alerter. Un danger ! Ce signal ne l'a jamais trompé. Il cherche son arme dans la ceinture tout en ouvrant la portière. Au moment où il veut dégainer, un homme, allongé sur la banquette arrière, se relève d'un bond et braque son pistolet sur sa tête.

— Ne bouge pas !

Aussitôt, les policiers surgissent de tous les côtés, ceux qui étaient cachés derrière l'auberge, ceux qui étaient allongés dans les herbes, l'arme au poing.

— Ne bouge pas ! répètent-ils.

Nino laisse retomber sa main. Il est pris.

52

Bianca est devant Carmela. Elles sont debout, à un mètre l'une de l'autre, la *sorella di mafia* et la *patronessa*, elles ne se connaissent pas, mais se reconnaissent, les deux femmes de Nino Calderone.

— Que voulez-vous ? demande Carmela de sa voix dure.

— Nino a été arrêté ce matin. Il est à la *questura*. Ce soir, les *sbirri* l'emmènent à l'Ucciardone. Demain, il sera transféré à Rome.

Carmela recule d'un pas et Bianca s'avance vers elle. Luciana s'est levée de son fauteuil. Heureusement que Mauro n'est pas là, se dit-elle. Ce sont des mots qu'il ne veut pas entendre dans sa maison.

— Comment le savez-vous ? demande Carmela.

Déjà, sa voix a changé. Elle pose cette question dont la réponse importe peu. Cette femme, cette Bianca, dit la vérité. Elle le sent.

— Je le sais, c'est tout, répond-elle avec impatience. Les gens comme moi sont les premiers à apprendre ces choses-là quand elles arrivent.

Carmela recule encore. Luciana l'embrasse. Toutes deux ont un sanglot qui monte, mais elles l'arrêtent. Ce n'est pas le moment de pleurer.

— Je l'ai quitté ce matin, à l'aube, comme d'habitude, je suis partie la première. La route était déserte.

— Ils l'ont arrêté devant l'auberge. Il n'a même pas eu le temps de sortir son arme, dit Bianca, voilà ce que je sais.

Carmela se retourne, s'avance, s'arrête à un mètre, comme tout à l'heure quand elle a ouvert la porte.

— Vous êtes venue ici pour me voir. Qu'attendez-vous de moi ? Je n'ai pas les moyens de le faire évader.

— Je ne les ai pas non plus. Une petite armée entoure la *questura*, et un convoi militaire l'emmènera à l'Ucciardone. Il n'y a pas assez de temps pour monter une opération.

Elle s'arrête, elle regarde Carmela.

— Mais vous pouvez faire quelque chose, essayer au moins.

Elle s'arrête encore.

— Vous seule pouvez rencontrer le préfet, Lorenzo Mori. Il ne l'a pas encore vu, je le sais. Il est à la préfecture dans son bureau en train d'informer les autorités de Rome de la grande nouvelle : l'*ancilu mostru* est enfin entre nos mains. Voilà qui le venge de l'acquittement du Cucco !

— Pour lui dire quoi, au préfet ?

— Que Nino est l'homme qui lui a sauvé la vie à Vittorio Veneto, voilà ce qu'il faut lui dire.

Carmela se précipite dans la salle d'eau, baigne son visage pour effacer les traces de l'émotion, se maquille avec les produits de Luciana, se recoiffe et ramasse ses cheveux en chignon. Elle revient, resplendissante.

— Je vais à la préfecture ! dit-elle.

Dans le bureau du préfet, on a débouché les bouteilles. Par superstition, Lorenzo ne voulait pas, il préférait que l'*ancilu* soit clairement identifié avant.

— C'est lui ! dit Spàno. J'en suis certain. Crois mon instinct de vieux flic. Dès que je l'ai vu devant la porte, avec sa joue tailladée, sa manière de se tenir, d'observer autour de lui, j'ai su qu'on avait tiré le bon numéro. Il a même flairé quelque chose, car il a mis la main à sa ceinture. On dit qu'il sent le danger avant de le voir. À une seconde près, c'était un carnage.

Alors, on lève les coupes en l'honneur de Spàno, de Mori, de tous les *sbirri* qui étaient ce matin devant l'auberge. Ceux qui se sont jetés sur l'homme, ont arraché son arme de sa ceinture, l'ont plaqué au sol avant de le menotter et de l'emmener.

— *A noi !* s'écrie-t-il à la mode fasciste.

Le vieux slogan des *arditi* a été réduit à ces deux mots. Maintenant on dit simplement : « *A noi !* » Lorenzo sourit. Cette victoire, si c'en est une, rachète largement l'échec de l'affaire Cucco. L'*ancilu mostru*, c'est une prise de rêve, un trophée royal. Tout à l'heure, il a dû répondre au ministre de l'Intérieur qui s'étonnait d'apprendre la nouvelle par les journalistes de Rome, prévenus par leurs confrères siciliens.

« Il ne faut rien d'officiel tant qu'on n'est pas sûr, a-t-il expliqué. L'homme ne parle pas et celui qui l'a dénoncé a disparu. Il nous faut d'autres éléments avant d'annoncer la nouvelle publiquement.

— Trop tard, a marmonné le ministre. L'information est répandue et le ministère de la Propagande a publié la nouvelle.

— Il a eu tort, a dit Lorenzo. Je suis le seul habilité à fournir la confirmation.

— Sais-tu qui est le nouveau ministre de la Propagande ?

— Je m'en fiche.

— C'est Galeazzo Ciano, le gendre du Duce ! »

La conversation s'est arrêtée là, Lorenzo a raccroché en soufflant : « Pourvu que ce soit bien lui. »

Le planton de garde pénètre dans le bureau et chuchote à l'oreille de Lorenzo :

— Une femme veut vous parler, Votre Excellence, elle dit que c'est urgent.

— Qu'elle revienne demain, je n'ai pas le temps.

— Elle insiste, Votre Excellence, elle m'a donné sa carte.

Lorenzo lit : « Carmela Cavalcanti ». Que vient-elle faire ici ?

— Bon, dites-lui d'entrer en la prévenant que je n'ai que quelques minutes.

À son entrée, les conversations s'arrêtent, tous reposent leur coupe sur le guéridon en se disant que c'est la plus belle, la plus élégante, la plus resplendissante des femmes qu'ils aient jamais vue. C'est ce que se murmurent à l'oreille les *sbirri*. Ils ne regardent pas Carmela, ils la contemplent.

— Madame Cavalcanti, vous voir est toujours un bonheur, dit Lorenzo, légèrement ivre, mais, comme vous le voyez, nous sommes en réunion, et je n'ai que très peu de temps devant moi, face à un événement considérable qu'il me faut traiter en urgence.

— Votre Excellence, répond-elle de sa voix mélodieuse, tandis que son regard fait le tour des bouteilles, des coupes, des cravates défaites et des cendriers pleins, ce que j'ai à vous dire est très grave. Peut-on se parler en privé ?

Elle tourne la tête vers Spàno : il a la moustache humide, la veste tachée de cendres et le teint rouge à cause des libations.

— C'est à propos de cet événement que vous donnez l'impression de fêter, alors que la nuit n'est pas encore tombée.

Silence dans le beau bureau de Mori, ce bureau où était entrée Rosaria et où se tient maintenant Carmela, ce bureau où trône le portrait de Mussolini avec ses mâchoires saillantes. Silence enfumé, contemplation sirupeuse et désirs incandescents.

— Messieurs, dit Lorenzo, veuillez nous laisser quelques instants.

Ils sortent tous, les uns derrière les autres.

— Nous nous connaissons depuis longtemps, commence Lorenzo, j'ai toujours considéré que non seulement vous étiez l'une des plus belles femmes de Palerme, mais aussi l'une des plus estimables. Je vois mal pourquoi vous venez me parler de cet homme dont nous fêtons l'arrestation et qui croupit à l'Ucciardone en attendant d'être transféré à Rome.

Carmela s'avance près du bureau. Lorenzo lui fait signe de s'asseoir, mais elle préfère rester debout.

— Votre Excellence, s'écrie-t-elle, c'est au préfet

que je m'adresse ! Chaque fois que nous nous sommes rencontrés, nous avons parlé de littérature, d'histoire, de musique et de peinture, de notre petite société sicilienne aussi, mais pas de vos fonctions. C'était volontaire de ma part comme de la vôtre. Ce soir, c'est le préfet que je viens voir.

— Je vous écoute, dit-il en souriant.

— Cet homme qui croupit à l'Ucciardone, comme vous dites, c'est mon amour. Quand il a été arrêté, je venais de le quitter. La voiture dont il paraît que le numéro a été relevé, c'est la mienne !

— Je n'ai pas encore le résultat de la recherche, mais vous affirmez…

— Oui !

Lorenzo fait le tour du bureau, la prend par les épaules et la fait pivoter pour qu'elle soit face à lui.

— Vous rendez-vous compte de ce que vous me dites ? Savez-vous de quoi il est soupçonné ?

— Oui ! Et vous n'avez aucune preuve, seulement des soupçons.

— Suffisants pour le détenir et le faire juger ! Les preuves, nous les aurons. Cela ne m'inquiète pas.

Ils sont là, l'un devant l'autre, elle qui veut le convaincre, lui qui le refuse, lui qui s'est toujours dit depuis toutes ces années que de cette femme, s'il n'y avait pas eu son célèbre écrivain de mari, il se serait rapproché. Et voilà qu'elle vient lui parler d'un amant, qui est probablement l'*ancilu*. Et elle, Carmela, se dit que s'il n'y avait pas Nino, ce beau préfet, elle aussi se serait rapprochée de lui. Mais voilà, cet amour n'existera jamais, et ce soir moins qu'un autre, même si c'est la première fois de leur vie qu'ils sont seuls.

Lorenzo recule, passe derrière son bureau et fouille dans un tiroir. Il allume une cigarette en poussant le paquet vers Carmela, qui en prend une aussi. À travers le brouillard de la fumée, ils ne se quittent pas du regard.

— Je préfère, dit Lorenzo d'une voix à laquelle il tente de donner un ton officiel, je préfère n'avoir rien entendu de ce que vous m'avez dit, et lorsqu'on me portera la fiche de police avec le numéro de votre voiture et votre nom, je la déchirerai. Voilà ce que je peux faire pour vous. Si cet homme n'est pas celui que nous cherchons, il sera acquitté ou bénéficiera d'un non-lieu, et les choses entre vous reprendront leur cours.

Carmela écrase sa cigarette dans le cendrier. Puis se met brusquement à tousser. Lorenzo va chercher une coupe de *spumante* et la lui tend.

— Buvez, dit-il, je n'ai que ça, il n'y a pas d'eau ici.

Elle vide le verre et son regard s'accroche au sien.

— Vous ne m'avez pas comprise, vous aussi êtes lié à cet homme que vous n'avez jamais vu. Car c'est vrai, n'est-ce pas ? Cet homme, vous n'avez pas eu la curiosité d'aller le regarder pour savoir à quoi il ressemble ?

— C'est vrai, c'est une affaire de police. Je n'ai aucune raison de le rencontrer.

— Et pourtant, mieux vaut le voir maintenant que le découvrir après.

— Que voulez-vous dire ?

Elle se lève, pose les mains sur les épaules de Lorenzo.

— Vous souvenez-vous d'une lettre qui vous a été

adressée par une jeune fille, après la guerre ? Cette jeune fille recherchait son fiancé donné pour mort.

Il recule d'un pas. De quoi lui parle-t-elle ? Il s'en souvient parfaitement de cette lettre. Il y a répondu en confirmant la mort de ce fiancé qui lui avait sauvé la vie. Il commence à trembler.

— Cette lettre, poursuit-elle, était signée de Carmela Tomasini, mon nom de jeune fille.

— C'était vous ? Mais quel rapport ? bredouille-t-il.

Elle le coupe :

— Allez le voir, Lorenzo, allez le voir maintenant ! Les portes de l'Ucciardone s'ouvriront devant le préfet Mori. Allez le voir tout de suite et vous comprendrez. Et moi, je saurai que vous auriez mérité que je vous aime !

Lorenzo descend dans les entrailles de la prison, un escalier après l'autre, toujours plus raide et plus étroit, sous la seule clarté des lampes grillagées. En tête, le directeur et quatre surveillants armés. Les gardiens habituels du détenu ont été remplacés par des hommes de la préfecture. Depuis le suicide de la *cagnazza*, seuls des hommes de *provata fede*[1] ont le droit d'approcher les détenus de ce genre. Une dure descente interminable, poussière, odeur de renfermé, et le bruit des pas sur les vieilles dalles. Lorenzo avance, le visage fermé. Qu'est-ce qui l'attend en bas ?

Un dernier corridor, plusieurs dizaines de mètres au-dessous du sol, une salle de garde enfin, avec des

1. D'opinion sûre.

miliciens qui jouent aux cartes et qui se lèvent à l'entrée du préfet.

— Que vous a dit le détenu ? demande Lorenzo.

— Pas un mot, Votre Excellence, il n'ouvre pas la bouche et ne répond à aucune de nos questions. Chaque quart d'heure, on vérifie qu'il est toujours enchaîné à son banc et qu'il n'a pas bougé.

Le cœur de Lorenzo se met à battre un peu plus fort.

— Ouvrez la porte.

Le milicien se lève, vérifie par l'œilleton que l'homme est toujours là, puis manœuvre une à une avec des grincements de métal les trois serrures. Le milicien tire la lourde porte bardée de fer. À l'intérieur, un trou sombre.

— La lumière ! ordonne Lorenzo.

Le milicien presse un bouton et la cellule s'éclaire aussitôt. Lorenzo se dirige vers l'entrée, les miliciens s'approchent pour l'accompagner.

— Laissez-moi.

Il passe enfin le seuil. L'homme, assis sur le banc, la tête en arrière, a les yeux mi-clos à cause de la clarté brutale du plafonnier. Quand il distingue la silhouette de Lorenzo, il cligne des yeux, puis se lève dans un bruit de chaînes aux poignets, aux chevilles et à la ceinture.

Ces deux hommes, l'un en uniforme de colonel de la milice, l'autre avec un pantalon et une chemise froissés. Lorenzo regarde le visage de Nino et lui, Nino, la main de bois du préfet. Cela fait seize ans qu'ils ne se sont pas vus. Aucun d'eux ne parle. Il n'y a que ces deux regards qui se croisent et qui s'arrêtent l'un sur l'autre. Aucun de leurs traits ne bouge. Ce sont des hommes qui se méfient des émotions et qui, en tout cas, se refusent à les montrer. Ce moment dure une ou deux minutes, mais c'est très long.

Lorenzo s'adresse aux miliciens qui attendent dans la salle de garde et au directeur qui tète son cigare :

— Cet homme n'est pas celui que nous cherchons, libérez-le !

Le directeur se précipite.

— Mais, Votre Excellence…

— Libérez-le ! répète Lorenzo. Cette arrestation est une erreur. Notre gouvernement n'emprisonne pas les innocents. Soutenir le contraire serait une injure au régime fasciste.

— Bien, Votre Excellence, dit le directeur, qui fait un signe aux miliciens de libérer le prisonnier de ses chaînes. Mais il me faut un ordre écrit pour la levée d'écrou.

— Je vous le signerai dès que vous me le présenterez.

— Il nous faut remonter dans les bureaux. Est-ce que le détenu nous accompagne ?

— Le détenu n'en est plus un. Bien sûr, il nous accompagne, et il sortira aussitôt.

Le cortège repart en sens inverse. Nino, derrière Lorenzo, traverse les couloirs, remonte les escaliers. Lorenzo se fait présenter un document de levée d'écrou sur lequel ne figure que cette référence : détenu spécial 2721. Et signe sans faiblir. Puis Nino sort le premier.

Tous deux se retrouvent sur le trottoir devant les murs énormes de l'Ucciardone. Il n'y a pas d'embrassade, pas de merci. Ces deux regards encore qui se fondent l'un dans l'autre.

— *A chi l'onore ?* demande Lorenzo.

— *A noi !* répond Nino.

Et il répète :

— *A noi l'onore !*

Et ajoute :

— Dans un mois je serai parti. Je ne reviendrai jamais en Sicile.

— Ta voix n'a pas changé, dit Lorenzo. J'aime l'entendre.

— Moi aussi, j'aime entendre ta voix.

Nino se dirige vers une voiture garée de l'autre côté de la rue.

À l'intérieur, il y a Carmela.

Lorenzo repart en sens inverse, dans sa voiture de préfet.

La nouvelle paraît dans l'édition du soir des journaux siciliens et de la péninsule : « L'*ancilu mostru* libéré par le préfet Mori ! » « L'arrestation de l'homme le plus recherché d'Italie était une erreur de la police ! » « L'annonce prématurée de l'arrestation du chef de la mafia sicilienne ! »

Le soir même, Lorenzo reçoit ce télégramme : « Tout en remerciant Votre Excellence de l'œuvre accomplie, je mets fin à vos fonctions de préfet de Sicile. Cette décision prend effet ce jour à minuit. » Signé Mussolini.

53

— Je suis contente, dit Laura, que tu ne travailles plus pour Mussolini.

Elle ne dit pas « le Duce ». Lorenzo l'a déjà remarqué, tout comme elle ne désigne jamais le parti national fasciste par son nom ou ses initiales. Elle dit « ce parti » ou « les fascistes », avec distance.

— Je n'ai pas eu le choix, répond Lorenzo en souriant. Il m'a renvoyé.

— Comment ça, renvoyé ? Le Duce t'a renvoyé, mon fils ? s'écrie Adriana Mori, qui vient de surgir dans le salon, toutes voiles dehors. Qu'est-ce que cette *barzelletta*[1] ?

— La vérité, mamma, c'est la raison pour laquelle nous sommes chez toi. Nous avons quitté la préfecture de Palerme pour rentrer à Vérone. Nous n'avons pas d'autre endroit où nous installer.

Adriana Mori fléchit sous le choc. Elle pose sur une tablette ses aiguilles et son tricot, s'effondre sur un fauteuil, bredouille quelques mots incompréhensibles, pour reprendre aussitôt :

— Mais enfin, tu étais devenu le héros de la Sicile, et même de toute l'Italie. Je l'ai lu dans les journaux. Et le Duce te renvoie comme ça, en une soirée ! Je n'y comprends rien.

Lorenzo s'attendait à cette scène. Il a eu le temps de mûrir sa réponse pendant le voyage.

— J'ai libéré un homme dont les journaux avaient

1. Blague.

annoncé trop tôt la capture, relayés par le ministère de la Propagande.

— Mais enfin, crie-t-elle, tu ne l'as pas expliqué au Duce ? Tu avais certainement des raisons !

— En effet, dit Lorenzo, et ces raisons m'appartiennent.

— Mais qu'est-ce que je vais dire à mes amies ? bredouille-t-elle. À vos parents, chère Virginia, qui m'avaient enfin rejointe au parti fasciste ? Mon Dieu, quelle affaire ! Voilà comment les enfants récompensent les parents de ce qu'ils ont fait pour eux ! La honte publique !

Lorenzo sourit.

— Le mieux est de ne rien dire. Je parie que les journaux n'en parleront même pas. Le Duce n'annonce que les victoires, jamais les échecs.

— Quand même ! s'écrie encore Adriana Mori, avant de quitter le salon pour sangloter à son aise.

Virginia s'approche de Lorenzo, elle aussi est secouée. Pendant le voyage, elle n'a pas ouvert la bouche, elle n'a rien demandé et ne s'est pas plainte non plus, mais l'explosion de la *suocera*[1] retentit sur son visage boudeur, un peu empâté, le visage des femmes qui ont été plaisantes et qui le sont moins.

— C'est vrai que nous ne sommes plus rien ?

Elle dit « nous » du ton de ces épouses qui n'existent qu'à travers la carrière de leur mari. Lorenzo lui confirme qu'elle n'est plus la *prefetissima*, ajoutant que lui-même a conservé sa position de colonel de la milice, mais que c'est provisoire. Il s'attend à une

1. Belle-mère.

lettre de congé dans les prochains jours. Les traits de Virginia se rembrunissent encore. Tout en se plaignant des Siciliens, elle avait fini par prendre goût à son état d'« épouse du préfet » dans les salons de Palerme. On lui glissait des requêtes, on lui envoyait des cadeaux souvent coûteux, on s'inclinait sur sa main, l'évêque louait sa dévotion aux œuvres charitables, s'apprêtait à l'accueillir dans son comité des mères catholiques. Et en une soirée, plus rien ! Retour chez Adriana Mori. Dans ce désastre, une satisfaction cependant, elle n'entendra plus parler de Carmela Cavalcanti. Lorenzo ne la reverra jamais, se dit-elle.

— Je vais demander ma réintégration dans l'armée, dit Lorenzo. On ne pourra pas me la refuser au grade qui a été le mien quand je suis entré au PNF.

— Et les élections ? crie Adriana Mori du fond de sa cuisine, où elle s'est réfugiée sans perdre un mot. Tu étais député de Vérone, pourquoi tu ne te représenterais pas ? Toute la ville voterait pour toi.

Lorenzo éclate de rire.

— C'est fini, ce genre d'élections. Aujourd'hui, pour être élu, il faut d'abord figurer sur une liste dressée par le parti.

Laura s'approche de son père.

— Es-tu toujours fasciste, papa ?

Sa fille ressemble de plus en plus à sa mère au même âge, quand il l'a rencontrée au bal des Giardini Giusti en 1913. Elle est maintenant étudiante à la Cattolica. Quand elle est venue passer les vacances à Palerme, il a bien vu que Laura mûrissait, qu'elle avait des opinions différentes. Effet de l'université, s'est-il dit, à quoi servent les étudiants s'ils ne remettent pas en cause le système en place ? Mais les choix de sa fille paraissent bien affirmés. Il pose sa main sur son bras.

— Mes difficultés avec le Duce sont une chose, ma fille, y compris si elles me coûtent cher. La doctrine fasciste en est une autre, même si le Duce l'a fait évoluer à toute vitesse et qu'elle n'a, peut-être, plus grand-chose à voir avec les discours tenus en 1919. Je suis un fasciste des premières heures, à l'époque où le parti n'existait pas encore et où l'on suivait Mussolini parce qu'il disait des choses justes et fortes, parce qu'il était à la tête d'un journal qui avait du mal à finir le mois, dans un monde politique déliquescent à la sortie d'une guerre que nous, les soldats italiens, avions faite pour rien. Pour un officier de cette période, il n'y avait pas d'autre choix. Je l'ai fait, je ne le regrette pas.

— Je voudrais tellement que tu ne sois plus fasciste.

— N'y compte pas trop. On annonce une guerre probable avec l'Éthiopie. Je crois que je vais y participer.

— Je te préfère en officier de l'armée qu'en colonel de la milice, papa.

— Moi aussi, dit Lorenzo.

Nino à Carmela

« Je te fais porter ce *pizzinu*[1] faute de pouvoir te rencontrer sans risque. Je ne veux pas mêler mes

1. Petit message dissimulé dans les vêtements qui a toujours constitué le mode de communication entre les gens de Cosa Nostra, en raison des garanties de secret.

hommes à notre relation, surtout maintenant que je suis en train de régler le compte de mes concurrents. C'est une affaire difficile. Quand ce sera fini, je quitterai la Sicile, comme promis, je m'installerai comme fermier et bientôt tout sera prêt pour vous accueillir, toi, Salvatore et Beppina. Donne-moi de tes nouvelles par le même canal et nous correspondrons ainsi jusqu'à notre départ. »

Carmela à Nino

« Je te rejoindrai comme prévu. Le bonheur est à nous enfin.
Je t'embrasse. »

*

Cet homme qui parle de l'*ancilu* aux quatre Siculo-Américains qui l'ont fait venir, il raconte une histoire que peu de gens connaissent, celle de Nino et de Carmela, de cet enfant qui leur est né, conçu peut-être le jour où Nino, recherché pour meurtre, est parti à la guerre. Un beau jeune homme qui s'appelle Salvatore.

— Comment le sais-tu ? demande celui qui semble être le chef.

— Cela se sait dans le village. Les gens ont des oreilles pour entendre et des yeux pour voir. L'histoire de Carmela et de Nino, tout le monde la connaît, même si personne n'en parle jamais. Il n'y a qu'à voir la date de naissance de Salvatore.

L'homme se penche, parle à voix basse maintenant :

— Le sacristain du village l'a reconnu à sa voix le soir de son retour. Il certifie que c'était bien lui.

— Pourquoi tu me racontes cette histoire ?

Le traître ne répond pas tout de suite.

— Je vous la raconte parce que l'*ancilu*, vous n'arriverez pas à l'avoir, pas plus que le préfet Mori. Tant qu'il sera là, vous ne pourrez rien faire.

— Le préfet Mori l'a arrêté, grommelle l'un des Siculo-Américains. Il l'a libéré aussitôt, grâce à l'intervention d'une femme.

— Cette femme, c'est Carmela, reprend le traître. Une preuve de plus !

Les quatre ne font pas de commentaires. Une femme, ça ne vaut rien. Un fils, c'est autre chose. Qui s'attaque au fils atteint le père et inversement. C'est une loi.

— Où peut-on le voir, ce fils ?

— Au bal du village, le samedi, il a pris l'habitude d'y aller.

Le traître se tait. Il a tout dit. Ses motifs, il les garde pour lui. Peut-être est-il déçu par l'*ancilu*, peut-être l'a-t-il volé et craint-il que cela se découvre, peut-être est-il jaloux et veut-il obtenir la place, ou encore croit-il que l'heure des Siculo-Américains, avec leur argent, leurs ambitions, a sonné et que l'étoile de l'*ancilu* est proche de s'éteindre, auquel cas c'est une chute qu'il faut accélérer en changeant de côté pendant qu'il est temps. Ou est-ce plus profond, enfoui chez le traître depuis son enfance, l'instinct de la trahison ?

Et pourtant cet homme fait partie de ceux qui ont juré fidélité à Nino le jour de la mort du Strozzi, et ce jour-là, il était sincère. Mais avec le temps, l'instinct a repris le dessus. Un vrai traître a besoin de trahir pour se sentir en accord avec lui-même. La fidélité est une amertume secrète qui pourrit sa vie. La loyauté, c'est du fiel saupoudré de sucre, le jour de sa violation, ce qu'il ressent est un bonheur qui le paie de tout le reste. La trahison, c'est intime.

— Raccompagne notre ami, dit celui qui a posé les autres questions, et donne-lui ce qui est convenu.

Le traître s'en va. Il attend d'être dehors pour recevoir son salaire. La trahison doit être rémunérée pour être complète.

Sur le seuil de la porte claque un coup de feu. Un seul.

— Jetez-moi ça dans le port, dit le chef des Siculo-Américains. *Chi tradisce tradira ancora*[1]. Même à New York, on le sait !

*

Salvatore a l'âge de fréquenter ses premiers bals. Au début, Carmela hésitait, mais il a l'âge de Nino à l'époque où il écumait les fêtes avec Beppe et Franco. Comment le lui interdire dans cette Sicile où la fierté des hommes repose d'abord sur leurs qualités de mâle ? Et puis il est beau, Salvatore, aussi beau que son père à la même époque, et les filles le surnomment Salvatore *Beddu*. Sans doute ne faut-il pas dépasser les limites avec les grands frères et les vieilles qui veillent sur la vertu des filles. Mais Salvatore, qui a d'autres occasions à l'université de Palerme où il est entré

1. Qui trahit trahira encore.

l'an dernier, est un garçon raisonnable, qui connaît ses devoirs de fils de la *patronessa*. Aussi est-il populaire, trop peut-être, pense Carmela, qui se méfie des ambitieuses.

Mais ce soir-là, il rencontre Zobeida, encore fille, déjà femme. Cette Zobeida, personne ne la connaît au village. Elle suscite déjà les commentaires suspicieux des autres filles, car elle est plutôt belle, cette inconnue de la ville, mais d'une beauté qui ne répond pas aux critères ordinaires. Trop de seins, trop de fesses, la jupe serrée et trop de lèvres aussi. Et le regard ! Brûlant de ce feu que réprouvent les femmes de Castellàccio. En somme, ce trop de tout est une tricherie dans les règles du jeu de l'amour où les filles doivent se montrer discrètes dans leurs attraits. Et là, cette fille que personne ne connaît, un peu vulgaire, un peu canaille, déclenche par sa seule présence des commentaires furieux. D'autant que la Zobeida ne demande rien, ne tente aucune manœuvre d'approche et refuse les invitations à danser des garçons. Salvatore, lui aussi, ne manque pas de l'inviter, comme il le fait avec toutes les filles du village, vaguement amoureuses de lui, parce qu'il est le fils de la *patronessa*, et surtout parce qu'il est vraiment beau. Et c'est quand il s'approche, qu'il s'incline pour l'inviter, qu'elle se jette littéralement dans ses bras. Elle ne lui dit pas un mot, mais lui montre déjà qu'elle l'aime, à la manière des filles du Sud, prêtes à tous les abandons. Salvatore a la présomption des jeunes gens de son âge. Ce que lui dit la Zobeida, il ne s'en étonne pas, tant il est certain de ses pouvoirs sur les femmes. C'est une conquête, la Zobeida, pense-t-il, sans s'apercevoir que c'est lui qui est conquis. Et cela dure un moment, cet embrasement, bientôt prolongé dans l'ombre des ruelles par des étreintes furieuses, avec ses mains à lui qui s'égarent partout et la Zobeida qui se colle, qui l'aide même, jusqu'à ce que soudain elle bloque son poignet.

— Pas ce soir, pas ici, dit-elle d'une voix un peu haletante.

— Quand ? Où ? demande Salvatore.

Elle se serre contre lui, mais sa main retient toujours la sienne.

— Demain, dit-elle de cette voix qui est un supplément de séduction. Demain matin, à la ferme qui a brûlé, à onze heures.

Et Salvatore ne se demande pas comment elle connaît cette ferme ni où elle passera la nuit. Il ne se demande rien.

— J'y serai.

Puis elle s'enfuit dans la ruelle, et Salvatore reste à écouter le bruit de ses pas dans la nuit.

Le lendemain, quand sonnent les onze heures au clocher de Castellàccio, Salvatore apparaît entre les ruines de la ferme, à laquelle les tueurs de don Tomasini ont mis le feu, avant d'être abattus par Nino.

Cette histoire, Salvatore ne la connaît pas. Personne ne la lui a jamais racontée. C'est une histoire secrète, la seule qui aurait pu lui en parler, c'était la Beppina, la servante de cuisine, qui l'a emportée dans sa tombe, sauf à considérer que dans *Lei*, l'œuvre maîtresse de Cavalcanti, on la retrouve, cette histoire, sur un mode romancé.

Il tente de se remémorer les émotions de la veille. Il se dit que ce frisson, ce désir violent, il va pouvoir ce matin le satisfaire dans l'herbe fraîche, près du puits où gisent toujours les armes des deux sicaires abattus par son père, la nuit où il a été conçu.

Au moment où apparaît la silhouette élancée de la Zobeida, Salvatore, qui a hérité du don de son père, ressent un danger imminent. Sans même réfléchir, il tourne bride et lance son cheval au galop. Deux coups de feu claquent. Les deux atteignent Salvatore, qui se couche sur l'encolure du cheval, referme les bras et demeure conscient jusqu'à ce que sa monture le ramène, écumante, dans la cour du domaine où, vidant les étriers, il bascule sur le gravier avec ses deux trous dans le dos.

Ce même dimanche où Salvatore a été transporté en urgence à Palerme par Carmela, Beppina reste seule dans la grande maison silencieuse. Elle a vingt-deux ans et le fonctionnement du domaine n'a plus de secrets pour elle. C'est même devenu une passion depuis que Carmela l'a initiée aux comptes et aux diverses activités : les cultures, l'élevage, surtout la mine de soufre qui emploie une centaine d'ouvriers et rapporte gros. Ainsi a-t-elle passé la journée dans les additions et les pourcentages en attendant des nouvelles de Salvatore. Pour tromper son inquiétude, elle veut prendre un livre. De tous les romans de Cavalcanti, un manque, le fameux *Lei* qu'il avait promis de lui procurer mais qui, étrangement, ne figure pas dans la bibliothèque. Elle décide de jeter un œil dans la chambre du Cavalcanti, vide depuis son dernier départ pour Rome. Elle pousse la porte de cette pièce bien rangée où figurent les ouvrages qu'elle passe en revue jusqu'à ce qu'elle tombe sur un exemplaire protégé par une couverture. Elle l'ouvre. C'est bien celui qu'elle cherche.

Elle lit jusque dans la soirée avec une exaltation mêlée de malaise. Car il est beau, cet amour. C'est un amour caché, avec des graviers lancés sur la fenêtre la nuit et qui sont un appel, des courses dans le maquis pour éviter les gardes à cheval, des rencontres furtives dans les librairies, des aveux, des serments et des étreintes à l'abri des volets clos. Un très bel amour, comme la Beppina voudrait en vivre un jour. Mais plus elle avance, plus croît le malaise, car cette maison, ce domaine où se déroule cette histoire ressemblent furieusement à l'endroit où elle vit. On y croise des personnages qu'elle croit reconnaître, même si le roman se déroule au siècle précédent, à l'époque des rois de Naples et de Garibaldi. Pourtant, ce sont les mêmes lieux, les mêmes gens. Et cet homme étranglé dans son lit… De quel homme parle-t-on ? Qui est donc cette femme qui ouvre les portes à son amant ?

Quand Beppina referme le livre, elle enlève nerveusement la couverture et découvre la photo de Carmela, la bouche légèrement entrouverte, surprise par l'éclat de lumière. C'est elle, l'héroïne de cette histoire, la femme qui la raconte sous la plume de son mari, celle qui a ouvert la porte à l'assassin de son père !

54

Lorenzo est reçu dans le nouvel appartement de Margherita Sarfatti depuis qu'elle a quitté la villa Nomentana, en face de la villa Torlonia où réside le Duce. Après avoir laissé le palace où elle avait élu domicile, elle a emménagé au 18 via dei Villini, qu'elle a rempli de sculptures et de tableaux des artistes qu'elle a lancés, histoire, dit-elle, de s'éloigner de Rachele, l'épouse légitime qu'elle surnomme « la fermière ». Elle y a reçu beaucoup de personnalités internationales du monde de la politique et de l'art, mais le jour où Lorenzo se présente, cet appartement splendide est vide. Seule une soubrette sert le thé avant de disparaître. Margherita est installée sur un sofa, toujours vêtue dans le goût chic classique qu'elle affectionne. Elle ne peut dissimuler son âge, même si, paraît-il, elle a gommé le zéro de 1880, l'année de sa naissance, pour le remplacer par un 3 sur ses documents d'identité. Mais la voix est intacte.

— Cher Lorenzo, j'ai encore suffisamment de relations à l'état-major pour avoir obtenu ta réintégration dans l'armée. Tu recevras la notification officielle à ton adresse de Vérone, chez ta mère, je crois. Il y aura aussi le nom de la caserne à Naples, où tu te rendras avant d'embarquer pour l'Éthiopie. Mussolini annoncera la guerre ce soir, depuis le balcon du palais Venezia. Mais je ne sais pas si cette réintégration est due à un reste d'influence ou au fait que l'armée a besoin d'hommes, et surtout d'officiers compétents.

Elle suspend son propos pour goûter le thé, qu'elle repose aussitôt.

— Trop chaud, dit-elle, avant d'adresser son célèbre regard à Lorenzo. Puis, d'une voix forte : Je ne suis plus rien. Il faut que tu le saches.

Depuis sa disgrâce, elle s'est remise à fumer. Cette disgrâce, elle la raconte maintenant, cette chute lente qui s'accélère cependant. L'échec du Novecento, le mouvement artistique qu'elle avait lancé, le départ progressif, parfois haineux, de jeunes artistes dont elle avait fait la carrière, qui lui devaient tout et qui s'éloignaient au fur et à mesure qu'ils la sentaient déplaire à l'esprit public. Les expositions qu'elle avait autrefois présidées et où on ne la conviait même plus, celle où le secrétaire du parti a osé la faire reconduire à la porte, l'académie d'Italie qui ne veut plus entendre parler d'elle quand elle a contribué à sa création.

— Il y règne maintenant un certain Cavalcanti, l'auteur talentueux, je le reconnais, d'un livre à scandale. C'est un homme d'intrigues qui, après m'avoir encensée, me hait, alors que je ne lui ai jamais rien fait.

Elle énumère les biennales, les jurys dont elle était la vedette et qui l'ignorent désormais, les journaux qui n'accueillent plus ses articles, *Gerarchia* dont elle était la directrice, le *Popolo d'Italia* qui la publiait encore mais qui a refusé, un peu gêné, sa dernière critique, sur l'intervention conjointe de Rachele, la fermière, et d'Edda Ciano, la fille préférée de Mussolini.

— Vous ne dites plus « le Duce », remarque Lorenzo, comme ma fille.

— Je ne la connais pas, mais c'est certainement une fille intelligente. Vous l'avez eue de votre première femme, je crois, celle qui a été tuée dans une manifestation pendant la guerre ?

— Je vois que vous avez une bonne mémoire.

— En ce qui concerne mes vrais amis, je n'oublie jamais rien. Je suppose qu'elle est intelligente comme sa mère, mais elle devra être prudente. Les oreilles de Mussolini sont partout.

Elle reprend son récit là où elle l'avait suspendu :

— Le pire n'a pas été de ne plus écrire dans les journaux ou de ne plus fréquenter les artistes que j'avais lancés. Il me restait un rôle où, paraît-il, j'excellais, celui d'ambassadrice de notre régime auprès de mes amis diplomates des autres nations qui voulaient bien m'écouter.

Elle cite des Anglais, des Allemands, des Français, des Américains aussi, des noms célèbres.

— Il fallait leur vendre le régime fasciste, poursuit-elle, et j'y parvenais avec grâce, sauf avec les nazis. Ceux-là… J'ai été invitée aux États-Unis, j'y suis restée trois mois, reçue dans tous les milieux qui comptent, y compris à la Maison-Blanche où j'ai parlé avec Roosevelt, du régime italien bien sûr. Quand j'ai voulu rendre compte à Mussolini des ouvertures qui lui étaient faites par les Américains, il m'a répondu que cela ne le concernait pas, que c'était un pays qui ne pesait rien dans le monde et n'avait pas d'armée. Ce jour-là, j'ai compris que c'était moi qui ne pesais plus rien, que c'était fini. Il a pris son chapeau et il est parti. Nous ne nous sommes pas revus.

— Mais que s'est-il passé ? demande Lorenzo. Il vous doit beaucoup, j'en suis le témoin.

La Sarfatti a un rire sec.

— Tout est là, dit-elle, il me doit trop.

Cette fois, elle veut citer ses ennemis, Farinacci, le fasciste acharné qu'elle a connu avocaillon à Milan au temps du *Popolo* ; Rachele et sa fille Edda, qui ont cru qu'elle leur faisait concurrence dans l'esprit de Mussolini.

— Quand on pense, dit-elle, que c'est moi qui l'ai convaincu avec le cardinal Gaspari d'épouser Rachele religieusement pour des raisons de diplomatie, au moment de la négociation avec l'Église des accords du Latran ! La fermière n'en sait rien !

Elle ajoute Ciano à la liste, le gendre chéri à la voix de crécelle, celui qui en quatre ans est passé du rang de vice-consul à Shanghai à celui de ministre de la Propagande, reçu chaque matin au palais Venezia pour faire son rapport sur l'esprit public. Intelligent et habile, il montera encore, pense-t-elle, mais il s'occupe trop de lui-même, de son poids, de sa chevelure, de ses costumes, pour faire un homme d'État. C'est lui qui a vendu à Mussolini cette idée de conquérir l'Éthiopie pour créer un empire italien qui rappellera celui des Romains.

Elle parle encore de Mussolini, elle reconnaît qu'il est l'homme le plus aimé d'Italie. Les femmes l'adorent et lui adressent des lettres enflammées. Il y en a une qui va lui faire sa cour au palais Venezia, avec l'accord de sa mère qui l'a vendue, une certaine Claretta Petacci. Elle a vingt-huit ans de moins que lui !

Sous les mots de la Sarfatti, Lorenzo pressent le drame intime, celui de l'âge et du désamour. Elle a perdu toute influence politique et artistique, les jeux de la diplomatie lui sont désormais interdits, mais ce n'est rien par rapport à la perte de l'amant. Que Mussolini l'ait trompée, elle n'en avait cure tant qu'elle restait maîtresse de son esprit et de son âme. Elle lui montre une lettre manuscrite, qu'elle a reçue de lui : « Madame, je vous interdis de mêler la doctrine fasciste à votre conception de l'art... »

— Voilà, dit-elle, c'est tout. C'est fini.

Le soir, elle l'emmène à « la déclaration de guerre » en compagnie d'un ami, Renato, qui a ses entrées au palazzo delle Assicurazioni Generali, face au palais Venezia. On est le 2 octobre 1935. La place déborde de ce que la radio appellera « une foule océanique ». Le discours, depuis le balcon illuminé par des torches, annonce aux Italiens « une place au soleil ». Il est diffusé par haut-parleur sur toutes les places des villes et des villages d'Italie. L'enthousiasme est celui des quarante-quatre millions d'Italiens qui acclament le Duce au même instant.

— C'est le début de la fin, commente Margherita.

— Pourquoi dis-tu cela ? demande Renato.

— Croyez-vous que nous perdrons la guerre ? demande Lorenzo.

— Non, mes amis, je crois que nous gagnerons cette guerre, et lui en perdra la tête !

*

Le même jour, Laura, seule dans la cuisine avec Adriana Mori, ose cette question :

— *Nonna*, tu ne m'as jamais parlé de ma mère. Tu la connaissais pourtant.

Adriana Mori hésite avant de répondre. Julia est un sujet toujours brûlant qu'il faut éviter d'aborder avec Lorenzo, veuf inconsolable, tout comme avec Virginia, silencieusement jalouse de cette morte statufiée dans l'esprit de son mari. Bref, chez les Mori, le nom de Julia est un souvenir interdit. Que faut-il dire à Laura ? Elle éprouve pour cette jeune fille une violente affection, aussi forte que sa détestation de Julia. Mais Laura insiste, la tire par la manche, en petite-fille préférée.

— Dis-moi, *nonna*, comment était ma mère ? Il n'y a même pas de photo d'elle dans cette maison. Mon père refuse de me répondre, il me dit qu'il m'en parlera plus tard, mais cela fait des années qu'il me répète la même chose. C'est mon droit de te le demander, à toi qui ne m'as jamais rien refusé, toi que j'aime tant.

Ces mots vont droit au cœur d'Adriana Mori.

— À vrai dire, commence-t-elle, je ne l'ai pas beaucoup connue. Ton père ne l'amenait pas à la maison. Ils se voyaient en dehors.

Elle n'ose pas dire « Ils couchaient ensemble, alors qu'ils n'étaient pas mariés, c'était notoire », et encore moins « Je la détestais, parce qu'elle volait l'amour de mon fils ».

— Était-elle jolie ?

— Jolie, plutôt oui, enfin je crois. En tout cas, le jour de son mariage elle était belle, personne ne le niera.

— Tu es donc allée à son mariage avec papa ? C'est au moins ça.

Adriana Mori se mord les lèvres, elle a dit une bêtise qu'il lui faut rattraper.

— Je parle de son premier mariage, bafouille-t-elle, avec Umberto Galluzzi. Tout Vérone y était, enfin les gens qui comptent. Elle était très belle.

— Tu veux dire que ma mère a été mariée avant de connaître mon père, c'est ça ? demande Laura, stupéfaite.

Adriana Mori a peur de s'embrouiller dans ses explications. Tant pis, elle se jette à l'eau :

— Oh ! ce n'est pas un mariage qui a duré longtemps. À la fin de la journée, il n'y avait plus de mariage. Ta mère s'est retrouvée veuve à cinq heures de l'après-midi !

Laura éclate de rire.

— Mais qu'est-ce que c'est que cette histoire ? Tu me racontes que le premier mari de ma mère est mort dans l'après-midi de son mariage ! Mais c'est quoi ? L'émotion, l'amour, une maladie foudroyante, un arrêt du cœur ?

De plus en plus embarrassée, Adriana Mori s'essuie les mains, ôte son tablier, le remet aussitôt, fouille dans les placards. Mais Laura ne la lâche pas.

— Allez, *nonna*, raconte-moi ce qui s'est passé. Pourquoi tu ne veux pas me le dire ?

Et là, elle se retourne, Adriana Mori.

— Si tu veux le savoir, je vais te le dire, la honte de Vérone ! La honte de la famille Mori ! Il n'y en avait qu'un que ça ne gênait pas. Ton père ! Évidemment, c'est lui qui l'a tué !

— Quoi ? Mon père a tué le premier mari de ma mère ! Et personne ne me l'avait jamais dit ! Mais que s'est-il passé ?

Adriana Mori regagne le salon. Heureusement, Virginia est sortie avec Sandro, Lorenzo est à Rome chez la Sarfatti. Elle s'effondre dans son fauteuil, saisit son tricot avec les aiguilles, puis le repose.

— Ils se sont battus au sabre. Je dois dire que c'est le Galluzzi qui l'a voulu, ce duel. Il était jaloux de ton père à cause de ses relations avec Julia, mais voilà, Lorenzo maniait le sabre mieux que lui, et il l'a blessé au poignet. Il a même fait tomber son sabre sur le sol.

— Bravo ! s'écrie Laura. Après, il n'y avait plus qu'à le tuer !

Adriana Mori secoue la tête.

— Ton père n'est pas un assassin. Il a fait reculer l'autre jusqu'au mur sans le toucher et là, le Galluzzi s'est affalé sur le sol. Un arrêt cardiaque, comme on dit, la mort des lâches !

— Et après ?

— Après, ton père est parti avec ta mère. Ils se sont arrangés tous les deux, du moins je le suppose. Elle n'en voulait pas, de ce mariage qui avait été exigé par ses parents. C'était un mariage d'argent. C'est ton père qu'elle voulait. Ah ça, elle le voulait ! On ne peut pas dire le contraire.

— Et papa ?

— Lui aussi, reconnaît Adriana Mori. L'amour pour Julia, ce n'était pas ce qui lui manquait !

Laura s'installe aux pieds de la *nonna* comme elle le faisait quand elle était enfant.

— C'est une drôle d'histoire, finit-elle par dire, je comprends mieux pourquoi papa ne veut pas en parler. Mais pourquoi Julia a-t-elle accepté ce mariage si elle aimait mon père ?

La *nonna* lève les yeux au ciel.

— C'est une histoire entre Julia et ton père, ma petite. Je crois qu'elle lui avait envoyé une lettre pour lui demander de venir la chercher en même temps que le faire-part. Mais ton père n'a jamais reçu cette lettre, ajoute-t-elle en omettant de préciser que c'est elle qui l'avait subtilisée. Enfin, ton père est parti à la guerre le lendemain et, en novembre, il a épousé Julia en douce à San Zenetto. Il est revenu en 1916 pour une permission et neuf mois plus tard, tu es née ; une semaine après, Julia est morte.

Laura ne rit plus, elle est pâle. Sa main vient se poser sur la vieille main d'Adriana Mori.

— Morte de quoi, *nonna* ? C'est ma naissance qui l'a fait mourir ?

— Ça n'a rien à voir avec toi, ma petite, c'est une mort tragique pendant que Lorenzo était à la guerre. Mais je ne veux pas t'en parler parce qu'il s'est dit beaucoup de choses à cette occasion, certaines que j'ai répétées avec les autres, ce que je regrette aujourd'hui. À la vérité, tu ressembles à Julia de plus en plus, et chaque fois que je te regarde maintenant, je ne peux m'empêcher de penser à elle et je m'en veux. J'en ai trop dit, Laura, ça suffit maintenant. Tu ne m'arracheras plus rien.

— J'ai besoin de repenser à tout ça, murmure Laura. Cela me paraît très étrange et très grave. Mais je veux savoir ce qui est arrivé à Julia et je le demanderai partout jusqu'à ce qu'on me le dise.

La *nonna* se lève soudain de son fauteuil.

— Alors, dit-elle, ce n'est pas la peine d'aller trouver tout Vérone pour qu'on te réponde n'importe quoi. Celui qui sait mieux que n'importe qui ce qui est arrivé à ta mère parce qu'il y était, c'est le vieux Di Stefano.

— Le riche ? Le *podestà* de Vérone ? Celui qui a été nommé par les fascistes en remplacement du maire ? Ma mère avait le même nom, mais j'ignorais qu'il connaissait Julia. Je croyais que ma mère n'avait pas de famille. C'est ce qu'on m'avait dit.

— C'est ton grand-père !

*

À l'aube du 3 octobre 1935, sans autre déclaration de guerre que le discours de Mussolini la veille, les trois armées du général De Bono franchissent les trois fleuves qui marquent la frontière et pénètrent en territoire éthiopien, ouvrant un front de soixante-dix kilomètres. Cette armée compte deux mille trois cents mitrailleuses, deux cent trente canons et cent cinquante-six chars d'assaut.

Le 1er corps d'armée, à gauche, conduit par le général Santini, a pour objectif Adigrat. Le deuxième, sur la droite, commandé par le général Maravigna, pointe sur Adoua dont le nom résonne comme celui de la défaite du 1er mars 1896, où les *ras* éthiopiens ont infligé une sanglante raclée aux armées italiennes. Le troisième, au centre, aux ordres du général Biroli, vise Enticcio. Plusieurs détachements chantent

Giovinezza, les chemises noires l'*Inno a Roma*[1]. Tous ressentent en franchissant la frontière *maledetta*[2], imposée par Menelik après sa victoire à Adoua, une forte émotion. L'un des volontaires, Delio Mariotti, s'écrie : « Les morts d'Adoua nous appellent ! » et Indro Montanelli, qui deviendra dans la seconde partie du siècle l'un des plus grands journalistes d'Italie, écrit sur ce moment : « Cette aventure est belle, la plus belle, et je la veux ainsi, je la veux longue. Puis nous reviendrons porter l'empire au Duce, nous, malades du mal d'Afrique. »

Dans le ciel, les deux premiers raids de bombardiers, ceux de la 14e et de la 15e escadrille, enflamment les lignes éthiopiennes. Parmi les pilotes, les deux fils de Mussolini, Vittorio et Bruno, ainsi que le comte Ciano, gendre du Duce, qui lâche la première bombe. La guerre d'Éthiopie vient de commencer.

*

À l'hôpital de Palerme, un jeune homme est en train de mourir. Le *medicu*, l'un des plus grands médecins de Sicile, échange avec son confrère, spécialement venu de Rome par avion, des propos désolés. Il n'y a plus rien à faire. Le curé est déjà venu pour l'extrême-onction. Le jeune homme n'a rien entendu. Il est inconscient et mourra ainsi, sans savoir ce qui lui est arrivé. Sa mère lui tient la main. Son père n'est pas encore là. Carmela l'a fait chercher mais il tarde.

---

1. *Hymne à Rome.*
2. Maudite.

Peut-être ne viendra-t-il pas. Sans doute ne sait-il encore rien et, quand il l'apprendra, ce sera trop tard. Il ne reste plus qu'à attendre la mort.

Quand Nino, averti on ne sait comment, fait irruption dans la chambre, c'est trop tard. Il est mort, Salvatore.

*

Un vieil homme dîne seul au bout d'une longue table, dans une salle comme une nef d'église, aux meubles en bois lourds, ou en marbre, sous ce lustre énorme qui écrase tout. Cet homme, avec sa moustache fournie, le bouc taillé, au poil très blanc maintenant, et à la bouche charnue, est riche. Devant lui ont plié les événements et les hommes, tous tordus selon sa volonté, ou brisés s'ils résistaient. Le résultat est qu'il est seul au soir de sa vie. Autour de lui, ni femme ni enfant.

Le majordome s'approche.

— Cette signorina est toujours là, Votre Excellence, je l'ai fait attendre dans l'entrée.

— Que veut-elle ? De l'argent ? Une place ? Ce n'est ni l'heure ni le lieu.

— Non, Votre Excellence, elle veut seulement vous voir. Elle dit qu'après elle partira.

Le rire sec encore.

— Il y a beau temps que les jeunes filles ne viennent plus me voir ! C'est suspect… Elle n'est pas armée au moins ?

— Non, Votre Excellence, enfin je ne crois pas. Ce n'est pas son genre, si j'ose dire. Elle a vingt ans environ.

— Vingt ans… C'est le pire des âges.

Il se carre dans son fauteuil.

— Faites-la entrer, mais restez à portée de voix.

La jeune fille entre, elle est menue, plutôt bien vêtue, mais sans excès. On devine chez elle une réserve qui n'est pas de la modestie, mais plutôt l'expression d'une nature réfléchie. Est-elle jolie ? Elle fait partie des femmes qui ont plus de charme que de beauté, ce qui les fait durer plus longtemps, songe le vieil homme.

— Eh bien, signorina, mon majordome m'a dit que vous aviez environ vingt ans. Il ne s'est pas trompé ou de peu. C'est l'âge de Charlotte Corday, ce qui me donne des craintes pour le temps qu'il me reste à passer sur cette terre.

— J'ai dix-neuf ans, Votre Excellence, donc cinq de moins que Charlotte Corday lorsqu'elle a assassiné Marat.

La voix est posée, un peu rauque. Le vieillard ne réprime pas un sursaut.

— Vous savez donc qui était Charlotte Corday ! Voilà qui me surprend chez une jeune Italienne.

— J'aime les révolutions, Votre Excellence, et la plus belle est la Révolution française, tout comme l'acte de Charlotte est le plus pur de la période.

Le vieillard reste silencieux. Ces mots, il a déjà entendu une autre jeune fille les prononcer, mais c'était il y a longtemps et il refuse de se souvenir.

— Bien, signorina, mais ce n'est pas pour me parler de révolution que vous êtes venue. Que me demandez-vous ?

Il a tellement l'habitude qu'on le supplie pour des

requêtes, des délais, des services, des prêts, voire des subventions, qu'il ne peut rien imaginer d'autre.

— Je suis venue pour vous voir, Votre Excellence, c'était mon seul but, comme je l'ai annoncé à votre majordome.

— Eh bien, vous me voyez.

— En effet, Votre Excellence, désormais je pourrai mettre un visage sur votre nom, une voix et un décor aussi, ajoute-t-elle en promenant son regard sur les meubles, les statues et les fresques.

Le vieillard a un sourire un peu sarcastique. Il lui trouve un certain toupet, à cette signorina, avec son allure de jeune fille rangée.

— Comment vous appelez-vous ? demande-t-il.

— Laura Mori.

— C'est un nom répandu, comme le mien, Di Stefano.

Il se demande ce qu'il lui prend de converser avec cette jeune fille. Un plaisir oublié, comme d'autres, et qui lui revient.

— Ma mère aussi s'appelait Di Stefano, dit Laura brusquement, Julia Di Stefano.

Le choc est brutal. Le vieil homme se redresse lentement sur son fauteuil.

— Tu es la fille de Julia ? Et c'est pour cela que tu viens me voir ?

— Oui, Votre Excellence, j'ai eu cette curiosité lorsque ma *nonna* m'a dit que le père de ma mère, c'était vous.

— J'ignorais ton existence. Julia est partie avec ton père, et je ne l'ai jamais revue. Après…

— Elle est morte, Votre Excellence, huit jours

après que je suis née, d'une affection foudroyante, m'a-t-on dit. C'est tout ce que je sais. Mon père va souvent au cimetière quand il est à Vérone. Les gens disent qu'il parle avec elle là-bas.

— Oui, foudroyante, répète-t-il, le mot est terrible, mais juste.

— Je vais m'en aller, Votre Excellence. Je suis heureuse de vous avoir connu parce que vous êtes tout ce qui me reste du côté de ma mère.

— Attends, Laura !

55

Les obsèques terrifiantes de Salvatore. L'église, le village entier de Castellàccio sont tendus de noir. Les habitants et les notables de Palerme, tous sont venus. Personne ne parle. Un son unique et lancinant, le glas.

Apparaît Carmela, accompagnée de Cavalcanti, arrivé la veille de Rome. Les deux ont un visage de pierre. Carmela sous son voile, lui avec son bicorne à plumes d'académicien, et la Beppina juste derrière, comme si elle était la sœur du mort assassiné. Ils gravissent les marches de l'église où les attend l'évêque, celui qui a marié Carmela avec Cavalcanti, celui qui fréquente les salons de Palerme, la plus haute autorité ecclésiastique de la Sicile. Le secrétaire général de la préfecture remplace le successeur de Lorenzo, qui n'a pas encore été nommé. La place est noire de monde, les carabiniers gardent les issues du village.

Quand la cérémonie commence autour du cercueil au centre de l'allée, au moment où l'évêque entame son homélie, pénètre dans l'église un homme à deux visages. Le commissaire Spàno le repère aussitôt et réprime un mouvement. Que fait l'*ancilu mostru* à ces obsèques ? Il se souvient que Carmela avait fait irruption dans le bureau du préfet, le soir de sa libération immédiate. Il se dit que quelque chose lui échappe. Quel est le lien entre Carmela Cavalcanti, le préfet Mori et l'*ancilu* ? Quand Lorenzo a été révoqué, il n'a donné aucune explication. Même si Carmela était la maîtresse de l'*ancilu*, ce n'était pas un motif suffisant pour obtenir de Mori sa libération.

Le regard de Spàno croise celui de Nino, qui lui adresse un bref signe de tête avant de fixer à nouveau le cercueil. Quand celui-ci, porté à dos d'hommes, descend les marches sous les applaudissements de la foule, Spàno cherche l'*ancilu*. En vain. Il a disparu.

Quelques jours plus tard, l'entraîneuse de bar, Zobeida, prostituée de luxe, rapidement identifiée par Nino qui a fait interroger les amis de Salvatore présents au bal, est retrouvée sur le trottoir au petit matin, étranglée. Avant son exécution, elle a dénoncé ceux qui l'avaient envoyée en mission de séduction auprès de Salvatore, y compris le sicaire qui l'a tué, ce qui lui a valu une mort relativement douce. Les quatre Siculo-Américains qui avaient recruté Zobeida et le sicaire périssent brûlés, enfermés dans un camion auquel on a mis le feu sous le regard froid de Nino. Salvatore est vengé.

Le commissaire Spàno ne peut que constater ces

événements qu'il a du mal à relier entre eux, sans s'en plaindre pour autant, car ils s'inscrivent dans l'assainissement de la Sicile, même si cela n'intéresse plus le Duce. Son attention est désormais fixée sur l'Éthiopie, puisque sa guerre est enfin commencée.

Carmela est partie à Palerme pour conférer avec son notaire et signer les documents qu'il lui a préparés. Puis elle se livre à diverses opérations bancaires. Ce n'est qu'une fois ces formalités terminées qu'elle revient à Castellàccio, où elle a fait préparer ses bagages.

Elle retrouve Beppina dans le bureau.

C'est alors que la jeune femme dépose sur la table l'exemplaire de *Lei*.

— Je l'ai lu, dit-elle. Plusieurs fois. Et j'ai compris, je crois, un certain nombre de choses.

— Lesquelles ? demande Carmela.

— Mon père, don Tomasini, a été retrouvé étranglé dans son lit par un tueur inconnu auquel une personne de cette maison avait ouvert les portes.

— Bien, dit Carmela, il était inévitable en te faisant vivre ici que tu l'apprennes un jour ou l'autre.

— C'est l'une des histoires qui figurent dans ce livre. Il y est dit que celle qui a ouvert la porte était l'amante du tueur.

— En effet, c'était moi.

Beppina vacille un peu, puis fixe Carmela en silence. Une larme perle au coin de son œil.

— Je m'en doutais, dit-elle, mais je ne voulais pas le croire.

— L'homme qui l'a tué était mon amant. C'est lui, le père de Salvatore. Je peux même te préciser sans grand risque de me tromper que nous l'avons conçu cette nuit-là.

Beppina s'essuie les yeux. Ce n'est pas une mauvaise fille, elle s'entendait bien avec Salvatore. Peut-être que, s'il avait continué à vivre, ils auraient formé un couple.

— Je vous aime beaucoup, Carmela, vous avez toujours été bonne avec moi depuis que ma mère est morte et que vous m'avez accueillie ici. Mais vous me faites beaucoup de mal en me disant tout cela, même si je vous dois tout.

Carmela prend soudain une grande inspiration. Le moment est venu.

— Écoute, Beppina, commence-t-elle, le meurtre de ton père est un crime d'honneur destiné à réparer celui que ton père avait commis, et à prévenir celui qu'il s'apprêtait à commettre sur le fils de celui qu'il avait fait assassiner. C'est aussi, en ce qui me concerne, l'acte d'un amour absolu, car don Tomasini, à moi, n'avait jamais fait de mal. Quant au reste, tu ne me dois rien. L'héritière de don Tomasini, c'est toi.

Elle lui tend un dossier.

— Tu trouveras à l'intérieur l'acte de donation intégrale du domaine. Il te suffira de le signer et de le renvoyer au notaire. La seule propriétaire, à partir de cet instant, c'est toi. Je n'ai gardé que l'argent que j'ai gagné. Cela suffira à me faire vivre le restant de mes jours. D'ailleurs, je ne vois pas à qui je pourrais le léguer maintenant.

— Comment cela ? demande Beppina, un peu affolée. Qu'allez-vous devenir ?

— Je quitte la Sicile ce soir et je ne reviendrai

jamais. Tu diras que je suis partie en voyage et que je t'ai confié le domaine. Je ne ferai mes adieux à personne. Tu ne me reverras pas, Beppina. Marie-toi avec un homme honnête qui connaît bien la terre, et qui sait compter, mais ne le laisse jamais te diriger.

— Je vous aime, Carmela, dit Beppina en pleurant.

— Moi aussi. N'oublie pas de faire le bien autour de toi.

Le même soir, avant d'embarquer, Carmela rend visite à Luciana. Elle lui donne une lettre.

— Peux-tu la faire remettre à Nino, s'il te plaît ?

— Je le ferai, mais que vas-tu devenir ?

— Je t'écrirai, répond Carmela.

Quand Nino reçoit la lettre, il lit :

« Mon amour,

Je m'en vais, et nous ne nous reverrons jamais. Souviens-toi de nos conversations sur le destin. La mort de notre fils est un signe. Notre amour est maudit, et cet enfant, conçu la nuit d'un crime, l'était lui aussi. Il est mort de cette malédiction par notre faute, la tienne pour t'être lancé dans cette existence de criminel, la mienne pour avoir continué à t'assister et à t'aimer en fermant les yeux sur le reste. Je m'en vais, Nino, car tu me fais horreur. Il a fallu que Salvatore soit assassiné à ta place pour que je m'en rende compte. Le temps est venu d'expier. Nous n'avons pas eu de chance, Salvatore non plus. Il est mort innocent, sans rien savoir de notre crime. La seule concession qui nous est faite, c'est qu'il n'a pas eu le temps de nous maudire. Là où je serai, je ne cesserai de t'aimer, si tant est que je trouve un endroit où me poser un jour. Beppina, à qui j'ai rendu le domaine, ne sait pas où je vais, ni Luciana. Moi non plus d'ailleurs.

Adieu s'il y a un Dieu, rendez-vous en enfer.

Carmela »

— Amis, compagnons, dit Nino, vous m'avez aidé à solder les comptes avec les assassins de mon fils, mais vous ne pouvez m'assister dans ceux que je dois régler avec moi-même. Durant ces treize années passées ensemble, nous nous sommes aimés dans la fidélité. Aujourd'hui, il me faut vous quitter. Je vous laisse entre les mains de Bianca Strozzi, qui sait tout de nos affaires et qui a la même fermeté d'esprit que son frère ou moi-même. Respectez-la et obéissez-lui, comme vous l'avez fait avec moi, et dès que je serai parti jurez-lui fidélité, car votre chef, c'est elle désormais. Maintenant, embrassez-moi tous et adieu !

— Où vas-tu, Nino ? demande Bianca.

— Faire la guerre, la vraie.

*

Le 8 novembre 1935, la veille de rejoindre Naples où il doit embarquer pour l'Éthiopie, Lorenzo invite Laura dans un restaurant romain. C'est un dîner chaleureux et grave. Avec elle, il entretient des rapports de grande complicité, il se sent beaucoup moins proche de Sandro, le fils qu'il a eu de Virginia. Lui, bon garçon, plutôt docile d'esprit, doté de sentiments bruts, est déjà enrôlé chez les *avanguardisti*[1], après avoir commencé chez les *ballila*[2]. Il applaudit chaque discours de Mussolini, sans s'étonner de l'inscription qui fleurit sur les murs des villes d'Italie: «Le Duce a toujours raison.»

— Il faut que je te dise, commence Lorenzo, j'ai économisé une bonne partie de mon traitement de préfet et j'ai ouvert un compte à ton nom au Monte dei Paschi. Une somme suffisante pour te permettre de vivre plusieurs années et d'achever tes études. Si je ne rentrais pas, je suppose que tu ne retournerais pas habiter chez ma mère à Vérone ni chez Virginia. Tu as l'esprit trop indépendant.

— Que veux-tu dire, «si je ne rentrais pas»?

— Toutes les guerres ont leurs morts. On prétend que celle-ci sera facile, mais il faut se souvenir d'Adoua où les Éthiopiens nous ont battus à plate couture. Les *ras* d'aujourd'hui sont les enfants et les petits-enfants de ceux qui nous ont vaincus. Beaucoup d'entre eux ont fait des études dans des écoles militaires en Angleterre ou en Belgique, et en plus, ils ont tous l'instinct de la guerre. Ce qui leur fait défaut, c'est le matériel, mais ils vont le compenser avec une connaissance parfaite du terrain et des troupes qui se défendront jusqu'à la mort, y compris à l'arme blanche, en plus il paraît qu'Hitler leur a fait livrer des fusils.

---

1. Deuxième étape du cursus des enfants fascistes.
2. Ballila était un adolescent qui avait jeté une bombe sur des soldats autrichiens à l'époque du Risorgimento.

— Hitler ? Je croyais que sa rencontre avec Mussolini à Venise avait abouti à un accord.

— Il n'y a pas d'accord. Plus longtemps l'Italie se battra en Éthiopie, plus aisée sera l'annexion de l'Autriche. Mais il changera d'avis.

Laura remarque les insignes sur l'uniforme de son père.

— Tu es toujours colonel, je croyais que tu avais été réintégré comme capitaine.

Lorenzo éclate de rire.

— Intervention inattendue du Duce, d'après ce qu'on m'a dit. Je reste au grade où il m'a nommé. En fait, je prends le commandement d'une unité de chemises noires dont je ferai la connaissance demain à l'embarquement. Nous serons placés devant. Ce sera une guerre très différente de celle à laquelle j'ai participé, une guerre du désert avec beaucoup de mouvements.

Elle pose sa main sur la main de bois.

— J'ai l'impression que tu es heureux de repartir à la guerre.

— J'y serai plus à l'aise que comme *ras* de Vérone, *boia* de Mussolini ou préfet de Sicile. Tous les hiérarques du parti fasciste sont envoyés en Éthiopie, les deux fils du Duce, son gendre Ciano, Bottai, Starace et d'autres encore !

— Je te repose la question, papa. Es-tu toujours fasciste ?

— Ma réponse n'a pas changé. Peut-être suis-je devenu défiant. J'attends la suite.

Laura hoche la tête, regarde ce père qu'elle voit peut-être pour la dernière fois, puis, dans un élan de sincérité :

— J'ai deux choses à te dire qui ne te plairont pas. Mes amis à l'université sont des opposants au régime. Certains sont en contact avec les *fuorusciti*[1]. Tous considèrent que Mussolini conduira l'Italie à sa perte. Je suis très tentée de les rejoindre, même s'il faut m'exiler pour cela.

Lorenzo se rembrunit, puis sourit.

— Décidément, tu ressembles à ta mère. Telle que je l'ai connue, elle aurait détesté Mussolini.

Il ne parle pas de ses conversations posthumes avec Julia. Étaient-elles réelles, d'ailleurs ? Dans son portefeuille, la bague n'est pas revenue, et Julia se tait maintenant. Quand il l'appelle, elle ne répond pas.

— La seconde question concerne Julia justement, reprend Laura. Tu permets que je l'appelle Julia ?

— Elle n'y aurait pas vu d'inconvénient.

— Voilà, c'est difficile à dire. J'ai fait la connaissance de mon grand-père, Luigi Di Stefano.

— C'est lui qui est venu te voir ?

— Non, c'est moi. La *nonna*, que j'ai pressée de questions, a fini par me dire que c'était lui. Je suis allée dans son palazzo un soir. Il m'a reçue. Il ignorait même que j'existais.

— Continue, dit Lorenzo d'une voix dure.

Et Laura raconte l'étrange entrevue avec Luigi Di Stefano, la manière dont il l'a retenue, leur longue conversation. Désormais, quand elle va à Vérone, elle a pris l'habitude d'aller le voir.

— Et pourtant, achève-t-elle, nous n'avons pas

1. Exilés volontaires opposants au fascisme, qui ont quitté l'Italie pour se réfugier en France ou en Angleterre.

grand-chose en commun. C'est un fasciste convaincu, il me parle de Julia. Son souvenir l'obsède. J'ai beaucoup appris sur elle. Il dit que c'est l'enfant qu'il a le plus aimé. Sa femme est morte, les autres sont partis, il ne sait même pas où ils vivent. C'est un homme terriblement seul.

Lorenzo a un ricanement.

— Il t'a dit comment il l'a vendue au Galluzzi pour payer ses dettes ?

— Oui, il m'en a parlé. Lui aussi m'a raconté ce mariage quand tu t'es battu en duel et que tu es parti avec Julia. Il trouve même que vous avez eu raison tous les deux. Il s'en veut.

Lorenzo ne parle plus, il fixe Laura et cherche sur son visage les traits de Julia. Dans sa voix aussi, où percent parfois les mêmes intonations rauques, un peu autrichiennes, de sa mère.

— Tu es ému, papa.

— Tu viens d'évoquer la période la plus heureuse de ma vie et tu ressembles beaucoup à ta mère. C'est tout.

Laura le regarde elle aussi, elle a une question à poser, la dernière, dit-elle.

— La *nonna* m'a confié que Julia avait eu une fin tragique, mais elle a refusé d'aller plus loin. J'avais toujours cru que c'était à la suite d'une maladie.

— Julia est morte sous les balles de la police au cours d'une manifestation en juillet 1917, huit jours après ta naissance. Je ne t'en dirai pas plus. Pour le reste, adresse-toi au vieux Luigi Di Stefano.

— J'ai essayé. Il m'a prévenue que sur ce sujet, il ne me répondrait jamais.

Lorenzo se lève et tente de sourire.

— Ma fille, ce n'est pas à moi de te raconter cette histoire, même si je la connais par cœur. Tu es l'une des héritières du vieux Di Stefano et peut-être as-tu intérêt à maintenir le contact avec lui.

— Je me fiche de son argent, papa, proteste-t-elle, je veux savoir la vérité sur la mort de ma mère. C'est tout.

Lorenzo hésite, puis :

— Va voir mon ami Alberto à Vérone quand tu y retourneras. Demande-lui les documents que je lui ai envoyés pendant la guerre. Je sais qu'il les détient toujours. Aujourd'hui, la situation est la même puisque je pars à nouveau avec le même risque. Ces documents ont vingt ans ou presque, mais ils te seront utiles pour établir ta filiation maternelle, car je sais que ta mère n'a pas eu le temps de te déclarer après ta naissance. Maintenant, accompagne-moi à la *stazione* Termini où je dois prendre mon train pour Naples. Je t'enverrai mon adresse militaire dès que je la connaîtrai.

56

Le lendemain, Lorenzo embarque à bord du *Saturnia*, à la tête des chemises noires qui chantent *Faccetta nera* en agitant leurs casques coloniaux en direction des mères, des épouses et des fiancées qui leur font escorte. À bord, l'enthousiasme s'accroît encore. Tous ont hâte de rejoindre les camarades, mais, quand la nuit tombe, les conversations se font plus inquiètes. Il paraît que les troupes des *ras* pratiquent la décapitation des prisonniers, d'autres annoncent pire, si l'on peut dire, détaillant les tortures prêtées aux Éthiopiens. Les officiers qui circulent entre les groupes tentent de leur remonter le moral. Certains chuchotent que le Duce a une arme secrète qui permettra de venir à bout des Éthiopiens en moins de temps qu'il n'en faut pour le dire.

Lorenzo ne dit rien. Appuyé contre le bastingage, il contemple la tombée de la nuit sur la mer et se laisse bercer par le halètement des machines. Il est songeur. La conversation avec Laura l'a ébranlé. Peut-être aurait-il dû lui dire la vérité sur la fin de sa mère et la responsabilité du vieux Di Stefano. Il n'a pas osé. Peut-être ne l'aurait-elle pas cru. Le dossier que lui remettra Alberto sera bien plus éloquent. Quant à ses engagements politiques, il n'y peut rien. L'expérience lui a démontré qu'aucun discours ne peut convaincre sa fille de changer d'avis. Elle est de la même trempe que Julia. Une rebelle-née. Tant mieux, se dit-il finalement. Au moins, elle a du caractère. Quand je me suis engagé chez les fascistes, c'étaient nous les révolutionnaires, les opposants à l'ordre établi. Maintenant…

Il appelle Julia dans la stratosphère pour savoir ce qu'elle en pense. Mais elle ne répond pas plus que les autres fois. Ça ne fait rien, pense-t-il, je vais te parler. En vérité, je ne sais pas trop ce que je fais là, avec ces jeunes gens qu'il va falloir commander demain. Ils crânent mais, au fond d'eux, ils ont peur. Moi, je m'en fiche. Je me suis engagé parce que la guerre, c'est ce que je sais faire de mieux. Il se remémore la période où il était député, puis *boia* de Mussolini, puis préfet de Sicile. Je ne suis pas sûr, dit-il encore à Julia, que cela m'ait tellement plu. Le meilleur moment, ce fut la prise de Gangi. Là, c'était presque la guerre, j'étais heureux. Après, c'était de la politique, et on a vu le résultat. À peine étais-je devant Nino, mon binôme, mon ami chez les *arditi*, que j'ai tout oublié en le libérant aussitôt. Nino dans les chaînes, c'était insupportable, tu vois, Julia.

Il pense aussi à Rosaria, une épine dont il ne s'est toujours pas débarrassé, et à Carmela.

Les chemises noires se sont remises à chanter. Tout le répertoire y passe. *Faccetta nera*, *Giovinezza*, puis ils se taisent, s'endorment.

Moi aussi, se dit Lorenzo, je devrais dormir. Quand le bateau touchera Massawa en Érythrée, il me faudra toutes mes forces.

— Si vous avez besoin d'une ordonnance, mon colonel, je suis à vos ordres.

Cette voix ! Lorenzo sursaute. Devant lui, une silhouette longue et maigre dans la nuit du bateau.

— Nino ! Tu es là !

— Mon fils a été assassiné, Carmela m'a quitté. Je me suis engagé.

— Alors, on recommence ?

— Oui, dit Nino.

57

Un village isolé, sur un pic, aux maisons accrochées sur les flancs, la route unique en épingle. Ce village au sud de la botte italienne est tellement perdu que même son nom est oublié, ses habitants disent seulement « le village ». C'est là que Carmela a choisi de s'installer. Elle a loué une maison un peu à l'écart, en surplomb de la mer. Un jour, cette maison dégringolera dans le vide pour s'écraser sur les écueils en dessous. Il y a longtemps que cette prédiction a été faite, la maison est toujours là. Carmela aime cette maison condamnée. C'est une des raisons qui lui ont dicté son choix. Si la maison s'écroule et moi avec, ce sera bien. Voilà où elle en est. Ce village et cette maison, la solitude et le silence, sauf le métronome du ressac en bas et l'odeur forte qui monte certains jours du flot. Elle pense, lit, se remémore les souvenirs de Salvatore, elle prie aussi quand ça la prend. Elle ne regrette rien de sa vie d'avant, de son amant et du domaine. Elle écrit parfois un journal dans lequel elle note les idées qui lui traversent l'esprit. Personne ne vient toquer à sa porte et quand elle sort, les gens la saluent d'un signe de tête, sans insister ni chercher à lier connaissance. Elle leur répond et poursuit son chemin pour acheter du poisson, du pain ou du vin. On ne vend d'ailleurs rien d'autre, ou presque. Sinon, il faut descendre en ville en guettant la patache hoqueteuse qui apporte le courrier et prend des passagers trois fois par semaine. Là-bas, elle fréquente les librairies et achète des journaux qui glorifient les armées italiennes sur le front d'Éthiopie. En décembre, quand le Duce organise la *giornata della fede*[1] où les Italiens sont invités à donner à la nation leur alliance en or en échange d'une en acier pour acheter le pétrole et le charbon sous embargo, personne au village ne donne rien, à l'inverse des autres cités d'Italie. Ici, personne n'a eu les moyens de se payer une alliance en or, et même si les habitants en avaient possédé une, ils se seraient bien gardés de la donner à l'État.

Ces lieux désolés conviennent à Carmela. Il lui faut régler ses comptes avec elle-même, et cette expiation requiert le dénuement, du silence aussi. Elle se dit que Salvatore la regarde là où il est et qu'il l'approuve peut-être.

Un jour, dans la patache qui brinquebale, un homme demande à s'asseoir près d'elle, à la seule place libre. Il porte une soutane.

— Vous êtes prêtre ? lui demande-t-elle. Je n'en ai jamais vu ici.

— Maintenant, il y en aura un, répond-il du ton de celui qui ne veut pas engager la conversation.

Elle observe le beau tissu de sa soutane, de même que sa valise en cuir fin. Son voisin a les yeux tournés vers le décor mais on ne voit pas grand-chose, la nuit recouvre tout. On n'entend que les criailleries du moteur. Les autres passagers de l'autocar ne parlent pas entre eux. Quand la patache fait halte, tout en haut sur la place, le prêtre s'éloigne vers l'église, tire de sa poche une clé et ouvre une porte sur le côté.

1. Journée de la foi. Il s'agit de la foi nuptiale (18 décembre 1935).

Carmela s'éloigne dans l'autre sens, portant à bout de bras son sac lourd de livres et de journaux. C'est la seule récréation qu'elle s'autorise. Autrement, se dit-elle, je deviendrais folle.

Le dimanche suivant, elle va à la messe. Le prêtre rencontré dans l'autobus officie. Il se présente aux gens du village, plus nombreux que d'habitude. Il s'appelle Eugenio Pallavicino. C'est un homme maigre au visage creusé, soixante-quinze ans ou un peu plus, il dit être envoyé par l'évêque pour montrer que le Seigneur n'oublie pas ses enfants les plus déshérités, qu'il est non seulement un serviteur de Dieu, mais aussi celui de tous les gens du village, même de ceux qui ne croient en rien, s'il peut apporter un réconfort. À la fin, il a un sourire un peu timide. Mais, pense Carmela, c'est un sourire qui éclaire.

Dans la semaine, elle le croise à plusieurs reprises dans les rues du village où il donne l'impression de se démener, à force de visites aux uns et aux autres. Son nom circule. Maintenant, on connaît Carmela. Elle se mêle aux conversations. C'est une femme sans histoires. Peu importe d'où elle vient, de quoi elle vit. Les gens d'ici ont cette élégance des pauvres qui s'abstiennent de demander aux riches d'où ils tirent leur fortune.

Un jour, le prêtre célèbre un mariage. Cela fait plusieurs années que cela n'est pas arrivé. C'est donc une fête exceptionnelle à laquelle participent tous les habitants. Don Pallavicino fait un très beau prêche d'un niveau, remarque Carmela, peut-être trop élevé pour le public. Il a une voix modulée, mélodieuse, qui tranche avec le sabir mâtiné de dialecte auquel sont familiarisés les fidèles. On sent que c'est un homme accoutumé à s'exprimer en public devant une assistance choisie. Il faudra, se dit Carmela, qu'il se mette à la portée de ceux qui l'écoutent. Des enfants s'approchent de don Pallavicino, l'entourent et lui parlent dans leur langage. Lui leur répond comme il peut, fait des efforts pour engager une conversation. On sent qu'il n'a pas l'habitude, mais il tente de son mieux de dissimuler ce vide, de nourrir les rapports avec les enfants. Carmela sourit, elle entre dans le cercle et détourne l'attention. Lui est plutôt soulagé. Quand les enfants sont partis vers d'autres jeux, il la remercie. Elle hausse les épaules.

— Ce n'est rien, dit-elle.

— C'était vous dans l'autocar ?

Elle hoche la tête.

— J'ai vu que vous aviez des livres dans votre sac. C'est plutôt rare ici.

Elle hausse encore les épaules et explique que les livres font partie de sa vie, qu'elle ne peut s'en passer, d'où ces courses à la ville une fois par semaine. Il ne lui demande plus rien. Ce serait inconvenant. Il la salue et s'éloigne.

Les semaines suivantes, elle le croise souvent dans le village, observant que, depuis son arrivée, la population s'est accrue, comme si la présence d'un curé à demeure avait eu cet effet.

Un jour, c'est lui qui vient toquer à sa porte.

— Excusez-moi, dit-il, un peu affolé, il y a une femme qui accouche plus loin. On est venu me chercher, cela se passe mal. Le *podestà* a appelé un médecin, mais il ne peut pas venir tout de suite. Je suis gêné parce que je suis un homme.

— Je ne suis pas médecin, mais je viens.

Elle avait l'habitude d'aider les vaches à vêler au domaine. La femme gémit, l'enfant ne passe pas, il va mourir et la mère aussi si cela continue. Carmela demande que l'on fasse bouillir de l'eau, s'empare d'un petit couteau qu'elle plonge dans la bassine. Les femmes et les génisses, c'est pareil dans ces moments-là. Don Pallavicino prie derrière la porte. La femme ne dit plus rien, la sueur perle sur son visage et les vieilles, elles aussi, prient Dieu. À les écouter, la mère et l'enfant sont perdus. Se souvenant des recommandations du vétérinaire et rappelant ses souvenirs d'accoucheuse de bêtes, Carmela incise du mieux qu'elle peut. Les vieilles regardent le spectacle, effarées.

— Encore de l'eau, demande Carmela, du linge aussi.

Un quart d'heure plus tard, l'enfant est vivant, la mère a du sang partout. Le médecin arrive et coupe le cordon.

— Je vais la descendre à l'hôpital, mais elle vivra. C'est vous qui lui avez ouvert le ventre ? demande-t-il à Carmela.

— Oui, c'est moi, je…

— Vous l'avez sauvée, dit le médecin. C'est son premier enfant, mais c'est aussi son dernier. Maintenant, aidez-moi, on va la transporter dans ma voiture.

Le lendemain, le mari vient remercier Carmela. Il lui apporte un fromage et une bouteille de vin, c'est tout ce qu'il peut offrir. Puis c'est don Pallavicino qui a eu des nouvelles par le *podestà*. La mère et l'enfant se portent bien. Carmela lui sert un verre du vin apporté par le père. Il hésite, puis le boit. C'est un vin dur, un peu râpeux, mais on ne trouve que ce genre de vin dans la région, elle s'excuse.

— Pas mauvais finalement, dit don Pallavicino.

Son regard fait le tour des livres rangés sur les étagères, il lit les titres et le nom des auteurs.

— Prenez ceux que vous voulez, vous me les rapporterez plus tard. J'ai lu tous ceux du haut.

Il hoche la tête et en choisit trois. Cela lui manquait, confie-t-il, et il n'a pas eu l'occasion de descendre en ville. Ce sont les gens qu'il faut conquérir, maison par maison, dans ce village. Les habitants veulent bien l'accueillir, mais il doit connaître les histoires de chacun s'il veut mener à bien son ministère. Puis il parle des livres, des derniers qu'il a lus. Il évoque l'histoire de l'Église depuis l'Antiquité. Carmela l'écoute, époustouflée par son érudition.

— Excusez-moi, je m'emballe souvent sur ce sujet, et je me montre ennuyeux.

— Pas du tout, c'est passionnant, dit Carmela, même l'évêque de Palerme…

— C'est de là que vous venez ?

— Oui.

— Pardonnez-moi si je suis indiscret. Vos traits me rappellent quelqu'un, je vous ai déjà vue, mais je ne sais plus dans quelles circonstances. D'autant que je ne suis jamais allé en Sicile.

— Nous ne nous connaissons pas, don Pallavicino, je puis vous le certifier.

Quand elle le raccompagne à la porte, il a quand même cette question :

— Pardonnez-moi encore, vous n'êtes pas tenue de me répondre, mais que fait une personne comme vous dans un endroit pareil ?

Elle hésite un instant, puis :

— Je suis en exil. C'est la seule réponse que je puis vous faire.

— Ah, l'exil... Vous aussi !

58

Ils sont là, les *ras*, Hailu Chebbede, Belay Maru, Latibelu Gabre, certains ont appris la guerre à Saint-Cyr, d'autres à Sandhurst, d'autres encore dans les meilleures écoles militaires de Belgique comme *ras* Immiru. Ils sont cinq mille au début, puis dix-huit mille, sans compter les soutiens et les enrôlements spontanés des civils éthiopiens. Ils connaissent la guerre des Occidentaux et aussi la guerre des Africains, et ces deux sciences produisent des résultats stupéfiants.

Les Éthiopiens occupent les hauteurs, les Italiens sont retranchés dans la cuvette d'Abi Addi. Deux bataillons, puis six de chemises noires défendent la cité. La première bataille du Tämbien va commencer, à l'aube du 22 décembre 1935.

Mori a reçu l'ordre d'attaquer, il faut conquérir

une hauteur qui s'appelle Amba Tzelleré, d'où les *ras* lancent leurs attaques.

— Attaquer une colline infestée d'ennemis, cela me rappelle quelque chose, dit Nino.

Lorenzo échange un sourire avec son compagnon. Tous deux ont reconstitué le binôme de l'époque des *arditi*. À l'instant de l'assaut, ils s'élanceront ensemble, chacun surveillant l'autre pour le protéger.

— *Avanti Savoia !*

Le vieux cri de guerre a été lancé. Les chemises noires attaquent la colline couverte d'une végétation épaisse. Les *ras*, en haut, savent qu'il ne faut pas tirer trop vite. Ils ne donnent l'ordre qu'une fois les Italiens engagés dans les bois. Et là, les Éthiopiens, parfois équipés des derniers fusils Mauser bien supérieurs aux fusils italiens, ouvrent le feu. Dans la petite forêt qui tapisse l'Amba Tzelleré commence une mêlée furieuse. Les mitrailleuses italiennes ne servent plus à rien. C'est au corps à corps que cela se passe. Fracas mélangé de coups de feu, de cris d'assaut et de cris de douleur, de claquements des lames qui s'entrechoquent. Lorenzo a retrouvé ses réflexes de combattant à l'arme blanche, Nino a dégainé son poignard à lame longue qu'il a apporté de Sicile. Mais les Éthiopiens sont équipés de sabres courbes qu'ils manient avec une extrême habileté.

L'ordre de retraite est donné. Mori et Nino l'exécutent avec regret. Tous deux sont couverts de sang, de longues estafilades sur tout le corps. Mori a remplacé sa main de bois par le crochet de Gangi, Nino rengaine son poignard qu'il a essuyé aux feuilles des arbres. Ils ramassent les sabres éthiopiens abandonnés dans la mêlée et les glissent dans leur ceinture. Quelques avions de chasse envoyés par Badoglio s'éloignent, ils n'ont pu tirer, de peur d'atteindre les chemises noires. Dans ce type de combat, ils ne sont pas plus utiles que les mitrailleuses.

Le répit ne dure pas. Les *ras* envoient leurs troupes à la contre-attaque. Les chefs en tête, ils dévalent la colline par vagues successives, brandissant leurs fameux sabres. Les mitrailleuses répliquent, mais sans succès. Les Éthiopiens atteignent les lignes italiennes, déciment les officiers, abattant les servants de mitrailleuses à coups de lame, et s'emparent des pièces d'artillerie. Lorenzo et Nino se battent avec les sabres ramassés, mais rien ne peut arrêter les assaillants qui semblent passer à travers les rafales, arrachent les fusils des soldats et frappent d'un coup, généralement mortel. C'est la défaite. Lorenzo et Nino reculent, mais restent en tête des hommes. Soudain, un bruit dans le ciel. Un avion solitaire. Il pique sur les Éthiopiens, le pilote manie la mitrailleuse en même temps que les commandes. Du coup, l'attaque ralentit, les Éthiopiens gisent au sol, couchés en ligne. Mais les autres continuent, même si la pression s'est allégée.

— Il est gonflé, celui-là ! crie Nino en désignant l'avion qui descend très bas.

Les chemises noires se replient comme elles peuvent, il faut abandonner la cité d'Abi Addi. Elle est perdue, et la moitié des bataillons y sont restés. C'est à ce moment-là que Lorenzo montre l'avion. Une fumée noire s'échappe du réservoir. Le pilote atterrit un peu plus loin. Les Éthiopiens l'ont repéré, une dizaine d'entre eux s'élancent vers l'appareil. Lorenzo s'empare d'une mitrailleuse, Nino du trépied et des bandes. Les voici qui courent derrière les Éthiopiens, eux hurlant et faisant des moulinets avec leurs sabres. On sait que lorsqu'ils s'emparent d'un pilote, ils le découpent en morceaux. Quelques coups de feu. C'est le pilote qui vide son pistolet en vain. Les Éthiopiens sont à moins de cent mètres.

— À nous ! crie Nino.

Ils posent la mitrailleuse sur le trépied, et Nino se met à tirer. Pas question d'abattre les Éthiopiens un par un. Il lance deux ou trois rafales qui atteignent leurs cibles. Il en reste trois qui se retournent vers la mitrailleuse et chargent sabre haut. Nino tire encore. L'un tombe, mais les deux autres continuent. Nino et Lorenzo contre deux Éthiopiens. Nino est blessé au bras qui tient le sabre, l'Éthiopien se précipite sur lui. Un coup de feu claque et l'homme s'effondre. C'est le pilote. Lorenzo de son côté vient à bout de son adversaire d'un coup de pointe porté à la gorge. C'est fini, sauf qu'il faut partir, les derniers éléments du bataillon abandonnent la cité d'Abi Addi.

Le pilote ôte son casque et ouvre les bras.

— Vous m'avez sauvé la vie ! s'écrie-t-il. Sans vous, j'étais taillé en pièces.

— Nous aussi, répond Lorenzo, il fallait beaucoup d'audace pour voler aussi bas.

Il range son sabre et tend au pilote sa main vivante.

— Colonel Mori du 13e bataillon.

— Galeazzo Ciano, escadrille la Disperata.

Le soir, ils dînent à la popote de Badoglio, qui a convié les officiers rescapés. Dans le communiqué officiel, l'assaut infructueux de l'Amba Tzelleré a déjà été transformé en victoire, que le général Dalmazzo qui commandait les troupes à Abi Addi n'a pas su exploiter. Les officiers échangent des regards. La prise de la cité par les Éthiopiens est présentée comme un mouvement tactique destiné à quitter un endroit sans intérêt stratégique. Le repli des survivants sous les coups de l'ennemi est passé sous silence.

Badoglio s'est entretenu au téléphone avec le Duce, il a réclamé deux divisions supplémentaires. Mussolini, hanté par la défaite d'Adoua soldée par un massacre des Italiens quarante ans plus tôt, lui en envoie trois en urgence.

Ciano a invité Mori à sa table, racontant comment il a été sauvé des Éthiopiens par son intervention.

— Vous aurez une médaille de plus, colonel, ainsi que l'homme qui vous accompagnait. Vous en avez déjà un nombre assez impressionnant sur votre uniforme, mais lui n'en avait encore aucune.

— C'est mon ordonnance, réplique Lorenzo, en réalité il a autant de médailles que moi, puisque nous les avons gagnées ensemble chez les *arditi* contre les Autrichiens, mais comme il a été donné pour mort à Vittorio Veneto et que son nom figure sur le monument de son village en Sicile, il ne les porte jamais ! Cela permet à la famille de percevoir la pension !

Éclat de rire. Les Siciliens aiment ce genre d'arnaque qui les venge un peu de tout ce que l'État leur fait subir.

— Cette médaille, poursuit Ciano, vous sera décernée pour votre comportement exemplaire au cours de l'assaut sur l'Amba Tzelleré, et non pour m'avoir porté secours. Il est inimaginable d'annoncer au peuple italien que l'avion du gendre du Duce s'est fait abattre par une bande de sauvages équipée de vieux fusils, même si c'était des Mauser dernier cri fournis par l'Allemagne ! Notre campagne éthiopienne ne peut être qu'une succession de victoires héroïques. J'en sais quelque chose, j'étais ministre de la Propagande avant de rejoindre l'Éthiopie !

Il éclate encore de rire. C'est un des rares hiérarques qui ne craignent pas de se moquer du régime. Il raconte que Mussolini déteste ce genre d'humour. Il prend Lorenzo par le bras et le conduit hors de portée de voix.

— Dites-moi, cher ami, votre nom évoque ce personnage que l'on a présenté comme le *boia* du Duce, l'homme des missions secrètes devenu par la suite le *prefetissimo* de Sicile. S'agit-il de l'un de vos parents ?

— C'était moi, répond Lorenzo.

Ciano pâlit sous son hâle. Il lui serre le bras.

— Pardonnez-moi, je suis à l'origine de votre renvoi, parce que vous avez annoncé la libération de cet homme qui passait pour le chef de la mafia, l'*ancilu mostru*, alors que j'avais annoncé sa capture grâce à de soi-disant sources d'informations à des journalistes. J'aurais dû attendre votre communiqué, mais le Duce insistait. En fait, il est condamné aux victoires. Le moindre échec est une catastrophe qu'il ne peut tolérer, car cela signifierait la fin de son infaillibilité. Il est comme le pape. Vous connaissez cette formule que l'on lit sur les murs de Rome : « *Il Duce ha sempre ragione* » ?

Lorenzo acquiesce.

— Ne me répondez pas si cela vous gêne, mais si vous le faites, cela restera entre nous. Pourquoi avez-vous libéré cet homme, ce n'était pas lui, l'*ancilu mostru* ?

— C'est surtout celui qui était avec moi à Vittorio Veneto et qui m'a sauvé la vie. Celui qui ce matin a sauvé la vôtre. C'est la seule réponse que je puis vous faire en vous remerciant de ne rien dire à personne, comme vous me l'avez proposé.

Ciano reste silencieux. La réponse de Lorenzo l'a ému.

— On ne sait jamais rien des hommes et de leur histoire, finit-il par dire. Évidemment, j'ignorais tout cela, mais on m'a dit avant mon départ pour l'Éthiopie que l'*ancilu mostru* avait disparu de Sicile. Certains suggèrent qu'il serait mort. Finalement, vous avez réussi votre mission si vous avez obtenu cela.

Pavolini, l'ami de Ciano, son compagnon quand il pilote un bombardier, vient les chercher.

— Badoglio vous attend, il veut faire une annonce.

Sous la tente, Badoglio brandit une feuille.

— Messieurs, commence-t-il, le Duce vient de m'adresser ce télégramme : « J'autorise Votre Excellence à employer tous les moyens de guerre – je dis bien tous –, tant dans les airs que sur terre. C'est une décision de principe. »

Il dépose son papier sur la table.

— L'armée italienne est autorisée à employer des gaz de guerre dans la destruction de l'ennemi !

59

Laura à Lorenzo

«*Rome, 15 janvier 1936,*
13ᵉ année de l'ère fasciste, comme on dit maintenant

Babbo,

Merci de tes lettres, elles sont courtes, mais denses. Des lettres de guerre. Inutile de te dire combien je pense à toi dans les torpeurs éthiopiennes et j'espère chaque jour que tu en reviendras. Je me doute que les communiqués de victoire dont nous abreuvent les journaux et la radio officielle ne correspondent pas à la réalité. Virginia t'attend en épouse loyale et dévouée, Sandro, en jeune *avanguardista* convaincu (j'ai renoncé à lui faire part de mes sentiments envers le fascisme, car je me heurte à un mur). La *nonna* aussi, d'autant plus qu'elle a trouvé ton nom sur une liste d'officiers décorés au combat. Elle a affiché la page du journal sur un mur du salon.

Je n'ai pas encore eu le courage d'aller chez ton ami Alberto récupérer les documents dont tu m'as parlé. J'ai l'impression que je vais apprendre quelque chose de terrible qui orientera ma vie de manière définitive. Trop de Julia en moi, peut-être, ou trop tôt. J'irai plus tard. Il me faut souffler et j'ai besoin d'un peu de temps avant de sauter le pas. D'autant qu'à chaque voyage à Vérone je ne manque pas de visiter *mio nonno*. C'est un vieil homme solitaire et amer, qui s'est pris d'affection pour moi, peut-être parce que je suis la seule qui n'attend rien de lui.

Il connaît mes opinions, il ne les partage pas, mais cela importe peu. Quand nous faisons le point de nos désaccords (et ils sont nombreux !), il finit toujours par me dire : “Tu es comme Julia !”

Car Julia l'obsède, un peu comme toi, mon cher père, et comme moi maintenant. Le vieux Di Stefano a exhibé ses cahiers d'école, ses bulletins scolaires, les poésies qu'elle écrivait enfant et toutes ses photos depuis le berceau jusqu'à l'album de son premier mariage. J'ai découpé Julia et jeté le Galluzzi. Ma mère est maintenant affichée dans ma chambre à l'université et les copains sifflent en la voyant. Oui, mon cher père, des garçons viennent dans ma chambre, en cachette bien sûr, car c'est strictement interdit par l'Église et la bienséance fasciste. Mais ils viennent quand même en usant de ruses et de stratagèmes qu'il vaut mieux ne pas te décrire. En fait, il n'y en a qu'un, Emilio, dont je ne te dirai rien, sauf que j'entretiens avec lui ces rapports que la morale réprouve mais que la passion encourage. Ne t'indigne pas, *Babbo*, souviens-toi de ta propre jeunesse, avec Julia justement. Ta mère en savait beaucoup sur ce terrain, notamment sur une certaine chambre près des remparts, même si elle n'en a rien dit à personne, sauf à moi ! Je suis amoureuse, *Babbo*, c'est ce qui compte et qui m'empêche sans doute d'aller consulter ces papiers chez ton ami Alberto. Il faut que les choses se calment dans mon cœur.

J'en ai parlé avec Emilio, lui me dit que je devrais le faire, mais que rien ne presse. Il veut me garder comme je suis aujourd'hui, paisible et heureuse. Car je suis heureuse, *Babbo*. Reste en vie, je t'en supplie.

Laura »

60

Don Pallavicino et Carmela ont deux ou trois fois par mois ces conversations paisibles qui sont le signe de l'accord des esprits. Elle se raconte maintenant, de sa voix mâtinée d'intonations siciliennes. Pourquoi lui pose-t-il toutes ces questions dans ce qui est un échange parfois si intime ? Tout ce qu'elle constate, c'est qu'elle en retire un bien, sans qu'elle puisse le qualifier de manière plus précise.

— Grâce à vous, je me sens de plus en plus légère.

— Attendez, lui répond-il, le chemin n'est pas fini, ce sont des affaires qui durent.

Plus tard, elle aborde sa rencontre avec Nino, les librairies, le gravier sur les volets, les courses la nuit sur la lande sicilienne... Ce sont peu ou prou les mêmes récits déjà donnés au Cavalcanti, mais don Pallavicino pose d'autres questions, s'intéresse à des détails différents. Il voit des symboles qui le font s'exclamer, des circonstances sur lesquelles il veut s'attarder, multipliant les questions, la faisant remonter dans la mémoire, celle des voix, des bruits, des couleurs et des odeurs, de la forme des objets. D'autres s'en irriteraient. Pas Carmela, tant il lui semble au travers de ces entretiens entrevoir des clés et des portes insoupçonnées. Au fur et à mesure, elle s'aperçoit que don Pallavicino s'épuise. Il semble à Carmela qu'il a maigri encore, que sa voix mélodieuse de prélat romain se raucifie.

— Vos visites me font beaucoup de bien, mais j'ai l'impression qu'elles vous nuisent. Je vais mieux, vous allez plus mal.

— Vous croyez ? répond-il avec son sourire fatigué.

Quand elle en vient à aborder cette fameuse nuit où don Tomasini a été étranglé et où avec Nino elle a conçu Salvatore, il préfère l'arrêter :

— Ne me dites rien là-dessus. J'ai lu *Lei*, cela me suffit.

— Vous l'avez lu ? Vous saviez que c'était moi ?

— Je vous ai reconnue très vite, à cause de la photo.

— Mais vous l'aviez déjà lu ?

— Évidemment. C'est un ouvrage très riche d'informations et de questions pour quelqu'un comme moi.

Elle n'ose pas aller plus loin. Pour changer de sujet, elle désigne une bague qu'il porte à son doigt.

— Que signifie-t-elle ? Pouvez-vous me le dire ou est-ce un secret ?

Il a encore un sourire fatigué.

— J'ai le droit de la porter et, de toute manière, mon doigt ne me permet plus de l'enlever. Il faudrait la faire cisailler mais je n'en ai pas le courage.

Il ajoute après un instant :

— C'est une bague d'évêque.

— Vous ne l'êtes plus ?

— Je le suis toujours, mais je n'ai plus d'évêché. Je suis ce qu'on appelle un évêque *in partibus*.

— Qu'est-ce que ça veut dire ?

— Lorsque le pape désapprouve le comportement d'un évêque, il ne peut lui ôter cette qualité, mais le change d'évêché. Alors il le nomme dans un lieu désert. Je suis donc devenu l'évêque d'une contrée africaine peuplée de singes, d'éléphants et de rhinocéros dont j'ai oublié le nom. En signe de bienveillance particulière, on m'a permis d'occuper une cure vacante, à condition que le Vatican n'entende plus parler de moi. C'est ainsi que je suis arrivé dans ce village où je resterai jusqu'à la fin de mes jours.

— Mais qu'aviez-vous fait pour mériter ce sort ? demande-t-elle, stupéfaite.

— Oh ! j'avais écrit un livre. Vous voyez, les livres nous nuisent à tous les deux. Et pourtant…

— Quel livre ?

Il tire un volume de la poche de sa soutane.

— Je vous l'ai apporté, je pensais bien que vous obtiendriez de moi cette confession.

Elle lit sur la couverture ce titre : *Psychanalyse des religieux*.

— C'est pour cela que l'on vous a chassé ? Pour ce livre ?

— C'est un livre maudit, comme *Lei*. Ce que j'ai écrit est inacceptable pour le dogme de l'Église. Pie XI ne pouvait faire autrement. L'une des conditions de sa bienveillance était que le livre soit retiré des librairies et mis au pilon. J'ai sauvé quelques exemplaires. J'étais déjà psychanalyste quand j'ai été ordonné prêtre.

Son sourire s'élargit.

— Le pape est comme le Duce, il a toujours raison.

Pendant plusieurs semaines, il ne vient plus. On ne le voit plus dans le village et le bruit court qu'il est malade. Carmela finit par aller sonner au presbytère. Une vieille lui ouvre.

— Il ne reçoit personne. Dites-moi ce que vous voulez.

— Dites au père que c'est Carmela Tomasini.

Elle revient, toujours revêche.

— Entrez, mais cinq minutes, pas plus.

On entend derrière la porte la voix du père :

— Ne l'écoutez pas ! On prendra le temps qu'il faudra.

Elle le trouve dans un fauteuil, une couverture sur les genoux, il lit son bréviaire.

— Je vais beaucoup mieux, annonce-t-il, j'ai eu un coup de fatigue, je vais pouvoir reprendre mes activités.

Il frotte ses vieilles mains osseuses l'une contre l'autre, en signe de sa guérison imminente. Elle remarque que ses traits se défont un peu plus autour de la bouche et des yeux. Seul le regard est intact, vif, presque joyeux.

— Alors, Carmela, reprend-il, j'ai refusé de parler de *Lei* l'autre jour et j'ai eu tort.

Il se met à évoquer le livre et semble le connaître mieux qu'elle, avec tout ce qu'il a remarqué et qu'elle a oublié.

— Et après, que s'est-il passé ? demande-t-il.

Elle lui parle de l'affaire du Cucco, de l'arrestation

de Nino, de sa libération, du complot au sein de Cosa Nostra, de son enfant qui s'est fait tuer dans les murs de la ferme de son père, là où elle allait le rejoindre la nuit au tout début. Le lieu de l'assassinat était le signe que c'était Nino qui était visé.

— Et après ? insiste-t-il.

Elle lui raconte l'histoire de la donation du domaine à Beppina, de la lettre de rupture à Nino. Elle devance sa question :

— Alors je suis venue dans le village le plus perdu, le plus désolé que j'aie trouvé pour y vivre seule et expier.

— Et lui, qu'est-il devenu, Nino ?

— Je l'ignore. Mon amie Luciana dit dans sa lettre qu'il est parti à la guerre.

— Il y a une guerre en ce moment ?

— Oui, en Éthiopie.

— Ah, j'avais oublié ! Je ne m'intéresse pas aux guerres.

Il se tait maintenant. Elle s'aperçoit qu'il dodeline de la tête en fermant les yeux. Il s'est endormi, la vieille fait irruption, l'air furieux.

— Vous êtes restée trop longtemps, voilà ce que ça lui fait. Il faut le laisser tranquille, jusqu'à la fin.

— Il m'a dit qu'il allait mieux, mais je n'en crois rien.

La vieille hausse les épaules tout en arrangeant la couverture.

— Je vous répète qu'il faut partir et lui ficher la paix.

— Mais enfin, reprend Carmela, je sais que le médecin est venu. Dites-moi au moins ce qu'il a !

— Ce qu'il a, ma belle, c'est la mort qui vient. Voilà ce qu'il a !

Le lendemain, elle s'engouffre dans la patache et se fait conduire à la ville. Une demi-heure plus tard, elle tambourine à la porte de l'évêché.

— Je veux voir Monseigneur, demande-t-elle au jeune prêtre qui fait office de portier.

— Ce n'est pas son jour de réception. Revenez la semaine prochaine.

— Je veux lui parler de don Pallavicino.

— Je vais voir.

Il revient un moment après, l'air important.

— Quelques instants seulement, Monseigneur a des engagements ce matin.

L'évêque a un air ennuyé dont il ne se départ pas. Elle comprend au bout de quelques instants que c'est son air habituel.

— Don Pallavicino ne va pas bien du tout. Il paraît qu'il va mourir.

— Je n'y puis rien, dit l'évêque, c'est le sort promis à tout un chacun. Il n'est pas dans les pouvoirs de l'Église d'arrêter le cours de la vie et de la mort. Seul Notre-Seigneur Jésus y est parvenu avec Lazare. Mais c'était il y a très longtemps, et c'était le Fils de Dieu.

— Vous n'allez rien faire ?

— Je vous remercie de votre visite, ma fille.

Et il lui tend son anneau à baiser. Il ressemble à celui de don Pallavicino.

Le soir, elle remonte au village, un peu désespérée. La vieille entrouvre seulement la porte.

— Aujourd'hui, rien, déclare-t-elle. Votre visite d'hier l'a épuisé. Il dort. Maintenant, il faut le laisser.

— Dites-lui au moins quand il s'éveillera que je suis allée voir l'évêque.

La vieille lève les yeux au ciel.

— Celui-là, c'est le dernier qu'il faut aller voir ! C'est son garde-chiourme ! Il répète tout au Vatican.

Et elle claque la porte au nez de Carmela.

Le lendemain, la vieille ne répond pas à la sonnette. Le judas s'entrebâille, puis se referme avec un claquement.

Carmela croise le médecin dans le village.

— Don Pallavicino ? demande-t-elle.

Il secoue la tête.

— Rien à faire. Il faut le laisser s'en aller maintenant. Il est au bout.

Deux jours plus tard, une limousine aux rideaux baissés apparaît dans la rue principale. Sur les portières, deux clés croisées. C'est une voiture du Vatican. Il en sort un ecclésiastique avec une cape et un chapeau noir à large bord. Il porte de fines lunettes rondes. Derrière, une ambulance avec des infirmiers et le médecin. Cette fois, la vieille consent à ouvrir la porte de la cure. Don Pallavicino apparaît sur le seuil quelques instants plus tard. Il accepte qu'un des infirmiers porte sa valise et lui tienne sa canne, mais il refuse le soutien de l'ecclésiastique au chapeau, qui pourtant le traite avec respect et ouvre lui-même la porte de l'ambulance.

— Un instant, demande don Pallavicino en

apercevant Carmela parmi le groupe qui vient de se former.

Il s'avance vers elle, la prend par le bras.

— Ma chère amie, Sa Sainteté me réclame. Elle veut me voir ce soir même au Vatican. Elle m'a envoyé Mgr Pacelli qui est déjà son âme damnée avant de devenir le prochain pontife. Il est aussi celui qui a fait son rapport au pape sur le livre que j'ai écrit. Mais il paraît qu'un avion nous attend pour m'emmener. Ce sera peut-être la seule occasion de voir le ciel de près.

Il s'écarte plus loin, la tenant toujours par le bras.

— Écoutez, Carmela, on peut penser sans risque de se tromper que nous ne nous reverrons pas dans cette vallée de larmes. Ces derniers jours, le sommeil m'a permis d'y voir plus clair. Sachez que vous avez tort de vous croire responsable de quoi que ce soit dans le meurtre de Salvatore. Vous avez été entraînée dans des événements que vous ne pouviez maîtriser. C'est le destin qui a tout fait.

— Le destin, c'est Dieu ?

— Évidemment ! Laissez-le assumer et ne prenez pas sa place. Vous êtes jeune. Quittez ce village. Votre exil n'est pas justifié. Partez, je vous en conjure. C'est ce que je voulais vous dire. Vous n'avez plus rien à faire ici.

— Monseigneur Pallavicino, s'écrie Mgr Pacelli de sa voix huilée de grand dignitaire, l'avion nous attend.

— Je viens, monseigneur Pacelli. J'emporte mon livre pour en faire présent à Pie XI. Je suppose que c'est ce qu'il attend de moi pour le lire en cachette. Adieu à tous. Adieu, Carmela. N'oubliez pas ce que je vous ai dit. Faites vos bagages, partez, et si vous le pouvez, retrouvez Nino !

61

— Cette fois, dit Lorenzo, si nous gagnons la bataille, ce ne sera pas grâce au gaz.

Les hommes qui l'entourent approuvent en silence. Ces rudes chemises noires en sont à détester leur propre aviation et ses bombes à gaz réglées pour exploser à deux cent cinquante mètres du sol et répandre sur l'ennemi une pluie de gouttes. C'est la pluie mortelle des Italiens. Chaque goutte, une plaie, chaque bulle de gaz, un mort. Du poison qui tombe du ciel, infectant lacs et rivières, et surtout l'atmosphère. Qui respire le gaz meurt aussitôt, qui boit l'eau ou goûte la nourriture contaminée meurt un peu plus tard. Sur les zones où le gaz a été répandu, le silence. Hommes et bêtes gisent au sol, femmes et enfants aussi, constellés de plaies, la bouche béante. La première guerre fasciste est une guerre à l'hypérite. Canons, mitrailleuses et fusils ne sont plus que des armes d'appoint.

— Compagnons, dit Nino, vérifiez vos armes et vos munitions. Les Éthiopiens attaqueront cette nuit et, comme le dit le colonel Mori, nos positions sont trop proches pour que l'état-major se décide à envoyer des avions avec leur chargement maudit.

C'est le 31 mars 1936, la nuit est tombée et les

chemises noires sont retranchées derrière des fortifications. Quarante mille hommes environ, les meilleures troupes des régiments érythréens, sans compter les *alpini* venus du Piémont, de la Ligurie et de la Vénétie... Des hommes aguerris qui tirent juste et ne reculeront pas.

En face, à quelques centaines de mètres seulement, dissimulés par la nuit, les guerriers du *ras* Hailu Chebbede, ceux qui se sont si bien battus sur l'Amba Tzelleré. Les mitrailleuses lourdes éthiopiennes Hotchkiss et Colt ont été disposées par le *casmagnac*, Chefle Ergatu, le commandant de l'aile droite de l'armée, qui a appris la guerre à l'école militaire de Saint-Cyr d'où il est sorti parmi les premiers. Les Italiens ne dorment pas. Certains somnolent, mais les veilleurs se succèdent derrière le parapet. Tous sont prêts au combat.

— Tu sens le danger, Nino ? demande Lorenzo.

— Je le sens très fort. Il paraît qu'Haïlé Sélassié est présent. C'est la dernière bataille. Si nous la perdons, il aura gagné la guerre et le Duce ne s'en remettra pas.

Pas un bruit côté italien. En face, c'est comme un immense murmure des quarante mille Éthiopiens prêts à bondir.

À cinq heures quarante-cinq, on entend distinctement deux coups de fusil. C'est un signal. Puis ces deux cris : *Macalle ! Allage !* Ce sont des cris de guerre.

— Attention, les voilà !

La bataille de Mai Ceu vient de commencer. Les bataillons éthiopiens se jettent en avant. Dans la lueur de l'aube, leurs mitrailleuses ont commencé à tirer et l'élan des attaquants est irrésistible. Arrivés devant les tranchées, ils jettent leurs fusils et brandissent les sabres. C'est ainsi qu'ils conquièrent les trois premières tranchées, là où les points de jonction entre les bataillons sont le moins solides. Les chemises noires n'ont d'autre choix que de se replier. À la quatrième tranchée, Lorenzo s'écrie :

— *Non passeranno !*

— *Non passeranno !* répètent les hommes.

C'est encore la mêlée, comme sur l'Amba Tzelleré en décembre. Sabres contre mitrailleuses et fusils qui, de près, ne servent à rien. Lorenzo a dégainé son pistolet, qui est vide maintenant. Il est blessé au visage, Nino aussi. Les hommes tiennent. Souvent, ils tombent, mais ils tiennent. Certains, comme leurs chefs, se sont munis de lourds sabres de cavalerie qui valent bien les armes blanches éthiopiennes. Hurlements et coups de feu, staccato des mitrailleuses Hotchkiss, odeurs de poudre brûlée et de sang frais. L'élan éthiopien est brisé, les *ras* donnent le signal du repli. Soudain, un grondement dans le ciel. Ce sont les avions. Pas de gaz, mais soixante-dix appareils qui volent au ras des nuages et lâchent leurs rafales sur les arrières éthiopiens.

Cette bataille sur la terre et dans le ciel dure toute la journée. Les Italiens ont reconquis deux tranchées sur trois, mais les Éthiopiens ont investi une colline qui s'appelle « le doigt renversé ». Ce sont les bataillons de la garde impériale, instruits pendant deux ans par la mission militaire belge. Et les combats reprennent jusqu'à la nuit, puis, quand l'obscurité est tombée, elle ralentit un peu avant de recommencer.

Les mitrailleuses éthiopiennes font des ravages sur les officiers italiens à cheval. Les animaux, affolés, galopent sur le champ de bataille, la selle vide. Mais, à l'aube, c'est la contre-attaque, baïonnettes au canon. À nouveau, le heurt entre ces hommes qui se jettent les uns sur les autres, les lignes qui se traversent, les combats singuliers ponctués de coups de fusil et les rafales de mitrailleuses. La terre boit le sang après avoir bu l'hypérite.

Les hommes de Lorenzo, accompagnés de Nino, filent vers les lignes ennemies.

— *Avanti !* crie Lorenzo. *Avanti !*

Et ils crient tous *Avanti !*, les officiers comme les hommes. Une journée sans manger, sans boire, les gourdes et les besaces sont vides et le *rancio*[1] n'est pas arrivé. Côté éthiopien, c'est pire, car les hommes n'ont osé ni manger ni boire à cause de la contamination, mais ils se battent toujours. Quand les lignes éthiopiennes sont traversées et que l'on entend des cris de victoire, Lorenzo s'arrête. Il n'en peut plus. Il essuie le sang sur sa joue avant de repartir en avant. C'est à ce moment qu'il crie :

— Nino !

— Ici !

Il se retourne. Nino est adossé à un monticule de terre couvert de cadavres, de sabres et de fusils. Sur sa tenue de combat, à hauteur de la poitrine, une large tache de sang. Lorenzo se précipite et se penche sur lui.

— Tu es touché ?

---

1. Ravitaillement.

— Je crois.

Il a une sorte de sourire et saisit le bras de Lorenzo.

— C'est bien que ce soit ici, que ce soit maintenant, avec toi.

Il essaie encore de parler, mais n'y parvient plus. Lorenzo essuie sa bouche pleine de sang.

— Écoute…, dit Nino.

Il s'arrête, rassemble ses forces.

— Occupe-toi de Carmela, dit-il encore dans un souffle.

Sa tête bascule en arrière. Il est mort, Nino.

62

Quand elle sort du palazzo Di Stefano après la visite rituelle à son grand-père, souvent ponctuée d'un déjeuner et parfois de discours nostalgiques, Laura a l'impression fugitive d'être suivie. Cela lui est déjà arrivé, toujours dans les mêmes circonstances. Une femme, lui semble-t-il, dont elle trouve la silhouette attachée à ses pas et qu'elle reconnaît maintenant, à force d'identifier son reflet dans les vitrines de la via Mazzini. Au début, elle a cru à un hasard, mais la répétition vaut preuve. Que lui veut cette femme ? Elle cherche d'abord à la semer, puis, exaspérée, se retourne et l'aborde.

— Signora, pourquoi me suivez-vous ? Qu'attendez-vous de moi ?

La suiveuse est d'âge mûr et vêtue comme une

ouvrière ou une domestique. Ce que remarque Laura, c'est son regard un peu exalté, où on lit de la crainte aussi.

— Pardonnez-moi, je voulais connaître votre adresse pour vous écrire.

— M'écrire ! Eh bien, dites-moi ce que vous vouliez m'écrire, ce sera plus simple !

— Pas ici, dans cette rue. Ce ne sont pas des choses à dire au milieu de tous ces gens qui passent, ces dames qui font leurs courses et qui vous connaissent peut-être. Moi, ce n'est pas grave, je fais partie de celles qu'on ne remarque pas.

Laura commence à être agacée. Elle craint un piège, un guet-apens pour la voler ou pire.

— Écoutez, signora, si vous ne voulez pas me parler, ce n'est pas grave. Mais je ne donne pas mon adresse à une personne qui me suit dans la rue. Cessez de me suivre, sinon j'appellerai les carabiniers !

La femme baisse la tête. Son regard a changé, il s'y mêle une sorte de désespoir. Soudain elle se lance :

— Je m'appelle Lauretta Terramorsi, et toi, c'est Laura. Ta mère t'a donné ce prénom parce que tu es née chez moi où elle habitait pendant la guerre en juillet 1917. Ta mère, c'est Julia ! La fille du vieux salaud !

— Où voulez-vous qu'on aille ? demande Laura d'une voix radoucie.

Elles vont chez Lauretta, dans le quartier des pauvres, de l'autre côté du fleuve. C'est petit, modeste mais bien tenu. Lauretta montre son grand lit.

— C'est dans ce lit que tu es née, commence-t-elle. Un bel enfant ! Ah ça, un bel enfant !

Elle prépare du café tout en parlant, elle raconte la vie qu'elles avaient avec Julia. Les copines de l'usine et du syndicat.

— On était encore plus pauvres que maintenant. Le vieux nous payait mal et le *caposquadra* voulait profiter de nous parce qu'on était jeunes, et plutôt belles. Un jour, il s'en est pris à Julia qui était enceinte. Elle l'a remis à sa place. Ah, il fallait voir ça, devant toutes les ouvrières de l'atelier ! Le lendemain, elle est venue s'inscrire au syndicat où elle a été bien accueillie. Elle au moins, elle savait parler.

Laura l'écoute en buvant son café. De temps en temps, elle pose une question.

— Ma mère n'était pas une ouvrière. De quel atelier parles-tu ?

— Des usines du salaud, *per Dio*. Son propre père qui ne savait pas qu'elle était là, bien sûr. Il en avait tellement, des ouvrières à fabriquer des obus, il ne pouvait pas toutes les connaître ! Ce qu'il voulait, c'était livrer à temps ses commandes à l'armée. C'est comme ça qu'il a commencé sa fortune. C'était un *pescecane* ! Tout le monde le sait à Vérone, mais personne n'ose rien dire parce qu'il est devenu un *pezzonovante*[1] chez les fascistes maintenant, et qu'ils l'ont même nommé *podestà* à la place du maire. Elle n'avait plus d'argent, ta mère, même si Lorenzo lui envoyait la moitié de sa solde. Ça ne suffisait pas, avec moi qui étais malade et l'enfant qui allait venir. Alors, elle a pris ma place à l'usine en utilisant mon nom. Personne n'a rien vu. Il y avait tellement d'ouvrières.

---

1. Littéralement, un poids de 90, au sens de « gros bonnet ».

Nous, les pauvresses de Vérone, on allait y travailler, parce que le peu qu'on nous donnait, c'était toujours ça, même s'il fallait y passer avec le *caposquadra* dans les vestiaires, qu'il était sale et puait le vin. Tant pis ! C'était ça ou ramasser les quignons de pain dans les poubelles. D'ailleurs, il n'y avait même plus de pain. C'était pour ça, la manifestation. Les salaires et le pain !

Elle s'arrête un instant.

— Surtout le pain, et le lait aussi, reprend-elle à voix basse avant d'éclater : Les hommes, ils étaient à la guerre, ils avaient le *rancio*. Ce n'était pas bon, mais au moins ils mangeaient ! Quand ils venaient en permission, ce n'était pas le moment de leur refuser quelque chose. Alors, on se ramassait des gosses. En veux-tu, en voilà. Après, on apprenait que le père était mort en héros ou il revenait infirme, et il fallait se coltiner les gosses quand même ! Les gosses de guerre, comme on les appelait. Ah, elles étaient belles les *terre irredenti*, qu'on nous a pas rendues d'ailleurs !

Elle s'arrête encore.

— Je m'égare, Laura, pardonne-moi. Ce n'est pas pour entendre mes jérémiades que tu es venue ici.

— Un instant, demande Laura, que fais-tu maintenant ?

— Femme de chambre chez le vieux salaud. Il y avait une place et je l'ai prise, en même temps que la *tessera*[1]. Je n'y vais jamais à leurs réunions. Mais si tu ne l'as pas, tu ne trouves pas de travail. C'est comme

1. La carte du parti, section féminine.

ça que j'ai appris qu'une jeune fille venait manger chez le patron à Vérone une ou deux fois par mois, et que c'était la fille de Julia. On devrait toujours se méfier des domestiques... Alors, j'ai décidé de te suivre pour te faire une lettre, moi, la copine de ta mère que je n'ai jamais oubliée.

Elle s'assied en face de Laura, devant les tasses vides.

— J'y étais à la manifestation, j'étais juste derrière elle quand c'est arrivé. On était des milliers de femmes. Il y avait quelques hommes aussi, mais c'était notre mouvement. Alors, on était devant. Et ta mère, elle se trouvait au premier rang. Quand on a été sur le pont, les soldats nous ont demandé d'arrêter. Ta mère a dit : « Pas question, on y va ! D'ailleurs, ils ne tireront pas sur des femmes ! » Elle se trompait. Ils ont tiré quand même. Et c'est le premier rang qui a pris, moi j'ai été blessée, mais ce n'était pas grand-chose. Le pire, c'est que c'est le vieux salaud qui a fait tirer.

— Comment ça ?

— Le préfet hésitait. On l'a bien vu. Il a parlé au vieux. Mais lui était intraitable. C'était ses ouvrières et il ne supportait pas les slogans contre lui. Il a tendu le bras, il était comme un fou. On l'a entendu : « Tirez ! Tirez ! Sinon, elles vont envahir la ville. Tirez ou ce sera la révolution ! » Alors, ils ont tiré. Aussitôt, ça a été le reflux, la pagaille. On a emporté les corps des copines du premier rang. Ta mère a été tuée sur le coup. Le lendemain, on a fait la lettre à ton père toutes ensemble, et c'est moi qui l'ai écrite, car j'étais la seule qui savait écrire.

Le même jour, Laura sonne à la porte d'Alberto, l'ami de son père.

— Lorenzo m'avait prévenu. Je savais que tu viendrais, dit Alberto. Voici l'enveloppe que tu viens chercher. Je l'ai gardée pendant tout ce temps à ton intention.

Quelques heures plus tard, elle sonne à la porte du palazzo Di Stefano.

— Je viens voir le *padrone*, dit-elle au *portinaio*. Dites-lui que je n'en ai pas pour longtemps...

63

— Chère amie, dit l'éditeur Chiaramonti à Carmela, je me réjouis tous les jours d'avoir accepté la proposition de votre mari et de vous avoir recrutée comme lectrice. Puis-je vous demander si vous avez repris une vie mondaine, comme vous en aviez l'habitude à Palerme avec notre Andrea ?

Carmela ne s'attendait pas à cette question. Lorsqu'elle a quitté son exil et renoué des liens avec Andrea Cavalcanti, qui lui a proposé de s'installer à Rome, elle a accepté de lire des manuscrits pour le compte de Chiaramonti. C'est lorsqu'elle a rendu ses notes qu'elle a reçu cette invitation à le rencontrer.

— Je ne mène aucune vie mondaine, comme vous dites, ni sociale, ni rien de ce genre, finit-elle par répondre. Je ne sais pas si Andrea vous en a parlé, mais j'ai perdu mon fils dans des circonstances tragiques qui m'ont convaincue de changer de vie. Je me suis isolée dans un village de Calabre, loin de tout. C'est un ami que j'ai rencontré là-bas, en exil lui aussi, qui m'a persuadée de retrouver une existence normale après une sorte de psychanalyse. Un ecclésiastique.

Chiaramonti fronce les sourcils.

— S'agit-il de Mgr Pallavicino ? C'est moi qui ai publié *Psychanalyse des religieux*, qu'il a fallu pilonner à mon grand regret. Le Vatican était intervenu auprès du Duce et l'ordre m'en a été donné. Je ne pouvais qu'obtempérer... Mgr Pallavicino nous a quittés et il a été enterré avec les honneurs de l'Église. On dit que le pape l'a envoyé chercher en apprenant qu'il n'en avait plus pour longtemps. En réalité, il voulait s'entretenir avec lui de son livre et en lire le dernier exemplaire que notre ami s'est empressé de lui offrir.

— Je crois que c'est ce qui s'est passé. J'étais présente quand on est venu le chercher. Il y avait Mgr Pacelli.

Chiaramonti sourit. Il a une prédilection pour ce genre d'anecdote très romaine.

— Une méchanceté de Pie XI envers son protégé ! Pacelli avait obtenu la tête de Pallavicino en relevant les passages hérétiques du livre. C'était donc à lui de racheter sa faute en allant chercher l'exilé. Mais revenons-en à notre conversation. Seriez-vous prête à reprendre une existence mondaine ?

— Je ne comprends pas ce que vous voulez dire. Je vis seule. Andrea et moi sommes restés amis, mais notre mariage n'a été que de convenance. Je n'ai pas d'amant et ne vois pas pourquoi cette situation changerait.

Chiaramonti lève les yeux au ciel.

— J'ai dû mal m'exprimer. À mon âge, les femmes ne sont plus qu'un souvenir, ou de vieilles amies avec lesquelles je bavarde. En revanche, il me reste une existence mondaine à assumer en tant qu'éditeur. Je dois vous dire que je supporte difficilement ma solitude dans ces circonstances. C'est pour cela que je souhaiterais que vous m'accompagniez dans les soirées, je vous présenterais comme l'épouse de l'académicien Cavalcanti et ma directrice littéraire, ce que vous allez devenir. Il n'y aura donc aucune ambiguïté. J'ajoute que vous ferez la connaissance de quelques beaux esprits et que les mets sont succulents.

Carmela hésite un instant.

— Je vous accompagnerai, finit-elle par dire.

— Parfait, signez votre contrat et préparez-vous pour demain soir chez la princesse Colonna. J'ai prévenu que je serais probablement accompagné.

*

Le 5 mai 1936, Lorenzo, à la tête des chemises noires, suivant de près le maréchal Badoglio, participe à l'entrée des Italiens dans Addis-Abeba. La bataille de Mai Ceu a été le dernier tournant de la guerre. Le négus, Haïlé Sélassié, est en fuite, le Lion de Juda est terrassé, les fascistes sont vainqueurs et les hommes chantent :

Non più catena tu vedrai non face d'incendi !
non arbitrio ! non orrore !
Ma la feconda, la romana pace
O nuovo fiore, o nuovo italofiore[1] !

Lorenzo feint de partager l'allégresse mais ce n'est qu'une posture. Voici un mois qu'il se sent orphelin de Nino. Il a beau se dire qu'il est mort comme il l'a voulu, au combat, la plaie est toujours ouverte. Durant tous ces mois de marches forcées, d'embuscades, d'escarmouches et de vraies batailles, Nino avait été près de lui. Le soir, ils se racontaient. Et Nino le taciturne, Nino le pudique, lui avait parlé de l'hôpital avec Bianca, du retour en Sicile le jour du mariage de Carmela, du Strozzi, des retrouvailles avec Carmela et de Salvatore, de sa mort aussi, de sa mort surtout.

« À partir de ce moment, j'ai compris que tout était fini. Le billet de Carmela m'annonçant la séparation ne m'a pas surpris. Elle a parlé de fautes partagées. Je l'ai trouvée bien généreuse, il n'y avait qu'un fautif dans cette affaire, c'était moi. Elle n'avait fait que me suivre. Rien ne m'obligeait à devenir l'héritier, le successeur du Strozzi. J'aurais pu me débrouiller pour vendre ma ferme et recommencer ailleurs. En réalité, je n'ai agi que par orgueil, pour lui montrer que je pouvais vivre sans elle.

— Tu ne l'as pas recherchée après le billet ?

— Elle m'aurait rejeté et elle aurait eu raison. Elle

---

1. Extrait de la chanson d'Addis-Abeba : Plus de chaînes, ni d'incendies, ni d'horreurs ! / Mais la féconde paix romaine / Ô nouvelle fleur, ô nouvelle fleur italienne.

m'a écrit que je lui faisais horreur, et je ne voulais pas qu'elle me le répète en face. Il me restait à venger Salvatore. C'est le dernier devoir que je lui ai rendu. Après… il y a eu une guerre et, par bonheur, je t'ai retrouvé. »

Il évoquait souvent Carmela, sa manière de choisir les livres qu'elle lui remettait quand ils se voyaient. C'était un lien pour le temps où ils étaient séparés, ces livres, et Salvatore, si beau, si fier, déjà un séducteur, qui avait brillé à la *maturità*, avant d'entrer à l'université.

« Savait-il que tu étais son père ?

— Personne ne le lui a jamais dit. Mais il l'avait compris. D'ailleurs, notre ressemblance était évidente pour tout le monde.

— Et ton métier, Cosa Nostra et l'*ancilu mostru* ? Que savait-il ? »

Nino avait eu son sourire.

« Je crois qu'il savait tout, mais il ne me posait jamais de questions par respect. Un jour, il m'a seulement dit qu'il n'était pas sûr de vouloir rester en Sicile plus tard. C'est la seule allusion, elle était significative. »

Il y avait donc eu ces conversations, la nuit sous la tente, dans les déserts d'Éthiopie, avec parfois les cris des bêtes et le froissement des herbes. Maintenant, Lorenzo ne parle plus avec personne. Il donne des ordres, rédige des rapports, lit avant de s'endormir dans la tristesse de la mort de Nino. Parfois, il pense à Carmela. Qu'a-t-elle voulu dire à la préfecture quand elle lui a demandé d'aller voir l'*ancilu* dans sa prison : « Vous auriez mérité que je vous aime » ? Et ces derniers mots de Nino : « Occupe-toi de Carmela », comme s'il la lui léguait. Des questions sans réponse.

Nino manque à Lorenzo, mais Carmela aussi. Et quand il s'endort, c'est de Carmela qu'il rêve.

*

Vient le jour du retour en Italie. On raconte que Badoglio, pour quitter son poste de commandant en Éthiopie, a obtenu une somme énorme de douze millions de lires, ainsi que la donation par l'État d'un domaine magnifique. On relate que Ciano, qui, avec son ami Pavolini, a lâché la première bombe sur l'Éthiopie, a reçu les félicitations du Duce pour avoir, avec son avion, déposé le fanion de son escadrille, la Disperata, sur l'aérodrome d'Addis-Abeba en pleine guerre. Lorenzo s'en fiche, de Badoglio, de Ciano, de Mussolini.

Que vais-je faire maintenant ? se demande-t-il sur le *piroscafo* qui le ramène à Naples. Mais à peine le bateau a-t-il accosté qu'on lui remet deux plis. Le premier est de Laura :

« *Babbo*,

Je sors du palazzo Di Stefano. J'ai jeté au visage de mon *nonno* les articles de journaux, les lettres, les témoignages, que m'ont remis ton ami Alberto et Lauretta, la copine de manifestation de Julia. Quand je lui ai demandé : "Tout cela est vrai ?", tout ce qu'il a trouvé à me répondre, c'est qu'il ignorait qu'elle se trouvait là. Belle défense ! Je lui ai annoncé qu'il ne me reverrait jamais et je suis partie.

Babbo, je vais quitter l'Italie. Toute cette affaire a achevé de me convaincre que mon devoir est de vivre dans un autre pays et de m'engager dans l'action politique. Je vais devenir une *fuoruscita* moi aussi. Dieu, s'il existe, t'a permis de revenir sain et sauf de ta guerre coloniale. L'Italie tout entière baigne dans le bonheur et l'orgueil. Mais de mauvais esprits commencent à parler de l'emploi intensif de gaz mortels contre ceux que je ne peux pas considérer comme des ennemis, mais comme de malheureuses victimes de la rapacité fasciste et de son chef.

Babbo, j'espère te revoir un jour. Sache que je t'aime. Sois heureux, mon père, dans ton Italie glorieuse. Moi, le bonheur, je vais le chercher ailleurs. Je t'embrasse.

Ta fille, Laura »

La seconde enveloppe adressée au général Lorenzo Mori contient ce pli :

« Félicitations pour ta promotion. Une voiture du gouvernement t'attend au débarquement. Elle te conduira jusqu'à moi.

Mussolini »

64

— Parlez-vous français ou anglais ? demande Chiaramonti à Carmela dans la longue voiture qui les conduit piazza degli Santi Apostoli chez la princesse Colonna.

— En aucune façon. C'est vraiment important ?

Le vieil éditeur lève les yeux avec une mimique drôle. Il a parfois ces formes d'humour par une gestuelle qui lui est propre.

— Disons que cela peut le devenir. Vous allez prendre des leçons. Dans le monde où je vous conduis, il existe des codes, notamment ceux du langage. Les amis de la princesse se piquent de cosmopolitisme, au sens mondain du terme, bien sûr. Pas question d'internationale prolétarienne, si vous voyez ce que je veux dire.

— Et l'allemand ? interroge Carmela.

Chiaramonti a un mouvement négatif de la tête.

— Aucun intérêt. C'est considéré comme une langue rustique, un peu barbare, réservée à des esprits simples. Même les Allemands, issus du monde diplomatique, parlent anglais et français en sus de l'italien. C'est une sorte de passeport si l'on veut continuer à être invité. Tenez, par exemple, le prince von Bismarck et son épouse Ann-Mari, suédoise pourtant, s'expriment dans un français irréprochable et délicieux. Délicieux, c'est le mot. Chez la princesse, il faut être délicieux si l'on veut être aimé.

— Serai-je suffisamment délicieuse, demande encore Carmela, à défaut de parler français et anglais ?

Chiaramonti a un rire saccadé. Décidément, la soirée s'annonce bien. Son accompagnatrice fera sensation, c'est sûr. Elle suscitera les plus violents commérages, sans compter les piques de celles qui ont lu *Lei* et qui reconnaîtront la femme de la couverture.

— *Carissima*, vous serez délicieuse quelle que soit la langue dans laquelle vous vous exprimerez. Et vous produirez un effet tel que l'on oubliera que vous ne parlez qu'italien. J'ai prévenu Isabelle qui vous aidera dans vos premiers pas dans ce monde.

— Qui est Isabelle ?

— La princesse, bien sûr, l'épouse très aimée de Marcantonio Colonna, qui l'a dénichée chez les chrétiens du Liban avant de la ramener chez nous. Quand elle est arrivée à Rome, on l'appelait « la petite Sursock ». C'était son nom au Caire et à Istanbul d'où elle vient, ce qui ne l'a pas empêchée de devenir, comme le dit notre ami Malaparte, « la vestale rigide des plus rigoureux principes de la légitimité », cela avant qu'elle n'accueille le comte Ciano, le prince de l'illégitimité fasciste, accompagné de sa cour.

— Qui est le comte Ciano ?

Encore le rire en cascade. Décidément, se dit Chiaramonti, il va falloir lui donner aussi des leçons de mondanités romaines.

— Le comte Ciano, *carissima*, est le gendre de notre Duce, en même temps que l'époux d'Edda, sa fille préférée. Il vient de rentrer d'Éthiopie, où il a fait œuvre d'actes héroïques dans la tradition fasciste, rapportés dans tous les journaux et les actualités Luce[1]. Accessoirement, il est ministre de la Propagande, mais les esprits informés le donnent comme notre futur ministre des Affaires étrangères.

— J'espère qu'il a d'autres qualités. J'ai appris à me méfier des politiques, y compris et surtout des fascistes, dont nous avons quelques exemples en

1. Les actualités projetées dans les cinémas italiens à l'époque fasciste, évidemment nourries de propagande.

Sicile, dit Carmela en pensant à Cucco et à ses manigances.

Chiaramonti jette un coup d'œil dans la voiture comme si un micro y était caché. Heureusement, il a toute confiance en son chauffeur qui en a entendu d'autres. Mais on ne sait jamais, les oreilles de l'Ovra[1] sont partout.

Au même moment, la voiture arrive devant le palais Colonna. Sur le perron, une femme au regard étincelant et à la voix chaude un peu orientale les accueille.

— Chère Carmela, dit-elle, après que Chiaramonti s'est incliné sur sa main, je sais déjà tout de vous ! Soyez la bienvenue dans ma maison.

Puis, se penchant vers Chiaramonti, à voix presque basse :

— Galeazzo s'est fait annoncer. Il ne va pas tarder.

— Qui est Galeazzo ? demande Carmela un peu plus tard.

— Le comte Ciano, bien sûr !

65

— Camarade Laura Mori, j'ai étudié ta biographie. Très intéressant, mais tu n'es pas issue des classes populaires.

— En effet. Mon père est un officier de l'armée, il

1. Organizzazione per la vigilanza e la repressione dell'antifascismo, la police politique de Mussolini.

vient de rentrer d'Éthiopie et il est membre du parti fasciste. Il a été *ras* de Vérone et colonel de la milice.

— Je peux même t'annoncer qu'il vient d'être nommé général de la milice. Tout ce que tu as écrit sur toi et ta famille a été vérifié, comme tu l'imagines. Nous, les communistes, sommes généreux avec le peuple, mais avant tout sérieux. C'est l'un des premiers enseignements du camarade Joseph Staline. À son retour d'Éthiopie, ton père a été élevé au grade de général par une décision personnelle du tyran Mussolini.

— Tant mieux pour lui.

— C'est tout l'effet que ça te fait ?

— Écoute, camarade commissaire politique, mon père, je déteste ses fonctions comme ses opinions. Je le lui ai dit, je le lui ai même écrit. Si cela te convient, j'en serai ravie. Si cela te dérange, je m'en vais. Tant pis pour moi et tant pis pour le parti communiste italien en exil. Il existe d'autres mouvements antifascistes, comme Giustizia e Libertà[1].

Le commissaire politique lève la main. Il s'appelle Marco Cavallo. Cet ancien secrétaire général de la CGL de la Fiat a souvent été blessé dans des affrontements avec les *squadristi*, il s'est enfui de chez lui la veille de son arrestation et a passé la frontière en douce dans la montagne. Son visage est carré, ses yeux froids. Il est engoncé dans une veste de cuir et fume des cigarettes Boyard. Tous les matins, il prend des

1. Organisme clandestin de lutte antifasciste, non communiste, œuvrant principalement en territoire italien mais avec des antennes en France.

cours de russe. Pour le français, ce n'est pas la peine, car il le parle suffisamment bien. Depuis qu'il est à Paris, les agents de l'Ovra ont tenté plusieurs fois de le tuer. Il porte une arme sur lui et deux gardes du corps le suivent dans la rue.

— Tu as du caractère, Laura Mori, et cela me plaît. Personne ne te reprochera ici d'aimer ton père, puisque tu as déjà fait le choix de nous rejoindre avec ton ami Emilio. Ici, les camarades deviendront tes amis. On t'obtiendra un travail et tu apprendras le français. Un jour, on te confiera une mission. Ce sera l'épreuve, mais ce jour ne viendra pas tout de suite. On m'a dit que vous viviez à l'hôtel avec Emilio. C'est trop cher. On te proposera un appartement, modeste mais suffisant. Si tu es d'accord, signe le formulaire en bas et je ferai établir ta carte. Dès que tu seras payée, tu reverseras dix pour cent de ton salaire au parti.

— Je signe, camarade commissaire.

— Appelle-moi Marco, ça suffira. Tu as écrit que ta mère figurait sur la liste des morts du 16 juillet 1917 à Vérone. On n'a pas trouvé de Julia Mori.

— Elle venait juste d'épouser mon père. Son nom de naissance était Di Stefano.

Marco Cavallo vérifie une liste dans le dossier.

— C'est bon, je l'ai trouvée. Tout est parfait. Elle avait un lien avec le *podestà* de Vérone ?

— C'était sa fille.

— C'est bien ce que je disais, Laura Mori. Tu ne manques pas de caractère.

— Si je n'en avais pas, je ne serais pas là !

*

Ce n'est plus au palazzo Chigi, rendu aux Affaires étrangères, mais, depuis 1929, au palazzo Venezia, à côté du monument à Vittorio Emanuele, plus grand, plus prestigieux, que le Duce est installé désormais. Le cœur battant du fascisme siège au Venezia, comme on dit à Rome. Des gardes, des carabiniers, des miliciens, des huissiers à chaînes, des secrétaires traversent la cour, grimpent les escaliers d'un pas pressé comme si le sort du régime dépendait de leur célérité, un dossier sous le bras, en uniforme bien repassé et rutilant. Bruissements de voix et claquements de talons. Le bruit du pouvoir, se dit Lorenzo.

L'huissier en chef de Mussolini, Quinto Navarra, le ventre serré dans sa tenue, visage rond, cheveux calamistrés, l'homme des vies secrètes du Duce, est toujours là, luisant d'amabilité.

— Heureux de vous revoir, général, vous êtes attendu, si j'ose dire.

Le bruit court que l'accueil de Navarra, son degré d'amabilité envers les visiteurs et la largeur de son sourire sont le signe d'une position en cour, à la cour, précisent certains à voix basse, tant l'entourage du Duce ressemble à un environnement royal.

La salle de la mappemonde pourrait accueillir un bal mondain par son immensité, son décor de fresques et de sculptures et sa gigantesque cheminée. La table de bureau où un lion doré sert de presse-papiers repose sur deux piliers de bois, austère et nue, et le globe qui lui donne son nom resplendit plus loin sur la droite, énorme, près de la fenêtre, avec cette lampe toujours allumée que les passants de la piazza Venezia peuvent remarquer la nuit et qui entretient le mythe d'un Duce qui ne cesse jamais de travailler.

Mussolini a un peu épaissi, le crâne définitivement rasé, mais les maxillaires n'ont pas changé, ni le regard noir, ni la belle voix.

— Mori, dit-il, j'ai besoin de toi. La milice s'endort et il faut la réveiller. Il faut à sa tête un héros qui a versé le sang des ennemis et donné le sien. Plus tard, je te confierai d'autres missions.

Il a un sourire avant d'ajouter :

— Ce ne seront pas des tâches de *boia*, ni de préfet. Je n'en ai plus besoin parce que l'Italie m'obéit. L'Éthiopie est à nous mais de grands événements se préparent.

Il montre une liasse de feuillets sous le lion en bronze.

— Notre consul à Tanger annonce un coup d'État imminent, à partir du Maroc, en Espagne. Si c'est vrai, il y aura une guerre civile, et l'Italie ne pourra pas rester en dehors. Tout cela est évidemment secret. Seul Ciano est au courant, et sans doute Hitler et Ribbentrop.

Pas un mot sur la disgrâce ou la réhabilitation. Mussolini est un homme qui ne justifie jamais ses choix.

— Je t'ai fait préparer un nouvel appartement à Rome, plus digne de tes nouvelles fonctions, les officielles et les autres, dont tu seras informé en temps voulu. Va chercher ta femme à Vérone et revenez sans tarder. À propos, j'ai un cadeau pour ta mère.

Il lui tend une photo dédicacée.

— Elle se dépense beaucoup pour notre cause à Vérone, d'après ce qu'on m'a dit. Il faut la gratifier.

Il s'approche de Lorenzo et l'étreint rapidement.

— Tu me manquais.

L'entretien est clos. Mystérieusement averti, Navarra ouvre la porte. Échange de saluts fascistes. Encore une fois, Lorenzo n'a pas dit un mot.

*

L'accueil au palais Colonna est toujours chaleureux envers Carmela qui doit cependant subir à chaque visite un historique nobiliaire.

— Savez-vous, demande la princesse, que Luigi Chiaramonti et moi avons chacun un pape dans notre famille ?

— Je l'ignorais en ce qui vous concerne, mais il m'a éclairée sur Pie VII dans la voiture.

La princesse a un air rêveur. On devine à l'entendre que ces affaires de papes et de lignées romaines pèsent leur poids dans son esprit. Elle se sent une héritière, même s'il s'agit de la famille de son mari. Tout autour, des bavardages ; des exclamations en français et en anglais jaillissent au détour des phrases. La princesse n'en a cure, elle est lancée dans l'un de ses sujets favoris.

— Les Colonna remontent au Moyen Âge et sans doute plus haut encore dans le temps, mais leur trace se perd dans les périodes obscures de l'histoire, même si mon mari, Marcantonio, soutient qu'on les trouvait déjà sous l'Empire romain. Contentons-nous du Moyen Âge où il n'est pas discuté qu'ils se battaient déjà contre les Orsini, ce qui donnait lieu à de charmants massacres dans les rues de Rome.

Elle s'arrête un instant, son bras tenant celui de Carmela, elle a un ton de confidence comme si elles étaient de vieilles amies. On les regarde, on chuchote : qui est-elle ?

— Quand on épouse un Colonna, poursuit la princesse, on se marie avec toute sa famille, les vivants et surtout les morts. J'aime Marcantonio et me suis habituée à tous ses ancêtres. Avec le temps, ils sont un peu devenus les miens. Au point d'en oublier mes propres ancêtres. J'espère qu'ils ne m'en veulent pas et qu'ils font bon ménage avec ceux de Colonna auprès de Notre-Seigneur.

— Pardonnez-moi, demande Carmela, vos propres ancêtres remontent-ils aussi loin que les ancêtres Colonna ?

La princesse a un rire aristocratique, comme une coulée de perles dans sa gorge.

— Beaucoup plus loin en réalité. On trouve des Sursock auprès du Christ ! Ils font partie des premiers chrétiens, ceux des origines, même si les Évangiles, écrits et réécrits au point de perdre toute authenticité historique, n'en disent pas un mot. L'un d'eux a même accompagné l'apôtre Paul à Rome. C'est une chose établie, mais on ignore si Néron l'a fait exécuter lui aussi. On les retrouve beaucoup plus tard à la cour de Constantin, parmi ceux qui ont fait pression pour que notre religion soit enfin reconnue. Par la suite, après la prise de Constantinople par les Turcs, ils ont émigré au Liban où je suis née.

D'un geste du bras, elle signifie que sa propre

lignée n'a rien à envier à celle des Colonna, avant de conclure :

— Il a fallu choisir. Je ne regrette pas d'avoir adopté les Colonna par amour pour mon mari. J'espère qu'ils m'ont adoptée eux aussi. En tout cas, je m'efforce d'entretenir ce palais, devenu le mien, de mon mieux.

Un mouvement se produit tout à coup au sein de la petite foule distinguée qui bourdonne entre les fresques et les tableaux, dans la salle de la fontaine où elles viennent de pénétrer.

— Pardonnez-moi, dit la princesse, il me faut vous abandonner. C'est sans doute Galeazzo qui vient d'arriver. Ses entrées ne sont jamais discrètes, mais il n'y peut rien. C'est la rançon du succès, avant d'être celle de la gloire. Je dois l'accueillir comme l'exige sa nouvelle renommée, si j'en crois les bruits qui courent dans Rome depuis cet après-midi.

— Quels bruits ? ne peut s'empêcher de demander Carmela à Luigi Chiaramonti.

— Il serait monté en grade au sein du gouvernement. Certains parlent des Affaires étrangères, mais je n'y crois pas. Il est trop jeune et manque d'expérience diplomatique.

Il n'en dit pas plus, et Carmela a l'impression qu'il ne l'aime guère. Chiaramonti l'entraîne plus loin dans les salons, quand un nouveau bourdonnement, assorti de rires et d'exclamations, retentit. En tête, au bras de la princesse, un jeune homme bronzé, les cheveux plaqués en arrière. Derrière, une horde de marquis et de comtesses rivalisent de jacasseries enthousiastes.

— Félicitez-moi, cher éditeur, dit-il à Chiaramonti.

J'étais à la plage tout à l'heure quand mon ami, l'ambassadeur Marcello Del Drago, est venu me prévenir. Le Duce vient de me nommer officiellement ministre des Affaires étrangères.

— Congratulations et bonne chance, Votre Excellence. C'est un poste délicat par les temps qui courent. Il vous faudra de l'autorité et du talent, et je suis sûr que vous n'en manquez pas, achève Chiaramonti non sans hypocrisie.

Mais Ciano n'écoute rien. Il vient de remarquer Carmela.

— La signora Cavalcanti, ma directrice littéraire, s'empresse d'annoncer l'éditeur. Carmela, le comte Ciano.

Ciano s'incline sur la main de Carmela, qui ne peut réprimer un frisson.

— Signora, s'écrie-t-il en la fixant, votre apparition est la seconde excellente nouvelle de la journée et, en vous découvrant, je me demande si elle ne surpasse pas la première.

— Vous me direz plus tard, comte Ciano, laquelle des deux nouvelles surpasse l'autre.

66

Elle danse, Laura. Elle danse au Balajo, au Fernand, au Grégoire, le samedi soir et le dimanche après-midi sur les bords de la Marne. Elle s'amuse follement avec les camarades italiens mais aussi avec les Français.

Car au mois de juillet 1936, la France est en fête. Le « Front popu » a gagné les élections, le camarade Blum est à Matignon, et même s'il est socialiste, Blum, c'est un camarade quand même, et un bon ! comme le répète toute la jeunesse ouvrière. Emilio, lui, est retourné en Italie. L'usine, il ne supportait pas. Mieux vaut le fascisme chez *babbo* et *mamma* que l'usine chez les Français.

Laura a refusé de le suivre. Tant pis pour Emilio. C'est un batteur d'estrade, comme disent les Français, tout juste bon pour les discours dans des salles enfumées, mais à l'épreuve, rien. C'est ce qui se passe ici, qui est intéressant. La gauche au pouvoir, on va voir ce que ça va donner, la vraie gauche. Pas celle des salons et des cafés philosophiques de Montparnasse, la bonne gauche aux mains calleuses et à la voix chaude, la gauche des petits matins avec la cafetière qui passe de main en main, celle des tapes sur l'épaule, du baiser écrasé sur la joue, la gauche des robes à fleurs et des poignées de main, la gauche des camarades. Dans ce monde, elle se sent bien, Laura. Le jour, elle travaille à l'imprimerie du parti. Elle dispose les compositions au marbre. Il lui a fallu apprendre le français à toute vitesse. Elle écrit aussi en italien pour *Giustizia e Libertà*. L'autre jour, elle a pris la parole en réunion et elle a parlé de son père, que Mussolini vient de nommer général de la milice, comme on a pu le lire dans les journaux, et de sa *nonna*, qui a reçu une photo dédicacée du Duce (c'était aussi dans le journal). Elle a dit :

« Voyez, *compagni*, que cela n'a pas été facile de venir jusqu'à vous. »

Et ils ont applaudi. Après, elle a raconté l'histoire de sa mère, abattue par les mitrailleuses du pouvoir à la tête d'une manifestation en juillet 1917.

« Cette mère, *compagni*, je ne l'ai pas connue, mais je sens qu'elle m'inspire, qu'elle est avec moi, et que ce soir elle est ici, avec nous ! »

Cette fois, ils l'ont acclamée. Ils parlent aussi de l'Espagne. Là-bas, dit-on, c'est *el Frente Popular*, ils ont chassé le roi et fait la république. Là-bas, c'est le pays des prolétaires, de la classe populaire au pouvoir. Aujourd'hui l'Espagne, demain la France, après-demain l'Italie !

Du coup, ils veulent tous aller en Espagne, au moins une fois pour voir. Cette année, c'est trop tard, c'est un voyage qui se prépare à l'avance, et les quinze jours de congés payés ne le permettent pas. L'an prochain, c'est sûr, ils iront tous. En attendant, ils dansent sur la terrasse d'une guinguette au bord de la Marne.

— Elle ressemble au Pô, dit Laura.

— C'est quoi, le Pô ? demandent les camarades français.

— Un fleuve, chez moi, très large et très long. Quand on voit le Pô, on ne l'oublie pas.

— Tu le reverras, disent les camarades français.

— Je ne sais pas. L'Espagne d'abord.

Un soir, la nouvelle tombe, en pleines vacances du Front popu. C'est le 19 juillet. La veille, une insurrection a éclaté au Maroc espagnol. Des militaires veulent abattre la république et installer un régime fasciste sur le modèle italien. L'Andalousie, Burgos,

Valladolid, Saragosse se sont soulevés, des unités de la Légion étrangère se sont emparées de Melilla et de Ceuta, d'autres ont débarqué à Algesiras, Cadix ou Malaga, dix-huit avions ont bombardé Tétouan. On parle beaucoup d'un général inconnu qui dirigerait tout cela, un certain Franco.

— Ce n'est pas pour bientôt, le voyage espagnol.

Elle se trompe, Laura.

*

Cette nuit de l'été 1936, au palazzo Chigi, dans les appartements privés du ministre, l'homme dort enfin. À ses côtés, Carmela garde les yeux ouverts. Je ne suis pas vraiment amoureuse, se dit-elle, lui non plus d'ailleurs, enfin je ne crois pas. Mais ça ne fait rien. Il y a longtemps que ça ne m'était pas arrivé. Les visages des deux hommes de sa vie lui apparaissent puis s'effacent. Ce sont des hommes de son autre vie, même si elle déjeune avec Andrea de temps en temps, parfois en compagnie de l'éditeur Chiaramonti qui les traite tous les deux comme les enfants qu'il n'a pas eus. Quant à Nino, elle ignore tout de lui et ne veut rien apprendre, de peur de souffrir.

Elle a maintenant cette fatigue heureuse d'après l'amour. Il dort, le Ciano, elle a pris cette habitude avec lui. C'est un homme qui parle avant, charmant, intelligent, subtil, prolixe, et même drôle. Après, il sombre dans le sommeil d'un coup, comme s'il n'en pouvait plus des Affaires étrangères de la journée, de celles de l'amour à l'orée de la nuit. Il est plus jeune qu'elle de quatre ou cinq ans, mais cela ne la gêne pas.

Il a gardé une fraîcheur un peu naïve quand il se laisse aller à parler de lui, d'Edda et de leurs enfants. Elle le laisse faire, y compris quand il évoque Mussolini, comme s'il ne pouvait pas s'en empêcher.

Un soir, elle l'a interrompu en souriant :

« Écoute, je ne sais rien de la politique, ou très peu. Un *cafone*[1] de la Calabre ou une *camicia blu*[2] de Turin s'y connaît mieux que moi. »

Il a eu son rire de crécelle.

« Tant mieux ! Je ne suis entouré que de gens qui veulent me donner des leçons de politique ! Les vieux diplomates surtout, ou les anciens *squadristi*. »

Elle s'était arrêtée un instant.

« Parlons de toi, c'est mieux. Je suis très curieux de savoir quelle femme tu es.

— Tu en sais déjà pas mal. »

Nouvel éclat de rire.

« Ce qui m'intéresse, c'est la femme qui est derrière, trop discrète pour n'être pas mystérieuse. La princesse n'a rien voulu me dire malgré tous mes efforts, elle qui sait tout sur les gens de Rome, surtout ceux qu'elle reçoit piazza degli Santi Apostoli. »

Elle n'avait pas répondu et, en amant bien élevé, il n'avait pas insisté. Mais une autre fois, il avait lâché, par surprise :

« Tu es la femme de *Lei*.

— Ne te fie pas à la couverture d'un livre.

— Je l'ai lu deux fois, et tous les articles qui ont paru à ton sujet.

---

1. Paysan du Mezzogiorno, au sens de « péquenaud ».
2. Employé.

— Dis plutôt qu'ils étaient joints à la note que tu as demandée à l'Ovra sur mon compte !

— C'est vrai, avait-il reconnu, un peu penaud.

— Alors tu en sais déjà trop. Sans compter ce qui est inventé ou déformé, comme sur toutes les notes de police qui sont le plus souvent une compilation de ragots destinés à flatter leur auteur.

— Tu m'as l'air bien informée sur ces notes.

— Parlons d'autre chose ou je m'en vais. Il est encore tôt, tu auras le temps d'appeler une autre femme.

— Tu ne veux pas me parler de toi ?

— Non.

— Alors, reste et nous n'en parlons plus jamais !

— Jamais », avait-elle tranché.

Et elle était restée. Lui avait tenu parole. C'était donc de lui qu'il parlait, son sujet favori de conversation, mais comme il finissait toujours par se moquer de lui-même, elle en riait avec lui. C'est ainsi qu'ils avaient passé ensemble tout l'été 1936, au moment où la guerre d'Espagne commençait et où les Italiens avaient l'idée de s'en mêler.

*

— Enfin, nous voici revenus en cour ! s'écrie Adriana Mori en coulant un regard humide en direction de la photo dédicacée de Mussolini, encadrée et accrochée au mur.

— Certainement, mamma, répond Lorenzo, déjà exaspéré par ce que sa mère ne lui a pas encore dit.

— Général de la milice, héros de la guerre d'Éthiopie,

chargé de missions internationales... Ce n'est pas rien, comme l'écrit le *Resto del Carlino* de ce matin. Dis à ta mère ce que veut le général Franco, le plus honnête de tous les Espagnols.

— C'est dans le journal, il veut des armes, à savoir des avions, des tanks et des fusils.

— Des avions, des tanks et des fusils..., répète Adriana Mori avec extase. C'est toi, mon fils, qui es chargé de les lui apporter ?

Virginia ne dit pas un mot. Depuis que Lorenzo a retrouvé son statut de hiérarque, c'est-à-dire une solde superbe, une voiture officielle et surtout un vrai palazzo via dei Fori Imperiali, elle mijote dans un bonheur de dame. Les invitations commencent à pleuvoir et les salons à s'ouvrir. C'est encore plus gratifiant que sa position de *prefetissima* de Palerme. On lui a déjà parlé d'une présentation à la reine Elena au Quirinal, ou même à la villa Savoia par l'intermédiaire de la cousine d'une dame d'honneur, mais il faut attendre une occasion officielle. Sauf que Virginia vise beaucoup plus haut, une invitation de la princesse Colonna ! Le nec plus ultra, le fin du fin des festivités romaines, beaucoup plus difficile à obtenir qu'un thé chez la reine ! Depuis que le Duce a conclu les accords du Latran en 1929, les fascistes sont au mieux avec Pie XI, et les Colonna sont justement cul et chemise avec les *monsignori* qui fréquentent leur table et nagent dans le même bénitier. Or son ami, l'évêque de Palerme, a les meilleures relations...

Elle rêve, Virginia. Lorenzo l'observe d'un œil dubitatif. L'excellente épouse, la meilleure des mères, a viré à l'oiselle mondaine. Elle qui en était venue à détester les *squadristi* pour leur grossièreté et leur violence, se plaignant qu'ils encombraient son mariage, adore les hiérarques, leurs successeurs mélangés de soutanes. Mieux valait les *squadristi*, se dit Lorenzo. Au moins, on savait à quoi s'en tenir.

Il regarde encore Virginia, il ignore ce qui a pu la faire changer, la délicieuse jeune fille des jardins de Vérone. Il se demande ce qu'ils se trouvent encore l'un à l'autre, lui avec ses galons de général, elle avec ses dames patronnesses. Aussitôt, il se morigène. Allons, c'est bien lui qui l'a amenée à cette situation sans remarquer tous ces changements. Peut-être ai-je cessé de la regarder, et c'est cela qui a produit cet effet. La faute est donc la mienne, se dit-il.

Il prend sa main et lui sourit. Un peu surprise, elle sourit à son tour. Arrive Sandro, qui rentre du *dopo lavoro*[1]. Il s'assied entre eux et raconte sa journée. Ses exploits surtout. La *nonna* Adriana l'écoute avec attendrissement. En voilà un, pense-t-elle, qui ne causera jamais de soucis. Il a hérité de la blondeur de son ancêtre Mori, ce qui lui confère une allure un peu germanique, mais il ne tranche pas vraiment avec la plupart des habitants du Veneto.

— Où vas-tu ? demande-t-il à son père.

— En Espagne, répond Lorenzo. Le Duce m'a donné le bataillon des *fiamme nere*[2].

---

1. L'après-travail, c'est-à-dire les manifestations culturelles et surtout sportives, imposées à la jeunesse italienne pendant la période fasciste.

2. Flammes noires.

— La guerre encore ? demande Adriana, aussitôt suivie par Virginia.

— Elle sera courte, réplique Lorenzo, qui ne croit pas à ce qu'il dit.

Les Espagnols passent pour de redoutables combattants, surtout sur leur sol.

— Je serai de retour à Noël. Mussolini a d'autres missions pour moi, mais il faut des hiérarques sur le champ de bataille. En Éthiopie, ils y étaient tous, et l'effet sur les Italiens a été formidable. L'Espagne, c'est autre chose, car il s'agit de participer à une guerre civile.

— Tu crois en Franco ? demande Virginia.

— Je crois à tous les combats qu'il faut mener contre les communistes. C'est aussi la conviction de Franco et de son entourage. C'est ce qu'il a expliqué à Tanger.

— D'abord le matériel, maintenant les hommes, remarque Virginia. Combien vont mourir en Espagne de tous ces Italiens qui s'enrôlent pour toucher la prime de trois cents lires ?

Lorenzo ne répond pas. La prime d'enrôlement, puis la solde mensuelle versée aux familles, c'est le pactole pour ceux qui sont dans le besoin. Il se raconte dans les milieux militaires que l'on a fait croire à certains qu'il s'agissait d'un voyage en Éthiopie pour préparer l'installation de fermes italiennes offertes par l'État. En réalité, c'est pour la guerre d'Espagne, mais cela ne sera dévoilé qu'au dernier moment, quand les bateaux de transport seront au milieu de la Méditerranée. En tout cas, se dit-il encore, mes *fiamme nere*, eux, savent où ils vont.

— Je veux partir avec toi ! s'écrie soudain Sandro.

— Tu n'as pas l'âge, coupe aussitôt Virginia, et cela suffit que ton père risque sa vie dans la famille.

Un silence. Comme à chacun de ses départs pour la guerre, Lorenzo tente de changer de sujet et raconte comment il a ragaillardi la milice en emmenant les hommes crapahuter dans les Abruzzes pour des manœuvres. Il les fait rire en citant les épisodes cocasses de citadins brusquement immergés dans une nature sauvage. La *nonna* renchérit, pour ne pas montrer son inquiétude. Elle dit que sur le champ de bataille, les généraux comme Lorenzo ne se font jamais tuer, car leur rôle leur impose de se tenir en arrière des troupes sur le front. Virginia bondit.

— Allons, mamma, on dirait que vous ne connaissez pas votre fils ! En Éthiopie, il s'est battu au sabre contre les sauvages. Regardez sa cicatrice sur le menton, c'est un coup qui l'a manqué de peu, et sur le corps il en a des pires encore qu'il refuse de montrer.

— C'est vrai ? demande Sandro. Tu t'es battu au sabre ?

— Oh, une seule fois, et ça n'a pas duré longtemps.

— Menteur ! dit Virginia.

Elle va dans la chambre, revient avec la citation à l'ordre de l'armée et la lit avec une douloureuse fierté :

« Le colonel Mori, dans les batailles de l'Amba Tzelleré et de Mai Ceu, n'a eu d'autre choix devant le déferlement de bataillons d'ennemis armés de sabres que de se battre avec les mêmes moyens, mettant sa propre vie en jeu pour entraîner ses hommes et ne pas reculer, faisant même l'admiration de ses ennemis.

Dans un duel au sabre contre plusieurs Éthiopiens, il a ainsi préservé la vie d'un pilote dont l'appareil venait d'être abattu. »

— *Dio mio !* s'écrie Adriana Mori, comment as-tu fait pour les tuer tous ?

— Je n'étais pas seul, mon ordonnance se battait à mes côtés avec une redoutable efficacité.

— Et qu'est-il devenu, celui-là ?

— Il a été tué à Mai Ceu. Parlons d'autre chose.

Un silence encore.

— Et Laura ? demande Adriana. Sait-on où elle est au moins ?

— Je ne sais pas, répond Lorenzo, qui se lève soudain pour mettre fin à la conversation.

Sandro le tire par la manche.

— Tu ne sais vraiment pas ?

— En France, je crois, mais je n'en suis pas sûr. Depuis mon retour d'Éthiopie, je n'ai aucune nouvelle.

67

— *Compagni !* s'écrie Marco Cavallo. La nouvelle vient de nous parvenir de Moscou, elle est confirmée par nos camarades du parti communiste français : l'Union soviétique a décidé d'intervenir en Espagne !

Le secrétaire général du parti communiste italien en exil se tait. Sûr de son effet, il balaie l'assemblée des yeux. Une majorité de jeunes gens se lèvent et l'applaudissent, jusqu'à ce qu'il réclame le silence en levant les bras.

— Écoutez ! Il y a encore mieux ! Après le scandaleux pacte de non-intervention décidé par les nations bourgeoises au service du grand capital, le Politburo du comité central du parti communiste d'Union soviétique a invité le Komintern à prendre les mesures pour l'organisation d'un corps international en Espagne !

Silence. Un bras se lève dans le public. C'est celui de la camarade Laura Mori, bien connue de tous par l'énergie qu'elle déploie au service de la cause des *fuorusciti*, Laura avec ses cheveux courts, ses yeux brillants et ses jeunes seins vaillants. Il y a sa voix aussi, un peu râpeuse.

— Un instant, camarade. J'ai l'impression que tu as une série de nouvelles à nous balancer une à une, de la plus anodine à la plus importante, histoire de te faire un peu plus acclamer chaque fois. Que veux-tu nous dire avec ton corps international ? Que les nations vont se regrouper pour envoyer des troupes en Espagne ? Ça m'étonnerait ! Si tu nous l'annonces, je suis prête à l'entendre, mais ne me demande pas de le croire !

Marco Cavallo se récrie. Il s'attendait à ce genre d'intervention et il ne s'étonne pas que cela vienne de la petite Mori, comme il l'appelle. Ce n'est pas le sens de la discipline du parti qui l'étouffe, celle-là. Il la connaît bien, l'apprécie, mais point trop n'en faut.

— Camarade Mori, tu vas toujours trop vite en besogne. Je n'ai pas encore parlé que tu te précipites, histoire de me devancer, alors que tu ne sais même pas ce que je vais dire !

Rires serviles dans les premiers rangs. Félicitations chuchotées à la très populaire Laura par ceux qui l'entourent. Depuis qu'Emilio est retourné en Italie, elle est très courtisée. Mais il paraît qu'elle n'en abuse pas. On dit que c'est une fille réservée sous ses éclats.

— Nous t'écoutons, camarade Cavallo, dit la jeune femme avec un air pieux.

Il attend que le silence revienne avant de poursuivre :

— Ce que je veux dire, camarades, c'est qu'un corps de volontaires étrangers est en voie d'être créé. Ils viendront de tous les pays qui louent la démocratie et détestent les fascistes. Tous ceux qui le voudront pourront y participer. Le gouvernement français du Front populaire a décidé de se montrer conciliant. La frontière avec l'Espagne sera discrètement ouverte pour ceux qui voudront aller se battre aux côtés de nos camarades espagnols. Ils seront entraînés et armés. On les constituera en bataillons et en brigades internationales. Voilà ce que je puis vous annoncer !

Silence encore. Une voix sur la gauche :

— Y aura-t-il une brigade italienne ?

— Évidemment !

— Et toi, camarade Cavallo, tu iras en Espagne ?

— Évidemment ! Que ceux qui veulent me suivre viennent s'inscrire ! Départ la semaine prochaine pour Figueras, où aura lieu le rassemblement des volontaires. Le parti organise le transport, paie les frais et nourrit tout le monde !

Tumulte cette fois. *Avanti compagni !* Tous veulent se précipiter vers la table où l'on enregistre les inscriptions. Puis une interpellation encore :

— Dis-nous, camarade Cavallo, est-ce que les filles sont admises parmi les volontaires ?

C'est encore Laura Mori. Elle s'est avancée au premier rang et pointe le doigt sur le secrétaire général.

— Réponds, camarade Cavallo. Est-ce qu'on peut venir nous aussi dans les brigades internationales ?

— Évidemment ! s'écrie Cavallo pour la troisième fois.

*

Une soirée chez les Colonna. Le grand lustre de Murano flamboie, orchestre discret mais de qualité, plateaux d'argent, mousse au sommet des flûtes, vins prestigieux, nuée de laquais en livrée aux armes des maîtres, bruissement des voix, tintement des couverts, propos en anglais et en français qui tranchent sur les roucoulements italiens, brillance des décorations sur les revers des habits et des uniformes, scintillement des colliers et des bagues, mélange de grands parfums, proclamations sonores et apartés chuchotés, rires distingués en cascade. Dans la foule des invités, on trouve des ambassadeurs, des ministres, des hiérarques, des écrivains comme Malaparte, qui vient à peine d'être libéré d'un doux exil grâce à Ciano et qui dirige maintenant la revue *Prospective*, le philosophe Giovanni Gentile, doctrinaire du fascisme, le poète futuriste Marinetti, ancien anarchiste mais *sansepolcrista* de la première heure, aujourd'hui membre très éminent de l'académie d'Italie, venu en uniforme de parade et chapeau à plumes. On trouve aussi pour la première fois un jeune romancier dont la critique dit le plus grand bien, et sur lequel l'éditeur Chiaramonti jette un œil de convoitise, un certain Alberto Moravia.

La princesse se dépense en faisant le tour des uns et des autres, elle grignote à peine au passage les mets succulents que proposent les laquais. C'est là son bonheur, réunir tout ce beau monde où se mêlent les plus brillants esprits. Il y a même Alfieri, un autre ami de Ciano auquel il doit son poste de ministre de la Culture populaire, c'est-à-dire maître de la censure. La princesse connaît tous les secrets ou presque de chacun. Ce rôle de maîtresse des mystères lui convient parfaitement, d'autant qu'elle passe pour être discrète, voire arrangeante, effaçant les brouilles, réconciliant les ennemis et même les couples désunis.

— *Carissima*, confie-t-elle à Carmela, vous savez que maintenant vous faites partie des invités permanents de cette maison. Tout Rome parle de vous et de votre merveilleux travail pour notre ami Chiaramonti.

Elle se penche et lui chuchote à l'oreille :

— Galeazzo va arriver, mais vous le savez déjà sans doute. Faites attention, vous avez été repérée par les concurrentes qui parlent de vous au golf d'Acquasanta que fréquente le ministre. Certaines trouvent que cette affaire entre vous commence à durer. Sa femme Edda, tolérante et compréhensive, d'autant qu'elle-même a beaucoup à se faire pardonner, à commencer par ses dettes de jeu, surveille pourtant Galeazzo, avec de temps en temps des éclairs de jalousie. On lui a déjà parlé de vous, n'en doutez pas.

— Je ne connais pas le golf d'Acquasanta, dit Carmela, et je n'ai pas l'intention de m'y rendre.

— Vous vous trompez, *carissima.* À un moment donné, il faut y passer, dans tous les sens du terme. C'est *last but not least*, je sais que vous parlez anglais maintenant.

— Disons que je prends des cours.

— Alors il vous faudra aussi recevoir des cours de cianologie, si j'ose ainsi m'exprimer. C'est indispensable pour toréer la bête, comme disent les Français.

— Pas plus de leçons de cianologie que de golf d'Acquasanta, chère princesse. Je ne mange pas de ce pain-là, dit-elle en savourant cette expression qu'elle vient d'apprendre. Je ne ferai pas partie des veuves de Galeazzo qui viennent se faire consoler le mardi et le vendredi dans votre salon, d'après ce que raconte Malaparte, docteur en cianologie et aussi en colonnalogie. Galeazzo mène la vie de son choix. Il en a besoin pour son équilibre personnel, et je n'ai pas l'intention de le faire changer, je suis *out of the race*. Un jour, cela prendra fin, nous le savons tous les deux, et nous resterons bons amis. Vous ne m'accueillerez jamais le mardi ou le vendredi !

— Bravo ! s'écrie la princesse. Bravo pour tout, le français, l'anglais et le reste ! Vous viendrez donc le mercredi, et c'est vous qui me donnerez des cours !

Il arrive, le Ciano, pétulant et magnifique. Il raconte la prise de Malaga par le corps des volontaires italiens, belle victoire qui a époustouflé Franco :

— Car il piétinait un peu notre *generalissimo*, il faut bien le dire, et le moral nationaliste doit être revigoré par l'élan fasciste. Je ne raconte rien du reste. Secret militaire ! Mais, chers amis, sachez que Madrid est en vue !

Il se défait de l'entourage agglutiné autour de lui, des marquises et des ambassadrices, prend Carmela par le bras pour l'entraîner plus loin, expliquant son retard par un appel pressant d'Edda qui ne pouvait payer ses dettes de jeu.

— Elle me ruine ! ajoute-t-il avec son sourire éclatant. J'espère que le Duce n'en sait rien, ou alors il fait semblant. Avec lui, on ne sait jamais.

Tout en lui tenant le bras, il la conduit encore un peu plus à l'écart, ce qui déclenche des commentaires de la part des veuves : « Il ne se cache même pas, qu'est-ce qu'elle a de plus que nous ? Elle n'est ni noble, ni ambassadrice, ni starlette de cinéma. Alors ? » Lui s'en moque, Carmela, c'est autre chose. Il veut le lui dire, mais ne sait comment. Elle n'a ni titre ni prétention à rien, mais elle existe avec force et c'est cela qui l'impressionne, le Ciano, ce talent pour dégager, émettre autour d'elle, il ne sait pas quoi exactement, mais cela le bouleverse. Un jour, il lui dira qu'il l'aime. Mais c'est un mot qu'il a tellement répété à toutes les veuves qu'il n'a plus aucune valeur dans sa bouche. Seule Edda pourrait lui être comparée, mais elle boit, joue, elle baise ailleurs aussi. Des passades sans importance, comme lui avec ses veuves. Mais Carmela…

Il lui parle des événements en Espagne, car c'est ce qui l'occupe en ce moment, même si elle ne s'y intéresse pas. C'est un besoin chez lui d'exprimer ses inquiétudes et ses espoirs, y compris auprès d'une femme comme Carmela. Si elle veut bien les partager, c'est parce qu'elle m'aime, se dit-il.

— Voilà, aujourd'hui les *fiamme nere* ont pris Brihuega, c'est un bourg à côté de Guadalajara.

— Qu'est-ce que c'est, Guadalajara ?

— Une ville sur un plateau à soixante kilomètres de Madrid. Après le plateau, la voie est libre. Le combat aura lieu sur le plateau. Si on le gagne, Madrid est à nous. La capitale de l'Espagne libérée par les fascistes italiens ! Le Duce en rêve et moi aussi, Franco beaucoup moins ! Enfin, Brihuega est prise, et c'est un bon début. À la tête des *fiamme nere*, j'ai un général formidable qui m'a sauvé la vie en Éthiopie. Il vient de briller à la bataille de Malaga. Maintenant, il est à Brihuega. Il m'envoie des messages directement par radio. Il dit que ça ne sera pas facile. Les républicains vont lancer leurs brigades internationales, elles se battent très bien, peut-être mieux que les Espagnols. Le problème, c'est que Mori n'est pas tout seul, et j'ai une confiance limitée en Roatta, le commandant en chef des volontaires italiens.

— Il s'appelle Mori, ton général ?

— Lorenzo Mori, l'ancien préfet de Palerme. Tu l'as sans doute rencontré là-bas.

— Oui, dit Carmela, je l'ai connu.

68

Neige fondue, pluie glaciale, vent et froid. Le printemps de Madrid attendra encore en ce début de mars 1937. La 12e brigade internationale Garibaldi est cantonnée au Pardo dans les bâtiments de l'École royale du génie. De la capitale viennent des nouvelles inquiétantes ou rassurantes. On ne sait plus. Après trois mois de combats, les volontaires italiens ont droit à une semaine de repos. Révision des armes, rapiéçage des uniformes et entraînement des recrues espagnoles. On raconte que plusieurs divisions fascistes en provenance de Malaga se préparent à attaquer, concentrées sur le haut plateau de la Nouvelle-Castille. Déjà a commencé la propagande de Franco. Menaces et sommations de se rendre par les radios nationalistes, manifestes de papier lancés par les avions. Les nouvelles se font plus précises : l'offensive fasciste est certaine. Brihuega serait déjà tombée, le bataillon allemand Edgar André serait monté en ligne, le bataillon français Commune de Paris est en train de préparer les sacs à dos pour le départ et les Polonais de la Dombrowski chargent les mitrailleuses sur les camions.

Au comité national de défense de la capitale, où sont représentés tous les partis des républicains espagnols et les chefs militaires du front madrilène, on discute âprement. L'écho des bombardements lointains fait trembler les cristaux du lustre, la salle est à demi obscurcie, car les vitres brisées lors de la précédente offensive ont été remplacées par des cartons. Tout le monde fume et les voix s'entrecroisent, en espagnol, en anglais, en allemand, en français et en italien. Mais tout le monde se comprend.

— L'offensive italienne vise Madrid, commence le général Miaja, qui appelle les délégués autour de la table centrale et chausse ses lunettes. Plusieurs dizaines de milliers d'hommes, des centaines de camions et de chars d'assaut, peu d'appuis aériens, mais on sait que vingt avions italiens viennent d'être transférés de Soria et que plusieurs escadrilles d'Heinkel et de Junkers arrivent en provenance du nord.

— En cas de défaite des brigades internationales et des brigades républicaines, le sort de la république sera scellé dès que Madrid sera prise, murmure Longo, le délégué italien, inspecteur général des brigades.

— Faut-il envoyer la Garibaldi, des Italiens contre les Italiens ? demande Miaja.

— J'ai amené avec moi Marco Cavallo, le commissaire politique de la brigade Garibaldi. Il veut vous parler, dit Longo. Ce n'est pas un plaisir pour nous de combattre contre nos frères, mais nous ne pouvons nous soustraire à ce défi. La Garibaldi s'alignera comme dans les autres batailles au flanc des brigades des camarades espagnols, français, allemands, polonais, anglais et américains. Je rappelle les mots de notre ami Rosselli : « Aujourd'hui en Espagne, demain en Italie et dans le monde ! » Je demande que la Garibaldi soit employée du premier au dernier homme. Le sort de la bataille dépendra largement de la confiance accordée aux combattants de la brigade !

Les délégués s'interrogent. Jusqu'à présent, les hommes et les femmes de la Garibaldi se sont bien battus. On l'a vu lors des durs combats de la Cité universitaire, au cours du premier assaut contre Madrid. Mais sur le haut plateau de Guadalajara, on annonce un affrontement extraordinairement violent, dans la boue et dans les bois, pendant plusieurs jours, peut-être des semaines, et toujours contre des frères…

C'est alors que le général Pavol Lukács, ancien officier hongrois de la guerre de 14-18 puis dans l'Armée rouge sur plusieurs fronts, prend la parole :

— Je connais bien les gens de la Garibaldi. Si vous me le permettez, laissez-moi prendre la décision.

Longo et Cavallo acquiescent d'un même mouvement de menton. La Garibaldi, c'est comme une famille, et Lukács en fait partie. Ils sortent tous les trois, Lukács, Longo et Cavallo, pour monter dans la grande Hispano verte du général. Lukács a ses luxes, comme son béret d'étoffe fine et sa veste en agneau. Ce révolutionnaire hongrois, équipé de grosses moustaches en guidon, a des allures d'officier anglais.

— Au Pardo ! s'écrie-t-il.

À leur arrivée, ils trouvent la brigade prête à partir, mais sans ordres. La pluie tombe toujours, une pluie gelée. Les hommes rompent les lignes et encerclent la voiture. Lukács descend et, une botte sur le marchepied, se tenant à la portière ouverte, appelle auprès de lui son chef d'état-major, Giovanni Canepa, un ancien officier des *bersaglieri* décoré de la valeur militaire contre les Autrichiens, un ancien ennemi devenu un ami.

— Parle en espagnol et traduis en italien, demande Lukács.

— *Somos aquí in España para que un pueblo*

hermano no tenga que hacer nuestra amarga experiencia[1]. *Siamo qui in Spagna...*

Silence. Lukács ajoute en italien d'une voix forte :

— Vous aurez contre vous des Italiens, sachez-le !

Une voix à cet instant, un uniforme kaki. C'est une fille aux cheveux courts, le fusil en bandoulière, l'œil étincelant.

— L'Italie n'est pas Mussolini et nous allons le démontrer une bonne fois pour toutes, surtout à ceux qui combattent pour lui !

— Qui es-tu, toi ?

— Laura Mori, de la 12e brigade Garibaldi. Je marche comme les autres et j'ai prouvé que je sais tirer. J'abats mon homme comme chacun ici.

Lukács lève le bras.

— *Allora... Al fronte !*

Il se penche vers Laura.

— Tu as une belle voix, Laura Mori. Elle te sera plus utile que ton fusil, car j'ai une mission spéciale pour toi, dit-il en montrant un camion équipé d'un gigantesque haut-parleur.

Ronflement des moteurs, le convoi se met en marche à travers la banlieue de Madrid. Dans l'Hispano, Lukács dicte un texte à Laura qui le transcrit sur une feuille de papier. Les trains d'artillerie font trembler le sol de la route, ou est-ce déjà le bruit du canon ?

Cette nuit-là, un hiver violent tombe sur le plateau de la Guadalajara. Les hommes grelottent dans

1. Nous sommes ici en Espagne pour qu'un peuple frère ne connaisse pas notre amère expérience.

des trous en se protégeant de leur mieux des rafales de vent, ceux de la division Littorio ou Dio lo vuole et les *fiamme nere*, tous ces soldats de l'Italie fasciste envoyés au secours de Franco et auxquels on a fait miroiter qu'ils allaient prendre Madrid et mettre la ville à sac. Les combats de la journée n'ont pas permis d'avancer. Le sol gelé est jonché de cadavres raidis victimes des tanks, des avions russes, des tirs meurtriers des brigades internationales montées en ligne et des mitrailleuses fascistes. Les républicains savent que si Guadalajara tombe, Madrid sera aussitôt envahie. Alors, ils opposent à l'offensive tous les combattants qu'ils ont pu trouver, eux aussi blottis dans des tranchées, dissimulés dans les bois, arc-boutés derrière les camions, et là, comme s'achève le jour, il s'installe entre les lignes un drôle de silence, même pas troublé par les gémissements des blessés qui meurent sans bruit sur la *terra di nessuno*.

— Ils sont devant, à moins de trois cents mètres, mon général, dit un lieutenant à Lorenzo. Ils nous attendent.

— Qu'ils attendent encore, dit Lorenzo. Nos hommes se battent depuis l'aube et ils ont besoin de repos.

— Certains risquent de ne pas se réveiller s'ils s'endorment avec ce froid.

— J'ai connu ça sur l'Isonzo il y a vingt ans. On se réveille toujours.

Il n'ajoute rien. Lui aussi grelotte. À côté grésille une radio, d'où viendra l'ordre de lancer l'assaut. C'est dans ce micro qu'il dicte les messages codés directement adressés au Duce via les Affaires étrangères. Pour l'instant, la radio ne produit que des crachotements. Il faut attendre les renforts espagnols envoyés par Franco – s'ils viennent.

Lorenzo tente d'observer la nuit, mais tout est brouillé par la neige. À peine des lueurs çà et là de l'autre côté, les popotes de la Garibaldi, sans doute.

— Combien de campagnes avez-vous faites, mon général, si je puis m'autoriser cette question ? demande le lieutenant.

— C'est la quatrième après l'Isonzo, le Piave et l'Éthiopie.

Il ne parle pas du reste, l'époque du *squadrismo*, les actes du *boia* et Gangi en Sicile, même si cette guerre-là n'a duré qu'une journée, deux nuits et un matin. Le lieutenant allume une cigarette.

— Ne fumez pas, dit Lorenzo, ou cachez-vous. Ils ont des *mirini*[1] à la Garibaldi. On le sait.

Et la veille reprend. Lorenzo et le lieutenant grignotent le *rancio* que l'on vient d'apporter. Dans leur dos, ils entendent les grognements des hommes serrés les uns contre les autres et le bruit des brodequins qui raclent les plaques de neige. Les *esploratori* reviennent de leur mission, ils sautent dans la tranchée.

— Tout est calme de l'autre côté, mon général.

Soudain, cette voix immense, puissante :

— *Fratelli d'Italia !* Frères au cœur généreux ! Écoutez ! Vous vous battez sans apporter de gloire à notre pays pour des combats qui ne vous regardent

1. Tireurs d'élite.

pas. Ne tirez pas contre vos frères, demandez à rentrer chez vous. Cette guerre ne profite qu'aux seigneurs de la société et jamais à nous !

— C'est une fille qui parle ! s'écrie le lieutenant derrière.

Cette voix, il la connaît, Lorenzo, amplifiée par le haut-parleur. C'est la voix de Julia. Mais Julia est morte. Non, c'est la voix de Laura !

— Écoutez-moi, je suis une fille de Vérone, j'ai choisi de rejoindre les brigades contre l'avis de ma famille, de me battre pour les démocraties et contre tous les fascismes. Je suis une Italienne comme vous. Rejoignez-nous !

Lorenzo oscille entre la fureur de savoir sa propre fille chez les rouges et le bonheur. C'est bien la fille de sa mère ! C'est bien notre fille ! songe-t-il.

— Écoutez-moi, frères italiens ! Mussolini vous a trompés une fois de plus. La guerre d'Éthiopie, il l'a gagnée avec les gaz. La guerre d'Espagne, il ne doit pas la gagner avec votre sang !

Le lieutenant s'écrie :

— Les *esploratori* ont repéré le camion et le haut-parleur.

Il tend le bras vers la droite.

— Regardez, mon général, il est là. On le voit maintenant qu'il ne neige plus. J'ai fait régler la hausse du canon et les artilleurs l'ont dans la mire.

— Interdiction de tirer contre une voix ! s'écrie Lorenzo. Chantons !

Et tous entonnent l'hymne des *fiamme nere* d'une voix forte :

Legionario fascista, ove tu vai ?
Verso l'ignoto, chi ti conduce ?
Ove io vado, ormai tu lo sai
Vado ove mi chiama et vuole il Duce[1] !

*

La même nuit au palazzo Chigi, Carmela et Ciano sont brusquement réveillés par un planton qui frappe à la porte.

— Votre Excellence, vous avez demandé qu'on vous porte les messages d'Espagne dès qu'ils arrivent, à n'importe quelle heure. On vient de décoder celui-ci.

— Donne, dit Ciano. Merci.

Il ouvre l'enveloppe. À l'intérieur, une feuille de papier bulle. Une quinzaine de lignes qu'il lit rapidement avant de la jeter dans la cheminée, le visage rembruni.

— Lorenzo Mori, finit-il par dire. C'est lui qui me renseigne sur les événements en Espagne, mieux sans doute que les comptes rendus de l'état-major du général Roatta qui veut toujours édulcorer les choses pour les présenter à son avantage.

— Et alors ? demande Carmela d'une voix un peu tremblante.

Elle s'émeut chaque fois qu'il parle de Lorenzo, mais lui ne s'en aperçoit pas. Ciano est un homme qui n'écoute et ne regarde que lui.

---

1. Légionnaire fasciste, où vas-tu ? / Vers l'inconnu, qui te conduit ? / Où je vais, maintenant tu le sais / Je vais où m'appelle et me l'ordonne le Duce.

— La bataille se déroule mal. À droite, la division Littorio est bloquée par cinq bataillons des brigades Lister, Commune de Paris, Edgar André, Thälmann et la 70e brigade. À gauche, les chemises noires sont face à la brigade Garibaldi et à El Campesino devant Brihuega. Il neige, et notre aviation ne peut pas intervenir. Les divisions espagnoles prévues en renfort ne sont toujours pas là et, côté républicain, les tanks russes reviennent en force. On ne pourra pas tenir longtemps, le *rancio* est en retard et il y a déjà beaucoup de morts, sans parler des blessés. Les Garibaldi font de la propagande par haut-parleur, Mori fait chanter l'hymne des flammes noires mais dit que ça ne remplace pas les morts, ni les munitions, ni les renforts.

— C'était à quel moment ?

— Il y a deux heures. Mori transmet par radio des messages codés à l'état-major, qui les relaie tels quels. C'est ici qu'on les décode, et c'est moi qui préviens le Duce de ce qui se passe. En ce moment, il est en Libye. Je ne le joindrai que demain matin.

Carmela se tait. Ce n'est pas la première fois qu'elle assiste à la remise des messages de Mori. Elle pense à lui là-bas, de l'autre côté de la mer, sur le plateau glacé de Guadalajara, dans la neige, face aux tanks russes et aux brigades internationales. Elle craint qu'il ne soit tué ou blessé.

— Es-tu sûr que cette guerre en Espagne est une guerre juste ? demande-t-elle.

Ciano a un geste agacé. Il a fortement encouragé Mussolini à intervenir.

— Aucune guerre n'est vraiment juste quelle que

soit la noblesse des motifs invoqués. Ici, il s'agit d'éviter une Espagne russifiée, un bloc communiste en face de l'Italie fasciste. Mais il y a aussi nos intérêts en Méditerranée, qui doit devenir la mer italienne. Tu vois, je te dis tout. Mais nous payons le prix fort.

— Les Espagnols aussi.

— C'est vrai. Eux aussi, nationalistes et républicains.

Pour la première fois, le ministre s'est effacé derrière l'homme. C'est le bon côté de Ciano. Un cynisme et une humanité extrêmes. Comment les deux peuvent-ils se côtoyer en un même personnage ?

— Il va revenir, Mori, de Guadalajara ?

Ciano ne répond pas.

*

Huit jours plus tard, Lorenzo envoie ce message : « Nous tenons Brihuega pour fixer les forces adverses le plus longtemps possible et permettre à la Littorio et à la Dio lo vuole, durement éprouvées par l'aviation républicaine, de replier en bon ordre les effectifs qui leur restent. Munitions pour vingt-quatre heures maximum. Les tanks sont là. Toujours pas de renforts espagnols. Guadalajara est perdue. Je détruis ma radio et mes codes de transmission. Salut à tous. »

C'est la fin – ou presque. Le haut-parleur de la Garibaldi s'est tu définitivement. Dans les tranchées et les trous qui entourent Brihuega, les hommes sont enfouis, calfeutrés, protégés par des sacs de terre. « Il faut tenir tant qu'on a des obus et des balles, a dit Mori. Après, on s'en va. » Il n'a pas ajouté : « Du moins, ceux qui seront encore vivants», mais tous l'ont pensé. Sur les arrières on entend parfois des salves de fusils. Ce sont les pelotons d'exécution qui liquident les déserteurs. Il y en a peu. Les chemises noires sont le plus souvent composées de troupes aguerries, mais il s'y trouve aussi des pères de famille qui se sont engagés pour la solde, d'autres qui ont cru qu'ils allaient en Éthiopie installer des fermes et faire venir les leurs. Ils se sont retrouvés en tenue coloniale légère sur les plateaux gelés de la Castille, face aux républicains qui leur criaient en espagnol: «Ici, ce n'est pas l'Abyssinie.» Ils ont protesté. On leur a répondu que rien n'avait été promis ni signé sur la destination. Alors, certains ont voulu rentrer par leurs propres moyens, fuyant la nuit par les chemins. Ce sont eux que l'on fusille quand on les trouve. D'autres, convaincus par le haut-parleur ou les tracts lancés par les avions républicains, ont voulu gagner les lignes adverses et se rendre. Ce sont leurs cadavres, abattus dans le dos sur la *terra di nessuno*. Très peu sont arrivés à passer. Ceux qui restent sous les ordres de Mori sont des hommes durs et prêts à mourir. Ils tiendront Brihuega jusqu'à la fin.

— Attention! Les voilà!

En face, on distingue de gros insectes qui sortent du bois et ouvrent le feu. L'artillerie des chemises noires réplique au coup par coup, mais il faut déplacer les canons sans cesse car les chars visent juste et repèrent les départs d'obus. Les troupes républicaines, massées à l'arrière en colonnes hérissées de fusils, attendent d'être suffisamment proches pour se déployer.

— Feu ! ordonne Mori. Sur les chars !

Tous les canons tirent ensemble. Deux ou trois chars russes touchés de plein fouet s'enflamment aussitôt. Les autres ralentissent, s'arrêtent, mais continuent de tirer. Puis recommencent à avancer.

— Feu ! ordonne encore Lorenzo.

69

— Tu signes de ton nom de jeune fille maintenant ? Je croyais qu'on était mariés, observe Andrea Cavalcanti en reposant les dix feuillets du rapport de lecture sur la *Cafonessa* sur la table du restaurant.

— Nous l'avons été si peu, mais nous sommes restés de très grands amis. C'est ce qui compte, n'est-ce pas ? Je te dois ma position chez Chiaramonti. Deux hommes m'ont donné cette nouvelle vie, Mgr Pallavicino et toi. Le premier n'est plus là, mais je n'oublierai jamais ce que je te dois.

Cavalcanti a un sourire. C'est un homme qui aime que les femmes le remercient, y compris la sienne, même si elle ne l'est plus vraiment. Il se penche sur la table, la main sur les feuillets. Il se sert un verre de blanc et allume une cigarette. Avant d'entrer à l'académie, il ne fumait pas. Maintenant, il a pris le vice, il aime la gestuelle du fumeur.

— *Carissima*, pourquoi me fais-tu lire ton rapport ?

Carmela prend les feuillets et les glisse dans son sac.

— Parce que c'est toi qui as écrit la *Cafonessa*. C'est limpide.

Il boit son verre en la regardant à travers le vin.

— Qu'est-ce qui te permet de l'affirmer ?

— L'écriture, cher ami. Sans doute as-tu voulu modifier ton style. Les phrases sont plus longues, délicatement enchevêtrées, et leur construction a changé. Mais les tics demeurent. Certaines tournures de phrases, des mots plutôt recherchés, et ces coups de théâtre à chaque articulation de l'intrigue, sans compter le retournement de situation. C'est du Cavalcanti tout craché. Le style, pour un auteur, c'est comme les empreintes digitales. On ne peut pas s'en défaire. Et s'il y a quelqu'un qui connaît tous tes livres à fond, c'est bien moi. Anonymus, c'est toi.

Un silence. Il ne conteste pas être Anonymus. Carmela a le sentiment de s'être peut-être trompée sur lui. Le bruit courait qu'il n'écrivait plus parce qu'il n'avait plus rien à dire, que le succès de *Lei* avait tari son inspiration, d'autant plus que le régime après son ralliement l'avait couvert d'honneurs, et voilà qu'il commet ce brûlot, masqué, mais brûlot quand même. On n'écrit pas un livre pareil sans éprouver un profond sentiment de révolte, de fureur contre le système en place. La *Cafonessa* n'est pas seulement un roman qui met en scène deux personnages opposés, c'est aussi et surtout une œuvre politique.

— Andrea, qu'est-ce qui t'a pris de cracher dans la soupe ? D'Annunzio est fini ou presque, tu es le premier écrivain d'Italie, comblé de tout, l'argent, les femmes, ton chapeau à plumes au propre et au figuré. Et tu écris que tout cela est à jeter ? C'est ton héroïne qui l'affirme à la fin du livre, et son ministre d'amant, lui aussi personnage très public, ambitionne de succéder au chef en place, finit par l'admettre et par brûler ce qu'il a adoré. Le pire, vois-tu, c'est que c'est si bien observé et argumenté que le lecteur se met à y croire, lui aussi.

Cette fois, il rit avant de terminer son verre de blanc.

— Essaie avec Ciano, tu verras.

Carmela le fixe de son œil dur de Sicilienne.

— Une fois de plus, la *Cafonessa*, c'est moi.

Cavalcanti médite sa réplique.

— Un peu, finit-il par admettre. Sans doute es-tu l'opposé d'une paysanne inculte du Mezzogiorno, mais il existe chez toi cette lucidité un peu amère, ce refus des discours enthousiasmants et frelatés, ce dédain forcené pour les chapeaux à plumes, y compris le mien.

Il lui parle d'elle, se souvient de tous les combats qu'il a perdus contre elle. Lui, l'homme des mots et des femmes, jamais il n'a pu l'emporter. Elle est une femme double, triple même, et derrière la Carmela mondaine, sensuelle, charmante, la lectrice avertie, se dissimule la *Cafonessa*, rugueuse, sévère et implacable. C'est celle-là qu'il a voulu décrire dans son roman, cette femme qui, sous les dehors trompeurs d'une rusticité affichée, mène le jeu, armée d'une secrète perspicacité. Voilà ce qu'il lui dit, Cavalcanti, et ce discours subtil est en même temps un aveu d'amour sans espoir. Il n'a rencontré aucune femme comme elle, cette épouse qui ne lui a jamais appartenu.

— Et Galeazzo, poursuit-elle, c'est l'image qu'il te

renvoie ? Un ministre qui tire ses convictions de ses intérêts de carrière, eux-mêmes liés à son mariage avec la fille du Duce, un homme pusillanime et changeant, séducteur sans effort, le tout sous le masque d'un fasciste endurci mais qui tournera casaque au premier coup de canon ?

Andrea hoche la tête et écrase sa cigarette.

— C'est ainsi que je le vois sans le connaître vraiment. En revanche, je l'ai beaucoup observé pendant ses discours publics. Il s'échauffe au fur et à mesure, comme s'il lui fallait se convaincre lui-même de la force de ce qu'il énonce. Il y a pire : cette gestuelle qui lui vient, les maxillaires serrés, la voix coupante, directement calquée sur celle de Mussolini. Il doit hausser le ton pour croire à ce qu'il dit. Ce n'est pas le signe d'une personnalité affirmée et d'une pensée autonome.

Il poursuit sur ce registre. Dans un pays démocratique où les choix sont libres et la presse indépendante, Ciano ne serait jamais parvenu à un poste gouvernemental, car ses concurrents auraient eu tôt fait de le déquiller. Sous le régime fasciste, les dés sont pipés. Agresser Ciano, c'est s'en prendre au Duce dont il est la voix fidèle et obéissante, c'est se suicider politiquement dans l'attente du *confino*, comme c'est arrivé à Malaparte.

— Tu le hais, le coupe-t-elle soudain, parce que je couche avec lui. C'est la jalousie qui t'a fait écrire ce livre et l'amour que tu me portes.

Elle lui lâche ce trait en souriant. Il reçoit le coup, mais il a appris à encaisser depuis tout ce temps avec elle. À force de recouvrir ses plaies pour les dissimuler, elles se sont refermées ou presque. Sans doute a-t-il été jaloux, mais ce temps est passé. Sans doute est-il toujours amoureux d'elle, mais ce sentiment pâlira, comme le reste, ou se transformera en amitié, et cela a déjà commencé. Le poste chez Chiaramonti, avec ce qu'il signifie, les Colonna et tout ce qui va avec, c'est de l'amitié pure, de la générosité, de l'attachement, mais pas de l'amour, dit-il, ou peu, disons de l'amitié et de l'amour mélangés sans que l'on sache lequel domine l'autre.

— Cela pour me dire que tu penses sincèrement ce que tu as écrit et ce que tu viens de me dire sur Ciano ?

— Oui, je le pense vraiment. C'est aussi pour cela que j'ai écrit la *Cafonessa*. Ciano, c'est le ver dans le fruit déjà gâté. Il le pourrira jusqu'à le faire tomber de l'arbre. C'est un bacille actif à empoisonnement lent.

Cette fois, c'est elle qui accuse le choc. Si Nino n'avait pas existé, elle aurait fait sa vie avec cet homme dont elle a toujours admiré, sous le talent de l'écrivain, le sens de l'observation et de l'analyse. Elle aime les séducteurs.

Carmela se penche sur la table.

— Galeazzo est un garçon multiple, commence-t-elle. Sinon, Mussolini n'aurait pas mis un jocrisse à ce poste et aurait fait obstacle au mariage, quelle que soit l'ascendance de Galeazzo. Il l'a nommé, après l'avoir mis à l'épreuve dans ses fonctions précédentes.

Le Cavalcanti fait un signe approbateur.

— Bon argument. Malgré tous ses défauts, Mussolini connaît bien les hommes, du moins quand ils lui sont subordonnés.

Elle continue, Carmela, elle veut montrer Galeazzo comme elle le voit, méticuleux jusqu'à l'obsession, lucide jusqu'au cynisme, avec un talent pour anticiper les événements et une vraie vision de l'Europe diplomatique.

— Et l'homme ? l'interrompt Cavalcanti. L'homme ?

— Il aime ses amis, y compris quand ils sont dans le malheur. Malaparte lui doit d'avoir passé un *confino* de rêve à Forte dei Marmi, la plus belle station balnéaire d'Italie. Pavolini, son vieux compagnon d'escadrille en Éthiopie, lui doit sa position actuelle. Je ne suis pas sûre que l'un et l'autre lui en soient reconnaissants. Le comte a des suspicions terribles, Galeazzo des naïvetés chaleureuses, dès lors qu'il s'agit des siens.

— Et le reste ?

Elle hausse les épaules.

— Quel reste ?

— Le gros morceau, l'os à ronger : Mussolini !

Cette fois, elle ne répond pas tout de suite. C'est là que le bât blesse. Ciano a une dévotion presque maladive pour le Duce qu'il rencontre chaque matin au Venezia pour lui faire son rapport. Carmela, certains soirs, en a des échos au point qu'elle suit les événements et pose des questions politiques. Et l'Autriche, l'Albanie, l'Allemagne, qu'est-ce que ça devient ? Ciano répond volontiers en achevant toujours son commentaire par la formule : « Le Duce a donc raison, même si j'étais d'un avis opposé. » C'est cela qui la gêne, cette religion.

— Il est extrêmement dévoué à Mussolini, et cela n'a rien à voir avec le fait qu'il a épousé Edda. Il aime être l'élève du chef. Cela, je ne peux le nier.

Le Cavalcanti a un geste du bras pour évacuer le sujet.

— Tu l'aimes ? demande-t-il encore à brûle-pourpoint.

Elle a un sourire espiègle de jeune fille. Cavalcanti pose toujours des questions indiscrètes.

— J'aime être avec lui.

— Ce n'est pas la même chose.

— Non… Cela n'a rien à voir avec l'amour que j'ai ressenti pour Nino. On peut apprécier un compagnonnage sensuel avec un homme sans aimer l'homme pour autant. Tu comprends ?

— Comme avec moi, observe Cavalcanti.

— Oui, c'est cela.

Elle se tait un instant.

— J'aime un autre homme qui ne le sait pas et ne le saura jamais, d'autant qu'à l'heure qu'il est il est probablement mort. Il m'a fallu des mois pour m'en apercevoir alors que je ne le voyais plus et qu'il me manquait sans que je pense à lui. C'est étrange, mais c'est ainsi. Si j'enlève tout ce qui m'entoure, c'est lui seul qui reste.

— Qui est-ce ? demande Cavalcanti avec sa curiosité impudique.

— Elle ne répond pas.

70

Sur ce navire-hôpital qui ramène en Italie les blessés et les mutilés de Guadalajara, Lorenzo accepte la mort qui tourne autour de la coque du bateau et fond sur les gisants avant d'en emporter quelques-uns à chacune de ses rafles. Que vienne la mort, ce sera fini et je m'en fous, pense-t-il. Cette indifférence le surprend. C'est la fatigue des grands blessés, quand le corps n'est plus qu'une masse douloureuse assommée par la morphine.

L'infirmière de la Croix-Rouge vient prendre son pouls et lui demande comment il se sent. Il répond d'un mouvement de sa main vivante avant de sombrer à nouveau. Une fois, elle lui dit : « Vous avez une médaille de la valeur militaire de plus, on a appris la nouvelle par la radio. » Et il fait le même geste. Une autre fois, c'est Julia qui s'assied sur le bord du lit et caresse son front. Cela fait bien deux ans qu'elle n'est pas apparue. Il lui dit :

— Tu es venue me chercher, c'est bien que ce soit toi.

— Pas cette fois, Lorenzo, je suis venue parce que tu souffres.

— Pourquoi tu m'as laissé pendant toutes ces années ?

— J'étais là, mais tu ne me voyais pas.

Il se rendort. Au matin, il va mieux. L'infirmière lui dit que le port de Gênes est en vue. On attend la nuit pour accoster.

— Pourquoi la nuit ?

Elle ne répond pas. Au bout d'un moment, il dit :

— C'est pour que les gens ne voient pas les civières et les cadavres ? C'est pour cela qu'on attend la nuit ?

— Vous allez mieux, général, une ambulance a été commandée spécialement pour vous. C'est le régime des héros, elle vous conduira à l'hôpital militaire. Le major vous verra et on vous laissera dormir. Votre famille est prévenue, elle viendra demain.

Il se rendort. Les brancardiers le soulèvent doucement. Il les entend dire : « Il a pris une rafale dans le coffre, on se demande comment il est encore vivant. »

À l'hôpital, le major refait ses bandages, accroche la médaille aux poutrelles du lit et lui lit un télégramme d'encouragement du Duce.

— Il faudra éviter de faire une nouvelle guerre, général, la chance inouïe qui vous vaut d'être encore parmi nous ne repassera pas.

Il ne répond pas et regarde le major de son œil de chemise noire.

— Bon, admettons que je n'aie rien dit, grommelle le major.

— Que sont devenus mes hommes ? demande-t-il.

— Un grand nombre d'entre eux s'en sont sortis, grâce à vous, général. Il paraît que vous avez tiré au sens propre jusqu'à la dernière cartouche de votre mitrailleuse avant de tomber. Ils sont revenus pour vous emporter.

Il passe une nuit agitée. Pour la première fois, il rêve de Carmela.

*

— Chère amie, commence l'éditeur Chiaramonti, le manuscrit de la *Cafonessa* contient autant de polémiques que de pages. Le régime ne manquera pas de se sentir agressé en la personne de l'enfant chéri du fascisme, et il n'échappera à aucun observateur qu'il est publié dans une maison où vous occupez un poste prépondérant. D'autant que vos relations avec l'enfant chéri sont devenues notoires, sans compter qu'une bonne âme décryptera derrière le pseudonyme Anonymus Cavalcanti, le président de la section art et littérature de notre académie, accessoirement votre mari aux yeux de la loi. Toutes les bonnes amies que vous comptez chez la princesse ou au golf d'Acquasanta ne manqueront pas de susurrer ces remarques à l'oreille du comte.

Il repose le manuscrit sur la table et feuillette encore le rapport de Carmela avant d'en faire une boulette et de la jeter dans la cheminée. Pas de trace.

— Il y a de quoi occuper les dîners de la princesse pendant un mois, remarque Carmela. C'est le côté positif.

— *Or to take arms against a sea of troubles*[1], *carissima*, comme le dit si bien Hamlet.

Ils se taisent tous les deux. Chiaramonti a immédiatement identifié Cavalcanti, avant même de lire le rapport de Carmela. Selon lui, les connaisseurs de son œuvre ne s'y tromperont pas et la véritable identité de l'auteur sera aussitôt révélée.

— Cela viendra aux oreilles du Duce, reprend-il, et il ne m'aime guère, même si j'ai fait pilonner sur son ordre confidentiel *Psychanalyse des religieux*. Il était en pleine lune de miel avec le Vatican. Aujourd'hui, avec ce que sont devenus leurs rapports, il me demanderait plutôt de le réimprimer... Mais cela ne résout pas notre problème.

Il replonge dans le silence. Carmela le respecte,

1. Ou de prendre les armes devant un océan d'ennuis.

c'est un homme qui pense loin. Cela dure un moment, cette réflexion. Il feuillette encore quelques pages de la *Cafonessa*.

— On peut espérer que le régime ne dise rien puisque le mot « fascisme » n'est jamais écrit, poursuit-il, et que le Duce et Ciano ne sont pas nommés. Agir contre l'éditeur pourrait signifier que les hiérarques se reconnaissent dans la description des personnages. Quant à Cavalcanti, il est trop impliqué dans l'académie pour qu'on lui cherche des ennuis. Si on l'interroge, il rejettera l'accusation de l'avoir écrit avec mépris. Pendant ce temps, le livre se vendra. Pardonnez-moi, chère amie, mais la *Cafonessa*, c'est beaucoup plus fort que *Lei*. La littérature est un peu atone ces temps-ci. Il faut dire que les meilleurs auteurs sont partis à l'étranger. Notre devoir est de réveiller les esprits dans cette Italie un peu abêtie, pour ne pas dire plus. J'ai une idée, mais peut-être est-elle trop audacieuse. On pourrait faire publier le livre en France avec un bandeau : « Le roman interdit par Mussolini. »

Il regarde Carmela.

— Le vrai problème, *carissima*, c'est vos rapports avec le comte. Ce livre pourrait être la cause d'une séparation.

— Le comte est un homme parfait, mais il ne vaut pas un livre !

*

— Ah, mon fils, s'écrie Adriana Mori, te voilà bien amoché !

Elle pleure, la *nonna*, elle voudrait bien ne rien montrer de son émotion, de son chagrin, mais elle n'y parvient pas devant Lorenzo gisant comme une araignée sur le dos avec tous ces tuyaux et ces fils, comme des pattes maigres autour de son torse. Les bruits métalliques des appareils de contrôle et leurs clignotants ressemblent à des feux rouges.

Tous les Mori sont venus, la *nonna*, Virginia et Sandro. Tous se pressent dans la chambre, se poussant du col pour apercevoir le héros.

— Un quart d'heure, dit le major, pas plus. À partir de la seizième minute, je ne réponds plus de rien.

Ils embrassent Lorenzo à tour de rôle en défilant autour du lit. Puis sortent en adressant au blessé un petit signe ou un baiser avec les doigts.

— Je reviendrai demain, promet Virginia.

— C'est ça, demain, dit le major en écho.

— Moi aussi, dit Adriana Mori.

— Non, pas vous, une personne à la fois, objecte le major qui flaire la visiteuse encombrante.

Elle revient, Virginia, en épouse aimante, en femme de héros, avec les journaux du jour où elle a encadré les articles sur la guerre d'Espagne, qu'elle lit d'une voix posée à son mari, jusqu'à ce qu'il s'endorme.

Le lendemain, c'est la *nonna* avec une nouvelle brassée de journaux. Et elle pose cette question :

— J'aurais voulu prévenir Laura, mais je ne sais pas où la joindre.

— Écrivez en Espagne, aux bons soins de la brigade Garibaldi, ne peut s'empêcher de lâcher Lorenzo. Il y a des chances qu'elle reçoive votre lettre.

— Qu'est-ce que c'est, la brigade Garibaldi ?

— Les Italiens qui défendent la République espagnole contre Franco et ses alliés !

— Les communistes ?

Il acquiesce.

— Elle est avec eux ? s'étrangle-t-elle.

— Oui.

— Comment tu le sais ? Tu l'as vue ?

— Je l'ai entendue.

— *Dio mio*, elle est comme sa mère !

Adriana Mori est effondrée. Laura avec les communistes en Espagne, c'est une honte. Et elle n'a personne avec qui en parler, surtout pas Virginia, définitivement égarée dans les mondanités fascistes, ni Sandro, qui rêve toujours de s'engager.

Le surlendemain, elle demande à Lorenzo :

— Tu te rappelles ce que tu m'as raconté sur Laura, qu'elle était avec les communistes en Espagne ?

— Je vous ai dit ça ?

— Tu m'as même dit que tu l'avais entendue. Tu as parlé avec elle ?

Il a son sourire de blessé.

— C'est un cauchemar qui m'a traversé l'esprit. C'est faux. Je ne sais pas où est Laura. Oubliez ce que je vous ai dit. Les médicaments me brouillent la pensée.

Elle a un doute.

— Tu n'as pas confiance en ta mère, Lorenzo ?

Il ne répond pas et feint de dormir.

Après, c'est Virginia. Quand elle a lu tous les journaux, il faut qu'elle raconte les événements importants de sa propre vie, les endroits où elle est invitée et les gens qu'elle rencontre. Ces descriptions ennuient profondément Lorenzo, qui préférerait l'entendre commenter ses lectures. Sauf que Virginia ne lit pas. Il est donc contraint d'écouter tous les ragots qui courent dans les salons de Rome, certains sont drôles, d'autres moins. Le héros de Virginia, c'est le comte Ciano, qui ne manque jamais de lui demander des nouvelles de son mari.

— Ce Galeazzo, commente-t-elle, quel personnage ! Très entouré, très admiré de toutes les femmes.

— Toi comprise ? demande Lorenzo en souriant.

— Oh, moi ! Je ne l'intéresse pas ! Je fais partie des femmes honnêtes et il n'a jamais rien essayé. Surtout en ce moment.

— Pourquoi ?

— Parce que cela fait plusieurs mois qu'il se coltine la même maîtresse sur un mode presque officiel. Il paraît qu'Edda s'en fiche, et le Duce encore plus. Alors il continue. Oh, mais tu la connais ! Elle te plaisait bien à l'époque.

— Qui est-ce ?

— Carmela Cavalcanti, répète Virginia en tordant la bouche. Ne me dis pas que tu l'as oubliée !

*

« Plus que d'un succès, on doit parler d'une victoire italienne que les événements n'ont pas permis d'exploiter à fond. » L'article remplit huit colonnes du *Popolo d'Italia*, il n'est pas signé et s'intitule « Guadalajara ». Les derniers mots sont un appel à venger les morts.

— Qui a écrit cet article ? demande Carmela.

Ciano hausse les épaules.

— Le Duce, bien sûr, il doit être lu dans toutes les casernes d'Italie devant les troupes assemblées.

— Comment ose-t-il parler de victoire ?

Le Ciano fronce les sourcils. Ce n'est pas le moment de critiquer le régime, d'autant que Franco a repris le dessus, mais la liste des victimes est longue, dont on ne peut empêcher la publication.

— C'est très simple, pour réagir et rétablir la vérité ! finit-il par dire. La presse internationale est déchaînée contre nous, surtout les journaux français de gauche qui ont annoncé à grand renfort de tambours la défaite des fascistes à Guadalajara. Il n'y a pas eu de défaite de nos troupes, même s'il y a eu des milliers de morts. C'est une faute de commandement : la retraite a été ordonnée trop tôt.

Carmela ne veut pas insister. Elle le déteste quand il se lance dans ce genre de discours. Il en perd sa vivacité d'esprit et son sens critique qui font tout son charme. Dès que l'on évoque Mussolini, cet homme ne raisonne plus. De même en est-il lorsqu'on évoque l'Allemagne nazie et son chancelier, toujours irréprochables à ses yeux. Mais il l'a prévenue : « Ne me parle jamais de politique, ce n'est pas ton monde, c'est le mien, et je t'interdis d'y pénétrer. » C'est elle qui est en faute en enfreignant cette règle.

— Pardonne-moi, dit Carmela, je n'aurais pas dû intervenir sur ce sujet. J'avais encore en mémoire le dernier message de Mori que tu m'as lu. C'étaient les mots d'un homme qui sait qu'il va se faire tuer. Je ne l'ai pas oublié.

Ciano sourit.

— Il s'en est tiré ! Il a été grièvement blessé, dans des conditions qui font une nouvelle fois de lui un héros. Il a été soigné en Espagne, opéré plusieurs fois, et on vient de le rapatrier dans un navire-hôpital. Il se trouve à Rome dans un établissement militaire. Je lui ai rendu visite la semaine dernière. Dès qu'il sera remis, Mussolini s'occupera de lui, et moi aussi. Je ne peux pas t'en dire plus. Tu restes ce soir ?

Elle secoue la tête. Du travail l'attend à la maison d'édition. Galeazzo l'embrasse.

— À mercredi, chez la princesse.

Elle traverse Rome à pied. Le travail qui l'attend, c'est la relecture attentive de la *Cafonessa*. Elle a hâte de s'y mettre.

Elle passe plusieurs heures à annoter, barrer, corriger, réorganiser certains chapitres, jusqu'à ce que Chiaramonti frappe à sa porte. Il appartient à cette race de vieillards qui dorment peu, craignant de ne pas se réveiller. C'est du moins ce qu'il affirme quand on lui parle de son âge.

— Alors ? demande-t-il.

— C'est un texte terrible, encore plus puissant que ce que nous avions imaginé. Un livre avec plusieurs entrées, et l'entrée politique n'est pas la moindre, évidemment.

Chiaramonti s'installe dans un fauteuil.

— J'y ai beaucoup pensé depuis notre dernière conversation. L'utilisation du pseudonyme est une erreur. On cherchera le véritable auteur, et on se demandera pourquoi Cavalcanti n'a pas publié sous son nom. Ce sera le signe qu'il a quelque chose à cacher, il faut publier le livre sous son nom. Sa position à l'académie écartera le soupçon d'un livre politique, de même que votre propre situation entre Cavalcanti et le comte Ciano.

— J'en suis surprise, mais sans doute avez-vous raison.

— Que direz-vous au comte s'il vous interroge ?

— Qu'il ne doit pas se mêler de littérature, comme je ne dois pas me mêler de politique. D'ailleurs, le livre, je le lui offrirai avec une dédicace de Cavalcanti.

Il éclate de rire.

— Vous êtes une traîtresse, Carmela.

Cette fois, c'est elle qui se met à pouffer.

— Je n'ai pas plus de devoirs envers le comte que lui envers moi.

— Vous êtes bien joyeuse ce soir.

— Parce qu'un homme que je croyais mort est vivant.

— Pardonnez ma curiosité, cet homme, vous l'aimez ?

— Je le saurai quand je le reverrai.

*

Il faut bien deux mois à Lorenzo pour se remettre. Ses blessures sont guéries, mais il passe ses journées à lire sur la terrasse du palazzo les journaux, quelques livres, et à recevoir les visites de hiérarques qui viennent bavarder avec lui. Ils parlent de l'Éthiopie, de l'Espagne et de l'Allemagne. L'Allemagne a envoyé en Espagne les avions, l'Italie, les hommes, répète-t-on. Balbo déteste l'Allemagne, Bottai s'en méfie, Ciano a cette formule : « L'Italie admire l'Allemagne mais n'aime pas les Allemands. À l'inverse, les Allemands méprisent l'Italie mais aiment bien les Italiens. » Il ajoute : « Hitler considère qu'il n'existe qu'un seul Italien auquel on puisse faire confiance, c'est Mussolini. Les autres n'existent pas. » Mais c'est avec Bottai que Lorenzo se lie vraiment. L'homme est intelligent, cultivé, chaleureux et drôle. D'aucuns soutiennent qu'il est le seul intellectuel dans ce milieu des hiérarques. Ministre de l'Éducation nationale, il a entrepris de courageuses réformes. Il lit plusieurs livres par semaine et tient un journal dans lequel il rapporte les plaisanteries qui circulent sur le régime et son chef. Celle-ci fait particulièrement rire Lorenzo : Un type dit à son ami : « Le beau temps est revenu grâce à Dieu. » L'autre : « Non, grâce au Duce. » Le premier : « Mais que dira-t-on quand le Duce sera mort ? — Alors, on dira grâce à Dieu. »

C'est très italien, remarque Bottai, ce genre de *barzelletta*, c'est une respiration pour les gens. Mais il ne faut rien dire au Duce. Il déteste ce genre d'humour, surtout quand il est visé. Et il déteste encore plus que l'on évoque sa mort.

— Et l'Allemagne ? demande Lorenzo.

— Le Duce est invité par Hitler en septembre pour un voyage officiel. Il admire leur armée, mais dit des Allemands : « À eux la guerre, à moi la politique. » Il dit aussi : « Un jour, il ressortira de l'Allemagne un pangermanisme inhumain qu'il faudra affronter. C'est un jour lointain, mais qui se profile déjà. Aujourd'hui, on doit abattre la suprématie politico-culturelle de la

France, mais ce jour-là nous serons à ses côtés pour une défense de la latinité sur le Rhin. »

— Et toi, qu'en penses-tu ?

Bottai prend le temps de la réflexion.

— Aujourd'hui, la mode est à l'Allemagne. Mussolini est fasciné par elle mais il la craint sans jamais l'avouer. Les hiérarques le suivent, Starace et Farinacci bien sûr. C'est leur intérêt, mais certains y croient vraiment. Seul Balbo dit ce qu'il pense, mais personne ne l'écoute. Il est relégué en Libye et n'en ressort que pour les séances du Grand Conseil où il s'oppose frontalement à Mussolini, qui n'ose pas le renvoyer, car il est trop populaire.

— Et Ciano ?

— Il n'a pas de convictions, du moins pas encore. Lui aussi écrit un journal… Pour l'instant, il navigue au plus près entre sa carrière, sa dévotion au Duce et sa maîtresse, la belle Carmela Cavalcanti.

Il continue sur cette femme, un personnage étrange qui succédera un jour à Chiaramonti, l'éditeur. Pour l'instant, elle fait et défait les carrières d'écrivains avec des choix de publications originaux, mais qui se révèlent toujours justes, et elle est devenue l'une des reines de Rome, une habituée des salons Colonna. Lorenzo est troublé comme chaque fois qu'il entend parler d'elle. Il souhaite la revoir et en même temps le redoute.

— Je l'ai connue en Sicile. C'est une fille dure sous ses dehors de femme cultivée et charmante, et même un peu plus. Je me demande ce qu'elle fiche avec un type comme Ciano, elle qui n'a jamais fait de politique…

Bottai a son sourire fin de lettré.

— Ce n'est pas une question de politique, mais de pouvoir. Je connais bien Galeazzo. On peut penser ce qu'on veut de lui, vaniteux, léger, présomptueux, charmeur…, mais le pouvoir, il le tient. C'est une femme qui aime les hommes de pouvoir.

— Peut-être, dit Lorenzo, qui se souvient des manœuvres de Carmela aux côtés de l'*ancilu mostru*.

Des mots lui traversent l'esprit, les derniers de Nino mourant dans ses bras à Mai Ceu, au milieu des balles et des obus qui sifflaient, des cris de guerre des Éthiopiens et des chemises noires : « Occupe-toi de Carmela. » Elle n'en a pas besoin, songe-t-il.

71

La *Cafonessa* sortira en septembre, c'est décidé. Ce sera le plus grand livre d'Andrea Cavalcanti, et la gloire de son éditeur ou le déclenchement d'un séisme politique qui balaiera l'auteur, Chiaramonti et Carmela avec. Le texte a été relu avec minutie, mais les propositions de corrections, d'adoucissement des thèses en filigrane, meurtrières pour le régime, ont été abandonnées. Le roman sera publié tel quel.

« Il faut savoir prendre des risques au nom de la littérature, a dit Chiaramonti. Plusieurs interprétations sont possibles. Roman social et psychologique à la Cavalcanti ou œuvre politique insolente envers un régime autoritaire et son chef. Cette pluralité d'entrées, c'est la richesse de l'œuvre. Je n'y renoncerai pas et, quoi qu'il arrive, je ne remercierai jamais assez Andrea de l'avoir écrit, et vous, Carmela, de me l'avoir présenté, même sous le couvert d'un anonymat aujourd'hui abandonné. »

Suis-je une traîtresse ? se demande Carmela qui marche dans la nuit le long du Tibre. Elle n'en est pas sûre. Avec Galeazzo, se dit-elle, aucun engagement de sa part et de la mienne. Sa position est évidemment liée à son mariage avec Edda. Une rupture entre eux, et ce serait la ruée de la vieille garde du parti qui ne lui a jamais pardonné d'avoir été trop jeune pour la guerre et le *squadrismo*, d'être passé en six ans du grade de vice-consul à Shanghai à celui de ministre des Affaires étrangères. Sans doute s'est-il fait des amis, Bottai, Balbo, Grandi, et d'autres encore. Il y a aussi De Bono, mais il ne pèse que son poids de potiche. Il reste Pavolini, qui lui doit tout, mais ne rendra rien. Quant au Duce, même s'il a envisagé de faire de lui son successeur, c'est une idée qu'il abandonnera d'autant plus aisément qu'elle signerait sa propre fin, ce qu'il ne veut pas envisager. Et moi ? se demande-t-elle encore. Le comte est un amant attentionné et j'apprends beaucoup sur le monde des nations à son contact, sur l'Allemagne aussi. J'ai été informée sur les milieux nazis : Ribbentrop, l'alter ego de Ciano, doucereux mais inflexible, lui aussi la voix de son maître, Goering le chaleureux, cupide et fastueux, et Hitler lui-même, qui traite Edda comme sa propre fille. L'Allemagne nazie, avec cette folie des juifs, conclut-elle, est comme un astre noir qui plane au-dessus de l'Italie fasciste qu'elle attire inexorablement, à coups de chants des sirènes, de roulements de tambour et de claques dans le dos.

J'ai peur, se dit encore Carmela. Publier la *Cafonessa*, c'est une folie. Chiaramonti ne s'en rend pas compte, ni Andrea. Personne ne me protégera, surtout pas Galeazzo s'il est en cause. Elle passe via Arnaldo da Brescia. Ce nom lui dit quelque chose. Ah oui, c'est là que Matteotti s'est fait enlever. Elle frissonne cette fois. Je suis seule, se répète-t-elle, autrefois il y avait Nino. Je l'appelais et il accourait. Nino, mon astre noir et maudit, comme l'Allemagne. Qu'est-il devenu ? Je vais continuer à l'ignorer. Je vis dans un monde plus policé que la Sicile, mais plus dangereux pour une fille comme moi. Il me faudrait un homme fort pour me préserver des dangers, mais j'aime le danger. Il m'a fallu longtemps pour l'admettre. C'est seulement cet homme qui me manque. Elle pense encore à Lorenzo en contemplant le château Saint-Ange avec la bannière du pape qui flotte en haut. En ce moment, ses pensées la ramènent toujours à Lorenzo.

*

La princesse a le goût des soirées à thème. La prochaine sera consacrée aux stars du régime. Il lui faut ces décorations, ces uniformes, ces habits, ces robes longues et ces bijoux qui décorent les attributaires du pouvoir, lesquels s'interpellent, s'étreignent, se serrent la main. Lorenzo ira. Virginia le lui impose.

— Tu es remis maintenant, tout le monde parle de toi, alors il faut te montrer.

— Tu me montres plutôt, rectifie-t-il.

Elle ne répond pas. Le vacarme mondain qui l'entoure depuis le retour à Rome lui tourne la tête. Lui ne l'entend pas, perdu dans ses pensées ou ses effrayants souvenirs. Elle s'en fait une raison. L'homme est froid, mais elle s'en accommode, car elle a désormais une légitimité : un mari, un enfant et une position sociale importante, elle, la fille d'un caissier de Vérone. À défaut de la satisfaire sur le plan sensuel, Lorenzo doit combler ses exigences mondaines. Elle lui en est reconnaissante et l'accable de son pépiement à la romaine.

— La princesse Colonna, c'est très important, assure-t-elle. J'ai déjà été invitée pendant que tu étais en Espagne, mais pour le thé. Une soirée, c'est comme une consécration, j'ai pris une robe chez Schiaparelli, ce qui se fait de mieux cette année.

— J'ai vu la facture, grogne Lorenzo.

— Ne me dis pas que ton uniforme blanc de général de la milice ne te plaît pas ! Je l'ai commandé avec toutes tes décorations, quatre fois la valeur militaire, c'est exceptionnel. On ne peut pas dire que tu les as volées celles-là. D'ailleurs, il n'y a qu'à te regarder, ajoute-t-elle, non sans méchanceté.

Ils se rendent donc à la soirée de la princesse, elle dans sa robe haute couture, lui dans son uniforme, sous les lanternes vénitiennes qui éclairent le jardin tout en ménageant des zones d'ombre.

— Vous faites partie de ma maison, dit Isabelle Colonna à Virginia pour l'accueillir. Et vous, général, avec vos blessures et vos décorations, vous êtes l'homme qui, debout sur le *limes*, repousse les barbares hors de notre *oikoumene*[1]. »

Elle les accompagne dans le jardin. Échange de dévotions. Lorenzo est très entouré, on lui demande son avis sur la bataille de Guadalajara, ses pronostics sur la guerre en Espagne. Virginia en éprouve une fierté mêlée de jalousie, mais la voici adoubée parmi les « invités permanents » de la princesse. Lorenzo est happé d'un groupe à l'autre et ils sont bientôt séparés. Elle parmi les Schiaparelli, lui au milieu des uniformes. La conversation glisse sur l'Allemagne. Ils sont plusieurs à s'enthousiasmer : Starace, le secrétaire général du parti qui hait la bourgeoisie et l'aristocratie réunies, Alfieri, l'homme de la censure, et aussi Farinacci, le puissant *ras* de Crémone. Bottai ne dit rien, ce n'est pas un homme à se lancer dans des discours quand son avis n'est pas formé, Grandi ne fait pas mystère de sa détestation d'Hitler et de ses affidés, qui le lui rendent bien et réclament à Mussolini sa tête d'ambassadeur d'Italie en Grande-Bretagne.

— Ribbentrop que j'ai connu à Londres, quand il était ambassadeur d'Allemagne, est un ennemi personnel, dit Grandi. De Londres, j'envoie deux types de comptes rendus au Duce, les officiels, que les Allemands se procurent toujours, et d'autres, secrets, dans lesquels je dis vraiment ce que je pense. Ce sont les *lettere di copertura*[2]. Mussolini approuve ce sys-

---

1. Le monde civilisé connu au sens antique.
2. Lettres de couverture.

tème. Pour l'instant, il me défend et je reste en place. Le jour où je serai renvoyé, vous saurez qu'Hitler a fait un pas de plus dans l'esprit du Duce, un autre dans celui de Ciano, que je sens déjà vacillant.

Bottai approuve, Lorenzo hoche la tête, mais les autres ne font pas de commentaires. Il se répand dans les milieux du palais Chigi que Grandi est un mélange de Machiavel, de Talleyrand, de Metternich et de Cavour. Il n'est pas sûr que ce soit un compliment.

— Et l'Autriche ? Hitler va-t-il prendre l'Autriche cette fois ? demande une voix.

— Les démocraties ne se battront jamais pour l'Autriche, l'Italie non plus, répond une autre.

— Et vous, général, vous battrez-vous pour l'Autriche, votre ennemie il y a vingt ans ?

Lorenzo se retourne. C'est Carmela ! Deux ans qu'ils ne se sont pas vus, depuis la libération de Nino. Il s'incline, dissimulant cette chaleur qui l'envahit soudain, ce rouge qui lui vient au front. Elle est superbe dans sa robe blanche moulante, qui fait ressortir sa carnation brune.

— Je ne crois pas que l'Italie se lancera dans une guerre pour l'Autriche, répond-il, surtout contre l'Allemagne.

— Peu importe, répond-elle, malicieuse, c'était une manière de vous aborder !

— J'aurais dû me douter que je vous trouverais ici. Les jardins vous vont bien, Carmela, surtout ceux de la princesse.

— C'est mon nouveau terrain de jeu. Je vois que vous êtes au courant.

— Rome est un village somptueux, mais un village

quand même. Mon épouse sait tout sur tous. J'écoute et parfois j'entends votre nom.

— Ah, Virginia ! Je l'ai aperçue dans des éclairs de rouge et de violet. Elle donne dans le Vatican maintenant ? C'est très bien vu chez la princesse, ce genre de génuflexion.

Elle le prend par le bras et l'attire à l'ombre des bougainvilliers.

— Parlez-moi de vous, Lorenzo, si je puis appeler par son prénom le héros de Guadalajara.

Il a un geste de lassitude. Depuis son retour, on lui demande sans cesse de raconter les guerres, celle d'Éthiopie et celle d'Espagne. Que peut-il en dire ? Qu'il s'est battu et qu'il est revenu, pas tout à fait intact mais vivant ? Il parle quand même de Laura, dont il a identifié la voix dans le haut-parleur de la Garibaldi.

— Elle est là-bas, dit-il, elle est avec eux maintenant.

— Elle plaisait bien à Salvatore. Vous vous souvenez de notre rencontre au Politeama de Palerme ?

Il se souvient, de tout.

— Vous ne me demandez pas comment je suis arrivée ici ?

Il dit qu'il le sait. Nino lui a tout raconté, ils étaient ensemble en Éthiopie : l'assassinat de Salvatore, la vengeance et la rupture. Après, Nino ne savait pas. C'est à son retour d'Espagne qu'il a entendu parler d'elle.

— Pardonnez cette question, l'interrompt-elle, mais avez-vous des nouvelles de Nino ?

Il hésite à lui répondre.

— Il a été tué à la bataille de Mai Ceu, il est mort dans mes bras.

Elle recule, vacille. Nino, c'est tout un pan de sa vie qui disparaît d'un coup. Salvatore, et puis Nino. Des larmes lui viennent aux yeux mais elle les efface.

— Je pense que c'est une fin qu'il cherchait, ajoute-t-il, il n'avait plus rien à faire dans ce monde sans vous ni Salvatore.

— C'est moi qui l'ai envoyé à la mort, je le sais. Il n'avait pas d'autre solution que d'aller se faire tuer à la guerre, et moi, de me séparer de lui à jamais.

— Parlez-moi de vous, demande-t-il.

Elle lui dit qu'elle travaille pour une maison d'édition, auprès d'un vieux patricien romain plein d'intuitions et de malice. C'est lui qui l'a emmenée chez la princesse, où elle a rencontré Ciano. Il lui fallait un amant comme lui, pas un homme avec qui refaire sa vie, mais un de ceux sur lesquels tout glisse, parce que rien n'est vraiment sérieux, un homme comme un souffle dans l'air, un homme qui ne cherche pas à marcher contre le vent.

— Il vaut mieux que ce qu'on dit de lui. C'est un vrai ministre des Affaires étrangères, plutôt fin d'esprit, et qui travaille beaucoup. Les jardins Colonna lui conviennent parfaitement, comme ceux du golf de l'Acquasanta. Le tout contribue à faire de lui un personnage essentiellement tourné vers la séduction et l'intérêt qu'il se porte à lui-même. J'oublie Mussolini, qui est le môle auquel il est accroché. Mais pour l'usage que j'en ai, cela ne pèse rien, il me fait plutôt sourire. Je découvre les hommes. Vous savez, je n'en avais connu que deux avant lui, Nino et Andrea.

Elle s'arrête un instant.

— Il y a vous aussi, Lorenzo. Je vous devine mais je ne vous connais pas, murmure-t-elle en serrant son bras, comme elle l'avait fait à la préfecture. Vous vous souvenez de cette scène étrange où je vous suppliais de libérer Nino et où en même temps je découvrais que je vous aimais ?

Il cherche son regard dans l'ombre.

— Les derniers mots de Nino ont été « Occupe-toi de Carmela », souffle-t-il.

— Et vous me dites cela ici, avec tous ces gens autour qui nous observent et se demandent de quoi nous pouvons bien parler ! Vous m'annoncez cela après la nouvelle de sa mort.

— Fallait-il le cacher ?

Elle secoue la tête, dit que cela ne la surprend pas. Nino pressentait ce qui était en train de se passer, elle lui parlait souvent du préfet de Palerme, trop peut-être, mais elle ne pouvait pas s'en empêcher.

Soudain, un attroupement se produit dans le jardin du côté de l'entrée piazza degli Santi Apostoli. Le comte Ciano arrive, flanqué des petits jeunes gens du service diplomatique, aussitôt entouré, étouffé de femmes. De cet ensemble monte un immense roucoulement à l'italienne.

— Allez-y, ironise Lorenzo. Vous allez vous faire piquer la place.

— Ne soyez pas injuste avec moi, lance-t-elle en se retournant. C'est ma manière de vous attendre.

*

La *Cafonessa* est en vitrine des librairies le 25 septembre 1937, le jour où le Duce effectue son premier voyage officiel en Allemagne. Chiaramonti, un vieux cheval de guerre qui sent la poudre, a dit à Carmela : « Quand on fait de la provocation, il faut frapper fort ! » Pas d'annonce ni de publicité, rien. Le livre est comme une bombe à retardement dont on entend déjà le mécanisme. Une couverture blanche, avec seulement le titre, le nom de l'auteur et un bandeau : « Le dernier roman d'Andrea Cavalcanti. »

« Pour l'édition italienne, a précisé Chiaramonti, un excès d'austérité vous rend toujours remarquable, ne l'oubliez jamais, Carmela, vous qui dirigerez un jour cette maison. »

Lorenzo reçoit le livre à son bureau de la milice avec une carte de Carmela, qu'il n'a plus revue depuis la soirée Colonna. Il a passé l'été sur le lac de Garde, près de Vérone et de la *nonna* qui se plaint de ne plus le voir. « Vous êtes rentré, je n'étais pas partie. Lisez ce livre et dites-moi ce que vous en pensez, comme vous le faisiez à Palerme. Carmela. » Suit un numéro de téléphone.

La lecture lui prend deux jours, il passe le troisième à réfléchir et à relire certains passages entre deux inspections et trois rapports sur la milice.

Il l'appelle le soir :

— Comment marche le livre ?

— C'est trop tôt pour le dire. La presse ne parle que du voyage du Duce, mais certains journalistes amis ont téléphoné, brièvement à cause des écoutes. Ils trouvent qu'Andrea a eu du culot d'écrire la

Cafonessa, et nous encore plus de le publier. Mais vous pouvez me parler. Cette ligne a été ouverte il y a trois jours et elle n'est pas à mon nom.

— C'est un très grand livre, je ne le dis pas pour vous faire plaisir, mais parce que je le pense vraiment. Beaucoup plus fort que *Lei*. Cependant…

— Je vous écoute…

— Je partage l'avis de vos amis journalistes. C'est un livre à risques par les temps que nous vivons.

— Puis-je vous rappeler ? J'ai besoin de vous voir, envie aussi…

— Quand vous voudrez.

*

Pour son retour, le 30 septembre 1937, Mussolini s'adresse aux Romains en rapportant « l'impression profonde et les souvenirs indélébiles » de son voyage en Allemagne. Ciano en est plein de ce succès. Il ne parle que du voyage, de cette visite des usines Krupp où l'on a présenté un canon énorme, dont le transport par train exige qu'il circule sur deux voies, de ce moment où la pluie a brouillé le discours de Mussolini qui a dû improviser en allemand devant huit cent mille personnes rassemblées sur le Maifeld de Berlin : « Quand le fascisme a un ami, il marche avec cet ami jusqu'au bout. »

Carmela l'écoute avec patience. À la fin, Ciano sur son fauteuil renverse la tête et ferme les yeux.

— Pourquoi donc tout cet armement extraordinaire si ce n'est pour faire une guerre ? demande-t-elle.

— Les Allemands veulent l'Autriche, c'est clair. Goering nous l'a bien dit, il a même montré une carte où elle est intégrée à l'Allemagne.

— Qu'en pense le Duce ?

Il est épuisé et il a un geste pour signifier qu'il n'en sait rien, mais il ajoute :

— Il me le dira. C'est un esprit exceptionnel.

Carmela a l'impression que cette formule automatique lui permet d'éviter de répondre. Elle profite de cet instant où il donne des signes de fatigue pour lui tendre la *Cafonessa*.

— C'est le dernier livre de Cavalcanti, j'aimerais avoir ton avis, il te l'a dédicacé.

Il lit : « À mon ami le comte Galeazzo Ciano, en sincère hommage à l'un des esprits les plus brillants de notre belle époque fasciste. » Il hoche la tête et dépose sur une étagère le livre empoisonné avec sa dédicace flagorneuse.

*

Cette femme qui entre soudain dans son bureau, Carmela a l'impression de l'avoir déjà vue. Très calme, très froide, mais avec une fureur contenue, elle lance :

— J'ai oublié de me faire annoncer, tant pis pour vous. Votre secrétaire n'a pas osé me barrer la route.

Carmela l'observe sans parvenir à mettre un nom sur ce visage.

— Je ne reçois jamais sans rendez-vous. Dites-moi qui vous êtes, ce que vous voulez et partez !

L'intruse extrait de son sac la *Cafonessa*, qu'elle

ouvre à la page de garde. C'est l'exemplaire dédicacé à Ciano qu'elle pose sur le bureau.

— Je suis Edda Mussolini, épouse Ciano, cela vous suffit ?

Carmela hoche la tête, elle savait que les ennuis commenceraient un jour. Les voilà.

— Que me voulez-vous, comtesse ?

Edda pousse un long soupir.

— Ce n'est pas la dernière maîtresse de mon mari que je viens voir, mais l'éditrice de ce livre.

C'est une femme blessée, pense Carmela.

— Je ne suis que la directrice littéraire, mais j'ai recommandé la publication de ce texte dès que je l'ai lu, je le reconnais bien volontiers.

Edda Ciano cherche ses mots :

— Signora Cavalcanti, quand mon mari a rapporté ce livre à la maison, j'ai voulu le lire la première, car je suis une fidèle de l'écrivain. J'ai lu et relu tous ses romans. Je me réjouissais donc de ce livre dont personne n'avait parlé, et je me suis littéralement jetée dessus. Les premiers chapitres m'ont ravie. Les autres m'ont fait horreur. Dès que j'ai compris le dessein de l'auteur, j'ai tenté de le rencontrer, mais en vain.

— Il est en France, l'interrompt Carmela, pour la sortie de la traduction. Après, il ira à Londres et ne reviendra que dans une semaine. Mais que voulez-vous dire sur le dessein de l'auteur ?

Edda hoche la tête. Cette femme, se dit encore Carmela, c'est une flamme.

— Le dessein est de ridiculiser Galeazzo, de nuire à mon père et au régime fasciste. Ce n'est pas un roman, c'est un pamphlet politique, sous couvert d'une historiette entre une paysanne et un homme public, par un auteur que le régime a comblé de bienfaits, de surcroît le mari de l'éditrice, elle-même la maîtresse de mon propre mari.

Carmela garde le silence. Toute protestation serait inutile. Edda a raison. La presse française et les commentateurs des pays démocratiques ne se sont pas trompés en voyant dans la *Cafonessa* une critique virulente du régime mussolinien. La qualité de l'auteur, écrivain internationalement reconnu, de plus président de la section art et littérature de l'académie d'Italie, renforce le piquant de la situation. En réalité, l'éditeur et l'auteur ont été complètement dépassés par le succès du livre à l'étranger, réussite due à l'interprétation politique, à la provocation que contient la *Cafonessa*. On ne parle pas du reste.

— Vous vous trompez, comtesse, ce n'est pas une historiette, mais une belle intrigue romanesque, originale et inattendue. Ce roman vise une histoire universelle. Rien d'autre.

Edda Ciano feint de l'écouter attentivement. Mais c'est elle qui domine la situation.

— Écoutez, signora Cavalcanti. Quand je suis allée me plaindre à mon père des adultères à répétition de Galeazzo, il m'a demandé si celui-ci me donnait à manger, de l'argent pour la maison, et s'il vivait toujours avec mes enfants et moi. Quand j'ai admis ces trois faits, il a changé de sujet. Mais quand il saura que son gendre, le ministre, est ridiculisé dans la presse étrangère par un roman italien publié par votre maison, je vous prie de croire que ce sera une autre affaire, et je n'aurai même pas besoin d'intervenir. On lit la presse étrangère au palazzo Chigi et au Venezia. L'Ovra et le tribunal spécial ont été créés pour ce genre de complots.

Elle se dirige vers la porte et se retourne.

— Vous êtes une très belle femme, signora Cavalcanti, je comprends Galeazzo. Mais il n'est pas sûr que les vieux murs humides de Regina Coeli[1] vous conservent longtemps cette allure flamboyante.

*

Échanges à la volée entre Chiaramonti et Carmela enregistrés par l'Ovra :

Lui : J'ai reçu un appel personnel du ministre Bottai. Notre marché des livres scolaires est annulé. Il le regrette vivement, mais l'ordre vient du Duce lui-même.

Elle : Des libraires viennent de m'appeler. Leurs vitrines ont été brisées, celles où trônait la *Cafonessa* évidemment. Du coup, ils nous retournent toute la commande.

Elle encore : Des amis journalistes viennent de me faire savoir que leur directeur interdit tout commentaire de la *Cafonessa*. Comme si le livre n'existait pas. Instructions du Minculpop[2].

---

1. La prison de Rome.

2. Ministère de la Culture populaire, ancien ministère de la Propagande, en abrégé le Minculpop, dont Pavolini, succédant à Alfieri, venait de prendre la tête. En réalité, le ministère de la Censure, même si Pavolini a pu se montrer tolérant pour certaines œuvres en vue de se concilier le monde culturel.

Lui : Cavalcanti vient d'envoyer un télégramme enthousiaste. Il est applaudi à Paris, fêté à Londres. Les tirages français et anglais ont été épuisés en quelques jours. On réimprime en urgence.

Lui encore : Le Minculpop vient de saisir l'académie d'Italie et demande de traduire Cavalcanti devant l'assemblée des sections en matière disciplinaire pour injure à l'État fasciste. Son traitement de trente-six mille lires par an est d'ores et déjà suspendu à titre conservatoire.

Elle : Notre imprimeur refuse la deuxième réimpression de la *Cafonessa*.

Lui : La *Cafonessa* figure sur toutes les listes de prix littéraires en France et en Grande-Bretagne. Le bruit court que l'académie de Stockholm s'intéresse à l'auteur. Le Minculpop a demandé un démenti officiel, mais n'a reçu aucune réponse.

Lettre par porteur du palazzo Chigi :

« Carmela,

Cette lettre est la plus difficile, la plus dure que j'aie jamais écrite.

Nous ne nous verrons plus. Edda m'impose cette rupture. Tu connais ma dévotion pour le Duce, il ne fait aucun doute qu'il est derrière cette interdiction et je n'ai aucun choix. Adieu donc, je t'aimerai encore longtemps.

Galeazzo »

Lettre par porteur du palazzo Colonna :

« *Carissima amica*,

Il paraît que vous êtes devenue une pestiférée à cause de la *Cafonessa*. Sachez donc ceci : j'ai racheté tous les exemplaires du livre de notre ami et je les ai exposés dans mon salon pour que mes invités se servent à volonté jusqu'à épuisement. Ma maison vous est toujours ouverte.

Princesse Isabelle Colonna »

*

— Général, ne prenez pas l'escalier. Désormais, vous avez accès à l'ascenseur.

Lorenzo a l'air surpris. Au palazzo Venezia, les allées et venues sont codifiées, et l'usage de l'ascenseur réservé aux très hauts personnages de l'État. Le majordome Quinto Navarra ne s'y trompe pas, les règles d'accès au bureau du Duce sont parfaitement connues.

— Mori, dit le Duce quelques instants plus tard dans le bureau de la mappemonde, j'ai une mission très délicate pour toi. Tu as lu la *Cafonessa* ?

— L'éditrice me l'a envoyé. Je l'ai lu avant qu'il ne disparaisse des librairies.

— Je te demande d'arrêter l'auteur, Andrea Cavalcanti. Tu le connais puisqu'il était à Palerme en même temps que toi. On n'arrête pas un académicien comme un cambrioleur. Il faut du tact et de la finesse, du courage aussi et de la fidélité. Cavalcanti a réussi à se faufiler pour rentrer en Italie. Bocchini[1] sait où il se cache. Agis avec la plus grande discrétion. À propos, je vais te recruter pour le Grand Conseil. J'ai signé ta nomination tout à l'heure et Navarra t'a inscrit sur la liste.

*

Un dîner à trois dans le vieux palais de Chiaramonti. Carmela, le pape de l'édition italienne et Cavalcanti gesticulant, relatant jour par jour avec des accents héroïques son périple franco-anglais autour de la *Cafonessa*.

Chiaramonti profite d'une interruption, tandis que son auteur goûte le vin toscan :

— Cher Andrea, les ventes compensent très largement nos pertes en Italie, votre nom sonne haut à l'étranger, je n'en disconviens pas, mais votre retour à Rome est très imprudent.

— Qui oserait me toucher après un pareil succès ? fanfaronne Cavalcanti. Je ne fais aucun scandale vu que je ne dis pas un mot à la presse, enfin…

— Mussolini, l'interrompt Carmela. Toutes ces manifestations à l'étranger pour un livre présenté comme un pamphlet politique l'irritent profondément. L'homme est ombrageux, susceptible et rancunier. Tu es en danger. L'académie d'Italie va te radier, aucun journal italien ne publie une ligne sur ton roman, et les librairies refusent de le commander. Ouvre les yeux !

1. Chef de l'Ovra, la police politique.

Silence tout à coup. Andrea Cavalcanti finit son verre.

— Vous croyez vraiment ? demande-t-il.

— Je vous hébergerai le temps qu'il faudra, dit Chiaramonti, mais, à moins de vous considérer comme un prisonnier volontaire de ce palais, il vous faudra repartir vers d'autres cieux aussi discrètement que vous êtes venu.

— Mais…

Le majordome de Chiaramonti vient d'entrer dans la pièce.

— Le général Mori de la milice demande si vous accepteriez de le recevoir malgré l'heure tardive.

Il ouvre la porte à double battant sur un signe de l'éditeur. Lorenzo apparaît, très pâle. Il baise la main de Carmela, salue Chiaramonti d'une inclinaison et d'un sourire.

— Pardonnez mon intrusion, mais je n'avais d'autre choix.

Puis, se tournant vers Cavalcanti :

— Cher ami, j'ai mission de vous arrêter. Les hommes de Bocchini sont dans la rue. J'ai promis que vous vous conduiriez en gentilhomme et qu'il n'y aurait aucun scandale. C'est la raison pour laquelle je suis entré seul, en civil, comme un invité retardataire.

Cavalcanti regarde Chiaramonti, puis Carmela, qui saisit sa main, avant de se tourner à nouveau vers Lorenzo. Puis il se ressaisit.

— Ai-je le temps de prendre le dessert ? demande-t-il avec un sourire forcé.

— Bien sûr, répond Lorenzo, je le prendrai avec vous si notre hôte m'y autorise.

Chiaramonti fait signe que l'on apporte une assiette et des couverts. Le repas s'achève avec un convive de plus et la conversation reprend comme s'il ne s'était rien passé. Soudain, Carmela pose sa main sur le poignet de Lorenzo.

— Il n'y a aucun moyen ?

Lorenzo fait un signe négatif de la tête d'un air désolé.

— Où me conduisez-vous ? demande Cavalcanti.

— Devant un juge d'instruction du tribunal spécial qui vous signifiera votre inculpation d'injure à l'État. Nous prendrons ma voiture, les hommes de Bocchini nous suivront à distance.

— Et après ?

— Ce sera Regina Coeli ou les arrêts domiciliaires, avec un policier devant votre porte pour s'assurer que vous restez bien là.

— Et après ? demande encore Cavalcanti.

— Le *confino* probablement. Malaparte s'en est tiré assez bien.

— Grâce à Ciano, remarque Carmela. Cette fois-ci, il ne fera rien. Je viens de recevoir ma propre lettre de licenciement.

Après le café, Lorenzo et Cavalcanti se lèvent en même temps. On apporte leurs manteaux. Carmela étreint son mari et Chiaramonti lui serre la main.

— J'alerterai nos amis en France et en Angleterre.

— Surtout pas, conseille Lorenzo. Cela ne ferait qu'aggraver la situation, en tout cas pas avant le procès. Attendez que le jugement soit prononcé. Après, toutes les interventions seront possibles.

Ils se dirigent vers la sortie en un groupe compact

et désolé. Chiaramonti ne cesse de secouer la tête et de répéter : « Mais pourquoi donc est-il revenu ? »

Des pas pressés retentissent. Le majordome apparaît.

— Général Mori, on vous demande au téléphone, c'est urgent.

— Ici Quinto Navarra. Le Duce annule l'ordre d'arrestation. M. Cavalcanti est libre de ses mouvements dès cet instant. Il vient d'obtenir le prix Nobel, la radio l'annoncera dans une heure !

72

Au début de l'année 1938, l'Autriche a été annexée par l'Allemagne, son chancelier Kurt Schuschnigg est en prison, la visite d'Hitler en Italie s'est somptueusement déroulée au mois de mai pendant trois jours, et au ministère de l'Intérieur, dirigé par Guido Buffarini Guidi, on prépare la discrimination raciale qui fera des juifs italiens des sous-citoyens – en attendant pire.

Dans l'été de cette année-là, Andrea Cavalcanti sort de l'appartement de sa maîtresse via del Corso, peu après minuit. Il s'y rend le lundi et le jeudi, mais ne reste jamais dormir, car dormir en compagnie d'une femme à qui on vient de faire l'amour, c'est, selon lui, abdiquer entre ses mains. Or Andrea Cavalcanti, personnage à la position renforcée à l'académie d'Italie, avec le succès international de la *Cafonessa*, à nouveau dans les librairies en Italie depuis qu'il a déclaré que ce roman n'avait aucune couleur politique, n'abdique jamais devant une femme. D'où ses départs dans la nuit à heure fixe pour rentrer chez lui à pied, via Vittorio Veneto, ce qui lui fait une promenade délicieusement nocturne.

Il marche donc au milieu de la rue, vide à cette heure, se remémorant les moments qu'il vient de passer avec cette jeune femme rencontrée deux semaines plus tôt dans une conférence littéraire. C'est à cet instant que, du fond de la rue à hauteur de la via dei Condotti, surgit une voiture noire qui le heurte de plein fouet à mi-corps, l'expédiant sur le trottoir. Le passager en sort aussitôt et se dirige vers Cavalcanti littéralement projeté contre la façade. L'œil est fixe, la mâchoire est décrochée. Une rapide palpation sous le sein montre que le cœur bat faiblement, puis il s'arrête. Le passager remonte dans la voiture qui démarre en trombe et disparaît.

Cette même nuit, à l'autre bout de Rome, dans une chambre qui donne sur le jardin parfumé d'un hôtel du Trastevere, Lorenzo et Carmela deviennent amants.

*

L'été de l'année suivante, le terrible été 1939 en plein mois d'août, ils sont deux hommes en uniforme, deux membres du Grand Conseil dans ce train spécial qui conduit la délégation italienne à Salzbourg, Galeazzo Ciano et Lorenzo Mori. Le premier dit à l'autre :

— Je vais te montrer comment on traite les Allemands, nous les fascistes ! Je veux leur présenter un général qui porte sur lui les traces de plusieurs guerres, de toutes les guerres que nous avons menées depuis vingt ans. Le Duce est d'accord.

Ciano n'a jamais parlé de Carmela. C'est un nom que Lorenzo et lui ne prononcent jamais quand ils sont ensemble.

Dans la nuit, recevant les journalistes dans le salon spécial qui lui est réservé, Ciano s'écrie encore :

— *Macche !* Si je réussis à voir *Baffino*[1], je lui enlèverai cette idée de guerre de la tête !

Car c'est bien d'une guerre qu'il s'agit, celle que les Allemands veulent faire à la Pologne pour obtenir le corridor de Dantzig qui donne accès à la mer. Or si les Allemands attaquent la Pologne, l'Angleterre et la France entreront en guerre, et l'Italie devra suivre, liée à l'Allemagne par le Pacte d'acier signé à Berlin le 22 mai 1939, le jour même où Ciano a remis à Ribbentrop le collier de l'Annonciade[2]. Mais Ciano, c'est une justice à lui rendre, est totalement opposé à ce que l'Italie soit impliquée dans le conflit. D'où le voyage à Salzbourg pour dissuader Ribbentrop, le ministre allemand des Affaires étrangères, d'attaquer la Pologne.

La délégation italienne comprend d'autres diplo-

1. Petite moustache, surnom d'Hitler dans les milieux diplomatiques italiens.

2. Décoration magnifique octroyée par Victor-Emmanuel III, qui faisait de son titulaire un cousin du roi. Ciano venait lui-même de la recevoir.

mates chevronnés, dont Del Drago et Vitteti, sans compter Mackensen, l'ambassadeur d'Allemagne en Italie, lui aussi un opposant à la guerre. À Salzbourg, ils sont rejoints par Attolico et Magistrati. L'un est ambassadeur d'Italie à Berlin, l'autre, beau-frère de Ciano, le premier secrétaire.

Lorenzo ne dit rien. C'est un militaire qui observe les diplomates.

Un long cortège de rutilantes Mercedes conduit la délégation à la villa de Ribbentrop, autrefois propriété d'un riche juif exproprié par les nazis au nom de la discrimination raciale.

Ciano prend Attolico dans sa voiture. Longtemps, il a douté des messages alarmistes de l'ambassadeur.

— Je me suis demandé, dit Ciano, si vous aviez perdu la tête ou s'il y avait quelque chose qui m'échappait. Aujourd'hui, c'est le moment de savoir comment la situation a évolué. L'enjeu est trop important pour qu'on reste dans l'incertitude.

— Notre attaché militaire Roatta signale des mouvements de troupes qui se concentrent à la frontière germano-polonaise, répond Attolico. Si Hitler veut attaquer la Pologne, c'est maintenant. En automne, les pluies transformeront la plaine en marais, ce qui retarderait l'avancée des troupes.

Ribbentrop attend ses hôtes dans le jardin de la villa. Bras droits levés, mains serrées, bras droits levés à nouveau. Il est ainsi parfaitement satisfait au cérémonial de l'Axe. Les deux ministres s'éloignent sous une pergola pour parler sans témoins..

À cet instant, une voix allemande interpelle Lorenzo. Il se retourne. C'est Hans ! Ils se sont croisés deux fois, il y a vingt ans, sur l'Isonzo où ils se sont retrouvés blessés tous les deux dans le même trou d'obus, puis sur le Tagliamento, quand Hans a refusé de faire de Lorenzo un prisonnier et l'a laissé traverser le fleuve. Il porte un uniforme de colonel de la Wehrmacht, orné de l'ordre de Marie-Thérèse, la plus haute décoration de l'ancien Empire autrichien, allemand depuis 1938. Ils s'étreignent, cet Autrichien et cet Italien, ces deux combattants de la Première Guerre qui n'ont jamais été vraiment ennemis.

— J'apprends l'italien et le français maintenant que je suis devenu allemand, dit Hans. Je travaille à la Wilhelmstrasse[1]. J'ai eu de tes nouvelles par le journal quand tu étais le préfet de Palerme, et aussi quand tu es rentré d'Espagne. Je t'ai reconnu sur les photos. Toi aussi, tu es dans la diplomatie ?

— Ciano m'a emmené pour montrer un militaire italien qui porte sur lui les traces de trois guerres.

Il lève sa main en bois. Pour le reste, les cicatrices sur le visage suffisent, celles des blessures au sabre en Éthiopie, de même que le front frappé par une balle à Guadalajara. Hans effleure les décorations sur la poitrine de Lorenzo.

— Ton ministre a eu raison, mais cela ne servira pas à grand-chose.

Il baisse la voix :

— Lorenzo, il ne faut pas faire la guerre à la Pologne. Les nazis sont fous.

Les deux ministres reviennent de la pergola.

---

1. La rue de Berlin où se situait le ministère des Affaires étrangères allemand.

Ciano, le visage fermé, présente néanmoins Lorenzo à Ribbentrop.

— Le général Mori a fait trois guerres, il en porte toutes les traces. C'est cela que vous voulez recommencer ?

— Félicitations, général, lance Ribbentrop avant de lui tourner le dos.

La collation est servie. Ciano, d'ordinaire bavard, ne dit pas un mot. L'ambiance est glaciale. Hans glisse à Lorenzo :

— Je suis nommé à Rome comme attaché militaire. Je voudrais te voir, il faut que je te parle. Je t'appellerai.

L'après-midi est désastreux. Les conversations durent trois heures. Ciano contre Ribbentrop, l'Italie contre l'Allemagne. Dantzig est offert, mais refusé, le corridor, promis mais dédaigné. Ciano va jusqu'à proposer de rendre aux Allemands les colonies perdues au traité de Versailles. Silence méprisant. Ribbentrop répète obstinément ces quatre mots : « Nous voulons la guerre. » Il ajoute que la Pologne doit être envahie, défaite et annexée au Reich comme l'Autriche et la Tchécoslovaquie.

— Mais, dit Ciano, la France et l'Angleterre vous déclareront la guerre.

— Elles n'oseront pas. Aucune d'elles ne bougera, dit-il avec la fébrilité du chien de chasse qui attend d'être lancé contre le gibier.

Le soir, encore un dîner. Les vieux diplomates allemands et italiens gardent le silence. De temps à autre, Ciano échange un regard avec Attolico, il n'adresse pas la parole à l'épouse de Ribbentrop à sa gauche ni à son hôte. À peine le café servi, il se lève, salue et s'en va, suivi de la délégation italienne.

De retour à Salzbourg, ils se réunissent tous dans la salle de bains de Ciano, à l'hôtel où, ils l'espèrent, il n'y a pas de micros. Étrange réunion où certains sont assis sur la baignoire, d'autres sur des tabourets, le ministre reste debout.

L'opinion concordante est que l'Allemagne vient, trois mois après sa signature, de violer l'article 1 du Pacte d'acier qui oblige les deux pays à des consultations réciproques. Ciano est livide.

À l'instant de se séparer, il rappelle que le lendemain une rencontre est prévue au nid d'aigle de *Baffino* qui domine Salzbourg.

Un portail en acier massif après une route en épingle à cheveux. Les sentinelles sont des SS armés de mitraillettes. Il faut laisser les voitures et prendre l'ascenseur. Au sommet, une grande salle rectangulaire avec une importante cheminée. La baie vitrée ouvre sur l'ancienne Autriche devenue l'Ostmark. C'est la première fois que Lorenzo voit Hitler. L'homme dit aimer les fleurs naturelles et les enfants. Il s'en tient à des généralités plaisantes. Sur la Pologne, pas un mot, comme si le sujet avait été épuisé. Ciano aborde quand même la question, et Hitler l'entraîne dans le jardin.

Reprise des mêmes arguments sur le risque fort d'une guerre mondiale et l'impréparation de l'Italie qui ne pourrait combattre que quelques mois.

— Nous n'avons pas besoin de vous, tranche Ribbentrop.

— L'avenir nous le dira, réplique Ciano.

— Cette guerre, insiste Hitler, nous devons la faire tant que le Duce et moi sommes encore jeunes.

Un major des SS glisse quelques mots à l'oreille de Ribbentrop, qui se rapproche aussitôt d'Hitler et lui parle brièvement. C'est l'annonce par télégramme que Staline est prêt à recevoir Ribbentrop pour conclure un pacte de non-agression[1].

L'ambiance change du tout au tout, et Ciano est complètement oublié. Il s'éloigne, demande un téléphone pour communiquer la nouvelle à Mussolini.

Le soir, Ribbentrop lui propose un texte commun selon lequel, « dans l'esprit du Pacte d'acier, les deux alliés sont prêts à marcher ensemble vers la victoire finale ».

— Vous pouvez téléphoner au Duce, dit Ribbentrop, pour l'autorisation de cosigner avec moi.

— Il n'en est pas question ! C'est trop lourd de conséquences, répond Ciano, qui connaît Mussolini et n'a aucun doute sur l'accord qu'il donnerait immédiatement.

Il décide de rentrer aussitôt en avion. Il demande au pilote de dormir dans la carlingue plutôt qu'à l'hôtel et de mettre une sentinelle devant la porte.

— Les Allemands ont prévu une sentinelle, répond le pilote.

— Justement, nous préférons la nôtre.

---

1. En réalité, ce télégramme n'existe pas. C'est un bluff pur et simple pour impressionner les Italiens, même si les pourparlers sont en cours et aboutiront au pacte germano-soviétique.

Le lendemain, Lorenzo est invité à prendre le même avion. Ciano écrit fébrilement son rapport.

— Que va faire le Duce ? demande Lorenzo, après avoir glissé les feuilles du rapport dans sa vareuse.

Ciano lève les yeux au ciel.

— Après le combat contre Ribbentrop, reste celui contre Mussolini... Qui était ce colonel allemand que tu semblais connaître et avec lequel tu discutais ?

Lorenzo raconte comment il a rencontré Hans, d'abord dans un trou d'obus, puis sur le Tagliamento.

— Il considère que les nazis sont des fous qui veulent la guerre et la feront de toute façon. Il va être nommé à Rome comme attaché militaire.

Ciano hoche la tête, parle de Weizsäcker, secrétaire d'État de la Wilhelmstrasse, lui aussi opposé à la guerre. Il renseigne discrètement Attolico sur les intentions allemandes.

— C'est une erreur de croire que tous les Allemands suivront Hitler, ajoute-t-il.

— Comme les Italiens avec Mussolini ?

Ciano sourit tristement, évoque les rapports difficiles avec le Duce, surtout quand l'homme ne raisonne plus en chef d'État, mais se fonde sur l'image qu'il a de lui-même et sur celle qu'il veut donner aux autres. Surtout à Hitler, qu'il considère comme son seul véritable ami.

— Hitler dit la même chose de Mussolini, précise-t-il.

Aucun des deux n'ose dire que c'est cette solitude partagée qui les rend si dangereux. Ciano somnole, puis il dit soudain à Lorenzo :

— Je vais demander que tu sois rattaché au palazzo

Chigi si tu en es d'accord. C'est avec nous que tu seras le plus utile.

Lorenzo hoche la tête, l'administration de la milice commence à lui peser.

Ciano ferme une nouvelle fois les yeux, puis demande :

— Que devient Carmela ?

— Elle va bien, dit Lorenzo. La mort brutale de Cavalcanti l'a secouée, même s'ils vivaient séparément. Que donne l'enquête ?

Ciano répond qu'elle n'avance pas. Personne n'a pu retrouver la voiture qui a heurté Cavalcanti, malgré toutes les démarches. On sait seulement que c'était une Lancia, parce qu'on a retrouvé un morceau de phare.

— Comme pour Matteotti, observe Lorenzo. C'était aussi une Lancia.

Ciano reste silencieux. Les obsèques du Cavalcanti ont été fastueuses avec, en tête, les collègues de l'académie d'Italie en grande tenue. Tous les hiérarques étaient présents. Pendant la cérémonie, Carmela ne l'a pas gratifié d'un seul regard.

— J'ai raté Carmela, finit-il par dire. Elle n'avait rien à voir avec les filles de l'Acquasanta. Mais c'était elle ou ma position auprès du Duce, j'ai dû choisir. Comme quand elle a dû trancher entre la *Cafonessa* et moi.

Un silence, puis :

— Je ne veux pas qu'elle me prenne pour un salaud.

À l'aéroport, les journalistes attendent Ciano. Il annonce un communiqué officiel. Dans la foule, on distingue Virginia, à qui il adresse une aimable inclinaison de la tête qu'elle lui rend avec un sourire crispé, avant de se précipiter vers Lorenzo auquel elle tend une feuille arrachée d'un carnet.

— Il faut que tu appelles Bocchini à ce numéro. L'Ovra a arrêté Laura ce matin !

*

— Ainsi, c'est ta fille, dit Bocchini d'une voix lasse.

Il reçoit Lorenzo sans rendez-vous dans ce bureau austère depuis lequel il dirige d'une main de fer la police politique.

Il a perdu du poids depuis la dernière fois, quand il avait accompagné Lorenzo pour l'arrestation avortée du Cavalcanti. Ses joues autrefois rubicondes pendent de chaque côté, les rides se sont creusées, les yeux sont enfoncés dans leurs orbites. Le regard subsiste.

— Il paraît qu'elle était en Espagne avec ceux de la Garibaldi. Tu ne l'as pas croisée par hasard ? poursuit-il.

— La question est incongrue, et si par extraordinaire je l'avais croisée, comme tu dis, je ne te le dirais pas.

Bocchini a un mouvement de tête.

— Pardonne-moi, ce sont des questions qui viennent naturellement à l'esprit d'un vieux flic de l'Ovra. J'oublie à qui je parle. Tu es un vrai hiérarque maintenant, membre du Grand Conseil et de l'équipe Ciano. Le Duce te confie toujours des missions, et tu couches avec la plus belle fille de Rome, qui t'a préféré à notre ministre.

— Continue d'oublier qui je suis, dit Lorenzo, c'est ma fille qui m'intéresse.

Bocchini prend une fiche et lit :

— « Laura Mori, née le 8 juillet 1917 à Vérone, de Julia Di Stefano et de Lorenzo Mori, régulièrement mariés, étudiante à l'université la Cattolica, secrétaire générale adjointe du mouvement Giustizia e Libertà, installée en France depuis le mois de mai 1936, membre du parti communiste italien en exil, réside à Paris à diverses adresses successives, auteur d'articles de presse virulents contre le régime, impliquée dans la constitution d'une cellule communiste clandestine à Rome et dénoncée par sa logeuse après que celle-ci a entendu des conversations suspectes, conteste les faits évidemment, n'a jamais fait référence à la position de son père. »

— Pas la peine de continuer, c'est ma fille.

Silence dans cet immense bureau aux boiseries sombres et au portrait unique, celui de Mussolini. Bocchini regarde Lorenzo.

— Écoute, dit Lorenzo, si je dois faire quelque chose pour toi, dis-le, et si c'est en mon pouvoir, je le ferai. Ce genre d'affaire, c'est trois ans de *confino* au moins, n'est-ce pas ?

— Cinq ans ! Et si le complot est avéré…

Il a un geste vague du bras.

— Tu ne peux rien faire pour moi, et même si tu le pouvais, je n'ai besoin de rien.

Il déchire la fiche en petits morceaux, les yeux toujours braqués sur Lorenzo, avant de les enflammer avec un briquet et de les jeter dans le cendrier.

— J'ai fait beaucoup pour la cause fasciste, trop

peut-être. Il ne me reste pas beaucoup de temps… un an environ. Les médecins sont formels, il n'y a qu'à me regarder pour s'en convaincre[1]. Je te rends ta fille, Lorenzo, fais-lui repasser la frontière et dis à Virginia de prier pour mon âme, elle en a besoin.

Au palais Chigi, Ciano s'apprête à partir pour le palais Venezia.

— Il faudrait un passeport en urgence, demande Lorenzo.

Ciano le regarde d'un air ironique.

— C'est pour ta fille ?

Il fait oui de la tête.

— Elle n'a pas besoin de passeport. Bocchini m'a appelé. Elle partira demain dans l'avion de la valise diplomatique, sa place est prévue. Personne ne lui demandera de papiers ni au départ ni à l'arrivée au Bourget. La voiture la laissera devant notre ambassade. Les instructions sont données.

— Je…, commence Lorenzo.

Ciano lève la main.

— Je file voir le Duce. Tu diras à Carmela que je ne suis pas un salaud.

1. Arturo Bocchini, l'un des principaux fondateurs de l'Ovra, est mort en novembre 1940. Il avait soixante ans.

73

Le 25 août 1939, Hitler envoie une lettre demandant la compréhension italienne, Ciano a l'idée de répondre que l'Italie sera aux côtés de l'Allemagne, si elle lui fournit les armes et les matières premières dont elle a besoin. « Faites une liste », rétorque l'Allemagne.

Il se tient alors à Chigi une réunion extraordinaire, à laquelle participe même Mackensen, l'ambassadeur allemand. Il s'agit de dresser la liste des besoins italiens, et cette liste, selon les termes de Ciano, est de nature à tuer un taureau. On fait venir les chefs des trois armées et on appelle Lorenzo Mori.

À chaque chiffre énoncé, Ciano crie : « Doublez-le ! » On arrive à un total extravagant de cent soixante-dix millions de tonnes de matériel, d'armes, de matières premières et de métaux précieux. Un bref calcul permet d'établir que, pour transporter le tout, il faudrait dix-sept mille trains de cinquante wagons chacun.

Au lever du soleil, Ciano confie la liste à Lorenzo.

— Un avion t'attend, porte cette liste à Attolico.

Mori court prendre cet avion, qui le dépose à Tempelhof quatre heures plus tard. Attolico l'attend dans une voiture de l'ambassade.

— On va porter la liste à Hitler ensemble.

— Vous voulez que je vienne avec vous ?

— Évidemment, mon général. Vous êtes l'homme de la paix italienne avec cette liste. Courons ! L'ordre d'attaque de la Pologne est peut-être déjà donné.

Il presse le chauffeur d'accélérer. Attolico et Lorenzo jaillissent de la voiture et grimpent quatre à quatre les escaliers de la chancellerie du Reich, où un secrétaire les précède et ouvre toutes les portes. Il est treize heures trente.

— Est-ce que l'ordre d'attaque est lancé ? demande Attolico.

Le secrétaire fait signe qu'il n'en sait rien. Partout, des SS casqués en armes.

Attolico fait irruption, suivi de Lorenzo, dans le bureau d'Hitler sans être annoncé et lui tend la liste. La lecture fait l'effet d'une bombe. Hitler donne la lettre à Ribbentrop, qui sursaute lui aussi.

— Il n'y a aucune date à propos des livraisons, remarque Ribbentrop de l'air de sa statue.

— En effet, dit Attolico.

— Pour quand voulez-vous la livraison ?

— *Subito !* improvise Attolico en regardant Hitler et son ministre.

— Devons-nous penser que les Italiens agissent comme en 1914 ? demande Ribbentrop.

— Je ne comprends pas ce que vous voulez dire, répond Attolico avec une hypocrisie toute diplomatique.

Hitler, lui, a compris et fait appeler Keitel, le chef des opérations.

— Arrêtez tout immédiatement. L'ordre d'invasion est reporté.

Puis, se tournant vers Attolico et Lorenzo :

— Je vous remercie de votre visite, monsieur l'ambassadeur, et vous aussi, général Mori. Je suppose que vous avez participé à l'élaboration de cette liste extraordinaire qui restera dans l'histoire des relations entre nos deux pays.

— En effet, Führer, dit Lorenzo.

À seize heures, la nouvelle parvient à Rome que l'Allemagne accepte que le royaume d'Italie se tienne en dehors du conflit. L'invasion de la Pologne est reportée au 1er septembre.

— On a gagné ! s'écrie Ciano, avant d'embrasser tous les membres de l'équipe.

Lorenzo retrouve Carmela le soir.

— Ciano n'est pas un salaud, lui dit-il.

— Non, Ciano n'est pas un salaud. Si j'avais eu un doute, je serais partie sans attendre qu'il le prouve.

Elle laisse passer quelques instants.

— Ciano, ce n'est rien pour une femme comme moi. C'est un passe-temps plutôt agréable, où l'on découvre à l'occasion un monde d'autant plus curieux à contempler qu'on ne le soupçonnait pas.

— Celui des salons romains et de la politique ?

Elle acquiesce.

— On peut s'en approcher, mais pas trop près. Edda Ciano est venue me menacer de Regina Coeli. Ce jour-là, j'ai compris que j'avais franchi une ligne avec la *Cafonessa*.

De la main, elle chasse cette peur qu'elle a eue, et dont elle n'a jamais parlé.

— C'est étrange, la peur. Avec Nino, je n'ai jamais eu peur, pourtant il y a eu des occasions.

Elle se met à parler de Nino, de cet amour mystérieux et déraisonnable, du destin qui les a punis.

Elle continue avec Cavalcanti. Une mort encore récente. Accidentelle, certainement pas. Mais cela ne sera jamais prouvé. Elle dit qu'elle porte malheur aux hommes, il faut que Lorenzo y prenne garde. Peut-être est-elle l'une de ces veuves noires, comme ces insectes femelles dont elle a oublié le nom et qui dévorent le mâle après l'amour.

— Les mantes religieuses, dit Lorenzo.

— Ciano s'en est tiré, parce que cela n'a pas duré longtemps, mais un jour il m'a fait cette confidence : quand il se trouve dos au mur, il a l'impression qu'il va se faire fusiller[1]. Tu y crois à ce genre de prémonition ?

— Je n'en sais rien. Il n'en prend pas le chemin au poste où il est, ni à celui qu'il ambitionne.

Carmela reste silencieuse, environnée par ses fantômes. Elle demande à Lorenzo de l'aimer, de ne jamais la quitter, elle est seule maintenant. Elle n'a que lui. Puis, aussitôt après, elle se redresse sur le lit.

— Je ne suis pas là pour mendier ton amour !

Lui éclate de rire, caresse ses seins et lui dit :

— Tu n'as pas besoin de mendier, surtout pas à moi. Mon amour t'est acquis.

Elle passe ses doigts sur son corps, suit les cicatrices qui sinuent partout sur la chair comme des serpents qui respirent.

— J'ai l'impression que je suis arrivée au port, dit-elle.

---

1. Propos authentique, raconté par Ciano à certaines de ses « amies » du golf d'Acquasanta, qui se sont empressées de le répandre, au point que tous les biographes de Ciano font cette même citation.

Quand Lorenzo arrive au palazzo Chigi, il trouve les diplomates pétrifiés.

— Que se passe-t-il ?

— Entre ! Le ministre veut te voir.

Ciano est en bras de chemise, la tête entre les mains.

— Tout est fini, c'est la guerre !

— Pourquoi ? Quand ?

— Ce soir. Je dois donner les passeports aux ambassadeurs cet après-midi. Tout est fini, répète Ciano.

Les autres entrent à leur tour. Personne ne peut rien faire. Marcello Del Drago suggère qu'ils aillent déjeuner tous ensemble, mais Ciano refuse de venir, il veut rester là à attendre. Quelque chose peut arriver.

Ils vont manger au Fagiano. Quand ils reviennent, Ciano n'a pas changé de position. Livide. En attente. Brusquement, le téléphone sonne. C'est le Duce. Ciano jaillit de son siège, rectifiant même la position en un garde-à-vous militaire.

— Oui, monsieur... Je viens immédiatement.

Il se tourne vers les autres.

— Vite, s'écrie-t-il, donnez-moi le télégramme des Anglais reçu ce matin. Celui où ils donnent leur accord sur cette vieille contestation sur les droits de pâture. Quelque chose pour le mettre de bonne humeur. J'ai l'impression qu'il a changé d'avis.

Tout le monde cherche le télégramme, personne ne le trouve. Où est-il donc passé, ce maudit télégramme ?

— Enfermé dans le coffre-fort d'Anfuso, le chef de cabinet.

— Où est Anfuso ?

— Chez lui, avec la clé !

— Je pars devant. Vous deux, Marcello et Lorenzo, foncez chez Filippo. Récupérez la clé et le télégramme. Apportez-les-moi au Venezia.

Double course dans Rome : Ciano en direction du palais Venezia, Del Drago et Mori qui débarquent chez Anfuso, récupèrent la clé du coffre, reviennent à Chigi, ouvrent le coffre, puis repartent avec le télégramme, brûlant les feux rouges, ne respectant pas les sens interdits, repoussant les policiers et les miliciens qui veulent se mettre en travers et qui les rejoignent devant l'entrée du palais pour les interpeller mais qui s'arrêtent soudain quand ils reconnaissent sur la voiture les insignes du palais Chigi.

Del Drago et Mori grimpent l'escalier quatre à quatre, rejoignent Ciano à l'instant où il s'apprête à pénétrer dans la salle de la mappemonde et lui tendent le papier. Puis ils attendent, en compagnie de Navarra, le cœur battant.

Ciano sort enfin, souriant.

— Le vieux a changé d'idée et manqué son rendez-vous avec la guerre ! s'écrie-t-il.

Cette scène encore, le 31 août, veille de l'invasion de la Pologne, quand Filippo Anfuso annonce qu'à vingt heures trente l'Angleterre a coupé les communications téléphoniques avec l'Italie.

— Ce sont les prémices de la guerre ! s'écrie Ciano. Lorenzo, Marcello, Filippo, on va voir le vieux !

Depuis le mois d'août, son regard sur Mussolini s'est subrepticement modifié. En privé, il l'appelle « le vieux ». Encore une fois, ils foncent au palais Venezia. Dans l'antichambre, un huissier, qui n'est pas Navarra, fait barrage.

— Je veux voir le Duce, dit Ciano.

— Il est occupé.

— Je m'en fous ! Je veux le voir immédiatement. Compris ?

Tandis que le malheureux huissier pénètre dans la salle de la mappemonde, Ciano aperçoit sur les banquettes Starace et Alfieri, deux bellicistes convaincus qui, à tout hasard, se lèvent et font le salut fasciste. C'est alors qu'il se met à les injurier :

— Vous êtes deux imbéciles, avec moins de cervelle qu'un bœuf dans vos têtes d'ânes. Vous ne savez pas que les lignes avec l'Angleterre viennent d'être coupées, que ce soir, les avions français et anglais risquent de bombarder Rome. Tout ça parce qu'un vieux, entouré de fous et de voyous, est retombé en enfance !

Les deux autres restent bouche bée, le bras levé, comme deux valets, et Ciano continue de les injurier jusqu'à ce que l'huissier lui ouvre la porte.

Il ressort dix minutes plus tard, soulagé.

— On a appelé Percy Loraine, l'ambassadeur anglais, et André François-Poncet, le Français, pour leur dire qu'on ne leur fera jamais la guerre.

Ils retournent au palais Chigi, où Ciano allume d'un coup toutes les lumières de son bureau.

— Au moins que les Romains puissent voir un peu de lumière derrière mes fenêtres !

Le lendemain, 1er septembre, l'Allemagne envahit

la Pologne à cinq heures trente-cinq. Le 3 septembre, la Grande-Bretagne, et le 4, la France lui déclarent la guerre.

*

— J'ai quarante-trois ans, dit Lorenzo, et j'ai fait trois guerres. J'ai été blessé dans chacune d'elles et, par deux fois, je serais mort si je n'avais pas été secouru rapidement.

Carmela le regarde et pense qu'avant tout il est un guerrier. Un combattant en temps de paix qui guette la prochaine guerre.

— J'ai été élevé dans la guerre, poursuit-il comme s'il avait entendu la question qu'elle n'a pas posée. Sur l'Isonzo, j'avais vingt ans. Au début, je commandais des hommes qui avaient parfois le double de mon âge et qui me considéraient comme un père. En Éthiopie, sur l'Amba Tzelleré et à Mai Ceu, il a fallu se battre au sabre. Même Nino, qui n'avait jamais fait d'escrime, le maniait très bien.

Il erre dans ses souvenirs, il raconte l'histoire d'Hans dans un trou d'obus puis la manière dont il l'a laissé repartir. Il parle de Julia, de leurs longues longues conversations après sa mort, sans avoir jamais su si elles étaient réelles, du tenancier de la trattoria à Palerme qui lui a rendu la bague de Julia. Mais cette bague, il ne l'a plus retrouvée dans son portefeuille.

— Après, le silence, sauf une fois sur le bateau qui me ramenait d'Espagne. Je croyais que j'allais mourir, elle m'a dit que ce n'était pas pour cette fois.

— Elle n'est plus revenue ?

Il a un sourire.

— Non, si c'est elle, j'ai l'impression qu'elle ne reviendra plus, sauf peut-être au dernier moment, quand ce sera le bon.

— À cause de moi ?

— Oui, à cause de toi. Elle ne veut pas nous déranger.

Il parle de Laura, des moyens mis en œuvre pour la faire sortir d'Italie grâce à Bocchini et aussi à Ciano.

— Laura, c'est comme Julia, elle apparaît et elle disparaît au moment où l'on s'y attend le moins. Comme un éclair. À Rome, Bocchini l'a libérée pour la mettre dans un avion. Je ne l'ai même pas vue.

Il parle aussi de Sandro, honnête, franc, loyal, un disciple de Mussolini. Sandro, c'est comme Virginia, des gens tout d'une pièce, des êtres sans surprise. Il leur faut des enthousiasmes. Virginia est confite dans le catholicisme. Avant, c'était le fascisme, puis les mondanités. Maintenant, c'est la religion, encore plus depuis qu'elle fréquente la princesse qui ambitionne la nationalité vaticane. Mais il faut donner des gages et le nouveau pape Pacelli est un dur de l'Église. On raconte qu'à l'âge de douze ans, dans sa famille, on savait déjà qu'il serait prêtre, et que, comme on lui demandait s'il n'avait jamais songé à se marier, il avait répondu que si cela avait été le cas, cela aurait été à la condition de vivre avec sa femme comme frère et sœur.

— En réalité, poursuit Lorenzo, d'après ce que j'apprends chez moi ou chez la princesse, la seule femme du pape, hormis la Vierge, c'est sœur Pascaline, la religieuse autrichienne qui s'occupe de lui depuis plus de vingt ans et qui monte la garde. Virginia, en fait, voudrait être sœur Pascaline, mais la place est déjà prise. Alors, elle se rabat sur les *monsignori* qui peuplent le Vatican comme de vieilles mouches immortelles et cancanières.

— Ne sois pas méchant, dit Carmela.

— Je ne le suis pas vraiment. Mais j'ai le droit d'être exaspéré par les crucifix, les portraits de la Sainte Famille dans chaque pièce, les statues de la Vierge avec ou sans Enfant, les photos d'Assise et de Lourdes, les saints partout, écartelés, grillés, crucifiés, décapités avec leur tête sous le bras. L'œil de Dieu surveille tout. Il est pire que le Duce. Ce n'est plus une maison, c'est la reproduction d'un couvent en modèle réduit. Quand je sors du monde de Mussolini, c'est pour rentrer dans ce lieu sacré. Virginia, c'est la mère supérieure.

— Viens chez moi, dit Carmela.

— Je t'encombrerais. Un homme comme moi, c'est bruyant, ça tient de la place, ça remue de l'air. Ma présence dérangerait ton bel ordonnancement, avec ces livres bien rangés, ces tableaux offerts par des peintres et ces meubles sans un grain de poussière, ce silence de femme seule, même pas troublé par les bruits familiers de la maison.

— Je ne suis pas sûre que tu m'encombrerais.

74

À dix jours d'intervalle, Ciano prononce deux fois le même discours, un discours insidieux. Sans doute évoque-t-il la victoire mutilée de 1919, les sanctions iniques de la SDN pour l'Éthiopie ou encore le combat en Espagne contre le communisme, mais ce ne sont là que des passages obligés de la rhétorique fasciste, car l'essentiel est ailleurs, dans le venin subtilement instillé dans les rapports avec l'Allemagne. Ciano raconte qu'à Salzbourg Ribbentrop a écarté toute solution diplomatique pour l'affaire de Dantzig et annoncé le choix sans appel de la guerre. Puis c'est le pacte stupéfiant des Allemands avec la Russie communiste, dont les Italiens ont été tenus à l'écart. Le discours est imprimé à cent mille exemplaires pour être distribué dans toute l'Italie, et traduit en onze langues. L'Europe démocratique applaudit.

Pour la première fois, Ribbentrop omet de souhaiter son anniversaire à Ciano. Mussolini se tait et dit en privé qu'il s'agit d'éviter une victoire allemande trop écrasante. Et il déclare plus tard : « Il y a encore en Italie des imbéciles et des criminels qui croient en la défaite allemande. Moi, je vous dis que l'Allemagne vaincra ! »

— J'accepte « imbécile », dit Ciano à Lorenzo et aux autres, mais « criminel », c'est totalement injuste !

Entre Chigi et Venezia, une guerre sourde se traduit par des agressions verbales.

— L'Angleterre sera battue, inexorablement. C'est une vérité que tu ferais bien, toi, de te mettre en tête, assène le Duce à son gendre, quand il annonce que sa décision est prise pour le mois de juin.

Pour la première fois, Ciano ne répond rien.

Depuis le mois d'avril, le vaillant ambassadeur

Attolico, totalement acquis à la neutralité italienne, a quitté Berlin à la demande des Allemands. Il a été nommé au Vatican. « Du diable à l'eau bénite », a-t-il brièvement commenté. À sa place, on a nommé Alfieri, un hiérarque à l'échine souple.

Ciano, qui le connaît bien, confie à Lorenzo :

— Un con précieux, qui ne sait rien et ne dit rien, mais avec beaucoup de mots. Je l'appelle le zélateur de l'optimisme inconditionnel.

Il se tourne vers les autres, Bottai, Marcello Del Drago et Filippo Anfuso, les amis fidèles, les membres de l'équipe.

— S'en aller maintenant ? Risquer l'opposition ? Le gendre contre le beau-père ? Et que peut-on faire le jour où l'on n'est plus ministre, mais seulement gendre ? De toute manière, vous savez qu'aujourd'hui on ne démissionne plus. Ce serait un crime de lèse-majesté, si ce n'est de lèse-fascisme. Avec Mussolini, les démissions ne sont acceptées que lorsque personne ne les a données !

*

Dans sa maison vidée de ses crucifix, de ses tableaux de saints et de ses statues de Vierge, Virginia trône, entourée de ses malles.

À l'arrivée de Lorenzo, elle dépose son livre de prières.

— Mais que fais-tu ? demande-t-il.

Elle reste un moment à le regarder, les paupières humides, puis, les traces de larmes effacées, elle le fixe de ses yeux bleus.

— Cher Lorenzo, je pourrais te dire qu'après dix-huit ans de mariage, la naissance d'un fils et l'éducation de Laura j'espérais mieux qu'être remplacée par Carmela Cavalcanti, ce résidu de Ciano. Oui, Lorenzo, cela je pourrais te le dire, et tu n'aurais rien à me répondre. Mais en Italie, le divorce n'existe pas et il est prohibé par l'Église. Nous sommes donc liés jusqu'à la mort. Oui, j'ai consulté un juriste de droit canon.

Étonné, Lorenzo se laisse tomber dans un fauteuil.

— Je t'écoute.

— J'aurais pu partager le sort de ces Italiennes délaissées qui attendent en priant Notre-Seigneur pour le retour du mari prodigue à la maison, en sachant qu'elles auront toujours le dernier mot.

— Tu pouvais toujours l'espérer, répond Lorenzo, que ce discours, un peu pompeux et manifestement préparé, lasse déjà.

Virginia soupire.

— Dieu m'appelle, cher ami, il me veut auprès de lui.

— Tu vas te suicider ?

Elle secoue la tête.

— Ne blasphème pas, je te prie ! Quelle idée ! La vie nous a été donnée, et seul un choix divin peut nous l'ôter. Je ne te ferai pas ce cadeau qui nous aurait épargné à tous les deux cette scène désagréable. Il me veut encore. J'ai donc effectué des démarches au plus haut niveau de la hiérarchie de l'Église.

Elle prend une nouvelle inspiration.

— Dans certaines de ses maisons, l'Église accepte que des femmes mariées puissent rejoindre une communauté religieuse pour partager la vie des sœurs, et plus tard, après des années d'épreuves, sous certaines conditions, prendre le voile.

Lorenzo regarde Virginia sans rien dire. Irréprochable jusqu'à entrer dans un couvent ! Où est la vaillante secrétaire qui dactylographiait ses articles et tenait la boutique du *Fascio* de Vérone ? Où est la maîtresse qui s'est fait faire un enfant pour le contraindre au mariage ? Où est l'invitée de la princesse en robe Schiaparelli ? Sans doute a-t-elle perdu de ses attraits, mais il s'en veut de n'avoir rien voulu voir de son évolution religieuse qui était pourtant évidente. Tout cela, se dit-il, n'est qu'une question de posture, comme Mussolini qui veut à toute force se conformer à l'image qu'il a de lui-même. Elle s'en tire bien, Virginia. Elle passe du statut d'épouse délaissée à celui de future sainte.

— Tout ça est ma faute, réplique-t-il, et cette descente soudaine de la grâce sur ta personne n'est qu'une réaction. Je crains que ta vocation ne dure pas. C'est un choix que tu regretteras.

— Je n'ai rien décidé, mon pauvre ami, Dieu a choisi pour moi.

— Et notre fils ?

— Il est au courant de ma décision et viendra me voir de temps en temps. En ce moment, la GIL[1] l'oc-

1. Gioventù Italiana del Littorio, organisation des jeunesses fascistes. L'inscription était obligatoire et le mot d'ordre clair : croire, obéir, combattre. En 1939, la GIL comptait près de 800 000 adhérents, chiffre qui ne recouvrait cependant pas la totalité de la jeunesse italienne.

cupe beaucoup. De toute manière, il est beaucoup plus proche de toi que de moi. Mais tu ne t'en rends même pas compte. Profite de mon départ vers Dieu pour t'occuper de lui.

Un coup de klaxon dans la rue.

— C'est mon taxi. Embrasse-moi, mon bon ami. Adieu.

Elle tend la joue pour un baiser chaste.

— Je te signale que l'Italie risque d'entrer en guerre dans les prochaines semaines, dit-il.

— L'Italie est entre les mains de Dieu. Il la récompensera ou la châtiera à raison de ses bonnes actions ou de ses fautes. Je prierai pour l'Italie en même temps que pour toi.

1940

75

Ciano avait d'abord refusé qu'on projette le 3 avril 1940 au palazzo Chigi le film allemand sur la prise de la Pologne, puis il a dû accepter. Il est même resté pour éviter une absence trop visible. L'équipe habituelle, Lorenzo, Bottai, Anfuso, Del Drago, n'a pas commenté. Ciano a seulement déclaré que c'était l'image de la force brutale à des fins de propagande. Les germanophiles ont applaudi.

Le 10 avril, les nouvelles d'Allemagne provoquent dans une partie du peuple un écho favorable, mais Mussolini lâche: «Le peuple est une putain qui va toujours au mâle qui est vainqueur.»

Plus tard, il ajoute: «Pour faire un grand peuple, il faut le conduire au combat à coups de pied au cul. Je n'oublie pas qu'en 1918 il y avait en Italie cinq cent quarante mille déserteurs.»

Le 23 avril, Mussolini dit à Ciano de rédiger une lettre au roi pour demander le collier de l'Annonciade à l'intention de Goering, qui a les larmes aux yeux chaque fois qu'il le voit au cou de Ribbentrop. «En réalité, dit Ciano, Mussolini n'a que mépris pour ces colifichets qu'il a refusés pour lui-même.»

Le 29 avril, Ciano annonce que le roi est totalement

opposé à conférer le collier à Goering, il n'y consentira qu'*obtorto collo*[1].

Le 1er mai, Roosevelt a envoyé une lettre courtoise mais ambiguë en cas d'abandon de la neutralité italienne. Ciano a mission de répondre que si la doctrine Monroe[2] vaut pour les Américains, elle doit valoir aussi pour les Européens.

Le 6 mai, le roi accepte d'offrir le collier à Goering, mais il a « les dents serrées[3] ». Mussolini a répondu : « Majesté, c'est peut-être un citron que vous devez avaler. Mais en ce temps, tout recommande un pareil geste. »

Le 10 mai, dîner de diplomates à l'ambassade d'Allemagne. La nourriture est insipide, mais à minuit vingt-cinq exactement, l'ambassadeur Mackensen demande le numéro personnel de Ciano en le prévenant qu'il devra peut-être le déranger à la suite d'un appel de Berlin qu'il attend dans la nuit. C'est en effet à quatre heures du matin que sonne le téléphone de Ciano. Mackensen veut aller voir Mussolini. Réunion à cinq heures, villa Torlonia. L'ambassadeur tend une lettre d'Hitler, dont le message n'a manifestement pas été reçu par téléphone.

C'est l'annonce de l'attaque des Allemands dans la nuit contre la Belgique, la Hollande et la France.

---

1. Expression latine qui signifie « en tordant le cou » (en français, on dirait plutôt « en tordant le nez »).

2. Doctrine formulée par James Monroe, l'un des premiers présidents américains, selon laquelle les États-Unis ne devaient pas intervenir dans les conflits européens et que les Européens ne devaient pas intervenir sur le continent américain.

3. Selon l'expression de Ciano dans son journal.

Ciano répond qu'il faut attendre et voir, mais le Duce, surexcité, n'écoute plus rien. Il dit qu'Edda est venue au Venezia pour lui parler. Elle prétend que le pays veut la guerre et que protéger la neutralité serait un déshonneur. Ce sont les seuls discours qu'il veut entendre.

Le même jour, visite impromptue des ambassadeurs français et anglais que Ciano considère comme des amis personnels. Le Français, André François-Poncet, l'air épuisé, les yeux rouges, est bizarrement fagoté à la hâte. L'Anglais, Percy Loraine, froid et décidé, affirme courtoisement que l'Allemagne sera certainement défaite, et Ciano remarque que toute la dureté des Anglais apparaît à cet instant dans l'éclair de son regard.

Le 12 mai, le pape adresse un télégramme aux chefs des trois États envahis par les Allemands pour leur exprimer sa compassion. Mussolini est furieux. «Ce pape, dit-il, est un cancer qui ronge notre vie nationale, il faudra liquider cette question une fois pour toutes.»

Le roi fait dire qu'il a bien conféré le collier de l'Annonciade à Goering, mais il refuse de lui envoyer un télégramme de félicitations.

Le 15, Roosevelt adresse un nouveau télégramme au Duce. Cette fois, il parle de l'Évangile du Christ. «Il m'en faut plus pour m'émouvoir», commente Mussolini.

Le 16, Churchill, qui a remplacé Chamberlain, envoie lui aussi un message de bonne volonté, digne et noble, reconnaît Mussolini, qui le remercie et lui répond que l'Italie n'a d'autre choix que d'honorer ses engagements internationaux.

Le 17, les Allemands ont réussi leur percée en France. Saint-Quentin est pris, Paris est menacé. L'opinion publique italienne est ravie parce qu'elle croit que la guerre se terminera là.

Le 18, Bruxelles est tombée, Anvers est démantelé, les chars allemands sont à Soissons.

Le 20, le général Giraud et son état-major sont prisonniers des Allemands.

Le 22, pour l'anniversaire du Pacte d'acier, Goering reçoit enfin le collier des mains de Ciano. Le roi n'a pas envoyé de télégramme.

Le 28, la Belgique s'est rendue dans la nuit. André François-Poncet arbore des traits défaits. « Mais l'Angleterre est encore debout, et l'Amérique ? » dit-il encore.

L'Anglais, sir Percy Loraine, dit à Ciano : « Si vous choisissez l'épée, ce sera l'épée qui décidera de l'avenir. Il faut bien répartir les responsabilités. » Ses yeux sont voilés de tristesse, quand il ajoute : « À la guerre nous répondrons par la guerre. Je supporte mal qu'entre nos deux pays doive couler le sang. » Il a enfin ce pronostic : « Si les Alliés gagnent maintenant, la guerre sera finie aussitôt. Si ce sont les Allemands, la guerre durera trois ans de plus, mais nous vaincrons à la fin. » Cette fois, les larmes coulent des yeux de l'ambassadeur anglais.

Le 30 mai, les dés sont jetés. Mussolini propose d'entrer en guerre le 5 juin, mais Hitler préfère retarder au 10, le temps d'achever de détruire les aérodromes français.

Le 4 juin, Ciano a choisi de commander le groupe de bombardiers de Pise, Lorenzo dirigera une unité sur les Alpes. Tous les autres hiérarques font de même. Mussolini a dit : « Mieux vaut un soldat ministre qu'un ministre soldat. »

Le 5 juin, les Allemands sont sur la Somme.

Le 7 juin, visite d'adieu de sir Percy Loraine avant la déclaration de guerre. « Les Anglais, dit-il, n'ont pas l'habitude d'être battus. »

Ciano s'occupe de son retour paisible en Angleterre. Malheureusement, l'ambassadeur devra abandonner son poulain en Italie.

Le 10 juin, la déclaration de guerre est remise à André François-Poncet. L'ambassadeur français parle de coup de poignard dans le dos mais remercie les Italiens d'user d'un gant de velours. Ciano est déjà en uniforme d'aviateur. « Ne vous faites pas tuer », recommande François-Poncet. Il ajoute : « Les Allemands sont des maîtres durs, vous vous en apercevrez. »

Sir Percy Loraine reçoit, imperturbable, la déclaration de guerre, mais, en quittant le bureau de Ciano, il lui serre longuement la main.

À six heures du soir, Lorenzo et Carmela sont dans la foule massée piazza Venezia. Mussolini, sur le balcon, a revêtu l'uniforme de caporal d'honneur de la milice. Il parle d'une voix métallique sur un ton encore plus césarien qu'à l'habitude : « Il n'y a qu'un seul mot d'ordre catégorique et qui doit s'imposer à tous… Vaincre ! Et nous vaincrons ! Peuple italien, cours aux armes et montre ta ténacité, ton courage et ta valeur ! »

Aucune femme n'applaudit. La foule se retire en silence. Carmela étreint soudain Lorenzo en chuchotant : « Qu'allons-nous devenir ? »

76

— Combien d'hommes pour défendre ce fort ? demande Lorenzo.

— Une cinquantaine au maximum, cher camarade, répond le général Guzzoni qui commande la 4e armée italienne. Ils sont acharnés et bloquent notre progression. Tout a été essayé, les bombardements aériens comme les assauts au sol. Nos bombes ont été perdues et nos hommes aussi. Vous allez me dire que c'est invraisemblable mais c'est ainsi. Ils ont des munitions et ils savent tirer, je vous prie de le croire. On a appelé des renforts.

— C'est moi, les renforts, grommelle Lorenzo.

Il pointe à nouveau les jumelles sur le fort qui s'appelle la Redoute-Ruinée, une vieille construction du siècle précédent accrochée sur la roche du col de la Taversette à 2 800 mètres d'altitude, sur le Petit-Saint-Bernard. Trois compagnies d'*alpini* y sont restées coincées sous les feux croisés des mitrailleuses et les tirs de canons des batteries disséminées dans les montagnes autour. Le pire, remarque-t-il, ce sont les deux kilomètres de pente qu'il faut parcourir à découvert pour atteindre les fortifications au sommet. Il a fallu hisser le drapeau blanc pour enlever les morts du dernier assaut. Les Français ont accepté et les tirs ont cessé pendant deux heures.

— Nous attendons des unités motorisées, dit Guzzoni. Elles devraient être là d'une minute à l'autre.

— Il faudra attendre encore, prévient Mori, les Français ont envoyé un commando qui a fait sauter le pont de la Marquise. Une journée au moins pour rétablir le passage. Je l'ai appris tout à l'heure en arrivant.

Quand Guzzoni a informé l'état-major du Duce que l'avance était bloquée par un vieux fort français qui refusait de se rendre, il lui a été annoncé des renforts, et c'est ce Mori qui est arrivé, un jeune général couvert de cicatrices, de décorations, avec une main en bois. C'était assez vexant, mais il n'y avait pas le choix.

— J'ai envoyé des chars, dit Guzzoni, des Fiat Ansaldo de la division Littorio, mais…

— Les mines, je pense, coupe Mori. Sur ces pentes, les chars, même légers, ne valent rien. Les voies d'accès sont ruinées. Vous savez comment on les appelle, nos chars italiens ? Les boîtes à sardines ! Ce sont leurs propres équipages qui leur ont donné ce nom.

Guzzoni se tait. Sur soixante chars, dix-sept étaient passés malgré les tirs des batteries, jusqu'à ce que le premier saute sur une mine, bloquant les suivants. Les chars ont été retirés, dix ont été détruits. Lorenzo balaie encore les alentours du fort avec ses jumelles.

— Une attaque de nuit, murmure-t-il. Sinon, le fort est imprenable.

— C'est extrêmement risqué, hasarde Guzzoni. Je ne suis pas sûr que mes *alpini*…

— Le Duce veut des morts italiens pour s'asseoir à la table des négociations avec les Allemands et les Français. Il faut cinquante hommes, des volontaires. Je prendrai leur tête.

Guzzoni assiste au discours de Mori aux *alpini*. C'est bref :

— Je veux cinquante volontaires pour attaquer

la Redoute-Ruinée cette nuit, juste avant l'aube. Armement léger, mitraillettes, poignards et grappins. Le risque d'y rester tous est extrêmement élevé. Je vous préviens. Pas d'hommes mariés ni de soutiens de famille.

La silhouette sombre de Mori se détache au sommet du monticule sur lequel il a grimpé. Les hommes sont dans la lumière des projecteurs. L'un d'eux s'avance.

— Puis-je parler ?

— Je vous écoute, dit Mori.

— Excusez-moi, mon général, mais nous ne vous connaissons pas, sauf de nom.

— C'est vrai, dit Mori.

Il s'avance dans la clarté. Les hommes voient ses décorations, les insignes des *arditi*, ses cicatrices, la main de bois.

— Il y a vingt ans, les Autrichiens nous surnommaient « les caïmans du Piave ».

L'appellation est connue. Un murmure chez les *alpini*. Un premier se détache et va se ranger derrière Mori, puis un deuxième… Mori les compte au fur et à mesure. À cinquante, il s'arrête et lève sa main de bois.

— Ça suffit.

Il se tourne vers Guzzoni, resté en arrière.

— Il faut de la teinture noire pour les visages et les mains. Vérifiez les mitraillettes. Trois chargeurs par homme. Au-delà, c'est bruyant. Je prendrai les bâtons de dynamite.

C'est une nuit épaisse. Pas de lune, pas de vent. À peine distingue-t-on, là-haut, les fortifications de la Redoute-Ruinée. Les hommes ont dîné légèrement.

Ils ont essayé leurs armes et on leur a passé les parties claires du corps au brou de noix. Certains sont allés voir le chapelain pour se confesser. D'autres ont écrit des lettres. Lorenzo en a fait une pour Carmela, une pour sa mère.

À quatre heures, les hommes à demi courbés, répartis en cinq groupes, se suivent en file indienne. Mori est le premier. À proximité du fort, avant d'attaquer les deux kilomètres à découvert, sauf quelques buissons et un bosquet d'arbres, ils s'arrêtent. Mori fait le signe de la dispersion et ils commencent à grimper. Du côté du fort, pas une lueur, pas un bruit. Et pourtant, se dit Mori, il y a des sentinelles derrière les meurtrières, des hommes qui guettent dans la nuit, qui écoutent aussi.

Le premier kilomètre est franchi. On distingue mieux le fort maintenant. Des nuages filent dans le ciel, découvrant quelques étoiles. C'est le meilleur moment pour une attaque surprise. Mais les Français le savent aussi bien que nous, songe Lorenzo, leurs sentinelles sont averties. D'ailleurs, on a dû les relever. Il ne reste plus que cinq cents mètres. Les hommes sautent dans les cratères creusés par les bombardements et progressent par bonds avant de s'aplatir au sol. En tête, les lanceurs de grappins. Un vent léger s'est levé. Trois cents mètres, deux cents. Maintenant, il n'y a plus ni buissons, ni bosquets, ni arbres, rien. La terre nue et la roche. C'est à ce niveau, a précisé Guzzoni, que les hommes ont été fauchés par les mitrailleuses Hotchkiss. L'aube ne va pas tarder. Lorenzo attend un quart d'heure. Il écoute le fort. Un bruit métallique, lui semble-t-il, puis plus rien. Enfin, il lève le bras.

— *Avanti Savoia !*

Et les *alpini* franchissent en courant cent mètres, cent cinquante. Le fort s'illumine d'un coup et les mitrailleuses se mettent à tirer. Trop tard peut-être, car les premiers grappins crochent déjà sur les sommets du mur. Les *alpini* tirent en direction des meurtrières. On entend des cris, en italien, en français. Lorenzo, immobile, arrose les meurtrières, qui se taisent soudain. Avec sa fausse main, il ne pourra pas grimper. Les mitrailleuses Hotchkiss des Français reprennent le feu. Lorenzo tire encore et les mitrailleuses s'arrêtent. Les servants sont touchés. C'est le moment. Lorenzo empoigne le paquet d'explosifs et court vers la porte du fort. Il place les bâtons au bas de la porte. Tout autour, des cris, des coups de feu, des rafales, puis, du côté du fort, le silence. C'est incroyable. Il dure plusieurs minutes, ce silence. Un grincement de l'autre côté et la porte s'ouvre d'un coup.

Lorenzo agenouillé, ses bâtons à la main, et dans l'espace ouvert par la porte, la silhouette d'un officier français.

— La guerre est finie. La radio vient d'annoncer que l'armistice vient d'être signé dans l'après-midi, et il entre en vigueur cette nuit, dit le Français dans un italien hésitant mais correct.

— Dommage, dit Lorenzo, qui laisse tomber l'explosif à terre.

— Dommage en effet, répond le Français.

*

Cette nuit du 24 au 25 juin 1940 où la France rend les armes sans que l'Italie ait vaincu, mais où ses dirigeants proclament qu'ils sont victorieux, la princesse Colonna donne une fête dans son palais illuminé. Les hiérarques ne sont pas invités, sauf Ciano qui a son couvert en permanence. Mais Ciano n'est pas encore arrivé. C'est un homme occupé, dont on sait qu'il a passé l'après-midi villa Incisa, avec Badoglio, le chef d'état-major, et la délégation française. Entre les fascistes et l'aristocratie romaine, il y a ce lien : Ciano et quelques autres qui le suivent, mais de moindre étiage. Il y a aussi Carmela Cavalcanti.

— Comment se porte notre cher Chiaramonti ? lui demande la princesse en venant l'accueillir.

— Il n'a pu venir ce soir, trop fatigué. Il a lu des manuscrits toute la journée.

— Et la victoire sur les Français, qu'en pense-t-il ?

— Rien, je crois, sauf qu'on ne frappe pas une nation à terre. Il n'est même pas au courant de l'armistice. Avec l'âge, il ne lui reste que la littérature.

La princesse ne demande pas de nouvelles de Lorenzo. Un homme estimable, un héros de guerre sans doute, mais trop proche de Mussolini. Il n'est venu qu'une fois, lorsqu'elle a reçu tous les hiérarques ensemble pour une même soirée, comme pour s'en débarrasser d'un coup. Lorenzo n'est pas Ciano. La dévote princesse ne reçoit pas ce genre d'homme, fût-il membre du Grand Conseil et couvert de décorations obtenues au feu. Elle parle encore de la guerre, qui signifie le départ de tous les amis anglais et français qui fréquentaient son salon.

— Cela fait vide maintenant qu'ils sont de l'autre côté, remarque-t-elle. Il ne reste que les Américains et les Allemands. Ce n'est pas pareil !

Ainsi poursuit-elle ses pépiements, ce qui ne l'empêche pas de s'intéresser à Carmela, sans dire jamais ce qui l'attire chez elle, la femme de passion ou la femme de lettres. L'amante d'un mafioso, la criminelle si l'on en croit *Lei*, ou la maîtresse regrettée du distingué comte Ciano, ou encore la compagne d'un général réputé, autrefois préfet de Sicile, aujourd'hui ferraillant contre les Français sur le front des Alpes, possiblement déjà tué.

Carmela devine la curiosité de l'aimable princesse, qui n'ignore pas, alors que toutes deux, se tenant le bras, parcourent les salons du palais, que l'esprit de la jeune femme erre sur la chaîne des Alpes avec cette seule question : Lorenzo est-il vivant ?

À cet instant, surgit Ciano, accompagné d'Edda, son épouse, qui a délaissé les tables de jeu en cette nuit de victoire, tous deux flamboyants.

— Signora Cavalcanti, annonce Ciano, le général Mori a appris des Français la nouvelle de l'armistice au moment même où il s'apprêtait à faire sauter la porte d'un fortin qui résistait. Je tiens l'information du général Guzzoni qui vient de m'appeler.

— Vous voilà soulagée, remarque Edda Ciano avec un sourire en coin.

— Je le suis en effet, comtesse. Le général Mori pose des bombes chez l'ennemi mais n'écrit pas de livre. De plus, il est fidèle, à la fois au Duce et à moi-même. Ce sont beaucoup de qualités pour un seul homme.

77

Cette nuit-là, Laura Mori la passe avec Sacha Ogarev, son amant russe. Nul ne sait comment ils se sont trouvés tous les deux, elle, la légende de Guadalajara, comme on dit chez les *fuorusciti*, lui, l'homme du PCUS[1], envoyé en mission chez les camarades du parti communiste français. Mais ils se sont rencontrés et ils se sont aimés, comme s'ils se reconnaissaient, après avoir longtemps erré dans le maquis des amours incertaines. Sacha frise la trentaine avec un regard de braise et des traits de condottiere. Il parle plusieurs langues et peut se targuer d'une culture solide et européenne. Il se raconte au parti que le comité central parie sur son avenir et même que le camarade Staline l'aurait reçu dans la datcha de Kountsevo, pour le seul plaisir de parler avec lui, d'entendre son opinion sur tous les pays où il est allé en mission. Mais ce ne sont là que des rumeurs, comme il en existe dans tous les partis, et que Sacha n'a jamais confirmées pour la simple raison qu'il n'évoque jamais sa propre personne. Son métier est d'observer pour rendre compte ou de transmettre des instructions à Maurice Thorez, le secrétaire général du parti. Un jour, il repartira comme il est venu, sans prévenir, pour faire son rapport au comité central ou à Staline lui-même. Nul ne sait ni ne cherche à savoir. Au parti, il est des questions qu'on ne pose jamais. En attendant, il passe ses nuits avec Laura,

1. Parti communiste d'Union soviétique.

qui a dû préalablement demander la permission du camarade Marco Cavallo, son supérieur hiérarchique depuis l'aventure espagnole dans les brigades internationales, un peu son père politique.

Il n'a pas répondu tout de suite, le vieux Marco, patron du parti communiste italien en exil, provisoirement abrité par les camarades français. C'est un Stal, comme on dit, peut-être plus bourru que méchant, mais un dur quand même. Au parti, la vie privée n'existe pas. On y renonce en prenant sa carte, et les relations entre hommes et femmes sont réglées par la seule discipline. Quand on veut en sortir et placer les rapports sur un autre terrain, il faut y être autorisé. C'est pour cela que Laura est allée trouver Marco Cavallo, pour lui demander la permission de coucher avec Sacha Ogarev.

« C'est cela que tu veux ? a-t-il demandé.

— Oui. »

Au moins, c'était une réponse claire, une vraie réponse de militante, sans les minauderies ou les afféteries des petites-bourgeoises.

« C'est lui qui t'a demandé ? »

Elle a fait un signe de la tête.

« Et qu'as-tu répondu ?

— Que je devais d'abord en parler avec toi.

— J'aurais dû m'en douter ! À ton âge, on a des besoins, des envies qu'il faut bien satisfaire. En même temps, le parti, ce n'est pas le boxon. Ce n'est pas le couvent non plus. »

Il a tiré sur sa cigarette Boyard.

« Ce garçon, on ne sait pas trop d'où il vient ni ce qu'il veut vraiment. Seul Maurice est au courant et il n'est même pas sûr qu'il en ait parlé à Jeannette[1]. Mais il a du pouvoir, c'est certain. Il regarde les comptes, les PV de réunion, les rapports, tout, et il pose les questions à n'importe qui. Ce qu'il fait des réponses, il est le seul à le savoir avec les camarades du comité central à Moscou quand il va rendre compte… Je dois reconnaître qu'il est beau selon les critères bourgeois, ajoute-t-il avec une pointe de jalousie. Toi aussi, tu es plutôt pas mal. Les camarades se retournent sur ton passage mais tu sais les tenir à distance. Cela, je l'ai remarqué et je t'en félicite. »

Il s'est raclé la gorge et a tiré une nouvelle bouffée pour éviter que la Boyard ne s'éteigne.

« C'est la raison pour laquelle je te donne l'autorisation de… enfin de ce que tu me demandes. À condition que ce soit discret. Pas de… bref, tu me comprends. »

Après, il a tourné le dos, revenant à ses papiers. L'amour au parti, c'est la camaraderie associée à un besoin sexuel. Le reste, c'est pour les bourgeois.

Laura n'a pas demandé son reste. Elle s'est envolée vers Sacha.

— Voilà, dit-elle, je peux.

Ça le fait beaucoup rire, Sacha, cette affaire de permission. Lui est un garçon plutôt gai dans les moments de l'amour. Il passe ses longs doigts sur le corps de Laura, lui parle en russe, usant des mots les plus doux dans sa langue. Elle l'écoute avec ravissement comme si elle comprenait ce qu'il lui dit. Elle est amoureuse. Cela fait longtemps que cela ne lui était

1. Jeannette Vermeersch, l'épouse de Maurice Thorez.

pas arrivé. À la réflexion, cela ne lui est jamais arrivé. D'abord un étudiant italien charmant et drôle, mais il est reparti chez ses parents pour s'accommoder avec eux du régime fasciste qu'il affirmait détester. Deux copains de la Garibaldi, au temps de Guadalajara, mais des étreintes haletantes et brèves, parce qu'on ne savait pas si on serait encore vivant le lendemain. C'est tout. Rien à voir avec le beau, le mystérieux, le séduisant Sacha Ogarev.

— Tu resteras ? lui demande-t-elle. Tu ne repartiras jamais en Russie ?

Il a un sourire bref et ne répond pas.

*

Cette nuit-là, Sandro Mori la passe dans le couvent où vit maintenant sa mère. Cela fait longtemps qu'ils ne se sont pas vus. Elle a beaucoup changé, constate-t-il. Amaigrie, les traits tirés, mais sereine. Elle porte une robe sobre, très simple, une robe de pauvre, pense-t-il.

— Mamma, lui dit-il en arrivant, j'ai eu une permission pour venir te voir parce que mon régiment est stationné tout près.

— Mon fils, tu pars à la guerre contre les Français ?

— Mais non. La guerre est déjà finie. L'Italie a gagné. Les Français ont signé l'armistice.

Virginia pousse un soupir de soulagement. Elle demande qu'on l'excuse. Dans cet endroit, on ne s'occupe que de Dieu et les nouvelles viennent battre les murs du couvent sans vraiment les traverser. Elle serre son fils dans ses bras, lui demande de lui raconter sa vie. Il lui parle du Duce, des Français qui sont occupés par les Allemands, de la bataille qui va commencer contre l'Angleterre. Elle l'écoute avec avidité. Cela lui manquait de savoir, dit-elle. Au bout d'un moment, elle demande des nouvelles de Lorenzo.

— Il est dans les Alpes, il est vivant.

Virginia hoche la tête. Elle n'ose pas parler de Carmela. Sandro non plus. Il sait mais se tait. D'ailleurs, cette femme, il ne l'a jamais rencontrée. C'est ce qu'il finit par dire à sa mère. Il ne veut pas la connaître.

Virginia l'admire en silence. Il est beau, son fils. C'est un garçon qui ne tardera pas à avoir du succès, comme son père.

— Ça ne me fait rien, même si tu la rencontres. J'ai beaucoup réfléchi depuis que je suis ici. J'ai ma part de torts dans cette affaire, et je pense qu'ils sont faits pour s'entendre. À la vérité, c'est moi qui n'ai pas été à la hauteur. Tant pis.

Elle garde le silence, puis :

— Je vais quitter le couvent, Sandro. Je ne deviendrai jamais une sœur. Je vais même t'avouer une chose terrible : j'en ai assez de Dieu.

*

— Nous aurions pu tenir encore trois ou quatre jours en économisant les munitions.

— Et après, demande Lorenzo, qu'auriez-vous fait ?

Le lieutenant Desserteaux commande la Redoute-Ruinée. Lorenzo devine que cette question, il se la posait depuis plusieurs jours. C'est un très jeune officier avec un visage mince et des lunettes rondes. Il a l'âge, se dit Lorenzo, où je suis moi-même parti à la guerre en mai 1915, et il éprouve beaucoup de sympathie pour ce très jeune officier français.

— Il me restait quelques hommes affamés mais déterminés. De quoi tenter une sortie de nuit. Trois ou quatre auraient pu passer. Les autres se seraient fait massacrer. Tous le savaient. Mais cela signifiait abandonner le fort et permettre à vos troupes de continuer à avancer. C'est pour cela qu'il fallait attendre le dernier moment. La consigne était de résister à outrance.

Il se tait. Lorenzo devine encore que cette sortie désespérée, il la regrette. Il est du genre à tomber les armes à la main.

— Je peux vous dire, reprend Lorenzo, que votre but est atteint. Nos troupes, à cause de la Redoute-Ruinée, ont manqué leur rendez-vous avec les Alliés allemands à Chambéry. Il n'y aura pas de jonction et les Allemands commencent à dire que c'est la faute des Italiens.

Desserteaux a un sourire las.

— C'est sans importance, la guerre est perdue maintenant.

— Voulez-vous un autre café ? propose Lorenzo.

Desserteaux fait un signe de tête. Il explique que ce qui lui a manqué ces derniers jours, ce n'est pas le vin, mais le café. Ils parlent encore, ces deux ennemis d'hier. Les Français ne sont pas prisonniers des Italiens. C'est une affaire entendue. Lorenzo ignore ce que prévoit la convention d'armistice sur ce point, et d'ailleurs, il s'en moque. L'officier qui commande sur place décide. Il a donc choisi de laisser leurs armes aux Français, de même que leur drapeau déchiqueté mais qui flotte toujours sur la Redoute.

— C'est mon premier commandement, dit encore Desserteaux. Je suis sorti de Saint-Cyr il y a un an.

Un officier de carrière, comme Lorenzo. Tous deux se comprennent.

— Vous aurez d'autres occasions, dit Mori. La guerre n'est pas finie. L'un de vos généraux a appelé les militaires à le rejoindre en Angleterre la semaine dernière. Il a parlé à la BBC, et chaque soir, il diffuse son message. Un certain de Gaulle.

Desserteaux relève la tête. Le fait qu'un officier italien écoute la BBC ne le surprend pas. Il ignore qui est ce de Gaulle, mais il le rejoindra s'il le peut.

— Vous savez, poursuit Lorenzo, à chaque campagne qui s'achève, on croit que c'est la dernière, mais d'autres arrivent auxquelles il faut participer. C'est la loi du soldat. Vous l'apprendrez à votre tour.

Desserteaux observe les décorations sur la poitrine de ce général, main droite en bois.

— Puis-je vous demander à combien de campagnes vous avez participé ?

— Celle-ci est la quatrième.

— Qu'allez-vous faire maintenant ?

— La guerre n'est pas encore terminée. J'irai où le Duce m'enverra.

— Pardonnez cette question, mais vous croyez en Mussolini ?

— Les Italiens y croient depuis bientôt vingt ans et c'est ce qui compte. Quand je suis revenu en 1918, les gens nous crachaient dessus et voulaient nous arracher nos décorations. C'est le seul qui nous ait soutenus. Je suis un fidèle, lieutenant.

— À qui être fidèle en France, aujourd'hui ?

Lorenzo ne répond pas. Une estafette s'approche soudain. On annonce un convoi de l'état-major. Le Duce en fait partie. Il veut visiter les lieux de la victoire. Lorenzo salue Desserteaux.

Il redescend la pente vers le convoi qui vient de se ranger près du camp italien. Il reconnaît les généraux Guzzoni, Soddu et Badoglio qui entourent Mussolini, déambulant sur la route et suivis d'un cortège de journalistes.

— Félicitations, Mori, lance Mussolini. Il paraît que tu as pris le fort au terme d'une attaque de nuit très périlleuse et que c'est toi-même qui as posé les explosifs sur la porte.

— Ce sont les Français qui ont ouvert la porte. La nouvelle de l'armistice venait de leur parvenir. C'était le cessez-le-feu et ils n'avaient plus le droit de tirer.

Mussolini désigne le drapeau en lambeaux.

— Il me semble que ce n'est pas un drapeau italien.

— En effet, c'est le leur. Ils le gardent jusqu'à ce qu'ils abandonnent le fort. Ce sont des soldats valeureux. Ils se sont bien battus. Je dirais même que leur résistance a été héroïque. Il faut savoir reconnaître la valeur de l'ennemi.

Mussolini fixe le drapeau français.

— C'est toi qui commandes sur place, Mori. C'est toi qui décides.

Et il poursuit sa route avec son aréopage de

généraux et de journalistes sans plus un regard pour la Redoute-Ruinée.

Le soir même, Desserteaux fait connaître qu'il a reçu l'ordre d'évacuer le fort. Lorenzo lui demande l'autorisation d'assister au départ. Le drapeau français ou ce qu'il en reste est cérémonieusement amené, plié et rangé. Les Français présentent les armes au drapeau italien.

Les quelques survivants de la Redoute-Ruinée, le fusil à l'épaule, sortent du fort. Ils ont une surprise. Un détachement italien est présent pour leur rendre les honneurs. Les Français défilent, le regard droit.

À la fin, Desserteaux vient serrer la main de Mori.

— Nous nous reverrons, mon général.

— Je l'espère. Bonne chance, lieutenant[1].

78

Cela fait maintenant trois mois que les Allemands occupent Paris, trois mois que Laura partage la vie de Sacha. Les nuits surtout. La journée, elle est prise par ses tâches au parti, et lui s'en va on ne sait où. Plus tard, elle apprend qu'il a visité telle section ou participé à une réunion. Mais lui ne parle jamais de

1. En avril 1945, ce sera à Desserteaux de présider la cérémonie de réoccupation du fort. Il donnera l'ordre de hisser à nouveau le drapeau français sur la Redoute-Ruinée. Devenu capitaine, il tombera en Indochine le 25 septembre 1947.

rien. Cet amant avec lequel elle entretient une liaison maintenant publique est l'homme le plus secret qu'elle ait jamais rencontré, et la première règle qu'elle a apprise de lui est de ne pas poser de questions. Pour autant, cet amant infatigable en amour est l'homme le plus charmant qu'elle ait jamais rencontré, le plus attentionné aussi. Il lui récite du Victor Hugo, du Baudelaire et même du Dante dans un italien délicieux. Parfois, elle entend parler de lui par les camarades. On le décrit comme sévère et rigoureux, impitoyable parfois, avec de réels pouvoirs. Un mot de lui suffit à faire exclure de vieux militants qui par leurs propos se sont juste un peu écartés de l'orthodoxie. Certains sont intervenus auprès de Laura pour plaider la cause d'un camarade auprès de Sacha, mais elle s'y est toujours refusée. On la craint secrètement en lui prêtant une influence qu'elle n'a pas. Quand Sacha repartira, elle peut redouter des vengeances. Elle n'en doute pas, tout en n'y prêtant aucune attention.

Le dimanche, ils vont au bois ou au cinéma. Les Allemands, pour l'heure, sont des occupants aimables et courtois, et la vie parisienne se poursuit comme avant. Ce sont des alliés de l'URSS et il ne faut pas s'en plaindre, dit-on au parti, d'autant que pour l'heure *L'Humanité* a demandé l'autorisation de reparaître.

Sacha s'intéresse à Laura. Il sait tout d'elle et de son histoire familiale. Il a compris depuis longtemps qu'elle est une véritable communiste. Un jour, il lui dit que s'il n'en avait pas été persuadé, il n'aurait jamais noué de rapports personnels avec elle. Pour autant, il reste d'une extrême discrétion sur ses origines, ses engagements et l'exacte définition de ses tâches à Moscou.

Un soir, il lui annonce qu'ils vont dîner chez des amis russes. Il la conduit dans un hôtel particulier. L'endroit a été luxueux, mais, sur les murs, des taches claires marquent l'emplacement de tableaux qui ont disparu. De lourdes tentures pendent aux fenêtres, certaines dépourvues de rideaux. On remarque des trous, des vides parmi les beaux livres de la bibliothèque. Les habitants sont âgés, ils accueillent Sacha avec chaleur et l'embrassent à la russe. Lui leur présente Laura comme une amie française. On leur sert un ragoût odorant. Tous se mettent à chanter en russe. Sacha aussi. Au bout d'un moment, Laura demande une traduction. Une vieille dame lui chuchote les mots à l'oreille. Elle comprend qu'il s'agit du tsar et de la Sainte Russie.

— C'est la chanson des exilés russes, murmure la vieille dame, le prince connaît toutes ces chansons.

— Qui est le prince ? demande Laura.

La vieille dame désigne Sacha.

Quand ils repartent, un peu éméchés, elle ne peut s'empêcher de lui demander :

— Pourquoi tes amis t'appellent-ils « le prince » ?

— Parce que j'en suis un. Eux, ce sont mes oncles et tantes.

Cette fois, elle sursaute.

— Excuse-moi, Sacha, comment peux-tu… ?

Il lève la main.

— Une autre fois, je t'en prie.

Il la serre contre lui tout en marchant, elle comprend qu'il tient à elle, qu'il lui fait confiance, sinon il ne l'aurait pas amenée chez ses amis russes. Laura se tait. Sacha a dit « une autre fois ».

Pourquoi est-elle si attachée à lui ? Il est beau, c'est incontestable, mais enfin, cela ne suffit pas. Il fait partie de ces êtres qui n'élèvent jamais la voix. Son regard et quelques formules ciselées qui tombent de sa bouche suffisent à répandre le silence. Puis il se remet à sourire avec ce visage peint par Antonello da Messina voici quatre cents ans et qui s'appelle justement *Le Condottiere*. Quand Laura lui parle de ce tableau, le lui décrit et lui propose d'aller le voir au musée pour qu'il constate la ressemblance, il se met à rire.

— Celui qui a une cicatrice à la lèvre ? Je le connais, on me l'a déjà montré.

Aussitôt, elle éclate en récriminations, en questions perfides. Une femme évidemment, une fille du parti ? Mais ces filles-là ne fréquentent pas les musées, non, ce doit être une de ces aristocrates russes, une princesse comme lui. C'est bien le genre, et pas question de s'en tirer avec des « une autre fois ». Elle exige...

— Qu'exiges-tu ? demande-t-il.

— J'exige de savoir qui est cette femme.

Sacha la regarde de son air d'amant qui n'est pas celui du condottiere. Il hésite, puis :

— C'est ma mère quand nous vivions ensemble à Paris. Elle m'a emmené au Louvre pour l'anniversaire de mes douze ans.

*

La plume crisse sur le papier tramé et armorié. Le Chiaramonti fait ses adieux au monde et aux femmes de sa vie. De chacune, il a gardé un souvenir précis, d'un moment, d'une nuit, d'un badinage ou d'une dispute… Au fur et à mesure, ses souvenirs remontent, parfois déformés, souvent magnifiés. Peu importe. Ce sont ceux qu'il souhaite garder et qu'il retrace tendrement. Il exprime ses regrets, demande qu'on lui pardonne ses lâchetés. Voilà ce qu'il écrit chaque nuit et qu'il signe d'un long paraphe distingué avant de glisser la lettre dans une enveloppe déjà timbrée sur laquelle il inscrit un nom et une adresse, en espérant qu'elle n'ait pas changé.

Enfin, la dernière lettre pour cette femme née trop tard ! « *Cara* Carmela… », commence-t-il.

Le lendemain matin, le majordome appelle Carmela.

— Signora, notre prince a rejoint cette nuit les ancêtres de son illustre famille.

Elle accourt, grimpe l'immense escalier du palazzo. Le personnel rangé des deux côtés lui fait la haie. Les gens du service funèbre sont déjà passés. Chiaramonti gît, paisible, en tenue d'académicien sur le lit à colonnes. Elle embrasse son front et remarque que les traits de son visage sont redevenus lisses. Sous le masque transparaît la troublante figure du beau jeune homme qu'il a été au temps de Victor-Emmanuel II, le roi qui a fait l'unité italienne, à l'époque où Chiaramonti commençait sa carrière de prince séducteur.

— La famille est prévenue ? demande-t-elle, la gorge nouée.

— Il n'avait plus de famille, il était le dernier survivant de la lignée, répond le majordome. Il se doutait que c'était pour bientôt, car il a passé ses dernières nuits à écrire des lettres. Il y en a une pour vous.

Il la conduit dans le bureau. Une liasse d'enveloppes est déposée avec la mention « À expédier le matin qui suivra ma mort ». À part, une enveloppe au nom de Carmela Cavalcanti.

— C'est une longue lettre certainement, dit encore le majordome, car c'est celle qui lui a pris le plus de temps. Il ne dormait presque plus.

Le majordome ramasse les autres enveloppes.

— Personne ne viendra vous déranger. J'ai pris soin que les visites ne commencent que cet après-midi.

Carmela ouvre l'enveloppe. La lettre comprend plusieurs feuillets. La dernière lettre d'amour du prince. Il lui faut bien une heure pour la lire et la relire, se délectant une dernière fois de la belle écriture aristocratique qu'elle connaît bien, pour l'avoir souvent déchiffrée sur les manuscrits qu'il annotait. D'abord, c'est d'elle qu'il parle, de ses qualités de lectrice puis d'éditrice. Il lui rappelle tous les livres qui ont été publiés depuis qu'elle est entrée dans la maison et qu'elle a choisis. Il lui parle de chacun de ces romans. L'histoire, les personnages, le style de l'auteur. Il rappelle leurs conversations sur chacun d'eux, leurs hésitations puis le choix enfin, le succès, les tirages successifs. Tout. Sur l'un d'eux, il s'attarde évidemment. C'est la *Cafonessa*, le dernier roman d'Andrea Cavalcanti, son œuvre maîtresse, qui lui a valu de décrocher le prix Nobel et probablement d'être assassiné par les sicaires du régime.

Et cette recommandation : « Puisque vous allez me succéder à la tête de cette maison, je vous suggère de la fermer le temps de la guerre. La période ne vaut pas grand-chose pour la littérature. En revanche, quand la paix sera revenue, il sera sans doute beaucoup écrit sur ce conflit comme cela s'est passé pour le précédent. Je pense qu'à cette occasion la liberté de publier reviendra sans censeur d'aucune sorte. Ce sera le moment d'être aux aguets des bons livres qui ne manqueront pas. » Puis il en vient à elle, la femme. Il décrit ses tenues, ses coiffures et même ses changements de maquillage. « Car, chère amie, tout en espérant que vous ne vous en aperceviez pas, je vous observais beaucoup. Et je dois vous remercier : vous regarder m'a rappelé un bonheur oublié. » Au fur et à mesure, le texte se resserre sur elle. C'est de ses amours qu'il est question. De Ciano, qui vaut mieux que ce qu'on en dit, même s'il le détestait. De Lorenzo Mori : « S'il ne se fait pas tuer dans une de ces guerres qu'il fréquente assidûment, il sera le dernier homme de votre vie. » Et de lui, enfin, Chiaramonti : « Avec plus de soixante ans de retard, Carmela, je vous annonce que je vous aime. »

Carmela replie la lettre et la range soigneusement. Elle ouvre la porte, le majordome l'attend.

— Il vous reviendra, signora, si vous l'acceptez, de présider à l'accueil des visiteurs qui vont se succéder tout l'après-midi et aux funérailles. C'était le vœu du prince.

— Je le ferai, dit Carmela. Mais à quel titre ?

— Ce palais est désormais le vôtre. Le notaire m'a remis sa carte. Il vous appellera après les obsèques.

Le soir même, elle montre la lettre à Lorenzo.

— Cela ne te gêne pas que je la lise ?

— Pas du tout, il n'y a rien à cacher.

Lorenzo la lit, puis la rend à Carmela.

— L'aurais-tu aimé s'il avait eu soixante ans de moins ?

— C'est très possible, il devait être un type assez fabuleux à l'époque.

— Dommage que tu ne le lui aies pas dit.

— Il le savait, répond Carmela. On n'écrit pas une telle lettre à une femme dont on ne croit pas qu'elle nous aurait aimé.

Il vient aux obsèques du prince autant de monde qu'à celles de Cavalcanti, et peut-être un peu plus. À peine sont-elles achevées qu'un homme s'approche de Carmela.

— J'étais le notaire du prince. Je souhaiterais vous recevoir pour vous donner quelques informations et vous remettre d'importants documents.

La réunion se tient trois jours plus tard. Le notaire ne voit pas d'inconvénient à la présence de Lorenzo. Il ne voulait pas venir mais Carmela a insisté : « Je veux que tu saches tout de ma vie. »

Le notaire se racle la gorge, un petit homme qui perpétue la longue lignée de juristes au service des grands de Rome, Vatican compris. Ce personnage malingre, à l'œil brillant, détient dans sa modeste carcasse plus de secrets que les archives royales.

— Signora Cavalcanti, le prince a voulu vous gratifier au mieux de ses possibilités. Pour résumer, sauf les dons traditionnels à l'Église et les messes commandées pour le repos de son âme…

Il s'arrête un instant, pour signifier sans doute que cette âme aura besoin de nombreuses messes pour connaître le repos.

— Il vous a tout légué, c'est-à-dire l'ensemble de ses biens en immeubles, terres et placements bancaires, à savoir…

Il commence par le palais où le prince est mort. Carmela s'en était doutée, en voyant l'attitude du majordome et des domestiques formant la haie. C'est l'un des plus beaux palais de Rome, qui contient une magnifique collection de tableaux et de statues, accumulée au fil du dernier siècle. Carmela regarde Lorenzo, impassible. Le notaire tend une chemise à Carmela.

— Tout ce qui concerne le palais Chiaramonti se trouve à l'intérieur. Je conserve un double qui sera à votre disposition.

Elle tient la chemise entre ses mains, n'osant l'ouvrir.

— Dois-je signer un document ?

— Pas exactement. Je n'en ai pas terminé.

Suit la lecture d'une liste invraisemblable de propriétés, dans toutes les régions d'Italie, dont le notaire lit le détail avec componction, se mouillant l'index pour tourner les pages.

Effarée, Carmela se tourne vers Lorenzo, toujours droit sur sa chaise. Suivent les sommes placées dans toutes les banques, italiennes, suisses, anglaises et américaines.

— Tous les droits de succession sont payés d'avance, achève le notaire.

Carmela est abasourdie. En une heure, elle est devenue l'une des femmes les plus riches d'Italie. Elle touche la manche de Lorenzo.

— Dis quelque chose. Tout est en train de basculer autour de moi.

— Ne t'inquiète pas, je suis ton point fixe, sourit-il. Ma solde de général n'a pas augmenté d'une lire depuis que nous sommes entrés ici.

Le notaire lève encore la main.

— Pardonnez-moi, j'allais oublier la dernière acquisition du prince qui fait partie de la succession depuis six mois. La propriétaire ne voulait pas vendre, mais le prince a mis le prix. Un domaine à une cinquantaine de kilomètres de Palerme, situé dans un village qui s'appelle Castellàccio. Il semblerait que ce domaine vous ait appartenu jusqu'en 1935, date à laquelle vous en avez fait la donation à une certaine Beppina.

Il cherche le nom.

Carmela l'en dispense. Le nom de la Beppina, elle le connaît.

— Comment le prince a-t-il su ?

Le notaire ne répond pas. C'est un secret de plus qu'il n'a pas mission de divulguer. En raccompagnant Carmela et Lorenzo, il a cette recommandation :

— Signora Cavalcanti, notre prince, lui-même discret sur sa situation financière héritée d'un patrimoine constitué au fil des siècles et qu'il avait su faire prospérer, a fait de vous une personne très enviée. Je vous conseille de garder le plus longtemps possible le silence sur cet événement car les *lavapiatti*[1], dès qu'ils le sauront, ne tarderont pas à ouvrir un bec avide. C'est pourquoi le secret s'impose, même si nous savons qu'il ne durera qu'un temps.

À la sortie, elle s'accroche au bras de Lorenzo.

— Que faut-il faire ?

— Accepter le destin, dit Lorenzo, comme je dois le faire moi-même. Le Duce vient de déclarer la guerre à la Grèce. Je pars demain. Il se raconte au palais Venezia que les Italiens seront à Athènes dans trois semaines.

— Tu le crois ?

— Non, répond Lorenzo.

79

Depuis l'invasion, la France est coupée en deux. Les troupes allemandes occupent toute la partie nord, et le régime de Pétain, le sud ou presque. Entre les deux, la ligne de démarcation. Une vraie frontière qui est aussi une vraie passoire pour ceux qui ont choisi de fuir l'administration nazie. Au fur et à mesure que l'occupation s'organise, les *fuorusciti* passent au sud. Un but : gagner le Portugal via l'Espagne et, de là, l'Angleterre. Il paraît que Franco n'extrade pas ceux qui se font prendre et qu'il se contente de les interner dans des camps d'où l'on s'évade aisément.

---

1. Les pique-assiettes.

C'est ainsi que Marco Cavallo fait ses adieux aux camarades français, pour l'instant à l'abri des Allemands alliés de la Russie, et à Laura.

— Et moi, Marco, lui demande-t-elle, que dois-je faire ? Pourquoi je ne fais pas partie de ton convoi ?

— Tu ne dépends plus de moi, Laura, ni des Français, répond-il, embarrassé. C'est Sacha qui décide. Je voulais t'emmener, il a refusé. Sans doute a-t-il d'autres projets pour toi, mais j'ignore lesquels.

Laura se tait. Depuis plusieurs mois, elle prend des leçons de russe, deux heures par jour. Le professeur est un vieux monsieur délicieux et maniéré qui fait partie du cercle des exilés. Il embrasse Sacha chaque fois qu'il le voit et lui rend compte des progrès de Laura. Quand elle en sait assez, Sacha ne lui parle plus qu'en russe. Ses sentiments pour lui n'ont pas varié. Ils se sont même raffermis. Elle est convaincue que ce sont des sentiments partagés. Parfois, il laisse échapper une anecdote, comme sur son enfance passée en France avec sa mère, ou encore sur son appartenance à l'aristocratie russe émigrée. Mais il ne va pas plus loin, surtout sur sa propre situation, sur la réalité de sa mission pour le comité central, ses vrais pouvoirs, ou encore sur ses relations personnelles avec Staline. Pour le reste, c'est toujours le même compagnon charmant, cultivé et plein d'attentions à son égard. Tous deux partagent un bel appartement dans les quartiers huppés de Paris, payé on ne sait par qui, et entretiennent les plus aimables relations avec le voisinage. Qui devinerait que ces deux jeunes gens si policés, si courtois, sont des membres actifs du parti communiste ? que l'une est recherchée en

Italie et que l'autre arrive tout droit de Moscou ? Ce détail cependant, qui n'en est pas un : depuis plusieurs semaines, Sacha porte une arme sur lui, qu'il dépose le soir sur la table de chevet. Laura se décide à crever l'abcès. Ce soir-là, il rentre tard et refuse de dîner.

— C'est déjà fait, dit-il.

— Sacha, il faut que je te parle.

Il a son air contrarié. Elle devine que ce n'est pas le moment. Il se penche à la fenêtre et observe la rue, puis il se retourne. La rue est vide.

— Je t'écoute.

— Marco Cavallo et les autres partent ce soir pour l'Espagne, le Portugal et l'Angleterre s'ils y parviennent. J'ai appris que tu avais refusé que je fasse partie du convoi.

— Tu veux me quitter, jolie Laura ?

— Non, mais je veux savoir pourquoi tu décides pour moi sans même m'en parler.

Il soupire et la regarde, attendri.

— Écoute, camarade Mori, je ne peux pas te dire les choses tant qu'elles ne sont pas certaines. Ce soir, elles le sont. C'est pour cela que je rentre tard.

Il s'approche d'elle et reprend d'une voix sèche :

— Ma mission ici est terminée. Je dois rentrer, selon les ordres que je viens de recevoir. Et toi, tu ne peux plus rester ici. Les *fuorusciti* sont recherchés par l'Ovra avec l'aide de la Gestapo. C'est pour cela que Cavallo et les autres ont dû filer en catastrophe. En toute franchise, je ne suis pas sûr qu'ils arrivent à destination. D'après mes informations, quelqu'un a parlé. Il est trop tard pour savoir d'où vient la fuite et cela n'a plus d'importance, mais nos amis risquent d'être arrêtés à n'importe quel moment.

— Et moi ? demande Laura, qui s'efforce de rester calme.

Sacha abandonne son ton de commissaire politique.

— Toi, tu pars avec moi. C'est plus sûr. Il a fallu demander l'autorisation, mais je l'ai obtenue il y a une heure. L'ambassade a reçu une réponse chiffrée qu'il a fallu décoder. Voilà.

Elle se lève d'un bond.

— Je pars pour où, Sacha ? J'ai le droit de le savoir.

Il hausse les épaules.

— Pour Moscou évidemment ! L'École des cadres du parti, section internationale. J'espère que ça te va.

Il retourne à la fenêtre.

— La voiture de l'ambassade est en bas. Elle va nous conduire au Bourget. Nous partons avec la valise diplomatique. Inutile de prendre des affaires, tu trouveras tout ce qu'il faut sur place.

*

Virginia a quarante ans. Le séjour ecclésiastique lui a fait perdre plus de quinze kilos, de sorte qu'elle est redevenue la jolie femme qu'elle était lorsqu'elle a rencontré Lorenzo. Sitôt franchies les portes du couvent, elle fonce à Rome via dei Condotti pour retrouver sa garde-robe et dépenser enfin la pension que Lorenzo lui verse ponctuellement. Les sœurs l'ont laissée repartir avec regret, elles avaient mis beaucoup d'espoir dans son futur recrutement.

Mais à Rome, personne ne l'attend. Depuis que

l'Italie est entrée en guerre, l'heure est à l'austérité patriotique et la princesse Colonna ne tarde pas à lui faire comprendre qu'elle est passée de mode, d'autant qu'elle ne partage plus la vie de Lorenzo, occupé sur le front grec en même temps que leur fils Sandro. Elle apprend du même coup que la femme en vue, c'est Carmela, dont une persistante rumeur assure qu'elle est devenue richissime après avoir hérité de Chiaramonti. Virginia admet qu'elle n'est pas de taille à lutter et retourne à Vérone.

Vérone est une ville stable. Quand une mode s'y installe, elle dure, de même que les fortunes et les mariages. Les premières ne sont jamais dilapidées. Si elles se défont, c'est lentement, de sorte que cela ne se voit pas ou peu. Vérone est une ville qui ne doute pas d'elle-même et déteste le scandale. Ainsi en a-t-il été du régime fasciste, qui s'est étendu lentement, mais en profondeur, comme de l'encre sur un buvard. Et maintenant qu'il imprègne le tissu de la ville, plus rien ne peut l'en déloger.

Voilà pourquoi, lorsque Virginia revient dans sa ville natale, elle y est accueillie, reçue, comme si elle ne l'avait jamais quittée. C'est à Vérone qu'elle a épousé Lorenzo Mori, le très proche du Duce, à Vérone que leur fils est né. Ses parents ne sont plus là. Peu importe, sa belle-mère, Adriana Mori, prend le relais.

— Ah, ma fille, te voici enfin. Toi, tu es une fidèle !

— Je ne peux pas vous cacher, mamma, que Lorenzo ne vit plus avec moi. Il m'a quittée. Peut-être l'ignorez-vous.

— On me l'a dit, chère Virginia, il reviendra comme tous les maris. Pardonne-lui et attends-le.

Adriana Mori lui fait rapidement comprendre qu'elle ne doit plus jamais aborder ce sujet. Ici, elle est l'épouse légitime, la seule qui compte. Il n'en faut pas plus pour qu'elle lui fasse faire le tour des familles et des maisons de Vérone. L'accueil est chaleureux, enthousiaste, et Virginia a l'impression d'être revenue à l'époque où elle était la *prefetissima* de Sicile, et c'est pour elle un retour au bonheur.

Elle exhibe sa carte du parti, retrouvée au fond d'un sac, et se procure une nouvelle *scimmia* qu'elle porte au revers de son tailleur. Cela lui vaut, avec sa beauté mûrie, d'être invitée à toutes les manifestations officielles, banquets, dîners, fêtes patriotiques, galas de charité organisés par le parti. Cela lui vaut aussi de côtoyer Eugenio Coralli, le nouveau *ras* de Vérone.

Il n'est pas beau, mais il a du charisme et de la voix, un *sbraitone*[1], ce qui le rend populaire. Il n'a pas son pareil pour clouer le bec d'une formule bien sentie aux opposants, à ceux qui doutent ou qui posent trop de questions. Il répète à tout bout de champ : « *Boia chi molla*[2]. » Ses mots sont simples et ses phrases courtes. D'où vient-il ? De la guerre sans doute, du *squadrismo* sûrement. Virginia se souvient l'avoir croisé à l'époque où elle était la secrétaire du *Fascio* local et lui, l'un des chefs d'équipe de Lorenzo dans les années balbutiantes du fascisme. Lui aussi se

1. Un gueulard.

2. Littéralement, « celui qui lâche est un bourreau » (au sens injurieux du terme), qu'on ne peut traduire autrement que par « celui qui lâche est un salaud ».

rappelle la sémillante Virginia qui dactylographiait les tracts et tamponnait les cartes. Ils rêvaient tous d'elle, les *squadristi* de Vérone, d'autant plus qu'elle était intouchable, si proche du chef qu'elle avait fini par l'épouser lors d'une fête mémorable.

C'est la première question qu'il lui pose quand elle se présente soudainement à une réunion :

— Où est donc passé votre général de mari ?

— En Grèce, répond laconiquement Virginia.

Il la présente à l'assistance, lui réservant une place à côté de lui. C'est qu'il en a fait du chemin, le Coralli, depuis la marche sur Rome, lui, l'ancien caporal sur le Piave et le contremaître adjoint des usines Di Stefano. Le fascisme lui va bien, comme l'uniforme à certains militaires ou la soutane à certains ecclésiastiques, dont on croirait que depuis l'enfance ils étaient faits pour s'en revêtir. La chemise noire, les culottes bouffantes et les bottes lui donnent de l'allure et une impression de puissance. À cela, il faut ajouter la voix, grave ou gouailleuse selon les cas, mais chaleureuse toujours. L'homme est respecté parce qu'il ne varie pas, aimé aussi parce qu'il ne marchande jamais son aide si un *compagno* en a besoin, quitte à ouvrir la bourse du *Fascio*, voire la sienne propre.

Il a enfin cette qualité suprême : sa carrière lui suffit et il n'ambitionne aucune situation supérieure, de sorte que dans le marigot du parti, il est estimé.

Voilà ce qu'il se dit de l'homme, et Virginia ne tarde pas à en être informée car au sein du *Fascio* de Vérone les cancans vont bon train. Elle le trouve courtois, plaisant, avec une franchise canaille à laquelle elle n'est pas habituée, mais qui ne lui déplaît pas. Trompée, abandonnée, elle ne veut pas devenir avec les années une vieille cocotte du fascisme. Elle est en quête d'un compagnon au côté duquel il ferait bon exister, mais se refuse à une liaison déshonorante. Elle a appris chez la princesse que toutes les transgressions sont permises, à condition qu'elles soient de qualité. C'est pourquoi elle se décide à faire languir Coralli, histoire de le mettre à l'épreuve. S'il ne cherche qu'une aventure, il se lassera et il n'y aura rien à regretter. Ainsi accepte-t-elle ses amabilités, ses compliments, mais ne renvoie rien en signe d'indifférence. Lui s'acharne, ce qui est plutôt de bon augure. Mieux, il insiste avec discrétion, introduisant dans leurs discussions des allusions personnelles, des confidences dont on croirait incapable ce représentant du fascisme populaire. Il parle de lui, de ses souvenirs, de ses bonheurs et de ses détestations, sans rien exagérer ni se mettre en scène. Et c'est cela qui plaît à Virginia, cette sincérité, ces aveux de faiblesse assez éloignés de l'image d'un homme fort, pétri de convictions dures.

Un jour, à l'issue d'une réunion, comme il la retient à bavarder, il lui confie :

— Ma femme m'a abandonné il y a quinze ans. J'ai arrêté de la chercher et je me suis fait une raison. Je me suis réfugié dans le parti. C'est le parti qui m'a fait tenir. Mais en réalité, je suis un homme seul.

— Moi aussi, avoue-t-elle. Lorenzo m'a quittée pour une autre. Il ne reviendra jamais. Et je suis une femme seule.

80

— Les Italiens ont perdu la guerre contre les Grecs, déclare Lorenzo à Carmela, lorsque, enfin, il la retrouve après sept mois d'absence.

Carmela le regarde, surprise de cette affirmation dans le bonheur des retrouvailles. Lorenzo est un fasciste convaincu, un nationaliste avéré, il revient de cette guerre où il s'est encore illustré, comme en témoignaient les nouvelles médailles sur son uniforme quand elle est venue le chercher à la *stazione* Termini. Blessé, il a dû être hospitalisé en Albanie.

— Je ne comprends pas. La radio a annoncé que le général Ferrero a reçu la capitulation de l'armée grecque au nom du Duce et que les Allemands sont entrés à Athènes... Explique-moi.

Il rassemble ses esprits. Cette guerre a été lancée pour des raisons de pure concurrence entre le Duce et Hitler. Il fallait à l'Italie une victoire militaire. La Grèce a été choisie parce qu'elle paraissait faible, mal armée et dépourvue d'esprit combatif. C'est ce que certains généraux ont affirmé au Duce. Ciano aussi était de cet avis. Et le Duce l'a cru parce qu'il avait envie de le croire, mais tout était faux. Les Grecs avaient des armes, meilleures que celles des Italiens, le terrain leur était favorable, ils avaient envie de se battre.

Et il raconte cette guerre, la chaîne de montagnes entre l'Albanie et la Grèce qui constituait la frontière et que les Italiens ne parvenaient pas à franchir. Les assauts répétés, mais tous voués à l'échec, car les Grecs tenaient solidement leurs positions.

— Non seulement ils nous ont repoussés, mais ils sont entrés en Albanie, sur notre territoire, celui d'où les armées italiennes étaient parties pour envahir la Grèce.

— Et après ? demande Carmela, qui n'a lu que les journaux italiens et écoute la radio officielle.

— Le Duce est venu sur le front pour assister à une nouvelle offensive, et il a vu ! Une semaine de massacres d'Italiens sous ses yeux cette fois ! Mais il est reparti après s'être fait acclamer par les troupes fraîches qui venaient remplacer les morts et qui ne savaient rien. Il a dit, je l'ai entendu : « Tous ces gens (il parlait des généraux) m'ont trompé ! » La guerre, notre guerre contre les Grecs, est une guerre perdue.

Il parle de Caporetto, puis de Guadalajara, mais ce n'étaient que des batailles. Par la suite, les guerres ont été gagnées. Pour autant, il sait ce que c'est que de reculer devant l'ennemi.

— Après Caporetto, dit-il encore, c'était la débandade quand l'ennemi est entré sur le sol italien. Les gens fuyaient en emportant ce qu'ils pouvaient sur des carrioles, les soldats avaient perdu leur unité et tous encombraient les routes, les femmes, les gosses et les militaires.

Il s'arrête un instant.

— À Guadalajara, on avait annoncé que nous allions prendre Madrid, mais là encore, on s'est heurtés à un mur. Puis ce mur s'est mis à avancer. Les tanks russes, leurs avions et les hommes nous criaient de nous rendre. Il fallait enclouer nos canons, remballer les équipements, défoncer nos postes radio et leur tourner le dos.

Il ne dit pas que lui est resté avec d'autres pour ralentir les républicains. Et que c'est là qu'il a été blessé.

— Vous n'avez pas tourné le dos en Grèce.

— Non, heureusement. Mais s'il n'y avait pas eu les Allemands, l'Albanie serait grecque aujourd'hui.

Il raconte qu'en vingt-cinq jours de campagne les Allemands ont obtenu la reddition des Grecs, tandis que les Anglais rembarquaient, que le président du Conseil se donnait la mort, que le roi Georges II s'enfuyait. Seules les divisions d'*alpini* ont participé aux combats d'avril, et encore, chaque mètre carré a été payé au prix fort. Parfois, les unités allemandes qui étaient passées devant établissaient des barrages pour empêcher les Italiens d'avancer. Il dit que son fils Sandro était parmi les *alpini* qui ont participé à l'offensive des Allemands. Bouleversée, Carmela l'écoute vider son sac. Elle passe derrière lui et pose les mains sur ses yeux. Depuis qu'elle le connaît, elle ne l'a jamais vu douter. Pour la première fois, il désapprouve Mussolini dans cette guerre contre la Grèce. Il décode les motifs, une concurrence de dictateurs avec Hitler, une guerre mal préparée, mal conduite, qui, en définitive, rehausse l'image du Führer et rabaisse celle du Duce. C'est aussi pour cela qu'elle l'aime, pour sa capacité à revenir sur lui-même dans un souci de vérité. L'homme est ferme, mais lucide.

— Tu as le droit de douter, lui glisse-t-elle à l'oreille, et cela ne me déplaît pas. Sache-le. Comme il ne me déplaît pas que tu m'en parles. C'est un signe de confiance et d'amour car ce que tu viens de me dire, tu ne le dirais à personne d'autre.

Lorenzo prend ses mains, les écarte de ses yeux, et les serre très fort.

— Cette guerre contre la France et l'Angleterre devait durer six mois. Voici un an qu'elle est commencée. Les Anglais résistent partout. La Grèce et la Yougoslavie sont occupées.

— Ce sont de petits pays des Balkans, remarque Carmela.

— Hier, j'ai rencontré mon ami Hans qui est attaché militaire à l'ambassade d'Allemagne à Rome. Il m'a raconté les bruits qui courent contre l'Italie dans les hautes sphères de l'état-major nazi. Il nous est reproché, en obligeant les Allemands à intervenir en Grèce pour nous sauver la mise, d'avoir retardé leur grande offensive, celle pour laquelle Hitler a lancé cette guerre.

— L'offensive contre l'Angleterre ?

— Non, dit Lorenzo, contre l'URSS. Plus rien ne peut arrêter la guerre, elle s'étendra de plus en plus et durera des années. Maintenant on y est. Ce n'est plus le moment d'exprimer des regrets ni d'accuser le Duce. Il ne nous est demandé qu'une chose : être fidèles ! *Boia chi molla !*

81

Des bouleaux, des fontaines, des statues. Rien n'est trop beau pour la maison qui forme les futurs cadres du parti. Laura parcourt les allées sans se presser, l'œil accroché aux frondaisons, le nez attentif aux effluves des arbres, l'oreille guettant le froissement des feuilles, les bruits des oiseaux et parfois les cris des bêtes. Les mains dans les poches, elle se dit qu'elle est heureuse. Elle se le dit en russe, car elle n'a pas prononcé un mot d'italien ou de français depuis six mois. Elle parle, elle écrit russe, elle pense aussi en russe. Elle porte une tenue réglementaire achetée dans l'un de ces magasins où Sacha l'a conduite dès leur arrivée à Moscou, réservés à l'élite soviétique. Au début, elle a été surprise, choquée presque. Mais Sacha lui a expliqué qu'il s'agit de récompenser ceux qui vouent leur existence au parti.

Le chauffeur de la Zis la conduit à l'École des cadres et vient la rechercher. Le chauffeur s'appelle Youri, il est affecté à Sacha avec la voiture nantie d'une plaque spéciale qui indique un rang élevé dans la hiérarchie. Durant les trajets entre la datcha de Sacha à Cheremetievo et l'école, elle bavarde avec lui. Au début, il la reprenait quand elle faisait des fautes en russe, maintenant c'est le contraire, tant elle s'est imprégnée de la langue, de ses sinuosités et de ses déclinaisons, alors que lui parle un russe populaire, éloigné du langage de l'école.

Laura aime l'école. Elle a toujours aimé étudier, et les enseignants la félicitent pour ses résultats et l'intérêt qu'elle porte aux matières qu'on y enseigne, la doctrine, l'histoire du parti, la géopolitique, le statut des républiques de l'Union, les ennemis de classe, l'art de la propagande et celui de l'argumentation. Elle étudie la vie de Lénine et celle de Staline, surtout celle-ci, car il faut bien le dire, en juin 1941, Staline est partout, en photo, en statue, dans les conversations. Partout ! Plus encore que Mussolini en Italie. Elle se dit que le slogan que l'on voit dans les rues de Rome et d'autres grandes villes, « Le Duce a toujours raison », serait déplacé en URSS où tout le monde sait que Staline a toujours raison. Inutile de l'écrire sur les murs.

Un soir, en parlant avec Sacha, il lui a confié être passé dans cette école : « C'était au début. Maintenant c'est beaucoup plus grand, plus ambitieux. L'école a progressé avec le parti. C'est normal. »

Une autre fois, en se promenant sur la place Rouge, elle a demandé en désignant les tours du Kremlin, la citadelle du pouvoir soviétique :

« C'est là que tu travailles, n'est-ce pas ? »

Il a hésité avant de l'admettre. Quand elle a voulu voir la fenêtre de son bureau, il en a désigné une au premier étage. Plus tard, elle a su que c'était l'étage de Staline et que seuls ses collaborateurs les plus proches y étaient installés.

La journée de cours est finie. La voiture est déjà stationnée à l'endroit habituel près de la grille d'entrée. Youri fume une cigarette, adossé à la portière.

— Notre Sacha rentrera tard ce soir. Il est avec le Guide. On raconte que les choses ne vont pas bien avec l'Allemagne.

C'est la première fois qu'il se livre à des confidences. Que fait donc Sacha avec Staline ? Youri a l'air inquiet. Plusieurs fois, elle a entendu ce genre d'alerte, puis plus rien. Les enseignants chuchotent entre eux et se taisent quand les élèves arrivent. L'un d'eux a glissé : « Ils parlent de l'Allemagne, ils disent qu'il va y avoir la guerre. »

— Que se passe-t-il vraiment ? demande-t-elle.

— Ce sont des bruits, camarade, il y a toujours eu des rumeurs. La Russie adore ce genre de bavardages.

Il se tait, puis :

— Notre Sacha a prévenu que la nuit serait longue. C'est tout.

Sacha rentre dans la nuit, il a le visage défait. Elle se lève et lui sert du thé.

— Les Allemands ont massé deux cents divisions à la frontière depuis avril. Nos espions annoncent une invasion imminente et Staline ne veut rien savoir.

— N'a-t-il pas toujours raison ? demande-t-elle.

Il hausse les épaules.

— Pas cette fois en tout cas. L'armée n'est pas prête et il le sait. Il ne veut rien entendre, même de nos agents à l'étranger qui sont formels, des gens qui nous ont toujours donné des informations de première qualité. Il les accuse d'être des provocateurs.

Le téléphone sonne à quatre heures du matin. Laura décroche. Elle ne reconnaît pas la voix à l'autre bout du fil.

— Dites à Sacha de venir, maintenant.

— Téléphone pour toi. Ça a l'air urgent, dit-elle en le secouant.

Il prend l'appareil, écoute quelques phrases avant de répondre :

— J'arrive tout de suite.

Il se tourne vers Laura.

— Appelle Youri pendant que je m'habille. Je dois

partir immédiatement. Les chefs militaires sont déjà en route pour le Kremlin, Joukov et Timochenko. Molotov vient lui aussi.

Il revêt sa tunique en toute hâte, pendant que Laura va réveiller Youri.

— Il t'attend au volant. Mais que se passe-t-il ?

— La Luftwaffe bombarde nos aérodromes de Biélorussie et de Lituanie. Et les tanks de la Wehrmacht ont déjà franchi la frontière.

— Et Staline ? demande-t-elle.

— C'était lui au téléphone !

82

Me voici à nouveau en selle, se dit Virginia. Me voici installée dans une ville que je n'aurais pas dû quitter, à nouveau flattée, encensée, aimée comme sans doute je ne l'ai jamais été. Car il l'aime, le Coralli. Il l'aime et le lui prouve autant qu'il le peut, par ses attentions, ses gestes et des paroles choisies. Virginia retrouve une seconde jeunesse, d'autant plus délectable qu'elle n'a jamais vraiment profité de la première, entichée qu'elle était des désirs de Lorenzo. Pour une fois, se rassure-t-elle, j'existe pour moi-même. Au parti, tout le monde s'adresse à moi comme si j'avais réellement du pouvoir. Quand elle a demandé au Coralli s'il s'en était aperçu et en était gêné, il a éclaté de rire.

« Mais bien sûr que tu as du pouvoir, ma Virginia ! a-t-il rétorqué. Et c'est parfaitement justifié. C'est un pouvoir que tu mérites, non seulement parce que nos liens sont connus, mais aussi et surtout parce que les gens savent que pour certaines requêtes, c'est à toi qu'il faut s'adresser. Celui qui tient le parti tient Vérone. Le Duce vient de me nommer *podestà* et ce n'est pas un hasard. Mais les gens savent que l'autre *podestà*, c'est toi ! Peut-être plus puissante que le titulaire officiel. »

Aucune déclaration ne pouvait lui faire plus plaisir.

Un jour, elle reçoit une visite au siège du parti. C'est le vieux Di Stefano, l'industriel, l'homme le plus riche de la Vénétie. Lui aussi a été le *podestà* de la ville, avant de quitter une fonction devenue accablante pour son âge. L'homme a encore de l'allure.

— Signora Mori, commence-t-il, vous savez qui je suis.

— Tout le monde vous connaît à Vérone, *Eccellenza*.

Di Stefano a un signe de tête. Il aime qu'on le reconnaisse.

— Je ne viens pas pour des raisons politiques. C'est vous que je veux rencontrer.

Virginia fronce les sourcils en signe d'interrogation.

— Vous êtes toujours l'épouse de Lorenzo Mori ?

Virginia hoche la tête.

— Je viens prendre des nouvelles de Laura. Vous savez sans doute que je suis son grand-père.

Elle a encore un signe d'assentiment. Di Stefano hésite, ce qui n'est guère son genre, sa voix tremble un peu.

— Je n'ai pas vu Laura depuis plusieurs années. Elle me rendait souvent visite et j'y prenais plaisir. Un jour, c'était pendant la guerre d'Éthiopie, elle m'a annoncé qu'elle ne voulait plus venir, à cause de sa mère, dont elle me reprochait la mort. Je n'ai pas eu le temps de m'expliquer. Elle m'a jeté des papiers au visage et elle est partie. Tous mes efforts pour la retrouver ont été vains. J'ai seulement appris que l'Ovra la recherchait et qu'elle se trouvait à Paris. Mais ces informations datent un peu. C'est pourquoi je suis là. Votre mari me déteste. Aussi je viens vous voir.

Virginia hésite. L'homme serait émouvant s'il ne traînait derrière lui cette spirale maléfique de patron qui a fait tirer sur ses ouvrières. Lorenzo lui a raconté comment il avait obtenu que ses dons au *Fascio* soient refusés pour cette même raison. Mais c'était il y a longtemps, dans les débuts du *Popolo d'Italia*. Depuis, le parti fasciste l'a accueilli et promu, oubliant le reste tant il s'était montré généreux dans les donations.

— Écoutez, *Eccellenza*, j'ai élevé Laura avec mon fils Sandro, sans jamais faire de différence entre eux, et nous avions de très bons rapports. Elle est devenue une *fuoruscita*. Tout ce que je sais, c'est qu'elle est revenue à Rome en mission pour son parti. L'Ovra l'a arrêtée, mais Lorenzo a obtenu sa libération. C'était en 1939. Il m'a dit qu'elle était retournée à Paris. Depuis, plus rien.

— Elle n'est plus à Paris ! s'écrie le vieux Di Stefano. J'ai payé des hommes pour la rechercher. Elle a disparu en même temps que les *fuorusciti* italiens, elle ne se trouvait pas dans le convoi qui a été arrêté par la Gestapo avant d'atteindre l'Espagne. On m'a dit qu'elle vit avec un Russe, un ancien aristocrate lié au parti communiste. Il a disparu en même temps qu'elle.

— Vous en savez plus que moi, dit Virginia, et je ne crois pas que Lorenzo soit mieux informé.

Le vieux Di Stefano s'approche, et il brandit sa canne.

— Écoutez, signora Mori, si vous entendez parler de Laura, si vous ou son père avez l'occasion de la joindre, dites-lui que je la recherche. Je veux seulement qu'elle m'écoute. J'ai raté ma fille. C'est ma faute. Je ne veux pas rater ma petite-fille. Dites-lui encore que toute ma fortune, c'est pour elle !

83

La division Acqui a débarqué le 29 avril 1941 dans l'île de Céphalonie, qu'elle doit occuper aussi longtemps que le décidera l'état-major, peut-être pendant toute la guerre. C'est pour les militaires italiens la tâche la plus agréable que l'on puisse espérer car, nonobstant les poux, les moustiques et la malaria, combattus avec le médicament Mom, l'antiparasite universel, et la mastication d'oignons, cette occupation n'a de militaire que le nom. Tous la résument ainsi : c'est prendre ses vacances à la mer !

Le sous-lieutenant Alessandro Mori, vingt ans, est de cet avis. Au début, il était un peu déçu car il espérait des combats glorieux et victorieux, Mais après la guerre, le *farniente*. La guerre a été courte, le *farniente* risque d'être long et les hommes s'en réjouissent. Sans doute le *rancio* est-il maigre, mais les officiers qui perçoivent deux mille lires de solde chaque mois y ont renoncé depuis longtemps, tant les marchés d'Argostoli, la capitale, offrent une profusion de légumes, de fruits frais, d'huiles, de yaourts, de viande de cochon et de poisson. Et puis, il y a les femmes. Des beautés ! Une île peuplée de telles créatures ne peut que constituer une sorte de paradis pour les jeunes gens de la division Acqui, qui, pétris de culture hellène, se convainquent rapidement que les déesses de l'Olympe sont ressuscitées, et qu'elles les attendent.

Une fois réglées les affaires proprement militaires, Sandro dispose de sa journée. Les jeunes filles d'Argostoli sont pudiques mais pas farouches, elles ne craignent pas de lier conversation dans un italien approximatif avec les jeunes officiers qui parcourent les rues et les marchés, achetant sans compter, eux rieurs, elles souriantes.

Ainsi se nouent des débuts d'idylles où ne sont échangés que des prénoms, des serrements de mains et surtout des regards riches de promesses inexprimées. Sandro fait la connaissance d'Alexia qui, derrière son étal de crustacés, l'accueille chaque soir. Ils ont des conversations et des alanguissements sans aller plus loin. À proximité veillent les mères et les aïeules. Celles-ci veulent bien que le commerce s'aide du charme de la vendeuse, mais s'opposent à tout dépassement, surtout avec des bellâtres italiens, ennemis d'hier et peut-être encore d'aujourd'hui, qui s'empresseront, sitôt la guerre achevée, de retourner dans leur pays.

Sandro aide Alexia à ranger les caisses à la nuit

tombée, puis la raccompagne jusqu'à sa porte. Pas un mot ni un baiser, seulement cette impression qui les trouble tous deux, que leurs âmes, leurs corps sont faits pour s'entendre. Ainsi commencent-ils à s'aimer sans se le dire.

Dans l'ombre d'une ruelle, un soir, il laisse tomber les caisses et l'enlace soudain. Elle le repousse un peu, mais cela ne dure pas. Elle se laisse embrasser et caresser sans protester, puis elle ramasse ses affaires et s'enfuit. Sous les lumignons qui éclairent vaguement le trottoir luisent ses jambes fines et brunes. Le lendemain, elle lui demande avec un sourire malicieux :

— Tu me raccompagneras encore ce soir ?

*

— Savez-vous où nous sommes, général ?

— Ma foi, répond Lorenzo, cela ressemble à une gare.

— Parfaitement observé, répond l'officier allemand. C'est en effet une gare, celle du terminus du tramway qui dessert la banlieue de Moscou.

— À combien sommes-nous du centre ?

— Vingt-cinq kilomètres à peu près. Ici, nous sommes à un poste avancé, mais derrière nous, il y a toute la 4e armée du maréchal von Kluge. Voilà, vous pourrez rapporter au Duce que les Allemands sont aux portes de Moscou au terme d'une magnifique cavalcade de la Wehrmacht. Tenez, prenez mes jumelles. Que voyez-vous ?

— Des tours, dit-il, des tours pointues avec des bulbes au sommet.

— Les tours du Kremlin.

Lorenzo rend les jumelles, impressionné.

— Vous pensez vraiment prendre Moscou ?

L'Allemand ne répond pas. L'hiver arrive et c'est l'hiver qui a eu raison de la Grande Armée de Napoléon. Les hommes ne sont pas équipés et le carburant commence à geler dans les tanks. Les bottes ne sèchent pas et, depuis la veille, le blizzard s'est levé. Les chevaux de trait manquent de fourrage, les fusils s'enraient faute de graisse adaptée pour l'hiver, et il faut couper le pain gelé à la hache. Tout cela, Lorenzo le sait. Il l'a déjà écrit à Mussolini, qui lui a bien précisé ce qu'il attendait de lui : « Je t'envoie chez les Allemands comme mon observateur personnel. Tu te battras à leurs côtés, mais tu me rendras compte de tout, comme tu l'as fait à Guadalajara. J'envoie des armées italiennes se battre en Russie aux côtés des Allemands. Il est normal qu'en échange je sois au moins informé de ce qui se passe. Hitler m'a donné son accord. Les troupes contre un informateur de confiance. Une radio te sera remise et les messages seront automatiquement codés. Les Allemands tenteront d'y accéder évidemment, mais ils n'y parviendront pas. Le code est fondé sur une édition de Dante rarissime. Ils seront donc indéchiffrables pour qui ne la possède pas. »

*

— Citoyens ! Camarades ! Je suis resté à Moscou au milieu de vous, s'écrie la voix de Staline dans le haut-parleur. Tous nos héros de la vieille Russie nous regardent et nous encouragent : Alexandre Nevski, Dmitri Donskoï, Souvarov et Koutouzov. Moscou ne sera jamais prise. L'envahisseur allemand veut une guerre d'extermination. Eh bien, il va l'avoir !

Les troupes défilent sur la place Rouge avant d'obliquer au nord-ouest vers le front. Chacun a reçu un fusil, dix cartouches et des grenades. Derrière, les commissaires politiques armés d'un revolver destiné à abattre celles et ceux qui reculeraient. Les femmes font aussi partie de la troupe qui se dirige vers la ligne de bataille. Parmi elles, il y a les élèves de l'École des cadres du parti et, parmi ces élèves, Laura. Elle porte une chapka, une veste matelassée et un fusil en bandoulière. Elle chante *L'Internationale* en russe et ses yeux brillent sous les flocons de neige. Des souvenirs lui reviennent de Guadalajara et elle s'aperçoit qu'elle aime la guerre. D'ailleurs, elle ne s'appelle plus Laura. Sacha lui a remis ses nouveaux papiers russes. Tout y est, carte d'identité, carte du parti, carte d'élève de l'École des cadres, chacune avec sa photo.

« Tu t'appelles Sonia maintenant.

— Ogarevna, a-t-elle remarqué, je porte ton nom.

— Évidemment, puisqu'on est mariés.

— Depuis quand ?

— Depuis maintenant. Ce nom te protège.

— De quoi ?

— De tout, sauf du feu allemand. »

Puis il est parti. Elle a repris sa place dans le rang et s'est mise à chanter avec les autres.

La bataille dure les 7, 8 et 9 décembre. Le peuple de Moscou, au centre, a rapidement épuisé ses munitions, mais les commissaires politiques en apportent de nouvelles. La neige est jonchée des corps de ceux qui ont reculé. Les commissaires politiques ramassent les fusils à terre, jettent leurs revolvers vides et se mêlent aux combattants. Laura est fière, elle n'a pas reculé. Elle est blessée, mais debout.

Le troisième jour, un commissaire politique lui lance un fusil et ils tirent tous les deux ensemble. L'un et l'autre portent un foulard qui leur fait un masque sous la chapka. Soudain, l'homme tombe. Laura ramasse son fusil et se remet à tirer.

Le jour, la plaine ressemble à un immense matelas gris pommelé, hérissé de points noirs. Ce sont les chars de Guderian qui s'éclairent tour à tour quand le coup part. Suit un long sifflement selon la distance avec un geyser de neige à l'arrivée, teinté de rouge si la cible est atteinte. Les chars se déplacent comme de gros cafards. Ils tirent trois obus. Les deux premiers servent au réglage, trop court ou trop long. C'est entre le premier et le deuxième qu'il faut courir, car le troisième est le bon. Les défenseurs de Moscou sont tapis dans des tranchées durement creusées à la pelle dans la neige compacte. Ils observent le départ des obus et s'enfoncent comme ils peuvent dans des trous. Les canons russes répliquent et, quand un char explose, un long hurlement de plaisir parcourt la tranchée. Les chars progressent en hoquetant, protégeant sur leurs arrières les fantassins en colonnes. Il arrive aussi que cessent les tirs d'obus, remplacés par le staccato des mitrailleuses. Les défenseurs ne peuvent rien contre les chars. Leurs fusils ne servent qu'à abattre les soldats à pied, lorsqu'ils se lancent en vagues sur les tranchées. Parfois, les assaillants s'allongent dans la neige. On les croit tués ou blessés, mais quand le silence se fait, ils se redressent soudain et se remettent à tirer et à courir. S'ils atteignent les tranchées, c'est le corps à corps à l'arme blanche. Lors de la bataille de Moscou, il n'y a pas de prisonniers. Quand une tranchée est vidée de ses défenseurs, les survivants se replient sur la tranchée précédente, le seul recul toléré par les agents du NKVD.

La nuit, la température tombe à 30 degrés sous zéro et on installe des braseros au fond des tranchées dans des grilles de fer. Les défenseurs dorment par tranches de deux heures. Parfois, ils subissent des attaques surprises lancées par les Kampfgruppen qui rampent jusqu'aux tranchées russes et surgissent soudain en brandissant leurs pistolets-mitrailleurs. C'est le rôle des sentinelles de les guetter en écoutant les crissements de la neige. Des vieux, hommes et femmes, parcourent les tranchées pour distribuer de la vodka. Celui qui n'en boit pas risque de geler sur place, ce qui explique que, le matin, nombre de défenseurs sont ivres morts, mais ils ne se battent pas plus mal que les autres. Des hommes du parti passent, les encouragent, et distribuent des munitions et des armes neuves. C'est la seule chose qui, à partir du deuxième jour, n'a pas manqué aux défenseurs de Moscou, les armes et les munitions.

Quand Laura s'endort, elle rêve de son enfance à Vérone lorsqu'elle parcourait les rues en tenant la main vivante de son père, elle rêve de Rome quand elle sautait dans les flaques, elle rêve même de

Julia, sa mère, qu'elle n'a pas connue. Elle entend sa voix qui lui dit que c'est bien, qu'elle l'approuve de se trouver là dans les tranchées devant Moscou, à défendre le socialisme contre les nazis, elle sent parfois un effleurement sur sa joue appuyée sur son coussin de glace. C'est un baiser de Julia.

Les Allemands reculent. Ils abandonnent les chars, faute de carburant, ils grelottent dans leurs équipements d'été, même s'ils se sont couverts des châles volés dans les villages. Des avions mitraillent leurs colonnes en retraite, des partisans surgissent sur les arrières. Tous sont atteints de diarrhée et peinent à marcher. Des blessés préfèrent se suicider plutôt que de tomber aux mains des Russes. La neige est jonchée de cadavres et d'armes abandonnées. Quelques groupes tiennent encore. Ce sont les Kampfgruppen commandés par des gradés déterminés. Mais ce sont les derniers.

Laura a déposé son fusil à terre. Il est vide, mais elle ne risque plus rien. La bataille de Moscou est gagnée. Pendant trois jours, elle n'a pratiquement pas dormi, elle a bu de la vodka et de la neige fondue, a mangé des rations de chou portées par les femmes des villages alentour. Elle se retourne vers le corps du commissaire politique qui gît dans la neige, tombé tout à l'heure. Il lui avait jeté un fusil chargé quand le sien était vide. Ils formaient une équipe. Elle voudrait dire quelques mots sur le corps de cet homme qui a basculé d'un coup sous une rafale. Elle s'approche, s'agenouille, veut replacer le foulard qui couvrait son visage sous la chapka. Il respire encore, un filet d'air qui passe à peine et va bientôt s'arrêter. Mais le foulard glisse et ses beaux traits apparaissent. Ce presque mort, c'est Sacha.

84

L'hiver 1942 à Céphalonie, c'est presque un printemps avec ses fleurs, ses fruits, son ciel, la joyeuse poussière des chemins et les chants des femmes sur les marchés. Sandro et Alexia ne savent pas qu'ils sont en hiver, tout comme ils ignorent que l'un est italien et l'autre grecque, que l'année dernière, ils étaient des ennemis acharnés, qu'autour de l'île la guerre se poursuit, comme le racontent la radio et les communiqués du général Vecchiarelli qui règne sur la 11e armée italienne. L'amour leur est tombé dessus comme une pluie de feu. Il les inonde, les enflamme, les brûle. C'est terrible, un amour pareil, contre lequel on ne peut rien faire. Ils parlent le même langage, inspiré du grec ancien. Sandro l'a étudié en classe, elle aussi. C'est curieux, ces amants qui ne s'adressent l'un à l'autre que dans une langue morte. Mais ce qui compte, ce sont les regards, les gestes, son odeur à lui qu'elle emporte quand il faut se séparer, son parfum à elle qu'il continue de respirer sur ses manches d'uniforme. Ils ont des étreintes furieuses, acharnées, des enlacements de fous. Dans ces îles où les filles arrivent intactes au mariage, elle n'a pas attendu, Alexia, elle ne s'est même pas posé de questions.

Un après-midi, dans les derniers jours de l'été, ils se baignaient dans un lagon secret, à l'abri de tous les regards, sauf ceux des oiseaux. Leurs derniers vêtements pendaient, détrempés. Il fallait les faire sécher. Enfin, c'était le prétexte. Tombés la robe et le reste, tombés la vareuse d'officier et tout l'attirail. Ils ne sont pas épais tous les deux, lui presque maigre avec ses muscles de garçon de vingt ans, elle longue avec des seins ronds de statue. C'est comme cela qu'ils se sont pris la première fois sur le mélange d'herbe, de lichen et de sable qui borde le lagon secret. Et les oiseaux n'en ont rien dit. Plus tard, ils ont trouvé d'autres endroits. Des endroits de jour et des endroits de nuit.

Leur histoire a fini par être connue, elle s'est répandue chez les Italiens et aussi dans le village. Des passions comme celle-là, on ne peut pas les cacher. Les militaires ont plaisanté, puis se sont tus, car cette histoire n'était pas la seule entre les Italiens et les filles de l'île.

Ce sont les parents d'Alexia qui l'ont mal pris. Le père a grogné, a failli lever la main, avant d'annoncer qu'il irait trouver le général Gandin pour se plaindre. Un officier, surtout ! C'est la mère qui l'a arrêté. Après, elle a voulu faire la leçon à sa fille, lui a tout dit sur les risques, le déshonneur, le départ probable de ce garçon dans son pays un jour. Alexia la regardait avec ses yeux obstinés d'enfant quand on la grondait et qu'elle résistait. La mère connaissait ce regard. Elle savait qu'il n'y avait rien à faire contre ce regard. Alors, elle s'est tue, avant de retourner à ses casseroles et à ses caisses de coquillages.

La radio du Duce a annoncé que les Allemands

étaient sur le point de prendre Stalingrad, que parmi eux se trouvaient des unités italiennes. Sandro se fout de Stalingrad.

Le dimanche suivant, il est invité à déjeuner chez les parents d'Alexia.

*

Un de ces jours où il ne se passe rien au *Fascio*, Eugenio Coralli trouve Virginia dans son bureau, appliquée à écrire une longue lettre.

— C'est pour notre parti ?

— C'est pour les sœurs de mon couvent.

— Tu étais au couvent, toi ?

Elle fait oui de la tête. Il n'en revient pas. Du coup, il s'assied en face d'elle.

— Quand tu étais gamine ? Tu as fait l'école chez les sœurs ? Moi, on m'avait mis dans un pensionnat de curés. Ils m'ont viré au bout d'un mois. Ils ont eu raison.

— Pas du tout. C'est au moment où Lorenzo et moi nous nous sommes séparés. J'y suis restée un an. Après, je suis revenue à Vérone.

— Qu'est-ce que tu es allée faire là-bas ? C'était quoi, ces sœurs ?

— Les moniales de Sainte-Clarisse. J'ai fait une crise mystique. Mon idée, c'était de devenir sœur moi aussi, même si j'étais mariée.

— Une crise mystique ? répète-t-il, le regard sur son chemisier qui renferme de beaux seins qu'il connaît bien. Toi, une clarisse !

Virginia lit sa lettre à haute voix. Elle leur demande

pardon. Elle s'est trompée sur sa vocation. Les sœurs l'avaient bien accueillie. La supérieure connaissait son histoire, l'épouse d'un hiérarque quittée pour une autre. L'intervention de Dieu à ce moment-là. Dieu partout dans sa vie, Dieu tout le temps, l'illumination de Dieu. Elle a cru que c'était un appel, elle a voulu répondre. Mais ce n'était pas un appel.

— Si c'en était un, il était mal dirigé, car j'en étais indigne.

Elle lève les yeux vers le Coralli.

— Ça, c'est ce que j'écris. Ce n'est pas ce que je crois.

— Alors, pourquoi tu l'écris ?

— Parce que les sœurs m'ont aimée, elles me font de la peine, pitié même.

Elle raconte son séjour chez les clarisses. Comme elle venait du monde extérieur dont elles étaient coupées, elles étaient avides de nouvelles, d'informations. Elles la questionnaient souvent, trop souvent, alors que ce monde, elle justement avait fait choix d'y renoncer, donc de le quitter. C'est comme ça qu'a commencé le malentendu entre Virginia et les sœurs. Leur curiosité lui a paru très vite suspecte car elle traduisait nécessairement un regret de leur propre renonciation. Certaines étaient là depuis trente, quarante ans. Toujours le même décor, les mêmes mots, les mêmes gestes. Le couvent, c'est une prison de l'esprit et du corps, mais aussi un cocon, un nid. Trop vieilles pour partir et recommencer.

— C'est là que ma foi a vacillé, que mes doutes ont débuté. Je ne voulais pas vieillir comme elles. Le pire, c'est que j'ai eu le sentiment que mon arrivée dans ce couvent, c'était le diable dans le bénitier. Quand elles m'ont vue, ces sœurs, elles ont réalisé ce qu'elles avaient raté. J'ai compris qu'il fallait que je parte, que je n'avais rien à faire là. J'avais perdu du poids, c'était parfait. Je m'étais remise du départ de Lorenzo avec Carmela. Quand j'ai reçu la visite de mon fils, ma décision était prise.

— Et Dieu dans tout cela ? demande le Coralli.

— Dieu m'a pris mon mari. Les sœurs, il a pris leur vie. S'il n'existe pas, elles auront fait un mauvais pari. Mais ce sont de braves femmes, des personnes honnêtes et généreuses. C'est pour cela que je leur écris et que je leur demande pardon de les avoir quittées.

— Et le Duce ? demande encore le Coralli.

— Le Duce, répond Virginia, c'est comme Dieu dans une Italie qui ressemble à un couvent fasciste, avec cependant une différence : nous saurons à la fin de la guerre ce qu'il valait vraiment, ce qui est un avantage par rapport à Dieu.

85

Sacha est hospitalisé dans le meilleur établissement de Moscou. Les plus grands médecins de l'URSS se succèdent et il est opéré trois fois en vain. Il s'affaiblit un peu plus chaque jour. Laura ne quitte pas son chevet. Au début, il lui était interdit d'entrer dans sa chambre. Elle s'en est plainte, elle a brandi ses papiers au nom de Sonia Ogarevna. Rien à faire.

Un matin, soudainement, les portes s'ouvrent. On la conduit dans la chambre et elle s'installe à ses côtés.

Le soir, le téléphone sonne à la datcha qu'elle occupe seule maintenant. Elle reconnaît la voix qui a ordonné que Sacha se rende au Kremlin la nuit où la guerre a été déclarée. Elle demande, cette voix :

— Comment va Sacha ?

Elle raconte ce qu'elle sait. Qu'il est allongé avec des tuyaux partout. Chaque demi-heure, un médecin vient vérifier son état, la tension, la température, tout ce qu'un médecin doit savoir. Elle dit qu'il a maigri, mais qu'il est toujours beau malgré les poils de cette barbe qui pousse, elle dit qu'elle restera avec lui tant qu'elle y sera autorisée. La communication s'interrompt. La voix a raccroché.

Le lendemain, Sacha reprend conscience. Il la reconnaît, embrasse sa main. Il ne parle pas, seulement cette main qu'il tient. La pression se relâche, il s'est rendormi.

Le soir, la voix rappelle. Laura raconte l'histoire de la main. À l'autre bout, un grognement, satisfait, lui semble-t-il. Et ainsi de suite. Chaque soir ou chaque nuit, à n'importe quelle heure, un appel de la voix, et elle donne les détails de la journée, répète ce que disent les médecins. La voix demande quand Sacha sera rétabli, elle ne le sait pas. Quand elle pose la question, les médecins ne répondent pas.

Un jour, il reste conscient un moment. Le matin, on l'a rasé. Il a des traits de plus en plus émaciés, ce qui, aux yeux de Laura, le rend encore plus beau. Elle lui dit que chaque soir la voix la rappelle.

— Je m'en doute, souffle Sacha.

Il attend un instant.

— Ma mère l'a connu à Vologda, en 1910 ou 1911, je ne sais plus. Ils se sont rencontrés dans une bibliothèque et ils se promenaient dans la ville. Les flics de l'Okhrana[1] les prenaient en filature, il était déjà fiché. Quand il y a eu la révolution, il les a aidés à partir, elle et sa famille. Ils ont même pu emporter leur argent et leurs meubles. Quand ma mère est morte à Paris, des gens de l'ambassade sont venus me chercher, je parlais russe et j'avais quinze ans. Ils m'ont emmené en Union soviétique. Après…

Il sourit, puis se rendort.

Le soir, quand elle fait son rapport à la voix, elle dit qu'ils ont parlé tous les deux.

— De quoi ? demande la voix.

— De nous deux, répond-elle prudemment.

La voix n'insiste pas. Puis l'état de Sacha s'aggrave. Les médecins sont de plus en plus silencieux. Il ne se réveille plus. Elle ne peut le cacher à la voix. Il y a au téléphone de longs silences entre eux. Mais elle est toujours rappelée le lendemain.

Un matin, elle trouve la chambre vide. Le médecin est blême. Sacha est mort à l'aube et on est aussitôt venu chercher son corps.

À la sortie de l'hôpital, Laura est encadrée par deux agents en civil. À leur allure, elle devine des hommes du NKVD.

Ils la conduisent à la Loubianka, au terrible ministère de l'Intérieur. Au bâtiment est accolé un autre, sinistre : la prison politique. Elle parcourt des couloirs,

1. Police politique du tsar.

monte des escaliers, prend des ascenseurs jusqu'à un bureau. Les agents restent à la porte. Derrière la table, un homme glabre, joufflu, les yeux froids.

— Camarade Ogarevna, lui dit-il, ton mari a reçu à titre posthume la médaille des héros de l'Union soviétique. L'État te prend en charge à compter de ce jour. Ton dossier est excellent. Tu es recrutée dans le corps des commissaires politiques.

Il lui tend la médaille et une carte du NKVD, où figurent son nouveau nom, Sonia Ogarevna, et son titre de membre du corps des commissaires politiques.

— Tu parles italien ?

— C'est ma langue maternelle.

— Nous saurons exploiter cette qualité.

Il lui serre la main et la reconduit à la porte. Les deux hommes d'escorte doivent la reconduire à la datcha, où elle pourra encore rester jusqu'à ce qu'une mission lui soit confiée.

Ils viennent la chercher chaque matin pour qu'elle rencontre ses instructeurs et la raccompagnent le soir. Elle n'a même pas le temps de pleurer Sacha.

Les deux agents lui disent qu'ils la considèrent déjà comme une collègue. L'un lui prédit un bel avenir, d'après ce qu'il a compris.

— Qui est ce camarade qui m'a remis ma carte et la médaille ? demande-t-elle.

— Beria. C'est un honneur qu'il t'a fait.

Le soir, la voix ne l'appelle plus.

*

Une fois par semaine, Carmela se rend dans les magasins de la via dei Condotti, entre la piazza di Spagna et la via del Corso. Ce sont les plus belles vitrines de Rome, les plus chères aussi. La via dei Condotti, c'est la rue des riches, et il en reste suffisamment à Rome pour faire tourner le commerce. D'ailleurs, les prix n'ont pas baissé. Les vendeuses ont repéré Carmela. On sait que c'est une femme importante dans le monde de la culture et les salons. Autrefois, il y avait la Sarfatti, enfuie d'Italie depuis les lois raciales. Maintenant, c'est le tour de la Cavalcanti. C'est dire avec quels égards on la traite.

Pour la première fois de sa vie, Carmela s'occupe d'elle-même, de sa beauté, de ses tenues qu'elle arbore chaque semaine chez la princesse Colonna. Les rumeurs sur son héritage fabuleux se sont répandues *sotto la banca*[1]. La maison d'édition fonctionne au ralenti, elle envisage de suivre le conseil du prince et de la fermer pour le temps de la guerre. Certains auteurs sont venus lui dire qu'ils étaient déjà en train d'écrire sur les événements, l'ambiance et les défaites militaires dans les guerres du désert. Mais pour l'heure, ils gardent leurs manuscrits dans les tiroirs. Ils attendent, comme ils disent, la fin de l'histoire pour se remettre à publier. Carmela n'a pu que les approuver.

Lorenzo se trouve avec les *alpini* dans la division Julia, attaché à l'état-major du général Paulus qui commande la 6e armée de la Wehrmacht, un homme estimable et un militaire de qualité, écrit-il. Elle lui

1. Sous le manteau (au figuré).

répond avec la même retenue. Il paraît que toutes les lettres qui partent pour le secteur russe sont ouvertes deux fois, une par la censure fasciste, une autre par la censure allemande.

Ciano lui donne aussi de ses nouvelles quand elle le croise chez la princesse.

— Hitler est sûr de prendre Stalingrad avant l'hiver, dit-il. Stratégiquement, l'endroit ne vaut rien, mais la ville porte le nom du chef de la Russie. Nous avons raté Moscou, nous aurons Stalingrad, et les Italiens y participeront. Si Stalingrad tombe, les Russes feront des offres de paix. Staline n'aura pas d'autre choix. Il perdra des territoires, mais il restera le chef de l'Union soviétique. Pour lui, c'est tout ce qui compte.

— Et si Stalingrad résiste, si Paulus échoue ? demande Carmela à voix basse.

Ciano blêmit et se penche à son oreille.

— Il faudra prier pour l'Italie, et surtout pour le Duce qui nous a entraînés dans cette guerre maudite, chuchote-t-il.

Carmela retourne se fournir via dei Condotti. On lui dit que plusieurs modèles ont été mis de côté pour elle et une autre cliente de la même condition.

— Qui cela ? ne peut-elle s'empêcher de demander.

La vendeuse lui désigne discrètement une jolie femme en train de se livrer à des essayages, les cheveux bouclés, de beaux traits, les yeux brillants.

— Qui est-ce ?

La vendeuse se penche et murmure :

— Je vous le dirai après.

Mais déjà, la femme se dirige vers Carmela, la main tendue.

— Signora Cavalcanti, j'ai entendu parler de vous. Je me présente, Clara Petacci.

Elle se met aussitôt à parler de la mode à Rome et de sa villa, la Camilluccia, dans les beaux quartiers. Carmela a déjà entendu son nom sans pouvoir le relier à une personne précise. De toute manière, cette femme ne l'intéresse guère. Encore une qui dépense l'argent qu'elle n'a pas gagné, pense-t-elle.

La Petacci revient vers elle.

— Je suis enchantée d'avoir fait votre connaissance, signora Cavalcanti, je connais votre belle action pour la culture et j'ai lu *Lei*. C'est comme cela que je vous ai reconnue, à cause de la photo sur la couverture. Un très beau roman, peut-être le meilleur que j'aie lu. Je ne vous dis rien de la *Cafonessa*. Autour de moi, personne ne veut en parler. Je souhaiterais bavarder avec vous et je me permettrai de vous appeler si vous l'acceptez.

— Certainement, répond Carmela en usant de tous ses talents d'hypocrisie sicilienne.

La Petacci sort de la boutique, un employé derrière elle portant les paquets. Un homme, à cet instant, entre dans le magasin et signe la note qu'on lui présente. Dehors, la jeune femme se dirige vers une voiture, deux autres hommes à chapeau mou lui emboîtent aussitôt le pas.

— Qui est Clara Petacci ? demande Carmela à la princesse la semaine suivante.

Celle-ci a un sourire teinté de mépris.

— La maîtresse secrète de Mussolini, voyons. De moins en moins secrète, il est vrai, par les temps qui courent.

86

— Attention, sniper ! Troisième étage, la dernière fenêtre !

— Tu es sûr ? demande Lorenzo.

— Oui, général, répond Casini.

Cet éclaireur fait partie de ces combattants qui, à force de côtoyer le danger, finissent par le flairer avant de le voir. Son vieil ami, le seul véritable que Lorenzo ait jamais eu, Nino Calderone, faisait partie de cette catégorie. Mais Nino est tombé à la bataille de Mai Ceu en Éthiopie. C'était il y a sept ans, en 1936.

— Qui veut faire l'appât ? demande Lorenzo.

Les autres ne répondent pas. Les snipers soviétiques sont réputés. Certains sont devenus de vrais héros, salués par la presse de Staline. Dans ce champ de débris de maisons, d'usines, d'immeubles éventrés, de poutrelles tordues, qu'est devenu Stalingrad, ils s'en donnent à cœur joie. Lorenzo se dit souvent que ce sont eux, les véritables fleurons de la 62e armée russe.

— Je fais l'appât, dit-il brusquement.

— Non, général, pas vous, s'offusque le capitaine Montanelli. Je vais y aller.

Lorenzo lui jette un regard froid. Un vieux capitaine qui n'a pas trente ans. Dans la division Julia, les excellents militaires ne durent pas.

— C'est moi qui commande. C'est mon tour aujourd'hui.

Il se tourne vers Casini.

— Il est toujours là, il n'a pas bougé ?

— Certainement pas, il nous a repérés, entendus au moins. Il attend qu'on passe, il est patient.

Casini plie le genou et épaule son fusil en prenant garde de demeurer dans l'ombre. Il fait glisser la sûreté, pose le doigt sur le *grilleto*. C'est une belle arme volée aux Allemands, qui s'en sont aperçus mais n'ont rien dit. Casini est lui aussi un sniper. Un homme comme lui n'utilise plus les vieux modèles de fusils 1891, dont sont toujours équipés les soldats italiens. Les Allemands l'ont admis.

— Va, dit-il dans un souffle.

Et Lorenzo bondit, puis se met à courir en zigzaguant. Il a quarante-six ans, mais il est toujours aussi rapide. Pas longtemps, mais vite ! Deux coups de feu claquent simultanément, celui du sniper russe et celui de Casini. Le tir du sniper a été dévié par la balle de Casini, qui lui a fait exploser le crâne. La balle du sniper russe a claqué entre les jambes de Lorenzo. Les hommes de la Julia sortent les uns après les autres, leurs pistolets-mitrailleurs braqués sur les fenêtres. Mais le sniper était seul.

À Stalingrad, les trois plus grandes usines, Armements et Barricades, Octobre rouge et les Tracteurs Dzerjinski, ont déjà été évacuées par les bataillons de destruction, eux-mêmes flanqués de groupes Komsomol armés pour empêcher toute retraite. Elles ont été vidées de leur personnel, mais les snipers ont pris la place. Et il faut, pour prendre possession de ces usines, les éliminer un par un. Le commando de la Julia, prêté à Paulus, a reçu cette mission, et Lorenzo a obtenu d'en prendre la tête, au motif qu'observer ne suffit pas, il faut aussi participer si l'on veut être respecté. La première usine a été conquise la semaine précédente. Cinq snipers russes tués, deux du côté de la Julia, plus un blessé.

— Appelle l'état-major, lance Lorenzo à l'interprète allemand. Dis-leur qu'Octobre rouge est libre, la place est nette.

La nuit est tombée sur Stalingrad. La Luftwaffe envoie encore des avions qui lâchent leurs bombes et mitraillent les bacs sur la Volga, tous les petits bateaux qui tentent d'évacuer les civils jusqu'à la rive est. Même les Russes connaissent, à travers les déclarations des prisonniers allemands, la directive d'Hitler du 2 septembre :

« Le Führer ordonne qu'à leur entrée dans la ville toute la population masculine soit éliminée, puisque Stalingrad, avec son million de communistes convaincus, est particulièrement dangereuse. »

— Où est la prochaine usine ? demande Lorenzo.

— Les Tracteurs Dzerjinski, là-bas, répond Montanelli en désignant au loin des cheminées à demi écroulées baignant dans la fumée des bombes, le tout surmonté d'une longue tour intacte.

— Demain, dit Lorenzo.

— Sonia Ogarevna, demande le général Tchouïkov,

qui commande les forces soviétiques à Stalingrad, veux-tu une tasse de thé ?

Laura boit son thé avec une goutte de vodka. Ça réchauffe et ça renforce la visée, c'est ce que disent les vieux snipers russes. Elle aussi est devenue sniper maintenant. Quand elle est arrivée à Stalingrad avec sa veste de cuir et son brassard du NKVD, Tchouïkov l'a reçue fraîchement.

« Quel âge as-tu, ma petite ?

— Vingt-cinq ans, général.

— Tu es bien jeune pour commander une section entière du NKVD.

— Je n'ai rien demandé, j'ai fait ce que l'on m'a ordonné et j'ai reçu mon grade. C'est tout. »

Tchouïkov a hoché la tête. Il était prévenu : « Attention, c'est une fille qui arrive pour commander la section. Son mari a été nommé héros de l'Union soviétique à titre posthume. Il était protégé, elle aussi maintenant. »

Il n'a pas demandé qui était le protecteur, ce n'est pas une question que l'on pose.

« Tu as déjà vu la guerre, camarade commissaire politique ?

— J'étais à Guadalajara en 1937, à la bataille de Moscou il y a un an, puis à Sébastopol jusqu'à la fin juin.

— Sébastopol est tombé, comment as-tu fait ?

— Je suis partie par la mer. Des vedettes sont venues nous chercher à la presqu'île Chersonèse.

— Et après ?

— J'arrive de Leningrad.

— La ville tiendra ? »

Laura avait haussé les épaules.

« Elle tiendra comme Stalingrad tiendra. L'ordre de Staline est simple : ne pas reculer.

— Hitler a donné le même ordre. »

Nouveau haussement d'épaules.

« Nous, on est des Russes !

— Je vais être clair, camarade Ogarevna. Ici, c'est moi qui commande, et j'ai décidé que dans notre situation, il n'y a plus de commissaires politiques. Je ne veux pas de flics dans la bataille, mais des combattants.

— Je préfère être soldat plutôt que flic. Je sais tirer.

— Où as-tu appris ?

— À Guadalajara, puis à l'École des cadres du parti, puis lors de la bataille de Moscou. Teste-moi et tu verras. »

Tchouïkov avait vu. Laura était partie en mission presque chaque soir avec des équipes de snipers confirmés. Ils prenaient une barque et traversaient la Volga à la pagaie pour débarquer sur la rive droite. L'opération n'était pas simple. Le courant était fort, le fleuve bombardé, et les snipers allemands leur tiraient dessus. Quand ils abordaient l'autre rive, la ligne de front était à trois cents ou cinq cents mètres selon les endroits.

Sonia Ogarevna avait dix-huit cibles homologuées par ses camarades. D'où les dix-huit étoiles sur sa manche. Les snipers allemands la connaissaient. Ils savaient que c'était une femme. Ils l'appelaient, comme l'avaient rapporté les prisonniers, « la sorcière de la nuit ».

— Écoute, petite sorcière, dit Tchouïkov avec une affection inattendue, cette bataille est la plus dure, la plus acharnée de toutes celles auxquelles j'ai pu participer. Aujourd'hui, les Allemands nous ont repoussés jusqu'au bord de la Volga et tu connais le slogan de nos troupes : « Derrière la Volga, il n'y a pas de terre. » Paulus a lancé une immense offensive le 23 octobre avec des moyens gigantesques. Il a failli réussir. On sait qu'il va en lancer une nouvelle demain ou après-demain en s'appuyant sur les usines. Rien ne pourra y être installé. Nous sommes le 18 novembre 1942, on m'annonce des renforts. La contre-offensive russe va commencer. Jusque-là, il faut tenir.

Laura a un sourire.

— L'ennemi veut s'installer sur une tour qui domine la Volga et nous empêcher de traverser. Si la tour est détruite, il n'aura plus de vue.

— Cette tour est un poste d'observation idéal pour les Allemands, répond Tchouïkov. Nos avions, nos canons n'ont jamais réussi à l'abattre. Seul un commando peut y parvenir, mais vous risquez d'y laisser votre peau. Comment s'appelle cet endroit ?

— L'usine des Tracteurs Dzerjinski, répond Laura.

Ils avancent à pas de loup dans la nuit, les hommes de la division Julia. Le sergent Casini devant, suivi de Lorenzo, Montanelli et trois autres. Tous ont en bandoulière un fusil de précision équipé d'une lunette. Ils traversent, collés au mur, les cours de l'usine, les ateliers, les salles de montage ou ce qu'il en reste, car il faut dire que les Stuka et les Heinkel de Richthofen n'ont pas laissé grand-chose. Il n'y a plus un mur entier, les toits laissent voir le ciel, quelques machines gisent comme des animaux géants foudroyés.

Paulus a accompagné les hommes jusqu'au point de départ. C'est un excellent militaire, connu pour ses qualités de stratège à l'état-major de l'OKW[1] dont il a longtemps fait partie. Ce n'est pas un nazi, mais un soldat dans l'âme.

— Vous êtes sûr, général Mori, de vouloir faire partie de cette expédition ? Que dira le Führer à votre Duce si vous vous faites tuer ?

— Qu'il doit envoyer quelqu'un d'autre.

Celui qui est surnommé « le moine-soldat » sourit.

— C'est une mission de lieutenant, général Mori.

— Cela me fait plaisir que vous me le disiez, répond Lorenzo en souriant à son tour.

— J'ai rendu compte au Führer du succès de vos autres missions. Si vous revenez vivant, je suis chargé de vous remettre la croix de fer de première classe. Elle manque à votre palmarès.

Lorenzo hoche la tête avant de donner le signal du départ. Paulus dit encore :

— Le Führer a déjà annoncé que Stalingrad était prise. Cette nuit, Berlin est en fête.

Lorenzo n'a pas répondu. Ses hommes et lui se sont enfoncés dans la nuit russe.

1. Organe de commandement suprême des forces armées allemandes de 1938 à 1945.

87

— Attention, dit Laura, c'est moi qui installerai le plastic, vous, vous devrez me couvrir. Dès que la tour a sauté, on file.

— Crois-tu qu'il y aura des Allemands, lieutenant Ogarevna ?

— Évidemment ! Leur mission sera de protéger la tour.

— On dit que ce sont des Italiens. L'un de nous les a entendus parler entre eux. Il paraît qu'un général les accompagne et qu'il a participé à toutes les opérations de snipers, comme un jeune.

— Cessez de bavasser, les garçons, on y va ! Ce soir, il n'y a pas de bombardement sur la Volga. On débarque là-bas.

Elle désigne un point sur la rive droite. Derrière se dresse la tour des Tracteurs Dzerjinski. C'est elle qui garde les pains de plastic dans un sac qu'elle serre contre elle, comme un amant. Le courant est silencieux cette nuit. L'image de Sacha traverse son esprit, mais elle la chasse. Quand Laura est en mission, elle ne s'occupe de rien d'autre, elle se concentre sur chaque mouvement qu'elle doit accomplir. Le tir n'est rien, se dit-elle parfois, ce qui compte, c'est avant. C'est pour cela qu'on la surnomme « la sorcière de la nuit ».

Les hommes de Lorenzo sont tapis derrière un mur à demi écroulé qui donne sur le soubassement de la tour. Si les Russes veulent la faire sauter, c'est nécessairement à cet endroit qu'ils devront placer leurs explosifs. Le sergent Casini est allé se poster de l'autre côté. C'est lui, le guetteur. Tous, avant de partir, ont pris des comprimés pour résister au sommeil. Leur mission est d'attendre jusqu'à ce que se déclenche l'assaut de Paulus. Pour ne pas donner l'éveil, aucun avion ne survolera Stalingrad ni la Volga cette nuit. Ils restent là plusieurs heures, sans parler ni bouger.

Soudain, l'un d'eux montre une ombre silencieuse qui glisse dans leur direction. C'est Casini.

— Je les entends arriver, chuchote-t-il. Ils sont cinq ou six, pas plus.

Aussitôt, tous prennent leur position. La meilleure est pour Casini avec son fusil magique. Il vérifie la vision dans sa lunette infrarouge. Chacun respire la bouche ouverte pour ne pas faire de bruit. Casini débloque le cran de sûreté et allonge le fût de son arme dans une anfractuosité du mur. Il faudra les abattre tous d'un coup, ces Russes.

Laura marche derrière l'éclaireur. Les autres suivent. À vingt mètres de la tour, ils s'arrêtent. Cette cour immense avec ces squelettes monstrueux de machines et ce mur ne lui disent rien. S'il y a des snipers ennemis, c'est là qu'ils sont cachés. Un de ses hommes surgit en silence derrière elle. Il s'appelle Ivan.

— C'est mon tour de faire l'appât, murmure-t-il.

— Va, on te couvre.

Ivan s'avance à demi courbé d'une machine à l'autre, suffisamment visible quand même.

— Ne bougez pas, murmure Lorenzo, il fait l'appât.

Ivan fait ainsi le tour de la cour ou presque, s'approche du mur où sont les hommes de la Julia. Lorenzo fait un signe et l'un d'eux dégaine son poignard, longe le mur, courbé lui aussi, prêt à bondir, sa lame dans la nuit ne jette aucun reflet.

Ivan s'arrête soudain, se retourne vers les autres, il a flairé, entendu quelque chose. Il se met à courir.

— Ils sont là ! crie-t-il.

— Feu ! dit Lorenzo.

Tous tirent en même temps, les hommes de Laura et ceux de Lorenzo. Le sergent Casini se dresse sur le mur et lance une grenade avant de replonger, touché au bras. Le capitaine Montanelli tombe lui aussi, tué net.

Du côté des Russes, deux hommes sont blessés et ne peuvent plus tirer, mais les autres s'échinent à mitrailler le mur d'un feu nourri. Plus aucun de ceux de la Julia ne peut riposter sans s'exposer.

C'est le moment que choisit Laura pour bondir vers le soubassement et enfoncer ses pains de plastic entre deux pierres. De l'autre côté, Lorenzo s'est emparé du fusil de Casini qui ne peut plus le manier. Il règle la lunette infrarouge et ajuste la silhouette avec les pains de plastic. Sa cible redresse la tête. Il voit son visage dans la croix de son viseur, avec ces mèches qui dépassent du bonnet. Laura !

— Tire, Mori ! Tire, putain ! gueule Casini.

*

— Chère signora Cavalcanti, chère Carmela, vous permettez que je vous appelle Carmela ?

Elle n'attend pas la réponse, la Petacci. Elle est rose de bonheur, puisque Carmela a accepté son invitation. Elle y voit une reconnaissance, une consécration. L'une des plus belles femmes de Rome, des plus célèbres en tout cas, dans sa maison ! Enfin, la Petacci existe.

— Voilà, dit-elle avec un geste de la main, c'est ici que j'habite.

Carmela contemple avec effarement cette demeure d'*arricchita*[1]. Dix pièces, le salon grand comme un stade, et Rome en dessous ! De l'or partout, sur les lustres, les poignées de porte et même sur les robinets qui commandent la fontaine, scintillants à force d'être frottés. Des senteurs de plâtre frais. Tout est récent, un peu obscène. Carmela hoche la tête en signe d'agrément poli. Depuis qu'elle est arrivée, elle n'a pas dit un mot et elle a déjà envie de repartir. Mais on ne refuse pas une invitation de celle qui se présente comme le dernier grand amour de Mussolini, surtout quand on est soi-même la compagne d'un héros fasciste, membre du Grand Conseil.

— Parlons ! dit la Petacci en l'invitant à s'asseoir sur un canapé Art déco.

Et aussitôt, c'est elle qui parle d'elle. Un flot de paroles qui sourd de sa belle bouche carmin, comme l'eau de la fontaine au milieu du salon. Elle parle de la maison, de sa famille, le père médecin du Vatican,

1. Enrichie récente, nouvelle riche.

la sœur actrice et le frère Marcello, médecin lui aussi. Carmela n'intervient pas. D'ailleurs, elle n'en a pas le loisir. L'histoire du père est connue tant il la répète partout, la sœur cherche des rôles avec le soutien du Duce, le diplôme du frère est un faux, ce qu'il fait surtout, ce sont des affaires en mettant en avant sa condition de frère de l'amante du Duce. La mère compte l'argent et vante les relations de sa fille. Puis le flot se tarit doucement, comme une source qui s'assèche. Enfin..., pense Carmela.

Silence entre l'une qui n'a plus rien à dire et l'autre qui en a trop entendu. Puis la Petacci reprend, doucement cette fois :

— Vous connaissez ma situation.

— Elle est de plus en plus connue, maintenant.

— On me demande des interventions, de l'argent, des places, des grâces pour les condamnés. Mais je ne peux rien faire, même si, parfois, c'est très émouvant. Ben refuse d'entendre. Il dit que ce n'est pas son rôle ni le mien. La dernière fois que j'ai essayé, c'est pour mon frère. Il est devenu violent, et je me suis évanouie. On a dû appeler mon père médecin au palais Venezia. Quand il est arrivé, c'était fini.

Ses yeux se sont embués. Elle dit encore que Ben a cédé, même si c'était la dernière fois, mais c'est ce qu'il dit toujours, c'est la dernière fois.

Carmela écoute en silence. Les rumeurs disent que le frère est dans le trafic d'or. Elle se demande si tout l'or de cette maison provient de ses trafics. On lui a dit aussi que le frère reversait à Clara Petacci une partie de ses gains pour rémunérer ses interventions. Elle n'y a pas cru. Maintenant, elle doute.

Mais pourquoi donc me raconte-t-elle tout ça ? se demande-t-elle. Cette fille est d'une naïveté à pleurer.

Elle parle encore, la Petacci, toujours de cette petite voix de victime :

— Vous savez, je suis très seule. Je n'ai que ma sœur, mais elle n'est pas souvent là. Elle a ses propres histoires dans ce monde des acteurs et des producteurs de Cinecittà, sans parler de son mari qu'elle vient d'épouser et avec lequel elle ne s'entend déjà plus.

La rumeur dit que Maria, dite Miriam di San Servolo, couche facilement pour obtenir ses rôles, se souvient encore Carmela.

Clara en vient à son amour. Elle l'a toujours aimé cet homme, même avant de le rencontrer. Y compris quand elle était mariée avec le capitaine Federici. C'est Mussolini qui a obtenu pour fort cher l'annulation ecclésiastique de ce mariage.

— La première fois, c'est ma mère qui m'a conduite au palazzo Venezia, je lui avais écrit, il voulait me rencontrer. Après, il m'a téléphoné. C'est ma mère qui a répondu et elle me l'a passé. Après encore, j'y suis retournée, et depuis, ça n'a pas arrêté.

Elle raconte ces après-midi où il l'envoie chercher avec un side-car fermé. Navarra, le majordome, la fait monter par l'ascenseur à l'*appartemento Cibo*[1], comme le surnomme Mussolini. Elle l'attend dans la salle du zodiaque. Un salon bureau où tout se passe, la lecture des revues, le dessin des vêtements qu'elle fait reproduire via dei Condotti, le thé servi

1. L'appartement Nourriture.

par Navarra et le reste. Carmela est intéressée, mais un peu gênée par ces confidences d'alcôve.

— Il vous aime, dit-elle à tout hasard.

— Oui, je crois, c'est sa manière de m'aimer. Il est jaloux, il me fait espionner. Quand je sors, je suis toujours escortée par des agents de l'État. Ils me suivent dans la rue. On finit par se connaître, se saluer même. Mon téléphone est écouté. Il m'aime comme un fou, il dit que j'ai trente ans de moins que lui[1], qu'il est trop vieux pour moi, qu'un jour je rencontrerai un homme de mon âge et que je le quitterai pour lui. C'est cela qu'il craint.

— Vous le rassurez, sourit Carmela.

— Il n'en a vraiment pas besoin. D'autres femmes viennent au palazzo Venezia. Je le sais. Il nie, puis avoue. Je cuisine Navarra, mais il a des instructions. Ben lui a appris à mentir. Il ment très bien, lui aussi.

— C'est une drôle de vie, ne peut s'empêcher d'observer Carmela. La Camilluccia, le palazzo Venezia et la via dei Condotti, votre triangle.

Clara Petacci a un sourire amer.

— Quand il va à l'Opéra, il m'envoie deux invitations pour une loge, une pour moi, l'autre pour ma sœur. Mais je suis incapable de vous dire quelles œuvres on y donne. Je ne regarde que lui.

Elle se tourne vers Carmela, un peu anxieuse.

— Je vous ennuie avec mes histoires, ce n'est pas votre genre. Vous êtes une femme libre, je le sens.

---

1. Vingt-neuf exactement. Elle est née le 28 février 1912, lui le 29 juillet 1883.

Carmela ne répond pas, effarée par tout ce qu'elle vient d'entendre. Mais la Petacci reprend :

— Vous devez vous demander pourquoi je vous ai fait venir. En réalité, j'ai quelque chose à vous proposer, mais nous n'en parlerons pas aujourd'hui. C'est trop tôt. Je ne suis pas encore décidée. Il me faut mieux vous connaître, et vous aussi, vous devez savoir qui je suis.

— De quoi s'agit-il ?

— La prochaine fois, dit-elle.

Puis, dans un souffle :

— J'ai tout écrit de ce qui se passe entre lui et moi. Je tiens un journal. Chaque soir, je raconte ma journée.

88

Et Lorenzo tire. À côté. Laura sent le souffle de la balle, en même temps qu'elle entend le départ du coup. Aussitôt, elle se jette en arrière à l'abri du mur. Les pains de plastic sont disposés en face d'elle, à moins d'un mètre. Les Russes visent l'endroit d'où est parti le coup de feu mais n'atteignent personne. Lorenzo a trouvé une autre anfractuosité où se poster. Il surveille les pains de plastic dans son viseur, soulagé de ne pas avoir atteint Laura.

Un silence soudain. Une respiration dans les échanges de tirs.

— Il t'a manquée, murmure Ivan à Laura. De peu,

mais il t'a manquée, et c'est curieux avec ce nouveau fusil allemand qui vient de leur arriver. On dirait qu'il l'a fait exprès.

— En tout cas, le plastic est toujours là et la tour aussi, répond Laura.

Elle ne se pose pas de questions sur ce tir qui l'a presque effleurée.

— Peut-être qu'ils sont partis.

— Ça m'étonnerait. Ce n'est pas leur genre.

Le silence se prolonge, puis les Russes ouvrent le feu pour vérifier si les autres sont toujours là. Côté italien, pas de réplique.

— Je vais y aller, dit Ivan, couvrez-moi s'ils se mettent à tirer.

— Tu es fou. Ils attendent que l'on sorte. Je ne veux pas te perdre. Reste à l'abri. C'est un ordre.

— Je n'obéis pas aux ordres d'une femme !

Et aussitôt, il se lance à demi courbé et va s'aplatir sur le plastic quand la balle de Lorenzo le cueille en pleine tête. Un coup de feu unique dont l'écho retentit longuement dans l'usine vide. Ivan est tué sur le coup.

Il tire bien ce type, se dit Laura en bonne technicienne, surtout sur une cible mouvante.

Pas le temps de pleurer Ivan, ni de ramener son corps allongé sur l'explosif.

— On repart ! Il n'y a plus rien à faire cette nuit.

De l'autre côté, les Italiens attendent un moment. Casini sort le premier, c'est toujours lui l'appât. Il s'approche du corps d'Ivan. Rien. Les Russes sont partis.

Lorenzo vient récupérer les pains de plastic et la chapka d'Ivan avec son étoile rouge.

— On a perdu Ivan, annonce Laura au général Tchouïkov, quand elle regagne la rive gauche. La tour est toujours là.

Tchouïkov hoche la tête. Il n'a pas le temps de parler ce soir. Il prépare la résistance à la nouvelle offensive de Paulus. En même temps, il s'occupe d'accueillir les renforts qui ne cessent d'arriver, avec des chars, des canons et de nouveaux avions qui remplaceront ceux qui sont tombés.

— Ce sera une opération en tenaille, commente-t-il. Staline y croit beaucoup. Elle s'appellera Uranus.

La nuit, Laura ne parvient pas à s'endormir. Qui est donc ce tireur qui l'a ratée volontairement ? Celui qui a eu Ivan, alors que le tir était beaucoup plus difficile ? Elle ne croit pas au hasard. Une idée la traverse, qu'elle repousse aussitôt. Son père lui a dit qu'il avait dû réapprendre à tirer avec la main gauche pendant la guerre d'Éthiopie.

« Tous les réflexes sont inversés, a-t-il expliqué, maintenant ça va, c'est revenu comme avant.

— Avec le fusil aussi ?

— Oui, même avec un fusil. »

Ce n'est pas un homme à se vanter. Il a toujours eu la réputation d'être un bon tireur. On dit que c'est une équipe de snipers italiens venue de la Julia, la meilleure unité d'*alpini*. On dit que parmi eux se trouve un général. C'est un camarade qui comprend l'italien qui les a entendus parler, quand il était en planque. Elle le cherche dans la chambre des snipers, parmi tous ces hommes qui dorment, enveloppés dans des couvertures. Elle le réveille.

— Excuse-moi, camarade, c'est toi qui as dit qu'en face ils ont des snipers italiens ?

Il acquiesce.

— J'ai vécu à Gênes il y a longtemps, et je comprends bien la langue. Une fois je les ai écoutés, ils s'adressaient à un général. Ils l'appelaient comme ça.

— Tu as entendu son nom ?

L'homme secoue la tête. Un seul détail lui revient. Ce général avait une fausse main depuis Vittorio Veneto. Eux plaisantaient avec lui sur cette fausse main qui ne l'empêchait pas de tirer.

Babbo, pense Laura en italien, c'est toi qui es en face ? C'est toi qui m'as tiré dessus et qui m'as ratée parce que tu m'as reconnue dans ton viseur ?

Sur le front de Stalingrad, la température a chuté d'un coup. Il fait moins 15 degrés le jour, moins 25 la nuit. Il faut allumer des foyers sous les tanks pour empêcher le carburant de geler.

Paulus attend pour son offensive de nouveaux renforts qui n'arrivent pas. Les containers de munitions largués par la Luftwaffe, qui ne peut atterrir sur les pistes verglacées, sont tombés côté russe. Paulus enrage, il est au téléphone avec l'OKH. L'offensive doit être retardée. La réponse d'Hitler tarde à venir. Goering promet de renvoyer des avions dès que le temps le permettra.

Dans l'air glacial qui entoure les baraquements de l'état-major, Paulus remet quand même les décorations. À son retour, Lorenzo a déposé sur son bureau les pains de plastic portant le sigle de l'Union soviétique et la chapka d'Ivan imbibée de sang. Paulus a hoché la tête.

« La tour est toujours là », a dit Lorenzo.

Paulus n'a pas répondu. Si l'offensive n'a pas lieu, cela ne servira à rien, mais la mission est réussie. Qui a dit que les Italiens ne valaient rien pour la guerre ?

Devant les troupes alignées, parmi les tourbillons de neige, Paulus décore les hommes de la Julia, y compris Montanelli à titre posthume. À Lorenzo, pour actes de bravoure exceptionnels au feu, la croix de fer de première classe avec palmes.

— Au nom de notre Führer Adolf Hitler, commence-t-il.

*

La Petacci n'attend pas longtemps pour rappeler Carmela. Elle l'invite pour le thé et, une nouvelle fois, Carmela n'a d'autre choix que d'accepter. Ce jour-là, on entend des bruits dans la maison, des voix. La famille Petacci est présente, et bruyante.

Clara ne semble pas y prêter attention.

— Je vous attendais, Carmela, j'ai beaucoup réfléchi depuis notre rencontre. J'ai beaucoup parlé. J'en avais besoin. Il y a un moment où il faut faire le point sur sa vie. Je viens d'avoir trente ans, je ne suis plus une petite fille ni encore une dame de Rome, comme on dit. En un mot, je ne veux pas être Margherita Sarfatti.

— Je peux vous rassurer, vous ne l'êtes pas, répond Carmela, qui ne peut s'empêcher de lâcher cette méchanceté enveloppée à la romaine.

— Oh, je n'y prétends pas ! D'ailleurs, elle était beaucoup plus vieille que moi. Je veux dire l'une de ces femmes que l'on renvoie parce qu'elle a duré trop longtemps. Un jour, après une dispute, Ben m'a fait savoir que les portes du palazzo me seraient fermées définitivement. Soudain, j'ai compris combien ma position est fragile. Je peux être renvoyée à n'importe quel moment. Les Ciano me haïssent, les hiérarques aussi. Après, il m'a demandé pardon, mais je n'ai pas oublié.

La porte s'ouvre. Une femme, une *grassa signora*, comme on dit à Rome, parle au téléphone, traînant le fil derrière elle. Apercevant Carmela, elle lui fait un signe mais ne s'arrête pas pour autant. C'est la Petacci *madre*, qui énumère une série de cadeaux que le Duce a envoyés à toute la famille, la liste est interminable. Elle traverse le salon, ce qui prend un certain temps, traînant toujours derrière elle le fil du téléphone, puis disparaît par une autre porte. On entend encore sa voix et l'énumération qui se poursuit.

— Il est généreux quand ça le prend, commente Clara.

Elle défait un paquet, d'où elle sort plusieurs carnets.

— J'écris tous les soirs. Parfois à l'appartement Cibo dans la salle du zodiaque, parfois ici. J'écris tout ce qu'il me dit, même quand il me téléphone. J'ai une bonne mémoire. Un jour, ces carnets intéresseront des gens. Vous êtes éditrice. C'est pour cela que j'ai voulu vous rencontrer. Je veux savoir ce que vous en pensez.

Carmela prend les carnets. Chacun porte le numéro

d'une année. Cela commence en 1932. Elle ouvre au hasard. C'est un vrai journal avec des transcriptions de conversations, des récits d'événements, de rencontres, de discours qu'il tient à Clara, la politique, la guerre, le parti, les autres femmes, la vie, la vieillesse, son amour pour elle. Tout est noté au jour le jour.

— C'est assez fascinant, dit Carmela en les feuilletant.

Soudain, elle lève la tête.

— Dites-moi, Clara, si vous me permettez de vous appeler ainsi maintenant que nous sommes amies, que signifie ce « oui » entre parenthèses dans tout ce que vous racontez ?

— Ah, c'est quand il s'interrompt pour faire l'amour.

— Je prends, dit Carmela de sa voix d'éditrice.

*

L'offensive de Paulus, la dernière, n'aboutit qu'à prendre deux immeubles dans le quartier d'Octobre rouge. Mais la contre-offensive soviétique est lancée. Elle s'appelle Uranus. Elle durera cinq jours. Le 23 novembre, la 6e armée est complètement encerclée par les chars T34, tandis que les Katioucha, qu'on appelle « les orgues de Staline », déchaînent leur feu sur les unités allemandes. Le Feldmarschall von Manstein, le meilleur stratège allemand, lance alors Wintergewitter[1] pour dégager la 6e armée. Elle parviendra jusqu'à cinquante-six kilomètres des

1. Orage d'hiver.

avant-gardes de Paulus, et ne pourra aller plus loin faute de chars en bon état et de carburant.

C'est alors que Manstein envoie à Paulus son chef du 2e bureau, Eismann, avec ce message verbal : « Il faut abandonner Stalingrad et percer en direction de Buzinovka pour rejoindre les troupes d'Hoth. »

Dans l'état-major, on hésite. Depuis le début d'Uranus, les ordres et les contre-ordres se succèdent. Les soldats allemands attendent toujours le succès de Wintergewitter. Ils disent avec confiance : « *Der Manstein kommt*[1]. » Mais Manstein ne viendra pas. C'est ce qu'il fait dire à Paulus en se gardant bien de le lui écrire.

Lorenzo est convoqué à l'état-major. Paulus est blême. Il se refuse à annoncer aux troupes l'échec de Wintergewitter s'il n'engage pas la percée. Il lui faut un ordre d'Hitler lui-même pour abandonner Stalingrad. Or Hitler donne dans la nuit l'instruction contraire : « Stalingrad doit être tenue, des renforts arrivent. »

Pendant tous ces débats, Lorenzo se retient d'intervenir. Il croit que la percée est la seule solution, mais il comprend que Paulus n'ose pas désobéir. En attendant, il s'entretient avec Eismann, qui lui donne des nouvelles des unités italiennes. Elles sont mauvaises. Le groupe d'armée B a envoyé ce message à Garibaldi qui les commande : « Pas de recul, faites fusiller les paniquards ou bien le Führer saura que la 8e armée italienne ne se bat pas. » Résultat, deux divisions privées de munitions, la Celere et la Sforzesca,

1. Le Manstein arrive.

se sont enfuies. Les Allemands abattent leurs « frères d'armes » pour s'emparer de leurs camions et fuir à leur tour. Les survivants entament une marche vers l'ouest par moins 20 degrés. Ce sera un massacre.

Paulus, qui a entendu la conversation, se dirige vers Lorenzo. Il parle en allemand, mais lentement, pour qu'il comprenne :

— Écoutez, je vais rester ici tant que je le pourrai. Mais vous, général Mori, vous n'avez plus rien à y faire. Je ne vois pas l'intérêt de transmettre à votre Duce l'information que la 6e armée est en perdition. Rentrez avec Eismann, général Mori, vos hommes de la Julia vous ont déjà quitté. Il n'y a plus besoin de snipers. Le terrain d'aviation par lequel le général Eismann est arrivé fonctionne, mais cela ne durera pas. Dépêchez-vous. Tant que vous êtes ici, vous êtes sous mes ordres. Je vous donne l'ordre de partir, mon ami.

Mori le salue et suit Eismann. Une jeep américaine volée aux Soviétiques chauffe déjà, dégageant une fumée épaisse. Sur le capot, l'étoile rouge n'a pas été recouverte.

Lorenzo se met au volant. La route est cahoteuse et seulement éclairée par les orgues de Staline qui continuent de tirer en produisant une sorte de lamento qui ressemble aux sirènes des Stuka allemands et répandent la même terreur. Il ne faut surtout pas allumer les phares. La traversée des faubourgs de Stalingrad dure plusieurs kilomètres, entre les cris des orgues et les explosions qui se succèdent à droite, à gauche, devant, derrière. La jeep dérape plusieurs fois, Mori et Eismann doivent descendre pour la sortir des ornières et franchir les congères. Puis ils remontent. Les moteurs de l'avion tournent déjà. C'est le dernier vol au départ de Stalingrad.

Le soir même, il dîne à l'état-major de Manstein. Le lendemain, un avion militaire le dépose à l'aéroport de Tempelhof à Berlin. Deux jours plus tard, il est à Rome.

*

Au début, les parents Vassilikos manifestent une certaine défiance à l'égard de Sandro. La conversation se déroule dans un mélange d'italien qu'eux parlent assez bien, et de grec moderne que lui commence à apprendre. Peu à peu, au fil des déjeuners du dimanche, l'ambiance devient plus chaleureuse. Sandro, qui se garde de venir en uniforme, n'oublie jamais d'apporter un présent et on lui attribue en retour un rond de serviette. Bref, il commence à faire partie du décor. La conversation roule sur les banalités ordinaires avant d'aborder le sujet de la guerre, puis du fascisme, alors que Metaxas, le dictateur grec juste avant le conflit, mort depuis, ne cachait pas sa sympathie pour le régime de Mussolini.

Sandro explique qu'il est né avec le fascisme et qu'il a toujours vécu dans cet environnement, au point de ne pouvoir en imaginer un autre.

— Et votre père, Sandro, qu'en pense-t-il ? lui demande Vassilikos.

— Mon père est général de la milice. Il se bat en Russie après avoir fait toutes les guerres. Il fait partie du Grand Conseil fasciste où Mussolini l'a fait entrer.

Silence. Alexia regarde Sandro, les yeux écarquillés. Elle n'avait pas imaginé que l'homme de sa vie avait cette ascendance. À dire vrai, elle ne s'était posé aucune question sur les opinions de la famille de Sandro, encore moins sur la situation de son père, décrit comme un homme extrêmement sympathique et chaleureux.

— Moi, je suis communiste, grogne Vassilikos, et je ne m'en cache pas.

— Ma sœur Laura est communiste elle aussi, réplique Sandro.

Silence à nouveau, stupéfait cette fois.

— Votre sœur est communiste ? demande Vassilikos pour lui faire répéter cette affirmation incongrue. En Italie ?

— Elle vit en France. La dernière fois qu'elle est venue à Rome, il a fallu que mon père intervienne pour la faire sortir de prison et lui faire repasser la frontière.

Le père se détend. Si la sœur est communiste, tout n'est peut-être pas perdu pour ce garçon.

— Et votre mère ? demande Mme Vassilikos.

Comment dire qu'après être sortie du couvent Virginia est devenue la compagne d'un dirigeant du fascisme local ?

— Mon père et elle sont séparés. Elle vit à Vérone dans la maison familiale, se contente-t-il de répondre.

— Et vous, Sandro, que pensez-vous de tout ça ?

Alexia lui jette un coup d'œil désolé. Elle regrette de l'avoir fait venir. Avec son père, toute conversation dérive nécessairement sur la politique. La position de Sandro, sa nationalité, ses origines ou ses opinions, elle s'en moque. Elle l'aime et cela lui suffit. Aucun autre garçon n'a jamais provoqué chez elle pareilles émotions ni occupé à ce point ses pensées.

Sandro rassemble ses idées d'autant plus éparses qu'il ne sait plus trop où il en est.

— La guerre contre la Grèce a été une lourde erreur, commence-t-il. D'ailleurs, les Italiens l'ont perdue. J'en sais quelque chose. S'il n'y avait pas eu les Allemands, nous n'occuperions pas Céphalonie.

— Ah, les Allemands ! s'écrient avec hostilité le père et la mère Vassilikos.

— Au contraire, il faut les remercier, dit Alexia. Sans eux, je n'aurais pas rencontré Sandro.

Vassilikos toise sa fille, exaspéré, puis se tourne vers Sandro.

— Parlons de vos opinions. Elles m'intéressent.

— Surtout si vous devez épouser notre fille, renchérit la mère.

Sandro réfléchit encore avant de répondre. Il ne veut pas se renier.

— Comme je vous l'ai expliqué, j'ai été élevé dans un monde fasciste et pour moi la parole du Duce était sacrée. Aujourd'hui, je suis obligé de constater que cette vérité révélée n'était peut-être pas la bonne. Je ne suis pas retourné en Italie depuis deux ans. Mes permissions, je les passe à Athènes, ou auprès d'Alexia. En un mot, je suis un officier italien qui tente de faire son devoir. C'est trop tôt pour la politique.

— Et notre fille Alexia, que deviendra-t-elle avec vous ?

— Je l'épouserai dès que la guerre sera finie.

Nous vivrons en Italie et nous viendrons passer nos vacances ici, si elle veut.

— J'en étais sûre ! dit la mère. Il veut l'emmener dans son pays !

Le lendemain, Sandro est appelé à l'état-major du général Gandin.

— J'ai appris, lieutenant, que vous fréquentiez une jeune Grecque et que le dimanche vous déjeuniez chez ses parents.

— En effet, mon général, mes intentions sont sérieuses.

— La famille est communiste, le saviez-vous ?

— Je l'ai appris récemment.

Gandin a un sourire fin.

— Le père est le chef de la résistance en Céphalonie !

Sandro pâlit d'un coup.

— Vous allez m'interdire d'y retourner ?

— Au contraire. Retournez-y et rapportez-moi tout ce que vous apprendrez.

89

En trois jours, Lorenzo est passé des orgues de Staline aux ors du palais Chiaramonti. Ce retour s'accompagne d'un épuisement physique et nerveux, au point que Carmela reporte les retrouvailles et lui ordonne d'aller dormir. Il obtempère et s'étend sur le lit à colonnes qui fut celui du prince.

Quand elle se couche à son tour, il n'est pas réveillé, le lendemain matin non plus. Il émerge bien des heures plus tard d'un sommeil traversé de cauchemars, de visions, d'éclairs et de cris qu'il pousse soudain en se dressant dans le lit, les bras tendus, avant de retomber sur l'oreiller sans avoir repris conscience.

Carmela reste longtemps à l'observer. Ses traits sont crispés, une lacération parcourt sa poitrine, une longue rougeur plus loin ressemble à une trace de flamme. Elle a déposé soigneusement la croix de fer sur la table de chevet, se réservant de lui demander les circonstances dans lesquelles il l'a gagnée. Enfin, il ouvre les yeux, la voit et lui sourit.

— C'était plus dur que Guadalajara ? demande-t-elle.

— C'était pire. Stalingrad surtout.

Elle montre les traces sur son torse. Il hausse les épaules.

— Une balle, et l'autre je ne sais plus. Une explosion tout près sans doute. Sur l'instant, je n'ai rien senti.

Elle désigne la croix avec un signe d'interrogation. Il a un ricanement.

— J'ai fait le sniper. Les Russes sont très bons.

Il s'arrête, son regard se voile.

— J'ai vu Laura…

Il s'arrête à nouveau.

— Elle est sniper à Stalingrad.

Il raconte tout, Moscou d'abord, les bulbes du Kremlin, la neige et le carburant gelé, les chars de Joukov et le déferlement des cosaques à cheval. Stalingrad, les combats sur la Volga, Octobre rouge et l'usine Dzerjinski, Laura dans le viseur cette fois, les snipers des deux côtés. Il répète :

— Ma fille, tireur d'élite des Russes !

Il parle de Paulus, de Manstein, de vrais généraux comme Tchouïkov, d'après ce qu'il en sait, de terribles généraux.

— Que va faire Paulus ? demande Carmela.

— Je n'en sais rien. Lui non plus, je crois. Hitler et Staline ont donné les mêmes instructions : on ne recule pas. Un général allemand ou russe qui désobéit risque le peloton d'exécution. Paulus le sait, mais il n'a plus de munitions ni de ravitaillement. Son armée est encerclée et les secours n'arrivent pas. Après, c'est la reddition ou le suicide.

— Les dernières nouvelles de Stalingrad étaient l'annonce d'une victoire, la ville aux mains des Allemands, murmure Carmela, c'est ce qu'on nous a dit.

— Pourtant, Mussolini sait. J'ai transmis les informations jusqu'à ce que ma radio cesse d'émettre à cause du froid. C'était clair.

— Le Duce veut te voir. Navarra a appelé. J'ai répondu que tu dormais. Il rappelle ce soir.

Cela fait seize mois qu'ils ne se sont pas vus. Lui ne veut plus rien dire de la Russie. C'est trop douloureux. Reverra-t-il Laura un jour ? C'est peu probable. Il tente de reconstituer ses traits sous son bonnet. Le visage s'est durci, stylisé presque. Une autre forme de beauté, songe-t-il.

Carmela lui rapporte les histoires de Rome glanées chez la princesse Colonna. Puis elle parle de la Petacci.

— Tu sais qui c'est ? demande-t-elle.

Il fait un signe de dénégation.

— La maîtresse de Mussolini.

— Laquelle ? Il en a tellement.

— Celle-là tient la corde, cela fait six ou sept ans que ça dure.

Elle raconte son histoire, l'appartement Cibo et la salle du zodiaque, la mère qui énumère les cadeaux en traînant le fil du téléphone, la Camilluccia en or et le journal de la Petacci.

— Quel journal ?

— Celui qu'elle écrit chaque soir. Il contient les conversations et tout ce qu'il fait. Quand c'est l'amour, elle marque « oui » entre parenthèses.

— Tu l'as vu ce journal ?

— Bien sûr, elle me l'a confié. Je me suis empressée de le lui rendre après l'avoir lu.

— Tant mieux, dit Lorenzo avec soulagement.

— Mais j'ai photographié toutes les pages, précise Carmela, malicieuse.

— Pour quoi faire ?

— C'est un document extraordinaire ! Elle a voulu me le faire lire en tant qu'éditrice.

— C'est inimaginable. Tout le monde se retrouverait en prison, toi et moi compris, elle surtout, si ce journal était publié.

— C'est ce que je lui ai dit et elle en est convaincue. Il n'est pas question dans la situation actuelle de publier quoi que ce soit. Elle veut se protéger pour l'avenir de tout ce qui peut arriver au Duce et à elle aussi par ricochet. Elle veut prouver qu'elle n'a rien fait, qu'elle ne s'est jamais mêlée de politique ni des affaires de l'État, encore moins du fascisme.

— J'en déduis que la signora Petacci n'a aucune confiance dans l'avenir du Duce qu'elle affirme aimer.

— Elle l'aime. Mais elle n'a de pouvoir que celui auquel elle s'accroche. S'il tombe, elle tombera avec lui.

— Elle n'a donc pas confiance… Et toi non plus d'ailleurs.

Carmela lui caresse sa main vivante.

— Il y a plus d'un an que tu as quitté l'Italie. Ici, les gens s'inquiètent. La guerre devait durer trois mois… Les villes sont bombardées, les Italiens sont partout en recul, les Allemands aussi. Hitler est fou d'avoir attaqué l'URSS, et le pire, c'est que Mussolini le suit. Où tout cela va-t-il nous mener ? Je ne te parle même pas de ce que racontent ceux qui sont revenus d'URSS sur les massacres des juifs. Ne me dis pas que tu l'ignores ?

— Je le sais, mais on ne peut rien faire. La Wehrmacht n'est pas d'accord, ce sont les SS.

— Ils se battent du même côté, et ce détail m'indiffère. Non, Lorenzo, je n'ai plus confiance en Mussolini, et je ne suis pas la seule, crois-moi. Et toi, après tout ce que tu as vu, en France, en Grèce, en Russie, as-tu encore confiance ?

— Je suis fidèle, répond-il.

— Les Allemands t'ont donné la croix de fer, c'est bien, dit Mussolini qui remarque le ruban oblique sur l'uniforme.

Lorenzo regarde son vieux Duce. Il aime que les Allemands récompensent le courage des officiers italiens. Cela signifie qu'ils les prennent en considération, qu'ils ne sont pas des alliés de pacotille, contrairement aux bruits qui, paraît-il, courent dans les états-majors de la Wehrmacht.

— Pourquoi tes messages d'informations se sont-ils interrompus d'un coup ?

— Le générateur a brusquement cessé de fonctionner à cause du froid. Après, les Russes ont attaqué. Paulus est encerclé, il a insisté pour que je prenne le dernier avion.

— Il s'en tirera ?

— Je crains que non. Les renforts n'arrivent pas, les munitions et le ravitaillement s'épuisent.

— Si Stalingrad tombe, les pressions commenceront pour signer une paix séparée avec les Alliés. On parle d'initiatives personnelles, ce que je désapprouve. En cas de paix séparée, les Allemands envahiront aussitôt l'Italie, c'est évident.

Il se tait soudain. L'homme est nerveusement atteint. Il a maigri, sa voix est plus sourde et ses traits tirés. Sur la table, une paire de lunettes. Où est l'homme qui manipulait les foules depuis le balcon du palazzo Venezia ? Quel rôle joue vraiment la Petacci qui consigne tout dans son journal, entre deux étreintes sur le divan et deux fourrures de la via dei Condotti ?

— Qu'attendez-vous de moi ? demande-t-il.

— Sors, vois du monde. La guerre est derrière. Tu en as assez fait pour Hitler comme pour Franco en son temps. Tôt ou tard, on t'approchera pour t'impliquer dans un cercle de comploteurs. Tu m'en informeras. Souviens-toi que tu es ma voix, mon œil et mon bras. Sois aussi mon oreille, général Mori.

— Vous me demandez d'espionner mes amis.
— Il n'y a qu'une fidélité, répond Mussolini.

90

Le père Vassilikos, qui est pêcheur, emmène sa fille et Sandro en mer, un jour où le jeune homme est en permission. La vieille barque est équipée d'un mât et d'un moteur crachotant. L'eau est hérissée de vaguelettes tranquilles, le ciel plutôt clair. Installés à l'avant, éclaboussés par les embruns, Sandro et Alexia se tiennent la main. Le père, à la barre, s'occupe de son filet à la traîne. Sandro l'aide à tourner la manivelle pour le remonter toutes les heures. Il se dit que c'est un des plus beaux après-midi de sa vie tout en reconnaissant qu'il n'a pas vécu longtemps.

Puis le temps change brusquement. En quelques minutes, le vent se lève et les vagues se gonflent. Le père d'Alexia plaisante, mais il est inquiet. L'île de Céphalonie n'est qu'un point à l'horizon. Vassilikos pousse son moteur, en vain. Maintenant, le vent siffle dans les haubans et la barque craque à chaque secousse.

Tout à coup, le vieux moteur s'arrête. Vassilikos tente de le faire repartir en tournant la manivelle. La barque dérive, gîte au point de manquer chavirer. Si le bateau coule, faute de bouées, c'est la noyade assurée. Vassilikos fait signe à Sandro. Il lui montre un coffre à côté de la barre. À l'intérieur, une voile à l'ancienne.

Les bruits du vent et de la mer sont tels que les deux hommes ne peuvent communiquer que par gestes. Sandro traîne la voile sur le capot, l'accroche comme il peut au mât et à la bôme que Vassilikos est parvenu à installer. Alexia l'aide à nouer les garcettes et à accrocher la manille de pointe à la drisse. Vassilikos, par signes, leur enjoint de hisser la voile comme ils peuvent. Tous deux se pendent à la drisse, tandis que le père Vassilikos, toujours à la barre, essaie de prendre les vagues de biais.

Un renversement brusque du vent fait passer la bôme d'un côté à l'autre et heurte Vassilikos à la tête. Il s'écroule, inerte. Sandro s'empare de la barre, s'aidant des souvenirs de navigation sur le lac de Garde avec les *ballila* puis les *avanguardisti*. Les réflexes reviennent plus vite que prévu. Il fait signe à Alexia de choquer l'écoute puis de border lentement. Le bateau quitte le lit du vent et se retrouve au près serré. Il gîte de plus en plus, mais il progresse.

Le vieux voit Sandro arc-bouté sur la barre et sa fille qui suit ses instructions. Il essaie de se relever mais glisse sur le pont trempé. Sandro lui intime l'ordre de ne pas bouger. Il tire un premier bord assez long en espérant que la coque tiendra, car les lattes de bois grincent de plus en plus fort. La pointe de l'île se rapproche, et Sandro pousse la barre d'un coup pour virer dans les règles. Le mât craque, mais il reste debout. Le vent s'engouffre avec force, une première garcette claque, puis une seconde. Alexia se précipite pour les rattacher de son mieux. L'île défile maintenant. Un mille à peu près, compte Sandro qui a l'œil. C'est le plus difficile à parcourir. Il fait froid, les vêtements sont trempés et, à chaque vague, Sandro se demande si la coque va tenir. En attendant, il tient la barre à deux mains, évitant de prendre les vagues de front. La barre tire, lui écorche les doigts.

L'entrée du port apparaît. Impossible d'entrer droit, il faut serrer les rochers à tribord et virer aussitôt. La coque frôle les pierres qui bordent la digue. Sur le môle, des gens crient des encouragements. Parvenu à l'extrémité, Sandro vire à nouveau en baissant la tête à cause de la bôme qui change de côté. À l'intérieur, l'eau est calme, évidemment, le bateau glisse doucement jusqu'à l'embarcadère. Pêcheurs et militaires applaudissent. La proue heurte doucement le ponton. Des mains se tendent pour retenir la barque et on lance des aussières.

Sandro aide à porter Vassilikos sur le quai. Il est sonné mais reprend conscience peu à peu. Il voit son bateau sauvé, Alexia et Sandro penchés sur lui et surtout, il a l'image du garçon debout à l'arrière, les deux mains sur la barre. Sandro a sauvé son bateau et les a sauvés eux. Le Grec empoigne son bras.

— *Compagno*, lui dit-il.

91

S'il n'y avait pas Carmela, je regretterais la guerre en Russie, songe Lorenzo. Depuis deux mois, il remue de sombres pensées. La mission du Duce est un calvaire. Jamais le moral n'a été aussi bas. Une formule se répand : « Mussolini est l'homme le plus détesté d'Italie ! » Dans le Nord, les grèves se multiplient. Dans le Sud, il n'y a pas de grèves parce qu'il n'y a pas de travail. Sans parler des villes bombardées. Chaque jour, toutes les cités d'Italie ont droit à leur ration de bombes. Toutes, sauf Rome. Pie XII a au moins obtenu cette concession des Alliés. Quant à la situation militaire, on est entre Tripoli qui vient de tomber et Stalingrad qui ne va pas tarder. Il paraît qu'Hitler a nommé Paulus maréchal, ce qui est une invitation à se suicider. Voilà pour la guerre, se dit Lorenzo. Il pourrait rédiger un rapport, mais y renonce. Mieux vaut dire les choses, sans qu'il en reste de traces.

Restent les complots. C'est cela qui hante le Duce, plus encore que la guerre, parce que le complot est une tradition nationale. Il en sait quelque chose. S'il me demande quel complot, se dit Lorenzo, je lui répondrai qu'il n'y a que l'embarras du choix, même s'ils n'ont pas encore commencé. La maison royale se perd en conjurations, celle du prince héritier Umberto qui lance des négociations en Suisse, celle de sa femme, la princesse Marie-José, qui expédie ses émissaires au Portugal, les deux pour une paix séparée qui exclurait évidemment le fascisme. Et les hiérarques ? demandera-t-il encore. Il les connaît, il les a faits. Ils n'étaient rien ou pas grand-chose, le Duce les a élevés, transformés en ministres, membres du Grand Conseil, ambassadeurs et parfois même en « cousins du roi », pour ceux qui ont reçu le collier de l'Annonciade, distinction suprême, signe de la faveur du roi Victor-Emmanuel III. Un petit roi celui-là, un roi nain, dont Mussolini a fait un empereur.

— Il complote aussi, le roi ? demande Carmela, qui a été reçue à la villa Savoia par la reine Hélène.

— Je n'en ai pas la preuve, répond Lorenzo, mais il envoie son émissaire personnel le duc d'Acquarone dans les cercles fascistes pour lui rapporter des informations et y semer le doute.

— N'est-il pas dans son rôle de souverain ?

— Peut-être.

Lorenzo rencontre Ciano. C'est un ami, un fidèle du Duce, le père de ses petits-enfants. Ciano répète à l'envi qu'il faut garder soigneusement tout fil qui pourrait être renoué avec les Alliés, si ténu soit-il !

— Et le Duce là-dedans ? demande Lorenzo. Que deviendrait-il en cas de paix séparée ? Qu'en penses-tu, toi le successeur désigné ?

Ciano élude par une de ces pirouettes dont il a le secret.

Lorenzo voit Bottai, le fasciste cultivé, l'intellectuel du régime, le ministre de l'Instruction publique, où, de l'avis général, il a fait un beau travail de rénovation. Bottai dont la voix est écoutée partout. Lorenzo lui parle des incertitudes de la situation.

— Il n'y a pas d'incertitudes. Hitler ne fera pas de paix séparée avec Staline. La seule solution est de la faire nous, avec les Alliés.

— Et le Duce ? répète Lorenzo.

Bottai répète cette blague qui court à Rome à propos de la maladie qui l'aurait cloué au lit ces dernières semaines, avant qu'il ne revienne au palais Venezia : « Tout est infondé en Mussolini, même le cancer. »

Lorenzo rencontre Grandi, l'immense Grandi,

celui avec lequel il avait scellé la réconciliation avec Mussolini en 1921, ce qui avait permis au parti fasciste de voir le jour, enfin. Grandi, l'anglophile, l'ancien ambassadeur à Londres, aujourd'hui ministre de la Justice, président de la Chambre des fédérations, c'est-à-dire le Parlement fasciste, Grandi avec son bouc de pirate, son œil noir, le hiérarque le plus proche du roi, dont il est le cousin par la grâce du fameux collier.

— Je vois le roi chaque semaine pour lui faire signer les textes, dit Grandi. Il me parle beaucoup mais ne s'avance pas. Il est parfaitement informé des événements militaires et politiques. Quand j'essaie d'obtenir un peu plus, il me demande d'avoir confiance en lui et insiste sur son rôle de roi constitutionnel. Quand je lui rappelle qu'en 1915 il n'a pas hésité à interpréter le sentiment de la nation pour déclarer la guerre, il me répond: «Ne faites pas le journaliste.»

— Ce qui signifie qu'il ne fera rien? demande Lorenzo.

— Aujourd'hui, certainement. Dans les mois qui viennent, personne n'en sait rien. Acquarone vient me voir souvent. Il me parle et il attend surtout que je lui parle.

Grandi rappelle cette maxime des anciens Romains: «Le plus grand malheur pour un peuple est d'être gouverné dans les moments dramatiques par un vieux prince.»

— Je l'ai déjà entendue, celle-là, remarque Lorenzo, «un vieux prince» remplaçant «un enfant».

— C'est pareil, répond Grandi. Tu ferais mieux de mettre fin à ton tour des hiérarques. Chacun sait que le Duce t'envoie à la pêche aux informations sur d'éventuels complots. Je te parle ainsi parce que je suis ton ami, Bottai et Ciano de même. Mais les généraux te détestent, ne serait-ce qu'à cause de ta réputation de soldat, et maintenant de cette croix de fer sur ton uniforme, certainement méritée, mais haïssable à leurs yeux.

— Que vas-tu dire à Mussolini ? demande Carmela.

— La vérité. Stalingrad vient de tomber, Paulus s'est rendu aux Russes. L'opinion générale est qu'il faut rompre avec les Allemands et demander aux Alliés une paix séparée. Tous les hiérarques sont d'accord là-dessus, sauf Farinacci ou Pavolini, que je n'ai pas rencontrés parce que leur philonazisme est connu et qu'il n'y a rien à tirer d'eux. Les autres, ceux qui comptent, partagent cette opinion. Le roi attend pour agir qu'il se passe quelque chose qui lui permettra d'interpréter la Constitution à sa manière. Aujourd'hui, il n'y a pas vraiment de complot, seulement des gens qui parlent entre eux, après s'être assurés que la porte est bien fermée.

Elle l'interroge sur ce qui se passera dans les prochains mois. Lorenzo dit que la réponse est dans les événements militaires. La Tunisie est menacée. Si elle passe aux mains des Alliés, l'invasion de l'Italie ne sera qu'une question de semaines. Si se trame un complot contre le Duce, ce sera l'événement déclencheur : l'ennemi sur le sol italien.

Lorenzo ressort troublé de sa rencontre avec Mussolini. L'homme n'a rien répondu et a gardé son visage de marbre.

Quand, en terminant son compte rendu, il a dit au Duce qu'il ne pouvait plus poursuivre sa mission parce que dans la société fasciste on se méfiait de lui, il a seulement hoché la tête en disant : « Je m'en doute. »

Deux jours plus tard, Lorenzo reçoit un appel de Ciano. Il lui annonce le *rimpasto*[1]. Tous les hiérarques perdent leur poste ministériel, y compris Ciano, nommé ambassadeur au Vatican, et Buffarini Guidi, le secrétaire d'État à l'Intérieur, trop complaisant avec les subsides à la Petacci. Des sous-secrétaires d'État les remplacent, de simples exécutants dont on suppose qu'ils ne contesteront rien, dit Ciano.

— Un coup d'État de Mussolini ? demande Lorenzo.

— Si l'on veut, il m'a dit qu'il continuerait à veiller sur moi.

— C'est vrai ?

— Je le crains, répond Ciano.

*

— Ah, mon fils, s'écrie Adriana Mori, je pensais bien qu'après ces exploits en Russie, dont tout Vérone a parlé, tu viendrais embrasser ta mère.

Elle n'a pas changé, son engagement politique lui donne des couleurs. Elle regarde Lorenzo avec l'air d'admiration et de contentement qui ne la quitte plus depuis que son fils est devenu un personnage important.

---

1. Remaniement.

— Et comment va notre Duce ? demande-t-elle, comme s'il s'agissait d'un oncle de la famille.

— Il travaille, mamma, la situation est difficile, répond-il en se gardant d'entrer dans le détail.

Mais elle veut en savoir plus, il lui faut du concret, du croustillant, qu'elle s'empressera de répandre autour d'elle pour montrer qu'elle est dans la confidence de la haute politique. Au besoin, elle arrangera les nouvelles à sa façon en faisant croire que son fils est le *deus ex machina* de tous ces événements.

— Ce remaniement, par exemple. Personne n'en a compris les raisons. Mais j'ai dit : « Lorenzo va venir me voir, il sait tout, mon fils, et je vous expliquerai. »

— Le fascisme est une éternelle révolution, mamma, personne n'est propriétaire de son poste.

— Ah, voilà une belle réponse qui éclaire tout. Le Duce ne craint pas de chasser ses plus fermes soutiens pour revivifier la cause. Mais toi, mon fils, tu n'es pas touché au moins ?

— Je ne suis pas ministre, répond Lorenzo en souriant, et je ne tiens pas à le devenir. Parlons d'autre chose. Comment vas-tu ?

Elle parle de Vérone, des cercles qu'elle fréquente et où elle est toujours bien accueillie, « grâce à toi, mon fils, grâce à toi ». Puis elle en vient à Virginia, qu'il faut bien évoquer à un moment ou à un autre.

Lorenzo l'écoute distraitement. Son regard fait le tour de ce salon qui a été celui de son enfance et où rien n'a changé, sauf la photo de Mussolini dédicacée, qui trône au-dessus de la cheminée, magnifiquement encadrée. Sandro et Laura ont joué dans ce salon, sur ce tapis. Il les revoit encore.

— Virginia est une gentille fille, dit Adriana Mori. Elle est aussi la mère de Sandro et ne manque jamais de me saluer, et moi, je dois avouer que je l'embrasse avec plaisir. Tu connais sa vie maintenant ? demande-t-elle avec une pointe d'anxiété.

— Eugenio Coralli est un brave type. Il lui convient parfaitement.

Adriana Mori approuve d'un signe de tête. Longtemps, elle a espéré que Lorenzo reviendrait auprès de son épouse avant de constater que ce n'était plus possible. Elle s'arrange donc de la situation, jouant pour une fois son rôle d'aïeule, qui est de tenter de maintenir l'harmonie.

— Parce que, reprend-elle, je lui ai dit que tu viendrais. Elle veut venir te saluer, justement avec Eugenio Coralli… J'entends une voiture, c'est eux !

Lorenzo réprime un mouvement d'humeur. Il aurait dû s'en douter. Sa mère n'a pas perdu son goût pour les manigances.

— Bonsoir, Lorenzo, dit Virginia en lui tendant la joue.

Il l'embrasse, Coralli fait un bref salut fasciste et lui tend la main.

— Je vous salue avec plaisir, mon général. Ici, à Vérone, nous sommes tous fiers de vous.

Lorenzo et Virginia se regardent. Cela fait plus de trois ans qu'ils ne sont pas vus. Il a le souvenir de leur dernière rencontre, des propos religieux qu'elle tenait juste avant d'aller s'enfermer dans son couvent. Aujourd'hui, elle lui semble plus plaisante. Une taille de jeune fille, un visage légèrement ridé, mais apaisé.

Je l'ai aimée, songe-t-il, et cette pensée s'accompagne d'un sentiment ambigu d'étrangeté.

— J'ai eu des nouvelles de Sandro, commence-t-elle, il va se fiancer avec une jeune fille grecque à Céphalonie.

— La fameuse Alexia ! Il en parle beaucoup dans ses lettres. J'espère qu'il va la ramener en Italie quand la guerre sera finie. Je suis curieux de la rencontrer.

— Et Laura ? Le vieux Di Stefano est venu me voir, il veut lui léguer tous ses biens.

— Laura vit en Russie, elle est très engagée politiquement, côté soviétique, bien sûr. Nous ne la reverrons pas, répond-il.

— Justement, général, que pensez-vous de la guerre ? La situation ne va pas bien, on dirait, demande le Coralli.

— C'est simple, cher ami, si les Alliés prennent la Tunisie, le débarquement en Italie suivra aussitôt. Les Allemands ont trop à faire en Russie pour nous envoyer des renforts.

— Et alors ?

— Ce sera le début de la fin.

92

Dans les régions qui ne sont pas encore dévastées par la guerre, le printemps russe de l'année 1943 est délicieux. Ciel azur à peine parsemé de légers nuages, senteurs forestières, cris d'oiseaux, allure solennelle des bouleaux et mélèzes qui montent la garde. Les unités de partisans qui précèdent les régiments soviétiques ont pour mission de repérer l'ennemi, de déterminer la composition de ses troupes et ses mouvements. C'est une tâche délicate qui doit s'exercer dans le silence et la discrétion, nonobstant les inévitables croisements avec les éclaireurs de la Wehrmacht qui ont la même mission en sens inverse.

Depuis que Beria a décidé que les militaires du NKVD devaient s'intégrer aux unités de partisans, voire en prendre la tête, le lieutenant Sonia Ogarevna commande l'une de ces unités. Au début, les partisans se méfiaient. Ces hommes, ces femmes de la région qui manient le fusil, experts en couteau, veulent défendre leur terre sans s'embarrasser de discours politiques, et le NKVD est précédé d'une épouvantable réputation. Mais Laura sait s'adresser à eux. Point de dogme mais de l'efficacité, la guerre comme ils en ont l'habitude dans ces sentiers, ces taillis et ces grottes qu'ils connaissent par cœur. La hiérarchie ne leur pèsera pas.

— Avant de vous commander, leur dit-elle, je suis là pour vous écouter et vous aider.

Ils hochent la tête, peu convaincus. Mais à la première rencontre avec les éclaireurs allemands, ils constatent qu'elle sait placer ses hommes et ne rate pas une seule de ses cibles. Au final, les Allemands déguerpissent en laissant des morts sur le terrain.

— Fouillez-les ! ordonne Laura. Prenez les armes et les papiers.

On lui amène un blessé. Un jeune homme qui tremble. La règle est connue des deux côtés. Pas de prisonnier. Elle l'interroge mais il ne sait pas un mot de russe. L'un des partisans qui parle un peu allemand lui demande où sont les chars de la Wehrmacht, l'autre feint de ne pas comprendre. Laura pointe son arme. Aussitôt, il indique une direction au nord.

— Quelle distance ? demande le partisan.

— Douze, quinze kilomètres.

— Combien de chars ?

— Beaucoup.

On n'en obtiendra pas plus. Laura tire deux balles, l'une au cœur, l'autre à la tête. Il s'effondre, ses cheveux blonds se mêlent aux herbes hautes ; les plantes et les fleurs recouvrent son uniforme kaki.

— Si l'un de nous se fait prendre, dit-elle, il ne vivra pas plus longtemps que lui.

À partir de cet instant, elle gagne le respect des partisans.

Le soir, une fois transmis les messages à l'état-major, quand tous sont installés autour des braises, elle leur raconte des histoires, des contes, des fables qui lui viennent d'Adriana Mori ou de son père. Des légendes italiennes, de sorcières, de seigneurs, de chevaliers et de princesses, de belles histoires pour les enfants. Et les partisans, ces hommes, ces femmes en tenue de combat, avec l'étoile rouge sur le béret, sont comme des enfants. Ils écoutent en silence les histoires de Laura, et même les lui réclament. Quand elle a épuisé son stock, elle en invente de nouvelles en improvisant et ils ne voient pas la différence. Ils l'appellent « petite mère », même si la plupart sont plus vieux qu'elle.

Un jour, on leur adjoint trois recrues. Des Sibériens, des survivants d'un régiment détruit que l'état-major répartit comme il peut. Ils ont la peau brune, les cheveux ébouriffés et les yeux légèrement bridés. Eux aussi savent se glisser sans bruit dans la forêt et tuer à l'arme blanche. Ils s'appellent Andreï, Nicolas et Igor. Eux aussi parlent de la guerre. Chacun raconte son histoire de villages brûlés, de massacres, d'exécutions sauvages par les SS, et traîne un drame derrière lui. C'est pour cela qu'après la destruction de leur régiment ils ont voulu entrer chez les partisans, pas pour Marx, Lénine ou Staline, non, ils ignorent les deux premiers et le nom du troisième se confond avec celui d'un dieu terrible qui inspire l'effroi. La commissaire politique Sonia Ogarevna n'entend rien de ces propos impies.

Un jour, en cherchant du tabac dans sa poche, elle pose à côté d'elle la médaille de héros de Sacha.

— C'est quoi cette médaille ? lui demande-t-on. On peut la voir ?

La médaille passe de main en main. L'un d'eux lit : « Ogarevna. Moscou. Octobre 1941. »

— C'est toi qui as eu la médaille, petite mère ?

Elle explique que c'est celle de son mari gagnée à la bataille de Moscou.

— Où il est, ton mari ? Il ne la porte pas, sa médaille ? demande Igor, l'un des Sibériens.

— Il a été tué. C'est pour ça qu'il a eu la médaille de héros de l'Union soviétique. On me l'a remise pour que je l'accroche dans ma maison, mais je n'ai pas de maison. Mon foyer, c'est ici, avec vous, alors je la garde dans ma poche.

— Héros de l'Union soviétique, poursuit Igor, ce n'est pas rien.

Il contemple Laura. Ce tout jeune homme aux traits fins et aux yeux noirs ne parle pas beaucoup. Son histoire est confuse, parce qu'il sait mal la raconter. Les braises rougeoyantes éclairent son visage. Parfois, Laura sent son regard sur elle, mais quand elle se retourne, il baisse les paupières comme s'il avait honte. C'est elle qui l'observe souvent quand il ne la voit pas. Ils n'échangent que peu de mots. Tout est dans ces rayons qui se croisent pour s'éloigner aussitôt et recommencer. Mais ce soir, tandis qu'elle décrit la bataille de Moscou, leurs yeux se rencontrent à travers les lueurs du feu mourant et ne se quittent plus.

Elle parle, Laura, la neige dure comme de la pierre, partout, les bourrasques blanches qui balaient la plaine, les éclairs tirés par les chars et les Kampfgruppen qui surgissent en hurlant, les hommes et les femmes qui défendent Moscou, d'abord submergés, puis reprenant l'avantage, les silhouettes qui basculent sans un cri.

— C'est comme ça que mon mari a été atteint, par une rafale. Il était venu se mettre à côté de moi. Il s'est couché brusquement, et moi, je ne l'ai même pas reconnu à cause des foulards que nous portions pour nous protéger du froid. Il a mis un mois à mourir. Alors, ils lui ont donné la médaille et je la garde pour lui.

Plus tard, elle évoque Stalingrad, les combats de snipers dans les ruines, et là, c'est comme si elle s'adressait à Igor. Personne ne le remarque mais lui en est certain. Quand le feu s'éteint, que tous s'allongent pour dormir, elle accompagne la sentinelle à l'endroit où elle doit se placer. Au retour, elle trouve Igor qui l'attend. Elle lui dit : « Tu me fais chaud », et il hoche la tête. C'est ainsi que Laura se déshabille et l'entraîne dans la forêt. Elle lui fait l'amour, sans qu'aucun autre mot ne soit échangé entre eux. Et les nuits qui suivent, tant que la guerre est suspendue, qu'il y a des herbes et de l'obscurité, ils recommencent.

*

Le 6 avril 1943, Lorenzo accompagne le Duce et Bastianini, le successeur de Ciano, au château de Klessheim, près de Salzbourg, pour rencontrer Hitler et Ribbentrop. Hitler a son expert militaire, Rintelen. Mussolini veut le sien, c'est Lorenzo.

Pour le chef de l'Italie fasciste, le voyage est un calvaire. L'homme, torturé par les crampes d'estomac qui sont revenues, est souvent allongé sur le plancher du wagon, les joues collées au sol, et ne peut réfréner les cris de douleur quand il change de position.

Les membres du convoi italien emportent un projet d'organisation de l'Europe qui sera à peine examiné tant les événements militaires occupent les esprits. Mais le vrai dessein est d'obtenir la conclusion d'une paix séparée des Allemands avec les Soviétiques, ou le désengagement de l'Italie des liens de l'Axe. Le premier reçoit un refus net, le second ne sera même pas évoqué.

Dans ce château où, paraît-il, Mozart est venu jouer devant le prince prélat, les Allemands étalent leur luxe. Quand Mussolini n'est pas cloué dans sa chambre, c'est Bastianini et Lorenzo qui vont au feu, en vain. Malgré son visage jaunâtre, ses épaules voûtées et ses bras ballants, Hitler ne veut rien entendre sur la Russie. Lorsque Lorenzo demande cinq cents avions pour tenir la Tunisie qui va tomber si les armées en place ne reçoivent pas de renforts, c'est encore un *nein* catégorique :

— Tout pour la guerre en Russie, dit Ribbentrop.

— On tiendra la Tunisie, comme les Français ont tenu Verdun contre les meilleures unités allemandes, poursuit Hitler.

Bastianini évoque l'état d'esprit catastrophique des Italiens entre les bombardements alliés et le rationnement.

— Soyez brutal, c'est mon conseil au Duce, lance Ribbentrop.

Le matin du retour, Mussolini va mieux. Hitler tient un discours interminable sur les mérites comparés de Frédéric-Guillaume et de Frédéric le Grand. Bastianini et Lorenzo se regardent, effarés par son visage quand il évoque les projets d'assaut de la Wehrmacht contre une Armée rouge épuisée. « La voix gargouille au fond de la gorge, les yeux sont troubles, les pupilles dilatées. Il ressemble à un drogué », écrira Bastianini plus tard.

Le Duce est rasséréné. Il n'a rien obtenu mais la confiance est de retour. Au moins pour quelques heures, mais dans le train, les douleurs reviennent. Et avec elles, un sentiment d'échec. Il s'écrie alors qu'une défaite allemande face aux Russes est souhaitable, elle aboutira à une paix de compromis qui libérera les armées allemandes pour la Tunisie.

— Les soldats se battent avec le peu qu'ils ont

sans attendre des aides qui ne viendront pas. Et ce Ribbentrop qui me suggère d'être brutal ! Avec qui ? Les pères, les mères, les frères de ces soldats ?

À Rome, il rassemble ses forces pour prononcer, depuis son balcon, un discours roboratif. Derrière le rideau, la Petacci écoute.

— Dieu est juste, conclut-il, et l'Italie immortelle.

La foule applaudit, mais elle n'est composée que de militants.

Trois jours plus tard, Bizerte et Tunis tombent aux mains de Montgomery. Puis ce sont les armées italienne et allemande qui déposent les armes en Afrique du Nord, et le 11 juin, Pantelleria, l'île forteresse de la Méditerranée, se rend sans combattre. Onze mille hommes acceptent d'être faits prisonniers au prétexte qu'ils manquent d'eau. Le 12, c'est Lampedusa, et le 13, Linosa.

— La voie vers la Sicile est ouverte, murmure Lorenzo à Carmela.

Elle sursaute, effarée.

— La Sicile, répète-t-elle. Ils vont débarquer en Sicile !

Lorenzo fait un signe d'acquiescement.

— Je pars demain, dit Carmela.

*

Laura ne se demande pas si elle est folle d'avoir cette liaison avec Igor. Elle a sept ans de plus que lui, le connaît à peine et, depuis qu'il est arrivé dans le groupe, ils n'ont pas échangé vingt phrases. Mais c'est la guerre. Demain, elle peut être tuée. Quand elle s'endort le soir, elle n'est pas sûre de connaître une nuit prochaine. Lui de même. À partir de ce constat, plus rien n'est interdit. Est-elle amoureuse ? Même pas. Avec Sacha, tout y était, l'esprit, l'âme, la chair, un peu de mystère aussi. Le mélange parfait, le bon cocktail de l'amour. Il la dominait, elle l'acceptait. Il lui était attaché, Sacha, envolé dans le panthéon des héros soviétiques. Sacha, c'est un souvenir, qui se diluera, deviendra une icône. Et la vie, se dit Laura, ce ne sont pas les icônes. C'est la douleur, la joie, le plaisir, et tout ce qui va avec, surtout quand on ignore combien de temps cela durera.

Les partisans sont tués les uns après les autres. Depuis que Laura a pris la tête du groupe, seize camarades sont déjà tombés, trois ont été blessés. Les affrontements avec les éclaireurs allemands se multiplient depuis que les armées se rapprochent. La Luftwaffe survole les territoires, signale les partisans à découvert quand elle ne les mitraille pas. Mais l'état-major, obéissant aux ordres de la Stavka[1], considère comme essentielle l'action des partisans. « Nos yeux et nos oreilles, disent les chefs de l'armée. Ce sont eux qui nous permettent de situer l'ennemi et d'atteindre son moral par des actions meurtrières et secrètes. » C'est pourquoi les missions se multiplient, toujours plus audacieuses, plus dangereuses. Il faut repérer l'Allemand, le tuer quand il ne s'y attend pas. Les partisans harcèlent la Wehrmacht sur ses flancs et ses arrières. Quant aux unités de pointe, elles sont observées, signalées.

1. Le grand quartier général soviétique.

Chaque nuit, Laura fait son rapport à la radio et reçoit des instructions pour le lendemain. C'est son quotidien. Avancer, guetter, noter, liquider les éclaireurs et, souvent, attaquer par surprise une unité isolée, frapper et disparaître. À ce jeu, on ne vit pas longtemps. Laura le sait comme ses compagnons. Quand parfois, le soir, la conversation porte sur ce que chacun fera après la guerre, elle écoute les autres, les approuve, mais ne parle jamais de ses projets. Elle n'en a pas. Elle croit qu'elle sera tuée avant qu'advienne la paix.

C'est pourquoi elle continue avec Igor. La journée, elle le traite comme les autres. La nuit, quand c'est son tour de garde, elle va le chercher pour se faire aimer. Parfois, ils parlent un peu. Des regards aussi, quand ils se donnent rendez-vous sans un mot. C'est peut-être la meilleure des complicités, celle des regards. Les autres se sont-ils aperçus de quelque chose ? Ce n'est pas certain, tant les partisans ont pour souci de s'occuper d'abord d'eux-mêmes.

Puis la situation se gâte. À plusieurs reprises, les partisans ont l'impression de tomber dans des embuscades, surtout dans des villages censés être acquis à leur cause. En réalité, infestés d'éclaireurs allemands qui les guettent derrière les fenêtres. Alors, il faut se replier en vitesse, laissant sur le sol les corps des camarades tombés.

— Que t'arrive-t-il, lieutenant Ogarevna ? Tu as encore perdu cinq hommes et une femme l'autre nuit ! dit la radio.

— Le village n'était pas de notre côté, l'information était fausse.

— Qui te l'avait donnée, cette information ?

— Toi-même, camarade colonel.

— Au moment où je te l'ai donnée, elle était juste. C'est après qu'il s'est passé quelque chose. Votre venue était annoncée, d'après ce que j'ai compris. Es-tu sûre de tes partisans ?

— Comme de moi-même.

— Surveille-les, c'est un conseil.

Elle soupçonne une femme, qui est précisément de la région et qui se tient un peu à part, même si elle fait le coup de feu comme les autres et ne se plaint jamais. Elle la surveille, ne la lâche pas de la journée et de la nuit. Au point que celle-ci s'en aperçoit.

— Tu me soupçonnes de quelque chose, lieutenant ?

Elle ment :

— Non, bien sûr.

— Tant mieux, dit la femme, car avant que je vous rejoigne, mon mari et mes fils ont été pendus par les Allemands dans les arbres de la forêt où nous sommes.

Et la guerre continue. Ils changent d'emplacement chaque jour, le printemps superbe, théâtral, est un beau décor pour mourir. Un jour, elle est blessée légèrement, mais blessée quand même, au bras. Elle fait elle-même son pansement. Une autre fois, c'est Igor, à la cuisse.

— Tu pourras marcher ? lui demande-t-elle.

— Je crois, c'est de la chair, rien de cassé.

— Et l'amour, tu pourras aussi ?

Il a un sourire, un très beau sourire sous un beau regard. Longtemps, elle gardera le souvenir de ce sourire et de ce regard.

Le soir, il insiste pour prendre la garde comme les autres. Les Allemands ne sont pas loin. Demain, il faudra aller les repérer exactement et rendre compte aussitôt.

La nuit, elle a du mal à dormir, elle s'inquiète pour Igor. La blessure n'était pas jolie à voir. Parfois, l'infection est rapide, elle vous cloue un homme. En même temps, elle a envie de l'amour. Si elle va chercher Igor, ils reviendront ensemble. Tant pis s'ils croisent la sentinelle suivante qui va prendre son poste.

Elle se lève et emprunte le sentier créé par les bêtes qui mène à l'endroit où il monte la garde. Il faut bien marcher vingt minutes pour un kilomètre à peu près avec les fougères, les buissons. On entend les frôlements de la nuit, les bruits des oiseaux et ceux des bêtes en chasse. Les pins, les bouleaux lâchent leur odeur de sève.

Laura ralentit, elle hume, elle écoute. Soudain, un bruit de voix. Elle s'arrête, tend l'oreille. Ça recommence. Des voix humaines. Elles se rapprochent. Elle s'arrête. Maintenant elle les entend mieux. Ce n'est pas de l'allemand, c'est du russe. Des voix étouffées, pressées. L'herbe ne craque pas sous la botte. Laura se rapproche des voix, elle fait halte à nouveau, se courbe, avance à quatre pattes, puis rampe. Un rocher lui offre une protection. Elle se colle à la pierre. L'une des voix de l'autre côté du rocher parle un russe approximatif, l'autre, c'est Igor.

Elle écoute, Laura, elle écoute Igor qui trahit et qui donne à cet Allemand l'itinéraire des partisans le lendemain. L'Allemand répète, note sur un papier. Laura ne réfléchit pas. Elle surgit, son revolver au poing. L'Allemand veut prendre son arme, mais elle tire la première, il tombe. Reste Igor, son fusil est appuyé à un arbre. Il recule, la regarde. C'est la dernière fois qu'elle voit ses yeux ainsi, ses yeux d'amant, de fils, de traître.

— Sonia…

Elle tire deux fois, au cœur et à la tête.

93

Durant le voyage vers la Sicile, Carmela ne cesse de penser à Lorenzo. L'homme est touché par son séjour en Russie et sa rencontre avec sa fille, plus que par la guerre. « Quand je suis allé à Vérone saluer ma mère, lui a-t-il confié, je me suis retrouvé dans le salon, j'ai revu Laura et Sandro jouant sur le tapis, j'entendais leurs voix. Laura surtout, qui voulait toujours apprendre quelque chose à son frère, puis j'ai revu Laura sous son bonnet de sniper. C'était profondément troublant, je me suis senti dépossédé. Mais cela, je ne l'ai compris qu'après. Laura, c'est ce qu'il reste de mieux de mon ancienne vie. »

La nouvelle vie de Lorenzo, c'est moi maintenant, se dit Carmela, il y a aussi Sandro, mais il le partage avec Virginia. Laura, c'était Julia. Il n'évoque plus Julia. Julia s'est fondue dans les limbes du passé. Il ne lui reste que le fascisme et moi. Le fascisme ne durera pas. Moi je resterai.

Ignacio, le régisseur, vient la chercher au port, à l'arrivée de la navette. Il paraît heureux de la retrouver. Il raconte les histoires du village, et Carmela se laisse bercer par les douces intonations du dialecte. C'est la période où la Sicile embaume, explose de couleurs et de cris d'oiseaux. Il parle de la guerre, évidemment.

— Vous croyez, patronne, qu'elle finira bientôt, cette guerre ? demande-t-il, l'air détaché.

Les Siciliens ont cette particularité de se considérer à l'écart du reste du monde. Le fascisme, les Allemands, les Alliés, tout cela correspond à un ailleurs auquel ils feignent de s'intéresser, par courtoisie envers les étrangers. Mais, fondamentalement, cela les laisse indifférents, sauf les Allemands qu'ils détestent par instinct.

— Et si les Alliés débarquent en Sicile ? demande-t-elle.

— Il y aura un peu de guerre. Après, ils repartiront, et tout recommencera comme avant.

Au fur et à mesure qu'ils approchent de Castellàccio, que le décor devient plus familier, Carmela se laisse envahir par l'émotion. Tout lui rappelle Nino, leur jeunesse folle et tragique. Et Salvatore aussi. Salvatore et Nino. Ils sont ensemble maintenant, même si le premier a sa sépulture au village et l'autre, dans un quelconque désert éthiopien.

À peine arrivée, elle cueille des fleurs sauvages et va les déposer sur la tombe de Salvatore. Elle s'agenouille et prie à tout hasard, elle qui ne croit plus à rien. Elle prie aussi pour Nino, lui demande pardon pour leur rupture. Elle pleure pour Salvatore et pour Nino. Elle leur dit : « Je vous aime tous les deux. »

Le lendemain, Luciana vient au domaine. C'est maintenant une riche veuve. Huit ans qu'elles ne se sont pas vues. Le Pivetti, peu après le départ de Carmela, a piqué du nez, un dimanche midi, dans son assiette.

— Mauro est mort avant d'avoir pu goûter les pâtes, lui qui les aimait tant, se désole Luciana. Enfin, il m'a tout laissé puisqu'il n'avait pas d'enfants.

Elle raconte le procès que lui ont fait les neveux et cousins. Un procès interminable, à la sicilienne, ponctué d'accusations perfides, de coups de procédure et de retournements de situation.

— À la fin j'ai gagné, soupire-t-elle. J'ai fait intervenir le juge Ferrarello. Il avait pris sa retraite, mais il a bien parlé pour moi à ses anciens collègues, qui m'ont donné raison définitivement.

— Tu ne l'as pas payé au moins ? sourit Carmela.

— Oh non, surtout pas. Ce n'est pas son genre ni le mien. Mais j'ai parlé aux collègues de l'académie du pauvre Mauro. J'ai dit que c'était sa volonté que Ferrarello lui succède à la présidence. Ils m'ont écoutée. C'est lui le président, maintenant.

Carmela éclate de rire. En Sicile, rien ne changera jamais.

— C'était vraiment la volonté de Mauro qu'il lui succède ? Il te l'avait dit ?

— Il n'avait pas dit le contraire en tout cas. Parle-moi de ta vie à Rome.

Elle raconte, Carmela. Les aventures éditoriales et mondaines, Ciano et Chiaramonti, Lorenzo enfin. Elle ne parle pas du domaine retrouvé avec émotion. Le prince l'a racheté à Beppina avant de le lui léguer. Beppina, mariée, mère, est partie s'installer sur le continent avec sa famille, selon ce qu'on lui a dit.

— Que dit Lorenzo de la guerre ?

— C'est le début de la fin. La Sicile est menacée d'invasion. C'est pour cela que je suis venue. Dans l'héritage Chiaramonti, j'ai retrouvé mon domaine, je te retrouve toi aussi.

— Que vas-tu faire si l'Italie perd la guerre ? On ouvrira la chasse aux fascistes. C'est bien l'engagement de Lorenzo, n'est-ce pas ?

Carmela tarde à répondre, elle s'est déjà posé cette question, mais en vain.

— Nous ne maîtrisons ni le destin ni les événements à venir, même si nous pouvons les anticiper. Lorenzo est un fidèle. C'est sa nature. Même après la mort de Julia, sa première femme, il a continué avec elle si je puis dire, et aujourd'hui, vingt-six ans après sa mort, ce n'est pas vraiment fini. C'est comme cela que j'explique ses rapports avec Laura, la fille de Julia, qui à ses yeux est plus ou moins la réincarnation de sa mère, même s'il n'en parle jamais. Il est fidèle aux personnes, pas aux dogmes politiques. Quand Nino s'est fait arrêter, Lorenzo a pris le risque de le faire libérer parce que sa fidélité à l'homme était plus forte que tout le reste. Il savait que cela lui coûterait son poste de préfet et cela n'a pas manqué. Laura est pétrie de la même farine. Entre le communisme, la guerre des Soviétiques contre les Allemands et les Italiens leurs alliés, elle n'a pas hésité. Mais c'est son père qu'elle choisira si elle doit choisir un jour. Lorenzo accompagnera l'homme Mussolini jusqu'au bout, pas le fascisme, dont finalement aujourd'hui il n'a plus grand-chose à faire. Il est comme les athées qui continuent à fréquenter l'église, ils font les gestes du rituel, mais ne croient plus en rien.

— Et toi ?

— Moi, je me fiche complètement du fascisme, de Mussolini et consorts, qui nous ont entraînés dans cette guerre calamiteuse. Je suis moi aussi fidèle aux personnes que j'aime. Je l'ai été à Nino tant que je l'ai su vivant. Après, j'ai rencontré le comte Ciano, mais c'était une affaire de sens, et Lorenzo enfin. Je lui serai donc fidèle jusqu'au bout, même si à cause de sa propre fidélité à Mussolini on le poursuit après la guerre, je le soutiendrai, je le défendrai, je serai à son côté.

— C'est bien, dit Luciana, qui en sait long sur la fidélité.

Une semaine plus tard, à Palerme, Bianca Strozzi reçoit la visite d'un mendiant crasseux qui est parvenu à traverser les filtres qui la protègent. Elle est à la tête de Cosa Nostra depuis sept ans. On ne lui connaît pas d'amant ni d'enfant. Elle est la seule survivante de son clan, et il en sera ainsi jusqu'au jour où elle se fera tuer. Aucun des dirigeants de Cosa Nostra, sauf son frère, le Strozzi, n'est mort dans son lit.

Elle reçoit ce mendiant. C'est un Sicilien à l'image des pauvres hères qui fréquentent le port, offrant leurs services et tendant la sébile. La chemise est déchirée, le pantalon flotte, un mégot éteint pend de sa lèvre.

— Bonjour, capitaine, quel bon vent vous amène ?

— Bonjour, signora Strozzi. C'est le général Patton qui m'envoie.

— Vous ferez mes compliments au général.

— Il tient à vous remercier pour toutes les informations que vous avez fournies et qui seront très utiles lors du débarquement. Quand il aura conquis Palerme, il vous remettra une médaille américaine personnellement.

— Personne ne m'a jamais décorée, capitaine, et je n'imaginais pas que je le serais un jour. Ce sera une médaille que je porterai. Pour quand le débarquement ?

— C'est une affaire de semaines. Vous serez informée bien avant. Le général voudrait vous confier une mission particulière, plutôt un service en réalité. Il s'agit, le jour du débarquement, de vous emparer d'une femme qui est ici en ce moment. Cette femme est importante parce qu'elle est la compagne officielle d'un dirigeant fasciste. Patton voudrait que vous la lui livriez. Il vaut mieux que ce soient des Siciliens qui le fassent.

— Que veut-il en faire ?

— Oh, je pense qu'il veut la montrer surtout, sa photo paraîtra dans les journaux américains. La femme du fasciste, prisonnière personnelle du général, vous voyez le genre ?

— Comment s'appelle cette femme ?

— Carmela Cavalcanti, répond le faux mendiant,

capitaine de l'OSS[1], diplômé de l'université de Boston, en rallumant son mégot.

94

Quand les partisans découvrent les cadavres de l'Allemand et d'Igor gisant dans les broussailles, ils demandent à Laura s'ils doivent creuser une tombe pour Igor.

— Ce n'est pas la peine, répond-elle. Les Allemands les trouveront quand ils passeront par là.

Les partisans baissent la tête. S'ils avaient un doute sur ce qu'il s'est passé, ils ne l'ont plus. Ils défilent devant les cadavres et l'un des Sibériens crache sur Igor.

Le même jour, ils font sauter une ligne de chemin de fer en deux ou trois endroits. Il faudra beaucoup de temps avant qu'un train de renfort ou de ravitaillement puisse à nouveau circuler.

— C'est la nouvelle marotte de la Stavka, murmure l'un d'eux. Les lignes de chemin de fer, il ne faut surtout pas en oublier une.

— Ce n'est pas une marotte, rétorque Laura. Une armée qui n'est pas ravitaillée en renforts et en munitions ne peut plus avancer.

— Que faut-il en penser, petite mère ?

— Je n'en sais rien. La Stavka ne m'a pas mise dans

1. Service d'espionnage américain, ancêtre de la CIA.

la confidence. Mais il me paraît clair qu'aujourd'hui nous agissons derrière les lignes allemandes.

Ainsi poursuivent-ils, les chemins de fer, les attaques de nuit contre des villages occupés. Encore des morts chez les partisans.

Laura est blessée une seconde fois à la hanche. C'est la femme qu'elle avait commencé à soupçonner qui la panse. Elle agit avec délicatesse. On voit la professionnelle.

— J'étais infirmière avant, confie-t-elle, mon mari était le chef du kolkhoze. Quand les Allemands sont arrivés, il a eu le tort de se dénoncer. Alors, ils l'ont pendu. Quand mes fils ont protesté, ils les ont pendus eux aussi.

— Et toi, qu'as-tu fait ?

— Je n'étais pas là, j'aidais une femme à accoucher. Quand je suis revenue, j'ai vu les trois corps sous les arbres. Les autres m'ont raconté.

Laura fait de cette femme une amie. Elle se bat plutôt bien. On lui a appris à tirer. Elle marche comme les autres et elle soigne les partisans quand ils sont blessés, elle les aide aussi à mourir quand il n'y a plus rien à faire.

Il fait maintenant de plus en plus chaud. Le mois de juin 1943 est brûlant, il faut se ravitailler en eau. Un soir, Laura reçoit un appel radio :

— Tu es convoquée à l'état-major. Prends avec toi les deux partisans qui te semblent les plus déterminés.

— Et les autres ?

— Ils continuent comme avant. Laisse-leur la radio et nomme un chef.

Le soir, pour la dernière fois, elle leur raconte une

histoire. Cette fois, elle choisit un roman français, *Les Misérables*, qu'elle résume de son mieux. Cela dure une bonne heure. À la fin, ils l'applaudissent.

— C'est une belle histoire, disent-ils, surtout la barricade avec Gavroche.

Ils l'embrassent tous. À l'aube, elle part, accompagnée de la femme infirmière et des deux Sibériens qui restent.

À l'état-major, elle rencontre d'autres partisans qui viennent de groupes dispersés. Sur chacun de ces groupes, ils ont prélevé les hommes et les femmes les plus habiles. Que nous veut-on ? se demandent-ils.

Ils ne tardent pas à le savoir. On les regroupe dans un hangar, ils sont une centaine à peu près. Au bout trône un char allemand.

— Voilà votre ennemi, leur dit un général. Une bataille se prépare. Ce sera une bataille d'avions, mais surtout de chars. Celui-ci est la dernière trouvaille des Allemands. Ce qu'on fait de mieux dans le genre. Non seulement il est armé d'un canon de 88 mm et de deux mitrailleuses, mais il est doté en plus d'une tourelle pivotante, ce qui signifie qu'il peut tirer dans tous les sens. La portée de son canon est de deux kilomètres, bien plus que nos propres chars. Mais ce n'est pas tout.

Il grimpe sur le char et tape sur le blindage avec une canne.

— Aucun obus ne peut percer ce blindage, il est indestructible.

Il saute à terre.

— La seule manière d'atteindre ce char et de le détruire est de placer une charge explosive à l'arrière.

Seul un bon partisan à pied peut le faire, ici, à cet endroit, dit-il en désignant le capot arrière. Ou sur les chenilles. Ce sont de très larges chenilles qui permettent de passer partout. Par contre, elles sont tellement larges qu'on peut y accrocher des explosifs. Ce sera votre tâche au cours de la bataille qui s'annonce, la plus grande bataille de chars de tous les temps. Il faut s'occuper de ce char-là et le faire sauter.

— Comment s'appelle ce char ? demande un partisan.

— Les Allemands l'ont appelé Tigre.

— Et cette bataille, où aura-t-elle lieu ?

— Dans la région de Koursk.

*

Le Duce parle au directoire du parti fasciste :

— Si l'ennemi tente de débarquer en Sicile, il sera cloué sur cette ligne de sable où l'eau finit et où commence la terre. Les marins la nomment le *bagnasciuga*. Les forces de réserve se précipiteront sur les hommes qui auront tenté de débarquer. On pourra dire que, s'ils ont occupé un coin de notre patrie en y demeurant pour toujours, c'est en position horizontale et non verticale !

— Ce discours demeurera dans l'histoire, chuchote Bottai à Lorenzo. Ce sera le discours du *bagnasciuga*.

Les hiérarques se dispersent sans commentaire. Ils ont pris l'habitude de se réunir entre eux tous les soirs ou presque.

Lorenzo les reçoit à son tour après les avoir prévenus :

— Vous savez que je suis l'homme du Duce. Cela signifie que je le défendrai jusqu'au bout. Mais je ne suis pas aveugle, je vois bien ce qui se passe, et surtout ce qui s'annonce. Je ne rapporterai donc nos conversations à personne, elles ne seront pas enregistrées, vous êtes mes amis et je suis le vôtre.

Les hiérarques l'approuvent. Tous l'apprécient, il n'a jamais tenté de contester leur place au sein du régime, et encore moins d'occuper une position privilégiée. Lorenzo est un soldat avant tout, le plus intelligent et le plus lucide de tous, pensent certains. Ciano l'embrasse.

— J'ai un temps nourri l'espoir d'être le successeur du Duce, je sais maintenant que je ne le serai jamais. Mais je veux être l'un de ceux qui aideront l'Italie à sortir de cette situation, à se dégager de l'alliance allemande et à obtenir la paix des Alliés. Je suis physiquement courageux, mais faible moralement. Les Italiens n'oublient pas que j'ai, avec beaucoup de légèreté et d'ignorance, recommandé la guerre contre les Grecs. Je veux qu'ils se souviennent qu'en revanche j'ai fait tout ce que j'ai pu pour empêcher l'Italie de rejoindre les forces de l'Axe, même si j'ai signé ce maudit Pacte d'acier en pensant qu'il ne serait jamais mis en œuvre. Peut-être se souviendront-ils, quand tout cela aura pris fin, que je les aurai aidés à se sortir de cette guerre.

Puis ils se mettent tous à débattre de ce qu'il faut faire.

*

Le 4 juillet 1943 à cinq heures du matin, l'ordre est lancé : « *Panzer, vorwärts*[1] ! » Deux mille sept cents chars s'élancent, accompagnés de ces énormes canons autotractés que l'on surnomme « Elefant ». En tête, les nouveaux Panzer V, à peine sortis des chaînes de montage, et surtout des chars Tigre. Derrière, les brigades de lance-roquettes Nebelwerfer et la 2e Panzerkorps SS, avec leurs équipes de lance-flammes qui ont pour mission de nettoyer les bunkers et les tranchées. En face, les sapeurs russes, souvent composés de partisans recrutés pour leur audace et leur vélocité, sont arcboutés dans les fossés antichars. Ils ont avec eux les mines à poser sur le chemin des chars et les explosifs sur l'arrière des Tigre ou sur les chenilles. Tous ont pris des comprimés de pervitine qui les tiennent éveillés et émoussent leur sens du danger.

Dans sa tranchée, Laura regarde avancer les Tigre. Les obus tirés par les chars russes T34 rebondissent sur leur blindage comme des petits pois. Dans le ciel d'un bleu extrême s'affrontent les Stuka, les Messerschmitt, que l'on appelle les Messer, avec les chasseurs Yak et Lavotchkine soviétiques, et surtout, des deux côtés, les avions tueurs de chars, les Chtourmovik russes contre les Henschel HS 129 allemands.

Dès les premiers moments de cette monstrueuse bataille, Laura a la conviction que ni elle, ni la femme infirmière, ni les partisans sibériens qui l'accompagnent ne survivront à cette journée. L'ordre est enfin donné : « Allez les sapeurs ! »

Elle bondit de la tranchée et commence à courir.

---

1. Panzer, en avant !

Les chars Tigre font pivoter leur tourelle et leurs mitrailleuses se mettent à tirer. Laura plonge sur la terre sèche. Elle en a repéré un qui s'est immobilisé et qui s'occupe de sa gauche, où les T34 viennent de surgir, couverts de fantassins, fonçant sur les blindés allemands. Il tire sans discontinuer, ce Tigre, mais du côté opposé à elle. Il vise les barils de métal à l'arrière des T34, parce qu'ils contiennent leurs réserves de carburant. Les serveurs du canon et des mitrailleuses ne voient pas Laura s'avancer, contourner le char, fixer l'explosif sur l'arrière et reculer vivement. Le Tigre explose. C'est la première victime de Laura. Mais déjà, elle court vers un autre qui avance lentement. Les chenilles cette fois, le mitrailleur la voit et se met à tirer. Trop tard. Et de deux !

Cela dure la journée. La 2e Panzerkorps SS émerge de la forêt et Rotmistrov, le chef des T34, lance l'ordre «*Stal!*», qui signifie «acier», pour lancer la charge. Ils s'élancent sur les Tigre à pleine vitesse. Rotmistrov leur a expliqué que leur seule chance contre ces monstres est de les approcher et de les submerger comme la mer.

Les canonniers allemands, eux, visent les chars de commandement car ce sont les seuls à être équipés de radios. Des morts, des morts partout. Les chars passent sur les cadavres de leurs propres soldats. La chaleur est écrasante, renforcée par celle des explosions. Des avions tombent comme des boules de feu et il arrive que des chars, à bout de munitions, foncent les uns sur les autres pour s'éperonner. Parfois, les explosifs ne marchent pas et il faut revenir pour en remettre d'autres. Laura court entre les chars, se replie sur la tranchée, son visage en sueur est couvert d'une poussière qui lui fait comme un masque. Et de deux autres !

Elle repart. Elle a trouvé une nouvelle technique : grimper à l'arrière du Tigre et coller la charge sur la tourelle au moment où elle pivote de l'autre côté. Les Tigre à la tourelle arrachée sont ceux de Laura. Partout des chars allemands et russes calcinés, partout des cadavres d'hommes et d'avions. Les chars qui restent des deux côtés se mêlent entre eux et se tirent dessus à bout portant, au point que l'artillerie et les avions tueurs de chars cessent le feu. Encore les Katioucha, les orgues de Staline, qui lâchent leurs fusées à l'aveugle, quinze ou seize canons sur une même batterie qui font feu au même instant, dans des hurlements qui font écho aux sirènes des Stuka. L'herbe brûle, le blé aussi. Un soldat allemand, devenu fou, se met à danser le french cancan. Les fumées des chars, des avions incendiés, sont si épaisses que le soleil est réduit à une lueur. Tous les combattants crèvent de soif, mais il n'y a plus rien à boire. C'est alors qu'un orage éclate, et la pluie se met à tomber dru pendant un quart d'heure. Le sol poussiéreux est aussitôt détrempé, et les combats au milieu des trombes d'eau ralentissent parce que tous tendent leur visage vers le ciel et arrondissent leurs mains en coupe pour recueillir la pluie et boire.

C'est à ce moment-là qu'une longue rafale de Tigre cueille Laura à mi-corps et la projette dans la boue comme une poupée explosée.

95

Ces deux femmes ont à peu près le même âge, la vie les a marquées, l'une plus que l'autre. La première n'a jamais été vraiment belle. Mais son corps est svelte, solide. Elle a une voix un peu sèche, dure parfois mais profonde.

— Tu me reconnais ? demande-t-elle.

— Oui, tu es Bianca Strozzi, la *spousa di mafia* de Nino, répond Carmela. Que me veux-tu ?

Elles se tutoient. Pas de temps à perdre à mettre les formes. C'est la deuxième fois qu'elles se rencontrent. La première, c'était quand Nino avait été arrêté.

— Nous sommes le 9 juillet 1943, dit Bianca. Cette nuit, les Alliés débarquent en Sicile avec les parachutistes et les planeurs. À l'aube, ce sera sur les plages à Syracuse, Gela, Licata. Ils passeront le *bagnasciuga* et nous envahiront.

— Et alors ? demande Carmela, un peu secouée. Je ne fais pas la guerre. Je ne suis pas une fasciste. Ton débarquement, c'est de l'autre côté de l'île.

— Mais tu es la femme d'un fasciste connu. Il y a un général américain qui sait que tu es là. Il te veut comme prise de guerre, pour te montrer dans les journaux. C'est bon pour sa publicité. Il s'appelle Patton.

— Jamais entendu parler de lui. Qu'est-ce qui me prouve que tout cela est vrai ?

— Viens regarder le ciel dehors.

Elles sortent dans la cour. À l'horizon, des nuées d'avions dans le ciel noir, des rayons de projecteurs et l'écho d'une bataille.

— Tu me crois maintenant ?

Carmela fait signe que oui.

— Le débarquement sur les plages, c'est à l'aube. D'ici à deux ou trois semaines maximum, les Alliés seront ici. Cosa Nostra fera ce qu'il faut pour leur ouvrir le chemin.

Carmela regarde, écoute les bruits lointains de la canonnade.

— Que dois-je faire ? Partir pour éviter d'être faite prisonnière par ce général Patton ? demande-t-elle.

— Prends un bateau avant que les Américains ne te trouvent et rentre à Rome. C'est le plus raisonnable.

— Je ne suis pas une femme raisonnable, dit Carmela au bout d'un moment.

*

Qu'est-ce que je fous ici ? se demande Lorenzo en arpentant le terrain d'aviation de Trévise, où la délégation italienne attend l'avion d'Hitler. Je devrais être avec Carmela en Sicile, ou à Rome. C'est une folie de la laisser au milieu des combats et, en plus, cette histoire de Patton qui veut la faire arrêter à cause de moi.

Un avion enfin, il tourne autour du terrain sans se poser. Les Italiens s'agacent. À quoi correspondent ces virages inutiles dans le ciel, alors que la conférence va durer trois jours ? Il est temps de commencer.

— Qu'attend votre chancelier pour atterrir ? demande Bastianini, le secrétaire d'État aux Affaires étrangères, à Mackensen, l'ambassadeur allemand.

— Son arrivée est prévue à neuf heures précises, il est neuf heures moins trois minutes, répond l'ambassadeur.

Enfin, l'avion se pose. Serrements de mains de part et d'autre, échanges de saluts. Le cérémonial de l'Axe est respecté. Mais il faut gagner la belle villa du sénateur Gaggia aux environs de Feltre et s'installer.

La conférence débute à onze heures. Les militaires sont présents, comme à Klessheim. Les participants sont assis en cercle autour d'Hitler. Lui seul parle, comme d'habitude. Deux heures consacrées aux défaillances italiennes ! Seul Mussolini comprend l'allemand. L'interprète officiel traduit :

— Vos soldats désertent, vos chefs sont complices avec vos dissidents qui ont fini par obtenir de vous, Duce, la convocation du Grand Conseil fasciste, votre logistique militaire ne répond pas aux besoins des combattants !

Soudain, au moment où Hitler cite l'exemple allemand, avec des garçons de quinze ans qui servent les canons de la défense aérienne, le secrétaire de Mussolini lui remet un message. De massives vagues d'avions alliés sont en train de bombarder Rome, le quartier San Lorenzo est dévasté, il y a des morts partout. Mussolini blêmit et lit le message aux Allemands. Hitler a quelques mots de condoléances, puis, devant un Duce livide, il reprend son monologue. Lorenzo échange un regard avec Bastianini, puis avec Ambrosio, le chef d'état-major.

Quand ce fou furieux se tait enfin et qu'une collation est servie, les membres de la délégation se précipitent auprès de Mussolini :

— Vous devez obtenir des renforts immédiats pour la Sicile ou son accord pour une sortie de l'Italie du conflit. C'est indispensable.

Le Duce écoute, puis parle de torture morale, et s'engouffre enfin dans la salle à manger pour un tête-à-tête avec Hitler devant un maigre déjeuner.

Des cris retentissent. Hitler vocifère, Mussolini tente de couvrir sa voix, mais n'y parvient pas. Hitler, quelques heures plus tard, promet des renforts pour la Sicile, mais n'annonce aucun calendrier.

À cinq heures de l'après-midi, tout est fini. La conférence, prévue pour trois jours, a duré trois heures.

L'avion d'Hitler s'envole. « Envoyez-nous tout ce que vous pourrez, a dit le Duce, nous sommes sur le même bateau. » Tant que l'avion est visible, il reste le bras tendu en un interminable salut fasciste.

Il n'est plus question de paix séparée. À l'ambassadeur Alfieri qui lui a demandé une fois de plus d'insister dans ce sens, il a répondu : « L'ennemi ne nous laisserait même pas nos yeux pour pleurer. » Puis il est monté dans son propre avion. Les membres de la délégation, dans le train qui les ramène à Rome, éclatent de fureur. Ambrosio s'écrie à l'adresse des autres :

— Il a encore demandé du matériel de guerre qu'ils ne nous enverront jamais. Il est fou, je vous dis, fou !

Lorenzo ne dit rien. Il s'inquiète pour Carmela.

*

Laura ouvre les yeux. Autour d'elle, tout est blanc. Elle entend des voix cotonneuses. Je suis dans l'au-delà, si ces voix sont celles des anges, c'est le paradis. Ou le purgatoire. Elle referme les yeux. Le blanc et les voix s'éteignent, elle sombre à nouveau.

Une voix revient. Elle la reconnaît, elle l'a déjà entendue dans les tranchées de Moscou, la nuit, quand elle posait sa joue sur les plaques de neige gelée : « Ne t'inquiète pas, ma fille, il est bien trop tôt pour mourir. Je suis avec toi, je te surveille, je te protège. » Elle voudrait que Julia lui parle encore, mais elle s'en est déjà allée.

Son esprit la ramène à la guerre. Elle revoit les yeux d'Igor au début, quand il la regardait par-dessus les braises du foyer, ses yeux encore quand elle a tiré sur lui. Elle revoit tout, elle entend Sacha, ses mots d'amour quand ils étaient dans l'appartement à Paris. Elle revit leurs conversations : « *Le Condottiere* d'Antonello da Messina, l'homme à la cicatrice sur la lèvre… Ma mère m'emmenait au Louvre, j'avais douze ans. » Son père qui a tiré à côté après l'avoir reconnue. Elle crie : « *Babbo !* » Puis plus rien.

*

Le 22 juillet 1943, Patton a conquis Palerme après une course victorieuse de cinq jours. Le général Molinaro s'est rendu sans faire d'histoires, d'autant plus que les hommes de la garnison n'avaient aucune envie de se battre. Bianca téléphone la nouvelle à Carmela. Elle lui dit :

— Il va penser à toi, c'est sûr, je refuserai de te

livrer et il enverra une équipe pour te prendre. De mon côté, tout est prêt. Quand j'aurai l'heure, je t'enverrai un message.

— Moi aussi, je suis prête, j'attends, répond Carmela.

Elles poursuivent encore sur ce ton. Bianca va recevoir sa médaille des mains du général. Toute son organisation s'est mobilisée auprès des Alliés, avant, pendant et après le débarquement. Sans la mafia, la conquête de l'île aurait coûté beaucoup plus cher. Reste cette affaire de Carmela que Patton veut pouvoir exhiber pour sa publicité personnelle. L'homme est connu pour ses talents militaires, mais aussi pour ses excentricités et son allure de cow-boy. On le respecte et on le raille en même temps. Il traîne de sales histoires dont la presse américaine fait ses choux gras, en particulier celle de ce soldat américain hospitalisé pour des troubles nerveux à la suite des combats et qu'il a giflé lors d'une visite en le traitant de lâche. Bref, il a besoin de se refaire une santé médiatique. L'exhibition d'une belle fasciste fait partie de son plan de communication.

Un samedi matin, une jeep de l'armée américaine fait irruption dans la cour. À bord, un lieutenant et trois soldats de la police militaire. Tous portent le casque blanc avec les lettres MP.

— Nous cherchons la signora Carmela Cavalcanti, dit le lieutenant dans un mauvais italien.

Ignacio les conduit au salon. On leur sert des jus de fruits qu'ils refusent. Le lieutenant s'énerve, menace de fouiller toute la maison si la signora n'apparaît pas.

— C'est moi, messieurs, que puis-je pour vous ? dit une voix en anglais.

Dans une robe à fleurs, souriante, très estivale, très belle, Carmela se tient à côté de Bianca Strozzi.

— J'ai un mandat d'arrêt pour vous, dit le lieutenant en lui tendant un document.

— Il est signé du général Patton, observe Carmela. J'ignorais que celui-ci faisait office de juge, en plus de sa glorieuse réputation de soldat.

— Je ne sais pas, répond le lieutenant. En tout cas, si le général l'a signé, c'est qu'il en a le pouvoir.

Soudain s'ouvrent toutes les portes du salon. Des éclairs de flashes, le lieutenant porte la main à son arme. Une douzaine de personnes apparaissent, certaines en tenue militaire de l'armée américaine. Ce sont les correspondants de guerre qui suivent Patton, avides de nouvelles à sensation. Les autres, des journalistes siciliens. Le lieutenant recule, ses hommes aussi. Ils sentent le piège, l'embuscade. Bianca Strozzi s'avance.

— Les Siciliens me connaissent, même s'ils me voient rarement. Pour les Américains, j'appartiens à cette organisation qui n'a pas fait mystère de son assistance aux Alliés. Le général Patton m'a remis personnellement la médaille que vous voyez. Pour ce qui est de la signora Cavalcanti, je puis attester qu'elle partage nos opinions et n'a jamais pris un quelconque engagement fasciste.

Puis ce mitraillage des journalistes :

— Comment un général peut-il signer le mandat d'arrêt d'une personne civile ? Que veut Patton à la signora Cavalcanti ?

— Peut-on vous interviewer, lieutenant ? Votre photo sera demain dans les journaux américains, ainsi que celle de vos hommes.

— D'où venez-vous, lieutenant ? De quel État ? Êtes-vous marié ?

— Patton cherche-t-il une nouvelle maîtresse ? Pouvez-vous nous faire une déclaration ?

— La femme de Patton est-elle au courant ?

Le lieutenant lève les mains, demande en vain le silence, aimerait expliquer qu'il accomplit seulement une mission militaire, mais les journalistes photographient à tout va. Carmela s'approche pour qu'on les prenne ensemble. Bianca les rejoint, avec sa médaille. Au début, il refuse, mais c'est trop tard. Après, il n'a d'autre choix que de les laisser prendre leurs photos. Les trois soldats qui l'accompagnent sont photographiés eux aussi. Le lieutenant n'en peut plus. Sa mission est en train de tourner au fiasco, il demande s'il peut téléphoner.

— Je vous en prie, répond Carmela en le conduisant au téléphone, dans son bureau.

Pendant ce temps, les journalistes se font servir à boire. Les soldats finissent par accepter, quand le lieutenant revient, écarlate.

— Madame Cavalcanti, dit-il en anglais, ma mission est annulée, de même que le mandat qui résulte d'une erreur administrative. Le général Patton vous présente ses compliments et ses excuses. Puis-je avoir l'assurance que ces photos ne paraîtront jamais dans aucun journal ?

— Je vous le garantis, lieutenant, répond Bianca. Je garderai précieusement les pellicules par précaution.

Je les regarderai quand je serai vieille pour me rappeler ce bon moment.

Le lieutenant remonte dans sa jeep avec ses hommes. Bianca récupère toutes les pellicules. Carmela appelle Lorenzo et lui raconte l'épisode.

— Tu peux rentrer ? demande-t-il.

— Bianca m'a procuré un bateau de pêcheur cette nuit pour traverser le détroit à Messine. Dans trois jours, je serai à Rome.

— La situation est incertaine ici. Je pars pour le Grand Conseil. Grandi présente une motion très agressive contre Mussolini. Il n'a pas tort, mais j'ai refusé de la signer.

*

Quand Laura se réveille, elle reconnaît la chambre. C'est celle dans laquelle Sacha est mort. À son chevet, le même médecin. Il a déposé une pile de journaux à côté de lui.

— Vous bénéficiez d'une chance inouïe, lieutenant, vous avez été atteinte par huit projectiles tirés par un Tigre.

Il montre les journaux sur la table.

— Vous êtes une héroïne officielle maintenant. Huit Tigre à votre actif, autant que vos blessures.

— Où ai-je été touchée ?

— À peu près partout par une rafale oblique unique. Votre sein gauche est abîmé, de même que votre pied droit. Vous boiterez et vous ne pourrez pas vous servir de votre bras pendant longtemps. Votre joue est atteinte elle aussi. Le reste, ça ira.

Il lui sourit.

— Les journalistes veulent vous interviewer, je leur ai dit de revenir demain. Reposez-vous maintenant.

— Et la bataille ? demande Laura.

— Elle n'est pas encore finie. Le front se déplace, mais la première journée a été décisive pour nos armes.

— Et mes compagnons partisans ?

— Les journaux disent que vous êtes la seule survivante.

Une infirmière fait irruption, un téléphone à la main. Le fil disparaît dans le couloir.

— Un appel pour vous, dit-elle d'un ton mystérieux.

Elle pose le combiné sur l'oreiller à côté de Laura.

— Ça va, capitaine ? demande la voix.

Elle la reconnaît aussitôt.

— Je suis lieutenant, répond-elle.

— Capitaine depuis hier. Vous avez la même médaille que Sacha. Il ne s'était pas trompé en vous choisissant.

— Moi non plus, je ne m'étais pas trompée, répond Laura.

96

À Rome, le samedi 24 juillet 1943, à cinq heures de l'après-midi, il fait 40 degrés. Les Romains sont à la plage d'Ostie. C'est la fête de Santa Cristina, les théâtres sont ouverts. Au Brancaccio, on donne *La Traviata*. Deux piscines sur trois sont fermées à la suite des bombardements. La ville est vidée de ses promeneurs et accablée de chaleur.

Un événement va changer la face de l'Italie: la réunion du Grand Conseil. Les hiérarques arrivent en voiture, tous revêtus de la saharienne noire de rigueur. Ils échangent quelques phrases avant d'emprunter le grand escalier.

Grandi raconte à plusieurs amis sa réception par le Duce le jeudi lorsqu'il est venu lui apporter le projet de son ordre du jour:

— Il m'a reçu debout, l'œil froid, le visage dur. Mais je lui ai tout dit, en ajoutant que s'il abandonnait son poste entre les mains du roi, le Grand Conseil serait inutile. « Tu as terminé ? m'a-t-il demandé à la fin sur un ton glacial. Quand tu partiras d'ici, médite ceci: la guerre n'est pas perdue, des événements extraordinaires peuvent renverser la situation politique et militaire. Je ne céderai mes pouvoirs à personne. Le fascisme est fort, la nation est avec moi. Je suis le chef. Ils m'ont obéi et ils continueront. Il y a beaucoup de défaitisme à l'intérieur comme à l'extérieur du régime. Cela sera traité comme cela le mérite. Je m'en occuperai le moment venu. Pour tout le reste, à après-demain au Grand Conseil. Tu peux partir. »

Les hiérarques l'écoutent, éberlués. Au moins les choses sont claires. L'ordre du jour de Grandi n'est pas un atout que l'on sort de la manche. Mussolini est averti, le secrétaire du parti aussi, qui a remis son propre exemplaire au Duce. Tout le monde est au courant de ce texte qui revient à destituer Mussolini. Farinacci dit à Grandi :

— Si demain les chemises noires te poignardent, elles auront raison.

— Nous avons l'épée dans une main, rétorque Bottai, et dans l'autre le sceptre du pouvoir politique. Nous ne pouvons remettre au roi la première épointée et sans tranchant sans lui donner le reste. Il faut que tous les pouvoirs lui soient rendus.

Et Ciano :

— Si mon père était encore vivant, il serait avec nous. L'empêcherait-on de faire ce que je fais en son nom ?

Lorenzo écoute, il ne dit rien.

Tous montent l'escalier et remarquent que les « mousquetaires du Duce » sont remplacés par des unités de la milice fasciste. Des policiers en civil parcourent les couloirs. La séance a lieu dans la *sala del pappagallo*[1]. De lourdes tentures bleues ont été installées devant les fenêtres closes, au plafond est accroché un lustre de fer forgé en forme de roue. La table est disposée en fer à cheval, Mussolini siégeant sur un plateau surélevé, tapissé de cuir et drapé de brocart rouge.

À cinq heures pile, le Duce fait son entrée. Scorza, le nouveau secrétaire du parti, lance le *saluto al Duce*, et tous répondent : « *A noi.* » Mussolini demande à Scorza de faire l'appel des présents : ils sont vingt-huit.

Sur le côté droit, à l'angle, est assis Dino Grandi. Lorenzo est plus loin. En sa qualité de général de

1. Salle du perroquet.

la milice, il est le seul à être armé officiellement. D'autres membres ont emporté avec eux un pistolet, ou des grenades, au cas où cela se passerait mal. À côté de lui, Ciano, et plus loin Farinacci. En face, Bottai et Marinelli, celui qui avait accepté d'être emprisonné lors de l'affaire Matteotti, il est devenu presque sourd.

Pour la première fois, aucun sténographe n'est présent. Il n'y aura donc aucun procès-verbal de séance. Mais plusieurs membres prendront des notes, à commencer par Scorza, le secrétaire général, qui consignera également les commentaires à voix basse de Mussolini ou les petits billets qu'il lui fera passer.

Le Duce parle longtemps, près de deux heures. Et tout y passe, les généraux incompétents et menteurs, et surtout Badoglio qu'il appelle «ce monsieur». Suit l'éloge des Allemands, généreux et solidaires. Les auditeurs s'interrogent du regard, interloqués. Il fait de plus en plus chaud.

Après la justification de la guerre, Mussolini en vient aux critiques des opposants, mais rien sur les fautes stratégiques d'Hitler dans l'attaque de la Russie. Quand il cesse de parler, il est presque dix-neuf heures.

De Bono se lève le premier. C'est un vieux maréchal, calvitie et barbe blanche, ancien gouverneur de Libye. Il a commandé en Éthiopie jusqu'à ce que Mussolini, qui le méprise car il le trouve trop mou, le fasse remplacer par Badoglio. Il veut défendre l'armée dépourvue de moyens et se livre à une critique à peine voilée des Allemands.

Le débat s'égare, De Vecchi est debout, Farinacci

veut intervenir avant son tour. Lui aime les Allemands et réclame la convocation d'Ambrosio, le chef d'état-major, ce qui lui est refusé. De Vecchi se rassied. C'est alors que se lève Bottai. Le combat va vraiment commencer. Jusqu'à présent, ce n'étaient que des escarmouches. Bottai, c'est autre chose que De Bono ou De Vecchi. C'est l'un des esprits les plus brillants du fascisme, peut-être le seul avec Grandi.

Bottai ne s'embarrasse pas de formules ampoulées. D'emblée, il rejette les questions militaires pour s'adresser directement à Mussolini :

— Guerre ou paix ? Ton rapport nous convainc qu'une défense techniquement efficace de la péninsule est impossible. Au point où tu nous as menés, tu as toi-même donné une réponse négative. C'est toi-même qui massacres nos dernières illusions, espérances ou certitudes…

Voilà pour les accusations de défaitisme.

— Des dysfonctionnements, dis-tu, qui caractérisent le commandement suprême, avec des suggestions, des ordres, des plans que les techniciens de ce commandement n'ont pas pris en compte. Cela signifie que le commandant politique n'a eu sur ces techniciens de la guerre aucun ascendant… La guerre s'est mal passée parce que, isolé de nous, tu n'as été capable ni de commander, ni de te faire obéir.

Mussolini écoute, impassible. Son regard glisse sur lui, indifférent. Bottai achève cette première salve en observant que personne n'a osé l'interrompre.

C'est alors que Scorza annonce l'orateur suivant : Dino Grandi. Il siège à l'angle de la table, proche de Mussolini. Lui aussi le tutoie, comme Bottai, et son réquisitoire dure une heure. Tout y passe, la dictature, les promesses non tenues, la rhétorique de la guerre face à la notoire impréparation militaire, les idéaux qui cèdent devant la réalité.

Mussolini fait passer un billet à Scorza : « Machiavel, Talleyrand et Metternich ensemble. » Mais il accuse le coup, change de position, sa main presse son estomac, sa jambe droite ne cesse de bouger.

Les riches clients qui se sont donné rendez-vous au bar de l'hôtel Excelsior, via Veneto, attendent avec anxiété les nouvelles du Grand Conseil que doivent leur transmettre les secrétaires des hiérarques, eux-mêmes réunis dans la salle Filippo Lippi, qui jouxte la salle du perroquet où se tient la séance. Ils écoutent derrière la porte et répètent ce qu'ils entendent.

À l'ambassade d'Allemagne, on guette les nouvelles de Farinacci et de Buffarini Guidi, les germanophiles.

Dans le salon de la princesse Colonna sont réunis les diplomates, ainsi qu'une dame de la cour envoyée par la princesse Marie-José. Des nouvelles qui n'en sont pas fusent : « Il y a beaucoup de discours… ils veulent baisser le pantalon… ça dure… »

Le reste de Rome est plongé dans le sommeil et ne se doute de rien.

Dans la salle du Grand Conseil, Polverelli, qui a succédé à Pavolini au Minculpop, c'est-à-dire à la Propagande, suant, ergotant, achève péniblement son discours. Personne ne l'a écouté.

— La parole est au camarade Ciano.

Le discours du gendre est simple : tout est la faute

des Allemands. Ce sont eux qui ont trahi l'Italie. À l'inverse de Bottai et de Grandi, il vouvoie le Duce, son beau-père. Mais son discours signifie quand même que du début à la fin, Mussolini a été berné par Hitler. Farinacci lui succède. Il déteste Grandi, Bottai et Ciano. Mussolini le surnomme « la belle-mère du régime ». Son discours est clair : il faut renforcer l'alliance avec l'Allemagne. Quant au Duce, il lui reproche d'avoir mal choisi ses amis. D'ailleurs, lui-même a préparé son propre ordre du jour : tous les pouvoirs au parti.

Mussolini reprend la parole :

— Le parti est au cœur de la vie nationale depuis vingt ans, n'oublions pas que nous sommes en guerre contre les trois empires les plus puissants du monde.

Il conclut qu'il rendra ses pouvoirs au roi, avec lequel il n'a pas d'opposition, dans un moment plus favorable de la guerre.

Mais les interventions suivantes vont plutôt dans le sens de Grandi et Bottai.

Six heures après le début de la séance, Mussolini est en mauvaise posture. C'est la raison pour laquelle il suggère à Scorza de suspendre le débat jusqu'au lendemain. À peine le secrétaire général du parti a-t-il formulé cette proposition que Grandi se lève d'un bond, repoussant sa chaise avec violence. Il refuse le report de la séance. Par orgueil, par fourberie et à cause d'une mauvaise appréciation de la situation, Mussolini décrète une suspension d'une demi-heure.

Au même moment, Mario Zamboni, l'ami de Grandi chargé d'informer le roi de l'issue du Grand Conseil, appelle Pietro d'Acquarone, le ministre de la Maison royale, pour lui annoncer qu'il n'a encore aucune nouvelle de la séance.

— Je fais transmettre tout de suite au roi. Je ne bougerai pas de mon bureau cette nuit, j'ai eu tort de douter de la décision de Grandi, dit le duc.

Cet appel de Zamboni, peu avant minuit, est le second passé à Acquarone, l'homme du roi.

Au bar de l'Excelsior, dans les salons de la princesse Colonna, on attend toujours, mais les émissaires ne savent rien, sauf que la séance est suspendue pour une collation. Les plaisanteries fusent, mais les visages sont tendus. Vingt ans de fascisme sont en jeu, le sort de la guerre aussi. L'Italie tout entière devrait être suspendue au résultat de la séance, mais l'Italie ne sait rien. Dans la salle attenante à celle du perroquet où se déroule la séance, les hiérarques sont réunis par groupes, devant les jus d'orange et les panini commandés au bar Egidi par le majordome Navarra.

Grandi fait le tour de ses collègues pour obtenir de nouvelles signatures, mais il est convaincu que le plus difficile reste à venir. Quelle surprise prépare Mussolini ? Où veut-il aller ? Quel est son but ? Marinelli signe. Même sourd ou presque, il a bien compris que ce qui est en jeu, c'est la défenestration de Mussolini. Alfieri, l'ambassadeur d'Italie en Allemagne, signe lui aussi. Lorenzo ne dit rien, ne signe rien. Il est en train de vivre la plus abominable nuit de sa vie. Grandi, Bottai, Ciano sont ses amis les plus proches, il respecte leur avis, convaincu de la justesse de leur raisonnement. Le fascisme a échoué en se plaçant sous les rênes d'un homme seul, la guerre est perdue et la reddition aux Alliés n'est qu'une question de temps. Plus tôt elle interviendra, meilleures seront les conditions. La semaine précédente, il a déjeuné avec son ami Hans. À mots couverts, il lui a fait comprendre que des complots étaient en cours pour se débarrasser du Führer et faire la paix avec les Alliés. « Il est très protégé, mais nous y arriverons », a-t-il ajouté. Tous ces éléments devraient conduire Lorenzo à signer l'ordre du jour, mais il reste fidèle à l'homme. Lorenzo éprouve pour le Duce, au-delà de l'estime, une certaine affection. Quelqu'un dit : « Le Duce est comme un sanglier blessé, si nous ne l'abattons pas, il nous déchirera tous ! » Qui vient de parler ainsi ? Ciano, peut-être, il lui a semblé reconnaître sa voix.

Dans le bureau de Mussolini sont réunis Polverelli le propagandiste, Buffarini Guidi et Scorza, le secrétaire du parti. Alfieri vient de sortir en disant au Duce que, en tant qu'ambassadeur d'Italie en Allemagne, il ne faisait aucune confiance aux Allemands, qui une fois de plus ne tiendront pas leurs promesses. Mussolini parle du roi en lequel il a une confiance absolue et qui jamais ne se livrera à une basse manœuvre entre eux. Puis il murmure à Scorza :

— Je ne crois pas que la Fortune m'ait définitivement tourné le dos.

Buffarini Guidi[1] rode la phrase qu'il répétera souvent plus tard et qui deviendra en quelque sorte son slogan personnel : « Quand on s'installe dans une partie de poker, on ne quitte pas la table avant la fin. »

---

1. Il sera l'un des derniers hiérarques à être fusillés par les partisans, le 10 juillet 1945.

Après trois quarts d'heure d'interruption, la séance reprend dans la salle du perroquet. Mussolini, avec son air imperturbable, attend les opposants à Grandi et ceux-là ne tardent pas : Tringali Casanuova, le président du tribunal spécial, lance des menaces parce que le régime est en danger, puis Lorenzo, très bref :

— Je suis lié par un serment de fidélité, je m'y tiens.

Après lui, Buffini, le ministre de l'Instruction publique, puis Frattari, le syndicaliste de l'industrie, et Gottardi.

Les deux premiers votent non, mais Gottardi annonce le oui. Mussolini attend de porter le coup décisif, il annonce que Scorza présentera l'ordre du jour du parti, et qu'il apportera ensuite quelques précisions :

— Il n'existe aucune fracture entre le fascisme et la nation… Il y a quelques jours, des veuves de guerre sont venues me baiser les mains.

Puis il se tourne vers Ciano.

— Des fortunes sont nées sans justification, alors que le peuple doit se serrer la ceinture jusqu'au dernier trou, qu'on appelle le trou Mussolini. C'est là la vraie fracture… Tous nos vaisseaux ont brûlé derrière nous. Ma confiance dans la victoire allemande est intacte. Je ne peux pas révéler les secrets militaires du Führer, mais le jour est proche de la destruction de nos ennemis. J'ai en main une clé pour résoudre la guerre, mais je ne vous dirai pas laquelle.

Les meilleurs soutiens de Grandi, en écoutant ces mots, font une grimace dubitative. Bottai écrit : « À la dernière heure… un dernier mensonge. » Mais le Duce poursuit de la même voix assurée :

— Je ne suis pas prêt à me faire trancher la gorge (il fait le geste), je suis un homme de soixante ans, serviteur fidèle du roi depuis vingt ans, et le roi restera avec moi. Quelle sera donc votre position ? Faites attention, messieurs.

Cette fois, la tension est à son maximum. Mussolini est en train de retourner la situation. Grandi remarque parmi ses soutiens des expressions troublées, il se lève.

— Duce, je te prie au nom des signataires de l'ordre du jour de ne pas faire de chantage sentimental. Nous faisons notre devoir et ta personne n'est pas en cause.

La tension retombe un peu. Mussolini n'a pas parlé plus de dix minutes. Il passe la parole à Scorza. Il est une heure dix du matin.

Au-dehors, les gens de l'Excelsior, du palais Colonna, de la Maison royale attendent toujours, certains sont endormis sur des fauteuils, d'autres bavardent fiévreusement. Les émissaires ne donnent plus de nouvelles, les verres sont vides.

Scorza vient une nouvelle fois de tourner casaque. Après avoir participé aux réunions des hiérarques et approuvé Grandi, il annonce un nouveau *rimpasto* avec un changement radical des gens au sommet et dit à l'adresse de Mussolini :

— Vous n'avez pas été assez dictateur, vous êtes, comme vous l'avez dit, l'homme le plus désobéi d'Italie. Tout le parti fasciste est avec nous, les vieux et les jeunes, ainsi que tout le peuple.

— C'est faux ! s'écrie Grandi. La nation est contre le parti. Tu ne peux parler au nom du parti. Tu n'es comme nous qu'un membre du Grand Conseil.

— J'ai le pouvoir d'agir contre tous les défaitistes, rétorque Scorza. La révolution se défendra !

Il conclut que le parti repousse l'ordre du jour de Grandi.

À cet instant, Grandi et ses soutiens se regardent, désespérés. La partie est perdue. Déjà Suardo, le président du Sénat, retire son adhésion, Cianetti propose un compromis, Ciano va dans le même sens. Les soutiens qui avaient promis leur participation s'éparpillent. La tension monte encore. Jamais depuis le début de la séance la situation n'a été aussi incertaine.

C'est alors que Bottai demande à nouveau la parole. Il en appelle à la dignité personnelle des signataires :

— Sommes-nous des enfants ou des bouffons, qui, après avoir contresigné un document aussi sérieux, retirent leur signature au premier regard sévère du supérieur ?

Les brèves paroles de Bottai produisent leur effet, mais les mussoliniens relèvent toujours la tête. À partir de ce moment s'échangent invectives et menaces. Mussolini se tourne vers Scorza.

— S'il n'y a personne pour ajouter quelque chose, on peut déclarer la discussion close et passer au vote.

Scorza lit d'un ton emphatique le texte de l'ordre du jour, celui qui revient à ôter à Mussolini tous ses pouvoirs politiques et militaires pour les rendre au roi. Les membres du Grand Conseil doivent répondre par oui ou par non.

— Faites l'appel, ordonne le Duce.

Pour donner le ton, Scorza commence par lui-même :

— Scorza : non ! dit-il avec force.

— Je m'abstiens, répond Suardo.

— De Bono : oui !

C'est le début d'une longue série. Le oui de De Bono en a entraîné d'autres qui flottaient. Lorenzo se range parmi les non, comme il l'avait annoncé. Quand Scorza appelle Ciano, le regard de Mussolini cherche celui de son gendre. Mais Ciano ne se laisse pas impressionner et répond un oui clair. L'appel est terminé, tous ont voté. Un silence de plomb, de mort, est tombé sur la salle du perroquet.

— Alors ? demande Mussolini.

Scorza vérifie les votes puis annonce :

— 19 oui, 7 non, une abstention, une voix pour mon propre ordre du jour.

Mussolini dit d'une voix indifférente :

— L'ordre du jour Grandi est adopté, les autres ordres du jour sont annulés.

Il marque un temps d'arrêt, puis :

— Messieurs, avec cet ordre du jour, vous avez ouvert la crise du régime. La séance est levée.

Avant de descendre de son piédestal, il se tourne vers Grandi.

— Qui portera cet ordre du jour au roi ?

— Le chef du gouvernement, c'est-à-dire toi-même, répond Grandi.

Scorza veut lancer l'appel au Duce, mais celui-ci l'arrête, avant de s'engouffrer dans la salle de la mappemonde.

— Non, je vous en dispense.

Il est deux heures quarante, ce 25 juillet 1943, le régime fasciste et son chef viennent de tomber. Dans l'escalier, les miliciens sont endormis, appuyés les uns contre les autres. Les hiérarques descendent lentement. Tringali Casanuova est sur la même marche que Ciano, il prend son bras et lui glisse à voix basse :

— Mon garçon, ce n'est pas beau ce que vous avez fait cette nuit. Il me semble que vous avez joué votre tête.

97

Cette lettre sur un monceau de lettres, écrite sur du mauvais papier, en mauvais russe qu'il faut déchiffrer, cette lettre terrible dans les mains tremblantes de Laura : « Je suis la sœur d'Igor, je suis sans nouvelles. Je sais qu'il était avec vous, les partisans, et que vous, camarade Ogarevna, êtes le chef des partisans, comme l'écrivent les journaux. Toute notre famille a été prise par les Allemands. Tous sont morts, je crois, à cause d'Igor. Je suis la seule qui reste. Écris-moi, camarade, car Igor ne me répond plus. Anna Dabrovine. »

Faut-il répondre, et quoi ? L'héroïne Laura pleure, celle qui, après son mari, a reçu la médaille de héros « Koursk, 5 juillet 1943, Sonia Ogarevna », celle dont la photo a paru dans tous les journaux d'Union soviétique, la petite mère des partisans, comme ils disent. Elle pleure sur Igor, sur sa famille disparue, les parents, les enfants. Tous liquidés par les Allemands parce que

Igor ne transmettait plus rien, qu'ils ont trouvé son corps avec celui de l'Allemand et n'ont pas cherché à comprendre. Elle pleure sur Anna Dabrovine qui est seule maintenant. Elle pleure sur elle-même qui a tué Igor. Cela n'aurait rien changé si j'avais su, les raisons des traîtres sont toujours de mauvaises raisons, se dit-elle. Elle se lève péniblement, saisit ses béquilles et va marcher dans le beau jardin de l'hôpital en clopinant de son mieux. Elle ne doit pas poser le pied gauche encore pendant un mois, à cause du plateau tibial qui a été touché. Le sein aussi a été atteint, le gauche. Le chirurgien l'a arrangé comme il a pu, mais ce n'est pas parfait. Tant pis pour le sein. La hanche également, à droite, et l'épaule, et le flanc. « Tu boiteras peut-être, a dit le chirurgien. Et il te restera quelque chose entre l'œil et la lèvre supérieure. » Elle devine que ce quelque chose, c'est peut-être plus que ce qu'il annonce. Les cicatrices, les trous dans le ventre, ça ne se voit pas, il faut se déshabiller. Igor sera mon dernier homme, voilà ma punition. Elle espère que non, mais n'y croit pas. C'est une fille qui a toujours eu l'habitude d'attirer l'œil des hommes. Parfois, c'est pénible, c'est pesant, mais flatteur quand même. Je vais m'y faire, ils regarderont ailleurs. Elle marche encore.

Au retour, elle rencontre le tailleur militaire qui vient lui rendre visite.

— Je te prépare un nouvel uniforme, capitaine, même si je sais que tu ne pourras pas le porter tout de suite. Ce sont les ordres. Sur la manche gauche, je laisserai les étoiles de sniper et je coudrai sur la droite huit points rouges, c'est les chars.

Le soir, elle écrit à Anna Dabrovine : « Camarade,

ton frère Igor est mort glorieusement au combat. Ses derniers mots ont été pour toi. Sois fière de lui. Capitaine Sonia Ogarevna. »

*

Cette nuit, les Romains sont dans la rue, une fête improvisée, extraordinaire. Insignes fascistes, statues, pancartes, plaques, tout est jeté au sol, piétiné, brisé à coups de masse. Des orchestres s'installent au coin des rues, on chante l'*Hymne de Mameli*, on acclame le nom du roi et Badoglio, qui vient d'être nommé à la place de Mussolini. Et celui-là, où est-il, l'homme le plus détesté d'Italie ? Certains affirment qu'il est mort, assassiné, suicidé. Peu importe ! On ne le reverra jamais ! D'autres, mieux informés, rapportent qu'il a été emprisonné sur ordre du roi. Vive les carabiniers ! Et surtout, vive la paix ! Le roi et Badoglio vont trouver un arrangement, une *combinazione* avec les Alliés, les villes d'Italie cesseront d'être bombardées, les garçons rentreront à la maison et les Allemands en Allemagne ! Adieu les combats ! Adieu les morts ! Que l'on boive et que l'on danse en attendant de pouvoir manger ! Vive la paix ! Vive la vieille Italie ! Vive nous !

Carmela, effarée, traverse cette ville en fête. Elle se fait prendre dans les cortèges, se laisse entraîner pour un pas de danse. Elle vient d'arriver de Sicile. Trois jours pour remonter jusqu'à Rome, entre les trains supprimés, détournés, retardés, les attentes sur les quais de gare, les plongeons dans les abris, sous les avions alliés qui peuplaient le ciel. Elle marche,

Carmela, dans les rues encombrées, fêtardes de Rome. Elle se fraie un chemin comme elle peut entre les cris, les chansons, les slogans et les crincrins. Elle ramasse un journal tout frais imprimé : « *Badoglio presidente… Il cavaliere Mussolini silurato ! La pace subito*[1] *?* » Où est Lorenzo ? Qu'ont-ils fait de lui ?

Elle va jusqu'à l'appartement, les fenêtres sont closes, la concierge ouvre d'un air de défiance. Le signore Mori ? Elle ne l'a pas vu depuis dimanche. Il est rentré dans la nuit. Après, il est sans doute reparti. A-t-il été arrêté ?

— Non, dit la concierge, enfin je ne crois pas. Pas encore.

Enfin le palazzo Chiaramonti. Les hauts murs qui cernent le parc, la lourde porte en bois massif, bardée de ferrures. Elle sonne. Rien. Elle recommence, un œilleton s'ouvre, elle reconnaît le sourcil charbonneux du majordome.

— Faites le tour, signora, c'est plus prudent.

Elle suit le mur jusqu'à une poterne de l'autre côté, l'entrée du personnel. Le battant s'entrouvre puis se referme derrière elle. Le majordome se confond en excuses.

— Avec tout ce qui se passe, dit-il.

Dans le palais, pas un bruit. Seule la cuisinière est venue, les autres sont restés chez eux.

— Vous avez un message que l'on a porté hier, je l'ai mis sur votre bureau.

C'est un numéro de téléphone avec un nom :

---

1. Badoglio président… Le cavalier Mussolini révoqué ! La paix tout de suite ?

Mordano. C'est le titre de Grandi, elle l'appelle. Ça sonne longtemps. Grandi décroche lui-même.

— C'est moi, dit-elle en se gardant de donner son nom. J'arrive de Sicile.

— Parfait, répond Grandi, il est ici, mais il ne pourra pas rester. Je vous l'envoie dans une voiture.

Une heure plus tard, Lorenzo est là, lui aussi passé par la poterne, mal rasé, un peu fiévreux, en habit civil, mais souriant quand même.

— Acceptes-tu dans ce somptueux palais l'ex-général en fuite d'une milice dissoute ? demande-t-il.

Au domicile d'Adriana Mori, l'ambiance est funèbre. Les insignes fascistes ont été décousus des vêtements, le portrait dédicacé de Mussolini remisé au grenier et remplacé par celui du roi. Les rideaux sont tirés et la porte sur la rue fermée à double tour. Eugenio Coralli a purement et simplement disparu de Vérone pour aller faire, paraît-il, un rafraîchissant séjour dans la Valpolicella. Le local du *Fascio* est transformé en épicerie, maigrement approvisionnée il est vrai, mais réputée pour les trafics du marché noir qui se font dans l'arrière-boutique. Au bout de quelques jours, Adriana Mori, qui a retrouvé la foi, fréquente à nouveau les églises. Elle y croise Virginia, agenouillée sur un prie-Dieu.

— Je prie pour les miens, dit Virginia, surtout pour Sandro, dont je n'ai pas de nouvelles sur son île.

— Tu vas retourner dans ton couvent ? demande Adriana Mori. Ce serait plus sûr, tes relations avec le Coralli sont devenues publiques.

— Jamais ! Même si je sais que les sœurs m'accueilleraient et me protégeraient.

— Elles pourraient m'accueillir moi aussi, insiste Adriana Mori, je suis trop vieille pour aller en prison.

— Jamais ! répète Virginia.

Puis, avec un sourire :

— Vous connaissez la blague que l'on raconte depuis la chute du Duce ? De neuf heures à midi, les Italiens fascistes et antifascistes se sont lancé les pires accusations. Mais à midi et demi, ils s'étaient tous pardonné.

*

Contre toute attente, la solde des troupes italiennes de Céphalonie a été payée. Sandro en profite pour se rendre dans la meilleure bijouterie et y négocier l'achat d'une bague de fiançailles, qu'il offre à Alexia le dimanche suivant.

— Voici la preuve de l'amour que je te porte et du sérieux de mes intentions, dit-il devant toute la famille Vassilikos assemblée. Dès que la guerre sera finie, je t'épouserai, s'il le faut selon le rite orthodoxe.

La famille applaudit. Tout le monde embrasse Sandro. Alexia essuie une larme d'émotion.

— Que vont faire les Italiens maintenant que les fascistes ont été chassés ?

Sandro hausse les épaules.

— Notre général a dit que l'armée était désormais aux ordres du roi et du maréchal Badoglio. Rien ne change vraiment pour l'instant.

— Et les Allemands ?

— Ils sont toujours nos alliés… pour l'instant, répète-t-il.

*

— Tous ceux qui ont voté non sont en prison, Tringali Casanuova, Buffarini Guidi, Scorza et j'en passe, dit Lorenzo, sauf ceux qui ont réussi à passer en Allemagne. Ceux qui n'étaient pas au Grand Conseil, mais dont la foi fasciste est connue, comme Pavolini, subissent le même sort. Même la pauvre Claretta Petacci et sa famille. Badoglio s'en prend maintenant à ceux qui ont voté oui. Grandi a réussi à se faire envoyer à Lisbonne sous une fausse identité pour une pseudo-mission de conciliation. Quant à Ciano, il sent l'arrestation pour fraudes au détriment de l'État comme un événement imminent. Bottai se cache. Moi…

— Oui, toi, Lorenzo ?

— Je préfère être hébergé ici dans ce palais plutôt qu'à l'ambassade d'Allemagne comme on me l'a proposé. Ce qu'il faut comprendre, c'est que le roi et Badoglio veulent la fin du fascisme, donc des fascistes. Comme tu le prévoyais, la chasse est ouverte.

— Et le Duce ?

— C'est un mystère. Vingt minutes après l'avoir démis de ses fonctions, le roi l'a fait arrêter. Il est en prison ou mort. Parmi tous les complots en cours, le seul dont Mussolini ne se soit pas méfié, c'est celui du roi.

Ils se taisent. Cette fin est terrible. Carmela pense pourtant que les fascistes l'ont bien cherchée, surtout

Mussolini. Mais elle n'ose pas le dire, même si Lorenzo n'est pas loin de le penser lui aussi. La liesse des Italiens était significative quand elle est revenue à Rome.

— Et la guerre ?

— Quand les Alliés ont à nouveau bombardé Rome le 13 août, les Italiens ont enfin compris qu'elle n'était pas terminée.

— Et la paix ?

Lorenzo a un sourire las. Il ne répond pas.

Filippo Anfuso vient le voir le lendemain. Lui est en partance pour Budapest, où il a été nommé ambassadeur. C'est un fidèle lucide, comme Lorenzo, avec lequel il a combattu pour échapper à la guerre, en même temps que Ciano.

— On va voir Ciano, dit Anfuso. Il ne va pas bien.

En chemin, Anfuso raconte que tous les portraits de Mussolini ont disparu du palais Chigi. Des huissiers ont passé des journées à transporter des bustes et des tableaux dans les souterrains, en rasant les murs d'un air morne et sans lever les yeux, précise-t-il, ajoutant que le pire a été de déplacer un immense Mussolini posé sur un cheval blanc.

Au domicile de Ciano, via Angelo Secchi, il reste les princesses Colonna, Giovanelli et Belmonte, accompagnées de comtesses, qui lui apportent une assistance morale, tandis que lui-même, tout en leur faisant la conversation, observe par la fenêtre les carabiniers vert-de-gris qui vont et viennent dans la rue. Cette fidélité des princesses et des comtesses lui paraît inquiétante. Ne lui restera-t-il que ces vestales ?

Celles-ci enfin parties, il se livre sincèrement.

Qu'est devenu le beau Ciano, le successeur désigné du Duce, l'amphitryon des fêtes romaines, l'homme de toutes les femmes ? En réalité, il s'emploie à trouver le moyen de quitter l'Italie. Les Espagnols lui ont promis leur aide, mais à lui seul, ce qui exclut donc sa famille. Il a refusé de laisser les siens sur place et il se tourne maintenant vers les Allemands.

— Va trouver Mackensen, l'ambassadeur, dit-il à Anfuso. Badoglio ne m'autorisera jamais à partir.

— Si les Allemands te donnent leur accord, répond Anfuso, ce sera pour t'envoyer à Dachau.

Ciano pâlit.

— Bottai vient d'être arrêté, murmure-t-il. Pourtant, il avait bien voté l'ordre du jour, mais Badoglio ne fait aucune différence entre ceux qui lui ont permis de remplacer le Duce et ceux qui s'y sont opposés.

Il se tourne vers Lorenzo.

— Regarde le *Corriere della Sera*. Mon propre père est accusé d'avoir exploité sa position pour construire une fortune d'un milliard de lires. J'apprends que les statues qui lui sont consacrées viennent d'être abattues devant le peuple en liesse. J'ai écrit à Badoglio. Je lui ai donné la liste des biens qui composent mon patrimoine. Huit millions en tout et rien d'autre. Il ne m'a pas répondu. Tout cela annonce mon arrestation.

Edda, silencieuse, solide, celle dont le père est emprisonné à la suite d'un acte auquel son propre mari a participé par son vote, reste fidèle aux deux. Le père bien sûr, mais surtout Galeazzo, le mari infidèle. On sait déjà la réflexion d'Hitler : « Pour Edda Ciano et ses enfants, les descendants de Mussolini, ma protection leur est acquise. Pour le comte Ciano, il restera là où pousse le poivre. »

— Le Vatican, explique Edda, a fourni la liste de vingt personnes de notre famille auxquelles il veut bien donner asile. Mon mari n'y figure pas.

Lorenzo et Ciano s'embrassent en pensant qu'ils ne se reverront pas. Tous deux ont voté dans des sens opposés au Grand Conseil, mais Lorenzo n'oublie pas qu'il doit à Ciano l'exfiltration de Laura dans un avion diplomatique vers Paris.

Quelques jours plus tard, le 29 août, Lorenzo reçoit la visite de son ami Hans.

— La famille Ciano a quitté l'Italie dans un avion allemand, dit Hans. Edda, qui avait le droit de sortir une fois par jour avec ses enfants, est montée dans une voiture américaine acquise par des agents allemands. Peu après, Galeazzo a fait de même dans une autre voiture qui passait devant chez lui. Les agents de surveillance, corrompus à l'aide de faux sterling fabriqués par les Allemands, ont feint de ne s'apercevoir de rien. À l'ambassade, un véhicule militaire allemand les a conduits à l'aéroport où les attendait le capitaine Skorzeny, qui les a fait monter dans un avion de transport allemand.

— Pour quelle destination ?

— Ciano était persuadé que c'était l'Espagne. C'est, paraît-il, ce qui lui avait été annoncé. À peine est-il monté dans l'avion, ému aux larmes, qu'il a remis à sa boutonnière son insigne fasciste.

— Et en réalité ? demande Lorenzo.

— Munich, répond Hans, la tête basse.

Chez Carmela, la radio est toujours allumée en sourdine. Soudain, la voix du speaker se modifie dans un sens dramatique. Elle remonte aussitôt le son.

— Et maintenant, il est demandé l'attention particulière de tous nos auditeurs pour un communiqué très important du président du Conseil, le maréchal Badoglio. (Voix de Badoglio :) Le gouvernement italien, reconnaissant l'impossibilité de continuer la lutte contre les puissances adverses, dans l'intention d'éviter d'ultérieurs et plus graves dommages à la nation, a demandé un armistice au général Eisenhower, commandant en chef des forces alliées anglo-américaines. La demande a été acceptée. En conséquence, tout acte d'hostilité contre les forces anglo-américaines doit cesser de la part des forces italiennes sur n'importe quel lieu d'opérations. Par contre, elles réagiront à toute éventuelle attaque de toute autre provenance.

— Tu as entendu, Lorenzo ? C'est l'armistice ! s'écrie Carmela.

— Oui, il fallait s'y attendre. Quand Badoglio a annoncé que la guerre se poursuivrait aux côtés de l'allié allemand, il mentait évidemment. En même temps, il négociait avec les Anglo-Américains. Aujourd'hui 8 septembre 1943, à vingt heures quarante-cinq, l'Italie a changé de camp.

Le lendemain soir, Lorenzo reçoit un appel d'Hans :

— Il faut que je te voie. J'ai quelque chose à te communiquer.

Ils se rencontrent dans l'appartement de la via Giulia, où ils ont l'habitude de se retrouver.

— Je t'annonce, dit Hans, que le roi, sa famille, Badoglio et leur suite ont quitté Rome à l'aube. Tous plus tremblants les uns que les autres. Les barrages allemands les ont laissés passer. Il paraît que Badoglio s'écriait chaque fois : « Ils vont nous couper la gorge ! » Le gouvernement italien, si l'on peut dire, a une nouvelle capitale provisoire : Brindisi dans les Pouilles !

— Comment se fait-il que vous n'ayez pas arrêté le roi ?

Hans ne répond pas tout de suite, puis :

— Peux-tu te rendre libre les deux prochains jours pour participer à une action qui ne te déplaira pas ?

— De quoi s'agit-il ?

— D'aller délivrer Mussolini, qui est emprisonné sur le Gran Sasso, un sommet montagneux dans les Abruzzes.

98

Quand la nouvelle de l'armistice est annoncée par la radio, le 8 septembre 1943, les militaires italiens de Céphalonie se lancent dans une fête échevelée qui dure une nuit entière. Un seul mot : « *Pace !* », un seul slogan : « *Ritorno a casa !* » Et les deux suffisent à faire leur bonheur.

La journée qui suit est un peu plus ambiguë. Le

colonel Barge, qui commande les Allemands retranchés dans un camp à distance, vient faire au général Gandin une visite de courtoisie, où, sous l'amabilité du langage, se dissimulent d'évidents intérêts militaires. Quels rapports désormais entre les ex-alliés de l'Axe, dont l'un a déposé les armes auprès des Alliés, alors que l'autre est toujours engagé dans de durs combats ? En réalité, chacun attend des instructions des états-majors.

Sandro, lieutenant de service, assiste à ces discussions à fleurets mouchetés, où l'on évoque la fraternité des armes et les combats côte à côte contre un ennemi commun. On dirait, se dit-il, que les Allemands se remettent à nous aimer, maintenant qu'on les quitte. Puis le ton change. Barge ne dit rien des ordres reçus de son quartier général : il faut désarmer les Italiens. C'est que, justement, les Italiens sont près de douze mille, tous les *figli di mamma* de Gandin, et les Allemands, deux mille. Gandin les devine, ces ordres, même s'il n'en dit rien, et Barge non plus. C'est alors que de l'état-major d'Athènes parvient cet ordre du général Vecchiarelli : il faut rendre les armes lourdes aux Allemands et ne conserver que les armes individuelles. De cela les *figli di mamma* de Gandin ne savent rien. Ils ne doutent pas d'un avenir radieux, et tous se mettent à écrire des lettres à leur famille pour annoncer leur retour. Des milliers de lettres qui se ressemblent. Aucune d'entre elles ne partira jamais pour l'Italie.

*

Aux commandes du planeur DFS 230 numéro 4, le lieutenant Meyer, qui pilote l'appareil, fait glisser en silence son engin vers l'objectif : l'auberge Campo Imperatore, au sommet de l'énorme Gran Sasso, pour atterrir sur la zone prévue, le flanc qui domine l'auberge. Dix hommes en tenue de parachutiste dans chacun des dix planeurs sont serrés les uns derrière les autres sur des sièges de fer. Immédiatement derrière Meyer, le capitaine SS Skorzeny. Derrière lui, Lorenzo. Le pilote, de sa main gauche, libère le train d'atterrissage. Au sol, tout semble calme, quand soudain des hommes sortent de l'hôtel armés de fusils et de pistolets-mitrailleurs, contemplant cet engin inconnu orné de croix noires sur les flancs. Le planeur, bousculé par les vents, pointe son nez vers le bâtiment quand il heurte le sol, plus irrégulier et rocailleux que sur les photos prises la veille. Meyer ouvre le parachute de freinage et le planeur roule jusqu'à quarante mètres de l'auberge avant de s'arrêter soudain. Deux parachutistes SS sautent à terre, suivis de Skorzeny et de Lorenzo. Skorzeny a oublié son pistolet-mitrailleur dans la carlingue, il court vers l'auberge le premier. Un cri du côté de la garnison. Lorenzo s'arrête. Il hurle : « Ne tirez pas ! » Lui-même est en uniforme de général de la milice et répète plusieurs fois l'avertissement. Du côté de la garnison, aucun coup de feu ne retentit. Derrière le planeur de Meyer atterrissent les suivants, et les SS jaillissent des appareils. À l'étage, une fenêtre s'ouvre brusquement, un visage apparaît avant d'être tiré par l'arrière. Le Duce !

À la vue des assaillants, les carabiniers de la

garnison érigent une barricade avec des meubles pour barrer la porte d'entrée. Mais c'est l'apparition de Lorenzo qui les trouble. Aucun coup de feu n'est tiré, ni du côté allemand, ni du côté italien. Deux parachutistes commencent à grimper le long de la façade pour rejoindre la fenêtre, maintenant close. Mais Skorzeny revient à l'entrée, pistolet au poing. Les carabiniers baissent les armes les premiers. Inutile de résister. Skorzeny, le lieutenant Schwerdt et Lorenzo pénètrent dans une pièce où une radio est allumée, aussitôt détruite à coups de crosse. Les trois hommes montent en courant l'escalier et galopent dans le corridor. Un bruit de voix derrière la porte de la chambre 201. La porte s'ouvre sous les coups de bottes. Les assaillants font irruption. Deux officiers italiens sont là, sans armes, abasourdis. Derrière eux, Mussolini, tout aussi ahuri que ses gardiens. Les deux officiers sont poussés contre le mur et évacués dans le couloir par Schwerdt. Mussolini regarde Skorzeny puis Lorenzo.

— Duce, dit Skorzeny, le Führer m'a envoyé vous libérer.

— Je savais que mon ami Hitler ne m'abandonnerait pas.

Il y a douze minutes que le premier planeur a touché terre. Déjà les équipes de radio établissent le contact avec la vallée à Pratica Mare : « Mission accomplie. » Une fois encore, la fortune a changé de camp.

*

Le même jour, au même moment, sur l'île de Céphalonie, le maréchal Branco, sous-officier de marine, décidé à ne jamais rendre les armes aux Allemands, arrête un camion qui emmène les sœurs de leur couvent à l'hôpital. À bord, le capitaine Gazzetti, responsable du bureau d'assistance. Branco, qui brandit son pistolet, lui intime l'ordre de lui céder le véhicule pour transporter armes et munitions en vue de la résistance. Gazzetti lui répond que son devoir est de protéger les sœurs. Branco s'énerve :

— Vous aussi appartenez à la bande de lâches et de traîtres ! crie-t-il, et il lui tire une balle en pleine poitrine.

Gazzetti meurt le lendemain. Personne n'arrête Branco, qui s'empare du camion pour aussitôt le charger de fusils et de caisses de grenades. À Céphalonie, l'insurrection des troupes italiennes contre leur général a commencé.

Sandro, qui apprécie son général, assiste aux nouvelles tractations avec les Allemands. Dans le cercle des officiers, la révolte gronde encore plus que chez les hommes de troupe. C'est pour beaucoup la continuation de la guerre d'indépendance sous le Risorgimento, la reprise d'une histoire interrompue où l'Autrichien conduisait les patriotes à la potence. Pas question de se laisser désarmer ! L'idée est qu'il faut se battre. Peu importe l'infériorité des fusils, modèle 1891, contre les Mauser à tirs rapides et la célèbre organisation de la Wehrmacht. Les Allemands sont des ennemis historiques, et eux, les fils de ceux qui sont tombés sur l'Isonzo et sur le Piave. Les trois cent mille soldats allemands répartis sur les îles grecques et leurs trois cent cinquante avions de guerre déjà en alerte comptent pour rien. Insignifiants, le silence de l'état-major de Brindisi et celui des Alliés. L'*Hymne de Mameli*, célèbre refrain du Risorgimento, retentit d'un groupe à l'autre.

Sandro écoute ces cris de guerre et vient les répéter à l'oreille de Gandin, qui n'a qu'un souci : sauver les *figli di mamma*. Pourtant, le général confie à Sandro et aux autres officiers autour de lui qu'il n'a aucune confiance dans la Wehrmacht. Lui-même porte la croix de fer obtenue en Russie et connaît la férocité de l'armée allemande. Les partisans promettent leur appui en armes et en hommes, si les Italiens se décident à se battre contre les Allemands de Céphalonie. Tous s'embrassent. C'est la grande fraternisation entre les occupants d'hier et les occupés.

Vassilikos, le père d'Alexia, se penche à l'oreille de Sandro.

— Méfie-toi des Grecs, ils sont plus forts en paroles qu'en actes, lui glisse-t-il.

*

Mussolini sort de l'hôtel, vêtu d'un long manteau noir et d'un large chapeau. Même en septembre, il ne fait pas chaud sur le Gran Sasso à 3 000 mètres d'altitude. Et tous l'applaudissent, les carabiniers qui ont gardé leurs armes, les Allemands qui ont réussi leur coup sans qu'aucune balle soit tirée. Les photographes de presse recrutés par Skorzeny, et qui l'ont accompagné dans son planeur, mitraillent la scène qui se retrouvera le surlendemain dans tous les journaux du monde.

Le policier Gueli, qui avait pour mission, en cas de raid allemand, d'abattre Mussolini, et en tout cas de le remettre aux Alliés conformément aux clauses de l'armistice, lui demande de le suivre. Les Allemands se congratulent. L'Axe a enfin remporté une victoire. Ce sera la dernière.

Un avion est prévu pour ramener le Duce à Pratica di Mare, d'où est partie l'opération, à bord d'un Storch, minuscule appareil qui a atterri non sans difficulté à côté des planeurs. Son pilote, le capitaine Gerlach, est réputé pour son extrême habileté, mais c'est une chose de poser le Storch sur cette pente accidentée, une autre de le faire redécoller. D'autant que Skorzeny veut monter, car sa mission est, prétend-il, d'assurer la sécurité du Duce jusqu'au bout. Gerlach lève les bras au ciel. Skorzeny est trop lourd pour un appareil prévu pour deux passagers. Mussolini exige alors que Lorenzo l'accompagne lui aussi. Le symbole de sa libération exige la présence de ce général italien. Cette fois, Gerlach est formel : c'est la chute garantie, ou presque. S'ensuit une discussion, et Gerlach cède. Mussolini ne s'en mêle pas. Lorenzo a l'impression que désormais le Duce se moque de mourir. Cette fin tragique, après une libération aussi spectaculaire, lui conviendrait. Toujours le souci de l'image qu'il laissera dans l'histoire.

Les voici donc entassés dans le Storch comme ils peuvent, Mussolini à côté du pilote, Skorzeny et Lorenzo accroupis à l'arrière. Gerlach fait ronfler le moteur. Les carabiniers et les Allemands retiennent l'appareil en s'agrippant aux ailes et au fuselage. Au signal, ils le lâchent : le Storch dévale la pente caillouteuse et casse une roue. Peu importe. Au bout de la pente, c'est le vide. Dans l'air, le poids de l'avion le fait plonger de trois mille mètres. Gerlach tire doucement le manche, le nez se redresse peu à peu et le vol se poursuit jusqu'à l'aérodrome de Pratica di Mare, à cent vingt kilomètres.

Durant tout le trajet, personne ne dit mot. À l'atterrissage, Gerlach prévient qu'il y aura deux chocs à cause de la roue cassée. Les passagers s'agrippent comme ils peuvent. Mais une fois de plus, le pilote fait preuve d'habileté. Les chocs sont relativement légers, et l'avion s'arrête à quelques mètres des bâtiments. Encore des officiels de la Wehrmacht et des photographes.

Le Duce sort de l'avion. C'est lui, le héros. Gerlach, Skorzeny et Lorenzo échangent un sourire. Un major s'approche de Mussolini.

— Je voudrais aller chez moi, à la Rocca delle Caminate.

— Désolé, Duce. Pour l'instant, le Führer vous attend. Par la suite, vous rentrerez en Italie. Un avion est prêt. Vous verrez votre famille à Munich.

Le Duce se tourne vers Lorenzo.

— Alors, tu viens avec moi.

*

Sur l'île de Céphalonie, l'ambiance se tend de plus en plus entre le général Gandin et ses officiers. L'un est prêt à céder les armes lourdes demandées par les

Allemands contre la promesse de renvoyer en Italie les hommes de la division Acqui. Cette promesse, il n'y croit pas un instant, mais mieux vaut un camp de prisonniers que le massacre des *figli di mamma*. Les autres, c'est-à-dire la plus grande partie de son état-major, ne veulent entendre parler d'aucune cession d'armes, encore moins de reddition. Même les fascistes se taisent, y compris les plus acharnés à vouloir maintenir l'alliance avec l'Allemagne.

Apollonio dirige désormais les opérations. Dans les heures qui suivent, il se produit une première escarmouche. Deux barges de débarquement allemandes s'approchent du rivage et Apollonio donne l'ordre d'ouvrir le feu tandis que les servants crient « Vive l'Italie ! ». Les barges font demi-tour, mais la première coule à pic et la seconde hisse un drapeau blanc.

Cette fois, les Allemands envoient un ultimatum. Gandin finit par se ranger du côté de ses hommes, abandonne le quartier général d'Argostoli, trop exposé, et brûle tous les documents. Il envoie un dernier message à Barge, proposant le maintien du statu quo tant que les ordres ne seront pas donnés par l'autorité légitime. Mais Barge n'a déjà plus le droit de traiter. La réponse est signée du général Fault : les Allemands exigent douze otages. Les Italiens en exigent autant à leur tour.

Mais des hydravions survolent l'île. Les mitrailleuses de la défense antiaérienne crépitent aussitôt. Lanz envoie un dernier message : fidèles aux camarades allemands, les Italiens pourront continuer à se battre à leurs côtés, ceux qui refuseront seront traités en prisonniers de guerre. Les officiers qui refuseront seront fusillés. À réception, Gandin détache de son uniforme la croix de fer de première classe dont il était si fier et la dépose sur la table. Déjà, côté allemand, les escadrilles de Stuka font le plein de carburant et de munitions.

*

À bord du Heinkel 178 qui transporte le Duce en Allemagne, l'ambiance est morose. Mussolini, toujours vêtu de son manteau noir et de son chapeau, somnole après avoir refusé les services du docteur Ruther, un médecin allemand. De temps à autre, il ouvre les yeux et jette un coup d'œil à Lorenzo assis en face de lui, avant de replonger dans le sommeil. L'homme est épuisé. Nul ne sait à quoi il peut penser.

À l'escale de Vienne, un général allemand lui offre un pyjama, mais il refuse, ayant l'habitude, dit-il, de dormir nu. Skorzeny se voit remettre la croix de chevalier, la plus haute distinction nazie, qui lui est portée spécialement à l'hôtel impérial après un appel personnel d'Hitler.

Mussolini envoie ce télégramme au Führer : « Talete, le philosophe grec, remercie les dieux de l'avoir fait naître homme et non bête, mâle et non femme, grec et non barbare. Mussolini remercie les dieux de lui avoir épargné la farce d'un assourdissant procès au Madison Square de New York, auquel il aurait préféré une exécution régulière par pendaison à la tour de Londres. »

À Munich, sa famille l'attend, après avoir été libérée de la Rocca delle Caminate où elle était gardée par les carabiniers. Les deux vieux époux tombent dans les bras l'un de l'autre. Rachele pleure de voir son mari dans cet état, puis se tourne vers Lorenzo.

— Je sais que vous êtes le général Mori, l'un des derniers fidèles de mon mari. Restez avec nous. Vous faites partie de la famille maintenant.

Puis s'adresse à Mussolini :

— Je t'avais dit de ne pas aller voir le roi le 25 juillet. Maintenant, je te dis de ne pas aller voir Hitler. Écoute-moi, Benito.

Il ne répond rien. Dans la voiture, Rachele demande :

— Que veux-tu faire maintenant ?

— Repartir de zéro, tenir ma parole.

— Mais il ne reste plus rien, Benito. Tout a été détruit en un mois de ce que tu avais mis vingt ans à construire. Lis les journaux italiens, tu comprendras mieux.

Mussolini garde le silence. Puis raconte que sur le bateau qui l'amenait à Ponza après son arrestation, plusieurs marins sont venus lui parler. L'un d'eux lui a offert quatre cents lires, car il n'avait pas d'argent, un autre un caleçon de rechange.

À l'hôtel Karl Palast surgissent Farinacci et Filippo Anfuso, qui veulent le rencontrer. Anfuso porte avec lui une boîte en carton.

— C'est une chemise noire, Duce, j'ai pensé qu'elle vous ferait plaisir.

Au matin, c'est Edda, la fille préférée, l'épouse du traître Ciano, qui demande à le voir.

— Galeazzo dit que Grandi l'a trahi. Lui t'est toujours fidèle.

Mais Mussolini secoue la tête.

— Pas maintenant, plus jamais peut-être.

Elle interpelle Lorenzo :

— Qu'en pensez-vous, général Mori ? Vous êtes un ami de Galeazzo.

— Ce n'est ni le moment ni le jour. Laissons passer un peu de temps, comtesse Ciano.

À Rastenburg, dans son quartier général dissimulé en pleine forêt, Hitler a ces mots : « Ciano a trahi trois fois, sa patrie, sa famille et son beau-père. Il est le pire de tous. »

Lorenzo n'assiste pas aux discussions entre les deux dictateurs. Il raconte le raid sur le Gran Sasso aux hiérarques qui ont été libérés par les Allemands et qui ont gagné Rastenburg pour attendre le retour du Duce.

À la sortie, Mussolini déclare :

— Je suis un homme aux trois quarts mort. Je ne regrette rien. Je ne désire rien d'autre que d'aller à la Rocca delle Caminate et d'y attendre paisiblement la fin.

Tous regardent ce vieillard au visage amaigri. Il leur dit alors, ce fantôme :

— Voici mon premier ordre du jour. À partir d'aujourd'hui, je crée la République sociale italienne.

99

— N'y va pas, Sandro ! Je t'interdis d'y aller !

Alexia crie, pleure, l'empoigne, le tire, l'embrasse, le frappe. Elle l'aime. Lui se défait doucement. C'est un officier italien qui ne badine pas avec les questions d'honneur et de solidarité entre camarades. Il pose un sourire sur ses lèvres puis se retourne. Il la laisse là, devant la maison de ses parents. Il marche, encombré de ses armes pendues à l'épaule et à la ceinture. Au bout de la rue, il a la tentation de faire demi-tour, mais continue à marcher droit. Il sait qu'elle est encore devant le portillon, les bras ballants. Il sait qu'ils ne se reverront pas. Alors, il tourne au carrefour où l'attend le camion de la section. Les camarades ne lui disent rien. Certains lui tapent sur l'épaule, ils ont vécu la même scène quelques minutes plus tôt.

Sandro se trouve avec sa section à flanc de colline. On attend les Allemands. Tout à l'heure, un commando est parti reprendre un pont au carrefour de Divarata, conduit par le lieutenant Verro aux cris de « *Viva l'Italia !* ». L'opération avait presque réussi quand les Stuka ont plongé en piqué sur les Italiens, sirènes hurlantes, mitrailleuses pointées. En quelques instants, les deux tiers des hommes étaient à terre. Les Allemands ont attaqué, achevé les blessés et désarmé les hommes. Puis ils ont fait sortir Verro des rangs pour le fusiller aussitôt. C'est ce que raconte l'unique rescapé, lui-même blessé, terrifié. On l'envoie se faire soigner à l'arrière.

À l'aube, les positions n'ont pas bougé. Sandro n'a

pas dormi. Il sait que ses chances de survivre sont faibles. Soit il est tué au cours de la bataille, soit il sera fusillé aussitôt après, comme Verro. C'est le sort qui attend les officiers. Il ne voit pas d'autre issue. Avant de partir, il a écrit une lettre à sa mère, une à Adriana Mori, la dernière à son père. Ce sont des lettres courtes, dignes, courageuses, les lettres d'un jeune homme qui a déjà accepté de mourir. Il sait que ses lettres ont peu de chances de partir, encore moins d'arriver à destination. Mais cela l'a soulagé de les écrire. Il faut bien prendre congé du monde quand on va le quitter. Au dernier moment, il en a ajouté une dernière aux bons soins de son père : pour sa demi-sœur Laura. Aucun reproche sur ses engagements politiques dont il ne parle pas. Il évoque leur enfance. Il lui dit qu'il l'aime, lui parle d'Alexia qu'elle ne rencontrera jamais, lui demande de ne pas l'oublier quand les temps terribles seront achevés. Il lui parle encore d'Alexia, sa fiancée de Céphalonie, de l'amour qu'ils ont l'un pour l'autre et puis plus rien. La signature. La lettre s'arrête là. Il n'avait plus de papier.

Les Allemands attaquent encore. Ils escaladent la colline, mais se font repousser. Le récit de la veille a enflammé les Italiens. Tous savent qu'il n'y a rien à attendre de l'ennemi. Ils tirent avec rage, ils vident leurs armes sur les silhouettes vert-de-gris. Cela freine l'attaque des Allemands. À vrai dire, ils ne s'y attendaient pas. D'abord, ils cessent d'avancer, puis reculent. Sur les arrières, tirent les mortiers italiens dans des lancers bien ajustés. Encore les Stuka, qui lâchent leurs bombes de cinq cents kilos. Quand les soutes sont vides, ils reviennent en faisant pivoter le fuselage pour permettre à leurs mitrailleurs de tirer. Mais cette fois, les canons italiens pointent vers le ciel et tirent sans discontinuer. Sandro, qui s'est emparé d'une grosse mitrailleuse, abat un premier avion qui vole bas, puis un deuxième. Un troisième plonge en feu, touché par un obus. Les cinq qui restent font demi-tour. Sur la colline, les Allemands reculent, l'assaut prend fin.

Le soir, le général Gandin visite les bivouacs, il montre les messages adressés à Benghazi où se trouve le quartier général de l'armée italienne sous les ordres des Alliés. Il avoue n'avoir reçu d'autre réponse que des encouragements à résister. Aucune annonce de renforts.

— Ça va venir, mes petits, assure-t-il. Ils ne peuvent pas nous laisser tomber.

Le lendemain, ça recommence. Mais les Allemands, eux, ont reçu des renforts. Céphalonie est une île stratégique. D'abord le bombardement, puis l'assaut, enfin les Stuka. Heureusement, les Italiens ne manquent pas encore de munitions ni de canons. Les Allemands ne passent pas, mais à chaque affrontement, les Italiens sont de moins en moins nombreux. Des bruits, des rumeurs sont échangés entre les bivouacs sur les collines. On dénombre les morts, les disparus et les fusillés. Sandro a été blessé plusieurs fois, des plaies qu'il fait soigner sur place. Des partisans grecs, aucune nouvelle. En face, on voit bien des navires de transport allemands qui défilent dans le golfe, trop loin pour être visés efficacement. L'un d'eux est quand même coulé à la suite d'un coup heureux. Mais c'est le seul.

La guerre de Céphalonie dure huit jours. Les munitions sont presque épuisées et les Stuka chaque soir font des ravages. Sandro ne se ressemble plus. Ce garçon au visage charmant, rieur, est couvert de poudre et de terre. Son bras droit porte un pansement sale, il boite et une balle a lacéré ses flancs.

Le major Armando Pico a envoyé un message à Gandin : « Je vous informe que les batteries côtières 105/28 et 155/14 tirent leurs derniers coups. Les munitions sont donc sur le point de s'épuiser. Le nombre de morts et de blessés est très élevé. Mes hommes sont d'une sérénité absolue. Vive le roi. Vive l'Italie », daté du 22 septembre 1943 – c'est le dernier jour.

*

Un dîner morne, silencieux, terrible, réunit la famille Mussolini au château d'Hirschberg en Bavière où elle est logée par les Allemands. Autour de la table, le Duce, sa femme Rachele, Vittorio le fils, Edda et Ciano. Tout à l'heure, en tête à tête avec son beau-père, il a pu expliquer son vote au Grand Conseil. Il fallait placer le roi face à ses responsabilités de chef d'État. Le reste, l'arrestation à la villa Savoia, la destitution au profit de Badoglio, la fin du fascisme, il n'en savait rien. À toute fin, il s'est déchargé sur Grandi et Bottai qui l'ont trahi. Le Duce l'a cru ou a feint de le croire.

La réconciliation semble scellée autour de la table familiale. Lorenzo, en tant que garde du corps italien

du Duce, se trouve dans la pièce attenante aux côtés des SS qui ont eux aussi mission de le protéger. C'est ainsi qu'à travers la porte entrouverte il entend tout, il voit tout.

La nourriture est maigre, un bouillon, du canard rôti et des pommes de terre bouillies avec de l'ersatz de beurre. Toute l'Allemagne est à la diète, les invités aussi. Comme d'habitude, Ciano porte un costume impeccable, qu'il s'est procuré chez le meilleur tailleur de Munich. De la poche de son revers dépasse la pointe d'un foulard clair d'une désinvolte élégance. Edda tient des propos indifférents que personne n'écoute, en proie à cette obsession : comment fuir l'Allemagne avec son mari et ses enfants ? Son regard est traversé d'éclairs d'angoisse. Il croise celui de Rachele, qui éprouve pour Ciano une profonde et ancienne détestation. L'homme ne convient pas à cette paysanne romagnole, avec ses tenues à la mode, ses fréquentations aristocratiques, ses discours mondains inspirés du palais Colonna ou du golf d'Acquasanta. Sans parler des maîtresses à la chaîne ! Elle le considère comme un traître. Elles se regardent, Rachele et Edda. Ce ne sont pas les mêmes regards. Plus tard, Edda dira : « Ma mère défendait son homme, moi le mien. »

Le Duce ne parle pas. À peine grignote-t-il quelques bouchées de canard. À côté de lui, Ciano achève de boire son vin de Moselle. Mussolini salue la famille d'un air las. Galeazzo et Edda retournent à la villa que leur ont assignée les Allemands. Pas d'embrassades ni de souhaits de bonne nuit. Ce sont des silhouettes qui se séparent et s'éloignent. Voilà pour les retrouvailles.

Le 29 septembre, de retour en Italie, à la Rocca delle Caminate, le Duce tient la première réunion du nouveau gouvernement fasciste. Ciano, toujours retenu en Allemagne, attend. Enfin, les Allemands l'informent qu'un avion va le conduire à Vérone. Tout vaut mieux que les Allemands, songe-t-il.

À l'aéroport de Villafranca, les policiers de la RSI, la République sociale italienne, lui signifient son arrestation pour haute trahison. Depuis le coup d'État du 25 juillet, quatre-vingt-cinq jours se sont écoulés, il lui en reste autant à vivre.

*

Les chasseurs alpins de la division Edelweiss ont débarqué de l'autre côté de l'île. C'est eux qui maintenant dévalent les pentes. La plupart sont des Autrichiens dont les parents ont été naturalisés italiens de force en 1919. Autrement dit, ils ont encore plus de raisons de haïr les Italiens que les autres. On se bat à la mitrailleuse, puis au fusil, puis au pistolet, enfin au poignard. Quand un Italien s'effondre, les chasseurs le dépouillent aussitôt. Montre, portefeuille, chaîne, tout y passe.

Sandro se bat de son mieux, les hommes tombent autour de lui, son pistolet est vide, il prend son poignard. Le duel est bref, il tue un Autrichien, mais reçoit un coup de baïonnette dans le dos. Il ferme les yeux. On ne le tue pas immédiatement. Il doit subir le sort exemplaire des officiers italiens. On le traîne avec les autres. Tous sont hissés sur un camion qui se dirige

vers la plage à l'abri des regards. Trois mitrailleuses sont déjà en batterie. Pas le temps de se confesser. Un ordre bref, et les mitrailleuses se mettent à tirer. Tous s'écroulent. Mais des survivants se redressent, hébétés. Un sous-officier allemand leur dit dans un italien rudimentaire : « Ceux qui sont encore vivants, levez-vous et vous serez graciés ! » Certains obéissent. Ils ont tort. Un signe de l'homme et les tirs reprennent. Maintenant, ils sont tous bien morts. Le sous-officier passe parmi les corps. Si l'un d'eux bouge encore, il l'achève d'une balle dans la tête.

Sandro ne bouge pas. Il est étendu sur le sable, recouvert par deux camarades. Il entend le pas de l'exécuteur qui se rapproche. Encore un coup de feu, puis un autre. Une botte lui écrase le visage mais l'homme s'éloigne. Il entend le bruit des mitrailleuses que l'on démonte et que l'on charge sur le camion. Encore quelques ordres, enfin un bruit de moteur. Le silence. Seul le ressac des vaguelettes sur le rivage. Il attend un moment, presque une heure, avant de bouger enfin. Ce n'est plus une plage, c'est un champ de cadavres. Il rampe sur les corps. Plus loin, les pins, il rampe encore vers le sous-bois. Sa mâchoire lui fait mal. C'est quand la botte a pesé dessus de tout son poids. La jambe, le dos, tout le fait souffrir. Dans le sous-bois, il se relève, s'accroche aux branches, tombe à genoux puis se redresse comme il peut. En s'appuyant aux branches, en s'accrochant aux buissons, il parvient au bord de la route, déserte. Il s'assied sur le bas-côté et tente de reconnaître l'endroit, mais tout lui semble étranger. Au loin, des fusillades régulières. Ce ne sont pas des combats, mais des exécutions. Où se trouve Argostoli ? Il ne sait pas, il ne sait plus rien. Une envie de pleurer soudain, mais il ne pleure pas.

Un bruit de moteur enfin, c'est une pétrolette. L'homme derrière le guidon, un pope, ralentit et, devant les cadavres, fait un signe de croix.

— Padre ! crie Sandro. Padre !

Le pope se retourne, il se précipite vers Sandro.

— *Figlio mio*, lui dit-il, que puis-je faire ?

— Chez Vassilikos, répond Sandro, avant de s'évanouir.

Il passe un mois dans la cave des Vassilikos. Un médecin vient tous les jours le soigner comme il peut. Sa mâchoire est cassée, la baïonnette a pénétré profondément dans son dos, sa cuisse est déchirée par la mitrailleuse, plus les autres blessures, jamais vraiment nettoyées. Mais c'est un bon médecin. Il prend des risques, comme la famille d'Alexia : « Toute famille grecque qui abrite un Italien sera fusillée et la maison détruite. » Et la Kommandantur met ses menaces à exécution.

Alexia passe ses journées auprès de lui, lui apporte des nouvelles : l'état-major italien n'existe plus. Aucun officier n'a survécu. Même Gandin a été fusillé. Sandro revoit les visages de ses camarades. Son faciès, bizarrement tordu par la mâchoire cassée, laisse couler des larmes cette fois.

Un jour, le père Vassilikos lui dit qu'il faut partir. Sandro acquiesce. Alexia veut l'accompagner, mais il refuse. C'est trop dangereux. On déguise Sandro en pêcheur grec et on l'embarque sur le bateau.

À l'aube, quand les pêcheurs peuvent sortir en mer, avec l'autorisation de s'éloigner de deux milles au maximum, Vassilikos l'emmène sur son bateau. Les patrouilleurs allemands parcourent les alentours et n'hésitent pas à arraisonner les embarcations. Le père Vassilikos franchit la limite et navigue tout le jour ainsi que la nuit suivante. De temps à autre, il croise des bateaux, mais il hisse la voile et personne ne l'arrête. Enfin, il parvient à une côte et cherche une crique qui servira d'abri.

Sandro descend à terre et embrasse le vieux Vassilikos, qui lui dit :

— J'ai sauvé l'honneur des partisans de Céphalonie.

— Oui, dit Sandro, je reviendrai après la guerre. Alexia m'attendra.

— Oui, dit le vieux.

Il s'empresse de remonter sur le bateau, le moteur tourne toujours. Sandro emprunte un chemin de terre, s'aidant d'une canne, et marche lentement. Un village enfin. Des soldats s'approchent de lui.

— *Who are you ?* lui demande le chef, un sergent roux au visage poupin.

Il est sauvé, Sandro.

100

— Où en es-tu, Lorenzo, avec les fascistes ?

— Tu le sais, je t'ai tout dit.

Carmela secoue la tête. C'est dans ces moments-là qu'il la trouve la plus belle. Quand elle est en colère. Il n'existe pas de spectacle plus émouvant, plus sensuel, songe Lorenzo. Je l'aime.

— Écoute-moi, poursuit-elle, j'ai entendu : le Gran Sasso, Rastenburg et la RSI, le dîner sinistre du château d'Hirschberg, la formation du gouvernement à la Rocca delle Caminate.

— Je n'y occupe aucun poste, j'ai tout refusé.

— Encore heureux ! Peut-être as-tu pensé à moi en cette occasion ?

— Je l'admets.

Il esquisse un vague sourire un peu timide.

— Et pour finir, Galeazzo arrêté à la sortie de l'avion, expédié aux Scalzi[1]. Sais-tu combien il y a de cellules aux Scalzi ?

— Dix-neuf, on m'a dit.

— Exactement ! Dix-neuf cellules pour dix-neuf traîtres !

Il ne dit plus rien. L'arrestation de Ciano la brise elle aussi. Pas pour les mêmes raisons mais cela ne fait rien. Ciano l'a aimée. Plus qu'elle ne l'a aimé. Quand Carmela a dû choisir entre un livre insolent pour les fascistes et Ciano, elle a choisi le livre. Il n'empêche, il reste des traces. Lui a été l'ami de Ciano, il l'est toujours. Les amis de Lorenzo sont rares. Ciano en fait partie. Elle s'approche de lui, s'assied sur l'accoudoir du fauteuil et lui entoure le cou de ses bras.

— Que vas-tu faire pour Galeazzo ?

---

1. L'ancien couvent des Scalzi avait été transformé en prison pour les traîtres.

— Tout ce que je pourrai, bien sûr.

— Ils veulent le tuer !

Ciano et cinq autres ont été arrêtés en même temps. De Bono, Pareschi, Cianetti, Marinelli et Gottardi. Les treize qui restent ont filé à l'étranger ou se cachent. Il se raconte que Marinelli pleurait lors de son arrestation. Il a fallu l'arracher des bras de sa femme. Lorenzo a le souvenir de l'homme, vingt ans plus tôt, lors de l'affaire Matteotti. Il était venu le prévenir qu'il devrait aller en prison pour sauver le Duce des poursuites des juges. Marinelli n'avait pas hésité. Cet homme-là, un traître ?

— Je ferai tout ce que je pourrai pour Galeazzo, répète-t-il.

— Et les cinq autres ?

— Pour eux aussi, bien sûr.

Lorenzo. C'est son homme, son dernier homme. Ils vieilliront ensemble et, quand tout cela sera fini, qu'ils seront vieux, ils pourront évoquer ces temps terribles de la vengeance des fascistes. Elle a cette conviction : dehors les fascistes ! Ce sont eux qui ont déclaré cette guerre désastreuse. Le moins qu'ils puissent faire est de déguerpir avec leurs alliés allemands. Mais, se dit-elle, les choses sont plus compliquées. Lorenzo ne veut pas participer au nouveau régime de la RSI tout en refusant de rompre les liens avec Mussolini. Au contraire, il contribuera à le protéger, y compris quand les affaires de l'Axe se gâteront.

— Écoute, dit-elle soudain, faisons un pacte. Tu restes avec Mussolini sans aucune fonction politique. Tu sauves les traîtres du Grand Conseil, et moi, je reste avec toi.

— Et la guerre ? demande Lorenzo. J'ai le droit de faire la guerre contre les envahisseurs.

Carmela pousse un long soupir.

— La guerre… Tu vas la perdre.

— Je sais, dit Lorenzo. Les traîtres n'en sont pas. Tout le monde ignorait que l'idée du roi était de faire arrêter le Duce et tous les fascistes. Même Grandi et Bottai ne le soupçonnaient pas. Le premier a filé au Portugal, l'autre a été incarcéré. C'est le chef de la police, Senise, qui l'a fait libérer. Ceux qui ont voté oui l'ont fait librement sur l'offre de Mussolini, qui a mis l'ordre du jour aux voix. C'est cela qu'il faut soutenir.

— Tu crois que cela suffira dans l'ambiance actuelle ? Pavolini, dès que les Allemands l'ont libéré, a fait installer des mitrailleuses sur le toit du siège du parti et placer un char devant l'entrée. Les fascistes ne parlent que de vengeance, alors que les Alliés ont débarqué à Salerne, occupent Naples et se battent sur le Volturno. Lis le *Popolo d'Italia*. Un seul mot en titre : « Vengeance ». De la guerre, pas un mot !

— Je ne sais pas, avoue Lorenzo. En tout cas, je vais essayer.

*

Une vieille maison du Trentin entourée de sentinelles armées. À l'intérieur, cinq ou six personnes débattent autour d'une lampe à huile. C'est un rendez-vous important. Tous sont des chefs ou prétendent l'être. Ils portent de vagues uniformes dépourvus d'insignes. Chacun est équipé d'un revolver ou d'un pistolet chargé. Parmi ces hommes, une femme. Elle se tient en bout de table. Elle dépose son béret sur la table, en même temps que son arme. Un Nagant russe de belle allure. Le revolver réglementaire des officiers du NKVD. Parfois, un éclair d'ironie traverse son regard. Cette femme, c'est Laura.

— Ton arrivée a été annoncée, nous savons d'où tu viens et qui t'envoie. Il n'y a pas de difficulté là-dessus.

— Cela devrait te suffire, assène Laura. Le reste ne te regarde pas, à moins que tu ne veuilles pas travailler avec l'Union soviétique. Tu n'as qu'à le dire et je repartirai pour rendre compte à ceux qui m'envoient, comme tu dis. Après, ne te plains pas de ce qui t'arrivera si je ne donne pas de nouvelles, ce sera pire pour toi. J'espère que tu as compris.

Cela fait longtemps qu'elle ne s'est pas exprimée en italien. Elle s'aperçoit qu'elle manie sa langue maternelle comme le russe, sur le ton d'un officier du NKVD. L'homme soupire. Il ne veut surtout pas vexer cette envoyée du comité central. Il a besoin d'elle, de l'expérience qu'on lui prête, et surtout des convois d'armes qui, paraît-il, doivent suivre son arrivée. Lui aussi doit rendre des comptes et faire admettre aux partisans qu'une femme les commande maintenant.

— Écoute, dit-il en choisissant ses mots. Quand tu es arrivée dans le camp, certains de nos camarades t'ont reconnue. Ils disent que tu étais avec eux à la Garibaldi à Guadalajara.

— Exact, j'y étais.

L'homme secoue la tête.

— Certains disent encore que ton nom italien, c'est Mori.

— Laura Mori, précise-t-elle. En URSS, j'ai pris le nom de mon mari, Sacha Ogarev.

Les hommes autour de la table se jettent des coups d'œil. Tous ont entendu parler de Sacha Ogarev, protégé de Staline, l'envoyé tout-puissant du PCUS.

— Puis-je te demander où est ton mari à présent ? Toujours en mission ?

— Au cimetière de Moscou, dans le carré des héros de l'Union soviétique. Il est tombé à mes côtés pendant le siège.

— Tu t'es battue là-bas ?

— Dois-je te montrer un certificat ?

Ils baissent tous la tête. Certains trouvent cet interrogatoire déplacé. En même temps, ils sont curieux de savoir qui est vraiment cette Italienne russifiée qui a l'air de savoir de quoi elle parle. L'homme est gêné.

— Écoute, Laura, on m'a demandé de te poser ces questions. Les compagnons partisans veulent être renseignés sur un seul point : ce nom de Mori. Tu sais que Mussolini est installé à Gargnano sur le lac de Garde. Son homme de confiance s'appelle Mori, lui aussi. C'est un général de la milice, un homme qui a fait toutes les guerres des fascistes.

— Pas seulement, dit Laura. Avant, il a fait celles sur l'Isonzo et sur le Piave.

Tous relèvent la tête, surpris. Elle le connaît donc ! Laura les dévisage un par un.

— C'est mon père. Cela figure dans ma bio entre les mains de Beria. Croyez-vous que je l'avais caché ?

Comment les partisans vont-ils prendre cette affaire ? L'homme qui interroge Laura depuis le début ose alors cette question :

— Puis-je te demander quel type de rapports tu entretiens avec le fasciste Mori ? Il y a longtemps que tu l'as vu ?

Laura ne sourit plus. Elle ne s'attendait pas à ce genre d'accueil.

— Il était à Stalingrad dans l'état-major de Paulus, envoyé par Mussolini pour observer les combats. Il les a tellement observés qu'il y a gagné la croix de fer que l'on remarque sur les photos.

— Et toi, camarade Mori, où étais-tu ?

— De l'autre côté. Avec les snipers de Tchouïkov. Après, j'ai commandé une unité de partisans sur les arrières de la Wehrmacht.

Elle fouille dans sa poche, sort sa médaille de héros de l'Union soviétique qu'elle lance sur la table.

— Tu lis le russe, camarade ?

La médaille passe de main en main, certains parviennent à déchiffrer les lettres en cyrillique. Il y a un chiffre : 8.

— Que signifie ce chiffre ? demande l'un d'eux.

— C'est le nombre de chars Tigre que j'ai fait sauter à Koursk avant de me faire descendre.

— Et tu t'en es tirée ?

Elle éclate de rire.

— Décidément, tu veux me voir à poil, toi ! Tu as tort. Il n'est pas beau, mon corps, avec ce que les Allemands en ont fait. Le dernier qui m'a vue nue au temps où j'étais belle, camarade, était un partisan. Un jour, j'ai eu la preuve qu'il renseignait les

Allemands, alors je l'ai tué avec ce revolver. Après, j'ai écrit à sa sœur qu'il était mort en héros.

Elle les dévisage une nouvelle fois, ramasse la médaille et le Nagant.

— Cela vous suffit-il, mes compagnons ?

— Oui, cela nous suffit, pardonne-nous.

— Alors, au travail !

101

C'est donc cela, le nouveau parti fasciste ? s'interroge Lorenzo à son premier congrès. Le 15 novembre 1943, dans la salle d'honneur du Castelvecchio de Vérone, dans ce décor de créneaux, de tours et de fresques, règne un extrême tohu-bohu. Mussolini n'est pas venu. Il a envoyé Lorenzo, son œil et son oreille, pour lui rendre compte de ces débats où le désordre est partout. Un vieux journaliste du *Popolo d'Italia*, se présentant : « Je suis Dinale, camarades », s'est entendu répondre : « Mais qui est donc cet imbécile ? » Un ancien général de la milice a entendu Cosmin, l'homme qui monte, lui enjoindre « de repartir en arrière, sous peine de se faire jeter dehors ».

Les fascistes ont changé de personnages et de doctrine. Mais en existe-t-il encore une, tant les cris, les invectives, les discours contradictoires se succèdent ? Entre ceux qui veulent abolir la propriété privée, ceux qui s'y opposent avec fureur, ceux qui recommandent la remise du pouvoir aux syndicats, ceux qui répondent qu'ils ne sont pas communistes, ceux qui veulent des élections, ceux encore qui prétendent qu'elles sont incompatibles avec le fascisme, qui est par principe un parti unique ?

Les orateurs se succèdent à la tribune, tous vociférants, tous acclamés, tous hués. De temps en temps, Pavolini, le nouveau secrétaire général, réclame l'ordre et la discipline. Mais personne ne l'écoute. De manière à créer une espèce d'unité entre les congressistes, il prononce le nom de Ciano. Toute la salle, dans un même mouvement, se dresse pour hurler « À mort Ciano ! », comme si ce seul nom avait pour effet de rétablir la concorde. Alors, Pavolini, le camarade de guerre de Ciano, celui qui lui doit tout car si Ciano ne l'avait pas poussé, il ne serait rien, se rengorge en criant lui aussi, ce qui est la seule manière de se faire acclamer : « À mort Ciano ! »

À cet instant, une nouvelle tombe : le camarade Ghisellini, secrétaire fédéral de Ferrare, vient d'être abattu de six balles. Aussitôt, la salle se lève et hurle : « Tous à Ferrare ! Vengeons-le avec notre sang ! » Pavolini promet la vengeance. Déjà, des éclaireurs partent pour Ferrare. Pavolini ajoute : « Ce qu'il faudra faire le sera dans notre style, sans pitié ! » On en vient à ceux qui se sont enrichis sur le dos du peuple : le capitaine d'Arjego, « président de la Caisse d'épargne de Lombardie, a encaissé sept milliards payés par les paysans. Après le 25 juillet, il a jeté sa chemise noire pendant que nous autres, on allait en prison ».

— À mort ! hurle la foule.

— Accepté ! dit Pavolini.

Dans ce brouhaha extrême, c'est un méli-mélo de rancœurs, d'ambitions et d'intérêts. Lorenzo se lève, il en a assez entendu.

Le soir même, il rédige à l'intention de Mussolini un rapport cinglant. Le Duce baisse la tête, il dit qu'il est déçu, mais qu'on ne peut rien faire. Il fallait bien que les passions s'expriment après tant d'événements. « Il y a eu beaucoup de manifestations de nervosité des fascistes, mais peu d'entre eux avaient une idée claire du fascisme. Je n'aime ni les réformistes à tout crin, ni les libéraux. »

*

— Ce train, dit Laura, mesure huit cent cinquante mètres de long. Il part de Vienne à destination de la ligne Gustave au sud. Il est chargé de munitions, et surtout d'explosifs destinés à l'armée de Kesselring pour faire sauter les ponts et retarder, sinon bloquer, l'avance des Alliés.

Devant elle, une carte et un dessin. Le train roule à environ cent vingt kilomètres-heure, mais ici il sera obligé de ralentir à cause des virages. Sa vitesse tombera à environ soixante kilomètres-heure. Vers dix heures, il passera à cet endroit. Elle pointe un trait sur la carte.

— Le paysage se présente comme ce dessin. Avec Pedro, on a repéré les lieux cet après-midi. Pendant cinq kilomètres environ, il devrait avancer à vitesse réduite. Notre embuscade se tiendra ici. Les hommes seront postés sur le versant ouest. Il faut prévoir des moyens de transport pour les explosifs que nous allons récupérer.

— Nous n'avons pas d'explosifs, dit quelqu'un.

— C'est pour cela que nous allons attaquer ce train, pour nous emparer des explosifs qu'il transporte.

— Comment attaquer un train qui roule ?

— En le faisant s'arrêter, évidemment. Quand il sera bloqué à cet endroit environ, nous disposerons de dix minutes, quinze tout au plus, pour prendre les explosifs et disparaître. L'aérodrome est à cinquante kilomètres. Quand les Allemands enverront un message d'alerte par radio, cela fera décoller les Heinkel. À leur arrivée, les lieux doivent être vides. Les hommes auront des camionnettes, après ils poursuivront à pied par la forêt pour éviter d'être repérés.

Les hommes de l'état-major de la Stella Rossa sont penchés sur la carte et le dessin. L'entreprise les excite et les effraie en même temps. Cette Laura paraît bien ambitieuse. Elle joue sa réputation sur cette affaire. Certains espèrent la réussite de l'opération, d'autres, secrètement, souhaitent son échec. Elle est trop prétentieuse, cette fille envoyée par le comité central.

— Excuse-moi, demande l'un d'eux, mais comment comptes-tu arrêter le train sans explosifs ?

— En abattant les conducteurs dans la motrice.

Silence. L'un des hommes intervient :

— Cela mérite un peu plus d'explications, camarade Mori, la vie des partisans est en jeu, la réputation de la Stella Rossa aussi. Nous ne pouvons pas nous permettre un échec. Même si les conducteurs sont abattus, le train va continuer à rouler.

— Je pense que tu n'as jamais attaqué de train, camarade, répond-elle. La motrice fonctionne au diesel. Ce sont des modèles récents qui sortent des ateliers de la Deutsche Bahn. Il y a deux hommes dans la motrice. Regardez !

Elle écarte le dessin et étale une grande photo. On voit la motrice, photographiée de loin, mais, avec l'agrandissement, les détails apparaissent.

— Deux conducteurs sont assis devant le pare-brise en verre sécurisé. Mais sur ce modèle, ils doivent actionner en permanence un levier. À défaut, le train continue à rouler sur sa lancée, puis il s'arrête. Il faut compter environ un kilomètre, ce qui devrait les conduire au lieu de notre embuscade.

— Ce qui signifie, continue Pedro qui l'a accompagnée, que le tireur devra être posté un kilomètre avant, à la sortie d'un tunnel. L'endroit que nous avons repéré ensemble.

Laura hoche la tête.

— Je serai à trente mètres de la voie et de la sortie du tunnel. Il faudra tirer deux fois pour descendre les deux conducteurs.

Les hommes échangent des regards. C'est très difficile, très précis, sur une cible mouvante.

— Excuse-moi encore, camarade, il faut une arme de grande qualité pour ne pas rater ton coup, et aussi être un très bon tireur.

Laura extrait d'une sacoche à ses pieds les parties d'un fusil équipé d'une lunette. Elle visse la crosse et le fût, puis ajuste la lunette de visée.

— Le dernier fusil Mauser des snipers allemands. Je l'ai récupéré à Stalingrad. Dans le genre, il n'y a pas mieux. Précis et puissant. Aucun vitrage ne peut y résister, crois-moi.

— Que faisais-tu à Stalingrad ?

— J'étais sniper, camarade.

Un silence encore. Pedro réprime un sourire. Elle connaît son affaire, Laura, il s'en est vite rendu compte. Mais l'homme soupçonneux ne se tient pas pour battu.

— Je comprends, mais à Stalingrad, tu n'as jamais attaqué de train.

— À Stalingrad, certainement pas. Mais avec mes partisans, l'année suivante, douze trains en tout. Et je devance ta prochaine question. Sur douze, cinq ont réussi à passer. Ils étaient équipés de locos à vapeur anciens modèles, mais blindés. Il n'y avait rien à faire.

— Et les sept autres ?

Laura sourit.

*

Deux femmes marchent sur la berge du lac, le *lungolago*, comme on dit à Gargnano, le village qui abrite Mussolini et sa famille, sa maîtresse et la famille de sa maîtresse. Au début, elles ne parlent pas. La terre est spongieuse et de l'eau, déjà noire à cette heure, monte une odeur persistante d'humus avec toutes ces plantes et ces arbustes à demi immergés.

— Tu as lu mon journal ? demande Clara. Dis-moi ce que tu vas en faire.

— Je te l'ai dit. Les pages sont toutes photographiées. Quand le temps sera venu, je le publierai.

— Il viendra quand, ce temps ?

— Quand la guerre sera finie et que la vie reprendra son cours normal.

Elles se tutoient maintenant.

— Lui et moi, on n'a jamais été aussi près et aussi loin, murmure Clara.

Elle dévide son chapelet de plaintes. L'amour lui a coûté cher. Après la prison de Badoglio, celle d'Hitler. Sans doute les conditions ne sont pas les mêmes. C'est ce que lui fait remarquer Carmela en désignant l'élégante bâtisse avec ses deux étages que l'on aperçoit à travers les arbres.

— C'est bien, c'est beau, poursuit Clara. Mais les Allemands sont partout. Ils décident de tout. Ben lui-même me l'a dit. Les SS le protègent, le surveillent, s'il sort, ils l'escortent.

Elle s'arrête, puis se retourne.

— Moi aussi, j'ai droit à mon SS. Un lieutenant, il est charmant. Je crois que Ben est un peu jaloux… Je devrais avoir honte de me plaindre.

Elle ricane. Carmela l'écoute et ne dit pas grand-chose. Quand la Petacci a su que Lorenzo Mori était lui aussi à Gargnano avec sa compagne, elle a lancé une invitation à Carmela. Au début, Carmela a hésité. C'est Lorenzo qui l'a convaincue : « Elle est la personne la plus proche de Mussolini. Il faut essayer pour Ciano. »

Elle a accepté. En même temps, elle était curieuse de la nouvelle vie de la Petacci sur ce lac de Garde, où sont concentrés la plupart des ministères et des organes dirigeants de la RSI. La Petacci l'a accueillie avec reconnaissance. Il est clair qu'elle s'ennuie. Son temps s'écoule entre les lettres à son amant, ses appels téléphoniques interminables, probablement enregistrés par les Allemands, et la jalousie de toutes ces femmes qui ne cessent de rendre visite au Duce, y compris ses anciennes maîtresses regroupées à Milan et qui n'ont pas désarmé. Il se dit même que l'une d'elles, la Curti, est parvenue à faire embaucher sa fille, qui serait aussi celle du Duce, comme secrétaire. En somme, se dit Carmela, ils n'ont pas tardé à reconstituer sur les bords du lac leur petit enfer romain. Mais Clara retrouve de la gaieté. C'est une fille qui change d'humeur très vite. Elle entraîne Carmela vers une tour au fond du parc.

— C'est là que Ben m'emmène quand il vient me voir. J'ai fait installer un lit, on est tranquilles. Même s'il n'est plus comme avant. Tu vois ce que je veux dire. Cette affaire du 25 juillet et la prison de Badoglio l'ont épuisé. C'est pourquoi je déteste tous ces types qui ont voté contre lui. Ils m'ont pourri la vie !

Ce n'est pas le moment de parler de Ciano, se dit Carmela, elle n'a rien compris.

— Tu sais que les dix-neuf qui ont voté pour Grandi n'étaient pas informés des intentions du roi d'arrêter le Duce ? Ce qu'ils voulaient seulement, c'est que le roi prenne ses responsabilités au moment où l'ennemi pénétrerait sur notre sol.

— Je m'en fiche de ce qu'ils voulaient ou de ce qu'ils savaient. S'ils n'avaient pas voté contre Ben, rien ne se serait passé, voilà ! Chacun d'eux devait à Ben ce qu'il était devenu.

Carmela parle de la guerre maintenant. La Petacci avoue ne pas y comprendre grand-chose, sauf que ce sont les Allemands qui se battent contre les Alliés, et que le roi s'est enfui avec Badoglio avant de signer l'armistice. Les événements ne l'intéressent que s'ils ont une répercussion directe sur sa vie quotidienne, elle ne cherche pas à comprendre ce qui se passe, songe Carmela.

— Et Rachele, poursuit-elle, quelle est son attitude maintenant ? Sait-elle au moins que tu es là ?

— En tout cas, elle ne peut ignorer mon existence, répond-elle avec un méchant sourire. Quand elle a été confinée avec Vittorio et le reste de la famille à la Rocca delle Caminate, tous les journaux, sur ordre de Badoglio, ont révélé que je suis la femme secrète du Duce. Pour l'instant, elle me fiche la paix. Peut-être ignore-t-elle que j'occupe la villa Fiordaliso, à quelques centaines de mètres ? Mais quelqu'un a bien dû le lui dire. J'ai mes propres espions à la Feltrinelli. Elle s'occupe de Ciano, elle ne parle que de lui et du procès qui va avoir lieu. Elle le hait. Je n'ai jamais vu une haine pareille chez une femme !

C'est le moment, pense Carmela.

— Écoute, tu es mon amie. Je peux donc tout te dire. Edda est venue me voir, elle n'arrive pas à avoir un rendez-vous avec son père.

— Elle l'aura un jour ou l'autre. C'est sa fille préférée. Il finit toujours par lui céder. Elle me hait aussi, d'ailleurs. Je m'en félicite. Moi, j'aime Ben, je suis allée en prison à cause de lui !

Elle prend le bras de Carmela.

— Ben, c'est un homme bon, tu dois comprendre ça. Ton mari, Lorenzo, le sait.

— Il n'est pas mon mari, il est déjà marié.

La Petacci a un sourire un peu hystérique.

— Qu'est-ce que cela peut faire, cette histoire de mariage ? Lorenzo, c'est ton homme, et Ben, c'est le mien. Les autres femmes, c'est le passé. Nous, c'est le présent et l'avenir.

Carmela se demande de quel avenir elle peut bien parler, mais se garde de faire une réflexion.

— Edda voudrait que l'on intervienne auprès du Duce pour Ciano.

— On ? Qui c'est, on ?

— Toi !

La Petacci recule, les yeux brillants.

— C'est pour me parler d'Edda qui me déteste et de Ciano qui est la cause de tout ce qui est arrivé que tu es venue ? Et moi qui me demandais si tu accepterais mon invitation !

Carmela ferme les yeux, il faut se reprendre, il faut mentir.

— Écoute, Clara, Edda n'est pas une amie, loin de là. Mais elle fait ce qu'elle peut pour sauver son mari. Au congrès de Vérone, Lorenzo m'a dit que tous voulaient la mort de Ciano. C'est un homme que j'ai aimé, moi aussi.

— Toi… Ciano ! Aimé comment ?

— Comme on aime un homme, tu en sais quelque chose, c'était avant que Lorenzo revienne.

La Petacci n'est pas une mauvaise femme. Si on lui parle d'amour, elle est prête à tout pardonner. Elle n'est pas intelligente, elle est madrée, rusée parfois, souvent vaniteuse et très intéressée. Mais elle a ses générosités.

— Si c'est pour toi, je parlerai à Ben.

— Merci.

— Dis à Edda que je ne suis pas son ennemie, que je vais essayer de l'aider. Demande-lui seulement de comprendre la position où je suis et de cesser de me haïr.

— Elle ne te hait plus, dit Carmela, elle n'en a plus les moyens. À force de haïr tout le monde, elle ne hait plus personne.

102

Dans le viseur de son fusil Mauser, Laura scrute l'œil noir du tunnel. C'est de ce trou que va sortir le train. À partir du moment où surgira la motrice, elle disposera de trois secondes pour abattre les conducteurs. C'est très court, mais suffisant. Quand le train entrera dans le tunnel de l'autre côté, un guetteur dans les collines lui donnera le signal par radio. Le tunnel fait un kilomètre de long. Il lui faudra donc au maximum deux minutes pour ressortir. Elle est allongée sur un promontoire, invisible dans l'herbe, à plus de trente mètres de la sortie. C'est une position qu'elle a choisie quand elle a visité les lieux avec Pedro. Le fût de l'arme repose dans l'anfractuosité d'une pierre, il n'y aura donc pas de mouvement du canon. À côté d'elle grésille le poste radio.

— Toujours rien dit le guetteur.

La radio grésille encore. Cette fois, c'est Pedro. Il

est chargé, quelques centaines de mètres plus loin, de commander l'attaque sur le train quand il sera arrêté. Trente hommes, pas plus. Au-delà, on se gênerait, a-t-il dit. Sur une petite route qui longe la voie ferrée stationnent trois camionnettes qui embarqueront les explosifs.

— Tout est prêt, dit Pedro. J'ai apporté deux mitrailleuses Hotchkiss, à tout hasard.

— Tu as eu raison.

C'est un vrai partisan, ce Pedro. On peut lui faire confiance. On décèle chez lui des expressions qui sont celles d'un militaire professionnel. Il n'était pas à la Garibaldi, se dit Laura, je l'aurais repéré, ou alors il était de l'autre côté, chez les chemises noires avec mon père. Ils sont nombreux, ceux qui ont changé de bord quand Mussolini s'est lancé dans cette guerre contre les Alliés aux côtés des nazis. À la Stella Rossa, il n'y a pas que des communistes.

— Attention, dit le guetteur dans la radio, je vois le train. Il roule vite, plus de cent à l'heure à mon avis. Il va entrer dans le tunnel..

— Merci, dit Laura.

Puis, à l'intention de Pedro :

— Le train entre dans le tunnel.

— Bien reçu.

On n'entend pas le bruit du train car le tunnel étouffe tout. Elle surveille sa montre, une minute, puis tout à coup, le nez de la motrice grossit dans le viseur. Elle presse la détente. Une fois, deux fois, vers les deux silhouettes derrière la vitre, qui s'effondrent aussitôt. Le train défile devant Laura, ralentit. Il n'y a plus personne pour actionner le levier.

— C'est fait, dit-elle à Pedro.

— Bravo, je vois le train, il va s'arrêter.

Elle l'entend qui crie :

— *Avanti Italia ! Ammonini piciotti*[1] !

Puis à nouveau la voix du guetteur de l'autre côté du tunnel :

— Attention, je vois un autre train, il n'était pas prévu celui-là.

— C'est quoi, ce train ?

— Je vois mal. Attends ! Un transport de troupes, six, non huit wagons pleins de soldats ! Vieille loco à vapeur, blindée. Il va entrer dans le tunnel.

— Pedro, dit Laura dans la radio. Il y a un autre train de soldats.

Mais Pedro ne répond pas. Dans la radio, on entend des coups de feu, puis plus rien. Enfin sa voix :

— C'est fait, on charge et on s'en va. Les Stuka n'auront pas le temps d'arriver.

— Pedro, il y a un autre train plein de soldats. Il est entré dans le tunnel !

— Tue les conducteurs !

— Je ne peux pas, c'est une loco à vapeur, blindée.

— *Cazzo !* dit Pedro. J'arrive.

Elle reste là, son fusil pointé au cas où il y aurait un moyen d'abattre les conducteurs du train, difficile mais pas impossible. Qu'est-ce qu'il fout, ce train ? Il ne ressort pas, une minute passe, puis deux.

— Je ne vois pas le train ressortir, dit-elle au guetteur.

— Pourtant, il est bien rentré, répond-il.

---

1. En avant les enfants ! (Le vieux cri de guerre de Garibaldi.)

— Il s'est arrêté dans le tunnel. On l'a averti de l'embuscade.

Avec son Mauser, elle ne pourra pas faire grand-chose quand les soldats sortiront. Si elle tire, elle sera repérée, et ils n'auront pas de peine à l'abattre. Un bruit de moteur derrière elle. C'est Pedro avec une des camionnettes qui décharge les mitrailleuses. Elle court vers lui pour l'aider. Pas besoin de parler. Ils se comprennent.

— Où sont-ils ? demande Pedro.

— Dans le tunnel, ils vont sortir.

— On a embarqué les armes et les explosifs qu'on a trouvés. J'ai piqué une des camionnettes. La forêt n'est pas loin. Pour l'instant, il n'y a pas de Stuka et le chargement se poursuit.

— Il y a ceux-là dans le tunnel, c'est pire que les Stuka.

Tous deux se taisent. Les mitrailleuses sont montées sur les trépieds, les bandes engagées, invisibles sous le feuillage. Ils attendent. Enfin, les soldats apparaissent. Deux ou trois en éclaireurs qui inspectent les alentours. Rien. Deux restent là, un troisième retourne dans le tunnel. Le train ne ressort toujours pas. Puis des soldats reviennent. Cette fois, ils sont plus nombreux, ils suivent la voie à pied, les armes braquées. Après le tournant, ils tomberont sur le train arrêté et les partisans en train de charger les camionnettes.

— Il y a huit wagons, dit Laura à Pedro.

Les soldats avancent toujours. Ils sont vingt, trente, plus encore. Certains commencent à escalader le talus.

— Feu ! dit Laura.

Et les mitrailleuses commencent à tirer, mortelles, des rafales courtes, bien ajustées. Laura change de bande.

— Feu ! dit-elle encore.

— Feu ! crie Pedro.

Elle est bien, Laura, à faire la guerre contre les Allemands avec Pedro.

*

— Si j'ai bien lu votre rapport, lieutenant Mori, vous avez été fusillé en même temps que vos camarades officiers sur une plage de Céphalonie, et vous vous êtes fait passer pour mort alors que vous n'étiez que blessé ?

— C'est bien cela, mon général.

— Par la suite, les partisans grecs vous ont abrité jusqu'à ce que l'un d'eux vous fasse sortir de l'île, déguisé en pêcheur, jusqu'aux lignes anglaises ?

Sandro hoche la tête, la gorge nouée. Ambrosio a fait partie de cet état-major qui a accompagné le Duce à Feltre, lors de la dernière réunion avec Hitler. C'est là qu'il a commencé à vaciller, tant les propos tenus par Mussolini, les prétextes pour ne pas se défaire de l'alliance allemande, lui semblaient effarants. Sandro jette un coup d'œil par la fenêtre. Il ne fait pas froid sur le port de Brindisi au mois de décembre 1943, son esprit, depuis qu'il est rentré en Italie, retourne souvent à Céphalonie, avant les événements, comme on dit ici avec une hypocrite pudeur. Il revoit les visages de ses camarades, il revoit Alexia.

— Trente-sept militaires italiens sur douze mille ont réussi à fuir Céphalonie, dit Ambrosio. Les autres sont morts au combat ou ils ont été fusillés. Le reste, s'il s'agissait de soldats, a pris le chemin des camps de concentration, sans parler des transports de prisonniers qui ont coulé en pleine mer, sans que l'on sache bien pourquoi. Au point de se demander si les Allemands ne l'ont pas fait exprès. Vous êtes l'un des trente-sept survivants.

Sandro regarde le général. C'est un homme fatigué, avec des rides et les mains qui tremblent.

— Le jour de l'armistice, le 8 septembre, il me restait une unité en état de combattre, poursuit Ambrosio. La division Acqui, c'est-à-dire la vôtre. L'amiral Galati a pris deux bateaux chargés d'hommes, d'armes et de munitions pour vous porter secours, le *Sirio* et le *Clio*. Il a levé l'ancre à l'aube du 14 septembre. On lui a communiqué que les ports de Vljoti et de Fiscardo étaient aux mains des Allemands. L'auteur de ces fausses nouvelles, c'était l'état-major allié. Malgré tout, Galati a poursuivi sa route jusqu'à ce que l'état-major allié lui ordonne de faire demi-tour. Galati n'avait plus le choix. Nos amis anglais et américains craignaient qu'il ne se dirige vers un port neutre, ou pire qu'il déserte. C'est du moins le prétexte qu'ils ont trouvé. Voilà pourquoi la division Acqui n'a reçu aucune aide ni assistance de notre état-major. Cela nous a été interdit. Interdit, vous comprenez ! Les Alliés ont considéré que douze mille militaires italiens ne valaient pas qu'on les aide à résister ou à survivre !

Le général fait le tour de son bureau et pose sa main sur l'épaule de Sandro.

— Que voulez-vous faire, Mori ? Vous êtes de Vérone, je crois, c'est une ville entre les mains de la RSI…

— Je veux retourner me battre, bredouille-t-il.

— Les Alliés nous ont autorisés à former une unité militaire. Elle s'appelle le 1er Groupement motorisé. Deux cent quatre-vingt-quinze officiers, cinq mille trois cent quatre-vingt-sept soldats, tous membres de l'armée royale sous commandement anglais. Cela vous intéresse ?

— Oui, mon général, répond Sandro.

Et aussitôt après, il éclate en sanglots.

*

Encore la berge le long du lac. Il fait de plus en plus froid, pas encore la neige, mais c'est une question de jours. Une tour construite en faux ancien au bout du domaine de la villa Fiordaliso, avec de jolis créneaux et une porte en ogive. Devant la tour, trois femmes debout : Clara Petacci, Carmela et la troisième, longue, mince, les traits aigus – c'est Edda Ciano, la fille de Mussolini. Elles ne parlent pas, ces femmes. Tout à l'heure, Carmela a conduit Edda auprès de Clara. Elles se sont serré la main sans un mot. En d'autres temps, elles se seraient injuriées, jetées l'une sur l'autre peut-être. Là, juste deux mains qui se rejoignent, deux regards qui se croisent.

— Il va venir par le lac, a dit seulement Clara.

Puis le silence. Edda serre contre elle son manteau gris, elle fume une cigarette qu'elle finit par jeter dans l'eau. Le procès de Ciano aura lieu dans trois semaines. Les juges sont nommés, tous *fascisti di provata fede*, le magistrat instructeur, Cersosimo, va remettre son rapport. Il a entendu chacun des six accusés dans la cour de la prison des Scalzi. Vecchini présidera le tribunal. Cet ancien consul de la milice, frappé et emprisonné par les hommes de Badoglio et libéré par les Allemands, porte encore sur le visage la trace des coups reçus.

Trois femmes donc, plutôt belles et élégantes, comme des cariatides devant la tour. Les Trois Grâces, aurait dit Ciano, mais il n'en est plus à regarder les femmes. Seule Frau Beetz, l'espionne SS, lui rend visite. Elle a tenté de le sauver en négociant avec Kaltenbrunner la livraison du journal de Ciano qui, paraît-il, est accablant pour les nazis. Le journal contre la vie et la liberté dans un pays lointain, pour lui et sa famille. Mais Ribbentrop et Goebbels se sont opposés à cette tractation. Au point où en est la guerre, les Allemands s'en fichent du journal de Ciano. Frau Beetz l'a dit à son protégé et à Edda. Elle est un peu amoureuse de Ciano, cela se sait et surtout cela se voit. Si elle avait pu, elle serait venue, la jolie Frau Beetz, mais elle aurait été de trop, comme tous les Allemands. Mussolini, sans le dire, les supporte de plus en plus difficilement.

Trois femmes devant la tour qui sert à l'amour. Peut-être ce décor adoucira-t-il le Duce. C'est ce que pense Clara Petacci qui sait comment le prendre, cet homme. Edda aussi a ses recettes pour aborder son père, la dernière fois qu'ils se sont vus, elle les a injuriés, lui et ses alliés allemands. Elle a aussi injurié les extrémistes de la RSI, la pire image des fascistes. Elle lui a dit que la guerre était sa faute à lui. « Et maintenant, a-t-elle achevé, tu veux tuer Galeazzo, le père de tes petits-enfants ! » Elle est partie en claquant la porte. Sa mère n'a pas tenté de la retenir. Elle aussi veut la mort de Ciano. C'était il y a un mois. Ils ne se sont pas revus. Cette démarche est la dernière qu'elle peut tenter. Tout est déjà prêt pour le procès. Il aura lieu dans le Castelvecchio. La grande salle, le salon de musique, est déjà réservée, et les menuisiers sont à l'œuvre pour préparer le décor. C'est dans cette même salle qu'a eu lieu le congrès fondateur du parti fasciste républicain en novembre. Déjà, on y criait : « À mort Ciano ! »

Un bruit de moteur. Le canot s'approche de l'embarcadère. Carmela recule dans le sous-bois. Elle ne veut pas que le Duce la voie, et elle non plus ne veut pas le voir. Un choc sourd. La coque a heurté le bois. Le pilote reste à bord, il a l'habitude d'attendre. Quand l'amour est fini, il lui faut ramener le Duce à la villa Orsoline, où se tient le siège du gouvernement fantôme de la RSI qui fait semblant de travailler.

Un pas lourd, le craquement de feuilles sous la botte, Mussolini apparaît. Il regarde Clara et Edda, sa maîtresse et sa fille. Clara fait un pas vers lui, mais, d'un geste, il lui demande de s'écarter. Il reste seul devant Edda, les mains dans les poches de son manteau. Elle avait préparé des mots, mais ils ne viennent pas. Lui la contemple. C'est sa fille adorée, sa fille chérie, tout comme Ciano était son préféré. Il le trouvait consciencieux, intelligent, docile, loyal, drôle parfois. Il aimait Ciano et lui aussi l'aimait. C'est terrible, ces regards entre le père et la fille.

Elle lui dit sans prononcer un mot : « Sauve Galeazzo », et lui répond dans le même silence : « Je ne peux pas. » Elle insiste : « C'est le père de tes petits-enfants que tu aimes tant », et lui : « Ça ne fait rien. » Aucun d'eux ne parle. Tout est dans les regards, dans les lèvres qui tremblent. Ça dure une minute, peut-être deux. C'est sans importance. À la fin, Mussolini s'avance vers elle, il a un mouvement pour tendre les bras et demander pardon de ce qu'il va faire. Mais elle a compris, Edda, elle recule, elle s'efface. Elle le laisse entrer par la porte en ogive, suivi par Clara.

La porte se referme dans un claquement sourd. Ils ne se reverront jamais. Edda rejoint Carmela dans le sous-bois, et elles s'en vont toutes les deux. Dans la tour, Mussolini et Clara ne font pas l'amour. L'envie est partie. C'est une occasion ratée. Pourtant, ils en ont peu.

103

Sitôt confirmé le retour du Duce et annoncée la création de la République sociale italienne, Adriana Mori s'était empressée de décrocher le portrait du roi traître et de retrouver, au fond du grenier, la photo dédicacée et encadrée de Mussolini. Dans le même temps, elle avait rouvert le club des femmes fascistes via Porta Borsari dont elle était toujours la présidente. Eugenio Coralli, l'amant compagnon de Virginia, était réapparu, vêtu d'une chemise noire neuve, piazza Bra. Bref, tout avait repris son cours comme si rien n'avait changé, alors que précisément tout avait changé.

Il a existé un fascisme roboratif, énergique et ambitieux. C'est l'idée de ce fascisme-là qui a fait la fortune du Duce. C'est sa mise en œuvre qui a produit « l'homme le plus aimé d'Italie, l'homme de la Providence », comme disait Pie XI. Tant pis pour la liberté d'expression, tant pis pour les hiérarques corrompus, et cette idée complètement folle du Duce de faire de l'Italien un homme nouveau, genre guerrier ascète à la mode spartiate. D'ailleurs, ce n'était qu'une idée. Les Italiens savaient qu'il n'y parviendrait jamais, et lui-même ne se faisait pas d'illusions. Moyennant ces arrangements et ces hypocrisies, on s'accommodait du régime, bien plus généreux et attentif que l'ère libérale qui avait précédé sous Giolitti, Facta et consorts. Puis il y avait eu la guerre avec les Alliés, qui n'avait rien à voir avec la conquête de l'Éthiopie et le conflit espagnol. Cette guerre-là, contre la France et l'Angleterre, dont les Italiens ne voulaient pas, avait rapidement tourné à la catastrophe nationale, avec les Anglo-Américains flanqués de cinq ou six nations subsidiaires sur le sol de la péninsule. Et en moins de trois ans, l'homme le plus aimé était devenu l'homme le plus haï, de même que ses alliés. Il était parti, cet homme, on avait emprisonné les fascistes en criant « Vive le roi et Badoglio, vive la paix surtout ! ». Mais le roi et Badoglio s'étaient enfuis après avoir tourné casaque, et cet homme est revenu à la tête d'une nouvelle nation, républicaine celle-là, qui va des Alpes jusqu'à Rome. Avec lui sont revenus la guerre et les Allemands, hargneux et méprisants.

Tout cela, Eugenio Coralli, qui n'est pas plus bête qu'un autre, le ressent bien. Certes, il a repris sa place de chef de Vérone, et Virginia, celle de maîtresse publique du chef. Mais en même temps, le Coralli a vite compris qu'il ne commandait plus grand-chose du nouveau parti fasciste républicain. Sans doute est-il allé au congrès de Castelvecchio, sans doute a-t-il crié: « À mort Ciano ! » avec les autres et fait à la tribune de bruyantes interventions que personne n'a entendues, encore moins écoutées, tant il y avait de vacarme. Ces préliminaires achevés, il doit se résoudre à l'évidence: la RSI, c'est un monde triste et gris, violent et dangereux. Les partisans dans la montagne croissent en nombre, et la levée en masse ordonnée par Graziani, le ministre de la Défense, a eu pour effet de gonfler leurs effectifs.

Et maintenant, ce sont les attentats du GAP (Groupe d'action de partisans), en pleine rue, dans les bus, les trams, partout et n'importe quand. Et quand ce ne sont pas les charges qui explosent, les coups de feu des sicaires, ce sont les Allemands qui soupçonnent chaque Italien, y compris les fascistes les plus endurcis, d'être un traître en puissance. Et quand ce ne sont ni les uns ni les autres, ce sont les Alliés anglo-américains qui déversent leurs chargements de bombes depuis les hauteurs où aucune DCA (défense contre l'aviation) ne peut les atteindre.

— Qu'est-ce qu'il en pense, ton mari, de Pavolini, notre secrétaire général ? demande brusquement le Coralli à Virginia.

— C'est toi, mon vrai mari maintenant. Tu le sais. Il y a plusieurs semaines que je ne l'ai pas vu, mais Lorenzo est l'ami de Ciano, et Pavolini réclame sa mort à longueur de journée. Ils ne peuvent pas s'entendre.

— Moi non plus, je n'aime pas ce Pavolini. C'est un moine du fascisme, un Savonarole. Il n'a à la bouche que ces mots : « traître, punition, ennemi ». Ce n'est pas un programme.

Tous deux se taisent avec la même impression d'être arrivés au bout de leur course. Ce qu'il faudrait, pense Virginia, c'est s'enfuir de Vérone. Mais pour aller où ? Et pour quoi faire ? C'est Noël ce soir, et ce Noël est le plus triste de sa vie. Ils sont là tous les deux, comme deux vieux, alors qu'elle n'a pas cinquante ans et lui à peine un peu plus, en train de soutenir un régime auquel ils ne croient plus et dont ils sont devenus les prisonniers, faute de pouvoir changer de statut. Le Coralli aurait fait un bon commerçant et elle aurait tenu la caisse. Ce qu'ils auraient gagné les aurait fait vivre. Elle rêve d'un magasin. C'est trop tard, se dit-elle avec amertume. Un chef fasciste ne peut avoir de négoce, c'est contraire à sa conviction. La seule caisse que je tiendrai jamais, c'est celle du parti, une caisse de plus en plus maigre d'ailleurs, parce que les gens sont fauchés et que les cotisations ne rentrent pas.

Ils vont à la messe au Duomo, là où elle a épousé Lorenzo, à l'occasion de la plus grande fête fasciste que Vérone ait connue. Le Coralli, pour une fois, n'a pas mis de chemise noire. Ils échangent de furtifs saluts. Personne ne vient plus leur faire d'accolades comme autrefois. L'église est à moitié vide et on n'y voit goutte, à cause du couvre-feu. Elle prie pour remercier Dieu d'avoir sauvé Sandro en Céphalonie, elle prie pour le Coralli et elle-même. Elle prie même pour Lorenzo, et pour l'Italie aussi. Elle ne prie pas pour Mussolini.

*

— Un train de la Wehrmacht pillé de ses explosifs, dix-huit soldats au tapis dans le train suivant bloqué dans un tunnel, et qui n'en est jamais sorti. Ta réputation est faite, dit Pedro à Laura, personne chez les partisans ni au CLNAI[1] ne contestera plus tes qualités ni tes pouvoirs. L'affaire fait beaucoup de bruit dans les milieux de la résistance. Tu es notre héroïne !

Laura lève la main.

— *Basta cosi.* Si tu n'avais pas été là avec tes mitrailleuses, l'opération aurait tourné au fiasco. Le deuxième train était rempli de soldats, et il a été ajouté au dernier moment. C'est un succès partagé.

Laura ne s'occupe ni du passé ni de l'avenir. Ce qui l'intéresse, c'est ce qui va se passer maintenant. Il lui faut de la matière concrète. La guerre partisane, ce sont des coups de main. Quand l'un est terminé, on passe au suivant.

— À la caserne de la Muti à Milan, cinq des nôtres sont interrogés jour et nuit avant d'être fusillés, j'ai réfléchi à un plan…

Elle expose ce plan avec, comme d'habitude, des

1. Comitato di liberazione nazionale per l'Alta Italia.

dessins, des chiffres, un processus réglé comme un mécanisme d'horlogerie, et pendant qu'elle parle, le partisan Pedro l'observe avec admiration. Il la contemple, cette femme si jeune et pourtant forte d'une terrible expérience. Quand elle est fatiguée, elle boite un peu. Sur son visage, des cicatrices font de ses traits un ensemble troublant. Pedro, lui-même bel homme (visage long barré d'une épaisse moustache, regard sombre), en est ému. Sous la vareuse kaki de combat, il devine un corps souple et ferme, même s'il n'a pas été tout à fait réparé.

À son tour, il parle de la Muti, la *squadra d'azione* Ettore Muti[1], du nom de ce héros fasciste assassiné par les carabiniers de Badoglio en août 1943. Elle est composée des hommes les plus déterminés, les plus durs et aussi les plus sanguinaires qu'ait produits le nouveau fascisme de la RSI. À la suite d'un meurtre commis par des communistes sur un civil, les hommes de la Muti ont provoqué la veille des incidents sanglants.

— Oui, dit Pedro, il faut frapper la Muti.

Il précise à son tour plusieurs détails, fait des suggestions que Laura approuve. Ils se penchent encore sur les croquis qu'elle a préparés. Il faut s'attendre à un combat sanglant. Les *arditi* de la Muti sont de féroces guerriers. Sur leur uniforme figurent ces mots «*Siam fatti così*», et leur devise est «*Prendeteci come siamo et quando vogliamo*[2] ».

Pedro parle un italien plutôt châtié. On sent un

---

1. L'équipe d'action Ettore Muti.

2. Nous sommes comme ça. Prenez-nous comme nous sommes et quand nous le voulons.

homme éduqué, passé par l'université. Laura aime sa voix, son vocabulaire riche et précis. Soudain, elle l'interrompt et lui demande :

— Pedro, c'est ton nom de partisan. On m'a dit que tu venais de Toscane.

— C'est vrai, j'ai fait mes études au lycée à Pistoia, puis à l'université de Florence. Ma sœur est de Côme.

— Quel est ton vrai nom, si tu veux me le dire ?

Il hésite un instant, puis :

— Pier Luigi Bellini delle Stelle.

— C'est un nom d'aristocrate.

— Oui, il figure sur la liste officielle des nobles de Florence. Je ne suis pas communiste et ne le serai jamais.

— Je m'en fous !

Instinctivement, elle a utilisé l'un des slogans fascistes, « *Me ne frego* ». C'est une provocation qui fait sourire Pedro. Elle ajoute aussitôt :

— Tu me fais chaud, Pier Luigi.

Elle avait utilisé les mêmes mots avec Igor, son jeune amant partisan qu'elle avait dû abattre en Russie. Laura ne s'embarrasse pas de circonlocutions. Quand elle a envie d'un homme, elle le lui dit.

— Toi aussi, dit Pedro, tu me fais chaud.

*

Le procès des traîtres du 25 juillet, comme on les appelle, dure trois jours, les 8, 9 et 10 janvier 1944. Il se déroule dans le salon de musique réaménagé du Castelvecchio de Vérone. Lorenzo est entendu après tous les autres témoins. Mais, à travers la porte entrouverte, il a pu écouter les débats. Lui-même a été cité par l'accusation, et quand il lui a été proposé de ne pas venir au prétexte de ses fonctions auprès du Duce, il a refusé: « On me demande de témoigner, je viens. Je ne me défilerai pas. »

Quand il est introduit dans la salle, Lorenzo découvre un décor funèbre. Les fresques sur les murs sont recouvertes de draperies noires. Derrière les juges en chemise noire, un drap immense, noir lui aussi, avec au milieu le faisceau du licteur. Sur la table des juges, une sorte de nappe rouge, sanglante. Lorenzo ne se laisse pas émouvoir par cette mise en scène. Il s'avance à la barre et fait un signe de tête à l'intention des six accusés qu'il connaît tous parfaitement, surtout Ciano.

— Général, commence Vecchini, le président, vos faits d'armes sont connus, comme en témoignent vos impressionnantes décorations. Vous êtes un fidèle du Duce qui vous a nommé au Grand Conseil. Vous étiez présent à la séance des 24 et 25 juillet. Et vous avez voté non à l'ordre du jour de Grandi.

— Si j'avais voté oui, je serais parmi les accusés.

Vecchini hoche la tête, de même que Fortunato, l'accusateur public. Voilà un bon témoin.

— Faites votre déposition, demande Vecchini.

Et là, Lorenzo se lance dans une véritable plaidoirie pour Ciano:

— Ce procès est surtout celui du comte, les autres accusés, même s'ils ont voté oui, ne sont là que pour faire nombre. J'étais au congrès en novembre dans cette même salle. Tout le monde criait déjà « À mort Ciano ! ». Il ne reste donc plus que le dernier acte, ce procès qui ne se tient que pour la forme. Tout le monde a compris.

— Général, s'écrie Fortunato en brandissant son bras privé d'une main, vous insultez les juges !

— Fortunato, vous ne m'impressionnez pas avec votre moignon. Je peux aussi vous montrer le mien, répond Lorenzo en levant son bras droit prolongé par la prothèse en bois.

— Poursuivez votre déposition en vous abstenant de prendre à partie le tribunal, dit Vecchini.

Lorenzo hoche la tête et raconte tout. Les efforts de Ciano pour éviter la guerre, les hésitations du Duce, sa décision de se joindre aux Allemands après la défaite française et les catastrophes militaires qui ont suivi.

— Où étiez-vous pendant cette guerre ? demande Fortunato.

— Sur le front de France, mais ça n'a pas duré longtemps. J'ai été surtout en Russie, à Moscou, puis à Stalingrad. J'en ai ramené cette croix de fer de première classe.

Il la détache et la brandit devant les juges. Silence. Alors, Lorenzo se tourne vers les observateurs allemands assis dans un coin et qui notent tout.

— Vous la voyez bien, cette croix de première classe. Peu d'entre vous ont la même !

— Poursuivez, dit Vecchini, personne ne met en doute votre action pendant cette guerre et les précédentes. Que s'est-il passé les 24 et 25 juillet ?

— Après neuf heures de discussion, le Duce a proposé de mettre aux voix l'ordre du jour de Grandi. Il a donc invité chaque membre à voter selon sa conscience. Personne n'aurait imaginé qu'il serait arrêté le lendemain, et ceux qui ont voté oui ne pouvaient se douter qu'ils se retrouveraient six mois plus tard devant ce tribunal.

— Ils ont trahi l'idée fasciste ! s'écrie Fortunato.

— Que signifie l'idée fasciste ? répond Lorenzo avec un bref sourire. S'agit-il de voter toujours dans le sens indiqué par le chef ? Alors, pourquoi voter ?

Fortunato bredouille, puis choisit d'attaquer :

— Galeazzo Ciano, en votant la destitution du Duce, l'a trahi, voilà tout. D'ailleurs, vous-même ne l'avez pas fait !

— Ce n'était pas un choix politique, mais un choix personnel.

— Quelles que soient les raisons du choix, Ciano, qui devait tout au Duce, lui le père de ses petits-enfants, devait faire le même !

— C'est de ne pas avoir suivi l'homme jusqu'au bout que l'on reproche à Ciano. Alors, il ne fallait pas le nommer au Grand Conseil, et encore moins lui demander de voter, alors que l'ennemi prenait pied sur notre sol.

Silence encore. Des mouvements dans la salle. Le regard de Lorenzo croise celui de Ciano à quelques mètres de lui.

— Votre déposition est-elle achevée ? demande Vecchini.

— Pas tout à fait.

Et Lorenzo se met à parler des liens entre Ciano et Mussolini, de leurs rendez-vous quotidiens au palazzo Venezia, des appels téléphoniques plusieurs fois par jour, et même la nuit.

— Mussolini aimait et appréciait Ciano, car c'était

un ministre compétent et sérieux. Et Ciano lui rendait cette affection. Quand le Duce, après avoir été libéré, est allé à Munich, il a eu une discussion avec Ciano. Puis ils ont dîné à la même table. Entre eux, il n'y avait plus de dissensions. Ciano avait expliqué son vote et le Duce l'avait compris. Il avait pardonné ce qu'il y avait à pardonner.

— Qu'en savez-vous ? demande Fortunato.

— J'y étais, répond Lorenzo, comme j'étais sur le Gran Sasso lors de la libération par Skorzeny, et le Duce m'a demandé de l'accompagner jusqu'à Munich et de ne jamais le quitter. Ciano était l'ami du Duce. Il l'est toujours, et moi aussi, je suis son ami.

— Votre déposition est-elle achevée, général ? demande Vecchini.

— Elle l'est. Votez selon vos consciences et non selon les ordres. C'est cela, le véritable sens du vote.

Lorenzo tourne les talons et se dirige vers la sortie. Dans le public, pourtant sélectionné par le préfet et composé de fascistes éprouvés, il entend des insultes mais aussi des mots chaleureux.

Le 10 janvier, à treize heures, seul Cianetti, qui avait retiré son vote, écope de trente ans. Ciano et les autres sont condamnés à mort.

104

La veille de l'attaque, Laura fait l'amour avec Pedro. Ce n'est pas une étreinte pour noyer l'angoisse qui précède le combat. C'est un acte sacramentel. Ils s'aiment. Lui découvre son corps abîmé, ses cicatrices, les traces laissées par la mitrailleuse du neuvième Tigre, des trous couleur lie-de-vin, des boursouflures de bas en haut, selon la ligne oblique de la rafale, et le sein comme une balle crevée.

— À l'intérieur, c'est pire. Mais tout a été bien réparé, m'a dit le chirurgien.

Il répond que ces blessures, ces taches, ces trous, il les aime comme le reste de son corps, encore plus même. Elle porte sur elle les stigmates de la bataille.

— Ton vrai nom, c'est Koursk, voilà comment on devrait t'appeler.

Elle rit. Elle a ces moments où elle est gaie, comme cela lui arrivait avant la guerre. Il l'étreint une fois encore, elle ne se donne pas, elle s'offre. Avec Sacha, c'était lui qui décidait. Avec Igor, c'était elle. Maintenant, ils ont la même envie au même moment.

— C'est un signe, dit-il, cette envie d'étreinte partagée, le signe qu'on s'aime.

— Oui, c'est un signe. J'avais arrêté d'y croire, mais avec toi, cela me revient.

Puis ils s'endorment dans cette cabane de partisans à flanc de colline, avec juste un matelas et une couverture. Les armes sont pendues sur la paroi, mais chacun d'eux conserve un pistolet à portée de main. À la Stella Rossa, tous ont vu qu'ils passaient la nuit ensemble. Personne n'a rien dit. D'ailleurs, ils ne sont pas les seuls. Il faut de l'amour à la guerre pour compenser le reste. La Russe, comme ils la surnomment, n'est donc pas qu'une machine de guerre.

Cela les rassure, les partisans, de savoir qu'elle est aussi une femme avec tout ce que cela signifie.

Dans la nuit, elle se redresse et pousse un cri, puis retombe. C'était un cauchemar. Pedro allume une bougie, il observe les lèvres entrouvertes, les yeux clos sur un vague sourire. C'est vrai qu'elle est belle, se dit-il. Il se recouche. Dans son sommeil, Laura étend le bras et le recouvre, ce corps d'homme, sans qu'il ose bouger. C'est ainsi qu'ils achèvent la nuit, la veille de l'assaut contre la caserne de la Muti.

*

Cette nuit-là, le Duce ne dort pas, car le lendemain au matin seront exécutés les traîtres du Grand Conseil. Il relit une lettre que vient de lui faire porter Edda, puis appelle Lorenzo qui est de garde avec le préfet villa Orsoline, le siège de son gouvernement. Le Duce dit que les traîtres ne pouvaient pas en être. Ciano avait peut-être des vues personnelles sur le pouvoir, mais c'était tout. Il parle aussi de sa famille, d'Edda, des petits-enfants, de Costanzo Ciano, le père de Galeazzo, un fidèle également, de son fils Bruno mort dans un accident, l'ami de Galeazzo. Le préfet se retire, mais Mussolini lui téléphone peu après.

— A-t-on des nouvelles d'Edda ?

— Aucune, Duce.

Il appelle Lorenzo.

— Tu ne me laisses pas maintenant, toi.

— Non, Duce, mais il faut sauver Ciano et les autres. Ils sont plus proches de vous que tous ceux qui vous entourent maintenant.

— Fous le camp, Mori !

Les heures passent, les fantômes hantent Mussolini. À cinq heures du matin, il appelle le général Wolf pour lui demander ce qu'il pense du jugement de Vérone.

— Ce sont des affaires italiennes, répond Wolf, réveillé en sursaut.

— Mais vous, général ? Qu'en pensez-vous comme homme ?

— Je serais inflexible.

Un silence, puis :

— Cela signifie-t-il que la sentence ne sera pas exécutée ?

— Cela me nuirait auprès du Führer ? demande Mussolini.

— Oui, beaucoup.

Durant cette même nuit, les autorités fascistes ont bien reçu les demandes de grâce des condamnés, mais leur problème a été de ne surtout pas les transmettre au Duce dont on craint la réaction. Aussi passent-ils leur temps à tenter de faire statuer les autorités militaires qui s'y refusent. Toutes les demandes échouent. Ils vont voir Pesenti, le ministre de la Justice, déjà opposé au principe du procès. Celui-ci propose de transmettre les demandes à Mussolini, mais Pavolini s'y refuse encore. Il repart, accompagné du préfet, de Cersosimo, le juge d'instruction, et de Fortunato, l'accusateur public. On consulte Buffarini Guidi, qui répond que cette affaire ne regarde pas le parti et qui suggère de transmettre les demandes à la plus haute autorité militaire. C'est le consul Trevisan, qui refuse lui aussi. Il y a, plus haut, le consul Viarini.

On l'appelle, ce consul, qui refuse de se déclarer compétent. Il s'ensuit de chaudes discussions. Tout le monde est d'accord pour ne pas transmettre les demandes à Mussolini, mais Viarini change soudain d'avis. Lui-même encourt des risques s'il ne répond pas à la demande. C'est le consul Viarini qui établira ce document traduisant le choix de ne pas transmettre les demandes de grâce. L'exécution est prévue à Vérone au *tiro a segno* le 11 janvier à huit heures, écrit-il.

Elle n'aura lieu qu'à neuf heures vingt. À dix heures, le préfet confirme au Duce que tout est fini.

— Et Ciano, comment est-il mort ?

— Avec courage, Duce.

Il soupire. La mort ne fait peur que quand elle est lointaine. Mussolini entre en enfer.

*

Ils piétinent dans l'égout sous la via Rovello où se trouve la caserne de la Muti. Ils avancent en file indienne en prenant garde de ne pas se heurter. Leurs chaussures de marche sont imbibées de l'eau du ruisseau qui coule au milieu. Chacun à l'épaule porte un fusil-mitrailleur Hotchkiss ou Thomson, selon le dernier parachutage. La lumière glauque vient des grilles dans le plafond, tous les cinquante mètres environ, c'est dire qu'on n'y voit presque rien. En tête, un homme plutôt âgé, un ancien carabinier, aujourd'hui en retraite. Cet égout, il a dû y descendre pour surveiller le niveau de l'eau, quand il y avait menace d'inondation. Il lève la main. Laura derrière lui en fait autant et la colonne s'arrête. C'est ici, le coude. La prochaine grille dans le plafond débouche dans la cour, près des cuisines. Les cellules sont sur le même côté, derrière une porte sur la cour. L'homme avance prudemment. Il montre les barreaux de fer qui permettent d'accéder à la grille.

— C'est ici, dit-il.

— Tu es sûr qu'elle n'est pas cadenassée, cette grille ?

— Elle ne l'était pas de mon temps, chuchote-t-il, je ne vois pas pourquoi cela aurait changé.

C'est lui qui a fourni les plans de la caserne, avec l'indication des cellules et du poste de garde. Il a une mémoire précise des lieux et des usages. D'après ce qu'il sait, la Muti n'a rien modifié de ce qui existait. L'homme est sûr. L'un de ses fils a été fusillé au début du mois par les hommes de la caserne. L'autre fait partie de la colonne dans l'égout.

— Je veux monter le premier, dit-il à Laura.

— Va, et reviens aussitôt.

Il commence à gravir les échelons et s'élève vers la grille. Tout en haut, il s'agrippe d'une main et pousse de l'autre le bord du grillage. On entend un grincement. Il s'arrête et redescend.

— C'est bon, ça bouge, mais c'est trop lourd pour moi.

— J'y vais, dit Pedro.

À son tour, il s'élève le long de la paroi. L'un des échelons fait entendre un craquement. Pedro s'arrête, puis reprend. Sous le grillage, il pousse de toutes ses forces et le grillage glisse en grinçant. Pedro se retourne en désignant l'échelon qui a craqué. Il faudra l'éviter, celui-là. Laura grimpe derrière lui et le rejoint. Il lui fait un signe d'interrogation. C'est elle, le chef. Elle répond par l'affirmative. Alors, Pedro se hisse au-dehors, s'allonge sur le sol et aide Laura à monter. Elle s'étend à côté de lui. La cour est vide, il est trois heures du matin.

— Un par un, chuchote Laura.

Aussitôt dans la cour, ils se couchent contre le mur, dans l'ombre. Heureusement, c'est une nuit sans lune. Le vieux désigne une porte au fond.

— C'est là, les cellules, chuchote-t-il.

Maintenant, c'est au tour de Laura. Elle rampe jusqu'à la porte et se met à gratter le bois.

— *Aiuto ! Aiuto !* demande-t-elle de sa voix de femme.

D'abord, il ne se passe rien. Puis, derrière la porte :

— Qu'est-ce que c'est ?

— À l'aide, répète Laura, accompagnant les mots d'un sanglot.

— Qui es-tu ?

— La femme du sergent Romanengo, il est blessé.

— Romanengo ? Qu'est-ce que c'est que cette histoire ? Où il est, Romanengo ?

— Il est blessé, à l'aide ! À l'aide !

— Le mot de passe, demande l'homme.

— *Giustizia e patria*, répond Laura.

La porte s'ouvre. Un milicien surgit, l'air ahuri. À peine est-il sorti qu'il est empoigné par-derrière, un mouchoir sur la bouche, et couché au sol.

— Les clés ! demande Laura, son poignard à la main.

Il ne répond pas. C'est un jeune, comme la plupart

des gens de la Muti, un fou du fascisme. On fait glisser le mouchoir de sa bouche et aussitôt il hurle : « Alerte ! » Il n'a pas le temps de répéter, Laura lui a tranché la gorge.

— Allons-y ! s'écrie-t-elle.

Ils se précipitent tous à l'intérieur. C'est le poste de garde. Encore deux miliciens mal réveillés, mais qui comprennent aussitôt.

— Alerte ! Partisans !

Eux non plus n'ont pas le temps de répéter. Les premiers coups de feu claquent dans le poste de garde. L'un d'eux avait les clés. Pedro s'élance, fouille dans le trousseau, ouvre une porte, deux, puis toutes les portes. Heureusement, les clés étaient classées dans l'ordre. Les prisonniers sortent, les bras ballants, le visage tuméfié par les coups.

— Dehors ! crie Pedro.

Mais déjà, dans la cour, une sirène a retenti. Les miliciens ont allumé un projecteur. Laura lâche une rafale et il explose. Des hommes apparaissent, ils braquent leurs armes.

— Feu ! crie Laura.

Ceux de la colonne restés contre le mur se dressent soudain. Ils tirent de leurs PM Hotchkiss et Thomson. En face, les miliciens répliquent avec leurs Beretta et même une mitrailleuse Breda. Heureusement, à cet instant, ils ne sont pas encore nombreux et le feu des partisans les contraint à se replier à l'intérieur.

— Courez, courez ! crie encore Laura.

Ils s'enfuient dans le trou de l'égout, certains se laissent tomber. On entend des cris de douleur. Les prisonniers d'abord, puis les hommes du commando.

Mais les *squadristi* reviennent. Ils ont rameuté du renfort. Laura, un genou à terre, lâche des rafales courtes. À côté d'elle, le vieux carabinier.

— Attention, la Breda !

La mitrailleuse est bien en place cette fois. Le carabinier abat le serveur.

— Descends, ma fille, dit-il à Laura. Fuyez tous, je les retiens.

— Toi le premier ! crie Laura.

— Descends, ils ont besoin de toi. Moi je m'en fous !

Elle se glisse dans le trou. Ça recommence à tirer. Le vieux a abattu le second servant de la Breda.

— Va, ma fille, ne t'occupe pas de moi. C'est eux qui ont fusillé mon fils.

Et il tire, il tire le vieux, jusqu'à ce qu'il tombe à son tour. Une rafale qui le coupe en deux. Avec son corps, il obstrue le trou de l'égout.

Dans le couloir, Laura s'est mise à courir. Elle rejoint les autres qui portent des blessés. Certains se sont brisé la jambe en se jetant dans le trou.

— Allez, courez ! crie Laura.

— Ils vont descendre par le trou ! s'écrie Pedro.

— Ils n'oseront pas, c'est un piège pour eux. Ils vont nous attendre à la sortie à la rivière. On n'y sera pas.

— Je sais, dit Pedro.

Cent mètres plus loin, une échelle et un couvercle d'égout déplacé qui donne sur une rue. C'est par là qu'ils sortent. Ils emportent même leurs morts pour éviter qu'ils ne soient identifiés à cause des familles. Trois morts et quatre blessés. Une camionnette les attend et une voiture aussi, les chauffeurs au volant. Ils s'y engouffrent et aussitôt ils foncent dans la nuit de Milan. Ils sont sauvés.

*

— On va partir, dis-moi qu'on va partir.

— Partir ? Où veux-tu aller ?

— N'importe où, Lorenzo, j'ai de l'argent, filons en Suisse.

— La frontière est surveillée.

Carmela éclate de rire.

— Ne me dis pas que tu ne peux pas trouver un passeur ! Tous les gens sensés quittent la RSI, ce pays de fous où l'on fusille à tour de bras, et si tu n'es pas fusillé par les fascistes, ce sont les partisans qui te tranchent la gorge ou qui te tirent dessus dans la rue. Surtout toi, le général de la milice. Je suis sûre que tu es sur leur liste.

Il hausse les épaules. Il y a longtemps qu'on l'a averti qu'il y figure en bonne place. Elle se laisse tomber dans un fauteuil, puis se relève, le prend par les épaules, le secoue.

— Écoute-moi, je ne supporte plus les rives de ce lac. L'endroit est beau, la villa magnifique. Mais tu sais à qui appartient cette villa ?

— On ne me l'a pas dit.

— C'est la villa d'un juif, Lorenzo. Sa villa de vacances pour lui et sa famille. Tu sais où ils sont, ces juifs ?

Il ne répond pas.

— Dans des camps en Allemagne ou en Pologne...

Là-bas, on les tue ! Et nous, on est dans leurs meubles, on dort dans leurs draps, on boit leur vin !

Elle pleure maintenant, elle n'en peut plus.

— Dis-moi ce que tu fiches encore avec ce type ! Peut-être a-t-il été un grand dictateur jusqu'à la guerre. Aujourd'hui, il n'y a plus rien à attendre de lui, même pour toi qui l'as servi pendant plus de vingt ans. Tu n'es pas aveugle, tu n'es pas crédule. Ici, ça pue le moisi et bientôt la mort. Ne me dis pas que tu ne le sens pas.

Elle fait semblant de renifler, puis grimace. Dans les pires situations, elle sait être drôle. Lorenzo sourit.

— Où veux-tu aller ? Je te répète que la frontière est fermée et que les Suisses ne veulent pas des réfugiés fascistes. Pour toi, ça ira encore, mais moi… Edda Ciano est passée parce qu'elle avait la protection de don Pancino qui est de tous les bords et sert d'intermédiaire. Elle est en train de vendre aux Américains le journal de Galeazzo. Moi, je n'ai rien à vendre. Ils ne me laisseront pas entrer tant que la guerre durera. Et si j'entre en Suisse, ils me renverront. Je ne veux pas de ça.

— Alors, partons pour Rome. Là-bas, on ne risque rien.

— Et le jour où Rome tombera aux mains des Alliés, que l'on rouvrira la chasse aux fascistes ?

— Tu ne risqueras rien parce que je te protégerai, moi, Carmela Cavalcanti.

Il a une expression incrédule. Elle fouille dans son sac et lui tend une lettre en anglais aux armes de l'US Army.

— C'est une lettre de Patton, transmise par Bianca

Strozzi. Ne me demande pas comment elle est arrivée jusqu'ici. Ce sont les mystères de la mafia.

Il manipule cette lettre qui lui semble authentique, puis la rend à Carmela, il lit mal l'anglais.

— Qu'est-ce qu'il veut, Patton ?

— Me présenter ses excuses et ses félicitations pour mon ingéniosité. Mais il y a mieux. Il s'est renseigné sur toi. Il souhaite te rencontrer et évoquer avec toi une fraternité militaire après la guerre.

— Elle n'est pas finie, la guerre.

— Ça ne fait rien. Il y a aussi une lettre de Bianca. Elle le connaît bien. Il aime les héros de toutes les nationalités. Apparemment, tu en fais partie. Il te protégera, Bianca en est sûre.

Lorenzo éclate d'un rire amer.

— Tu n'as jamais eu l'intention de passer en Suisse. Ce que tu veux, c'est rentrer à Rome et rencontrer Patton. Il manque à ton palmarès, ajoute-t-il avec une certaine méchanceté.

Elle s'approche de lui, les yeux humides.

— Si tu avais eu les moyens d'aller en Suisse, on serait partis ensemble. Si j'avais voulu devenir la maîtresse de Patton, je serais restée en Sicile, et si j'avais l'idée de le devenir, je ne t'aurais pas montré cette lettre, et j'y serais allée sans toi.

— Pardonne-moi, dit Lorenzo, je n'ai jamais douté de toi, c'est cette situation qui...

Elle pose un doigt sur sa bouche.

— Je sais.

*

— Assieds-toi, je t'en prie, cela fait longtemps que je ne t'ai vu.

Avant, se dit Lorenzo, on n'avait pas le droit de s'asseoir, et la bienvenue, on pouvait l'attendre longtemps.

— Je suis venu vous saluer, Duce, parce que je rentre à Rome.

— Tu m'abandonnes ?

Lorenzo le regarde. Cela fait un mois qu'il n'a pas vu le Duce, depuis la nuit de l'exécution de Ciano. Il a encore vieilli. Le crâne rasé montre des rougeurs, les traits se défont, la bouche glisse sur le côté et la voix, maintenant sourde, ne fait plus entendre les résonances métalliques du chef.

— Ce n'est pas une question d'abandon. Je ne vous sers plus à rien, je ne veux aucun poste de votre gouvernement, ni aucun commandement dans vos milices.

Mussolini baisse les yeux sur son sous-main. Lorenzo se demande combien de fois dans la journée il reçoit ce genre de défection. À la fin, se dit-il, il ne lui restera plus personne, sauf les Allemands et quelques hiérarques complètement fous comme Pavolini, ou corrompus comme Buffarini Guidi.

— Il y a aussi Ciano, murmure-t-il. Tu veux me parler de Ciano.

— Non, Duce. Quand j'ai essayé à quelques heures de l'exécution, vous m'avez chassé. Je ne suis pas ici pour parler de lui maintenant qu'il est mort avec les autres qui vous étaient aussi fidèles que lui.

Lorenzo parle d'une voix dure. Il lance les mots comme il tirerait des balles. Jamais autrefois il n'aurait osé employer ce ton avec Mussolini, mais maintenant, le fantôme fusillé de Ciano se dresse entre eux. Sur la tempe, les deux trous du coup de grâce, et le regard halluciné des condamnés à l'instant de la mort. Le regard de Mussolini erre dans le bureau orné des armes de la RSI. Rien à voir avec l'immense salle de la mappemonde avec ses fresques, ses piliers et la table reposant sur deux lions de bois.

— Tous au moment de la salve ont crié « Vive l'Italie ! » et aussi « Vive Mussolini ! », sauf Ciano. Il a tourné la tête pour regarder Furlotti, qui commandait le peloton en face.

Lorenzo ne répond pas.

— La première salve ne l'a pas tué. Alors, Furlotti en a fait tirer une seconde. Il est tombé. Il râlait, il appelait à l'aide, et Furlotti lui a tiré deux coups de grâce, à lui comme aux autres.

Lorenzo ne connaissait pas ces détails. On lui a seulement montré des photos, Ciano près de la chaise, avec son imperméable clair et son chapeau, puis, gisant au sol, la bouche entrouverte.

— C'est don Chiot, l'aumônier, qui me l'a raconté.

Soudain, le Duce se lève. Sa chemise bâille de plus en plus sur son vieux cou fripé. Il crie de sa voix cassée :

— Tu ne dis rien ! Ciano, c'était ton ami. Il ne vient pas te voir ? Moi, il me visite tous les jours, surtout la nuit. Il vient me voir et il me dit : « Vous êtes mon assassin, Duce. »

Il retombe dans son fauteuil et s'essuie le front. Lorenzo se met debout et lève le bras pour un salut.

— Attends, Mori. La guerre n'est pas encore finie. Les Alliés piétinent devant Cassino.

Il s'essuie les joues.

— Écoute avant de partir. On raconte qu'une fille commande la Stella Rossa, très forte, elle a attaqué un train et aussi la caserne de la Muti pour délivrer les prisonniers. C'est une Italienne qui vient de Russie. Elle s'appelle Mori, comme toi.

— C'est ma fille, Duce. J'ignorais qu'elle était revenue. Vous me l'apprenez.

— Tu sais que si elle se fait prendre, elle sera fusillée. Je ne pourrai rien faire.

— Elle le sait aussi.

Il se dirige vers la sortie, un peu secoué. Mussolini le rappelle :

— Si j'ai besoin de toi encore une fois, à la fin, viendras-tu ?

Lorenzo hésite, puis répond :

— Je viendrai.

*

Les Allemands dévalent le Monte Marrone, ils foncent vers les hommes du Raggruppamento Motorizzato qui tiennent le bas du mont, à côté des troupes françaises. Nous sommes le 3 mars 1944. Sandro commande un bataillon d'*alpini* de la division Nembo. Ils ont pour mission de chasser les soldats de Kesselring de ce Monte Marrone qu'ils occupent avec forfanterie. Et voilà que ce sont les Allemands qui, au lieu de défendre leurs positions, pourtant bien installées sur ce sommet des Abruzzes, lancent une contre-attaque.

— *Non passeranno !* crie Sandro.

Et tous se mettent à tirer sur les silhouettes grises qui, soudain, peuplent la côte. Tout à l'heure, les pentes étaient vides. Les Italiens s'apprêtaient une fois de plus à grimper, avec le vague espoir que l'ennemi avait déserté les lieux. Et voilà que c'est le contraire qui se produit. Les silhouettes grises de la Wehrmacht, précédées par les tirs de mortiers, dégringolent la pente tout en tirant. Ils savent qu'en face ils ont des Italiens et des Français, se dit Sandro. Ils méprisent les premiers et ont déjà vaincu les seconds. Ils sont sûrs d'eux, des soldats tranquilles, certains par avance de leur victoire.

— Feu ! crie-t-il encore.

Lui-même s'est installé derrière une mitrailleuse, comme en Céphalonie. Une belle arme, cadeau des Anglais. Les bandes défilent sous ses doigts. En face, l'attaque s'est ralentie. À ses côtés, les hommes déchaînent un véritable tir de barrage. Sur la droite, les Français injurient les Allemands. Ils tirent et crient : « Venez voir ces Français, salauds de Boches ! » Ils crient encore : « Mai-juin 40, on est toujours là ! » Sandro aussi se met à hurler : « Céphalonie ! Vous m'entendez, les Allemands ? », avant de presser la détente de sa mitrailleuse, puis, sur le même ton, il énumère les noms de ses camarades tombés sur la plage et de ceux qui ont été fusillés… Chaque fois qu'il crie un nom, il revoit un visage l'espace d'un éclair. C'est cela qui lui fait vider les bandes sans discontinuer. Les Anglais n'ont pas ménagé la fourniture des munitions ni celle des armes. Le général Utili, qui commande les Italiens, a dit juste avant la bataille : « Attention, les Alliés nous considèrent à ce niveau de la guerre comme des cobayes. »

Devant les tirs furieux des Français et des Italiens au bas du Monte Marrone, la belle contre-attaque allemande ralentit, puis s'arrête. Trop de morts, trop de blessés, et il est impossible d'avancer. Ils hésitent, les vert-de-gris, ils se terrent derrière les rochers et se planquent dans les bosquets.

— *Avanti Savoia !* hurle Sandro.

Et les Italiens de la Nembo jaillissent de leurs abris, fusils, pistolets-mitrailleurs au poing. Ils s'élancent comme leurs pères l'ont fait sur l'Isonzo et plus tard sur le Piave contre les *maledetti Austroungarici*[1]. Maintenant, les Allemands reculent, tournent le dos et se remettent à grimper vers les hauteurs du Monte Marrone. Dans leur dos, les cris italiens : « *Avanti Savoia ! Cefalonia !* » Cette attaque impressionne les Alliés. Trois semaines plus tard, ils créent le Corps italien de libération, toujours commandé par le général Utili. Plus personne ne parle de cobayes.

*

Cette nuit est peut-être la dernière que Laura et Pedro passent ensemble. Le bruit de leur liaison est-il remonté jusqu'à Moscou ? À moins que ce ne soit plus simplement l'évolution de la guerre des partisans qui l'exige. Toujours est-il que l'ordre est tombé hier soir. La camarade Ogarevna doit rejoindre le CLNAI, où elle prendra son poste aux côtés du

1. Les maudits Austro-Hongrois.

camarade Palmiro Togliatti du parti communiste italien, membre de cet organe suprême de la résistance partisane. Quant à Pedro, il est nommé à la tête de la nouvelle division Garibaldi, héritière de la célèbre brigade de la Guadalajara.

— J'avais oublié que tu étais une femme politique, dit Pedro. Je croyais que tu étais surtout faite pour la guerre.

— Moi aussi, dit Laura. En réalité, je n'ai jamais fait de politique, sauf à l'École des cadres du parti. Après, j'ai été lancée dans la guerre et ça ne s'est jamais arrêté. Mes supérieurs me rappellent à l'ordre. La guerre, c'est bien, mais il y en a d'autres pour la faire. Maintenant que j'ai fait mes preuves en Italie comme chef partisan, je peux reprendre le premier but de ma mission et la mener à bien.

— Je ne te pose pas de questions.

— Ça vaut mieux. Je ne te répondrais pas.

Inutile de lui demander ce qu'elle est venue faire en Italie, pense Pedro. D'abord impressionner ses compatriotes par ses talents de soldat partisan. C'est fait. L'affaire de la caserne de la Muti a fait taire toutes les critiques, même celles qui avaient persisté après la prise du train sur le Brenner. Tout le monde s'accorde pour reconnaître que cette femme a toutes les qualités d'un vrai chef de guerre. Maintenant, il faut passer à la seconde partie de l'opération : la prise du pouvoir par les communistes. C'est pour cela qu'ils l'envoient comme observateur auprès de Togliatti.

Pedro a tout compris de ma mission, songe Laura, même s'il affecte de ne pas vouloir m'en parler. En réalité, Beria, sous les compliments dont il ne cesse de m'abreuver, veut m'envoyer auprès de Togliatti pour que je lui rende compte de ses actes et que je vérifie qu'il exécute bien ses instructions, et aussi pour me séparer de Pedro. La fréquentation d'un aristocrate florentin ne doit pas se prolonger au-delà des nécessités de la politique du parti.

— Qu'est-ce que tu as l'intention de faire après la guerre ? demande-t-elle brusquement.

— Que veux-tu dire ?

— Avec moi, l'envoyée de Moscou, ta camarade de combat, et ta maîtresse en même temps ?

Pedro se dresse sur la paillasse qui leur sert de lit dans cette cabane dans la montagne.

— Je rentrerai chez moi à Florence, dit-il prudemment. Et je reprendrai ma vie d'avant.

— Tu as une fiancée, je suppose, une jeune femme de ton milieu, diplômée d'histoire de l'art, une croix entre les seins et de beaux escarpins au bout de ses longues jambes. Elle attend que la guerre soit finie pour t'épouser.

Il éclate de rire.

— Ta description n'est pas mal, y compris la croix et l'histoire de l'art. Elle s'appelle Donatella. Beaucoup plus noble que moi, et elle m'attend. Du moins elle me l'écrit. Elle a même choisi l'église pour le mariage, ce qui pose problème, car c'est une chapelle des Pazzi, alors qu'elle-même est une Médicis.

— Je ne vois pas le rapport avec la chapelle.

— À la fin du Quattrocento, les Pazzi ont fait une conjuration contre les Médicis dont le souvenir sanglant s'est perpétué jusqu'à nous. Il n'est pas du tout sûr que les hautes autorités ecclésiastiques de la ville se prêtent à ce mélange impie. Une Médicis qui se marie dans la chapelle des Pazzi, c'est une polémique typiquement florentine.

— Et toi, qu'en penses-tu ?

— Je m'en fous complètement. J'ignore aujourd'hui si je me marierai un jour.

— Pourquoi ?

— Parce que je t'ai rencontrée !

Lettre de Clara Petacci à Carmela

« Chère Carmela,

Je t'écris à Rome où te voici réfugiée maintenant avec Lorenzo, j'imagine, dans ton beau palais Chiaramonti. C'est Ben qui m'a annoncé votre départ, votre fuite, a-t-il ajouté. Mais comment en vouloir à Lorenzo après ce qui s'est passé à Vérone et ce qui est en train d'arriver ? La guerre est perdue, je le sais. Ben le sait lui aussi, même s'il affirme le contraire, et personne ne peut prétendre ici, sur les bords du lac de Garde, que les Allemands la gagneront un jour, alors que les Alliés remontent lentement mais sûrement la botte. Que ferez-vous lorsqu'ils seront à Rome ? Vous rallier ou revenir ici ? Ce que vous déciderez sera bien. Toi, Carmela, au moins tu n'as jamais été fasciste, et je ne suis pas sûre que le général Mori le soit encore.

Ici, les jours s'écoulent, tristes et gris. L'hiver a été rude et le printemps ne vaut pas grand-chose. Certains soutiennent que c'est le dernier et que nous ne verrons pas le suivant. Tant mieux ou tant pis, il faut que tout cela se termine. J'erre dans le jardin parmi les fleurs mouillées sous la surveillance de l'Obersturmführer Spögler, mon ange gardien, le beau Franz comme je l'appelle sans le lui dire. Il sait que j'écoute Radio Londres, mais ne le dit à personne. En échange, je le laisse me regarder quand je prends le soleil sur le canot Riva amarré devant la villa Fiordaliso. Ça ne va pas plus loin, et c'est déjà pas mal. Si Ben le savait, il se mettrait dans l'une de ces fureurs dont il est encore capable.

Mais il y a autre chose, une anecdote que je veux à tout prix te raconter. Rachele Mussolini a fini par apprendre que je vivais à proximité de la Feltrinelli et n'a rien trouvé de mieux que d'opérer un débarquement offensif en forçant ma porte, poussant des cris et réclamant “la femme entretenue” pour lui dire ses quatre vérités. Quand elle m'a vue sur les marches de l'escalier, elle s'est mise à ricaner sur l'élégance de mes vêtements, alors qu'elle-même, dit-elle, n'a que quatre chiffons à se mettre. J'ai tenté de la calmer en l'assurant de mon respect pour elle, sa personne, son statut, etc. Peine perdue ! Elle n'a rien voulu entendre et elle s'est précipitée sur moi. Je lui ai alors jeté à la tête les trois cents lettres que m'avait écrites son mari depuis que nous sommes ici (des copies en réalité, tu imagines bien que j'ai mis les originaux en lieu sûr). Cette pluie de papier l'a retardée mais pas arrêtée. Il a fallu que Buffarini Guidi, notre ministre de l'Intérieur, la retienne. Tu vois la scène d'ici. Cris, hurlements et injures. Ce qu'elle voulait, c'était déchirer ma robe. Je n'y peux rien si j'aime être bien habillée. Il est vrai qu'à son âge elle ferait mieux de faire attention. Moi, je suis belle, mais c'est tout ce qui me reste.

Bref, entre BG et le beau Franz, elle a fini par battre en retraite tout en m'accablant d'insultes dans son dialecte romagnol. Notre pauvre BG en était tout troublé. Encore ignore-t-elle, la Rachele, que c'est lui qui, à Rome, finançait mes dépenses via dei Condotti sur les fonds de son ministère ! Aujourd'hui, il n'en a plus les moyens et la via dei Condotti est trop loin pour moi. Si tu t'y rends, chère Carmela, pense à moi puisque c'est là que nous nous sommes rencontrées. Je termine ma lettre car Ben m'a annoncé sa visite pour cet après-midi. Nous irons à la tour que tu connais. Triste souvenir.

Que devient Edda Ciano ? Ben m'a avoué qu'il avait reçu une dernière lettre dans laquelle elle lui disait qu'il ne lui restait plus qu'à se suicider. Quand je lui avais demandé de gracier le comte s'il était condamné, il m'avait répondu "Qu'il me prouve d'abord son innocence", ce qui, à la réflexion, n'était pas une vraie réponse.

Mais je m'égare, il pleut doucement sur le lac, ce qui nous prive de la visite de la Royal Air Force. J'entends le canot qui amène mon vieil amant. C'est le moment d'aller l'accueillir devant la tour. Le bonheur s'annonce, deux heures environ. Après, retour aux rêveries spongieuses sur les bords du lac, sous l'œil du beau Franz.

Embrasse Lorenzo pour moi. N'oublie pas de publier mon journal quand...

Clara Petacci »

105

S'il y a un moment, une période dans l'histoire de Lorenzo et de Carmela où le temps ralentit, où la tragédie est suspendue, c'est dans cet intervalle de février à début juin 1944, où ils vivent à Rome dans une parfaite félicité. La ville est occupée par l'armée allemande et fait toujours partie de la RSI de Mussolini, et la guerre tout autour résonne à coups de bombardements, d'attentats des GAP et de répression furieuse, mais ces événements semblent ne jamais franchir les hauts murs du palais Chiaramonti.

Au début du mois de juin, une voiture aux armes de l'ambassade d'Allemagne s'arrête devant le portail. Il en sort un officier qui sonne avec acharnement. C'est Hans, l'ami autrichien de Lorenzo, un homme sûr, un fidèle qui cache mal son opposition au régime d'Hitler. Ce jour-là, il paraît tendu et pressé.

— Nous partons, dit-il à Lorenzo, l'ambassade est fermée. Les Alliés seront là demain. Rome est déclarée ville ouverte. Je viens te chercher. Il faut s'en aller tout de suite.

— Le général Patton m'a promis sa protection, dit Carmela. Lorenzo n'a rien à craindre.

Hans secoue la tête.

— Il a rejoint l'Angleterre. Sans doute pour préparer le débarquement. Les généraux Clark et Alexander commandent les troupes alliées. D'après ce que nous savons, il n'y aura pas de pitié pour les fascistes. D'autant plus que le bruit court d'un massacre de prisonniers dans les Fosses ardéatines, plus de trois cents, paraît-il. Même s'il s'agit des SS, les Anglo-Américains ne feront pas la différence. Lorenzo Mori est sur la liste des fascistes recherchés. Prenez quelques affaires et venez ! Avec moi, vous pourrez traverser les unités allemandes positionnées en Toscane. Je rejoins Rahn, l'ambassadeur auprès de la RSI à Milan. Tant que vous serez avec moi, il n'y aura d'autre risque que celui d'un bombardement sur les routes.

Lorenzo se tourne vers Carmela.

— Reste ici. Tu ne risques rien. Moi, je n'ai aucune envie de me faire fusiller par les partisans ou emprisonner dans un camp anglais. Je pars avec Hans.

Carmela n'hésite pas.

— *Ubi Caius ubi Caia*[1], je viens !

Deux jours et une nuit plus tard, après avoir roulé sur des routes défoncées par la RAF, subi d'innombrables barrages et croisé des unités allemandes qui dévalaient en direction du sud, ils parviennent à Milan. On reconnaît aussitôt l'ambiance particulière de la RSI, couleurs ternes, visages fermés, patrouilles de la milice et convois de l'armée allemande. Les passants se hâtent sur les trottoirs. Certains se retournent en marchant comme s'ils craignaient d'être suivis, les mères ne s'attardent plus à bavarder sur le seuil des maisons et font rentrer les enfants à l'intérieur, la plupart des boutiques sont fermées, et le célèbre Duomo est protégé par des sacs de sable. Certains quartiers sont en

---

1. Formule romaine sur le mariage : Où se trouve Caius, Caia est là.

ruine et l'on ressent une tension proche de la guerre civile. De temps à autre, on entend des coups de feu, les passants feignent l'indifférence ou l'habitude.

Il se répète à l'oreille que les Alliés occupent Rome et que leurs généraux se font prendre en photo devant le Colisée ou sous l'arc de Titus. Il se chuchote, à voix encore plus basse, que le débarquement en Normandie a bien eu lieu, comme l'annonce Radio Londres, et que les combats font rage. Lorenzo et Carmela sont installés dans un hôtel à disposition de l'ambassade allemande, ce qui leur épargne de justifier de leur identité.

Hans vient les voir tous les jours et les emmène dîner dans des établissements bien approvisionnés. Souvent, ils remarquent les queues devant les *mense di guerra* où l'on sert gratuitement bouillon chaud et pâtes. Hans paraît tendu. Parfois, il reste longtemps silencieux, puis il se met à plaisanter et éclate de rire, avant de retrouver son sérieux et de s'excuser. D'abord, Lorenzo et Carmela ne prennent pas garde à ce comportement, mais Hans disparaît plusieurs jours de Milan sans donner d'explications.

À son retour, il arbore un air presque joyeux, en contradiction avec les nouvelles militaires qui annoncent les progrès alliés. La ligne Albert est sur le point d'être franchie par la 5e armée américaine et la 8e armée anglaise, il n'est pas sûr que les Panzer tiendront. Hans, junker autrichien, est un antinazi forcené. Pour autant, il ne peut se réjouir des reculs successifs de l'armée à laquelle il appartient. Aussi, Lorenzo et Carmela ont-ils pris l'habitude de ne rien évoquer de la guerre quand ils le rencontrent.

Il disparaît pour de bon le 20 juillet, le jour où une bombe explose au quartier général d'Hitler et où celui-ci, quoique blessé, sauve sa vie grâce à un pied de table qui a fait bouclier. Pendant toute la journée, l'Europe entière croit qu'il a été tué dans l'attentat, mais, le soir même, il parle à la radio. Dans les heures, les jours et les semaines qui suivent se multiplient arrestations et exécutions des comploteurs réels ou présumés.

Entre-temps, Lorenzo et Carmela ont dû déménager de l'hôtel, désormais réservé à la Gestapo, pour une petite maison que leur prête un curieux personnage dont ils ont fait la connaissance, justement grâce à Hans, le cardinal Schuster, l'archevêque de Milan. Ce vieillard, antifasciste, antinazi, bonhomme rabougri à l'œil malicieux, est l'un des princes du Vatican. C'est ce qui le met à l'abri des fascistes et des nazis, comme de la résistance partisane. Au fil des jours, Lorenzo et Carmela apprennent à le connaître. Souvent, il vient le soir boire un café chez eux en prenant soin d'apporter du vrai café, et non l'ersatz que l'on vend en ville. L'homme est libre de pensée et parle d'une voix étouffée un italien du siècle précédent. Un soir, il a ces mots :

— Mes amis, surtout vous Lorenzo, puis-je vous demander un service ?

— Ce que vous voudrez, Votre Éminence.

— Attention, c'est dangereux. Je ne vous en voudrai pas si vous refusez. Voilà, notre ami commun, le colonel comte Hans von Schorfer, est recherché.

Lorenzo fait signe qu'il a compris.

— En quoi puis-je l'aider ?

Le cardinal lève les yeux au plafond, comme s'il cherchait une inspiration divine.

— Notre ami veut rejoindre les lignes alliées pour se mettre du côté de ceux qui l'ont précédé en échappant à la Gestapo. D'ici à un an au maximum, la guerre sera terminée, et la nouvelle Allemagne comme la nouvelle Autriche dont il est originaire auront besoin de ces hommes-là, tout comme l'Italie aura besoin d'hommes comme vous.

— Je ne serai jamais un homme politique, Votre Éminence. Mais peu importe. En quoi mon intervention peut-elle aider Hans à rejoindre les lignes alliées ?

— Comme vous le savez, l'Église n'est d'aucun côté dans cette guerre, ce qui signifie qu'elle est de tous les côtés. L'un de mes prêtres, don Pancino, entretient de bons rapports avec les partisans. Ce sont eux qui recevront Hans et lui feront passer les lignes.

— Je ne vois toujours pas…

— Les partisans exigent la garantie que le transfuge, puisqu'il faut bien l'appeler ainsi, n'est pas un espion déguisé. Cette garantie morale, ce sera vous qui devrez la donner, sur votre honneur et sur votre vie, Lorenzo.

Lorenzo éclate de rire.

— La garantie d'un général de la milice ! Cela ne pèse rien pour les partisans. Je figure même sur leur liste d'hommes à abattre.

— Votre nom a été rayé, et c'est eux qui l'ont prononcé. Ils ont confiance en votre parole !

Carmela blêmit.

— Lorenzo, ils vont vous abattre tous les deux ! C'est tout ce qu'ils feront.

Lorenzo regarde Carmela, puis le cardinal.

— J'irai.

— Moi aussi ! s'écrie-t-elle. Je refuse de te laisser seul.

— Je vous prêterai la voiture de l'archevêché. C'est une espèce de sauf-conduit par les temps qui courent.

*

Des parachutes s'ouvrent dans la nuit à l'aplomb du Lysander de la RAF sur les sommets de l'île de Céphalonie. Les corolles blanches descendent mollement vers le sol. Vingt hommes au total replient les toiles, puis courent avec les partisans vers les containers d'armes et de munitions qui touchent terre.

Le lieutenant Alessandro Mori est l'un des premiers. Il a suivi plusieurs entraînements après avoir quitté la division Nembo pour les commandos parachutistes. L'unité vient d'être formée, juste après la création du CIL, le Corps italien de libération, et il s'est porté volontaire. Son rôle dans la conquête du Monte Marrone a permis d'accueillir sa candidature. Les Britanniques l'aiment bien. Ils l'appellent « notre Sandro », le trouvent vaillant et talentueux. Sa première mission n'a pas tardé : sauter sur l'île de Céphalonie pour empêcher la Wehrmacht de faire exploser les installations du port, et interdire ainsi à la flotte anglaise d'accoster.

Un partisan lui tend la main. Il porte un uniforme dépareillé de la division Acqui, le visage est encadré d'une barbe rousse, les yeux sont brillants, rieurs.

— Tu me reconnais, Mori ?

— Apollonio ! Le commandant Apollonio ! On

m'avait dit que les Allemands t'avaient fusillé et après j'ai appris que tu t'en étais sorti. Je ne voulais pas le croire avant de t'avoir vu.

Apollonio éclate de rire.

— Moi aussi, je l'avais entendu dire à ton sujet. Je te raconterai.

Apollonio, c'est un des durs de la division Acqui, l'un des premiers à s'être opposés au général Gandin quand celui-ci voulait rendre les armes, l'un des esprits forts de la révolte. Il prend Sandro par le bras.

— J'ai eu raison sur le principe, tort dans la réalité. J'aurais dû me douter que Céphalonie était une île stratégique et que les Allemands enverraient des renforts. Je porte une part de responsabilité dans le massacre de la division.

— Nous étions tous d'accord, dit Sandro. À la fin, Gandin nous a rejoints.

— Cela ne l'a pas aidé. Il a été l'un des derniers à être fusillés après être passé devant une cour martiale allemande. Gandin, c'est un vrai héros, beaucoup plus que nous autres.

Tout est dit. Les hommes déballent les containers, distribuent les armes, on entend quelques coups de feu. Apollonio fait un signe. Ce ne sont que des essais. Enfin, ils se regroupent autour d'Apollonio et de Sandro qui fouille dans ses poches et accroche sur l'uniforme du commandant un écusson qui porte le sigle du CIL.

— Te voilà dans une armée régulière, maintenant.

— C'est toi qui commandes. C'est ta mission et tu connais les lieux.

Ils descendent vers le port en empruntant les petits

chemins. Cent cinquante hommes que les Allemands n'attendent pas. Il est cinq heures du matin.

Sandro demande des nouvelles de Vassilikos.

— Il est resté à Argostoli. C'est lui qui nous renseigne sur les Allemands. Il a assisté à l'installation des explosifs et des mines sur le port.

Le combat, commencé à cinq heures et demie, s'achève au lever du soleil. Les partisans sont guidés par le commando aguerri du CIL. Les Allemands sont pris par surprise. Leurs sentinelles se rendent aussitôt sans donner l'alarme, et le seul véritable affrontement a lieu autour du port, pendant que les sapeurs du génie coupent les fils qui relient les explosifs. Quand ils comprennent qu'il n'y a plus d'issue, les derniers combattants de la Wehrmacht, regroupés dans un blockhaus, agitent un chiffon blanc.

— Sortez les mains en l'air ! crie Sandro.

Ils défilent un par un. Les partisans entrent dans le blockhaus et récupèrent les armes. Soudain, Sandro a une intuition. Il se dirige vers un sergent au visage fermé.

— Je te reconnais, toi, on s'est rencontrés l'année dernière.

L'homme fixe Sandro d'un air ironique.

— Mes seules obligations au titre de la convention de Genève sur la guerre sont de donner mon nom et mon grade. Rien d'autre.

Son italien est compréhensible, mais rugueux.

— Répète, dit Sandro.

L'homme répète la même phrase, celle qu'apprennent tous les militaires en guerre au cas où ils seraient faits prisonniers.

— Et maintenant dis : « Ceux qui sont encore vivants, levez-vous et vous serez graciés. »

L'homme blêmit, mais se tait. Sandro exhibe son arme, un Beretta chargé. Il pointe le canon sur la tempe du sergent.

— Dis seulement cette phrase et je t'épargnerai.

Cette fois, l'homme prononce la phrase en accentuant son accent allemand.

— Maintenant, dit Sandro, je suis sûr que c'est toi.

Et il presse la détente.

*

Dans les forêts du Trentin, la voiture du Vatican roule lentement sur un chemin éclairé par les partisans avec des torches. Depuis le départ de Milan en fin d'après-midi, les occupants ont subi une douzaine de barrages et de contrôles. À chaque halte, les armes du Vatican peintes sur la portière et la présence de don Pancino au volant ont fait merveille : personne n'a demandé l'identité de cette femme à l'avant ni des deux hommes sur la banquette arrière. Don Pancino a produit son laissez-passer, l'un en allemand, l'autre siglé de la RSI, le troisième avec l'étoile rouge, et la barrière a été levée sans autre exigence.

Au bout du chemin, une clairière plutôt large, de celles, pense aussitôt Lorenzo, qui servent à recueillir des containers d'armes lancés en parachute. Don Pancino coupe le moteur. En face, les partisans font une ligne sombre, chacun équipé de son pistolet-mitrailleur, tous en uniforme kaki.

— C'est ici, dit le prêtre.

Carmela sort la première.

— Restez avec moi, lui ordonne-t-il.

Lorenzo et Hans se sont débarrassés de leur manteau. Ils apparaissent en uniforme, Hans celui de la Wehrmacht avec l'insigne du service diplomatique, Lorenzo en général de la milice.

— Avancez-vous, dit don Pancino. Marchez lentement.

Les deux hommes commencent à avancer vers les partisans. Au milieu, ils s'arrêtent. Deux silhouettes se détachent et viennent à leur rencontre. L'une est en kaki, avec sur le béret les étoiles de commandant, c'est Pedro. L'autre en uniforme du NKVD, c'est Laura. Les deux ont sur la poitrine l'écusson du Corps des volontaires de la liberté.

— Je commande cette unité de partisans, dit Pedro.

— Je suis le colonel von Schorfer, dit Hans.

— Vous décidez de rejoindre les armées alliées, à condition de ne pas combattre contre les troupes allemandes.

— Cette condition est essentielle pour moi, confirme Hans.

— Elle est acceptée, conclut Pedro.

Il se tourne vers Lorenzo.

— Général Mori, vous portez-vous garant de la sincérité du colonel, sachant que si celui-ci nous trompe, vous le paierez de votre vie ?

— Je me porte garant, dit Lorenzo, sachant que j'expose ma vie.

Pedro se retourne vers Laura.

— Que dit le CLNAI ?

Elle s'avance vers Hans et Lorenzo.

— Capitaine Sonia Ogarevna des armées de l'Union soviétique, détachée auprès du CLNAI. J'ai mission de confirmer l'accord.

Elle s'adresse à Hans :

— C'est vous qui avez libéré mon père sur le Tagliamento en 1917 ?

— C'est moi, dit Hans. Vous connaissez cette histoire ?

— Évidemment. J'avais reconnu votre nom. Venez de notre côté, colonel von Schorfer.

Hans serre la main de Lorenzo, puis il passe du côté des partisans. Pedro recule. Lorenzo et Laura se retrouvent face à face. Lui remarque la médaille de héros de l'Union soviétique et les beaux traits de sa fille dans la nuit. Les cicatrices sur son visage sont estompées par l'ombre, mais on les devine. Elle contemple d'abord la croix de fer de première classe, puis son regard rencontre celui de Lorenzo. Il y a dans chacun d'eux la joie de se revoir et la certitude que le tragique de l'histoire s'est abattu sur eux. C'est comme le *fatum* des Romains, seuls les dieux arbitrent les destins et leurs rescrits sont sans appel. Ensuite, dans un même mouvement, père et fille portent la main à la tempe pour échanger un impeccable salut militaire.

Ils ne se sont pas dit un mot mais ça ne fait rien.

106

Le 16 décembre 1944, Mussolini va à Milan. Les Allemands étaient réticents, craignant un attentat, mais il leur a dit de son ton métallique retrouvé : « Je suis le chef de la RSI, je vais où je veux et j'ai décidé de parler au peuple de Milan. » Alors, ils ont prévu une énorme escorte. Mais les rues, les avenues débordent d'une foule enthousiaste. Le service d'ordre en grand uniforme, arme chargée à l'épaule, forme une haie magnifique et, quand passe la voiture du Duce, tous les bras se lèvent pour le salut romain. On entend les vieux slogans du fascisme, *Giovinezza* lancé à pleine voix et des cris : « *A noi ! Boia chi molla !* » Mussolini est ravi. Milan, c'est sa ville. C'est là qu'il a mené ses premiers combats, gagné ses premières élections. C'est de la gare de Milan qu'il a pris le train pour Rome où l'attendait le roi pour le nommer président du Conseil. Son wagon était rempli de fleurs et le préfet, qui, la veille, voulait l'arrêter, lui baisait la main. Il voulait à défaut de Rome trop exposée faire de Milan la capitale de sa République, mais les Allemands s'y sont opposés, faisant valoir qu'il y aurait une meilleure sécurité sur le lac de Garde. D'autres ont pensé que derrière le prétexte de la sécurité, il y avait l'idée de faire de la République nouvelle un État totalement vassal et soumis aux diktats de Berlin. Mais ils n'ont rien dit. Ce n'était pas le moment d'irriter les Allemands, en ce temps où le roi avait décrété l'armistice avant de déclarer à son tour la guerre à l'Allemagne, dans un renversement d'alliance dont les Italiens étaient coutumiers puisqu'ils avaient fait le même coup lors de la guerre précédente. Mais peu importe, puisque Milan et le Duce se reconnaissent, se manifestent un amour réciproque, même si les Alliés sont proches de défoncer la dernière ligne, la gothique, et de franchir le Pô, même s'il est clair que, dans les mois à venir, il ne restera rien ou si peu du fascisme italien.

Le Duce fait arrêter la voiture piazza San Sepolcro, il salue longuement, face à l'église, l'immeuble qui a vu naître les premiers faisceaux de combat. Puis il se rend au théâtre Lirico, devant le micro relayé aux haut-parleurs à l'extérieur, car la salle est comble, sans doute remplie de miliciens et de gens du parti. Il prononce alors le discours sans doute le plus beau de sa carrière.

— *Camerati fascisti, amici milanesi*..., commence-t-il.

Au début, il s'aide de notes, lui qui n'en a jamais eu besoin. Puis il jette les feuilles dans un geste que la foule applaudit. Il parle des gloires du fascisme pendant vingt ans, de la guerre aux côtés de l'ami allemand (silence), de la trahison et de la fuite du roi (injures), puis de la RSI qui, à cause des événements, n'a pu encore déployer son programme populaire (applaudissements enthousiastes), de la guerre à nouveau :

— Nous nous battrons avec les ongles sur la ligne du Pô (enthousiasme) à l'aide de nouvelles armes, qui donneront la victoire. Déjà, la Wehrmacht est passée à l'attaque dans les Ardennes (applaudissements polis). Demain, grâce à ces nouvelles armes, les Anglo-Américains seront repoussés hors d'Italie (hurlements guerriers) !

À la fin, il sort de la salle en traversant une haie de visages réjouis. Dehors, devant le théâtre, il grimpe sur un échafaudage. À côté se dresse Pavolini, avec sa moustache et sa casquette. C'est un drôle de personnage, Pavolini, d'abord brillant étudiant en droit, il est, pendant la guerre d'Éthiopie, dans l'avion de Ciano et lance la première bombe, et c'est Ciano qui va faire sa carrière en le faisant nommer au Minculpop. Puis il vire, on ne sait pourquoi ni comment. À partir du 25 juillet, d'abord incarcéré par Badoglio, il finit par être libéré. Et de ce moment il devient un fasciste acharné, revanchard, haineux. C'est lui qui aura, en tant que secrétaire général du nouveau parti fasciste républicain, la peau de Ciano ainsi que celle des autres. C'est lui, l'homme du procès de Vérone et des recours en grâce rejetés sans avoir été transmis. Et là, Pavolini est sur la balustrade, juste à côté de Mussolini. Il vit un grand moment du fascisme triomphant. A-t-il conscience que ce triomphe, c'est le dernier ?

Depuis l'échafaudage, Mussolini reconnaît Lorenzo et le signale à Pavolini, qui le fait monter à côté du Duce. Le général Mori est acclamé en même temps que Pavolini et le chef de la RSI. La foule l'aime bien car il ne traîne derrière lui aucune casserole du fascisme.

— Tu restes avec moi ! ordonne Mussolini.

*

Dans ce lacis de ruelles, Sandro marche avec délice. Au bout, il y a Alexia. Sait-elle qu'il est revenu ? Non, se dit-il, sinon elle serait venue, je vais lui faire la surprise. À chaque détour, il a un souvenir tendre. C'était leur itinéraire, lorsque, après avoir rangé l'étal, il l'aidait à transporter les caisses de crustacés. Ils se tenaient par la main et, dès qu'ils échappaient aux regards, ils s'embrassaient. Toutes ces portes cochères, ces recoins, ces porches d'église, Sandro les connaît et à chacun, au fur et à mesure qu'il grimpe vers la maison d'Alexia, il fait un petit signe de reconnaissance, un salut d'amour. Le voici dans la rue maintenant. Elle est vide. Il est huit heures du matin, mais les Céphaloniens, sans doute inquiets des coups de feu, des rafales tirées sur le port, n'ont pas ouvert leurs volets. Devant la porte d'Alexia, il hésite un instant puis il appelle : « Alexia ! Alexia ! » Pas de réponse. Il pousse la porte et se retrouve dans le couloir. À l'étage, il entend des voix. Celle du vieux Vassilikos. Il s'élance dans l'escalier, grimpe les marches quatre à quatre. Il toque une fois, deux fois. Silence. Il répète : « Alexia ! », puis : « C'est moi Sandro. » La porte s'ouvre. Derrière, le vieux Vassilikos et la mère qui lui ouvrent les bras.

— La guerre est finie à Céphalonie, dit le vieux.

— C'est fini, la flotte anglaise va arriver.

Ils lui offrent un café et tous les trois s'asseyent autour de la table. Ils demandent à Sandro des nouvelles du monde. Il leur dit ce qu'il sait, les Allemands reculent partout. L'Italie est sur le point d'être libérée et l'offensive allemande dans les Ardennes ne produira aucun effet. D'ici quelques semaines, les Alliés fouleront le sol du Reich. Déjà, Aix-la-Chapelle serait occupée. Enfin, Sandro en vient à la seule question qui l'intéresse :

— Et Alexia ? Quand puis-je la voir ?

Les parents ont l'air gênés, la mère retourne dans

la cuisine et le vieux Vassilikos allume un de ses cigarillos.

— Sandro, il faut renoncer à Alexia. Elle s'est mariée.

C'est le coup de tonnerre.

— Quoi ? Quoi ? Mais pourquoi elle ne m'a pas attendu ?

— Personne ici n'a cru que tu reviendrais un jour.

— Je le lui avais juré !

Silence. Il n'y a rien à ajouter.

— Qui a-t-elle épousé ? demande-t-il, la voix un peu tremblante.

— Un ami d'enfance, un pêcheur comme moi.

Il pose sa main sur son bras.

— Cela vaut mieux, Sandro, pour elle et pour toi. Ici, tu sais, les gens parlent beaucoup. Quand tu es parti, ils ont commencé à se moquer d'elle. Alors, quand ce garçon est arrivé...

La mère revient de la cuisine.

— Et puis, Sandro, tu l'aurais emmenée loin d'ici.

Voilà la vraie raison, pense-t-il.

— C'était quand ce mariage ?

— Il y a six mois. Voilà, Sandro. C'est tout ce qu'on peut te dire.

Il se lève, il veut s'en aller maintenant.

— Elle va arriver, elle voulait qu'on te parle avant, dit la mère.

— Je ne veux pas la voir. Cela ne servirait à rien. Adieu !

Il s'engouffre dans l'escalier. Dans la rue, Alexia s'avance vers lui, tend une main pour toucher son visage. Il recule, lui tourne le dos. Elle le rattrape.

— Sandro !

Ses yeux sont humides.

— Laisse-moi, va-t'en, Alexia.

À ce moment-là, il remarque le renflement du ventre. Elle est enceinte. Mais elle veut encore lui dire :

— Je voulais te rendre la bague, mais j'ai dû la vendre pour payer le mariage.

Il a un ricanement, il avait oublié cette bague.

— Elle était à toi.

Il tourne les talons, marche vite dans les ruelles.

— Sandro !

Il ne se retourne pas, passe le coin de la rue, tout droit, comme la première fois quand il est parti se battre. C'est fini, Alexia. Tant pis, se dit-il, et un peu plus tard : tant mieux, elle ne valait rien et je ne m'en étais pas aperçu. Plus tard encore, quand depuis le bateau il voit s'éloigner la côte de Céphalonie où il ne reviendra jamais : je le savais qu'elle ne valait rien, mais je l'aimais quand même.

*

Le 19 avril 1945, Lorenzo reçoit un message signé Ugo Costa, le préfet de Milan : « Le Duce vous attend. »

— N'y va pas, tente Carmela sans trop d'espoir.

Bien sûr, il y va, pour trouver des lieux en effervescence. Les Alliés viennent de franchir le Pô. Les derniers familiers sont là. Tout le monde parle en même temps, les généraux, les ministres et les hiérarques, même Buffarini Guidi, limogé puis rappelé, qui conseille une échappée vers la Suisse, d'autres évoquent l'Espagne ou le Portugal. Seul le maréchal Graziani, ministre de la Défense, préconise une capitulation négociée avec les Alliés. Mussolini hausse la voix : « Pas question de demander asile à l'étranger ! » L'idée d'une résistance dans un réduit alpin, la Valteline, proposée par Pavolini qui annonce cinq mille hommes fanatiquement dévoués, bien armés et entraînés, le séduit. Graziani ricane. Il n'y croit pas. Pavolini se fâche et lui tourne le dos. Mais voilà, les nouvelles tombent : Bologne et Parme sont occupées, demain ce sera Modène et Reggio. Les partisans tiennent déjà une bonne partie de Milan et il se raconte qu'Arpinati, l'ancien *ras* de Bologne, qui avait pourtant refusé de rallier la RSI, vient d'être fusillé.

— Il reste deux solutions, tranche Mussolini. Une paix négociée avec les partisans qui sont italiens comme nous et auxquels nous transmettrons le pouvoir, ou la Valteline.

C'est aussi l'avis du préfet, qui téléphone aussitôt au cardinal Schuster, lequel propose une réunion l'après-midi avec les chefs de la résistance.

— On y va, décide le Duce. Il ne sera pas dit que je n'aurai pas tout tenté pour éviter que ne coule le sang des Italiens.

Le cardinal propose un petit réconfortant :

— Un verre de Rosalio avec un biscuit.

Le Duce parle des hommes de la Valteline qui attendent son ordre, de trois à cinq mille hommes, précise-t-il.

— Pas plus de trois cents, rétorque le cardinal, qui a l'air bien informé.

Arrivent les gens du CLNAI. L'un d'eux écrira plus tard avoir été frappé par le spectacle de l'homme Mussolini, « les yeux las, éteints, le geste lourd, le pantalon usé, les chaussures éculées, la veste déteinte, fripée, sans insignes de grade ni décorations ».

— Une seule solution, disent les hommes du CLNAI, la reddition sans conditions.

Mussolini exige des garanties pour les fascistes et leurs familles. On les lui promet. C'est alors qu'apparaît le préfet qui annonce que de leur côté les Allemands sont entrés dans des tractations leur permettant de quitter l'Italie sans combat. Le cardinal approuve et dépose sur la table des écrits confirmant les discussions et leur aboutissement. Le Duce vacille. Il regarde les membres de sa délégation.

— Je ne suis pas surpris, dit seulement Lorenzo.

Mussolini explose :

— Ils nous ont traités comme des esclaves et, à la fin, ils nous trahissent !

Il veut aussitôt retourner à la préfecture, d'où il téléphonera sa réponse. Dans l'escalier, il croise le socialiste Sandro Pertini, le dernier homme du CLNAI, arrivé en retard et qui ne le reconnaît pas. Plus tard, Pertini, devenu président de la République italienne, notera : « Si je l'avais identifié, je l'aurais abattu moi-même avec mon revolver. »

À vingt heures, le même jour, Mussolini décide de prendre la route pour la Valteline.

À Vérone, les partisans investissent la ville dans la nuit. Au lieu de fuir, les fascistes se rendent, confiants dans la mansuétude des compatriotes italiens. C'est une erreur. La chasse commence à l'aube, les partisans ont des listes et des adresses. Le Coralli est arrêté le premier. Il s'y attendait et ne proteste pas, sauf quand dans la colonne des prisonniers il reconnaît Adriana Mori et Virginia. À ce moment-là, il se met à crier que ces femmes n'ont rien fait, mais on le fait taire à coups de crosse. Adriana Mori hurle elle aussi. On a trouvé chez elle la photo dédicacée et encadrée de Mussolini. Alors, tant qu'à mourir, elle exprime sa foi fasciste et injurie les partisans :

— Seul Mussolini voulait le bien de l'Italie ! Vous êtes les envoyés de Staline et vous voulez nous imposer votre communisme. Dieu vous punira !

Virginia, elle, ne dit rien. Elle se sait perdue. Ses lèvres murmurent une prière, tandis qu'on la traîne sur une chaise, en même temps que sa belle-mère, pour les tondre. Les cheveux des deux femmes tombent en couronne sur le sol, mais elles gardent la tête droite, bientôt rasée, nue avec quelques touffes qui font des taches sur la peau blanche du crâne.

— Faites-les défiler dans la ville, ordonne le chef partisan. Après, au mur comme les autres !

C'est à cet instant que dans son dos s'élève une voix :

— Qui es-tu, toi, pour décider de la vie et de la mort ?

Il se retourne, furieux, mais se tait soudain. Il vient de reconnaître Laura en uniforme de commandant des partisans, avec l'insigne du CVL et sa médaille de héros.

— J'exécute les ordres du CLNAI. Les fascistes notoires doivent être fusillés, les femmes tondues d'abord.

— Je suis le CLNAI, dit Laura. Ces ordres, tu les as inventés. Libérez ces femmes, ordonne-t-elle. Elles pensent ce qu'elles veulent mais n'ont rien fait. Ce sont des fascistes honnêtes, les seules sans doute.

Le chef veut protester. Mais Laura exhibe son revolver, le Nagant, et le braque sur lui après l'avoir armé d'un claquement sec.

— Dépêche-toi, dit-elle encore de sa voix du NKVD.

On défait les liens d'Adriana Mori et de Virginia.

— Fuyez, cachez-vous jusqu'à ce que les Alliés arrivent, marmonne-t-elle entre ses dents, je ne serai pas toujours là.

— Et Eugenio Coralli ? demande Virginia.

Laura ne répond pas, elle répète :

— Fuyez et cachez-vous !

Puis elle se dirige vers les hommes qui attendent, attachés eux aussi. Ils vont mourir, ceux-là.

— Je ne peux rien pour vous, dit-elle au Coralli, vous êtes trop connu.

— Laura !

C'est la voix du vieux Di Stefano.

— Je ne demande pas de grâce, ma petite-fille. Aujourd'hui, je rejoins ma fille Julia. Mais j'ai pensé à toi. Tu l'apprendras plus tard.

— Dites à ma mère qu'aujourd'hui vous avez racheté sa mort. Elle doit vous pardonner, comme moi je vous pardonne tout.

On les conduit au mur. Ils chantent *Giovinezza*. Ils se tiennent droit et font face au peloton. Une salve, puis une autre, comme pour Ciano.

Laura va à l'écart, là où on ne la voit plus, et elle éclate en sanglots.

108

Mussolini est arrivé à Côme. La Suisse et l'Autriche ne sont qu'à quelques dizaines de kilomètres de la Valteline, de l'autre côté du lac. Pavolini, resté à Milan pour rassembler les troupes destinées à défendre « le réduit alpin », parcourt la ville en haranguant les militants qui l'acclament et crient « Tous à Côme ! ». À la fin, il réunit près de deux cents véhicules, des chars et presque cinq mille chemises noires.

Lorenzo contemple avec une étrange stupéfaction le convoi du Duce où l'on dénombre les derniers fidèles, de Graziani et Barracu jusqu'à Bombacci, ancien bolchévique passé au fascisme. Les voitures de la Wehrmacht et de la SS ferment la marche. Un dîner est organisé à la préfecture. Il en ressort que tous les hiérarques présents n'ont qu'un souci : sauver leur peau ! Déjà, dans les rues, des miliciens cherchent à troquer leurs chemises noires contre des tenues civiles. Mussolini prend Lorenzo à part.

— Ne me quitte pas. On part pour Menaggio. Là, je te donnerai des instructions.

L'invraisemblable convoi redémarre avec les hiérarques, les femmes et les enfants, les coffres-forts chargés dans les camionnettes, les saucisses et les bonbonnes de vin, les secrétaires et les maîtresses, parmi lesquelles Clara Petacci, et même Elena Curti, la fille naturelle du Duce, en qui la Petacci voit une concurrente et non la secrétaire de son père, ce qui déclenche leur dernière scène de ménage.

Halte à Menaggio. La radio de l'hôtel donne des nouvelles de l'avance des Alliés. À Milan, un décret du CLNAI institue les cours martiales et les tribunaux du peuple : les fascistes coupables d'avoir supprimé les garanties constitutionnelles et détruit les libertés doivent être punis de mort. Le Duce, une nouvelle fois, prend Lorenzo par le bras.

— Va en Valteline préparer l'arrivée des troupes et la mienne. Si tu apprends que je suis pris ou mort, considère-toi comme délié de tout engagement et passe la frontière.

Au même moment, Carmela, qui a payé à prix d'or une vieille voiture et deux cents litres d'essence, arrive à Côme. Elle ne veut pas laisser Lorenzo. S'il meurt, je dois mourir avec lui, pense-t-elle, je n'ai plus d'enfant, plus de parents, plus d'amis. Il ne me reste que lui. Je ne vivrai pas sans Lorenzo.

Mais, à peine arrivée, après avoir parcouru une route tortueuse à la chaussée à demi détruite, elle apprend que Lorenzo a suivi le Duce à Menaggio. Quant aux cinq mille brigadistes recrutés par Pavolini, ils n'entendent plus, faute de chefs et d'ordres, poursuivre la lutte et campent dans les jardins publics et le long des avenues. Ils n'ont qu'une idée : *tornare a casa* ! Ce sont eux qui cherchent les partisans déjà présents en ville et, quand ils les trouvent, ils jettent leurs armes et demandent à être enrôlés parmi eux. Le but est de porter au bras le bandeau avec l'insigne du CVL.

D'un groupe à l'autre, Pavolini exhorte les hommes à tenir leur engagement, mais certains détournent leur regard ou se moquent de lui. Il se décide enfin à rallier Menaggio, mais de cinq mille hommes, il n'en reste que douze qui le suivent. Derrière cette modeste colonne, une antique bagnole qui consomme quinze litres aux cent avec, au volant, Carmela, qui a cette seule idée : retrouver Lorenzo.

Menaggio reproduit le même caravansérail fasciste que celui de Côme, sauf que la colonne s'est encore gonflée, comme si, depuis les confins de la RSI, tous ceux et celles qui sentaient l'urgence de partir s'y étaient donné rendez-vous. Dans cette station, assez charmante, sur le bord du lac, s'entassent voitures de luxe, guimbardes, camions et autobus, loués ou achetés au prix d'une villa. Des enfants, plutôt bien habillés, se poursuivent en poussant des cris d'Indiens, ravis de cette situation qui ressemble fort à des vacances impromptues. Les nurses ont disparu, les domestiques aussi. Des miliciens jouent au football, d'autres comptent fébrilement leurs cartouches, d'autres encore toquent à la porte des maisons pour acheter des vêtements civils. Un brassard du CVL, vrai ou faux, se vend au prix d'un bijou. Les couturières les fabriquent à la chaîne.

Carmela cherche l'état-major du Duce et finit par

trouver l'hôtel Miravalle transformé en caserne. Des chemises noires, le PM en bandoulière, montent la garde. Ce n'est évidemment pas Mussolini qu'elle cherche, mais Lorenzo. Personne ne peut la renseigner. Le général Mori était à Côme, d'autres l'ont vu à Menaggio. Entre-temps, d'aucuns annoncent l'arrivée imminente de Pavolini et de sa petite armée. Mais cette rumeur est aussitôt démentie. Ce seraient plutôt les partisans. Carmela erre parmi les uns et les autres. À tous, elle réclame le général Mori, en vain.

Soudain, un visage connu. Cette femme qui fume nerveusement, seule dans un coin. Carmela se précipite. Elle se lève soudain en la reconnaissant.

— Ma chère, tout est fini ou presque, s'écrie Clara Petacci. Pavolini vient d'arriver. Son armée a fondu comme neige au soleil. Ben est furieux, il l'accuse de lui avoir menti, mais l'autre répond que lui au moins est venu.

— Je cherche Lorenzo Mori, l'interrompt Carmela. Tu sais où il est ?

— Attends, je l'ai vu quand on est arrivés. Je vais me renseigner.

Clara rentre dans le bâtiment, puis revient au bout d'une minute, triomphante.

— Il est parti il y a deux heures pour la Valteline. Il doit tout préparer avec les chemises noires qui sont sur place pour l'arrivée des troupes de Pavolini… qui ne viendra pas. Ben s'est laissé convaincre de passer la frontière côté autrichien avec les Allemands. Les Suisses ne veulent pas des fascistes en fuite, et surtout pas de leur chef. On vient d'apprendre qu'ils ont refusé l'entrée à Rachele et à sa progéniture, ainsi qu'au pauvre Buffarini Guidi. Ils ont dû revenir à Côme.

— La Valteline, c'est quelle direction ? demande Carmela.

— Prends la route de Sondrio en sortant de Menaggio. Il y a des pancartes.

— Il y va, le Duce ? demande encore Carmela.

— Non, le programme est changé. Les Allemands qui nous escortent vont nous faire passer de l'autre côté, vers l'Autriche. Regarde dans quoi je voyage avec Ben.

Elle l'entraîne derrière le bâtiment. Un engin extraordinaire fait ronfler son moteur, près de dix mètres de long, hérissé de canons et de mitrailleuses. Les parois sont blindées avec des meurtrières. C'est un bus transformé en char d'assaut.

Mussolini sort à cet instant, encadré de miliciens surarmés. Pavolini suit. Il se dirige vers une voiture décapotable, celle avec laquelle il a parcouru en vain Côme pour rallier les miliciens de son armée. Il tient, serrée contre sa poitrine, une serviette en cuir noir.

— Viens avec nous, dit Clara, demain tu seras en sûreté en Autriche et, de là, tu pourras passer en Suisse. On a tous de faux papiers, je t'en donnerai. J'en ai plusieurs exemplaires et il n'y aura qu'à mettre ta photo.

Carmela l'embrasse.

— Merci, mais c'est Lorenzo qu'il me faut. Je vais en Valteline.

Clara et le Duce montent dans le char d'assaut. Des miliciens les rejoignent à l'intérieur et la colonne de fascistes se met en marche. On a rameuté les enfants, vérifié le chargement. En tête les camions allemands, en queue les camions de miliciens, au centre les hiérarques et leurs familles, ou ce qu'il en reste. Le tout fait plus d'un kilomètre de long. Quand Carmela veut reprendre sa voiture, elle s'aperçoit qu'elle a disparu.

*

Les partisans ont investi Côme. Officiellement, il n'y reste plus un seul fasciste. Les hommes de Pavolini se rendent en prétendant avoir été enrôlés de force. Certains d'entre eux offrent de rallier les brigades dont ils exhibent déjà le brassard, acheté la veille. Pedro, qui commande la Garibaldi, refuse de s'occuper des fuyards, des faux repentis. Tous ne sont que de pauvres gamins qui vont là où on les pousse. Lui a reçu une mission qu'il a bien l'intention d'accomplir, et ce n'est pas pour ces faux fascistes ou ces faux partisans, comme on voudra, qu'il va créer des tribunaux du peuple! Certains autour de lui renâclent. Ils racontent qu'à Vérone tous les fascistes connus ont été fusillés. Mais Pedro n'en a cure. Il répète d'un ton sec qu'il n'est pas un justicier, encore moins un bourreau. Sa réputation de chef, de héros qui a réussi de beaux coups, le dernier à la caserne de la Muti, impose le silence. Il passe ses hommes en revue avant le départ pour Menaggio et plus loin sans doute. Toutes les routes, les voies, les chemins vers l'Autriche sont surveillés.

— *Ragazzi*, c'est le dernier acte, annonce-t-il.

À cet instant, on l'appelle. Un représentant du CLNAI est annoncé. Le voilà. Il se retourne, s'exclame:

— Laura !

Elle lui fait un salut militaire et lui tend la main. On les regarde. Ce n'est pas le moment de se lancer dans des étreintes publiques.

— J'arrive de Vérone, dit Laura, et je vais à Milan rejoindre Palmiro Togliatti au CLNAI. Je connais la mission de la 52e Garibaldi. Tu dois empêcher la colonne des fascistes de passer en Autriche.

— Tout à fait, je suppose que Mussolini fait partie du troupeau. D'après ce que l'on sait, il a renoncé à la Valteline. On a donné un accord aux Allemands pour les laisser passer, mais il n'en est pas question pour les Italiens.

Elle s'approche et lui parle à voix basse :

— Dans cette colonne, il y a peut-être mon père... Je ne veux pas qu'il soit abattu, fusillé comme un chien. Les ordres officiels du CLNAI sont de remettre les dirigeants fascistes aux Alliés, mais les communistes ne sont pas d'accord, même pour ceux qui ont des garanties, comme lui. J'en sais quelque chose. Ils s'en foutent des garanties !

— Compte sur moi. Je ferai ce que je pourrai. Je rappellerai que ton père sert de garantie à Schorfer. Je me souviens bien de lui. Un bel officier.

— Merci, dit Laura.

Ils ont encore un regard.

— Après la guerre, dit Laura.

— Oui.

109

Quand Lorenzo arrive en Valteline, le 27 avril, il déclenche l'enthousiasme des troupes. On l'entoure, on le félicite, on le congratule. Au bout d'un moment, il comprend que l'on fête moins sa personne que l'intervention annoncée de l'armée de Pavolini, qui va permettre de transformer la région en une véritable citadelle militaire. Il doit donc remettre les choses au point. Sans doute Pavolini finira-t-il par rejoindre, avec ses hommes et son matériel de guerre, les quelques centaines de fascistes qui, devançant l'ordre du Duce, ont choisi de se rassembler. Mais, explique-t-il, lui-même ne sait rien de cette armée qu'il n'a pas eu l'occasion d'observer.

— Et le Duce ? lui demande-t-on.

Il fait à peu près la même réponse. Il a annoncé sa venue. Quand ? Comment ? Il ne saurait le dire.

— Ma mission, précise-t-il, est de préparer cette arrivée en accord avec vous et de recenser les hommes et les armes disponibles.

Aussitôt, l'allégresse revient. Les officiers s'empressent de lui faire visiter les cantonnements et de lui présenter les hommes. Il en dénombre plusieurs centaines plutôt bien armés, déterminés surtout à se battre, suivant la formule, jusqu'à la dernière cartouche. En même temps, il ne peut que constater le caractère hétéroclite de ce dernier rassemblement fasciste. Il y a là des personnages issus de toutes les unités de la RSI, depuis la 10e MAS jusqu'à la légion Muti. On y trouve même des Feldgendarmes allemands, vieux territoriaux qui se demandent avec effarement ce qu'ils font là, oubliés sans doute par leurs chefs dans l'immense débandade des forces de l'Axe et coincés dans un dernier refuge, alors qu'ils devraient être chez eux. Mais le plus spectaculaire, ce sont les Français, résidus de la milice de Darnand, ou les SS de la division Charlemagne, échappés de Russie. Ceux-là sont sans doute les plus déterminés. Ils savent se battre et sont parfaitement équipés. Lorenzo subodore une autre raison : s'ils sont pris, le peloton d'exécution leur est garanti. Eux-mêmes n'en doutent pas. Aussi ont-ils choisi de tomber les armes à la main, aux côtés de leurs camarades fascistes.

Les jeunes entourent Lorenzo. Le nom du général Mori leur est connu. L'homme du Duce, dit-on le plus souvent, le héros de quatre guerres. Ils lui vouent une dévotion gênante. Lorenzo voudrait leur parler, leur dire que la guerre est définitivement perdue et que les derniers barouds d'honneur ne valent que pour les livres d'histoire quand ils s'achèvent par un massacre. Mais il se retient. Ce n'est pas le moment, d'autant qu'il s'aperçoit avec stupéfaction que ces fascistes acharnés sont le plus souvent accompagnés de femmes et d'enfants.

— Mais enfin, s'écrie-t-il, ce n'est pas la place des familles ! Qu'en ferez-vous pendant les combats ?

Il n'obtient que cette réponse :

— C'est eux qui ont exigé de venir. Ils connaissent leur sort s'ils tombent aux mains des partisans.

— Pas eux !

— Bien sûr que si, général.

Pas la peine d'insister. Lorenzo fait le tour du bivouac. L'ambiance est plutôt gaie. On chante encore tous les vieux hymnes fascistes depuis l'éternel *Giovinezza* jusqu'à l'air des légionnaires, « San Marco, San Marco, qu'importe si on meurt... ».

Quand la nuit tombe, l'ambiance se tend. Femmes et enfants s'endorment, mais les sentinelles sont doublées.

Radio Milan émet toujours : « Ici la radio de la République sociale italienne... » Cela signifie que la ville n'est pas encore tombée. L'EIAR[1] encourage le peuple à s'unir aux bataillons de la RSI dans sa lutte contre les Slaves.

Soudain, un prêtre. Il demande à être reçu aussitôt car il est porteur d'un message. Lui-même exerce son ministère dans un village de la montagne. Le message écrit à la main tient sur une feuille de papier quadrillé. « Si, d'ici l'aube, vous n'avez pas déposé les armes, nous vous attaquerons et nous vous fusillerons tous. Signé Camillo. » Le commandant d'unité rend le message au curé.

— Dites à ce voyou qui vous a envoyé que nous n'avons aucune intention de nous rendre.

— Monsieur le commandant, je vous en conjure, pour vous il n'y a plus d'espoir. Milan est tombée.

— C'est faux, nous l'avons entendu à la radio. Milan est toujours à nous, et quand la ville sera occupée, ici on continuera à combattre.

— Monsieur le commandant...

— Vous perdez votre temps, mon révérend. Si

1. Ente italiano per le audizioni radiofoniche.

les partisans veulent nos armes, qu'ils viennent les prendre.

Le curé est escorté jusqu'aux avant-postes. Il disparaît dans la nuit. On entend les cris des sentinelles qui s'interpellent. Un quart de lune éclaire les rues désertes du village, les doigts se crispent sur le métal des armes.

— Sait-on à peu près où sont les partisans ? demande Lorenzo.

Le commandant hausse les épaules.

— Ils sont partout, mon général. Nous sommes encerclés, seule l'armée de Pavolini peut nous délivrer, si le Duce la commande. Alors, nous serons sauvés.

À la même heure, sur les chemins de la Valteline, une grosse moto roule à toute vitesse. Au guidon, un sous-officier de la 10e MAS, pistolet-mitrailleur en bandoulière. Il fonce, phares éteints, dans la nuit. À l'arrière sur la selle, les bras entourant la taille de l'homme, Carmela.

Ils se sont rencontrés à la sortie de Menaggio. Carmela allait à pied, suivant la pancarte indiquant la Valteline. Elle avait décidé de faire tout ce chemin comme elle pourrait, mais en tout cas d'aller au bout. Au bout, il y avait Lorenzo. Le milicien a freiné, il s'est arrêté. « Où allez-vous comme ça ? » Lui ne s'était pas embarrassé de faux insignes. Il portait sa tenue de sous-officier de la RSI. La moto, il venait de la voler. « En Valteline. » Le milicien avait éclaté de rire. « C'est grand, vous savez, la Valteline, cent kilomètres de long et presque autant de large.

— Je veux rejoindre mon ami, le général Mori. »

Le milicien avait regardé cette femme en chemisier et pantalon, un sac à l'épaule.

« Mori, le Duce l'a envoyé là-bas il paraît. Il doit s'être arrêté à Grosio en dessous de Sondrio. Il y a un gros détachement dans le coin. J'en reviens et j'y retourne. J'ai des nouvelles : pas de Pavolini, pas de Duce. — Vous pouvez m'emmener ? » Il l'avait regardée encore. Elle n'avait pas froid aux yeux, celle-là. « Montez derrière et accrochez-vous. Si on se fait tuer, ne vous plaignez pas. »

Cela dure bien deux heures dans les chemins qui montent, tournent et descendent. Soudain, il s'arrête, éteint le moteur.

— Vous voyez ces feux, en bas. C'est Grosio.

— Il n'y a qu'à y aller.

Elle ne manque pas d'air. Il ôte son casque et allume une cigarette dont il cache la lueur sous la paume.

— Le problème, ma petite dame, c'est que la colline, là sur le côté, est infestée de partisans. Leur chef, c'est Camillo, et il connaît son affaire. Tous les chemins sont barrés. À l'aller, il a fallu se battre pour passer. J'ai eu deux hommes tués. Mais ils ne s'attendent pas à ce que je revienne.

— Alors ?

— Il faut foncer sur eux par surprise et forcer le barrage. Si vous ne voulez pas venir, attendez que je passe et essayez d'aller à pied en profitant du bordel.

— Je viens, dit Carmela.

— Prenez mon casque, j'ai trop chaud et il ne me sert à rien.

Elle met le casque. Lui pousse la moto en essayant de ne pas faire de bruit. Ils marchent ainsi plusieurs centaines de mètres en prenant garde de rester sur le bord du chemin. Le milicien s'arrête encore.

— Leur barrage, c'est là-bas au bout, juste après le tournant. Trois hommes, pas plus. Deux qui dorment, un qui veille.

— C'est quoi, ce barrage ?

— Oh, des bidons qu'ils ont entassés. Ça ne tiendra pas. Le tout, c'est qu'on ne se fasse pas descendre avant. Vous êtes toujours d'accord ?

Elle hoche la tête. Il monte sur la moto, elle grimpe derrière, le cœur battant. Soudain, il met le moteur en marche et tourne la poignée d'accélération. La moto fait un bond. Le virage est passé dans un grand jaillissement de terre. En face, le barrage. Le milicien baisse la tête, Carmela aussi. Un, deux et trois coups de feu. Elle entend siffler les balles, puis la moto heurte les bidons qui sont projetés sur les côtés. Une rafale encore.

— *Cazzo !* dit le milicien. Je suis touché.

Et aussitôt, la moto bascule dans le fossé.

— Ils attaquent ! s'écrie Lorenzo.

— Non, c'est Aurelio qui essaie de passer. Il revient de Menaggio.

— On y va !

Déjà, Lorenzo s'est mis à courir, aussitôt suivi par les sentinelles. Ils parcourent ainsi deux cents ou trois cents mètres. Quand Lorenzo est en position, il tire sans s'arrêter de courir. Les partisans ripostent, les sentinelles aussi. L'une d'elles bascule, mais un partisan s'écroule de l'autre côté. Il n'en reste qu'un qui s'enfuit.

Lorenzo parvient jusqu'à la moto. Le pilote est mort. Il récupère son arme.

— Il venait nous apporter un message, dommage.

— Je le connais, moi, ce message.

Cette voix ! Il se retourne brusquement. Une silhouette casquée émerge d'un buisson. Carmela ôte son casque.

— Toi !

— Le message, dit Carmela, c'est que l'armée de Pavolini n'existe plus et que le Duce ne viendra pas !

110

À peine les troupes alliées ont-elles investi Vérone que le capitaine Sandro Mori, porteur d'un uniforme neuf et du brassard Corpo italiano di liberazione, se précipite, le cœur battant, au domicile familial sur le bord de l'Adige. Les volets sont clos. Pas un bruit, pas un mouvement. Dans la ville, maintenant que se sont tues les salves des pelotons d'exécution, c'est la liesse. Mais dans cette maison comme dans d'autres, c'est le silence. À tout hasard, Sandro secoue la sonnette. Rien. Alors il appelle :

— *Nonna ! Nonna !* C'est moi, Sandro.

Il crie encore, plus fort. Silence toujours, mais à l'étage, un volet s'entrouvre.

— C'est moi, Sandro !

Une clé est lancée depuis la fenêtre. L'escalier, le couloir, le salon. C'est là qu'il les trouve, sa mère Virginia et la grand-mère Adriana, chacune dans un fauteuil, un turban sur la tête.

— Sandro ! s'écrie Virginia.

Elle a un mouvement pour l'embrasser, mais s'empare avant de la clé pour refermer la porte à double tour. Il les étreint toutes les deux. Leurs lèvres tremblent. Sur leurs joues, des traces de coups et de larmes.

— Mais enfin, demande Sandro, que se passe-t-il ici ? La guerre est finie, non ?

Elles gardent le silence, elles le regardent toutes les deux. Virginia hoche la tête.

— Oui, elle est finie pour toi parce que tu es vivant. C'est tout ce qui compte.

Elle l'embrasse encore.

— Que tu es beau, mon fils !

Lui fait un pas en arrière. La *nonna* Mori marmonne dans son fauteuil. Virginia fait un signe, il ne faut pas y faire attention.

— Ta grand-mère n'est pas bien. Elle a eu de fortes émotions. Moi aussi, mais je suis plus jeune. Je m'en remettrai.

Sandro fronce les sourcils. Au lieu de retrouvailles joyeuses, il trouve cette maison, autrefois bruyante, sépulcrale. Il remarque sur le sol la photo de Mussolini, déchirée dans son cadre brisé.

— Que s'est-il passé ?

Virginia échange un regard avec sa belle-mère et défait son turban. Son crâne apparaît, parsemé de taches rougeâtres, là où les ciseaux ont insisté.

— Les partisans, dit-elle seulement.

Sandro se tait. À Mantoue, c'était la même chose : les femmes tondues et les hommes traînés devant un mur. Il a fallu que les militaires interviennent pour y mettre fin. À aucun moment il n'a pensé à sa mère et sa grand-mère.

— Ils voulaient nous fusiller, dit Virginia. C'est Laura qui nous a sauvées.

— Laura ? Vous l'avez vue ? Elle est vivante !

— Elle fait partie des partisans maintenant. Elle les commande, je crois. Elle nous a aperçues sur nos chaises et elle s'est disputée avec l'un des chefs, elle l'a menacé de son revolver. Alors, ils nous ont libérées.

— Ma petite-fille, c'est moi qui l'ai élevée et je ne l'ai même pas reconnue, gémit soudain Adriana Mori. Je me souviens qu'elle nous a demandé de partir de Vérone jusqu'à ce que les choses se calment. Mais on ne sait pas où aller. Alors on est rentrées. On a pensé qu'ils ne reviendraient pas, et on a tout fermé.

Sandro les embrasse encore toutes les deux.

— Vous n'avez rien fait ! Toute la ville était fasciste. Il y a longtemps que je ne suis pas venu à Vérone, mais je m'en souviens.

— Ils ont fusillé Eugenio Coralli. Mon compagnon non plus n'avait rien fait, mais il dirigeait les fascistes de Vérone. Il y avait aussi le vieux Di Stefano, l'ancien podestat. Laura est allée leur parler mais, pour eux, elle ne pouvait pas intervenir.

Elle s'arrête, elle ne veut plus parler de ce qui s'est passé, elle a toute sa vie pour se souvenir de ces moments-là. Elle aura le temps quand elle aura rejoint le couvent. Oui, c'est décidé, se dit-elle. Elle n'en peut plus de cette vie.

— Et toi, mon fils, donne-moi de tes nouvelles. Mon plus grand bonheur a été d'apprendre que tu étais revenu vivant de Céphalonie. Après, plus rien. C'était la guerre civile.

— Je vous raconterai ça une autre fois.

— Et cette fille, la Grecque, ta fiancée ? demande Adriana Mori.

— C'est fini. Je vous en parlerai, mais plus tard.

Le souvenir d'Alexia est encore douloureux, mais cela passera. Un silence entre tous les trois.

— A-t-on des nouvelles de mon père ? Je me fais du souci pour lui.

— Il est avec Mussolini vers la Valteline je suppose, dit Virginia. Ils veulent en faire un dernier réduit fasciste.

— C'est une zone entièrement contrôlée par les partisans. Les Alliés ne peuvent rien faire pour l'instant. Ce sont les accords avec le CLNAI.

Un silence encore.

— *Babbo*, murmure Sandro, *Babbo*, sauve-toi !

*

— Et pourtant, dit le commandant de Grosio, à cette heure, Radio Milan devrait transmettre.

Mais le poste est silencieux. Dans cette maison du village sont réunis les chefs de la Valteline. Tous sont venus écouter Radio Milan, mais du poste ne sortent que des crachotis, alors qu'à cette heure-ci le communiqué quotidien de la RSI donne les meilleures nouvelles de la guerre, même si elles sont fausses. Carmela est appuyée sur l'épaule de Lorenzo. Quelqu'un lui a passé une tenue de combat. Lorsqu'elle a transmis le message : plus d'armée de Pavolini, plus de Duce, les militants ne l'ont pas crue.

« De qui tenez-vous cette information ? lui a-t-on demandé.

— De Clara Petacci, la compagne du Duce. »

Seul un éclat de rire lui a répondu. Que vaut la Petacci par les temps qui courent ? Carmela a protesté :

« J'ai vu le Duce embarquer avec Pavolini dans un bus transformé en char d'assaut et prendre la route de Musso, encadré par des unités de SS. La colonne des hiérarques suivait. Leur but était de passer en Autriche et les partisans étaient sur leurs talons. Cela, ils le savaient tous.

— Plus d'armée de secours, plus de Duce, et nous les hommes de la Valteline, nous devons vous croire ?

— C'était également le message que le pilote de la moto venait vous transmettre. Il me l'a bien dit.

— Signora Cavalcanti, quel que soit le respect que nous devons à votre personne, comme à votre exploit sur ce barrage la nuit dernière, votre pilote est mort et votre parole ne suffit pas à nous convaincre. »

Lorenzo a posé sa main vivante sur l'épaule de Carmela.

« N'insiste pas, ils ne te croiront jamais. Ces hommes sont les derniers vrais fascistes. Tu es en train de détruire leur univers. »

Tout à l'heure, l'un de ces hommes est venu la voir, discrètement.

« Signora, si vous avez de l'argent, je connais un passage derrière la montagne, tout près de la frontière. Je peux vous assurer qu'elle n'est pas gardée à cet endroit. Je peux vous faire passer.

— Attendez, je ne suis pas seule.

— Peu importe le nombre. Faites-moi signe. Quelle monnaie avez-vous ?

— Des dollars et des livres anglaises.

— Ça ira très bien », a dit l'homme, avant de se rencogner dans l'ombre.

Les hommes parlent entre eux maintenant. Ils disent que Mussolini arrivera par Sondrio de l'autre côté et que l'armée de Pavolini sera avec eux.

Soudain, une voix sort du poste radio, une voix inconnue :

« Ici Radio Milan libérée. Le Comité de libération nationale diffuse le communiqué suivant à la population : Benito Mussolini et sa maîtresse Clara Petacci viennent d'être arrêtés. »

111

Message urgent de Pedro, commandant de la 52e Garibaldi, à Laura Mori, attachée au CLNAI, transmis par radio : « Benito Mussolini, présent au sein d'une unité allemande et sur le point de passer la frontière autrichienne, a été identifié et arrêté. Sa maîtresse, Clara Petacci, qui était dans la colonne des hiérarques fascistes, m'a supplié de le rejoindre, et je n'ai pas cru devoir le lui refuser. Tous les dirigeants fascistes présents dans cette colonne ont été arrêtés, certains comme Pavolini après des échanges de coups de feu avec les partisans. Le général Mori ne figure pas sur cette liste. Je me rends immédiatement en Valteline où il se trouve probablement. Signé Pedro. »

Laura répond aussitôt : « Trouve le général Mori qui bénéficie d'une immunité promise à l'occasion du passage dans nos lignes du colonel Hans von Schorfer. Sauve-le. »

Radio Milan libérée continue d'égrener la liste des fascistes qui ont été arrêtés et qui sont conduits à Dongo pour subir le châtiment promis. Lorenzo n'y figure pas. Puis ceux qui sont encore recherchés dans le même but. Son nom est prononcé parmi les premiers. Deux coups de feu. Le commandant de Grosio vient de détruire le poste radio.

— Ceux qui croient en notre foi fasciste, leurs familles, femmes et enfants, nous allons rejoindre le Duce à Sondrio.

Aussitôt, les hommes, légionnaires, brigades noires, gendarmes allemands, miliciens français, sont réunis sur la place. Le commandant leur adresse un discours et tous répondent :

— *Italia ! Italia ! Italia !*

— *Saluto al Duce !*

— *A noi !*

Puis ce cri repris par tous :

— *Boia chi molla !*

Et ils se mettent en marche. Quatre cents environ, avec les femmes et les enfants. Une vieille dame de quatre-vingts ans n'a pas voulu rester sur place. On la transporte sur une civière. Ils franchissent le pont sur l'Adda. On dirait des fantômes. Lorenzo et Carmela ne se sont pas joints à cette colonne.

« Le Duce est pris, tu es libéré de ton serment », a dit Carmela.

Il n'a pas protesté. Elle a fait un signe au guide. Trois ou quatre qui avaient compris ont fait le même choix. Le commandant de Grosio, avant le départ, est venu les trouver.

« Vous essayez de passer la frontière ? Vous avez raison. Bonne chance à vous. Moi, je suis responsable de tous jusqu'à la fin. »

Le guide demande à voir l'argent. Carmela ouvre son sac et lui montre les billets. Il opine du chef.

— Quand nous aurons passé la frontière, dit Lorenzo.

Il a un regard sur le guide, l'homme baisse les yeux.

— Je ne vous tromperai pas, dit-il, il y en a pour plusieurs heures de route. Il faut passer ce col, là-haut.

Il montre la montagne avant de leur recommander de prendre des armes car les partisans sont partout. Tous se chargent de fusils-mitrailleurs. Lorenzo s'empare même d'un trépied.

La marche ne dure pas quatre heures, mais six, car il faut contourner les camps des partisans. Après chaque heure, ils font une halte et boivent de l'eau à la gourde. Puis ils repartent, le guide en tête, suivi de

Carmela et des quatre hommes qui les accompagnent. Lorenzo est le dernier. Personne ne dit mot. De temps à autre, le guide désigne des lumières à flanc de montagne. Ce sont des villages qu'il faut éviter car les partisans y sont installés. La progression se fait de plus en plus difficilement car il faut grimper. Des plaques de neige commencent à apparaître. Carmela rejoint Lorenzo à l'arrière.

— Je n'en peux plus, j'ai froid.

— Il faut continuer, dit-il, c'est le prix de la liberté.

Elle reste auprès de lui pour la suite, accrochée à son bras. À chaque pas, le trépied du FM heurte son épaule. Lorenzo veut essayer de le déplacer.

— Ça ne fait rien, dit-elle.

Et ils continuent. À certains moments, le sentier se resserre et il faut passer un par un. De temps en temps, ils se retournent pour regarder en arrière. Soudain, le guide fait halte. Il montre en bas des lueurs qui se déplacent.

— Ils nous ont repérés. Ils sont sur nos talons.

— On aura le temps de passer la frontière ?

— J'espère.

Ils tentent de grimper plus vite, mais régulièrement se retournent pour vérifier que les partisans ne se rapprochent pas.

— Combien pour la frontière ? demande Lorenzo.

— Une demi-heure, pas plus.

Les premières balles commencent à siffler. Une autre équipe de partisans vient du sommet et se rapproche par le flanc pour leur couper la route. On les voit dans cette nuit illuminée par la lune. Ils avancent vite, mais de temps en temps s'arrêtent pour tirer. Tous se mettent à courir comme ils peuvent, les partisans sont derrière et sur le côté. Ce sont ceux-là qui se rapprochent. Vingt, trente hommes, peut-être plus.

Lorenzo pose son fusil-mitrailleur à terre et installe le trépied.

— Je vais les retarder, dit-il.

— Tu es fou.

— Filez ! Je vous rejoins après.

— Il n'y a qu'à grimper, répète le guide. La frontière se situe sur le col, là-haut.

— Je vois, dit Lorenzo, partez vite !

Les partisans tirent encore. L'un des hommes s'écroule. Lorenzo se dresse soudain, renverse le trépied d'un coup de pied et braque son fusil avant de lâcher une première rafale. À peine a-t-il commencé à tirer que les partisans répliquent.

— Va ! dit-il à Carmela. Va ! Ce n'est pas ta guerre !

Elle veut répondre, mais il crie encore :

— Va !

Il se remet à tirer, et les partisans s'arrêtent. Certains sont touchés. Du coup, les autres déclenchent un feu nourri. Il est atteint une fois, deux fois, mais tire toujours. Une balle à la fois. Un vrai tir de sniper. Les partisans n'avancent plus. Ils crient :

— Rends-toi, Mori, on sait que c'est toi !

Il s'affaiblit. Le sang dégouline sur sa tenue de combat. Il se retourne. Carmela, le guide et les autres ont disparu. La bande de cartouches est vide. Il veut en changer, mais sa vue se brouille. Les partisans ont repris leur avance. Maintenant, ils marchent lentement, ils se méfient.

Les voilà qui surgissent. Lorenzo presse la détente, mais son doigt n'a plus de force. Il tombe à genoux. Une caresse effleure son visage, un parfum, il hume ce parfum.

— C'est toi, Julia ?

— Oui. Je suis venue te chercher.

— Enfin, dit-il encore, avant de basculer.

Laura ouvre un message transmis par porteur : « Laura, je suis arrivé trop tard. Ton père, accompagné de plusieurs personnes parmi lesquelles sans doute sa compagne Carmela, a tenté de passer la frontière avant d'être rejoint par deux unités de partisans qui avaient appris sa présence. De manière à retarder leur avance, il a occupé un poste de tir où il est resté jusqu'à la fin, permettant à ses compagnons de s'échapper. Ce que je puis te dire, c'est que les partisans qui ont trouvé son corps ont précisé qu'il avait le sourire aux lèvres. Dans sa main gauche, il tenait un bijou. Pedro. »

Au message est jointe une enveloppe contenant une bague montée à l'ancienne. À l'intérieur de l'anneau, elle lit : « 8 novembre 1915, Julia-Lorenzo. »

Sources

Pour écrire mon roman sur la période fasciste, j'ai dû évidemment consulter, lire près de cent cinquante ouvrages, la plupart italiens.

Les œuvres fondamentales sont celles du regretté Pierre Milza, en français, notamment son *Mussolini*, documenté, brillant, ainsi que l'œuvre immense de Renzo De Felice (dix volumes), qui est probablement le document le plus exhaustif, selon moi, jamais traduit en français sur le processus fasciste – tenants, développements et aboutissants –, malheureusement interrompu par son décès, alors qu'il rédigeait les derniers tomes sur la fin de Salo.

Mais il existe d'autres œuvres dont j'ai fait mon miel, consacrées aux personnages et aux événements marquants du ventennio et de la suite.

Concernant Galeazzo Ciano, la meilleure biographie, parmi toutes celles qui sont parues, est, selon moi, celle de Giordano Bruno Guerri, où se trouve le terrible récit de Vittorio Mussolini qui rapporte le dîner de famille avec Ciano, surnommé le Jardin de Gethsémani. Il faut aussi se pencher sur le journal du comte lui-même qui s'achève à la prison Scalzi, quelques jours avant son procès et son exécution.

Margherita Sarfatti a fait l'objet de plusieurs études.

Celle de Françoise Liffran me paraît être la plus complète (Le Seuil, 2009), mais ce qui m'a surpris, c'est de trouver en 2018 chez Electra un très beau volume illustré des œuvres du Novecento qu'elle a patronnées durant sa vie, à l'occasion de l'exposition qui lui est consacrée à Milan au Musée du XXe siècle et qui la venge, selon moi, *post mortem*, de l'ostracisme dont elle a fait l'objet au sein du milieu culturel italien, dans les temps qui ont suivi la guerre.

Il faut lire (en tout cas, je le recommande) les journaux de Clara Petacci, délicieux, impudiques, drôles et parfois émouvants, qui prennent fin en 1940, même si elle a continué d'écrire au-delà. Les années 1941 à 1945, qui viennent d'échapper au secret des œuvres, seraient en cours de dépouillement par les archivistes et historiens. Là aussi, et je le regrette, aucune traduction n'existe en français à ma connaissance de ce document profondément humain, tellement significatif de la personnalité de Mussolini.

Pour la séance du Grand Conseil fasciste des 24 et 25 juillet 1943, le mieux pour comprendre les événements est de lire Renzo De Felice qui consacre à ce sujet plus de trois cents pages dans sa biographie de Mussolini (*Mussolini l'alleato*, tome II).

D'autres textes écrits par les protagonistes du Grand Conseil sont souvent intéressants mais pas toujours concordants. Les Mémoires de Grandi et de Bottai ne racontent pas les événements de la même manière, sans parler de la version qu'en donnera Mussolini lui-même.

Enfin, en 2018, est paru l'essai du grand historien Emilio Gentile (*25 lugio 1943*, Laterza) qui présente de manière argumentée et troublante l'ordre du jour de Grandi comme la sanction d'une abdication finalement souhaitée par Mussolini, totalement conscient que tout était perdu.

Du même auteur :

Une jeunesse italienne,
prix Jean-Carrière 2014, Anthema.

Retour à Palerme,
Aubéron.

Ciao bella,
Aubéron.

Faena,
Singulières.

Les Vies parallèles,
Lacour.

Retour des dieux,
Lacour.

Rendez-vous après la guerre,
Lacour.

Le Scribe de César,
Huguette Bouchardeau.

Les Haines vigilantes,
Lacour.

Le Retour de Mathilde,
Huguette Bouchardeau.

Les Guetteurs d'orage,
Lacour.

Les Passions mitoyennes,
Jean-Claude Lattès.

Un notable affranchi,
Herme.

Femmes obscures vers la maison carrée,
Lacour.

Le Jeu de Jan,
Fanval.

Le Manipulateur,
Trévise.

Procès pour une amante défunte,
Trévise.

L'Audience solennelle,
Grand Prix de littérature policière 1982, Trévise.

Le Livre de Poche s'engage pour l'environnement en réduisant l'empreinte carbone de ses livres. Celle de cet exemplaire est de :
1,5 kg éq. CO_2
Rendez-vous sur www.livredepoche-durable.fr

Composition réalisée par Soft Office

Achevé d'imprimer en France par
CPI BUSSIÈRE (18200 Saint-Amand-Montrond)
en mars 2022
N° d'impression : 2063347
Dépôt légal 1re publication : novembre 2021
Édition 02 - mars 2022
LIBRAIRIE GÉNÉRALE FRANÇAISE
21, rue du Montparnasse – 75298 Paris Cedex 06

29/1188/3